ATLAS OF CENTRAL EUROPE

John Murray

Prepared by Kartographisches Institut Bertelsmann under the direction of Dr. W. Bormann

© Kartographisches Institut Bertelsmann, Gütersloh 1961, 1963

First published in Great Britain by John Murray (Publishers) Ltd., 50 Albemarle Street, London W. 1, 1963

Printed by Mohn & Co, Gütersloh

This **Atlas of Central Europe** originally formed a self-contained section of the German edition of the **Grosse Bertelsmann Weltatlas,** and for technical reasons a number of its original features (e.g. the numbering of the maps from 101 upwards) have had to be retained in this edition. These slight impediments will weigh very little, however, in comparison with the advantages of this collection: the maps are on a larger scale, and far more fully indexed (with 37,000 entries), than in any comparable British or American atlas, while the excellence of the cartographic technique speaks for itself.

Arising from the German origin of the atlas are two points which deserve special mention. First, as a normal but not quite invariable rule, in the maps certain names of places, rivers, etc., are given first in their German form (e.g. Prag) and then in their local or "international" form (Praha), whereas the English version (Prague) does not appear either in the maps or in the main index. A supplementary index of English equivalents has therefore been provided giving the alternative international or German forms and the appropriate map references. Secondly, the boundaries of Germany of 1937 as well as the current boundaries are shown; and areas east of the Oder-Neisse line which are commonly shown in English atlases as part of Polish or Soviet territory are here referred to as "administered by Poland" (or the U.S.S.R., as the case may be). This, though perhaps unfamiliar to some of the users of this atlas, is in keeping with the *de jure* status of these areas and with the official standpoints of the British, U.S. and French governments. In these areas the German versions of names are shown on the maps; in the index, the Polish or Russian equivalents are invariably given, thus providing a useful reference to the changes of names in these areas since 1945.

K. A. Sinnhuber
Department of Geography
University College London

CONTENTS

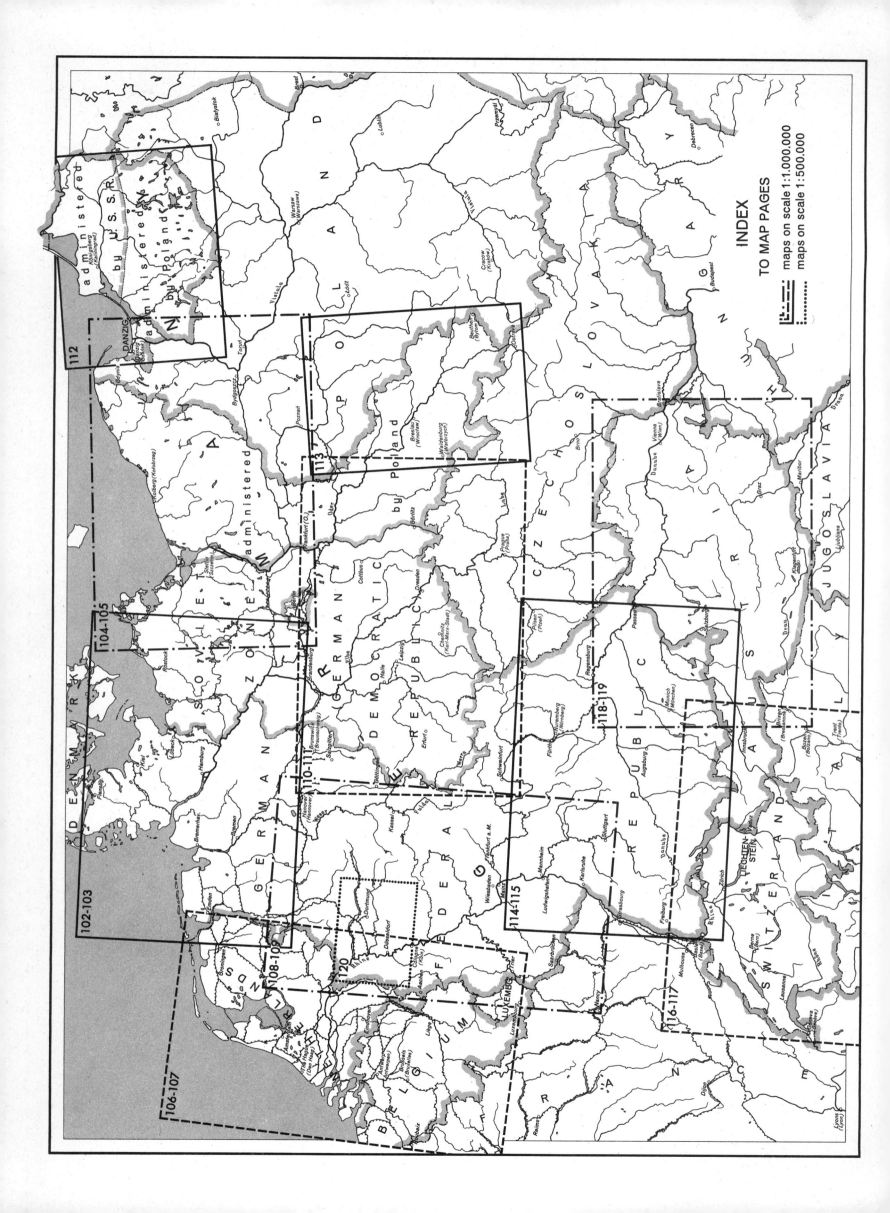

INDEX
TO MAP PAGES

□ maps on scale 1:1.000.000

▭ maps on scale 1:500.000

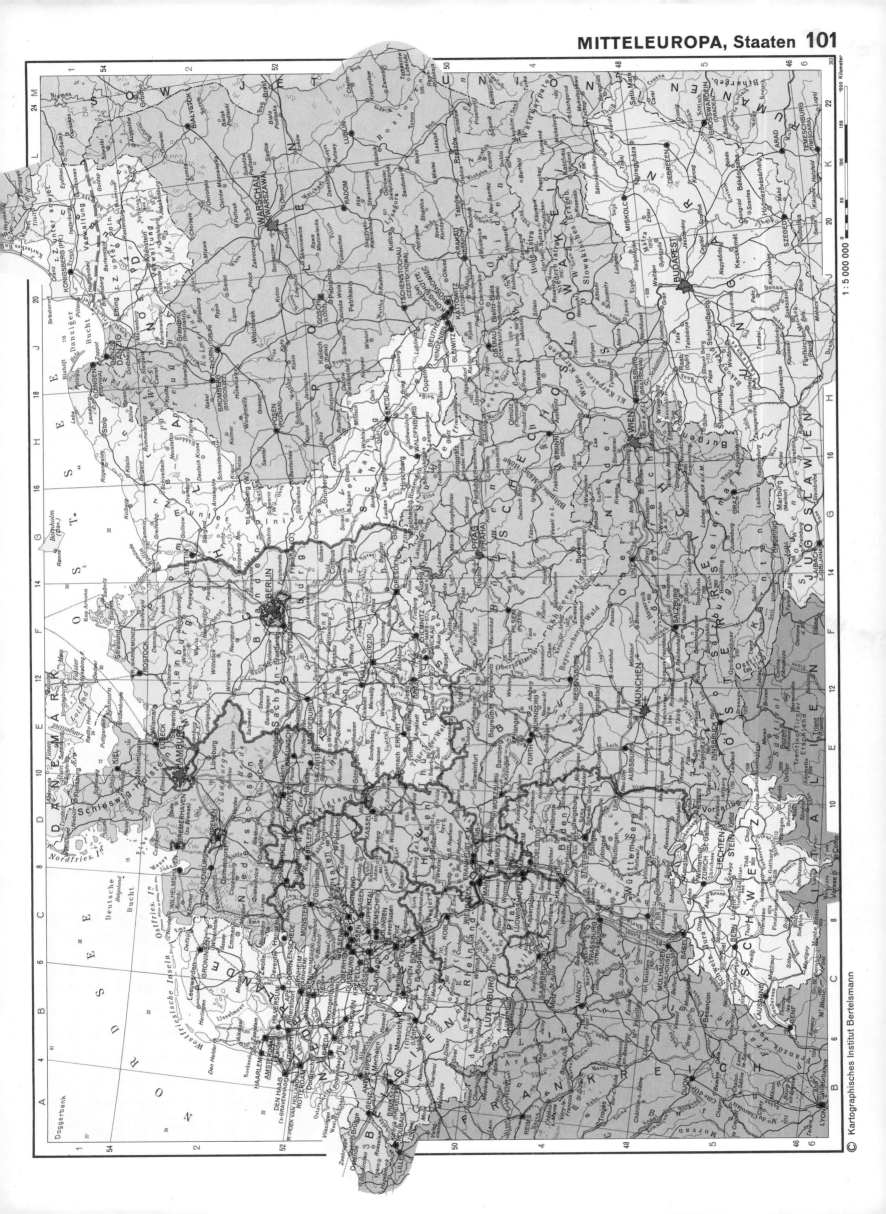

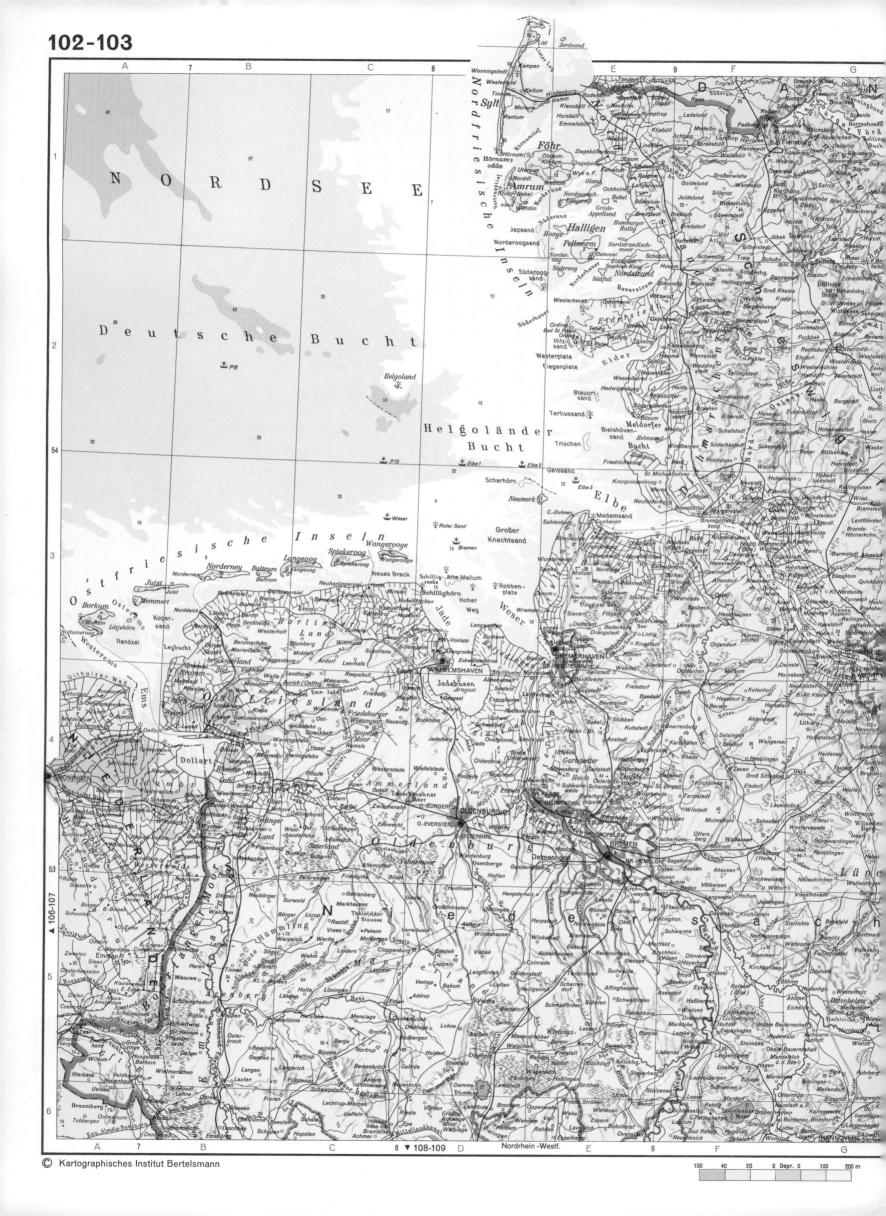

1 : 1 000 000

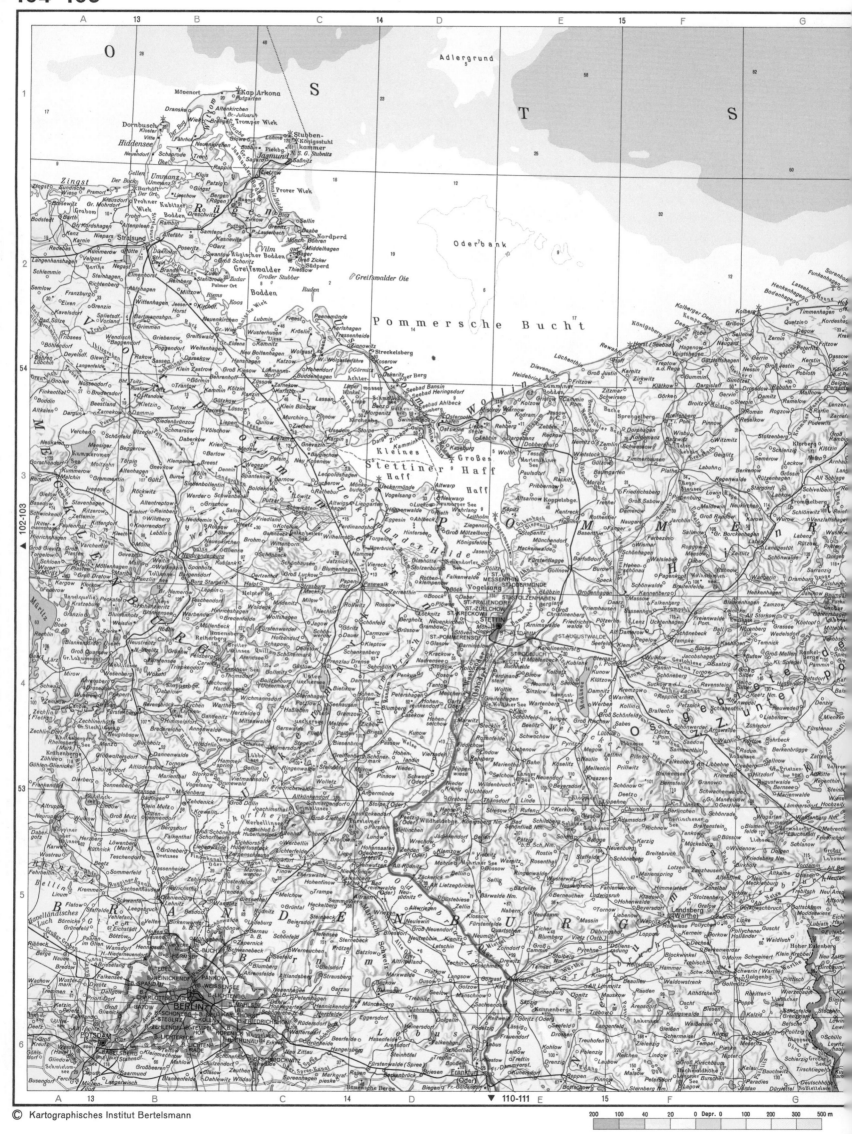

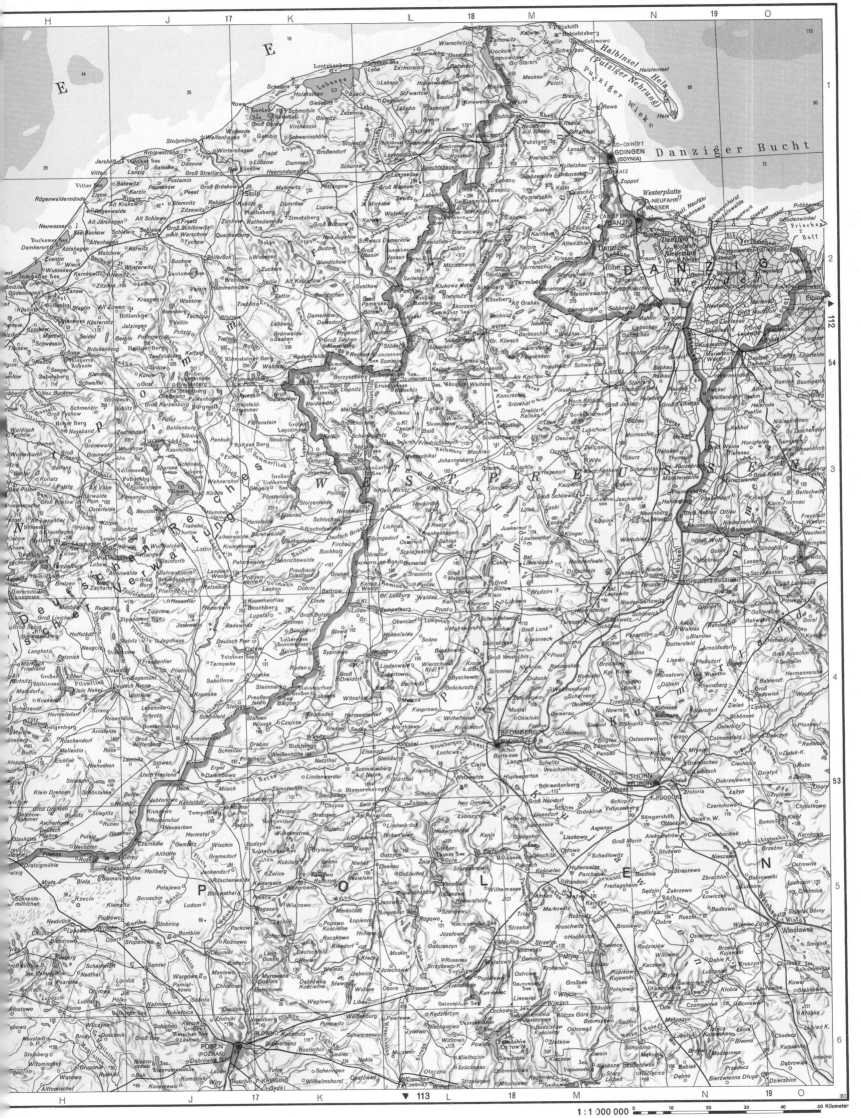

1 : 1 000 000   0   10   20   30   40   50 Kilometer

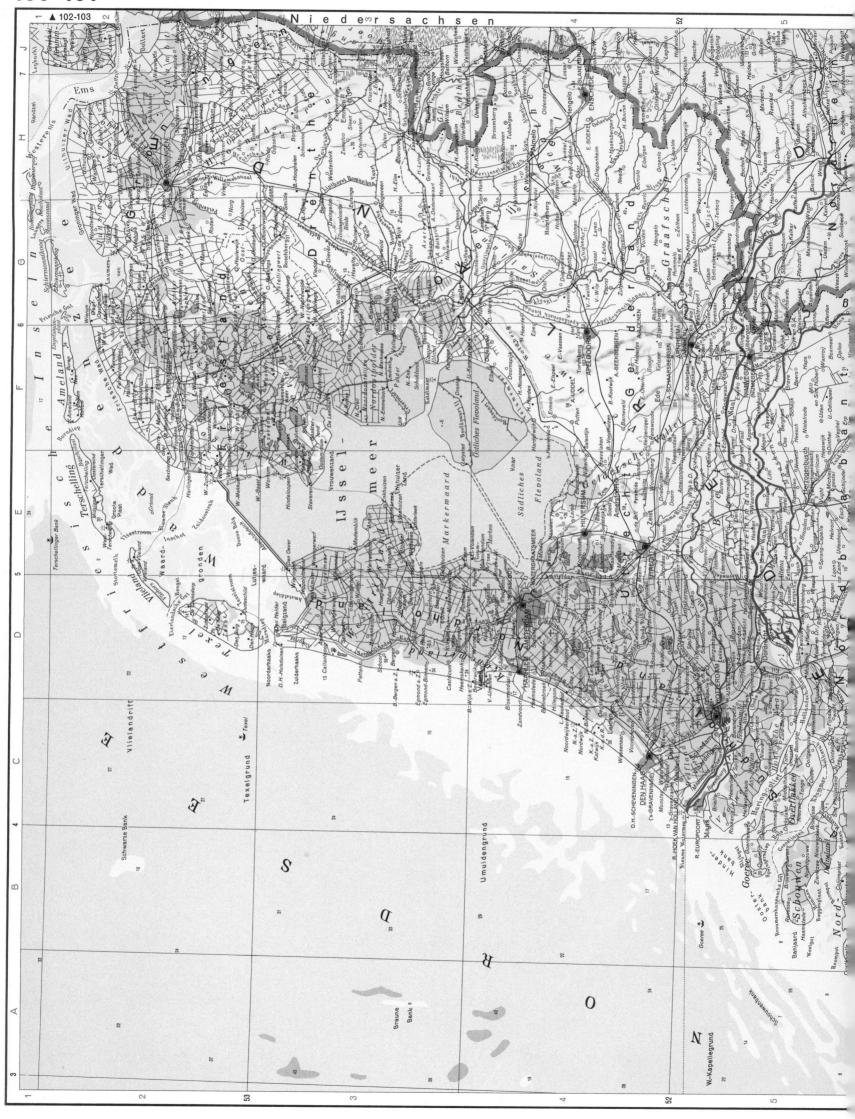

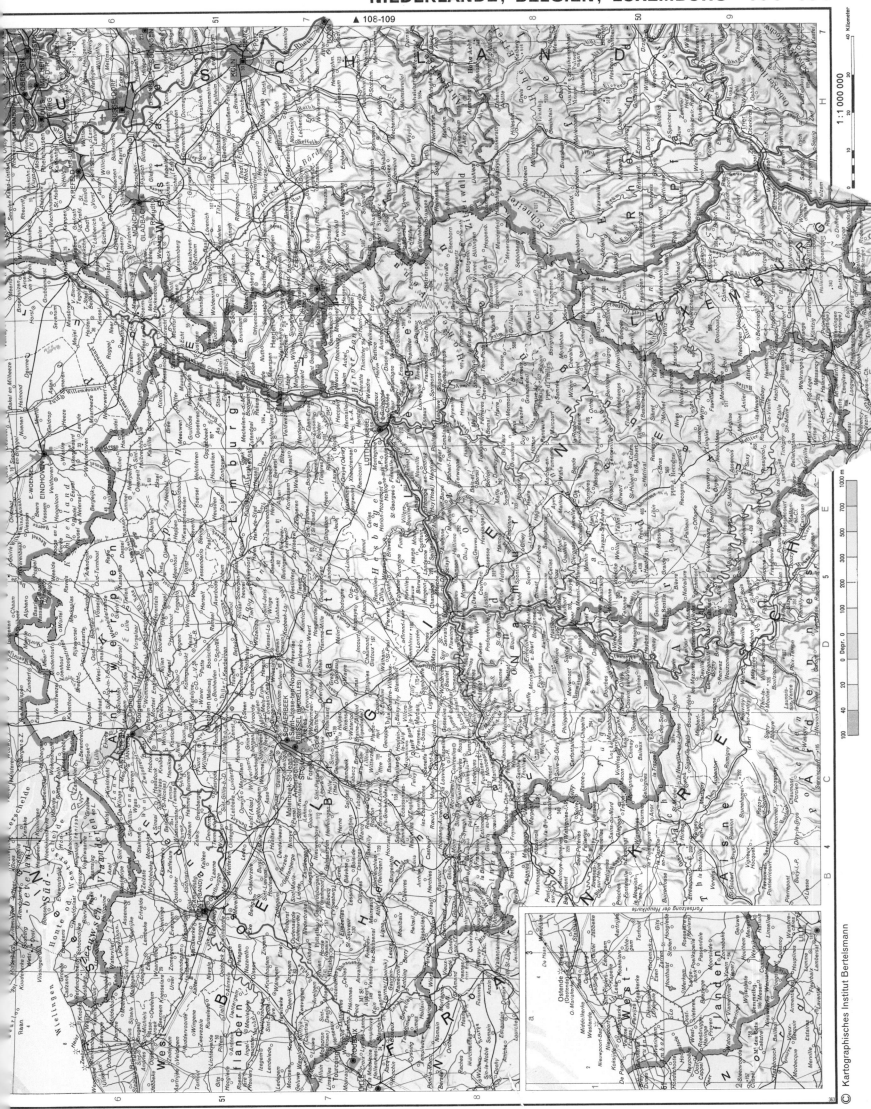

1:1 000 000

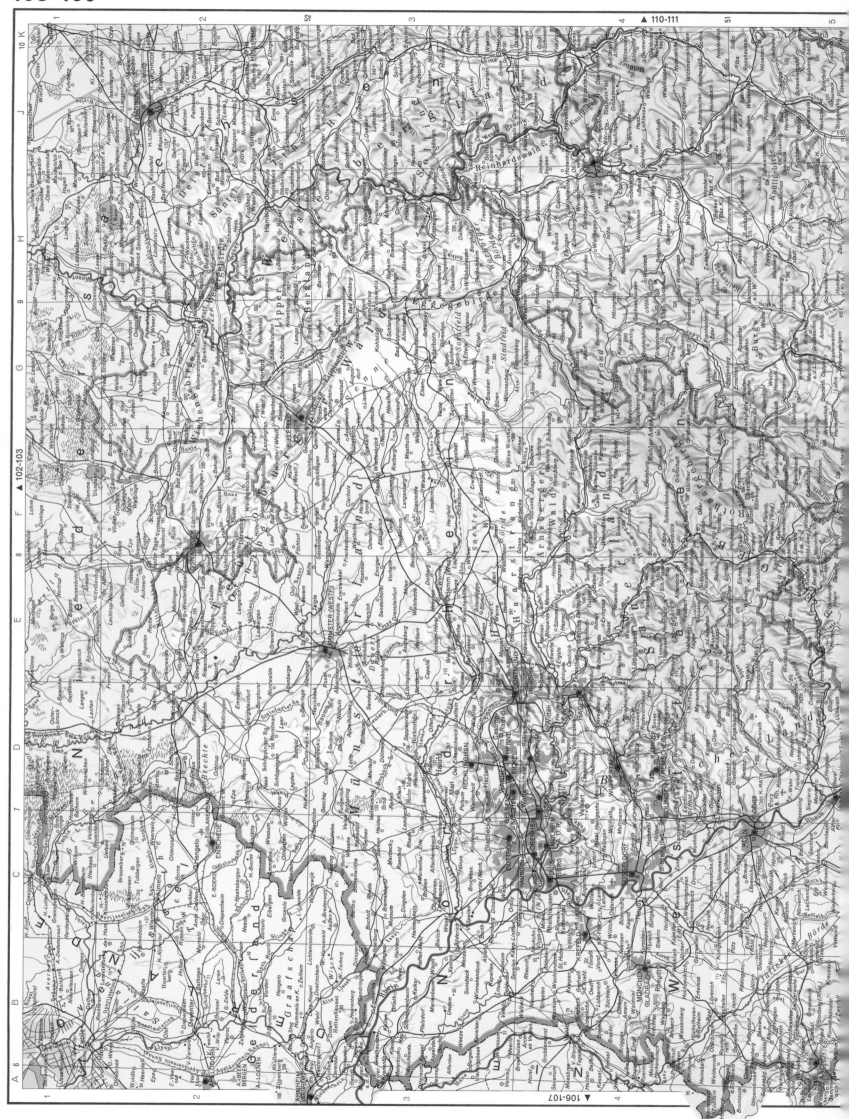

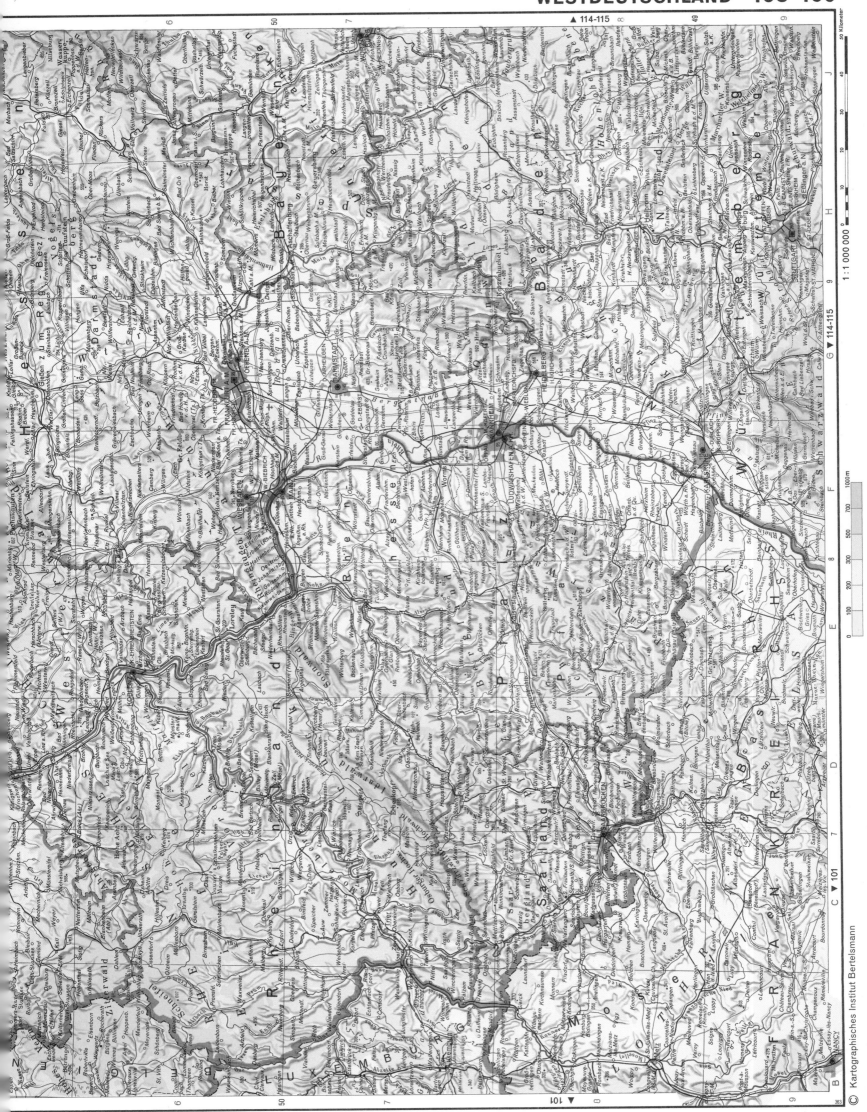

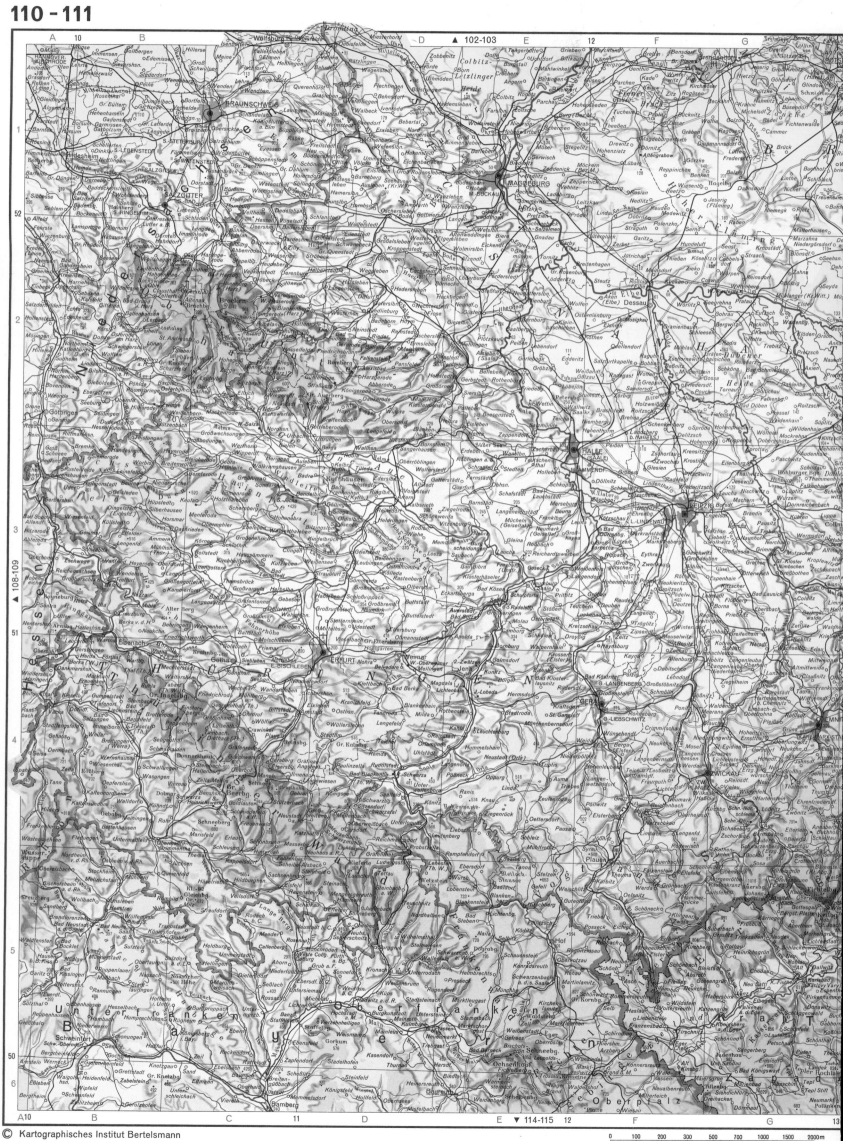

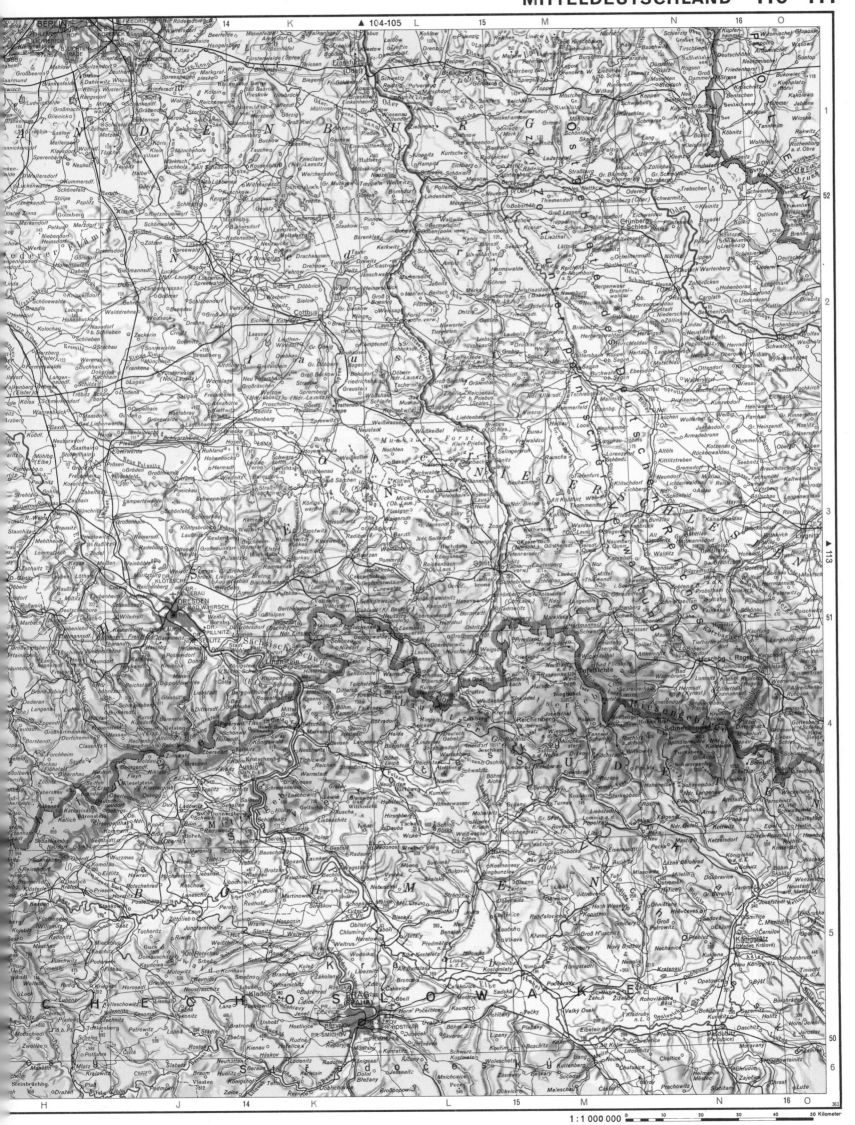

1 : 1 000 000

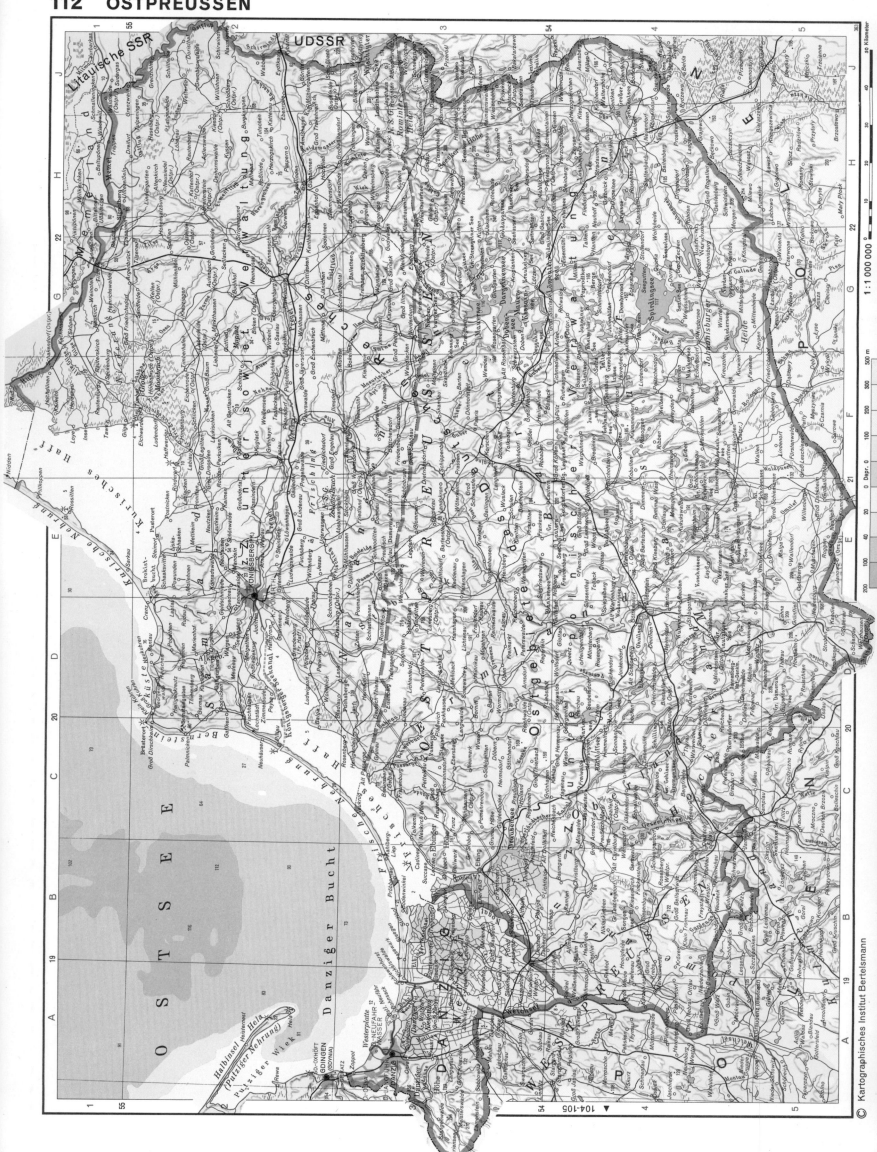

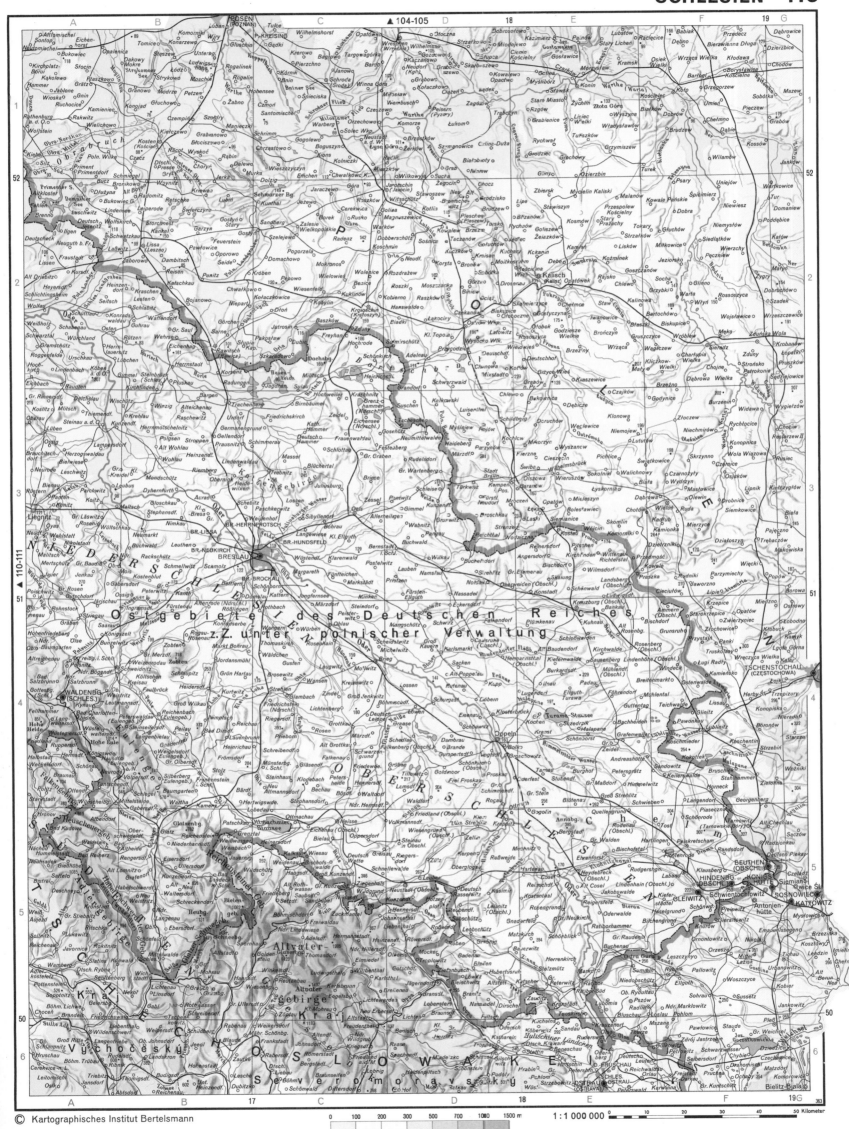

1 : 1 000 000

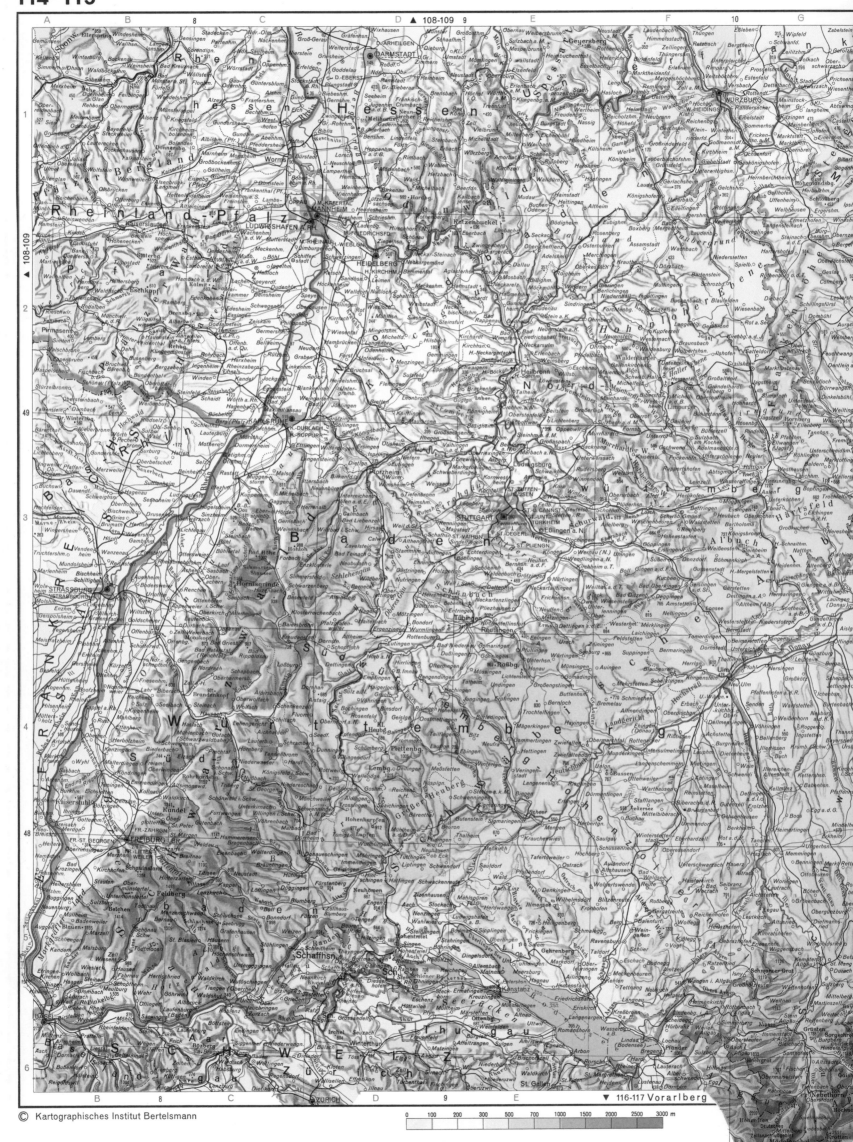

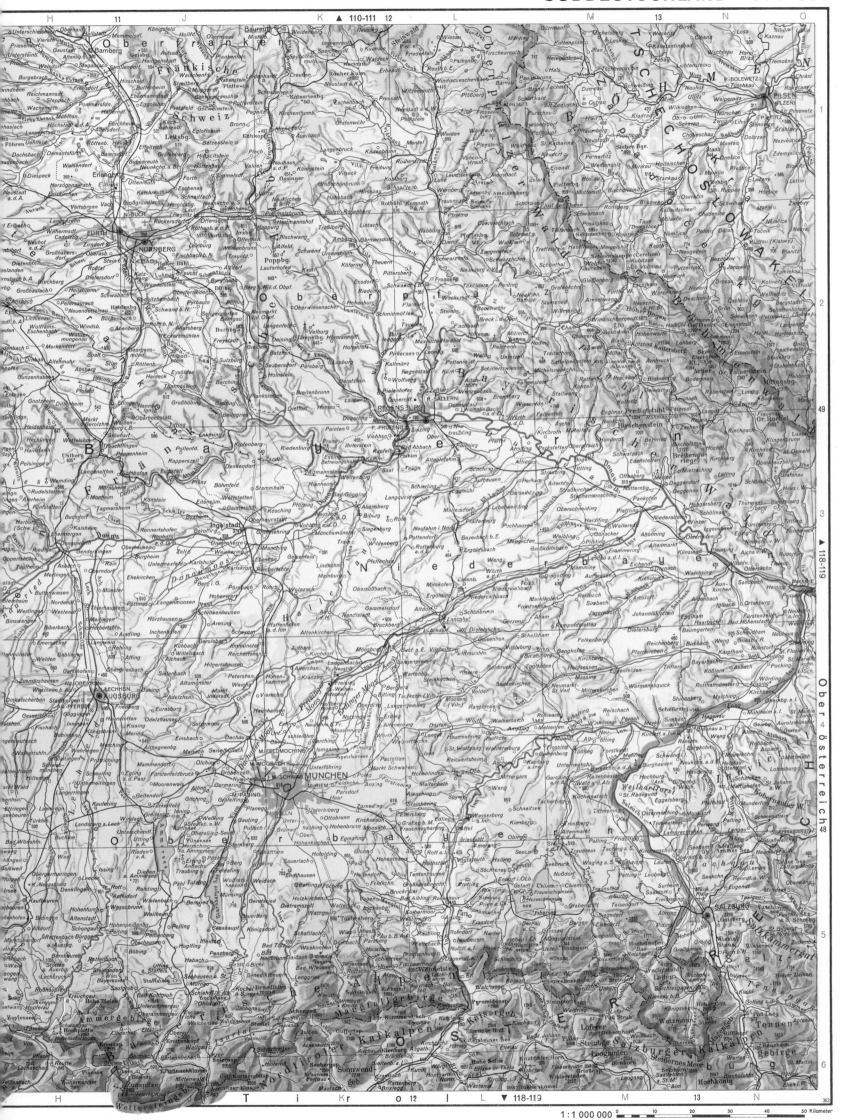

1 : 1 000 000

	0	100	200	300	500	700	1000	1500	2000	2500	3000	>3000 m

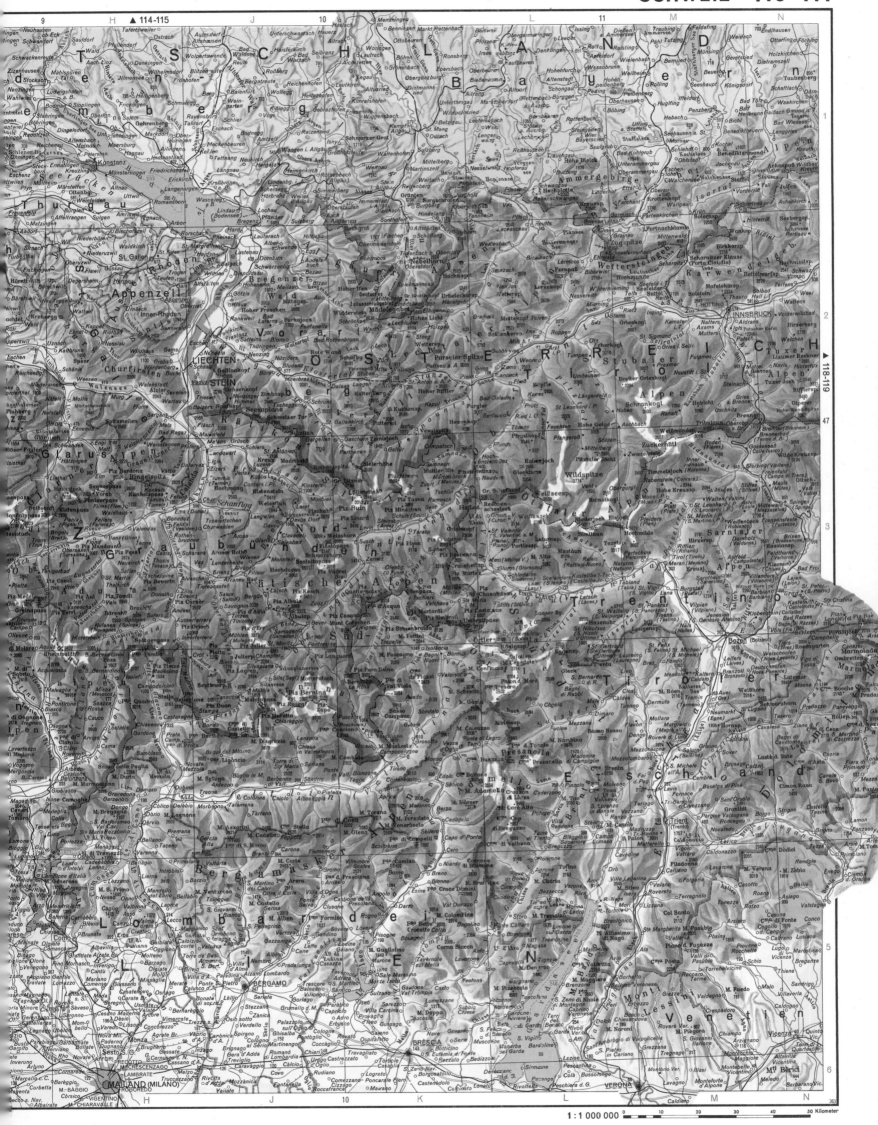

1:1 000 000   0 10 20 30 40 50 Kilometer

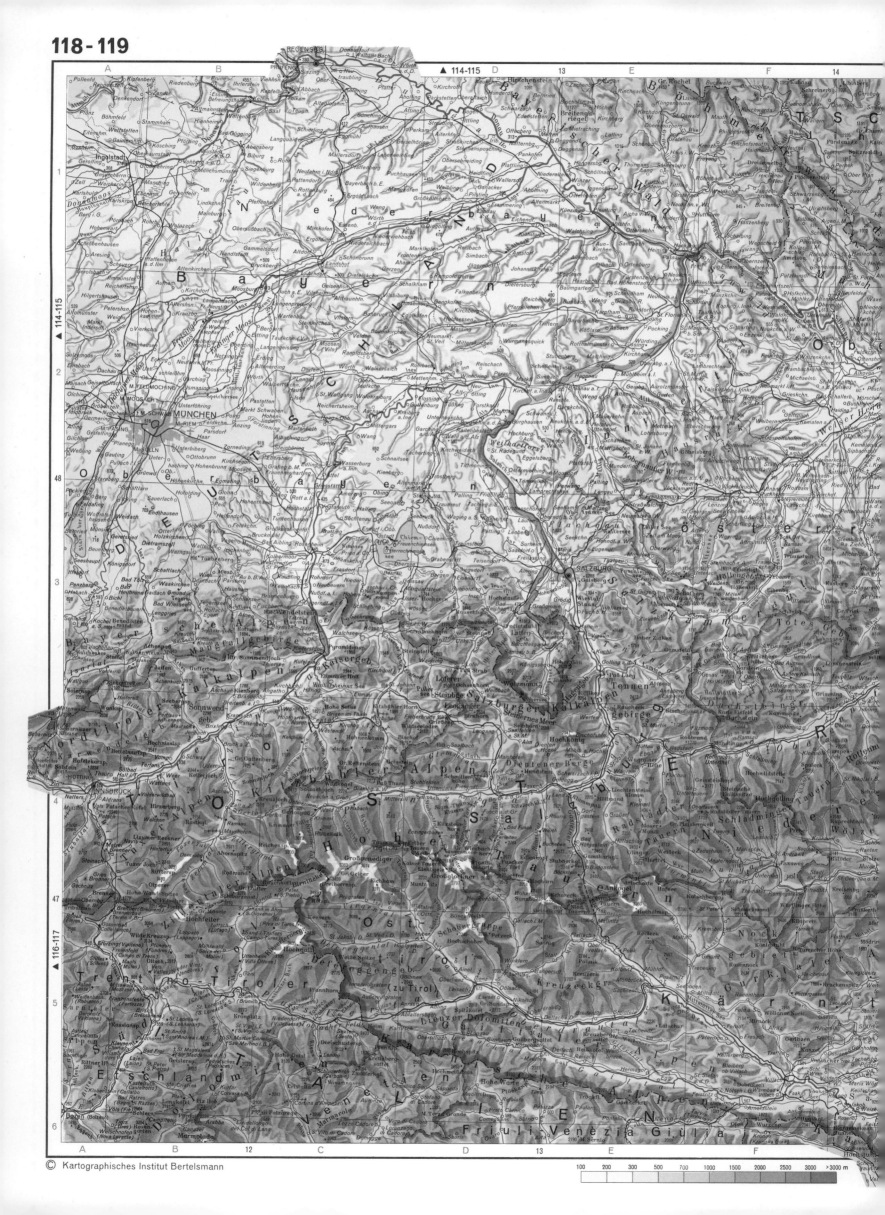

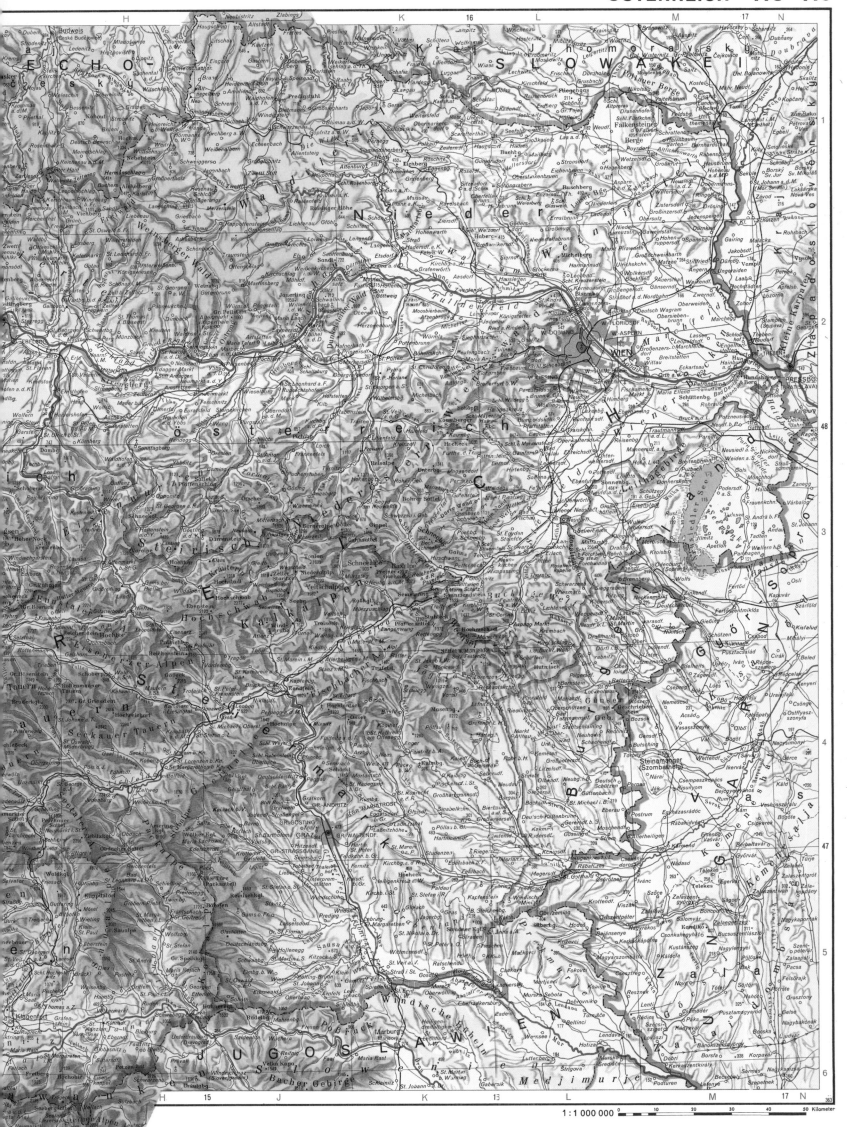

1 : 1 000 000   0   10   20   30   40   50 Kilometer

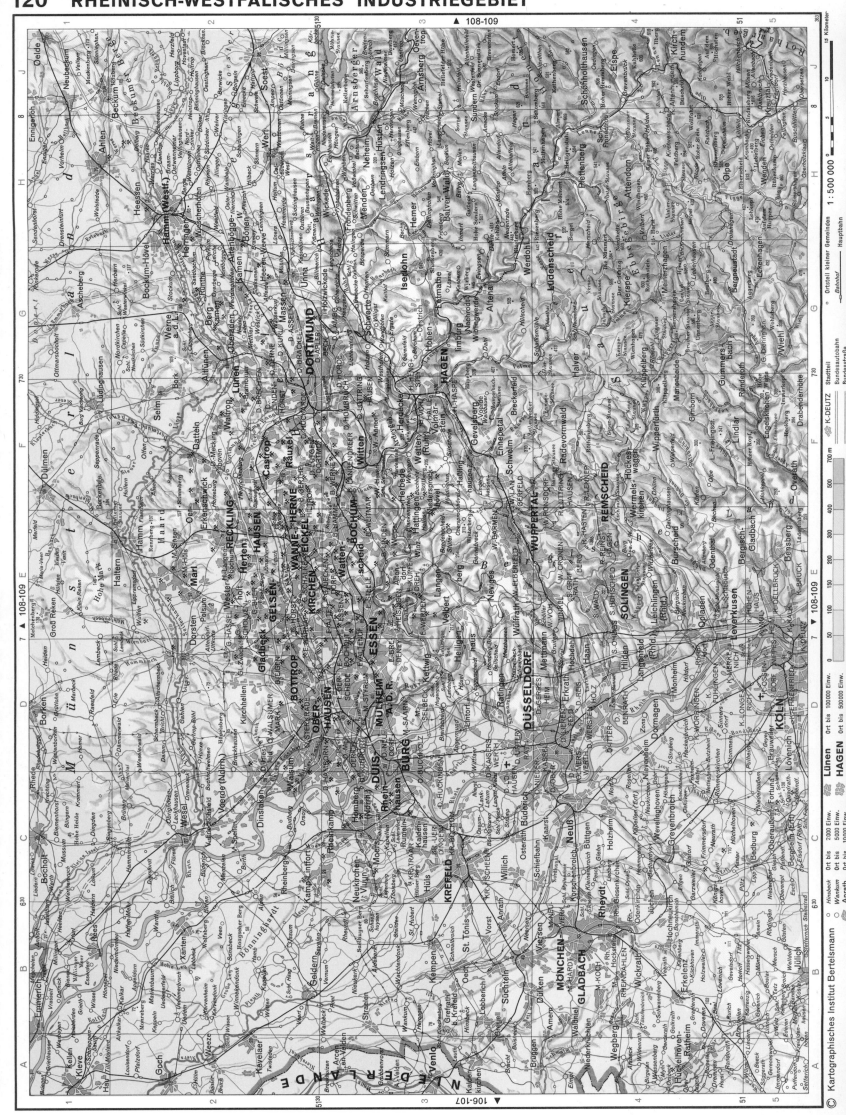

GLOSSARY OF GERMAN GEOGRAPHICAL TERMS

Acker: field (arable)
Alb: alp
Alm, Alp: mountain pasture
alt: old
an, am: on, on the
-au, Aue: riverside-meadow
auf: on
Autobahn: motorway

Bach: stream
Bad: spa
Bahnhof: railway station
Bank: sand bank
Baum: tree
bei: near
Belt: strait
Berg, -e: mountain(s)
Bergland: mountain region
Bischof: bishop
blau: blue
Bodden: shallow bay
Boden: ground, soil
Börde: fertile loess plain
-born: spring
breit: broad
-bronn: (healing) spring
Bruch: marsh, bog
-brück, -en: bridge
-brunn: spring
Buche: beech
Bühel, Bühl: small hill
Bundes-: federal
Burg: castle

Dach: roof
Damm: dam
Deich: dike, sea wall
der, die, das: the
Dorf: village

Ebene: plain
-eck: corner, angle, edge
Einwohner: inhabitants
Eis: ice
Eisen: iron
Eisenbahn: railway
Erz: ore
-ey: island

Fähre: ferry
Feld, -felde(n): field (arable)
Fels: rock
Fluß: river
Förde: deep sea inlet
Forst: forest
frei: free
fremd: foreign
Fürst, -en: prince(s)
Furt, Fürth: ford

Garten: garden
Gau, -gäu: district, region
Gebirge: mountain range
Gemeinde: commune, civil parish,
  borough
-gemünd: mouth
Gipfel: top, peak
Gletscher: glacier
Graben: ditch, trench
Grat: ridge
groß: large
grün: green
Grund: ground
Gut; gut: estate; good

Hafen: harbour, port
Haff: lagoon (on Baltic coast)
-hagen: enclosure
Hain: grove
Halbinsel: peninsula
Hall: salt
-hammer: ironworks
Hardt: range of wooded hills
-hau: clearing
Haupt-: main
Haus, -hausen: house, settlement
-haven: harbour, port
Heide: heath
heilig: holy
-heim: home, settlement
Hinter-: behind, thither
hoch: high
Hof, -hofen, -höfen: farm(s)
Höhe, Hoher-: height, high
Holz: wood
Horn: peak
Hügel: hill
-husen: house, settlement
-hütte: ore smelting place

in, im: in, in the
Insel: island

Kaiser: emperor
Kamm: crest
Kammer: chamber
Kanal: canal
Kap: cape
Kapelle: chapel
Kar: cirque, corrie
Kirche: church
Klamm: ravine, defile
Klause: hermitage, defile
klein: small
Kloster: monastery, convent
Kofel, Kogel, Kögl: rounded
  mountain top
König: king
Koog: land reclaimed from sea, polder

Kopf: head
Kreis: circle, district
Kreuz: cross
Kuppe: dome, rounded hill-top

Land: land
Landschaft: region
lang: long
-loch: hole
Luch: marsh, bog

Mark: border(land)
Markt: market (town)
Marsch, -marschen: marsh(y land)
Meer: sea
Mittel-, Mitten-: middle
Moor: peat bog, moor(land)
Moos: moss, swamp, bog
Mühle, -mühl: mill
-münd, -e: mouth
-münster: minster

Naturschutzpark: Nature Reserve
Neben-: supplementary, branch
Nehrung: spit of land (on Baltic
  coast)
neu: new
Nieder-: lower, nether
Nord(er)-: north, northern

Ober-: upper
-oog: island
Ort: place
Ortsteil: part of a place, town
  quarter
Ost-: East, eastern

Park: park
Paß: pass, col
Platte: plain, plateau

Quelle: spring

reich, Reich: rich; realm,
  empire
-reute, -reuth: land cleared for
  cultivation
Ried: reed, marsh(land)
-roda, -rode(n): see -reute
rot: red
-rück, Rücken: back, ridge
Ruinenstätte: ruins

Salz: salt
Sand: sand
Sankt: saint
Schloß: castle, mansion, palace
Schnee: snow
schön: beautiful

schwarz: black
See, der; -, die: lake; sea
Seite; -n: side; lateral
Spitze: peak
Staat: state
Stadt, -städt: town, city
Stadtteil: city quarter
-statt, -stätt: -ton
Stausee: reservoir
-stedt: -ton
-steig: small path
Stein: stone
-stetten: -ton
Stock: massif
Strand: beach
Straße: street, road
Süd(er)-: south, southern
Sumpf: swamp, bog
Sund: sound, strait

Tal: valley, vale
Teich: pond
-thal: valley, vale
tief: deep
Turm: tower

über: above
und: and
Unter-, unter: lower, under

Verbindung: link up
Verwaltung: administration
Verwaltungseinheit: administrative
  unit
vor, Vorder-: before, hither

Waid-: pasture, meadow; hunting
  (rarely)
Wald, -walde: wood, forest
Wall: rampart
Wand: precipice, (rock) face
Warft, Wurt: coastal settlement
  mound
Wasser: water
Weg: path
Weide, -weiden: pasture
-weier: hamlet
Weiher: small pond
-weil, Weiler: hamlet
Wein: wine, vine
weiß: white
Werder, Werth: river-islet, holm
West(er)-: west, western
Wiese: meadow
Winter: winter
Wohld: wood, forest

Zell, -zell: (monk's) cell
z.Z. (= zur Zeit): at present

The alphabetical order employed in the index follows the normal Latin order as used in German and English. Dipthongs, Umlaute and letters with accent marks are entered as simple Latin letters, e.g. ä = a, c = c, German ß = ss.

The first figure after a name in the index refers to the number of the sheet or double sheet on the largest scale on which the name occurs. For larger regions, mountain groups, seas and rivers, reference is made to maps on smaller scales on which they appear completely. If there is no such map then the references are given to all the maps on which a part of the region, etc., is shown. The letters and figures after the sheet number refer to the graticule rectangle wherein the name occurs, or to the graticule rectangle across which the name extends. This applies also to names of places; the location of the place symbol is only considered by the reference number if name and symbol are located in different rectangles. Names abbreviated on the maps are spelt out in the index. The alphabetisation of place names with additions such as Bad, Sankt, etc., is done by the principal word as well as by the modifying word, e.g. Bad Ischl occurs as Bad Ischl and as Ischl, Bad. Geographical names, however, are alphabetised by the principal word only, e.g. Langres, Plateau de. Additions in square brackets serve to distinguish identical names by giving the reference to the different areas where these names occur or difference of kind e.g. Waldeck [Bayern], Waldeck [Hessen]; Usedom [Insel], Usedom [Ort]. Additions to names not in square brackets represent their official designation: e.g. Chalon-sur-Saône. Within the German-speaking areas, such additions follow official usage which frequently prescribes round brackets, e.g. Münster (Westfalen). To a limited degree international names have been included in the index and reference is then made to the form given on the map, e.g. Flandre occidentale = Westflandern. The same applies in cases where names have been changed, or where more than one official language exists, or in areas under foreign administration, e.g. Kochem = Cochem, Anvers = Antwerpen, Wrocław = Breslau. In many instances the references are also given in reverse order e.g. Gent [= Gand]. In the eastern areas of Germany under foreign administration the index attempts to do this in all cases. The index includes also names of some importance which for lack of space have had to be omitted from the map; these are mostly names of places and are located by reference to a nearby place which is shown on the map, the distance and compass direction from it being indicated thus: e.g. Hawangen [4 km ↖ Ottobeuren 114–115 G 5].

The supplementary index gives English versions, which are not in the main index, of names – including some forms that are uncommon or obsolescent. In all those cases where an international name is employed on the map the reference given is to it and not to the German version, even though the German form is in these cases the principal form used on the map, i.e. takes first place and is printed larger, e.g. Ostend = Oostende and not = Ostende. Where, however, only the German equivalent appears on the map, reference is made to this, e.g. Geneva, Lake = Genfersee.

INDEX OF ENGLISH EQUIVALENTS OF NAMES

Aix la Chapelle = Aachen 108-109 B 5
Alsace = Elsaß 101 C 4-5
Antwerp = Antwerpen 106-107 C 6
Aosta Valley = Val d'Aosta 116-117 DE 5
Austria = Österreich 116-117, 118-119

Baltic Sea = Ostsee 101 F-J 1
Basle = Basel 116-117 DE 1
Bavaria = Bayern 101 E 4
Bavarian Alps = Bayerische Alpen 114-115 H 6-L 5
Bavarian Forest = Bayerischer Wald 114-115 L 2-N 3
Belgium = Belgien 106-107
Berne = Bern 116-117 D 3
Bernese Alps = Berner Alpen 116-117 D 4-F 3
Beskides = Beskiden 101 JK 4
Black Forest = Schwarzwald 114-115 B 5-C 3
Bohemia = Böhmen 101 FG 4
Bohemian Forest = Böhmerwald 101 FG 4
Bois le Duc = s'Hertogenbosch 106-107 EF 5
Brigue = Brig 116-117 EF 4
Brunswick = Braunschweig 110-111 C 1
Brussels = Bruxelles 106-107 C 7

Carinthia = Kärnten 118-119 E-H 5
Carlsruhe = Karlsruhe 114-115 C 2-3
Carnic Alps = Karnische Alpen 118-119 C-F 5
Carpathians = Karpaten 101 H-L 4
Carpathians, Little = Karpaten, Kleine 101 H 4
Coblenz = Koblenz [Germany] 108-109 DE 6
Coire = Chur 116-117 J 3
Cologne = Köln 108-109 C 5
Constance = Konstanz 114-115 E 5
Constance, Lake = Bodensee 116-117 HJ 1
Cracow = Kraków 101 JK 3
Crefeld = Krefeld 120 C 3
Czechoslovakia = Tschechoslowakei 101

Danube = Donau 101 G 4
Danzig, Gulf of = Danziger Bucht 112 AB 2
Denmark = Dänemark 101, 102-103
Dolomites = Dolomiten 118-119 B 6-C 5, 116-117 MN 4
Dunkirk = Dunkerque 101 A 3

Eastern Districts of Germany (administered by Poland resp. U.S.S.R.) 101
East Frisian Islands = Ostfriesische Inseln 102-103 A-C 3

East Germany 101
East Prussia = Ostpreußen 112 C-G 3
Enclosing Dam = Abschlußdeich 106-107 E 2-3

Flanders = Vlanderen, Flandern 106-107 A-C 6-7
Flushing = Vlissingen 106-107 AB 6
France = Frankreich 101
Franconia = Franken 114-115 E-H 1, G 1-J 3, H-K 1
Franconian Jura = Fränkische Alb 114-115 H 3-K 1
Frankfort-on-Main = Frankfurt am Main 108-109 G 3

Geneva = Genève 116-117 B 4
Geneva, Lake = Genfersee 116-117 BC 3-4
German areas under foreign administration 101
German Democratic Republic 101
German Federal Republic 101
Germany 101
Ghent = Gent 106-107 B 6
Giant Mountains = Riesengebirge 110-111 MN 4
Glarus, Alps of = Glarner Alpen 116-117 GH 3
Grisons = Graubünden 116-117 H-K 3

Hague, The = Den Haag 106-107 C 4
Hamelin = Hameln 108-109 H 2
Hamlin = Hameln 108-109 H 2
Hanover = Hannover 108-109 J 2
Heligoland = Helgoland 102-103 C 2
Heligoland Bay = Deutsche Bucht 102-103 A-C 2
Hesse = Hessen 110-111 C 1
Hook of Holland = Hoek van Holland 106-107 BC 4-5
Hook, The = Hoek van Holland 106-107 BC 4-5
Hungary = Ungarn 101

Italy = Italien 101, 116-117

Jugoslavia = Jugoslawien 101

Kiel Canal = Nord-Ostsee Kanal 102-103 FG 2

Leipsic = Leipzig 110-111 F 3
Leyden = Leiden 106-107 C 4
Limbourg = Limburg [administrative district] 106-107 EF 7
Limbourg = Limburg [place] 106-107 EG 7
Little Carpathians = Kleine Karpaten 101 H 4
Lombardy = Lombardei 116-117 H-K 5
Lorraine = Lothringen 101 BC 4
Lower Austria = Niederösterreich 118-119 H-L 1-2

Lower Bavaria = Niederbayern 114-115 K-N 3
Lower Franconia = Unterfranken 114-115 E-H 1
Lower Lusatia = Niederlausitz 110-111 J-M 2
Lower Saxony = Niedersachsen 101 GE 2
Lower Silesia = Niederschlesien 110-111 L-O 3, 113 A 3-C 4
Lucerne = Luzern 116-117 F 2
Lucerne, Lake = Vierwaldstätter See 116-117 FG 2-3
Lüneburg Heath = Lüneburger Heide 102-103 GH 4-5
Lusatia = Lausitz 110-111 J-M 2-3
Luxembourg = Luxemburg 106-107
Lyons = Lyon 101 B 6

Masuria = Masuren 112 D-H 4
Mayence = Mainz 108-109 F 6-7
Mechlin = Mecheln 106-107 CD 6
Middle Franconia = Mittelfranken 114-115 G 1-J 3
Middle Rhine Highlands = Rheinisches Schiefergebirge 108-109 B 6-F 4
Milan = Milano 116-117 H 6
Munich = München 114-115 K 4

Netherlands = Niederlande 106-107
New Waterway = Nieuwe Waterweg 106-107 BC 5
North Frisian Islands = Nordfriesische Inseln 102-103 D 1-2
North-Rhine Westphalia = Nordrhein-Westfalen 101 CD 3
North Sea = Nordsee 101 A 2-C 1
North Sea Canal = Nordsee Kanal 106-107 D 4
Nuremberg = Nürnberg 114-115 J 2

Ore Mountains = Erzgebirge 110-111 F 5-J 4
Ostend = Oostende 106-107 A 1

Palatinate = Pfalz 108-109 EF 8
Pennine Alps = Walliser Alpen 116-117 DF 4
Piedmont = Piemont 116-117 EF 5
Poland = Polen 101
Pomerania = Pommern 104-105 DH 3
Pomeranian Bay = Pommersche Bucht 104-105 DE 2
Pommerellia = Pommerellen 104-105 L 4-M 1
Pomorze = Pommern 104-105 D-H 3
Prague = Praha 110-111 K 5

Ratisbon = Regensburg 114-115 KL 2
Rhaetian Alps = Rätische Alpen 116-117 JK 3
Rheims = Reims 101 AB 4
Rhine = Rhein 101 C 3
Rhineland Palatinate = Rheinland-Pfalz 101 CD 3-4

Romania = Rumänien 101
Rumania = Rumänian 101

St. Gall = St. Gallen 116-117 H 2
Savoy = Savoyen 116-117 BC 5
Saxony = Sachsen 110-111 F 4-L 3
Silesia = Schlesien 101 G-J 3
Slovenia = Slowenien 101 F-H 5
Soleure = Solothurn 116-117 D-F 2
Soviet Zone of Germany 101
South Tyrol = Südtirol 116-117 L 3-M 4, 118-119 AB 5
Styria = Steiermark 118-119 H-K 4
Sudetes = Sudeten 101 G 3-H 4
Swabia = Schwaben 114-115 G 5-H 3
Swabian Jura = Schwäbische Alb 114-115 D 5-G 3
Swiss Jura = Schweizer Jura 116-117 C 3-E 2
Switzerland = Schweiz 116-117

Teutoburg Forest = Teutoburger Wald 108-109 E 2-G 3
The Hague = Den Haag 106-107 C 4
The Hook = Hoek van Holland 106-107 BC 4-5
Thuringia = Thüringen 110-111 B-E 4
Thuringian Forest = Thüringer Wald 110-111 B 4-D 5
Ticino = Tessin 116-117 G 4
Trent = Trento 116-117 M 4
Treves = Trier 108-109 C 7
Tyrol = Tirol 116-117 LM 2, 118-119 BC 4

Upper Austria = Oberösterreich 118-119 E-H 2-3
Upper Bavaria = Oberbayern 114-115 H-M 4
Upper Franconia = Oberfranken 114-115 H-K 1
Upper Lusatia = Oberlausitz 110-111 K-M 2-3
Upper Silesia = Oberschlesien 113 C 4-E 5

Vaud = Waadt 116-117 BC 3-4
Venetia = Venetien 116-117 MN 6, 118-119 CG-D 5
Vienna = Wien 118-119 LM 2
Vistula = Weichsel 101 K 3

Warsaw = Warszawa 101 KL 2
West Frisian Islands = Westfriesische Inseln 106-107 D 2-G 1
Westphalia = Westfalen 101 CD 3
West Prussia = Westpreußen 104-105 K-O 3

Yssel Lake = IJsselmeer 106-107 EF 3
Yugoslavia = Jugoslawien 101

Zuider Zee = IJsselmeer 106-107 EF 3

A 4

REGISTER

ZUM KARTENTEIL »MITTELEUROPA«

Die erste Zahl hinter den Namen des Verzeichnisses gibt die Kartenseite oder Kartendoppelseite des größten Maßstabes an, auf der der Name zu finden ist. Größere Landschaften, Gebirge, Meere und Flüsse sind von den Karten in kleinerem Maßstab erfaßt worden, auf denen sie ganz dargestellt sind, oder aber mit entsprechenden Hinweisen auf alle Karten, wenn sie abschnittsweise wiedergegeben werden. Die Buchstaben und Zahlen hinter der Kartenseitenangabe bezeichnen das Gradfeld, in dem der gesuchte Name steht, oder die Gradfelder, über die sich der Name erstreckt. Dasselbe gilt auch für die Namen der Siedlungen: Die Lage des Ortszeichens ist nur dann in die Gradfeldangabe einbezogen worden, wenn die Signatur und der Name in verschiedenen Gradfeldern stehen. Die in der Karte gekürzten Namen sind im Verzeichnis ausgeschrieben. Die alphabetische Reihenfolge berücksichtigt auch den vorangestellten Namenzusatz – z. B. Bad, Saint. Bei den geographischen Namen sind die Bestimmungswörter nachgestellt – z. B. Langres, Plateau de –. Nachgestellte geklammerte Zusätze dienen der Unterscheidung bei Gleichnamigkeit – z. B. Waldeck [Bayern], Waldeck [Hessen]; Usedom [Insel], Usedom [Ort]. Nicht in Klammern stehende Zusätze bei Ortsnamen entsprechen den amtlichen Bezeichnungen – z. B. Chalon-sur-Saône –, die besonders im deutschen Sprachbereich auch eingeklammert sein können – z. B. Münster (Westfalen). In gewissem Umfange sind auch internationale Namen und darüber hinaus abweichende lauttranskribierte Namen aufgenommen worden, wobei auf den in der Karte stehenden Namen verwiesen wird – z. B. Milano = Mailand, Montwy = Mątwy. Das gleiche gilt bei Umbenennung, Mehrsprachigkeit oder fremder Verwaltung – z. B. Kochem = Cochem, Anvers = Antwerpen, Wrocław = Breslau –, wobei gegebenenfalls die Hinweise auch in umgekehrter Reihenfolge gegeben werden – z. B. Antwerpen [= Anvers]. In den deutschen Ostgebieten ist dieser doppelte Verweis in größtmöglicher Vollständigkeit durchgeführt – z. B. Breslau [= Wrocław], Wrocław = Breslau. Das Verzeichnis führt auch Namen von Wichtigkeit auf, die aus Platzgründen nicht in die Karte aufgenommen werden konnten. In der Hauptsache handelt es sich dabei um Ortsnamen mit Hinweis auf den Namen einer in der Nähe liegenden und in der Karte angegebenen Siedlung unter Angabe der Entfernung und Himmelsrichtung – z. B. ... [10 km ← Bern ...].

A

Aa [Deutschland, Fluß ▷ Alte IJssel] 108-109 C 3
Aa [Deutschland, Fluß ▷ IJssel] 108-109 C 2
Aa [Schweiz] 116-117 G 2
Aa = Weenrijs 106-107 D 5-6
Aabach 108-109 E 2
Aach [Fluß] 114-115 D 5
Aach [Ort] 114-115 D 5
Aachen [Ort, Verwaltungseinheit] 108-109 B 5
Aachen-Burtscheid [↓ Aachen 108-109 B 5]
Aach im Allgäu 114-115 FG 5
Aach-Linz 114-115 E 5
Aadorf 116-117 G 2
Aalbach 104-105 DE 3
Aalen 114-115 G 3
Aalsmeer 106-107 D 4
Aalst [= Alost] 106-107 C 7
Aalten 106-107 H 5
Aalten-Bredevoort 106-107 H 5
Aalter 106-107 A 6
Aar 108-109 F 6
Aarau 116-117 F 2
Aarberg 116-117 D 2
Aarburg 116-117 E 2
Aardenburg 106-107 AB 6
Aare 116-117 E 3
Aargau 116-117 E 1-F 2
Aarlen = Arlon 106-107 F 9
Aarschot 106-107 D 7
Aarsele 106-107 AB 7
Aar, Ter – 106-107 D 4
Aartrijke 106-107 A 6
Aartselaar [3 km ↘ Hemiksem 106-107 C 6]
Aarwangen 116-117 E 2
Aat = Ath 106-107 B 7

Abaschin [= Závišín] 110-111 G 6
Abbach, Bad – 114-115 L 3
Abbaye, L' 116-117 B 3
Abbehausen 102-103 D 4
Abbenhausen 102-103 E 5
Abbenrode 110-111 C 2
Abberode 110-111 D 2
Abcoude 106-107 D 4
Abelischken = Ilmenhorst 112 G 3
Abenberg 114-115 HJ 2
Abenheim 108-109 F 7
Åbenrå = Apenrade 101 D 1
Abens 114-115 K 3
Abensberg 114-115 K 3
Abersee [= Sankt-Wolfgang-See] 118-119 E 3
Abertamy = Abertham 110-111 G 5
Abertham [= Abertamy] 110-111 G 5
Abfaltersbach 118-119 D 5
Ablach 114-115 E 5
Abondance 116-117 C 4
Absberg 114-115 H 2
Abschlußdeich [= Afsluitdijk] 106-107 E 2-3
Abschwangen [= Tišino] 112 E 2
Absdorf 118-119 K 2
Absroth [= Opatov] 110-111 F 5
Abstal = Abstall 118-119 K 5
Abstall [= Apače] 118-119 K 5
Abstaller Feld 118-119 K 5
Abtau = Krzepice 113 F 4
Abtei = Sankt Leonhard
Abtenau 118-119 E 3
Abteroda 108-109 J 4
Abtsbessingen [3 km ↘ Ebeleben 110-111 C 3]
Abtsdorf [= Opatov] 113 AB 6
Abtsgmünd 114-115 FG 3
Abtshagen 102-103 O 2
Abtshagen [= Dobiesław] 104-105 H 2
Abtsroth = Absroth 110-111 F 5
Abtswind 114-115 G 1

Ach 114-115 H 3
Achdorf, Landhut- 114-115 L 3
Ache 114-115 L 5
Achel 106-107 E 6
Achen 116-117 N 1
Achêne 106-107 E 8
Achenkirch 116-117 N 1
Achenpaß 114-115 K 5
Achensee 116-117 N 2
Acher 114-115 C 3
Acherkogl 116-117 LM 2
Achern 114-115 C 3
Ach, Hochburg- 118-119 D 2
Achim 102-103 F 4
Achmer 102-103 C 6
Achstetten 114-115 FG 4
Achterwasser 104-105 C 2 - D 3
Achtkarspelen 106-107 G 2
Achtkarspelen-Buitenpost 106-107 G 2
Achtrup 102-103 EF 1
Acqua, Punta d' 116-117 K 3
Acquarossa 116-117 GH 4
Acren 106-107 B 7
Acsád 118-119 M 4

Adamello 116-117 KL 4
Adamello, Monte – 116-117 KL 4
Adamsdorf [= Sulimierz] 104-105 F 5
Adda 116-117 H 4
Addrup 102-103 D 5
Adegem 106-107 AB 6
Adelans 116-117 B 1
Adelberg 114-115 F 3
Adelboden 116-117 E 4
Adelebsen 108-109 J 3
Adelmannsfelden 114-115 FG 3
Adelnau [= Odolanów] 113 D 2
Adelsdorf 114-115 HJ 1
Adelsdorf [= Adolfovice] 113 C 5
Adelsdorf [= Zagrodno] 110-111 N 3
Adelsheim 114-115 E 2
Adelzhausen 114-115 J 4
Adenau 108-109 C 6
Adendorf 102-103 H 4
Aderklaa 118-119 LM 2
Adersbach [= Adršpach] 110-111 O 4
Àdige = Etsch 116-117 LM 4-5
Adinkerke 106-107 a 1
Adler 110-111 N 5
Adlergebirge 113 AB 5
Adlergrund 104-105 D 1
Adlerhorst = Rusko 113 C 2
Adlerkosteletz [= Kostelec nad Orlicí] 113 A 5
Adlersdorf [= Orłowo] 112 H 3
Adler, Stille – 110-111 O 5
Adlerswalde [= Saratovskoje] 112 H 2
Adlig Damerkow = Damerkow 104-105 K 2
Adlig Kessel [= Kociołek Szlachecki, 4 km ↑ Groß Zechen 112 G 4]
Adlig Waldau [= Wałdowo Szlacheckie] 104-105 N 4
Adlwang [3 km ↙ Waldneukirchen 118-119 G 3]
Admont 118-119 GH 3
Adolfovice = Adelsdorf 113 C 5
Adolphseck 108-109 J 5
Adorf [Hessen] 108-109 G 4
Adorf [Sachsen] 110-111 F 5
Adorp 106-107 GH 2
Adrara San Martino 116-117 JK 5
Adro 116-117 JK 5
Adršpach = Adersbach 110-111 O 4
Adula 116-117 H 3-4
Adulaalpen 116-117 H 3-4

Aegerisee = Ägerisee 116-117 G 2
Aëla, Piz d' 116-117 J 3
Aelen = Aigle 116-117 CD 4
Aerdt, Herwen en – 106-107 G 5
Ærø 102-103 H 1
Ærøskøbing 102-103 H 1
Aeschi bei Spiez 116-117 E 3

Affeln 120 H 3
Affeltrangen 116-117 H 1
Afferde [Niedersachsen] 108-109 HJ 2
Afferde [Nordrhein-Westfalen] 120 G 2
Afferden 106-107 FG 5
Affi 116-117 L 5
Affing 114-115 HJ 4
Affinghausen 102-103 E 5
Affoltern am Albis 116-117 FG 2
Affoltern im Emmental 116-117 E 2
Affori, Mailand- [= Milano-Affori] 116-117 H 5
Affori, Milano- = Mailand-Affori 116-117 H 5
Affenz 118-119 J 3
Afritz 118-119 F 5
Afte 108-109 G 3

Agendorf [= Ágfalva] 118-119 LM 3
Ager 118-119 F 3
Ägerisee 116-117 G 2
Ágfalva = Agendorf 118-119 LM 3
Agger 108-109 D 5
Aggerberg 120 G 5
Agger-Stausee 120 G 4
Aggsbach ≻→
Aggstein 118-119 JK 2
Ägidienberg 108-109 D 5
Agilla = Haffwerder 112 F 2
Agimont 106-107 D 8
Aglasterhausen 114-115 DE 2
Agnetendorf [= Jagniątków] 110-111 N 4
Agno 116-117 M 5
Agno [4 km ← Lugano 116-117 G 4]
Agogna 116-117 FG 5
Agrate Brianza 116-117 H 5
Agrone 116-117 L 5

Aham 114-115 LM 3
Ahaus 108-109 CD 2
Ahausen 102-103 F 4
Ahauser Stausee Bigge-Stausee 120 H 4
Ahin, Ben- 106-107 E 7
Ahlbeck 104-105 D 3
Ahlbeck, Seebad – 104-105 D 3
Ahlden 102-103 G 5
Ahlen 120 H 1
Ahlerstedt 102-103 F 4
Ahlhorn 102-103 D 5
Ahlsdorf [2 km ↙ Helbra 110-111 DE 2]
Ahnsbeck 102-103 H 5
Aholfing 114-115 L 3
Aholming 114-115 M 3
Ahorn [Deutschland] 110-111 C 5
Ahorn [Österreich] 118-119 G 1
Ahorn [Schweiz] 116-117 E 2
Ahornspitz 118-119 B 4
Ahr 108-109 D 5
Ahrensberg 104-105 AB 4
Ahrensbök 102-103 HJ 2
Ahrensburg 102-103 H 3
Ahrensfelde 104-105 C 5
Ahrenshagen 102-103 N 2
Ahrenshoop 102-103 M 2
Ahrgebirge 108-109 C 5-6
Ahrnbach 118-119 B 5
Ahrntal 118-119 BC 4
Ahrweiler 108-109 D 5
Ahse 120 HJ 2
Ahsen 120 F 2
Ahütte, Üxheim- 108-109 C 6

Aibling, Bad – 114-115 KL 5
Aibre 116-117 C 1
Aich [5 km ↗ Haus 118-119 F 4]
Aich [= Doubí, 4 km ↙ Karlsbad 110-111 G 5]
Aichach 114-115 J 4
Aicha vorm Wald 114-115 N 3
Aichelberg 118-119 H 1
Aichfeld 118-119 H 4
Aichhalden 114-115 C 4
Aichstetten 114-115 G 5
Aidenbach 114-115 N 3
Aidlingen 114-115 D 3
Aigen im Ennstal 118-119 G 3
Aigen im Mühlkreis 118-119 FG 1
Aigle 116-117 CD 4
Aiguebelle 116-117 B 5
Aigueblanche 116-117 BC 5
Aiguille du Midi 116-117 C 5
Aiguilles Rouges 116-117 DE 4
Aiguille Verte 116-117 CD 5
Ailingen 114-115 EF 5
Aillevillers-et-Lyaumont 116-117 B 1
Aillon-le-Jeune 116-117 B 5
Aime 116-117 C 5
Aimeries, Houdeng- 106-107 C 8
Ain [Fluß] 116-117 AB 3
Ain [Verwaltungseinheit] 116-117 AB 4
Ainet 118-119 D 5
Aindling 114-115 HJ 3
Ainring 114-115 M 5
Airolo 116-117 G 3
Aisch 114-115 H 1
Aising 114-115 L 5
Aislingen 114-115 G 3
Aisne [Belgien] 106-107 F 8
Aisne [Frankreich, Fluß] 101 A 4
Aisne [Frankreich, Verwaltungseinheit] 106-107 BC 9
Aist 118-119 H 2
Aistaig 114-115 CD 4
Aiterach 114-115 M 3
Aiterhofen 114-115 M 3
Aï, Tour d' 116-117 CD 4
Aitrach [Fluß] 114-115 D 5
Aitrach [Ort] 114-115 G 5
Aitrang 114-115 H 5

Ajoie = Elsgau 116-117 CD 2

A-Kanaal, Ruiten – 106-107 J 3
Aken (Elbe) 110-111 F 2
Akkrum 106-107 F 2

Ala 116-117 M 5
Alagna Valsèsia 116-117 EF 5
Aland 102-103 L 5
Alb [Baden-Württemberg, Breisgau] 114-115 C 5
Alb [Baden-Württemberg, Ufgau] 114-115 C 3
Alba 113 A 5
Albaching 114-115 L 4
Albachten 108-109 D 3
Albairate 116-117 GH 6
Albasserwaard 106-107 D 5
Albavilla 116-117 H 5
Albaxen 108-109 H 3
Albbruck 114-115 C 5
Albe 108-109 C 9
Albendorf [= Okrzeszyn] 110-111 O 4
Albendorf [= Wambierzyce] 113 A 5
Alben, Monte – 116-117 J 5
Albens 116-117 AB 5
Alberndorf in der Riedmark 118-119 G 2
Alberndorf [2 km → Haugsdorf 118-119 L 1]
Alberschwende 116-117 J 2
Albersdorf 102-103 F 2
Albersloh 108-109 E 3
Albersweiler 108-109 EF 8
Albertkanaal 106-107 D 6
Albertville 116-117 B 5
Albesdorf [= Albestroff] 108-109 C 9
Albestroff = Albesdorf 108-109 C 9
Alb, Fränkische – 114-115 H 3-K 1
Albgau 114-115 C 5
Albino 116-117 J 5
Albiolo, Pico di – = Albiolospitze 116-117 L 4
Albiolospitze 116-117 L 4
Albis 116-117 FG 2
Albisheim (Pfrimm) 108-109 F 7
Albizzate 116-117 G 5
Alblasserdam 106-107 D 5
Albosàggia 116-117 J 4
Albrechtice v Jizerských horách = Albrechtsdorf
Albrechtsdorf [= Olbrachtów] 110-111 LM 2
Albrechtsdorf [= Wojciechy] 112 E 3
Albrechtsdorf [= Albrechtice v Jizerských horách, 3 km ↖ Tannwald-Schumburg 110-111 M 4]
Albrechtsrode 112 J 3
Albristhorn 116-117 DE 3
Albrunpass 116-117 F 4
Alb, Schwäbische – 114-115 D 5-G 3
Albuch 114-115 FG 3
Albuen 102-103 J 1
Albulapass 116-117 J 3
Albula, Piz – 116-117 J 3
Alby ≻→
Aldekerk 120 B 3
Aldenhoven 108-109 B 5
Aldersbach [4 km ↙ Aunkirchen 114-115 N 3]
Aldingen [Baden-Württemberg, ↘ Rottweil] 114-115 D 4
Aldingen [Baden-Württemberg, ↗ Stuttgart] 114-115 E 3
Aldrans 116-117 MN 2
Aleksandrów Kujawski 104-105 N 5
Aleksandrowo = Aleksandrów Kujawski 104-105 N 5
Alerheim 114-115 H 3
Aletschhorn 116-117 EF 3
Aletshausen [6 km ↘ Krumbach (Schwaben) 114-115 G 4]
Alex 116-117 B 5
Alexandrowo = Aleksandrów Kujawski 104-105 N 5
Alexisbad, Harzgerode- 110-111 D 2
Alf 108-109 D 6
Alfbach [Fluß ▷ Prüm] 108-109 B 6
Alfbach [Fluß ▷ Üßbach] 108-109 C 6
Alfdorf 114-115 F 3
Alfeld [Bayern] 114-115 K 2
Alfeld [Niedersachsen] 108-109 J 3
Alfenz 116-117 L 2
Alfhausen 102-103 C 5-6
Alfter 108-109 CD 5
Algermissen 108-109 JK 2
Algesheim, Gau- 108-109 EF 7
Aligse 108-109 JK 2
Alken [Belgien] 106-107 E 7
Alken [Deutschland] 108-109 DE 6
Alkgebirge 112 D 2
Alkmaar 106-107 D 3
Alkmaardermeer 106-107 D 3
Alkoven 118-119 G 2
Allagen 108-109 F 4
Allaine 116-117 CD 1-2
Alle [Belgien] 106-107 D 9
Alle [Deutschland] 112 E 3
Alle [= Hall] 116-117 D 2
Allenau [= Porečje] 112 F 3
Allenbach 120 J 5
Allenburg [= Družba] 112 F 3
Allendorf [Hessen, ↗ Marburg an der Lahn] 108-109 GH 5
Allendorf [Hessen, ← Wetzlar] 108-109 F 5
Allendorf [Nordrhein-Westfalen] 120 H 3
Allendorf an der Lumda [3 km ↗ Treis an der Lumda 108-109 G 5]
Allendorf, Bad Soden- 108-109 JK 4
Allendorf-Eder 108-109 G 4
Allensbach 114-115 E 5
Allenstein [= Olsztyn] 112 DE 4
Allentsteig 118-119 J 1
Aller 101 D 2
Allerheiligen 114-115 C 3
Allerheiligen [= Pinkamindszent] 118-119 LM 4
Allerheiligen [= Wszechświęte] 113 CD 3
Allerheiligen bei Wildon [4 km ↗ Wildon 118-119 JK 5]
Allerheiligen im Mühlkreis [3 km ↘ Tragwein 118-119 H 2]
Allerheiligen im Mürztal 118-119 JK 4
Allerkanal 102-103 J 6
Aller, Kleine – 102-103 J 5-6
Allersberg 114-115 J 2
Allershausen 114-115 K 4
Allgäu 114-115 F 5-G 6
Allgäuer Alpen 116-117 J-L 2
Allhau, Markt – 118-119 L 4
Allicourt, Remilly- 106-107 DE 9
Alling [Bayern, Oberpfalz] 114-115 KL 3
Alling [Oberbayern] 114-115 J 4
Allinges 116-117 BC 4
Allmannshofen [3 km ↖ Nordendorf 114-115 H 3]
Allmendingen 114-115 F 4
Allschwil 116-117 DE 1
Allstedt 110-111 D 3
Alm [Fluß] 118-119 F 3
Alm [Ort] 118-119 D 4
Almagell, Saas – [4 km ↘ Saas Fee 116-117 E 4]
Alme [Fluß] 108-109 G 3
Alme [Ort] 108-109 G 4
Almelo 106-107 H 4
Almelo-Nordhorn, Kanaal – 106-107 H 4
Almena 108-109 GH 2
Almenno San Bartolomeo 116-117 J 5
Almert 120 H 4
Almkerk 106-107 D 5
Almsee 118-119 FG 3
Almstedt [3 km ↖ Sehlem 110-111 A 1]
Alost = Aalst 106-107 C 7
Alp 116-117 G 2
Alpbach 118-119 BC 4
Alpe 102-103 F 5
Alpen [Gebirge] 101 C-H 5-6
Alpen [Ort] 120 BC 2
Alpenrhein = Rhein 116-117 J 3
Alpenrod 108-109 E 5
Alpenstraße 114-115 FG 5, KL 5, M 5
Alphen [Niederlande, Gelderland] 106-107 E 5
Alphen [Niederlande, Nordbrabant] 106-107 D 6
Alphen aan de Rijn 106-107 D 4
Alphubel 116-117 E 4
Alpi Càrniche = Karnische Alpen 118-119 C-F 5
Alpirsbach 114-115 C 4
Alpl 118-119 K 3
Alpnach 116-117 F 3
Alpsee 114-115 G 5
Alpthal 116-117 G 2
Als = Alsen 101 DE 1
Alsace = Elsaß 101 C 5-4
Alsbach, Scheibe- 110-111 CD 5
Alsdorf 108-109 B 5
Alsen 101 DE 1
Alsenbrück-Langmeil 108-109 E 7
Alsenz [Fluß] 108-109 E 7
Alsenz [Ort] 108-109 E 7
Alsfeld 108-109 H 5
Alsheim 108-109 F 7
Alsleben (Saale) 110-111 E 2
Alstätte 108-109 C 2
Alster 102-103 H 3
Alswede 108-109 G 2
Altaussee 118-119 F 3
Altavilla Vicentina 116-117 MN 5-6
Altbach 118-119 E 2
Altbach [3 km ↖ Plochingen 114-115 E 3]
Alt Baudendorf [= Stare Budkowice] 113 E 4
Alt Beelitz [= Stare Bielice] 104-105 G 5
Alt Berun [= Bieruń Stary] 113 G 5
Alt Blessin [= Stary Błeszyn, 2 km ↘ Alt Lietzegöricke 104-105 D 5]
Alt Boyen [= Bojanowo Stare] 113 B 2
Alt Bronischewitz [= Broniszewice] 113 D 2
Alt Budkowitz = Alt Baudendorf 113 E 4
Alt Bukow 102-103 L 3
Alt Bunzlau [= Stará Boleslav] 110-111 L 5
Alt Burgund = Schubin 104-105 L 4
Alt Chechlau 113 FG 5
Alt Christburg [= Stary Dzierzgoń] 112 BC 4
Alt Cosel [= Stare Koźle] 113 E 5
Altcüstrinchen [= Stary Kostrzynek, 3 km ← Alt Rüdnitz 104-105 D 5]
Alt Damerow [= Stara Dąbrowa] 104-105 EF 4
Altdamm ≻→
Altdöbern 110-111 JK 2
Alt Dollstädt [= Stare Dolno] 112 BC 3
Altdorf [Deutschland, Bayern, Mittelfranken] 114-115 J 2
Altdorf [Deutschland, Bayern, Schwaben] 114-115 H 5
Altdorf [Deutschland, Niederbayern] 114-115 L 3
Altdorf [Schweiz] 116-117 G 3
Altdorf = Bassecourt 116-117 D 2
Altdorfer Wald 114-115 F 5
Alt Driebitz [= Stare Drzewce] 110-111 O 2
Alt Duvenstedt 102-103 G 2
Alte Elde 102-103 K 4
Alte Emscher 120 CD 3
Altefähr 104-105 B 2
Alt Eggleningken = Lindengarten 112 H 2
Alte Gilge 112 FG 1
Alteglofsheim 114-115 L 3
Alteichen [= Cerna, 2 km ↑ Brieg 110-111 N 2]
Alteichenau [= Głębowice] 113 B 3
Alte IJssel [= Oude IJssel] 108-109 B 3
Alte Maas 106-107 CD 5
Alte Mellum 102-103 D 3
Altemühle [= Stara Piła] 104-105 M 2
Altena 120 G 3
Altenaffeln 120 H 3
Altenahr 108-109 C 5
Altena, Land van – 106-107 E 5
Altenau 110-111 BC 2
Altenbeken 108-109 G 3
Altenberg [Bayern] 114-115 G 3
Altenberg [Nordrhein-Westfalen] 120 E 4
Altenberg [Sachsen] 110-111 J 4
Altenberg [= Dorožnoje] 112 DE 2
Altenberg bei Linz [6 km ↖ Gallneukirchen 118-119 G 2]
Altenberge 108-109 DE 2
Altenbögge-Bönen 120 GH 2
Altenbruch 102-103 E 3
Altenburg [Deutschland, Bayern] 114-115 H 1
Altenburg [Deutschland, Thüringen] 110-111 F 4
Altenburg [Österreich] 118-119 K 1
Altencelle 102-103 H 5
Altendorf [Niedersachsen] 102-103 F 3
Altendorf [Nordrhein-Westfalen] 120 E 3
Altendorf [= Stará Ves] 113 C 6
Altendorf [2 km → Gerdauen 112 F 3]
Altendorf, Essen- 120 DE 3
Altendorf-Ulfkotte 120 DE 2
Altenerding 114-115 KL 4
Altenesch 102-103 E 4
Altenessen, Essen- 120 E 3
Altenfelden 118-119 FG 2
Altenfließ [= Przyłęk] 104-105 FG 5
Altenglan 108-109 DE 7
Altengottern 110-111 C 3
Altengrabow 110-111 F 1
Altengroden, Wilhelmshaven- 102-103 D 3
Altengronau 108-109 J 6
Altenhagen 104-105 B 3
Altenhagen [= Jeżyce] 104-105 HJ 2
Altenhagen [3 km ↗ Heepen 108-109 G 2]
Altenheim 114-115 B 4
Altenhellefeld 120 J 3
Altenhof 104-105 C 5
Altenhof [= Stary Dwór, 3 km ↖ Dürrlettel 104-105 G 6]
Altenhundem, Kirchhundem- 120 HJ 4
Altenkessel 108-109 C 8
Altenkirch 112 H 2
Altenkirchen 104-105 B 1
Altenkirchen (Westerwald) 108-109 E 5
Altenkrempe 102-103 J 2
Altenlohn [= Stary Łom, 4 km → Aslau 110-111 N 3]
Altenmarkt 114-115 MN 3
Altenmarkt [1 km ↙ Wies 118-119 J 5]
Altenmarkt an der Alz 114-115 M 4
Altenmarkt bei Fürstenfeld [3 km ↖ Fürstenfeld 118-119 LK 4]
Altenmarkt bei Sankt Gallen 118-119 H 3
Altenmarkt ≻→
Altenmarkt im Pongau [3 km ↙ Radstadt 118-119 EF 4]
Altenmedingen 102-103 J 4
Altenmuhr 114-115 H 2
Altenmünster 114-115 H 4
Altenoythe 102-103 C 4
Altenpleen 102-103 NO 2
Altenrode (Niederschlesien) [= Gniechowice] 113 B 4
Altensorge [= Glinek, 4 km ↗ Blockwinkel 104-105 F 5]
Altenstadt [Bayern] 114-115 H 5
Altenstadt [Hessen] 108-109 GH 6
Altenstadt, Illereichen- 114-115 G 4
Altensteig 114-115 D 3
Altenthann 114-115 L 2
Altentreptow 104-105 B 3
Altenwalde 102-103 E 3
Altenwalde [= Liszkowo] 104-105 HJ 3
Altenweddingen 110-111 DE 2
Altenwedel [= Sicko] 104-105 FG 4
Alte Oder 104-105 D 5
Alter Berg 110-111 BC 3
Alter Rhein 106-107 D 4
Alterswil [3 km ↗ Rechthalten 116-117 D 3]
Altes Land 102-103 G 3
Alte Wipper 110-111 D 2
Alt Fanger = Fanger 104-105 EF 3
Altfelde [= Stare Pole] 112 B 3
Altfell 108-109 H 5
Altfinkenstein 118-119 F 5
Alt Frauengarten = Alt Panigrodz 104-105 KL 5
Altfraunhofen 114-115 L 4
Altfriedland 104-105 D 5
Alt Gaarz = Gaarz 102-103 O 2
Alt Gaarz = Rerik 102-103 L 2
Alt Gertlauken [= Gerojskoje] 112 F 2
Alt Gleiwitz [= Stare Gliwice, 4 km ↖ Gleiwitz 113 F 5]
Alt Glietzen [3 km ↙ Hohenwutzen 104-105 CD 5]
Alt Gostyn = Gostyń Stary 113 B 2
Alt Grabau [= Grabowo] 104-105 M 2
Alt Grottkau [= Stary Grodków] 113 C 4
Alt Gurkowschbruch [= Górecko] 104-105 G 5
Althagen 102-103 M 2
Altharen [1 km ← Haren 102-103 B 5]
Althausen Höhe [= Starogród, 6 km ← Brzozowo 104-105 MN 4]
Althegnenberg 114-115 J 4
Altheide, Bad – [= Polanica Zdrój] 113 AB 5
Altheide (Ostpreußen) [= Skalisze] 112 G 3
Altheim [Deutschland, Baden-Württemberg, ↖ Bad Mergentheim] 114-115 EF 1
Altheim [Deutschland, Baden-Württemberg, → Freudenstadt] 114-115 D 4
Altheim [Österreich] 118-119 E 2
Altheim [4 km ↗ Dieburg 108-109 G 7]
Altheim (Alb) 114-115 G 3
Althengstett 114-115 D 3
Althöfchen [= Stary Dworek] 104-105 F 5
Althofen 118-119 GH 5
Althütte [= Huta] 104-105 J 5
Althütte [= Łasko] 104-105 G 4

Altissimo 2 Axstedt

Altissimo di Nago, Monte – 116-117 L 5
Alt Järshagen [= Stary Jarosław] 104-105 HJ 2
Alt Jäschwitz [= Stare Jaroszowice] 110-111 N 3
Altkalen 102-103 N 3
Altkalkar 120 AB 2
Altkarbe [= Stare Kurowo] 104-105 G 5
Alt Karlsthal = Karlsthal 113 CD 5
Alt Karoschke = Lindenwaldau 113 BC 3
Alt Kelbonken = Altkelbunken
Altkelbunken [= Stare Kiełbunki, 7 km ↑ Puppen 112 F 4]
Altkemnitz [= Stara Kamienica] 110-111 N 4
Altkessel [= Stary Kisielin] 110-111 MN 2
Alt Kinsberg [= Starý Hrozňatov] 110-111 F 5
Altkirch 116-117 D 1
Altkirchen (Ostpreußen) [= Świętajno] 112 F 4
Alt Kischau [= Stara Kiszewa] 104-105 M 2-3
Altkloster [= Kaszcor] 110-111 O 2
Alt Kloster, Buxtehude- 102-103 G 4
Alt Kohlfurt [= Stary Węgliniec] 110-111 M 3
Alt Kolin [= Starý Kolín] 110-111 M 5
Alt Kolziglow [= Kołczygłowy] 104-105 K 2
Alt Körtnitz [= Stara Korytnica] 104-105 H 4
Alt Krakow [= Stary Kraków] 104-105 HJ 2
Alt Krenzlin 102-103 K 4
Altkünkendorf 104-105 C 4
Altlandsberg 104-105 C 5
Alt Lappienen = Rauterskirch 112 FG 1
Altleiningen 108-109 EF 7-8
Altlengbach 118-119 K 2
Alt Libbehne [= Lubiana (Pyrzycka)] 104-105 F 4
Altlichtenwarth 118-119 M 1
Alt Liepenfier [= Czarnkowie] 104-105 H 3
Alt Lietzegöricke [= Stare Łysogórki] 104-105 D 5
Alt Limmritz [= Lemierzyce] 104-105 EF 5
Alt Lipke = Lipke 104-105 G 5
Alt Lomnitz [= Stara Łomnica] 113 AB 5
Altlüdersdorf 104-105 B 4
Altlünen 120 FG 2
Altmannstein 114-115 K 3
Altmark 102-103 K-L 5
Altmark [= Stary Targ] 112 B 4
Alt Meteln 102-103 K 3
Altmittweida 110-111 G 4
Altmorschen 108-109 J 4
Altmügeln 110-111 GH 3
Altmühl 114-115 J 3
Altmünster 118-119 F 3
Alt-Münsterol [= Montreux-Vieux] 116-117 D 1
Altnagelberg 118-119 HJ 1
Altnau 116-117 H 1
Alto Adige, Trentino- = Trentino-Tiroler Etschland 118-119 A-C 5, 116-117 L-N 3-4
Altöls [= Stara Olesna] 110-111 N 3
Altomünster 114-115 J 4
Altona, Hamburg- 102-103 G 3
Altötting 114-115 M 4
Alt Paka [= Stará Paka] 110-111 N 4
Alt Paleschken [= Stare Polaszki, 4 km → Neu Paleschken 104-105 M 2]
Alt Panigrodz [= Stary Panigródz] 104-105 KL 5
Alt Passarge [= Stara Pasłęka] 112 C 3
Alt Pilsen = Alt Pilsenetz 114-115 NO 1
Alt Pilsenetz [= Starý Plzenec] 114-115 NO 1
Alt Poppelau [= Stary Popielów] 113 D 4
Altprerau, Schloß – 118-119 LM 1
Alt Prilipp [= Stary Przylep, 2 km ↘ Groß Schönfeld 104-105 EF 4]
Altranft 104-105 D 5
Alt Raudten [= Stara Rudna, 3 km ↑ Militsch 113 A 3]
Altreetz [4 km ↗ Altwriezen 104-105 D 5]
Altreichenau 118-119 F 1
Altreichenau [= Stare Bogaczowice] 110-111 O 4
Altrip [3 km ↖ Mannheim-Rheinau 114-115 CD 2]
Alt Rohlau [= Stará Role] 110-111 G 5]
Alt Rosenberg [= Stare Olesno] 113 E 4
Alt Rosenthal [= Stara Różanka] 112 FG 3
Alt Rothwasser [= Stará Červená Voda] 113 C 5
Alt Rüdnitz [= Stara Rudnica] 104-105 D 5
Alt Ruppin ↣
Altsarnow [= Żarnowo] 104-105 E 3
Alt Schadow 110-111 J 1
Altschermbeck 120 D 2
Alt Schlage [= Sława] 104-105 G 3
Alt Schlawe [= Sławsko] 104-105 J 2
Alt Schöneberg [= Wrzesina] 112 D 4
Alt Schwerin 102-103 M 3
Altschweriner See 102-103 M 3
Altshausen 114-115 F 5
Altsimonswald 114-115 C 4
Altsohl [= Zvolen] 101 J 4
Altsorge [= Kwiejce] 104-105 G 5
Altstadt [= Horní Staré Město] 110-111 N 4
Altstadt [= Staré Město] [Tschechoslowakei, Altvatergebirge] 113 C 5
Altstadt [= Staré Město] [Tschechoslowakei, Glatzer Schneegebirge] 113 B 5
Altstadt [= Staré Město pod Landštejnem] 118-119 J 1
Altstädten 114-115 G 6
Altstätten 116-117 J 2
Altstett [= Nowa Cerekwia] 113 D 5
Alt Storkow [= Storkowo] 104-105 G 4
Alt Strunz = Deutscheck 110-111 O 2
Alttomischel [= Stary Tomyśl] 104-105 H 6
Alt Töplitz 102-103 NO 6
Altusried 114-115 G 5
Alt Valm [= Stary Chwalim] 104-105 H 3
Altvater 113 C 5
Altvatergebirge 113 C 5
Alt Waltersdorf [= Stary Waliszów] 113 B 5
Altwarmbüchen 102-103 G 6
Altwarp 104-105 D 3
Alt Warschow [= Warszkowo] 104-105 J 2
Alt Wartenburg [= Barczewko] 112 DE 4
Altwasser = Kalte Moldau 118-119 F 1
Altweiler [= Altwiller] 108-109 CD 9
Alt Wejnothen = Weinoten 112 G 1
Altwerder = Grabów nad Prosną 113 E 2
Altwigshagen 104-105 C 3
Altwiller = Altweiler 108-109 CD 9
Alt Wohlau [= Stary Wołów] 113 B 3
Altwolfsdorf [= Pianki, 4 km ↖ Arys 112 G 4]
Altwriezen 104-105 D 5
Alt Zachun 102-103 K 4
Alt Zedlisch [= Staré Sedliště] 114-115 M 1
Alt Zowen [= Sowno] 104-105 HJ 2
Alvanen 116-117 J 3
Alvaneu 116-117 J 3
Alvaneu Bad 116-117 J 3
Alvaschein 116-117 HJ 3
Alverdissen 108-109 H 2
Alveringem 106-107 A 1
Alversdorf [2 km ↖ Offleben 110-111 D 1]
Alveslohe 102-103 G 3
Alvier 116-117 H 2
Alz 114-115 M 4
Alzano Lombardo 116-117 J 5
Alzasca, Pizzo – 116-117 G 4
Alzate Brianza 116-117 H 5
Alzenau in Unterfranken 108-109 H 6
Alzette 106-107 G 9
Alzey 108-109 F 7

Amaliendorf 118-119 J 1
Amance 116-117 B 1
Amancey 116-117 AB 2
Amay 106-107 E 7
Ambacht, Veurne- 106-107 a 1
Amberg 116-117 K 2
Amberg, Thorn- = Thorn-Podgorz 104-105 N 5
Amblève [Fluß] 106-107 F 8
Amblève [Ruinenstätte] 106-107 F 8
Amblève = Amel 106-107 G 8
Ambri-Piotta [6 km ↘ Airolo 116-117 G 3]
Ambt-Delden 106-107 H 4
Amden [3 km ↗ Weesen 116-117 H 2]
Amecke 120 H 3
Ameide 106-107 D 5
Ameisberg 118-119 F 1
Amel 106-107 G 8
Amel [= Amblève] 106-107 G 8
Ameland [Insel] 106-107 F 2
Ameland [Ort] 106-107 F 2
Amelinghausen 102-103 H 4
Ameln 120 B 5
Amelsbüren 108-109 E 3
Amelunxen 108-109 H 3
Amerang 114-115 L 5
Amerdingen 114-115 H 3
Ameringkogel 118-119 H 4
Amern 120 AB 4
Amérois 106-107 E 9
Amerongen 106-107 E 4-5
Amerongsche Berg 106-107 EF 4-5
Amersfoort 106-107 E 4
Ammeloe 108-109 C 2
Ammendorf, Halle (Saale)- 110-111 EF 3
Ammer 114-115 HJ 5
Ammerau [2 km ↘ Sodehnen 112 GH 2]
Ammergebirge 114-115 HJ 5
Ammerland 102-103 CD 4
Ammern 110-111 B 3
Ammern (Oberschlesien) [= Sternalice] 113 F 4
Ammersee 114-115 J 4-5
Ammerzoden 106-107 E 5
Amöneburg 108-109 G 5
Amorbach 114-115 E 1
Ampen 120 J 2
Amper 114-115 K 4
Ampfelwang 118-119 F 2
Ampfing 114-115 L 4
Ampfurth 110-111 D 1
Amphion 116-117 C 4
Amriswil 116-117 H 1
Amrum 102-103 D 1
Amsee [= Janikowo] 104-105 M 5
Amsteg 116-117 G 3
Amstegrade [2 km ↑ Hoensbroek 106-107 FG 7]
Amsteldiep 106-107 D 3
Amstel-Drechtkanaal 106-107 D 4
Amstelmeer 106-107 DE 3
Amsterdam 106-107 D 4
Amsterdam-Buiksloot 106-107 DE 4
Amsterdam-Rhein-Kanal 106-107 E 4-5
Amsterdam-Rijnkanaal = Amsterdam-Rhein-Kanal 106-107 E 4-5
Amsterdamsche Veld 106-107 HJ 3
Amsterdam-Watergraatsmeer 106-107 DE 4
Amstetten [Deutschland] 114-115 F 3
Amstetten [Österreich] 118-119 H 2
Amtitz [= Gębice (Gubińskie)] 110-111 L 2
Amtshagen [= Podgorovka] 112 H 2
Amtzell 114-115 F 5

Anastazewo 104-105 M 6
Anchenoncourt-et-Chazel 116-117 B 1
Andau 118-119 N 3
Andechs, Erling- 114-115 J 5
Andeer 116-117 H 3
Andelot-en-Montagne 116-117 A 3
Andelsbach 114-115 E 5
Andelsbuch 116-117 J 2
Andělská Hora = Engelsberg 113 C 5
Andenne 106-107 E 8
An den Zwei Steinen 108-109 D 7
Anderlecht 106-107 C 7
Anderlues 106-107 C 8
Andermatt 116-117 FG 3
Andernach 108-109 D 6
Anderten 108-109 J 2
Andijk 106-107 E 3
Andilly [11 km ↑ Toul 16-17 M 1]
Andorf 118-119 F 2
Andorno Micca 116-117 F 5
Andreashütte [= Zawadskie] 113 E 4
Andrimont 106-107 F 7
Andritz, Graz- 118-119 J 4
Anet = Ins 116-117 D 2
Anfo 116-117 K 5
Angath 118-119 BC 3
Angel [Deutschland] 108-109 E 3
Angel [Tschechoslowakei] 114-115 N 1
Angelburg 108-109 FG 5
Angelmodde 108-109 E 3
Angeln 102-103 G 1
Angeltern 118-119 K 4
Anger [6 km ↖ Piding 114-115 M 5]
Angera 116-117 G 5
Angerapp 112 G 2
Angerapp [= Ozersk] 112 H 3
Angerbach 120 CD 3
Angerburg [= Węgorzewo] 112 G 3
Angerlo 106-107 G 5
Angermund 120 D 3
Angermünde 104-105 D 4
Angern [Deutschland] 110-111 E 1
Angern [Österreich] 118-119 M 2
Angersbach 108-109 H 5
Angersdorf [= Proślice] 113 E 3
Angerwiese [4 km ↘ Tilsenau 112 G 2]
Angleur 106-107 F 7
Àngolo 116-117 K 5
Angrapa = Angerapp 112 G 2
Angre 106-107 B 8
Angstedt, Gräfinau- 110-111 CD 4
Anhalt, Sachsen- 101 EF 2-3
Anhée 106-107 D 8
Anholt 120 B 1
Aniche 106-107 A 8
Anieliny = Elsenort 104-105 KL 4
Anif [2 km ↗ Grödig 118-119 E 3]
Ankensee 104-105 F 6
Anklam 104-105 C 3
Ankogel 118-119 E 4
Ankum 102-103 C 5
Anlier 106-107 F 9
Anlo 106-107 H 2
Anloy [4 km ↘ Maissin 106-107 E 9]
Annaberg [Deutschland] 113 E 5
Annaberg [Österreich] 118-119 J 3
Annaberg [Polen] 104-105 JK 6
Annaberg-Buchholz 110-111 GH 4
Annaberg im Lammertal 118-119 E 3
Annabichl, Klagenfurt- 118-119 G 5
Annaburg 110-111 GH 2
Annaburger Heide 110-111 H 2
Annahütte 110-111 JK 2
Anna Paulowna 106-107 D 3
Annarode = Potarzyca
Annecy 116-117 B 5
Annecy, Lac d' 116-117 B 5
Annemasse 116-117 B 4
Annenhof = Golina 113 CD 2
Annenwalde 104-105 B 4
Annen, Witten- 120 F 3
Annweiler am Trifels 108-109 EF 8
Anor 106-107 C 9
Anras 118-119 D 5
Anrath 120 BC 3
Anröchte 108-109 F 3
Ans 106-107 F 7
Ansbach 114-115 H 2
Anseremme 106-107 DE 8
Ansfelden 118-119 G 2
Anslingen [= Anzeling] 108-109 B 8
Anspach 108-109 FG 6
Anstel, Frixheim- 120 CD 4
Antegnate [2 km ↖ Fontanella 116-117 J 6]
Anterne, Col d' 116-117 C 5
Anterselva = Antholzer Bach 118-119 C 5
Anterselva [12 km ↑ Welsberg 118-119 C 5]
Anthée 106-107 D 8
Antheit [3 km ↑ Huy 106-107 E 7]
Antholz [12 km ↑ Welsberg 118-119 C 5]
Antholzer Bach 118-119 C 5
Antigòrio, Val – 116-117 F 4
Antoing 106-107 AB 7
Antonienhütte [= Nowy Bytom] 113 F 5
Antreff 108-109 H 5
Antrift = Antreff 108-109 H 5
Antronapiana 116-117 F 4
Antwerpen [= Anvers] [Ort] 106-107 C 6
Antwerpen [= Anvers] [Verwaltungseinheit] 106-107 C-E 6
Anvaing 106-107 AB 7
Anvers = Antwerpen [Ort] 106-107 C 6
Anvers = Antwerpen [Verwaltungseinheit] 106-107 C-E 6
Anza 116-117 F 4-5
Anzasca, Valle – 116-117 F 4-5
Anzegem 106-107 AB 7
Anzeling = Anslingen 108-109 B 8
Anzin 106-107 AB 8
Anzing 114-115 K 4

Aosta 116-117 D 5
Aostatal = Val d'Aosta [Landschaft] 116-117 DE 5
Aostatal = Val d'Aosta [Verwaltungseinheit] 116-117 DE 5
Aosta, Val d' [Landschaft] 116-117 DE 5
Aosta, Val d' [Verwaltungseinheit] 116-117 DE 5

Apače = Abstall 118-119 K 5
Apeldoorn 106-107 F 4
Apeldoorn-Beekbergen 106-107 F 4
Apeldoorn-Loenen 106-107 FG 4
Apeldoornsch Kanaal 106-107 FG 4
Apeldoorn-Uddel 106-107 F 4
Apelern 108-109 H 2
Apel, Vlagtwedde-Ter – 106-107 HJ 3
Apen 102-103 C 4
Apenburg 102-103 K 5
Apenrade [= Åbenrå] 101 D 1
Apensen 102-103 G 4
Apetlon 118-119 M 3
Apfeldorf 114-115 HJ 5
Apfelsbach [= Jablonové] 118-119 N 2
Äpfingen 114-115 F 4
Aplerbeck, Dortmund- 120 G 2-3
Apolda 110-111 E 3
Apeldorn 120 B 2
Appelhülsen 108-109 D 3
Appelland, Gröde- 102-103 E 1
Appelscha, Ooststellingwerf- 106-107 G 3
Appeltern 106-107 F 5
Appen 102-103 G 3
Appenweier 114-115 BC 3
Appenzell [Ort] 116-117 HJ 2
Appenzell [Verwaltungseinheit] 116-117 H 2
Appenzell-Ausserrhoden = Ausser-Rhoden 116-117 HJ 2
Appenzell-Innerrhoden = Inner-Rhoden 116-117 H 2
Appiano Gentile 116-117 GH 5
Appingedam 106-107 H 2
Apples 116-117 B 3
Aprica 116-117 K 4
Apt 112 F 3

Aquila 116-117 GH 3

Arabba 116-117 N 4
Arad 101 K 5
Aravis, Col des – 116-117 B 5
Arbecey 116-117 A 1
Arbedo-Castione 116-117 H 4
Arber, Großer – 114-115 N 2
Arber, Kleiner – 114-115 N 2
Arbesbach 118-119 HJ 2
Arbon 116-117 H 1
Arbòrio 116-117 F 5-6
Arc 116-117 B 5
Arcen en Velden 106-107 G 6
Arcen en Velden-Velden 120 A 3
Arcey 116-117 C 1
Arcisate 116-117 G 5
Arco 116-117 L 5
Arcon 116-117 B 3
Arconate [3 km ↑ Inveruno 116-117 G 5]
Arcore 116-117 H 5
Ardagger Markt 118-119 H 2
Ardagger, Stift – 118-119 H 2
Ardennen 106-107 D 9-G 8
Ardennenkanal 101 B 4
Ardennes 106-107 C-E 9
Ardennes, Canal des – = Ardennenkanal 101 B 4
Ardenno 116-117 J 4
Ardèsio 116-117 JK 5
Ardey 120 GH 3
Ardeygebirge 120 F 3
Ardez = Steinsberg 116-117 K 3
Ardon 116-117 A 3
Ardon [2 km ↗ Chamson 116-117 D 4]
Ardooie 106-107 A 7
Ardorf 102-103 C 3
Arèches 116-117 C 5
Aremberg 108-109 C 6
Arenberg 102-103 B 5
Arendonk 106-107 E 6
Arendsee [Brandenburg] 104-105 C 4
Arendsee [Sachsen-Anhalt, Ort] 102-103 KL 5
Arendsee [Sachsen-Anhalt, See] 102-103 KL 5
Arendskerke, 's-Heer- 106-107 B 5-6
Arensdorf 104-105 D 6
Arensdorf [= Stanica] 104-105 F 5
Arenshausen 108-109 JK 4
Arera, Pizzo – 116-117 J 5
Aresing 114-115 J 3
Areuse 116-117 C 3
Arfeld 108-109 F 4
Arge 112 G 2
Argen 114-115 F 5
Argenau [= Gniewkowo] 104-105 M 5
Argenbrück [= Sorokino] 112 G 1
Argenhof [7 km → Sandfelde 112 G 2]
Argeningken-Graudschen = Argenhof
Argen, Obere – 114-115 FG 5
Argenthal 108-109 E 7
Argentière 116-117 CD 5
Argentière, Aiguille d' 116-117 CD 5
Argentine 116-117 B 5
Argen, Untere – 114-115 F 5
Argonnen 101 B 4
Arheilgen, Darmstadt- 108-109 G 7
Arkel [3 km ↑ Gorinchem 106-107 D 5]
Arkona, Kap – 104-105 BC 1
Arlau 102-103 F 1
Arlberg 116-117 K 2
Arle [4 km ↗ Großheide 102-103 B 3]
Arlen = Orło 112 G 4
Arlesheim 116-117 E 1-2
Arloff 108-109 C 5
Arlon [= Aarlen] 106-107 F 9
Arlscharte 118-119 E 4
Arluno 116-117 G 5
Arly 116-117 B 5
Armadebrunn [= Studzianka] 110-111 N 3
Armançon 101 B 5
Armeno 116-117 F 5
Armentières 106-107 a 2
Arnau [= Hostinné] 110-111 N 4
Arnau [= Narjino] 112 E 2
Arnaz 116-117 E 5
Arnbruck 114-115 MN 2
Arneburg 102-103 LM 5
Arnemuiden 106-107 B 5-6
Arnex [4 km ↗ Chavornay 116-117 C 3]
Arnfels 118-119 J 5
Arngast 102-103 D 4
Arnhausen [= Lipie] 104-105 G 3
Arnheim 106-107 F 4-5
Arnheim-Schaarsbergen 106-107 F 4
Arnhem = Arnheim 106-107 F 4-5
Arnimswalde [= Załom] 104-105 E 4
Arnis 102-103 G 1
Arnoldsdorf [= Jarantowice] 104-105 N 4
Arnoldstein 118-119 F 5
Arnon 116-117 C 3
Arnsberg [Hessen] 110-111 B 3
Arnsberg [Nordrhein-Westfalen; Ort, Verwaltungseinheit] 120 J 3
Arnsberger Wald 108-109 F 4
Arnschwang 114-115 M 2
Arnsdorf 110-111 JK 3
Arnsdorf [= Lubomino] 112 D 3
Arnsdorf [= Miłkowice] 110-111 O 3
Arnsfelde [= Gostomia] 104-105 H 4
Arnstadt 110-111 CD 4
Arnstein [Bayern] 110-111 AB 6
Arnstein [Rheinland-Pfalz] 108-109 E 6
Arnstorf 114-115 M 3
Arnswald [= Grabowo] 112 H 3
Arnswalde [= Choszczno] 104-105 F 4
Arolsen 108-109 H 4
Arona 116-117 G 5
Arosa 116-117 J 3
Aroser Rothorn 116-117 J 3
Arósio [3 km ↖ Giussano 116-117 H 5]
Arpke [3 km ↘ Immensen 110-111 B 1]
Arquennes 106-107 C 7
Arracourt 108-109 C 9
Arsbeck 120 A 4
Arschwiller = Arzweiler 108-109 D 9
Arsiè 116-117 N 5
Arsiero 116-117 M 5
Arta 118-119 DE 6
Arten 116-117 N 4-5
Artern 110-111 D 3
Arth 116-117 G 2
Artland 102-103 C 5
Artlenburg 102-103 HJ 4
Artolsheim 114-115 B 4
Artstetten 118-119 J 2
Artzenheim = Arzenheim 114-115 B 4
Arum, Wonseradeel- 106-107 E 2
Arve 116-117 B 4
Arvigo 116-117 H 4
Arys [= Orzysz] 112 G 4
Aryssee 112 H 4
Arzbach 108-109 E 6
Arzberg [Deutschland, Bayern, Mittelfranken] 114-115 J 2
Arzberg [Deutschland, Bayern, Oberfranken] 110-111 F 5
Arzberg [Deutschland, Sachsen-Anhalt] 110-111 H 2
Arzberg [Österreich] 118-119 K 4
Ärzen 108-109 H 2
Arzenheim [= Artzenheim] 114-115 B 4
Arzfeld 108-109 B 6
Arzheim 108-109 E 6
Arzier 116-117 B 4
Arzignano 116-117 M 5
Arzl im Pitztal 116-117 L 2
Arzo 116-117 G 5
Arzweiler [= Arschwiller] 108-109 D 9

As 106-107 F 6
Aš = Asch 110-111 F 5
Asbach [Bayern, Niederbayern] 114-115 N 4
Asbach [Bayern, Schwaben] 114-115 H 3
Asbach [Hessen] 108-109 J 5
Asch [= Aš] 110-111 F 5
Asch [2 km ↑ Leeder 114-115 H 5]
Äsch ↣
Ascha 114-115 M 3
Aschach 118-119 F 2
Aschach an der Donau 118-119 FG 2
Aschach an der Steyr [5 km ↙ Garsten 118-119 G 2]
Aschaffenburg 108-109 H 7
Aschau [Österreich, Kitzbühler Alpen] 118-119 C 4
Aschau [Österreich, Sonnwendgebirge] 118-119 B 3
Aschau [Österreich, Zillertal] 118-119 B 4
Aschau [5 km ← Bad Ischl 118-119 F 3]
Aschau bei Kraiburg 114-115 L 4
Aschbach [Deutschland] 114-115 H 1
Aschbach [Niederösterreich] 118-119 H 2
Aschbach [Österreich, Tirol] 116-117 M 2
Ascheberg [Nordrhein-Westfalen] 120 G 1
Ascheberg [Schleswig-Holstein] 102-103 H 2
Aschen 102-103 D 5
Aschendorf 102-103 B 4
Ascherbude [= Biernatowo] 104-105 H 5
Aschersleben 110-111 D 2
Aschheim [3 km ↖ Feldkirchen 114-115 K 4]
Ascona 116-117 G 4
Ascq 106-107 A 7
Asendorf 102-103 F 5
Asenham [5 km ↗ Triftern 114-115 MN 4]
Ashausen 102-103 H 4
Asiago 116-117 N 5
Askø [Insel] 102-103 KL 1
Askø [Ort] 102-103 KL 1
Aslau [= Osła] 110-111 N 3
Aspach 118-119 E 2
Aspang ↣
Asparn an der Zaya 118-119 M 1
Asperden 108-109 B 3
Asperg 114-115 E 3
Aspern, Wien- 118-119 LM 2
Aspe, Werl- [2 km ↘ Bad Salzuflen 108-109 G 2]
Assamstadt 114-115 F 2
Asse 106-107 C 7
Assebroek 106-107 A 6
Assel 102-103 FG 3
Asselborn 106-107 FG 8
Asseln, Dortmund- 120 G 2
Assen 106-107 GH 3
Assendelft [6 km ↘ Zaandam 106-107 D 4]
Assenede 106-107 B 6
Assenheim 108-109 G 6
Assenois 106-107 E 9
Assesse 106-107 E 8
Aßlar 108-109 FG 5
Aßling [Deutschland] 114-115 KL 5
Aßling [Österreich] 118-119 D 5
Aßling [= Jesenice] 118-119 G 6
Aßmannshausen 108-109 E 7
Asso 116-117 H 5
Asta, Cima d' 116-117 N 4
Asten [Niederlande] 106-107 F 6
Asten [Österreich] 118-119 G 2
Asten [= Laste] 116-117 M 3
Astfeld [= Campolasta] 116-117 M 3
Astfeld [3 km → Langelsheim 110-111 B 2]
Àstico 116-117 N 5

Ath [= Aat] 106-107 B 7
Athesans 116-117 C 1
Athus 106-107 F 9
Attalens [5 km ↙ Châtel-Saint-Denis 116-117 C 3]
Attel [Fluß] 114-115 KL 4-5
Attel [Ort] 114-115 L 4
Atteln 108-109 G 3
Attendorn 120 H 4
Attenkirchen 114-115 K 3
Attersee [Ort] 118-119 EF 3
Attersee [See] 118-119 F 3
Attert [Fluß] 106-107 F 9
Attert [Ort] 106-107 F 9
Atting 114-115 L 3
Attinghausen 116-117 G 3
Attnang-Puchheim 118-119 F 2
Atzenbrugg 118-119 K 2
Atzendorf 110-111 E 2
Atzing [6 km ← Ried im Innkreis 118-119 EF 2]

Au [Deutschland, Bayern] 114-115 N 5
Au [Deutschland, Nordrhein-Westfalen] 108-109 E 5
Au [Oberösterreich] 118-119 E 3
Au [Österreich, Steiermark] 118-119 J 3
Au [Österreich, Vorarlberg] 116-117 J 2
Aub 114-115 G 1
Aubach 110-111 HJ 5
Aube 101 B 4
Au bei Bad Aibling 114-115 KL 5
Aubel 106-107 F 7
Aubenton 106-107 C 9
Aubert, Mont – 116-117 C 3
Aubonne [Fluß] 116-117 B 3
Aubonne [Ort] 116-117 B 4
Audenarde = Oudenaarde 106-107 B 7
Audenhain 110-111 G 3
Audeux 116-117 A 2
Audincourt 116-117 C 2
Aue [Fluß ▷ Elbe] 102-103 FG 4
Aue [Fluß ▷ Hunte] 102-103 E 5
Aue [Fluß ▷ Ilmenau] 102-103 J 5
Aue [Fluß ▷ Soeste] 102-103 C 4
Aue [Fluß ▷ Weser] 102-103 E 5
Aue [Ort] 110-111 G 4
Auenheim 114-115 B 3
Auenstein [3 km → Ilsfeld 114-115 E 2]
Auer 112 F 2
Auer [= Cra] 116-117 M 4
Auerbach [Bayern] 114-115 K 1
Auerbach [Sachsen] 110-111 F 4
Auerbach [3 km ↖ Thum 110-111 G 4]
Auerbach, Bensheim- 108-109 G 7
Auerberg 108-109 H 5
Auersberg 110-111 G 5
Auersberg [= Turowo] 112 J 4
Auersmacher 108-109 D 8
Auerstedt 110-111 E 3
Auersthal 118-119 M 2
Auf der Ebene 114-115 M 1
Aufham 114-115 K 4
Aufhausen [Bayern, Oberpfalz] 114-115 L 3
Aufhausen [Niederbayern] 114-115 M 3
Aufseß [Fluß] 114-115 J 1
Aufseß [Ort] 114-115 J 1
Auggen 114-115 B 5
Augraben [Mecklenburg] 102-103 M 3
Augraben [Sachsen-Anhalt] 102-103 K 5
Augsburg 114-115 HJ 4
Augsburg-Hochzoll [↘ Augsburg 114-115 HJ 4]
Augsburg-Kriegshaber [↖ Augsburg 114-115 HJ 4]
Augsburg-Lechhausen 114-115 HJ 4
Augsburg-Oberhausen 114-115 H 4
Augsburg-Pfersee 114-115 H 4
Augsdorf [2 km ↘ Velden am Wörther See 118-119 FG 5]
Augst [3 km ↗ Pratteln 116-117 E 1]
Augstupönen = Hochfließ 112 H 2
Augustdorf 108-109 G 3
Augustów 101 L 2
Augustusbad, Liegau- 110-111 JK 3
Augustusburg 110-111 H 4
Augustwalde [= Rębusz] 104-105 G 4
Augustwalde ↣
Auhausen [4 km ↘ Wassertrüdingen 114-115 H 2]
Auhlawabach 114-115 M 1
Au in der Hallertau 114-115 K 3
Auingen 114-115 F 4
Auleben 110-111 C 3
Aulenbach (Ostpreußen) [= Kalinovka] 112 G 2
Aulendorf 114-115 F 5
Aulibitz [= Úlibice] 110-111 M 5
Aulnois 106-107 B 8
Aulnoye-Aymeris 106-107 BC 8
Aulowönen = Aulenbach (Ostpreußen) 112 G 2
Aul, Piz – 116-117 H 3
Auma 110-111 E 4
Aumühle-Billenkamp [4 km ↗ Reinbek 102-103 H 3]
Aunkirchen 114-115 N 3
Aupa 110-111 N 5
Aurach [Fluß ▷ Rednitz, ↓ Bamberg] 114-115 H 1
Aurach [Fluß ▷ Rednitz, ↓ Erlangen] 114-115 H 1
Aurach [Ort] 114-115 G 2
Aurach am Hongar 118-119 F 3
Aura im Sinngrund 108-109 J 6
Auras [= Uraz] 113 B 3
Aurich (Ostfriesland) [Ort, Verwaltungseinheit] 102-103 BC 4
Aurina = Ahrnbach 118-119 B 5
Aurina, Valle – = Ahrntal 118-119 BC 4
Aurinowes = Uhřiněves 110-111 L 5
Aurith [= Urad] 110-111 L 1
Aurolzmünster 118-119 E 2
Auronzo 118-119 C 5
Aurschinewes = Uhřiněves 110-111 L 5
Auscha [= Úštěk] 110-111 K 4
Auschwitz [= Oświęcim] 101 J 3-4
Ausleben 110-111 D 1
Auspitz [= Hustopeče] 118-119 M 1
Aussee, Bad – 118-119 F 3
Äußere Kainisch 118-119 F 3
Ausserferrera 116-117 HJ 3
Ausser-Rhoden 116-117 HJ 2
Außervillgraten 118-119 CD 5
Aussig [= Ústí nad Labem] 110-111 JK 4
Aussig-Türmitz [= Ústí nad Labem-Trmice] 110-111 JK 4
Austerlitz [= Slavkov u Brna] 101 H 4
Austerlitz, Pyramide von – 106-107 E 4
Autelbas 106-107 F 9
Auvelais 106-107 D 8
Auw 108-109 C 7
Auwal = Úvaly 110-111 L 5
Auxinne = Goldfließ 112 G 2
Auxinnen = Ammerau

Avants, Les – 116-117 C 4
Avedo 116-117 K 4
Avegno 116-117 G 4
Avelgem 106-107 A 7
Avenches 116-117 D 3
Avendorf 102-103 K 2
Avenhorn 106-107 DE 3
Aventoft 102-103 E 1
Avenwedde 108-109 FG 3
Averbode 106-107 D 6
Avereest 106-107 G 3
Avereest-Balkbrug 106-107 G 3
Avereest-Dedemsvaart 106-107 GH 3
Avers 116-117 J 4
Averserrhein 116-117 H 3-J 4
Avesnelles 106-107 BC 8
Avesnes-sur-Helpe 106-107 B 8
Avic, Mont – 116-117 E 5
Avilley 116-117 B 2
Avins, les – 106-107 E 8
Àvio 116-117 L 5
Avise 116-117 D 5
Avisio 116-117 M 4
Avoudrey 116-117 B 2
Avus 104-105 B 6

Aweyden [= Nawiady] 112 F 4

Axams 116-117 M 2
Axel 106-107 B 6
Axelhausen = Jakschitz 104-105 M 5
Axien 110-111 G 2
Axstedt 102-103 E 4

Ayas 3 **Beldahnsee**

Ayas 116-117 E 5
Ayasse 116-117 E 5
Aye 106-107 E 8
Ayent 116-117 D 4
Ayer 116-117 E 4
Aymavilles 116-117 D 5
Aymeries, Aulnoye- 106-107 BC 8
Aywaille 106-107 F 8

Azzarini, Monte – 116-117 J 4
Azzate 116-117 G 5

B

Baabe 104-105 C 2
Baaksche Beek 106-107 G 4
Baal 120 B 4
Baalberge 110-111 E 2
Baaler Bruch 120 A 2
Baar [Deutschland] 114-115 C 5-D 4
Baar [Schweiz] 116-117 G 2
Baarbach 120 G 3
Baarderadeel 106-107 F 2
Baarle-Hertog [= Baerle-Duc] 106-107 DE 6
Baarle-Nassau 106-107 D 6
Baarn 106-107 E 4
Baarn-Soestdijk 106-107 E 4
Baasrode 106-107 C 6
Babelsberg, Potsdam- 104-105 B 6
Babenhausen [Bayern] 114-115 G 4
Babenhausen [Hessen] 108-109 G 7
Babenten [= Babięta] 112 F 4
Babia Góra 101 J 4
Babia hora = Babia Góra 101 J 4
Babiak 104-105 N 6
Babiak = Frauendorf 112 D 3
Babienten = Babenten 112 F 4
Babięta = Babenten 112 F 4
Babigoszcz = Hammer 104-105 E 3
Babimost = Bomst 110-111 N 1
Babinek = Heinrichsdorf
Bąblinek = Bomblin I 104-105 J 5
Bąblinek = Bomblin II 104-105 J 5
Baborów = Bauerwitz 113 DE 5
Babst 102-103 L 3
Baceno 116-117 F 4
Bacha = Bache 104-105 N 4
Bach an der Donau 114-115 L 2
Bacharach 108-109 E 6
Bache [Deutschland] 104-105 EF 3
Bache [Polen] 104-105 N 4
Bacher Gebirge 118-119 JK 6
Bachhausen [2 km ↓ Sulzbürg 114-115 J 2]
Bachheiden [= Myślina] 113 E 4
Bachmanning [7 km ↘ Lambach 118-119 F 2]
Bachorza = Bachorze 104-105 N 5
Bachorze 104-105 N 5
Bachorzekanal 104-105 M 5
Bachtel 116-117 G 2
Bachum 120 H 3
Bachwitz [= Łukowiec] 104-105 L 4
Backnang 114-115 EF 3
Baczyna = Beyersdorf 104-105 F 5
Bad Abbach 114-115 L 3
Bad Aibling 114-115 KL 5
Bad Altheide [= Polanica Zdrój] 113 AB 5
Bad Aussee 118-119 F 3
Badbergen 102-103 CD 5
Bad Berka 110-111 D 4
Bad Berneck im Fichtelgebirge 110-111 E 5
Bad Bertrich 108-109 CD 6
Bad Bibra 110-111 E 3
Bad Bielohrad = Lázně Bělohrad 110-111 N 5
Bad Blankenburg (Thüringer Wald) 110-111 D 4
Bad Bocklet 110-111 B 5
Bad Boll [← Boll 114-115 F 3]
Bad Bramstedt 102-103 G 3
Bad Cannstatt, Stuttgart- 114-115 E 3
Bad Charlottenbrunn [= Jedlina Zdrój] 113 A 4
Baddeckenstedt 110-111 B 1
Bad Deutsch Altenburg 118-119 M 2
Bad Dirsdorf [= Przerzeczyn Zdrój] 113 B 4
Bad Ditzenbach 114-115 F 3
Bad Doberan 102-103 L 2
Bad Driburg 108-109 H 3
Bad Düben 110-111 G 2
Bad Dürkheim 108-109 F 8
Bad Dürrenberg 110-111 F 3
Bad Dürrheim 114-115 CD 4
Badeborn 110-111 D 2
Bad Eilsen 108-109 H 2
Badel 102-103 K 5
Bad Elster 110-111 F 5
Bad Ems 108-109 E 6
Baden [Deutschland] 102-103 F 4-5
Baden [Österreich] 118-119 L 2
Baden [Schweiz] 116-117 F 2
Badenau [= Bogdanowice] 113 D 5
Baden-Baden 114-115 C 3
Baden-Baden-Oos 114-115 C 3
Badener Höhe 114-115 C 3
Badenhausen 110-111 B 2
Baden-Oos = Baden-Baden-Oos 114-115 C 3
Badenweiler 114-115 B 5
Baden-Württemberg 101 D 4
Badersleben 110-111 C 2
Bad Essen 108-109 F 2
Badewitz = Badenau 113 D 5
Bad Fischau 118-119 L 3
Bad Flinsberg [= Świeradów Zdrój] 110-111 M 4
Bad Frankenhausen (Kyffhäuser) 110-111 D 3
Bad Freienwalde (Oder) 104-105 D 5
Bad Friedrichshall 114-115 E 2
Bad Froi 116-117 N 3
Bad Fusch 118-119 D 4
Bad Gandersheim 108-109 JK 3
Badgastein 118-119 E 4
Bad Gleichenberg 118-119 KL 5
Bad Godesberg 108-109 CD 5
Bad Gögging 114-115 K 3
Bad Goisern 118-119 F 3
Bad Gottleuba 110-111 JK 4
Bad Griesbach 114-115 C 4
Bad Grund im Harz 110-111 B 2
Bad Hall 118-119 G 2
Bad Harzburg 110-111 C 2
Bad Heilbrunn 114-115 JK 5
Bad Hersfeld 108-109 J 5
Bad Heustrich [4 km ↓ Spiez 116-117 E 3]
Bad Hofgastein 118-119 E 4
Bad Höhenstadt 114-115 N 3-4
Bad Homburg vor der Höhe 108-109 G 6
Bad Hönningen 108-109 D 5
Badia [8 km ↗ Kurfar 118-119 B 5]
Badile, Pizzo – 116-117 HJ 4
Bad Imnau 114-115 D 4
Badingen 104-105 B 5
Bad Ischl 118-119 F 3
Bądki = Pankendorf 112 A 4
Bad Kissingen 110-111 B 5
Bad Kleinen 102-103 K 3
Bad Klosterlausnitz 110-111 E 4
Bad Kohlgrub 114-115 J 5
Bad König 108-109 GH 7
Bad Kösen 110-111 E 3
Bad Köstritz 110-111 F 4
Bądkowo 104-105 N 5
Bad Kreuznach 108-109 EF 7
Bad Krozingen 114-115 B 5
Bad Kudowa [= Kudowa Zdrój] 113 A 5
Bad Landeck in Schlesien [= Lądek Zdrój] 113 B 5
Bad Langensalza 110-111 C 3
Bad Laterns 116-117 J 2
Bad Lauchstädt 110-111 E 3
Bad Lausick 110-111 G 3
Bad Lauterberg im Harz 110-111 BC 2
Bad Liebenstein 110-111 B 4
Bad Liebenwerda 110-111 HJ 2
Bad Liebenzell 114-115 D 3
Bad Lippspringe 108-109 G 3
Bad Meinberg 108-109 GH 3
Bad Mergentheim 114-115 F 2
Bad Münder am Deister 108-109 HJ 2
Bad Münster am Stein 108-109 E 7
Bad Muskau 110-111 L 2
Bad Nauheim 108-109 G 6
Bad Nenndorf 108-109 HJ 2
Bad Neuenahr 108-109 D 5
Bad Neuhaus 110-111 B 5
Bad Neustadt an der Saale 110-111 B 5
Bad Niedernau 114-115 DE 4
Bad Obladis 116-117 L 2
Bad Oeynhausen 108-109 G 2
Bad Oldesloe 102-103 H 3
Bad Oppelsdorf [= Opolno Zdrój] 110-111 L 4
Bad Orb 108-109 H 6
Bad Peterstal (Renchtal) 114-115 C 4
Bad Polzin [= Połczyn Zdrój] 104-105 H 3
Bad Pyrmont 108-109 H 3
Badra 110-111 C 3
Bad Radein = Radein 118-119 L 5
Bad Ragaz 116-117 H 2
Bad Rappenau 114-115 E 2
Bad Ratzes [= Bagni di Ràzzes] 116-117 N 3
Bad Rehburg 102-103 F 6
Bad Reichenhall 114-115 M 5
Bad Reinerz [= Duszniki Zdrój] 113 A 5
Bad Rippoldsau 114-115 C 4
Bad Rothenbrunn 116-117 JK 2
Bad Rothenfelde 108-109 F 2
Bad Saarow-Pieskow 110-111 K 1
Bad Sachsa 110-111 C 2
Bad Salzbrunn [= Szczawno Zdrój] 113 A 4
Bad Salzdetfurth 108-109 JK 2
Bad, Salzgitter- 110-111 B 1
Bad Salzig 108-109 E 6
Bad Salzschlirf 108-109 J 5
Bad Salzuflen 108-109 G 2
Bad Salzungen 110-111 B 4
Bad Sankt Leonhard im Lavanttal 118-119 H 5
Bad Sankt Peter-Ording 102-103 DE 1
Bad Sassendorf 108-109 F 3
Bad Schachen = Lindau (Bodensee)-Bad Schachen
Bad Schallerbach 118-119 FG 2
Bad Schandau 110-111 K 4
Bad Schmiedeberg 110-111 G 2
Bad Schönfließ Neumark [= Trzcińsko Zdrój] 104-105 E 5
Bad Schwalbach 108-109 EF 6
Bad Schwartau 102-103 J 3
Bad Segeberg 102-103 H 3
Bad Soden am Taunus 108-109 FG 6
Bad Soden bei Salmünster 108-109 H 6
Bad Sooden-Allendorf 108-109 JK 4
Bad Steben 110-111 E 5
Bad Suderode 110-111 D 2
Bad Sulza 110-111 E 3
Bad Sülze 102-103 N 2
Bad Tatzmannsdorf 118-119 L 4
Bad Teinach 114-115 D 3
Bad Tennstedt 110-111 C 3
Bad Tölz 114-115 JK 5
Bad Überkingen 114-115 F 3
Badus 116-117 G 3
Bad Vilbel 108-109 G 6
Bad Vöslau 118-119 L 3
Bad Waldsee 114-115 F 5
Bad Warmbrunn [= Cieplice Śląskie Zdrój] 110-111 N 4
Bad Weißer Hirsch, Dresden- 110-111 J 3
Bad Wiessee 114-115 K 5
Bad Wildungen 108-109 H 4
Bad Wilsnack 102-103 L 5
Bad Wimpfen 114-115 E 2
Bad Wimsbach-Neydharting 118-119 F 2
Bad Wörishofen 114-115 H 4
Bad Wurzach 114-115 F 5
Baerenkopf = Bärenkopf 116-117 C 1
Baerenthal = Bärenthal 108-109 DE 9
Baerle-Duc = Baarle-Hertog 106-107 DE 6
Baesweiler 108-109 B 5
Baexem 106-107 F 6
Baffo 106-107 GH 2
Bągart = Baumgarth 112 B 4
Bageńc = Bagenz 110-111 KL 2
Bagenkop 102-103 J 1
Bagenz 110-111 KL 2
Bàggio, Mailand- [= Milano-Bàggio] 116-117 H 6
Bàggio, Milano- = Mailand-Bàggio 116-117 H 6
Bagicz = Bodenhagen 104-105 G 2
Bagna = Pagenkopf 104-105 F 3
Bagna Barycke = Bartschbruch 113 CD 2
Bagnes ≻→
Bagnes, Val de – 116-117 D 4-5
Bagni di Cavelonte 116-117 N 4
Bagni di Màsino ≻→
Bagni di Rabbi 116-117 L 4
Bagni di Ràzzes = Bad Ratzes 116-117 N 3
Bagni Nuovi 116-117 K 4
Bagno = Heinzendorf 113 B 3
Bagolino 116-117 K 5
Bagr'anovo = Kudern 112 H 3
Bagrationovo = Kleschauen 112 H 3
Bagrationovsk = Preußisch Eylau 112 E 3
Bagrowo 113 C 1
Bahlingen [3 km ↘ Endingen 114-115 B 4]
Bahn [= Banie] 104-105 E 4
Bahnau 112 CD 3
Bahrdorf 110-111 CD 1
Bahrenbusch [= Brokęcino] 104-105 J 3
Bahrendorf [= Niedźwiedź] 104-105 D 4
Bahrenortsee 104-105 G 4
Baienfurt 114-115 F 5
Baierbrunn [4 km ↙ Grünwald 114-115 K 4]
Baiersbronn 114-115 CD 3
Baiersdorf 114-115 HJ 1
Baiertal [3 km ↗ Wiesloch 114-115 D 2]
Baileux 106-107 C 8
Bailleul 106-107 a 2
Bains-de-l'Alliaz, Les- [4 km ↑ Les Avants 116-117 C 4]
Baiseux 106-107 A 7
Baisweil 114-115 H 5
Baisy-Thy 106-107 CD 7
Baitenberg [= Bajtkowo] 112 H 4
Baitkowen = Baitenberg 112 H 4
Baitone, Corno – 116-117 KL 4
Baja 101 J 5
Bajánsenye 118-119 L 5
Bajtkowo = Baitenberg 112 H 4
Bak 118-119 M 5
Bakałarzewo 112 J 3
Bakede 108-109 H 2
Bakel en Milheeze 106-107 F 5
Bakonywald 101 HJ 5
Bakov nad Jizerou 110-111 L 5
Bakovský potok = Bakower Bach 110-111 JK 5
Bakow = Bakov nad Jizerou 110-111 L 5
Bąków = Bankau 113 E 4
Bakower Bach 110-111 JK 5
Bakum [Niedersachsen, ↘ Osnabrück] 108-109 F 2
Bakum [Niedersachsen, ↖ Vechta] 102-103 D 5
Balan 106-107 DE 9
Balaton = Plattensee 101 HJ 5
Balbini, Neukirchen- 114-115 LM 2
Baldeggersee 116-117 F 2
Baldenburg [= Biały Bór] 104-105 J 3
Baldeneysee 120 E 3
Baldern 114-115 G 3
Baldo, Monte – 116-117 L 5
Bałdówka = Bełdówka 113 FG 2
Bâle = Basel 116-117 DE 1
Balegem 106-107 B 7
Balen 106-107 E 6
Balerna 116-117 GH 5
Balf = Wolfs 118-119 M 3
Balfanz [= Białowąs] 104-105 H 3
Balfrin 116-117 E 4
Balga [= Veseloje] 112 CD 2
Balgach 116-117 J 2
Balgzand 106-107 D 3
Balingen 114-115 D 4
Balje 102-103 F 3
Balkbrug, Avereest- 106-107 G 3
Ball [= Białka (Iłska)] 104-105 F 4
Ballàbio 116-117 HJ 5
Ballenstedt 110-111 D 2
Ballethen [= Sadovoje] 112 G 3
Ballfließ 104-105 J 3
Ballmertshofen 114-115 G 3
Ballon d'Alsace = Elsässer Belchen 116-117 C 1
Ballon, Grand – = Großer Belchen 116-117 D 1
Ballstädt 110-111 C 3
Ballum 106-107 F 2
Balma 116-117 F 5
Balme-de-Sillingy, la – 116-117 AB 5
Balme, la – 116-117 C 5
Balmhorn 116-117 E 4
Balmùccia 116-117 F 5
Bałoszyce = Groß Bellschwitz 112 B 4
Balschweiler [= Balschwiller] 116-117 D 1
Balschwiller = Balschweiler 116-117 D 1
Balster [= Biały Zdrój] 104-105 G 4
Balsthal 116-117 E 2
Baltea, Dora – 116-117 E 5
Baltée, Doire – 116-117 D 5
Baltijskaja kosa = Frische Nehrung 112 B 3-C 2
Baltijskoje more = Ostsee 101 F-J 1
Baltijsk = Pillau 112 C 2
Baltrum [Insel] 102-103 B 3
Baltrum [Ort] 102-103 B 3
Baltupėnai = Baltupönen 112 H 1
Baltupönen [= Baltupėnai] 112 H 1
Bałucz [5 km ↙ Wrzeszczewice 113 FG 2]
Bałucza = Bałucz
Balve 120 H 3
Balver Wald 120 H 3
Balzers 116-117 J 2
Bamberg 114-115 HJ 1
Bamme 102-103 MN 5
Bammental 114-115 D 2
Banau = Bahnau 112 CD 3
Bandau 102-103 K 5
Bande 106-107 E 8
Bandelow [4 km → Jagow 104-105 C 4]
Bandholm 102-103 KL 1
Banfe 108-109 F 5
Bangastsee 104-105 E 4
Banie = Bahr 104-105 E 4
Banie Mazurskie = Benkheim 112 H 3
Baniewice = Marienthal 104-105 E 4
Banjaard 106-107 B 5
Bankau [= Bąków] 113 E 4
Bann 108-109 E 8
Bannesdorf 102-103 K 2
Bannewitz 110-111 J 3-4
Bànnio 116-117 F 5
Bánokszentgyörgy 118-119 M 5
Banówka = Bahnau 112 CD 3
Bansin, Seebad – 104-105 D 3
Banská Bystrica ≻→
Banská Štiavnica = Schemnitz 101 J 4
Banteln 108-109 J 2
Bantikower See = Untersee 102-103 M 5
Bantzenheim = Banzenheim 116-117 DE 1
Banz 110-111 C 5
Banzenheim [= Bantzenheim] 116-117 DE 1
Banzkow 102-103 KL 3
Bàra 114-115 D 4
Baràggia 116-117 F 5-6
Baranów 113 E 3
Baranowen = Neufließ 112 E 5
Baranowo = Hoverbeck 112 FG 4
Baranowo = Neufließ 112 E 5
Baraque de Fraiture 106-107 F 8
Barbarano Vicentino 116-117 N 6
Barberine, Lac de – 116-117 C 4
Barbian [= Barbiano] 116-117 MN 3
Barbiano = Barbian 116-117 MN 3
Barbis 110-111 B 2
Barby (Elbe) 110-111 E 2
Barchfeld 110-111 B 4
Barciany = Barten 112 F 3
Barcin = Bartschin 104-105 LM 5
Barcino = Barzin 104-105 JK 2
Barczewko = Alt Wartenburg 112 DE 4
Barczewo = Wartenburg in Ostpreußen 112 E 4
Bardejov = Bartfeld 101 K 4
Bardenberg [2 km ↗ Kohlscheid 108-109 B 5]
Bardenitz 110-111 GH 1
Bardo 113 CD 1
Bardo = Wartha 113 B 4
Bardolino 116-117 L 5
Bárdorf [= Niedźwiedź] 113 B 4
Bardowick 102-103 H 4
Bardtensee = Lubosch 104-105 H 5
Baréggio 116-117 GH 6
Bärenbach, Bruchweiler- 108-109 E 8
Barenberg 104-105 J 2
Barenburg 102-103 E 5
Barendrecht 106-107 CD 5
Barengo [3 km ← Momo 116-117 G 5]
Bärengraben 112 H 2
Bärenhorn 116-117 H 3
Bärenklau 110-111 KL 2
Bärenkopf 116-117 C 1
Bärenstein [Deutschland] 110-111 J 4
Bärenstein [Tschechoslowakei] 110-111 H 4
Bärenstein (Kreis Annaberg) 110-111 GH 4-5
Bärenthal 114-115 D 4
Bärenthal [= Baerenthal] 108-109 DE 9
Barenthin 102-103 M 5
Bärenwalde [= Biińcze] 104-105 K3
Bäretswil 116-117 G 2
Barfelde 108-109 J 2
Bärfelde [= Smolnica] 104-105 E 5
Barfußdorf [= Żółwia Błoć] 104-105 E 3
Bargen [= Barkowo] 113 B 3
Bargensdorf 104-105 B 5
Bargfeld-Steger 102-103 H 3
Barg schow 104-105 C 3
Bargstedt 102-103 G 2
Bargteheide 102-103 H 3
Bargum 102-103 E 1
Bargy, le – 116-117 BC 4
Barhöft 104-105 AB 2
Barkelsby 102-103 G 1-2
Barkenfelde [= Barkowo] 104-105 K 3
Barkhausen an der Porta 108-109 G 2
Barkow 102-103 M 4
Barkowo = Bargen 113 B 3
Barkowo = Barkenfelde 104-105 K 3
Barleben 110-111 E 1
Bar-le-Duc 101 B 4
Berlinecke, Jezioro – = Berlinchener See 104-105 F 5
Barlo 108-109 C 3
Barłogi 113 F 1
Barloschno [= Barłożno, 6 km ↖ Schmentau 104-105 N 3]
Barłożno = Barloschno
Barlt 102-103 F 2
Barmen 120 B 5
Barmen, Wuppertal- 120 E 3
Barmer Stausee 120 F 4
Barmstedt 102-103 G 3
Bärnau 114-115 L 1
Bärnbach 118-119 J 4
Barneberg 110-111 D 1
Barneveld 106-107 F 4
Barneveld-Kootwijk 106-107 F 4
Barneveld-Voorthuizen 106-107 F 4
Barnewitz 102-103 N 5
Barnim 104-105 CD 5
Barnim = Barnimskunow
Barnimie = Fürstenau 104-105 G 4
Barnimskunow [= Barn m, 3 km ↗ Groß Schönfeld 104-105 EF 4]
Barnimslow [= Barnisław] 104-105 DE 4
Barnin 102-103 L 3
Barnisław = Barnimslow 104-105 DE 4
Barnówko = Bernsuchen 104-105 E 5
Barnstädt 110-111 E 3
Barnstorf 102-103 D 5
Barnten 108-109 J 2
Barntrup 108-109 H 3
Bärofen 118-119 J 5
Barone, Monte – 116-117 F 5
Baronville = Baronweiler 108-109 C 9
Baronweiler [= Baronville] 108-109 C 9
Barradeel 106-107 EF 2
Barranowen = Hoverbeck 112 FG 4
Barrhorn 116-117 E 4
Barrien 102-103 E 5
Bärringen [= Pernink] 110-111 G 5
Barry 106-107 B 7
Barsbüttel 102-103 H 3
Baršć (Łužyca) = Forst (Lausitz) 110-111 L 2
Barse, Vierset- 106-107 E 8
Barsingerhorn 106-107 DE 3
Barsinghausen 108-109 HJ 2
Barskamp 102-103 J 4
Barßel 102-103 C 4
Bar-sur-Aube 101 B 4
Bart = Baruth 110-111 L 3
Bartąg = Bertung 112 DE 4
Bartelshagen 102-103 M 2
Bartelstadt = Bartschin 104-105 LM 5
Barten 112 E-G 3
Barten [= Barciany] 112 F 3
Bartenheim 116-117 D 1
Bartenstein 114-115 F 2
Bartenstein (Ostpreußen) [= Bartoszyce] 112 E 3
Barterode 108-109 J 2
Bartfeld [= Bardejov] 101 K 4
Barth 102-103 N 2
Barthe 102-103 N 2
Bartholomä 114-115 FG 3
Bartholomäberg [2 km ↖ Schruns 116-117 J 2]
Bartin [= Barzino] 104-105 JK 2
Bartmannshagen 104-105 B 2
Bartochów 113 F 2
Bartolfelde [2 km ↘ Osterhagen 110-111 B 2]
Bartoty Wielkie = Groß Bartelsdorf 112 E 4
Bartoszyce = Bartenstein (Ostpreußen) 112 E 3
Bartow 104-105 B 3
Bartringer [= Bertrange] 106-107 FG 9
Bartsch 113 B 2
Bartschbruch 113 CD 2
Bartschin [= Barcin] 104-105 LM 5
Barum 102-103 H 4
Barum = Salzgitter-Barum
Baruth [Brandenburg] 110-111 HJ 1
Baruth [Sachsen] 110-111 L 3
Barvaux 106-107 EF 8
Barver 102-103 E 5
Bärwalde in Pommern [= Barwice] 104-105 H 3
Bärwalde Neumark [= Mieszkowice] 104-105 DE 5
Barwice = Bärwalde in Pommern 104-105 H 3
Barycz = Bartsch 113 B 2
Barzago 116-117 H 5
Bàrzio 116-117 HJ 5
Barzowice = Barzwitz 104-105 J 2
Barzwitz [= Barzowice] 104-105 J 2
Basbeck 102-103 F 3
Baschkow = Baszków 113 C 2
Basdahl 102-103 EF 4
Basdorf 104-105 B 5
Basècles 106-107 B 7
Basedow 102-103 N 3
Basel 116-117 DE 1
Baselga di Pine 116-117 M 4
Baselland 116-117 E 1-2
Baserthin [= Bodzęcin] 104-105 E 3
Basien [= Bażyny] 112 D 3
Basilea = Basel 116-117 DE 1
Bäslack [= Bezławki] 112 F 3
Basodino, Monte – 116-117 F 4
Bas-Rhin 108-109 D-E 9
Basse 102-103 N 2
Bassecourt [= Altdorf] 116-117 D 2
Bassen 102-103 F 4
Bassersdorf [3 km ↘ Kloten 116-117 G 2]
Bassilly [= Zullik] 106-107 BC 7
Baßlitz 110-111 HJ 3
Bassum 102-103 E 5
Bast [= Łekno] 104-105 H 2
Bastei 110-111 K 4
Bastenaken = Bastogne 106-107 F 8
Bastogne [= Bastenaken] 106-107 F 8
Baszewice = Batzwitz 104-105 F 3
Baszków 113 C 2
Baszyn = Hartfelde
Batenburg 106-107 F 5
Bâthie, la – 116-117 BC 5
Bathmen 106-107 G 4
Bathorn, Hoogstede- 102-103 AB 5
Bath, Rilland- 106-107 C 6
Batorowo = Battrow 104-105 K 3-4
Battenberg 108-109 G 4
Bätterkinden [2 km ← Utzenstorf 116-117 E 2]
Battice 106-107 F 7
Battrow [= Batorowo] 104-105 K 3-4
Batzhausen 114-115 K 2
Batzlow 104-105 D 5
Batzwitz [= Baszewice] 104-105 F 3
Bau 102-103 F 1
Bauchberg 104-105 K 4
Bauchwitz [= Bukowiec (Międzyrzecki)] 104-105 G 6
Bauda = Baude 112 C 3
Baudach [= Budachów] 110-111 M 1
Baude 112 C 3
Baudenbach 114-115 H 1
Baudendorfer Flößbach 113 DE 4
Baudoncourt 116-117 B 1
Baudour 106-107 B 8
Bauerwitz [= Baborów] 113 DE 5
Bauges 116-117 AB 5
Bauland 114-115 EF 2
Baulers 106-107 C 7
Baulet, Wanfercée- 106-107 D 8
Baulmes 116-117 C 3
Bauma 116-117 G 2
Baumbach 108-109 J 4
Baumberge 108-109 D 3
Baume-les-Dames 116-117 B 2
Baumgarten [Bayern] 114-115 MN 4
Baumgarten [Mecklenburg] 102-103 L 3
Baumgarten [= Braszowice] 113 B 4
Baumgarten [= Gudowo] 104-105 G3-4
Baumgarten [= Włodzisław] 104-105 EF 3
Baumgartenberg [4 km ← Saxen 118-119 H 2]
Baumgarth [= Bągart] 112 B 4
Baumholder 108-109 D 7
Baunach [Fluß] 110-111 C 5
Baunach [Ort] 110-111 C 6
Bauschowitz [= Bohušovice nad Ohří] 110-111 K 5
Bausenhagen 120 H 2
Bautzen 110-111 KL 3
Bavans 116-117 C 2
Bavay 106-107 B 8
Baveno 116-117 F 5
Bavilliers 116-117 C 1
Bavona 116-117 G 4
Bawinkel 102-103 BC 5
Bayerbach 114-115 N 4
Bayerbach bei Ergoldsbach 114-115 L 3
Bayerfeld-Steckweiler 108-109 E 7
Bayerische Alpen 114-115 H 6-L 5
Bayerisch Eisenstein 114-115 N 2
Bayerischer Wald 114-115 L 2-N 3
Bayern 101 E 4
Bayersoien 114-115 H 5
Bayersried-Ursberg 114-115 G 4
Bayreuth 110-111 DE 6
Bayrischzell 114-115 L 5
Bazeilles 106-107 D 9
Bażyny = Basien 112 D 3
Beatenberg 116-117 E 3
Beaucourt 116-117 C 2
Beaufort 116-117 C 5
Beaufort = Befort 106-107 G 9
Beaufort, Massif de – 116-117 BC 5
Beaulieu [= Krasnołęg] 104-105 F 5
Beaumont 106-107 C 8
Beaune 101 B 5
Beauraing 106-107 DE 8
Bebelsheim [8 km ↘ Fechingen 108-109 D 8]
Bebenhausen 114-115 DE 3
Bebertal 110-111 D 1
Bebra 108-109 J 5
Becca de Luseney 116-117 DE 5
Bechau [= Biechów] 113 C 4
Bechen 120 EF 4
Bechhofen 114-115 H 2
Bechlin [= Bechlin] 110-111 K 5
Bechlin [2 km ↙ Neuruppin 102-103 N 5]
Bechtheim 108-109 F 7
Becke 120 H 3
Beckedorf 102-103 GH 5
Beckedorf [4 km ↓ Schwanewede 102-103 E 4]
Beckenried 116-117 FG 3
Beckerich 106-107 F 9
Beckingen 108-109 C 8
Beckowo 112 H 4
Beckum [Nordrhein-Westfalen, Münsterland] 120 HJ 1-2
Beckum [Nordrhein-Westfalen, Sauerland] 120 H 3
Beckumer Berge 120 HJ 2
Bečov = Hochpetsch 110-111 J 5
Bečov nad Teplou = Petschau 110-111 G 5
Becsehely 118-119 M 6
Bečváry 110-111 M 6
Bedargowo (Myśliborskie) = Groß Mandelkow 104-105 FG 4
Bedburdyk 120 C 4
Bedburg 120 C 5
Beddingen = Salzgitter-Beddingen
Bederkesa 102-103 E 3
Bederkesaer See 102-103 EF 3
Bederkesa-Geeste-Kanal 102-103 E 3
Będgoszcz, Jezioro – = Bangastsee 104-105 E 4
Bedizzole 116-117 KL 5
Bedretto [3 km ← Ossasco 116-117 G 3]
Befretto, Val – 116-117 F 4-G 3
Bedum 106-107 H 2
Beeck 120 A 5
Beedenbostel 102-103 H 5
Beek [Deutschland] 112 E 2
Beek [Niederlande] 106-107 F 7
Beekbergen, Apeldoorn- 106-107 F 4
Beek en Donk 106-107 F 5
Beelen 108-109 F 3
Beelitz 110-111 GH 1
Beelitz [= Bielice] 104-105 E 4
Beemster 106-107 D 3
Beendorf 110-111 D 1
Beenz [6 km → Wichmannsdorf 104-105 C 4]
Beerberg, Großer – 110-111 C 4
Beerfelde 104-105 CD 6
Beerfelden 108-109 GH 7
Beerlage 108-109 D 2
Beernem 106-107 A 6
Beers [Niederlande, Gelderland] 106-107 F 5
Beers [Niederlande, Nordbrabant] 106-107 E 6
Beerse 106-107 D 6
Beerta 106-107 J 2
Beervelde [4 km ↘ Lochristi 106-107 B 6]
Beerze 106-107 E 6
Beesd 106-107 E 5
Beesdau 110-111 J 2
Beesel 106-107 G 6
Beesenlaublingen [2 km ↗ Alsleben (Saale) 110-111 E 2]
Beesenstedt 110-111 E 2
Beeskow 110-111 K 1
Beesten 102-103 C 6
Beestland 102-103 N 3
Beetsterzwaag, Opsterland- 106-107 G 2
Beetz 104-105 AB 5
Beetzendorf 102-103 K 5
Beetzsee 102-103 N 6
Befort [= Beaufort] 106-107 G 9
Befreiungshalle 114-115 K 3
Bega 108-109 G 2
Beggerow 104-105 B 3
Begnins 116-117 B 4
Behle [= Biała] 104-105 J 4
Behlendorf 102-103 J 3
Behnsdorf 110-111 D 1
Beho 106-107 FG 8
Behrenhoff 104-105 D 2-3
Behren Lübchin 102-103 N 2
Behringen 110-111 BC 3
Behringersmühle 114-115 J 1
Behwerbach 112 C 3
Beichlingen 110-111 D 3
Beidenfleth 102-103 FG 3
Beienheim [6 km → Bad Nauheim 108-109 G 6]
Beierfeld 110-111 G 4
Beiersdorf 104-105 C 5
Beihingen am Neckar 114-115 E 3
Beijerland 106-107 C 5
Beilen 106-107 GH 3
Beilen-Hijken 106-107 G 3
Beilen-Hooghalen 106-107 H 3
Beilngries 114-115 J 2
Beilrode 110-111 H 2
Beilstein [Baden-Württemberg] 114-115 E 2
Beilstein [Hessen] 108-109 F 5
Beilstein [Rheinland-Pfalz, ↘ Cochem] 108-109 D 6
Beilstein [Rheinland-Pfalz, → Kaiserslautern] 108-109 E 8
Beimerstetten 114-115 FG 4
Beinheim 108-109 EF 9
Beinwil am See [2 km ↗ Reinach 116-117 F 2]
Beisleide 112 E 3
Beitsch [= Biecz] 110-111 L 2
Beitzsch = Beitsch 110-111 L 2
Bejcgyertyános 118-119 M 4
Bejscht = Býšť 110-111 N 5
Beke 102-103 M 3
Békés 101 K 5
Békéscsaba 101 K 5
Bekkevoort 106-107 DE 7
Bělá = Alba 113 A 5
Bělá = Biela [Fluß] 113 C 5
Bělá = Biela [Ort] 110-111 K 4
Belalp 116-117 EF 4
Bělá nad Radbuzou = Weißensulz 114-115 M 1
Bělá pod Bezdězem = Weißwasser in Böhmen 110-111 L 4
Bela-Podljaschskaya = Biała Podlaska 101 L 2-3
Bělá, Rohovládova – 110-111 MN 5
Belatincz = Beltinci 118-119 L 5
Běła Woda = Weißwasser 110-111 L 2
Belchen 114-115 B 5
Belchen, Elsässer – 116-117 C 1
Belchen, Großer – 116-117 D 1
Belchen von Gebweiler = Großer Belchen 116-117 D 1
Belchen, Welscher – = Elsässer Belchen 116-117 C 1
Bełczna = Neukirchen 104-105 FG 3
Bełda 112 J 4
Beldahnsee 112 G 4

Bełdany 4 Błakąły

Bełdany, Jezioro – = Beldahnsee 112 G 4
Bełdówka 113 FG 2
Belęcin 110-111 O 1
Belecke 108-109 F 4
Beled 118-119 N 4
Belencin = Belęcin 110-111 O 1
Belfaux = Gumschen 116-117 D 3
Belfeld 106-107 G 6
Belfort 116-117 C 1
Belgard (Persante) [= Białogard] 104-105 G 2
Belgern 110-111 H 3
België = Belgien 106-107 A 6-F 8
Belgien 106-107 A 6-F 8
Belgien, Niederlande, Luxemburg 106-107
Belgique = Belgien 106-107 A 6-F 8
Bělin = Byhlen 110-111 K 2
Bellachat, Mont – 116-117 B 5
Bellàgio 116-117 H 5
Bellano 116-117 H 4
Bella Tola 116-117 E 4
Belleben 110-111 E 2
Bellecôte, Sommet de – 116-117 C 5-6
Bellefontaine 106-107 EF 9
Belleherbe 116-117 C 2
Bellenberg 114-115 G 4
Bellerive, Collonge – 116-117 B 4
Bellevaux 116-117 BC 4
Bellevaux-Ligneuville 106-107 G 8
Belleville 116-117 C 5
Bellheim 108-109 F 8
Bellin 102-103 N 5
Bellin [= Bielin] 104-105 D 5
Bellinchen [= Bielinek] 104-105 D 5
Bellingwolde 106-107 J 2
Bellinzago Novarese 116-117 G 5
Bellinzona 116-117 H 4
Bellinzona-Carasso 116-117 GH 4
Bellscheid, Homberg-Bracht- 120 DE 3
Belluno 101 EF 5
Belluno Veronese 116-117 LM 5
Bellusco [3 km → Vimercate 116-117 H 5]
Belm 108-109 F 2
Belœil 106-107 B 7
Belostok = Białystok 101 L 2
Belp 116-117 DE 3
Belsen 106-107 C 6
Belsen [3 km ↗ Bergen 102-103 GH 5]
Belter Wijde G 3
Beltinci 118-119 L 5
Belt, Kleiner – 102-103 H 1
Belt, Langelands – 102-103 J 1
Belvedere 110-111 D 4
Belzig 110-111 G 1
Bemmel 106-107 F 5
Benaco, Lago – = Gardasee 116-117 L 5
Ben-Ahin 106-107 E 7
Benau [= Bienów] 110-111 M 2
Bendeleben 110-111 CD 3
Bendestorf 102-103 GH 4
Bendorf 108-109 E 6
Beneden-Merwede 106-107 D 5
Benediktbeuren 114-115 JK 5
Benediktenwand 114-115 JK 5
Benefeld 102-103 G 5
Benelux 106-107
Beneschau [= Dolní Benešov] 113 E 6
Benešov nad Cernou = Deutsch Beneschau 118-119 H 1
Benešov nad Ploučnicí = Bensen 110-111 K 4
Bénestroff = Bensdorf 108-109 C 9
Benfeld 114-115 B 4
Bengel 108-109 D 6
Benice 113 C 2
Beningen [= Béning-lès-Saint-Avold] 108-109 C 8
Béning-lès-Saint-Avold = Beningen 108-109 C 8
Benisch [= Horní Benešov] 113 D 6
Benitz = Benice 113 C 2
Benken 110-111 F 1
Benkheim [= Banie Mazurskie] 112 H 3
Bennebroek 106-107 CD 4
Benneckenstein (Harz) 110-111 C 2
Benningsen 108-109 J 2
Bennin 102-103 J 4
Benningen 114-115 G 5
Benningen [2 km ↖ Marbach am Neckar 114-115 E 3]
Bennisch = Benisch 113 D 6
Benonchamps 106-107 F 8
Benowo = Bönhof
Benrath, Düsseldorf- 120 D 4
Benrath, Schloß – 120 D 4
Bensberg 120 E 5
Bensdorf 110-111 F 1
Bensdorf [= Bénestroff] 108-109 C 9
Bensen [= Benešov nad Ploučnicí] 110-111 K 4
Bensersiel 102-103 C 3
Benshausen 110-111 C 4
Bensheim 108-109 C 7
Bensheim-Auerbach 108-109 G 7
Bentheim 108-109 D 2
Bentheim, Grafschaft – 102-103 A 5-B 6
Bentschen [= Zbąszyń] 110-111 NO 1
Bentschener See 110-111 NO 1
Bentwisch 102-103 M 2
Benz [Mecklenburg] 102-103 L 3
Benz [Pommern] 104-105 D 3
Beratzhausen 114-115 K 2
Beraun 101 F 4
Beraun [= Beroun] 110-111 K 6
Bérbaltavár 118-119 M 4
Berbenno di Valtellina 116-117 J 4
Berchem 106-107 CD 6
Berchem [3 km ↗ Ruien 106-107 AB 7]
Bercher 116-117 C 3
Berching 114-115 J 2
Berchtesgaden 114-115 MN 5
Berchum 120 G 3
Beregovo = Beregowo 101 L 4
Beregowo 101 L 4
Berendrecht 106-107 C 6
Berenhostel 102-103 G 6
Berent [= Kościerzyna] 104-105 LM 2
Beretau 101 KL 5
Berežkovskoje = Waldhausen 112 G 2
Berg [Baden-Württemberg] 114-115 F 5
Berg [Brandenburg] 110-111 M 1
Berg [Oberbayern] 114-115 J 5
Berga 110-111 D 3
Berga (Elster) 110-111 F 4
Bergamasche, Alpi – = Bergamasker Alpen 116-117 J 5-L 4
Bergamasker Alpen 116-117 J 5-K 4
Bergambacht 106-107 D 5
Berg am Laim = München-Berg am Laim
Bèrgamo [Ort, Verwaltungseinheit] 116-117 J 5
Bergatreute 114-115 F 5
Berg bei Neumarkt in der Oberpfalz 114-115 J 2
Berg bei Rohrbach [1 km → Rohrbach in Oberösterreich 118-119 F 1]
Berge [Brandenburg] 102-103 N 5
Berge [Niedersachsen] 102-103 C 5
Berge [Nordrhein-Westfalen] 120 H 2
Berge [Sachsen-Anhalt] 102-103 K 5
Bergedorf, Hamburg- 102-103 H 3-4
Bergei 120 H 4
Bergeijk 106-107 E 6
Bergel 114-115 G 2
Bergen [Deutschland, Bayern] 114-115 M 5
Bergen [Deutschland, Niedersachsen] 102-103 GH 5
Bergen [Niederlande, Limburg] 106-107 G 5
Bergen [Niederlande, Nordholland] 106-107 D 3
Bergen = Mons 106-107 BC 8
Bergen aan Zee, Bergen- 106-107 CD 3
Bergen-Bergen aan Zee 106-107 CD 3
Bergen (Dumme) 102-103 J 5
Bergen-Enkheim 108-109 G 6
Bergenhusen 102-103 F 2
Bergen op Zoom 106-107 C 6
Bergen (Rügen) 104-105 B 2
Bergentheim, Hardenberg- 106-107 H 3
Bergenwald [= Niwiska] 110-111 MN 2
Berge (Prignitz) 102-103 L 4
Berge, Schloß – 120 E 2
Bergfriede [= Samborowo] 112 C 4
Berggießhübel 110-111 JK 4
Berghausen 108-109 F 4
Berghausen [3 km ↙ Speyer 108-109 F 8]
Bergheim 108-109 H 4
Bergheim [4 km ↖ Salzburg 118-119 E 3]
Bergheim (Erft) 120 C 5
Berghem 106-107 F 5
Bergholz 104-105 D 4
Berg im Gau 114-115 J 3
Bergisches Land 108-109 D 4-5
Bergisch-Gladbach 120 E 4-5
Bergisch-Neukirchen 120 E 4
Bergkamen 120 G 2
Bergland [= Bystra] 104-105 E 4
Berglern 114-115 KL 4
Bergnassau-Scheuern 108-109 E 6
Bergneustadt 120 G 4
Berg (Pfalz) 108-109 F 9
Bergrheinfeld 110-111 B 5
Bergsche Maas 106-107 DE 5
Bergsdorf 104-105 B 5
Bergstadt [= Horní Libana] 113 C 6
Bergstadt [= Leśnica] 113 E 5
Bergstadt = Żerków 113 D 1
Bergstadtl [= Hory Matky Boží] 114-115 N 2
Bergstadt Platten [= Horní Blatná] 110-111 G 5
Bergstraße 108-109 G 7
Bergtheim 114-115 FG 1
Bergumermeer 106-107 G 2
Bergum, Tiertjerksteradeel- 106-107 F 2
Bergün 116-117 J 3
Bergwitz 110-111 G 2
Bergzabern 108-109 E 8
Bergzow 110-111 F 1
Bèrici, Monti – 116-117 MN 6
Beringen 106-107 E 6
Beringhausen 108-109 G 4
Beringstedt 102-103 FG 2
Berisal 116-117 F 4
Berka [3 km ↖ Sondershausen-Jecha 110-111 C 3]
Berka, Bad – 110-111 D 4
Berkanowo = Berkenow 104-105 FG 3
Berka vor dem Hainich 110-111 B 3
Berka (Werra) 110-111 B 4
Berkel [Deutschland] 108-109 C 2
Berkel [Niederlande, Fluß] 106-107 G 4
Berkel [Niederlande, Ort] 106-107 E 5
Berkel [8 km ↑ Rotterdam 106-107 CD 5]
Berkenbrück 104-105 D 6
Berkenbrügge [= Brzeziny] 104-105 G 4
Berkenow [= Berkanowo] 104-105 FG 3
Berkenthin 102-103 J 3
Berkenwerder [= Brzozowiec] 104-105 FG 5
Berkheim 114-115 FG 4
Berkheim [2 km ↖ Eßlingen am Neckar 114-115 E 3]
Berkhout 106-107 D 3
Berlaar 106-107 D 6
Berlaimont 106-107 B 8
Berleburg 108-109 FG 4
Berlepsch 108-109 J 4
Berlichingen 114-115 EF 2
Berlicum 106-107 E 5
Berlin 104-105 B 5-6
Berlin-Buch 104-105 B 5
Berlin-Charlottenburg 104-105 B 5
Berlinchen 102-103 N 4
Berlinchen [= Berlinek] 104-105 F 5
Berlinchener See 104-105 F 5
Berlinek = Berlinchen 104-105 F 5
Berlin-Friedrichshagen 104-105 C 6
Berlin-Gatow 104-105 B 6
Berlin-Grünau 104-105 C 6
Berlin-Hermsdorf 104-105 B 5
Berlin-Karlshorst 104-105 C 6
Berlin-Köpenick 104-105 BC 6
Berlin-Lichtenberg 104-105 BC 5
Berlin-Lichtenrade 104-105 B 6
Berlin-Lichterfelde 104-105 B 6
Berlin-Mahlsdorf 104-105 C 5
Berlin-Neukölln 104-105 B 6
Berlin-Pankow 104-105 BC 5
Berlin-Reinickendorf 104-105 B 5
Berlin-Schmöckwitz 104-105 C 6
Berlin-Schöneberg 104-105 B 6
Berlin-Spandau 104-105 B 5
Berlin-Steglitz 104-105 B 6
Berlin-Tegel 104-105 B 5
Berlin-Tempelhof 104-105 B 6
Berlin-Weißensee 104-105 BC 5
Berlin-Zehlendorf 104-105 B 6
Bermaringen 114-115 F 4
Bermbeck, Schweicheln- [4 km ↑ Herford 108-109 G 2]
Bermsgrün [2 km ↓ Schwarzenberg (Erzgebirge) 110-111 G 4]
Bern [= Berne] [Ort] 116-117 D 3
Bern [= Berne] [Verwaltungseinheit] 116-117 D 2-E 3
Bernarèggio 116-117 HJ 5
Bernartice = Bernsdorf 110-111 N 4
Bernartice = Pornartitz 114-115 M 1
Bernau 114-115 BC 5
Bernau am Chiemsee 114-115 L 5
Bernau bei Berlin 104-105 C 5
Bernbeuren 114-115 H 5
Bernburg 110-111 E 2
Berndorf [Deutschland] 108-109 G 4
Berndorf [Österreich] 118-119 L 3
Berne 102-103 DE 4
Berne = Bern [Ort] 116-117 D 3
Berne = Bern [Verwaltungseinheit] 116-117 D 2-E 3
Berneck 114-115 D 3
Berneck [3 km ↑ Balgach 116-117 J 2]
Berneck im Fichtelgebirge, Bad – 110-111 E 5
Berner Alpen 116-117 D 4-F 3
Berneuchen [= Barnówko] 104-105 E 5
Bernex 116-117 C 4
Bernex [3 km ↙ Genf 116-117 B 4]
Berngau 114-115 J 2
Bernhardsthal 118-119 M 1
Bernina 116-117 JK 4
Berninabach = Flaz 116-117 J 4
Berninapaß 116-117 K 4
Bernina, Piz – 116-117 J 4
Bernissart 106-107 B 8
Bernitt 102-103 L 3
Bernkastel-Kues 108-109 D 7
Bernloch 114-115 E 4
Bernried [Oberbayern] 114-115 J 5
Bernried [Niederbayern] 114-115 M 3
Bernsbach 110-111 G 4
Bernsdorf 110-111 K 3
Bernsdorf [= Bernartice] 110-111 N 4
Bernsdorf [= Ugoszcz] 104-105 L 2
Bernsee [= Breń] 104-105 G 4
Bernshausen 114-115 E 3
Bernstadt [Baden-Württemberg] 114-115 FG 3
Bernstadt [Sachsen] 110-111 L 3
Bernstadt in Schlesien [= Bierutów] 113 CD 3
Bernstein 118-119 L 4
Bernstein [= Pełczyce] 104-105 F 4
Bernsteingruben 112 CD 2
Bernsteinküste 112 C 2
Bernterode 110-111 BC 3
Berolzheim, Markt – 114-115 H 2
Beromünster 116-117 F 2
Beroun = Beraun 110-111 K 6
Berounka = Beraun 101 F 4
Berra, La – 116-117 D 3
Berrio, Monte – 116-117 D 5
Bersée 106-107 A 8
Bersenbrück 102-103 C 5
Berstadt 108-109 G 6
Berste 110-111 J 2
Bertem 106-107 D 7
Berthelming = Berthelmingen 108-109 C 9
Berthelmingen [= Berthelming] 108-109 C 9
Berthelsdorf 110-111 K 3
Bertingen 110-111 E 1
Bertogne 106-107 F 8
Bertrange = Bartringen 106-107 FG 9
Bertrich, Bad – 108-109 CD 6
Bertrix 106-107 E 9
Bertsdorf [3 km ← Olbersdorf 110-111 L 4]
Bertung [= Bartąg] 112 DE 4
Berum 102-103 B 3
Berumbur [2 km ← Großheide 102-103 B 3]
Berumersfehn 102-103 B 3
Berwicke 120 J 2
Berzdorf [3 km → Brühl 108-109 C 5]
Berzée 106-107 C 8
Berzio 116-117 K 4
Besançon 116-117 B 2
Besch [3 km ↓ Nennig 108-109 B 7]
Beschesno = Březno 110-111 M 5
Beschine = Hartfelde
Besdiekau = Bezděkov 114-115 N 2
Besednice = Bessenitz 118-119 H 1
Besenfeld 114-115 C 3
Besigheim 114-115 E 2-3
Běšiny 114-115 N 2
Beskiden 101 JK 4
Beskidy = Beskiden 101 JK 4
Besnate 116-117 G 5
Besozzo 116-117 G 5
Besse 108-109 H 4
Bessenitz [= Besednice] 118-119 H 1
Besseringen 108-109 BC 8
Best 106-107 E 5
Bestensee 110-111 J 1
Besviller, Étang de – = Bischweiher 108-109 C 8
Betekom 106-107 D 7
Bethoncourt 116-117 C 1
Betsche [= Pszczew] 104-105 G 6
Betschwar = Bečváry 110-111 M 6
Bettaforca, Col della – 116-117 E 5
Bettelwurfspitze 116-117 MN 2
Bettembourg = Bettemburg 106-107 G 9
Bettemburg [= Bettembourg] 106-107 G 9
Bettendorf 106-107 G 9
Bettenhausen 110-111 B 4
Bettignies 106-107 B 8
Bettingen 108-109 B 7
Bettlern [= Bielany Wrocławskie] 113 B 3
Bettlihorn 116-117 F 4
Bettringsen 114-115 F 3
Betuwe 106-107 EF 5
Betzdorf 108-109 E 5
Betzenhausen [4 km ↖ Freiburg 114-115 B 4-5]
Betzenstein 114-115 J 1
Betzigau 114-115 G 5
Beucha 110-111 G 3
Beuel 108-109 D 5
Beuerberg 114-115 J 5
Beulaker Wijde 106-107 FG 3
Beulberg 120 G 4
Beuna 110-111 E 3
Beuningen 106-107 F 5
Beura >>
Beuren 116-117 B 2
Beuren 110-111 B 3
Beuren am Ried 114-115 D 5
Beuron 114-115 DE 4
Beusichem 106-107 E 5
Beutelsbach 114-115 E 3
Beuthen (Oberschlesien) [= Bytom] 113 F 5
Beuthen/Oder [= Bytom Odrzański] 110-111 N 2
Beutnitz [= Bytnica] 110-111 M 1
Bevaix [2 km ↓ Boudry 116-117 C 3]
Beveland, Nord- 106-107 B 5-6
Beveland, Süd- 106-107 B 5-6
Bevensen 102-103 J 4
Bever [Deutschland, Niedersachsen] 102-103 F 4
Bever [Deutschland, Nordrhein-Westfalen] 108-109 E 2
Bever [Schweiz] 116-117 J 3
Beveren 106-107 G 8
Beveren 106-107 C 6
Bevergern 108-109 E 2
Beverin, Piz – 116-117 H 3
Beverlo 106-107 E 6
Bevern [Niedersachsen, ↖ Bremervörde] 102-103 F 4
Bevern [Niedersachsen, ↗ Holzminden] 108-109 HJ 3
Beverst 106-107 E 7
Bever-Stausee 120 F 4
Beverstedt 102-103 E 4
Beverungen 108-109 H 3
Bevèr, Val – 116-117 J 3
Beverwijk 106-107 D 4
Beverwijk-Wijk aan Zee 106-107 CD 3-4
Bex 116-117 D 4
Bexbach 108-109 D 8
Bexhövede 102-103 E 3-4
Beybach >>
Beyersdorf [= Baczyna] 104-105 F 5
Beyersdorf [= Tetyń] 104-105 E 4
Bezau 116-117 J 2
Bezdekau [= Bezděkov 114-115 N 2
Bezděkov 114-115 N 2
Bezděz = Schloß Bösig 110-111 L 4
Bezdružice = Weseritz 114-115 MN 1
Bezławki = Bäslack 112 F 3
Bezzecca 116-117 L 5

Biadki 113 D 2
Biała [Polen, ↖ Samter] 104-105 H 5
Biała [Polen, ↖ Wieluń] 113 EF 3
Biała [Polen, ↖ Wieluń] 113 G 3
Biała = Ballfließ 104-105 J 3
Biała = Behle 104-105 J 4
Biała = Biele 113 C 5
Biała = Zülz [Fluß] 113 D 5
Biała = Zülz [Ort] 113 D 5
Biała-Bielsko = Bielitz-Biala 113 FG 6
Biała Góra = Weißenberg 112 AB 4
Biała (Iłska) = Ball 104-105 F 4
Biała Nyska = Bielau 113 C 5
Biała Piska = Gehlenburg 112 H 4
Biała Podlaska 101 L 2-3
Białaszewo 112 HJ 4
Biale, Jezioro – = Weißsee 112 F 4
Bialenschin = Białężyn 104-105 J 5
Białężyn 104-105 J 5
Białków 113 F 1
Bialla = Gehlenburg 112 H 4
Białobłoty 113 D 1
Białogard = Belgard (Persante) 104-105 G 2
Białogard = Podewils 104-105 G 3
Białogórze = Lichtenberg 110-111 M 3
Białogórzno = Bulgrin 104-105 H 2
Białołęka = Weißholz 110-111 O 2
Białośliwie = Weißenhöhe 104-105 K 4
Białowąs = Balfanz 104-105 H 3
Białowice = Billendorf
Bialskie, Góry – = Bielengebirge 113 B 5
Biały Bór = Baldenburg 104-105 J 3
Białystok 101 L 2
Biały Zdrój = Balster 104-105 G 4
Bianzone 116-117 K 4
Biasca 116-117 GH 4
Biassono [3 km ↗ Lissone 116-117 H 5]
Bibart 114-115 G 1
Biberach 114-115 BC 4
Biberach [3 km ↗ Kirchhausen 114-115 E 2]
Biberach an der Riß 114-115 F 4
Biberach an der Riß-Jordanbad 114-115 F 4
Biberbach 114-115 H 3
Biberist 116-117 DE 2
Bibersfeld 114-115 F 2
Bibert 114-115 H 2
Biberwier 116-117 L 2
Biblis 108-109 FG 7
Bibra, Bad – 110-111 E 3
Biburg 114-115 K 3
Bichl 114-115 J 5
Bichlbach 116-117 L 2
Bidingen 114-115 H 5
Bidingen, Homburg-[= Hombourg-Budange] 108-109 B 8
Bieber [Fluß] 108-109 H 6
Bieber [Ort] 108-109 H 6
Bieber, Rodheim- 108-109 G 5
Biebersdorf 110-111 JK 2
Bieberswalde [= Liwa] 112 C 4
Biebesheim 108-109 FG 7
Biebrich, Wiesbaden- 108-109 F 6
Biebrza 112 J 5
Biebrza = Behwerbach 112 C 3
Biechów = Bechau 113 C 4
Biecz = Beitsch 110-111 L 2
Bieczyno = Hagenow 104-105 F 2
Biedaszki = Groß Neuhof 112 F 3
Biedenkopf 108-109 G 5
Biederbach 114-115 BC 4
Biederitz 110-111 E 1
Biedrzychowice = Friedersdorf 110-111 M 3
Biedrzychowice = Friedersdorf
Biedrzychowice Dolne = Friedersdorf 110-111 M 2
Biegen 104-105 D 6
Biela [Fluß ▸ Elbe] 110-111 J 4
Biela [Fluß ▸ Glatzer Neiße] 113 C 5
Biela [= Bělá] 110-111 K 4
Bielany Wrocławskie = Bettlern 113 B 3
Bielau [= Biała Nyska] 113 C 5
Bielawa = Langenbielau 113 B 4
Bielawa Dolna = Nieder Bielau 110-111 M 3
Bielawe = Lindenkranz 110-111 NO 2
Bielawy = Lindenkranz 110-111 NO 2
Biel [= Bienne] 116-117 D 2
Biele 113 C 5
Bielefeld 108-109 FG 2
Biele Karpaty = Weiße Karpaten 101 HJ 4
Bielen 110-111 C 3
Bielengebirge 113 B 5
Bielerhöhe 116-117 K 3
Bielersee 116-117 D 2
Bielice = Beelitz 104-105 E 4
Bielice = Bielitz
Bielice = Bielitzfelde
Bielin = Bellin 104-105 D 5
Bielinek = Bellinchen 104-105 D 5
Bielitz = Bielitzfelde
Bielitz [= Bielice, 5 km ↑ Nieder Hermsdorf 113 CD 4]
Bielitz-Biala [= Bielsko-Biała] 113 FG
Bielitzfelde [= Bielice, 4 km ↘ Hennersdorf 113 C 4]
Biella 116-117 F 5
Bielohrad, Bad – = Lázně Bělohrad 110-111 N 5
Bielshövensand 102-103 E 2
Bielsko [4 km ↑ Linowiec 104-105 M 5]
Bielsko-Biała = Bielitz-Biala 113 FG 6
Bielsko, Jezioro – = Bölzigsee 104-105 J 3
Bielsk Podlaski 101 L 2
Bielstein 108-109 J 4
Bielwiese [= Wielowieś] 113 A 3
Biemenhorst 120 C 1
Bienau [= Bieniowice] 113 A 3
Bienen 120 D 1
Bienenbüttel 102-103 HJ 4
Bienenmühle, Rechenberg- 110-111 J 4
Bieniów = Benau 110-111 M 2
Bieniowice = Bienau 113 A 3
Bienne = Biel 116-117 D 2
Bienno 116-117 K 5
Bieniowitz = Bienau 113 A 3
Bienrode [2 km ↖ Wenden 110-111 C 1]
Bierau 113 E 5
Bierawa = Reigersfeld 113 E 5
Bierbaum an der Safen 118-119 KL 4
Bierbeck 106-107 D 7
Bierdzan = Burkardsdorf 113 E 4
Bierdzany = Burkardsdorf 113 E 4
Biere 110-111 E 2
Bière 116-117 B 3
Bieringen 114-115 F 2
Bierkowo = Birkow
Bierkow = Ascherbude 104-105 H 5
Bierum 106-107 H 2
Bieruń Nowy = Neu Berun 113 G 5
Bieruń Stary = Alt Berun 113 G 5
Bierutów = Bernstadt in Schlesien 113 CD 3
Biervliet 106-107 B 6
Bierwart 106-107 DE 7
Bierzgłowo = Birglau 104-105 M 4
Bierzwienna Długa 104-105 N 6
Bierzwnica = Reinfeld 104-105 G 3
Bierzwnik = Marienwalde 104-105 G 4
Biesal [= Biessellen 112 D 4
Biesbosch 106-107 D 5
Bieschin = Běšiny 114-115 N 2
Biese 102-103 L 5
Biesenbrow 104-105 CD 4
Biesenthal 104-105 C 5
Biesheim 114-115 B 4
Biesikierz = Biziker 104-105 H 2
Bieskau = Altstett 113 D 5
Biesme 106-107 D 8
Biesowo = Groß Bößau 112 E 4
Biessellen [= Biesal] 112 D 4
Bießenhofen 114-115 H 5
Biestrzykowice = Eckersdorf 113 D 4
Bietigheim [Baden-Württemberg, ↙ Karlsruhe] 114-115 C 3
Bietigheim [Baden-Württemberg, ↑ Stuttgart] 114-115 E 3
Bietikow 104-105 C 4
Bietschhorn 116-117 E 4
Biévène 106-107 B 7
Bièvre 106-107 DE 9
Biezdrowo 104-105 H 5
Bigge 120 H 4
Bigge [3 km ↘ Nuttlar 108-109 FG 4]
Bigge-Stausee [= Ahauser Stausee] 120 H 4
Biglen [5 km → Worb 116-117 E 3]
Biglenbach 116-117 E 3
Bignasco 116-117 G 4
Bihain 106-107 F 8
Bihargebirge 101 L 5
Bihorgebirge = Bihargebirge 101 L 5
Bílai = Rohovládova Bělá 110-111 N 5
Bílá Třemešná = Weiß Tremeschna
Bílá Voda = Weißwasser 113 B 5
Bilchengrund [= Pilchowice] 113 EF 5
Bilčice = Heidenpiltsch 113 D 6
Bildt, het – 106-107 F 2
Bilfingen [2 km ↖ Ersingen 114-115 D 3]
Bilin [= Bilina] 110-111 J 4
Bilina = Biela 110-111 J 4
Bílina = Bilin 110-111 J 4
Bille 102-103 H 3
Billendorf [= Białowice, 5 km ↙ Christanstadt (Bober) 110-111 M 2]
Billenkamp, Aumühle- [4 km ↗ Reinbek 102-103 H 3]
Billerbeck 108-109 D 3
Billigheim 114-115 E 2
Billmerich 120 G 2
Billstedt = Hamburg-Billstedt
Bilshausen 110-111 B 2
Bilstein 120 J 4
Bilt, de – 106-107 E 4
Bílý Kostel nad Nisou = Weißkirchen 110-111 L 4
Bílý Potok = Weißbach 113 B 5
Bílý Potok pod Smrkem = Weißbach 110-111 M 4
Bílý Újezd = Weiß-Aujezd 113 A 5
Bilzen 106-107 EF 7
Bilzingsleben 110-111 CD 3
Bimöhlen 102-103 GH 3
Bina 114-115 LM 4
Binabiburg 114-115 LM 4
Binago 116-117 G 5
Binche 106-107 C 8
Bińcze = Bärenwalde 104-105 K 3
Binde 102-103 K 5
Bindlach 110-111 E 6
Bingen [Baden-Württemberg] 114-115 E 4
Bingen [Rheinland-Pfalz] 108-109 E 7
Bingerbrück 108-109 E 7
Binger Wald 108-109 E 7
Bingum 102-103 B 4
Biniew 113 D 2
Bining = Biningen 108-109 D 8
Biningen [= Bining] 108-109 D 8
Binn 116-117 F 4
Binnatal 116-117 F 4
Binnen, Noordwijk- 106-107 C 4
Binningen [2 km ↙ Basel 116-117 DE 1]
Binow [= Binowo] 104-105 E 4
Binowo = Binow 104-105 E 4
Binsdorf 114-115 D 4
Binsfeld 108-109 C 7
Binswangen 114-115 H 3
Binz 104-105 C 2
Binzen 114-115 B 5
Bioggio 116-117 G 4
Biot, le – 116-117 C 4
Bioul 106-107 D 8
Bippen 102-103 C 5
Birawa = Reigersfeld 113 E 5
Birawka = Bierau 113 E 5
Birgelen 120 A 4
Birglau [= Bierzgłowo] 104-105 M 4
Birkenau 108-109 G 7
Birkenau = Brzezie 113 D 2
Birkenbrück [= Brzeźnik] 110-111 MN 3
Birkenfeld [Baden-Württemberg] 114-115 D 3
Birkenfeld [Bayern] 114-115 F 1
Birkenfeld [Rheinland-Pfalz] 108-109 D 7
Birkenfeld [5 km ↙ Gerdauen 112 F 3]
Birkenfelde [= Brzyskorzystew] 104-105 L 5
Birkenhain [= Brzeziny Śląskie, 4 km ↘ Deutsch Piekar 113 FG 5]
Birkenmühle [= Kalinino] 112 J 3
Birken (Ostpreußen) [= Grem'ačje] 112 G 2
Birkenwerder bei Berlin 104-105 B 5
Birkesdorf 108-109 B 5
Birket 102-103 K 1
Birkfähre = Lichtenberg 110-111 L 2-3
Birkfeld 118-119 K 4
Birkholm 102-103 J 1
Birkholz [= Brzoza] 104-105 FG 5
Birkholzer Wasser 110-111 M 1
Birkkarspitze 116-117 M 2
Birknack 102-103 GH 1
Birkow [= Bierkowo, 6 km ↖ Stolp 104-105 K 2]
Birnau, Kloster – [2 km ↖ Oberuhldingen 114-115 E 5]
Birnbach 114-115 N 4
Birnbaum 118-119 D 5
Birnbaum [= Międzychód] 104-105 G 5
Birnbäumel [= Gruszeczka] 113 C 3
Birnhorn 118-119 D 4
Birnlücke 118-119 C 4
Birresborn 108-109 C 6
Birs 116-117 DE 2
Birsfelden 116-117 E 1
Birstein 108-109 H 6
Birten 120 BC 2
Bisamberg 118-119 L 2
Bischberg [2 km ↖ Gaustadt 114-115 H 1]
Bischdorf [= Biskupice] [↑ Kreuzburg (Oberschlesien)] 113 E 3
Bischdorf [= Biskupice] [↘ Kreuzburg (Oberschlesien)] 113 EF 4
Bischdorf [= Biskupiczki] 112 B 4
Bischdorf [= Satopy-Samulewo] 112 F 3
Bischheim >>
Bischheim-Gersdorf 110-111 K 3
Bischitz [= Byšice] 110-111 L 5
Bischleben, Erfurt- 110-111 CD 4
Bischmisheim 108-109 D 8
Bischof 118-119 CD 4
Bischofsburg [= Biskupiec] 112 EF 4
Bischofsgrün 110-111 E 5
Bischofsheim 108-109 F 7
Bischofsheim [4 km → Bergen-Enkheim 108-109 G 6]
Bischofsheim an der Rhön 110-111 B 5
Bischofshofen 118-119 E 4
Bischofsmais 114-115 MN 3
Bischofsmütze 118-119 EF 4
Bischofsreut 118-119 F 1
Bischofstal [= Ujazd] 113 E 5
Bischofstein [= Bisztynek] 112 E 3
Bischofswalde [= Biskupnica] 104-105 K 3
Bischofswalde [= Biskupów] 113 C 5
Bischofswerda 110-111 K 3
Bischofswerder [= Biskupiec] 112 B 4
Bischofswiesen 114-115 MN 5
Bischofszell 116-117 H 2
Bischofteinitz [= Horšovský Týn] 114-115 M 1
Bischweiher 108-109 C 8
Bischweiler [= Bischwiller] 108-109 E 9
Bischwiller = Bischweiler 108-109 E 9
Bisingen 114-115 D 4
Bisisthal 116-117 G 3
Biskopicy = Bischofswerda 110-111 K 3
Biskupice 113 F 2
Biskupice = Bischdorf [↑ Kreuzburg (Oberschlesien)] 113 E 3
Biskupice = Bischdorf [↘ Kreuzburg (Oberschlesien)] 113 EF 4
Biskupice = Biskupitz 104-105 MN 4
Biskupice Ołoboczne 113 DE 2
Biskupiczki = Bischdorf 112 B 4
Biskupiec = Bischofsburg 112 EF 4
Biskupiec = Bischofswerder 112 B 4
Biskupin = Friedrichshöhe 104-105 L 5
Biskupitz [= Biskupice] 104-105 MN 4
Biskupnica = Bischofswalde 104-105 K 8
Biskupów = Bischofswalde 113 C 5
Bislich 120 BC 2
Bismarckshöhe [= Stajkowo] 104-105 HJ 5
Bismarckskopf 104-105 KL 4
Bismark (Altmark) 102-103 L 5
Bispingen 102-103 GH 4
Bissen 106-107 G 9
Bissendorf [Niedersachsen, ↑ Hannover] 102-103 G 5
Bissendorf [Niedersachsen, ↘ Osnabrück] 108-109 F 2
Bissingen an der Enz [3 km ↙ Bietigheim 114-115 E 3]
Bistrei [= Bystré] 113 A 5
Bistrey = Bistrei 113 A 5
Bistritz 110-111 N 5
Bisztynek = Bischofstein 112 E 3
Bitburg 108-109 BC 7
Bitche = Bitsch 108-109 D 8
Bitov = Vöttau 118-119 K 1
Bitsch [= Bitche] 108-109 D 8
Bitschin = Fichtenrode 113 F 5
Bitschweiler [= Bitschwiller-lès-Thann] 116-117 D 1
Bitschwiller-lès-Thann = Bitschweiler 116-117 D 1
Bittehnen-Übbitschen [= Užbičiai] 112 H 1
Bitterfeld 110-111 F 2
Bittkau 110-111 E 1
Bittstedt 110-111 C 4
Bitz 114-115 E 4
Bivio 116-117 J 4
Bizau 116-117 J 2
Biziker [= Biesikierz] 104-105 H 2

Blacca, Corna – 116-117 K 5
Bladel en Netersel 106-107 E 6
Bladen [= Włodzienin] 113 D 5
Bladenhorst, Schloß – 120 F 2
Bladiau [= P'atidorožnoje] 112 D 2
Błądzim 104-105 M 4
Blaibach 114-115 M 2
Blaichach 114-115 G 5
Błąkąły = Schneegrund 112 J 3

Blamont 116-117 C 2
Blanc-Misseron 106-107 B 8
Blandain 106-107 A 7
Blandau [= Błędowo] 104-105 N 4
Blandikow 102-103 M 4
Blankenberg [Mecklenburg] 102-103 L3
Blankenberg [Thüringen] 110-111 E 5
Blankenberge 106-107 A 6
Blankenburg (Harz) 110-111 C 2
Blankenburg (Thüringer Wald), Bad –
  110-111 D 4
Blankenese, Hamburg- 102-103 G 3
Blankenfelde 104-105 B 6
Blankenförde 102-103 N 4
Blankenhagen [= Długsko] 104-105 FG 4
Blankenhain 110-111 D 4
Blankenham 106-107 FG 3
Blankenheim 110-111 D 2
Blankenheim (Ahr) 108-109 C 6
Blankenloch 114-115 CD 2
Blankenrath 108-109 D 6
Blankensee [Brandenburg] 110-111 H 1
Blankensee [Mecklenburg] 104-105 B4
Blankensee [Ostpreußen] 112 DE 3
Blankensee [= Płotno] 104-105 F 4
Blankenstein [Nordrhein-Westfalen]
  120 EF 3
Blankenstein [Thüringen] 110-111 E 5
Blanki, Jezioro – = Blankensee
  112 DE 3
Blanmont, Chastre-Villeroux-
  106-107 D 7
Blanský les – Plansker Wald
  118-119 G 1
Blaricum [2 km ⁄ Laren 106-107 E 4]
Blaschki = Błaszki 113 EF 2
Blasheim 108-109 G 2
Blas, Piz – 116-117 G 3
Błaszki 113 EF 2
Blatno = Pladen 110-111 H 5
Blaton 106-107 B 7-8
Blatzheim 108-109 C 5
Blaubeuren 114-115 F 4
Blauda [= Bludov] 113 B 6
Blauen 114-115 B 5
Blauer Berg [Deutschland] 102-103 HJ 5
Blauer Berg [Ungarn] 101 HJ 5
Blaufelden 114-115 FG 2
Blauortsand 102-103 E 2
Blauwe Slenk 106-107 E 2
Bleckede 102-103 J 4
Bled = Veldes 118-119 G 6
Bledau [3 km ⁄ Cranz 112 D 2]
Błędowo = Blandau 104-105 N 4
Bledzew = Blesen 104-105 F 4
Blankensee [Bobrowice]110-111 LM 2
Blèggio Superiore 116-117 L 4
Bléharies 106-107 A 7
Bleialf 108-109 B 6
Bleibuir 108-109 C 5
Bleiburg 118-119 H 5
Bleichenbach [2 km → Stockheim
  108-109 H 6]
Bleicherode 110-111 BC 3
Bleiloch-Stausee 110-111 E 5
Bleischwitz [= Bliszczyce] 113 D 5
Bleistadt [= Olovi] 110-111 FG 5
Bleiswedel [= Blíževedly] 110-111 KL 4
Bleiswijk [4 km ← Zevenhuizen
  106-107 D 4-5]
Blekendorf 102-103 J 2
Blenio, Val – 116-117 G 4
Błenna 104-105 N 6
Blerick Venlo- 106-107 G 6
Blesen [= Bledzew] 104-105 F 5
Bleszkowice = Fürstenfelde
  104-105 DE 5
Blèvio 116-117 H 5
Blexen 102-103 DE 3
Blies 108-109 D 8
Bliesbruck = Bliesbrücken
  108-109 D 8
Bliesbrücken [= Bliesbruck]
  108-109 D 8
Bliesdorf 104-105 D 5
Bliesen 108-109 D 8
Bliesheim 108-109 D 8
Blieskastel 108-109 D 8
Blievenstorf 102-103 L 4
Blindenhorn 116-117 F 4
Blindenmarkt 118-119 HJ 2
Blindgallen = Schneegrund 112 J 3
Blindheim [4 km ⁄ Höchstädt
  an der Donau 114-115 H 3]
Blisowa [= Blížejov] 114-115 M 1
Bliszczyce = Bleischwitz 113 D 5
Blitzenreute 114-115 F 5
Blizanów 113 E 2
Blížejov = Blisowa 114-115 M 1
Blíževedly = Bleiswedel 110-111 KL 4
Bhociszewo 113 B 1
Błöckenstein = Plöckenstein
  118-119 F 1
Blockwinkel [= Bolemin] 104-105 F 5
Blodelsheim 114-115 B 5
Bloemendaal 105-107 CD 4
Blokker 106-107 D 4
Blokzijl 106-107 E 3
Blomberg [Niedersachsen] 102-103 C 3
Blomberg [Nordrhein-Westfalen]
  108-109 H 3
Blomesche Wildnis 102-103 F 3
Blondzim = Błądzim 104-105 M 4
Blons 116-117 J 2
Blönsdorf 110-111 G 2
Blosen 118-119 G 4
Blossersdorf 114-115 MN 2
Bloße Zelle 108-109 J 3
Blotnia = Polsnitz 113 A 4
Blotnica = Spie 104-105 G 2
Błotnica Strzelecka = Quellengrund
  113 E 5
Blotno = Friedrichsberg 104-105 F 3
Blottnitz = Quellengrund 113 E 5
Blotzheim 116-117 DE 1

Blovice = Blowitz 114-115 NO 1
Blowitz [= Blovice] 114-115 NO 1
Blšanka = Goldberg 110-111 H 5
Blšany = Flöhau 110-111 HJ 5
Blüchertal [= Zawonia] 113 C 3
Bludau [= Błudowo, 6 km ↑ Mühl-
  hausen in Ostpreußen 112 C 3]
Bludenz 116-117 J 2
Bludov = Blauda 113 B 6
Błudowo = Bludau
Blugowo 104-105 K 4
Blumau an der Wild 118-119 JK 1
Blumberg [Baden-Württemberg]
  114-115 CD 5
Blumberg [Brandenburg] 104-105 C 5
Blumberg [Pommern] 104-105 D 4
Blumberg [= Mościce] 104-105 E 5
Blumberg, Zollhaus – 114-115 D 5
Blumenau [= Czarny Kierz,
  8 km ↖ Heilsberg 112 E 3]
Blumenau [= Kwietniki] 110-111 O 4
Blumenfelde [= Lubicz] 104-105 G 5
Blumenhagen 104-105 C 3
Blumenholz 104-105 AB 4
Blumental (Ostpreußen) [8 km
  ↑ Insterburg 112 G 2]
Blumenthal 102-103 M 4
Blumenthal, Bremen- 102-103 E 4
Blümlisalp 116-117 E 4
Blumone, Cornone di – 116-117 KL 5
Blunk 102-103 H 2
Bluschau [= Bluszczów] 113 E 5-6
Bluszczów = Bluschau 113 E 5-6
Blütenau [= Kalinów] 113 E 4
Blütenau [= Kwieciszewo] 104-105 M 5

Bnin 113 C 1
Bniner See 113 C 1
Bníńskie, Jezioro – = Bniner See
  113 C 1

Bö 118-119 M 4
Boàrio Terme [3 km → Angolo
  116-117 K 5]
Bobau [= Bobowo] 104-105 N 3
Bobbau 110-111 F 2
Bobbin 104-105 BC 1
Bobelwitz [= Bobowicko] 104-105 G 6
Bobenheim am Rhein 108-109 F 7
Bober 110-111 N 2
Boberhöh [= Nowy Zagór] 110-111 M 1
Boberow 102-103 L 4
Boberröhrsdorf [= Siedlęcin]
  110-111 N 4
Bobersberg [= Bobrowice]110-111 LM 2
Bobięcin, Jezioro – = Großer
  Papennsee 104-105 J 2
Böbing 114-115 HJ 5
Bobingen 114-115 H 4
Böblingen 114-115 E 3
Bobolice = Bublitz 104-105 J 3
Bobowicko = Bobelwitz 104-105 G 6
Bobowo = Bobau 104-105 N 3
Böbr = Bierbza 112 J 5
Bóbr = Bober 110-111 N 2-3
Böbrach [5 km ⁄ Bodenmais
  114-115 N 2]
Bobrowice = Bobersberg
  110-111 LM 2
Bobrówko = Breitenstein 104-105 F 5
Bobrowniki 104-105 NO 5
Bobrowo = Dietersdorf 104-105 H 3
Bobzin 102-103 K 4
Boca 116-117 F 5
Bocche, Cima – 116-117 N 4
Bochdanetsch = Bohdaneč
  110-111 N 5
Bochingen 114-115 D 4
Bochnia 101 K 4
Bocholt [Belgien] 106-107 F 6
Bocholt [Deutschland] 120 C 1
Bocholt, Essen- 120 DE 3
Bocholtz 106-107 G 7
Bochov = Buchau 110-111 GH 5
Bochow 110-111 H 2
Bochum 120 EF 3
Bochum-Gerthe 120 F 2
Bochum-Hamme 120 EF 3
Bochum-Hiltrop 120 EF 2
Bochum-Langendreer 120 F 3
Bochum-Linden 120 E 3
Bochum-Weitmar 120 EF 3
Bochum-Werne 120 F 3
Böck [= Buk (Szczeciński)] 104-105 D 3
Bockau 110-111 G 4
Bock, Der – 102-103 NO 2
Bock, Der
Bockenau 108-109 E 7
Bockenem 110-111 C 1
Bockfließ 118-119 M 2
Bockhorn 102-103 D 4
Böckingen, Heilbronn- 114-115 E 2
Bocklet, Bad – 110-111 B 5
Bocksdorf 114-115 B 5
Böckstein 118-119 E 4
Bockswiese im Oberharz,
  Hahnenklee- 110-111 B 2
Bockum-Hövel 120 OH 2
Bockum, Krefeld- 120 C 3
Bocq 106-107 D 7
Bocska 118-119 M 5
Boćwinka = Herandstal 112 H 3
Boczów = Bottschow 104-105 E 6
Bodden, Der – 104-105 B 2
Boddin 102-103 N 3
Bode 110-111 D 2
Bödefeld 108-109 F 4
Bödefeld, Freiheit [3 km ↓ Bödefeld
  108-109 F 4]
Bödefeld, Land = Bödefeld
  108-109 F 4
Bodegraven 106-107 D 4
Bode, Kalte – 110-111 C 2
Bodelshausen [5 km ↑ Hechingen
  114-115 DE 4]

Boden [= Flères] 116-117 M 3
Bodenbach, Tetschen-
  [= Děčín-Podmokly] 110-111 K 4
Bodenburg 108-109 JK 2
Bodendorf [3 km ⁄ Remagen
  108-109 D 5]
Bodenfelde 108-109 J 3
Bodenhagen [= Bagicz] 104-105 G 2
Bodenhausen [= Botkuny] 112 HJ 3
Bodenheim 108-109 F 7
Bodenkirchen 114-115 L 4
Bodenmais 114-115 N 2
Bodersee 116-117 HJ 1
Boderteich 102-103 J 5
Bodenwerder 108-109 J 3
Bodenwinkel [= Kąty] 104-105 O 2
Bodenwöhr 114-115 L 2
Bodersweiher 114-115 B 3
Bode, Warme – 110-111 C 2
Bodigheim 114-115 E 2
Bodio [4 km ↖ Giornico 116-117 G 4]
Bodman 114-115 E 5
Bodnegg 114-115 F 5
Bodolz [2 km → Wasserburg
  am Bodensee 114-115 F 5]
Bodrog 101 K 4
Bodschwingen = Alt Herandstal
  112 H 3
Bodstedt 102-103 N 2
Bodstedter Bodden 102-103 N 2
Bodzanowice = Grunsruh 113 F 4
Bodzęcin = Basenthin 104-105 E 3
Boechout 106-107 CD 6
Boège 116-117 B 4
Boegen [= Boevange] 106-107 F 8
Boek 102-103 N 4
Boekl 106-107 F 5
Boekelo, Enschede- 106-107 H 4
Böel 102-103 G 1
Boè, Piz – 116-117 N 3
Boertange, Vlagtwedde- 106-107 J 2-3
Boer, Ten – 106-107 H 2
Boevange = Boegen 106-107 F 8
Boezinge 106-107 a 2
Boffalora sopra Ticino
  [4 km ↖ Magenta 116-117 G 6]
Boffzen 108-109 H 3
Bogaczewo = Güldenboden 112 C 3
Bogaczów = Reichenau bei Naumburg
  am Bober 110-111 M 2
Bogatovo = Rositten 112 D 3
Bogatyria = Reichenau 110-111 L 4
Bogdan = Dühringshof 104-105 EF5
Bogdanowice = Badenau 113 D 5
Bogen 114-115 M 3
Bogenfelde = Boguszyn 113 C 1
Bogenhausen = München-Bogenhausen
Bogna 116-117 F 4
Bogno 116-117 H 4
Bogny, Château-Regnault- 106-107 D 9
Bogo 102-103 M 1
Bögöt 118-119 M 4
Bögöte 118-119 N 4
Boguchwały = Reichau 112 D 4
Bogumiłów = Reichenau bei Priebus
  (Schlesien) 110-111 LM 2
Bogumiłów [3 km ⁄ Dąbrowa Wielka
  113 F 2]
Boguschin = Boguszyn 113 C 1
Boguschowitz [= Boguszowice,
  3 km ↖ Ellguth 113 F 5]
Boguszów = Gottesberg (Schlesien)
  110-111 O 4
Boguszowice = Boguschowitz
Boguszyn 113 C 1
Bohan 106-107 D 9
Bohdaneč 110-111 N 5
Böheimkirchen 118-119 K 2
Böhen 114-115 G 5
Böhl 108-109 F 8
Böhlen 110-111 F 3
Böhlen [3 km → Großbreitenbach
  110-111 CD 4]
Böhlendorf 102-103 N 2
Bohlingen [5 km ↖ Rielasingen
  114-115 D 5]
Böhlitz-Ehrenberg 110-111 F 3
Bohlschau 104-105 M 1-2
Bohlschau [= Bolszewo] 104-105 M 1
Böhme [Fluß] 102-103 G 5
Böhme [Ort] 102-103 FG 5
Böhmen 101 FG 4
Böhmenkirch 114-115 FG 3
Böhmfeld 114-115 J 3
Böhmisch Aicha [= Český Dub]
  110-111 L 4
Böhmisch Brod [= Český Brod]
  110-111 L 5
Böhmischdorf [= Česká Ves] 113 C 5
Böhmischdorf [= Czeska Wieś] 113CD4
Böhmischer Kamm = Adlergebirge
  113 AB 5
Böhmisches Mittelgebirge
  = Mittelgebirge 110-111 JK 4
Böhmisch Kamnitz [= Česká Kamienice]
  110-111 K 4
Böhmisch Leipa [= Česká Lípa]
  110-111 L 4
Böhmisch Lichwe [= České Libchavy]
  113 A 5
Böhmisch Liebau [= Dolní Libina]
  113 C 6
Böhmisch-Mährische Höhe 101 GH 4
Böhmisch Skalitz [= Česká Skalice]
  110-111 NO 5
Böhmisch Trübau [= Česká Třebová]
  113 A 6
Böhmisch Wiesenthal [= Loučná]
  110-111 GH 5
Böhmisch-Wildstein [= České Libchavy] —
Bohmte 108-109 F 2
Bohnhorst 102-103 E 6
Bohrau [= Borawa] 113 C 3
Bohrau, Markt – [= Borów] 113 B 4

Börde 102-103 E 5
Böhrigen 110-111 H 3
Böhringen 114-115 DE 5
Bohsdorf 110-111 KL 2
Bohuslavice = Bohuslawitz
Bohuslavice = Buslawitz
Bohuslawitz [= Bohuslavice,
  6 km ⁄ Dobruška 110-111 O 5]
Bohušovice nad Ohří = Bauschowitz
  110-111 K 5
Bois-de-Lessines [= Lessembos]
  106-107 E 7
Bois-et-Borsu 106-107 E 8
Boisheim 120 AB 3
Boissin [= Eyszyno, 3 km ⁄ Zarnefanz
  104-105 G 3]
Böite 110-111 CD 6
Boitsfort, Watermael- [= Watermaal-
  Bosvoorde] 106-107 CD 7
Boitzenburg (Uckermark) 104-105 C 4
Bsize 102-103 J 4
Boizenburg (Elbe) 102-103 J 4
Boos 114-115 G 4
Bojadła = Beyzdel 110-111 N 2
Bojanowo 113 3 2
Bejanowo Stare = Alt Boyer 113 B 2
Bejków = Schönwald 113 F 5
Bakel 102-103 K 4
Bakellen [= Franzenskoje] 112 FG 3
Bökendorf 108-109 H 3
Bokerkanal >→
Bokcholt-Hanradder [4 km ⁄ Barmstedt
  102-103 G 3]
Bäcklund 102-103 G 1
Bolanden 108-109 EF 7
Bolatitz [= Bolatice, 4 km ↖ Beneschau
  113 E 6]
Bolchen [= Boulay-Moselle]
  108-109 BC 8
Boldecker Land 102-103 J 5-6
Boldekow 104-105 C 3
Bolder, Zichen-Zussen- 106-107 EF 7
Bo'echowo 104-105 JK 5
Bo emin = Blockwinkel 104-105 F 5
Bo esławice = Eunzelwitz 113 A3 4
Bo esławice = Fürstenflagge
  104-105 E 6
Boleslawice = Tillendorf 110-111 MN3
Bolesławiec 113 E 3
Bolesławice = Bunzlau 110-111 N 3
Boleslawize = Bolesławiec 113 E 3
Boleszyn = Bolleschin 112 C 5
Bolevec >→
Bolewetz >→
Bolkenburg = Bcleslawiec 113 E 3
Bolken [= Cicov] 112 H 3
Bolkenhain [= Bełków] 110-111 O 4
Bolko [= Nowa Wieś Królowska]
  113 DE 4
Bolików = Bolkenhain 110-111 O 4
Boll [Baden-Württemberg,
  ⁄ Göppingen] 114-115 F 3
Boll [Baden-Württemberg,
  ⁄ Donaueschingen] 114-115 C 5
Bollate 116-117 H 5
Böllberg 120 F 3
Böllberg = Halle (Saale)-Böllberg
Bollengo 116-117 F 6
Bolleschin [= Bo eszyn] 112 C 5
Bolligen >→
Bollstedt 110-111 C 3
Bollweiler [= Bollwiller] 116-117 D 1
Bollwerk [= Ostróg] 112 B 3
Bollwiller = Bollweiler 116-117 D 1
Bol'šaja Pol'ana = Paterswalde 112 F 2
Bol'šakovo = Kreuzingen 112 G 2
Bol'šije Bereżk. = Rauterskirch
  112 FG 1
Bol'šije i Malyje Gorki = Weißensee
  112 F 2
Bolsward 106-107 EF 2
Bolszewo = Bohlschau 104-105 M 1
Boltenhagen
  102-103 K 3
Boltigen 116-117 D 3
Bolzano = Bozen [Ort, Verwaltungs-
  einheit] 116-117 M 3-4
Bölzigsee 104-105 D 3
Bolzum [2 km ⁄ Sehnde 110-111 A 1]
Bomblin [= Bąblinek] 104-105 J 5
Bomblin II [= Bąblinek] 104-105 J 5
Bomlitz 102-103 G 5
Bommel, den – 106-107 C 5
Bommelerwaard 106-107 E 5
Bo, Nonte – 116-117 EF 5
Bomsdorf 110-111 L 1
Bomst [= Babimost] 110-111 N 1
Bonacuz 116-117 H 3
Bonaduz 116-117 H 3
Bonats di sopra 116-117 J 5
Bonbaden 108-109 FG 6
Bonbruck 114-115 L 4
Boncodfölde 118-119 M 5
Boncourt [= Bubendorf] 116-117 D 2
Bondenau 102-103 G 1
Bondkowo = Bądtkowo 104-105 N 5
Bondo 116-117 J 4
Bondone 116-117 L 5
Bondo f 114-115 D 3
Bondo f [= Bigorvile] 106-107 F 9
Bönen, Altenbögge- 120 GH 2
Bönese 102-103 J 5
Bonfol [= Pumphel] 116-117 D 2
Bonheiden 106-107 D 6
Bönhof [= Benowo, 7 km ⁄ Stuhm
  112 B 4]
Bonhöm, Col du – 116-117 C 5
Boniewo 104-105 N 6
Bönigen [3 km → Interlaken
  116-117 E 3]
Bonhrädek 110-111 AO 5
Boronów 113 F 4
Bonvice = Groß Borowitz

Bonn 108-109 D 5
Bonn an der Saane [2 km ↖ Düdingen
  116-117 D 3]
Bonndorf 114-115 C 5
Bonne >→
Bonnevaux [Frankreich, Doubs]
  116-117 B 3
Bonnevaux [Frankreich, Haute-Savoie]
  116-117 C 4
Bonneville 116-117 E 4
Bönninghardt 120 B 2
Bönningheim 114-115 E 2
Eons 116-117 B 4
Boock 104-105 D 4
Booischot 106-107 D 6
Bookholt 102-103 B 6
Bcorn 106-107 C 6
Boortmeerbeek 106-107 D 7
Boos 114-115 G 4
Booßen 104-105 D 6
Boostedt 102-103 GH 2
Boostedter Berge 102-103 GH 3
Bopfingen 114-115 G 3
Boppard 108-109 E 6
Boppen 108-109 E 6
Bor = Haid 114-115 M 1
Bor [= Haid, 4 km ↓ Schlackenwerth
  110-111 G 5]
Berawken = Deutscheck (Ostpreußen)
  112 HJ 3
Berawskie = Deutschek (Ostpreußen)
  112 HJ 3
Borchertsdorf [= Burkarty,
  5 km ↖ Roggenhausen 112 E 3]
Borsum 108-109 JK 2
Borchtsdorf 110-111 BC 1
Borth 120 C 2
Borui, Kirchplatz- [= Boruja
  Kościelna] 110-111 O 1
Boruja Kościelna = Kirchplatz-Borui
  110-111 O 1
Boruschin [= Boruszyn] 104-105 J 5
Boruszyn = Burschen 104-105 J 5
Borysławice Kościelna 113 F 1
Borysyn = Burschen 104-105 F 6
Bory Tucholskie = Tucheler Heide
  104-105 LM 3
Borzechowskie, Jezioro –
  = Bordzichower See 104-105 M 3
Bořeň 110-111 J 4
Borey 116-117 B 1
Borgeln 120 J 2
Borgentreich 108-109 H 3
Borger 106-107 H 3
Börger 102-103 C 5
Borger-Buinen 106-107 H 3
Borgerhout 106-107 CD 6
Borgharen [3 km ↑ Maastricht
  106-107 F 7]
Borghezhausen 103-109 F 2
Borghorst 108-109 DE 2
Borgloon 106-107 E 7
Borgne 116-117 D 4
Borgnone [7 km ↖ Intragna
  116-117 G 4]
Borgofranco d'Ivrea 116-117 E 5
Borgomanero 116-117 F3 5
Borgosatollo 116-117 K 6
Borgosèsia 116-117 F 5
Borgworm = Waremme 106-107 E 7
Borhetto 116-117 LM 5
Borin = Borzym, 3 km ↖ Klein
  Schönfeld 104-105 E 4]
Botirage 106-107 BC 8
Bork 120 FG 2
Borken 120 D 1
Borken-Borek 113 C 2
Borkenberge 120 F 1
Borkenwirthe 108-109 C 3
Borkow 102-103 L 3
Borkow [= Borek] 104-105 F 5
Borkwo 112 GH 5
Borkower Wielkie = Groß Borcken-
  hagen 104-105 FG 3
Borküw = Borg 110-111 K 2
Borkum [Insel] 102-103 A 3
Borkum [Ort] 102-103 A 3
Borkwalde [5 km ⁄ Fichtenwalde
  110-111 G 1]
Bottens 116-117 C 3
Botticino 116-117 K 5
Bottmersdorf 110-111 D 1
Bormio 116-117 K 4
Born [Deutschland, Pommern]
  102-103 N 2
Born [Deutschland, Sachsen-Anhalt]
  110-111 DE 1
Born [Niederlande] 106-107 F 6
Bornatow = Borzym 113 F 4
Bötzingen 114-115 B 4
Bözow 104-105 B 5
Bonaten di sopra 116-117 J 5
Bonbaden 108-109 FG 6
Borne = Groß Born 104-105 J 3
Borne [4 km ↖ Atzendorf 110-111 E 2]
Bornam 106-107 E 6
Bornes 116-117 B 4-5
Bornheim 108-109 CD 5
Bornheim = Rampe- 103-109 E 6
Bornholm 101 G 1
Bornholm 108-109 FG 3
Bornhöved 102-103 H 2
Borna 104-105 A 5
Borne 102-103 J 3
Bornich 106-107 F 7
Borniet 106-107 F 2
Bornity 112 D 3
Borno 116-117 K 5
Börnsen 102-103 H 4
Borntuchen = Borzytuchom]
  104-105 K 2
Borztchow = Bordzichower
  104-105 K 2
Bou'cheporn = Buschborn 108-109 C 8
Bo choust 106-107 C 7
Bouclans 106-107 B 2
Boudry 116-117 C 3
Boughon 116-117 B 1
Bouillon 106-107 D 9
Boujailles 116-117 B 3
Boulay-Moselle = Bolchen 108-109BC8
Bouligney 116-117 C 1
Botlt 116-117 A 2
Botlzicourt 106-107 D 9
Bourdonnay 108-109 B 8
Bourg [2 km ↓ Martigny 116-117 D 4]
Bourg-en-Bresse 101 B 3
Bourgeau 102-103 H 4
Bourgogne = Burgund 101 B 5
Bourgogne, Canal de = Kanal von
  Burgund 101 B 2
Bourgogne, Porte de = Burgun-
  dische Pforte 116-117 CD 1
Bourg-Saint-Maurice 116-117 C 5
Bourg-Saint-Pierre 116-117 D 5

Bourre 106-107 a 2
Bourscheid = Burscheid 106-107 G 9
Boursières 116-117 B 1
Bourtanger Moor 102-103 A 4-B 5
Bous/Saar 108-109 C 8
Boussières 116-117 AB 2
Boussu 106-107 B 8
Bouteille, la – 106-107 B 9
Bouverie, la – 106-107 B 8
Bouvignes-sur-Meuse 106-107 D 8
Bouwel 106-107 D 6
Bouxwiller = Buchsweiler 108-109 DE9
Bouzonville = Busendorf 108-109 C 8
Bövegno 116-117 K 5
Bovenau 102-103 G 2
Bovenden 108-109 JK 3
Bovezzo [3 km ↖ Nave 116-117 K 5]
Bovigny 106-107 F 8
Boxberg [Baden-Württemberg]
  114-115 F 2
Boxberg [Sachsen] 110-111 L 3
Boxmeer 106-107 E 5
Boxtel 106-107 E 5
Boyadel [= Bojadła] 110-111 N 2
Boyneburg 110-111 AB 3
Bözberg 116-117 F 1
Bože = Bussen 112 F 4
Bozel 116-117 C 6
Bozen [= Bolzano] [Ort, Verwaltungs-
  einheit] 116-117 M 3-4
Bożepole Wielkie = Groß Boschpol
  104-105 LM 1
Boží Dar = Gottesgab 110-111 G 5
Bozkov 110-111 M 4
Bozsok 118-119 LM 4

Bra 106-107 F 8
Braaken 102-103 F 2
Braamberg 106-107 H 4
Braam-Ostwennemar 120 H 2
Braassemer Meer 106-107 D 4
Brabant 106-107 CD 7
Brachelen 120 AB 4
Brachstedt 110-111 F 2
Bracht 120 A 3
Bracht-Bellscheid, Homberg- 120 DE 3
Brackel 102-103 H 4
Brackel, Dortmund- 120 G 2
Brackenheim 114-115 E 2
Brackwede 108-109 G 3
Bracquegnies, Strépy- 106-107 C 8
Brahe 104-105 L 3
Brahlstorf 102-103 JK 4
Brahnau 104-105 M 4
Brail 116-117 K 3
Braine-l'Alleud-[Eigenbrakel]
  106-107 CD 7
Braine-le-Château [= Kasteelbrakel]
  106-107 C 7
Braine-le-Comte[-'s-Gravenbrakel]
  106-107 C 7
Braives 106-107 E 7
Brake 108-109 G 2
Brake in Lippe 108-109 G 2
Brakel [Deutschland] 108-109 H 3
Brakel [Deutschland] 116-117 LM 5
Brake (Unterweser) 102-103 DE 4
Brakupönen = Roßlinde 112 H 2
Bralęcin = Brallentin 104-105 F 4
Bralin = Stadt Bralin 113 D 3
Bralitz [5 km → Niederfinow
  104-105 CD 5]
Brallentin [= Bralęcin] 104-105 F 4
Brambach, Radiumbad – 110-111 F 5
Brambauer, Lünen- 120 FG 2
Bramberg am Wildkogel 118-119 C 4
Brambusch = Bresin 104-105 M 1
Bramey-Lenningsen 120 GH 2
Bramois 116-117 D 4
Bramsche 102-103 C 6
Bramstedt, Bad – 102-103 G 3
Bramwald 108-109 J 3-4
Brand [Deutschland, Bayern]
  110-111 E 6
Brand [Deutschland, Nordrhein-
  Westfalen] 108-109 B 5
Brand [Österreich] 118-119 J 2
Brand = Milíře 114-115 M 1
Brandau [= Branzov] 110-111 F 5
Brand bei Marktredwitz 110-111 F 5
Brandberg [3 km → Mayrhofen
  118-119 B 4]
Brande [= Prądy] 113 D 4
Brande-Hörnerkirchen 102-103 G 3
Brandeis [= Brandýs nad Labem]
  110-111 L 5
Brandeis [= Brandýs nad Orlicí]
  113 A 5
Brandeisl [= Brandýsek] 110-111 K 5
Branden [2 km ⁄ Kanthausen 112 GH 2]
Brandenberg 118-119 BC 3-4
Brandenburg [Landschaft]
  102-103 M-O 5, 104-105 A-F 5,
  110-111 G-M 1
Brandenburg [Verwaltungseinheit]
  101 FG 2
Brandenburg (Frisches Haff)
  [= Ušakovo] 112 D 3
Brandenburg (Havel) 110-111 FG 1
Brandenburg (Havel)-Kirchmöser
  110-111 F 1
Brandenburg (Havel)-Plaue
  110-111 F 1
Brandenkopf 114-115 C 4
Brand-Erbisdorf 110-111 H 4
Brandhof 118-119 J 3
Brandis [Sachsen] 110-111 G 3
Brandis [Sachsen-Anhalt] 110-111 H 2
Brandíshorz = Les Breuleux 116-117D2
Brandlecht 102-103 B 6
Brandoberndorf 108-109 FG 6
Brandov = Brandau 110-111 H 4
Brandshagen 104-105 B 2

Brandýsek 6 Burgkirchen

Brandýsek = Brandeisl 110-111 K 5
Brandýs nad Labem = Brandeis 110-111 L 5
Bramdýs nad Orlicí = Brandeis 113 A 5
Branice = Branitz 113 D 5
Braniewo = Braunsberg (Ostpreußen) 112 C 3
Branisovice = Frainspitz 118-119 LM 1
Branitz 110-111 K 2
Branitz [= Branice] 113 D 5
Branná = Goldenstein 113 C 5
Brannenburg 114-115 KL 5
Branowitz [= Vranovice] 118-119 M 1
Bransdorf [= Brantice] 113 D 5
Brantice = Bransdorf 113 D 5
Branzi 116-117 J 4
Branzoll [= Bronzolo] 116-117 M 4
Bras 106-107 E 9
Braschen [= Brzózka] 110-111 LM 2
Brasschaat 106-107 CD 6
Brassus, Le – 116-117 B 3
Braszowice = Baumgarten 113 B 4
Bratislava = Preßburg 118-119 N 2
Bratislava-Devín = Preßburg-Theben 118-119 MN 2
Bratronice = Bratronitz 110-111 JK 5
Bratronitz [= Bratronice] 110-111 JK 5
Brätz [= Brójce] 110-111 N 1
Braubach 108-109 E 6
Brauschitschdorf [= Chróstniki] 110-111 O 3
Braum [= Broumy] 110-111 J 6
Braunau 108-109 H 4
Braunau [= Broumov] 113 A 4
Braunau am Inn 118-119 E 2
Braune Bank 106-107 A 3
Braunenberg 114-115 G 3
Braunfels 108-109 F 5
Braunlage 110-111 C 2
Bräunlingen 114-115 C 5
Braunsbach 114-115 E 2
Braunsberg (Ostpreußen) [= Braniewo] 112 C 3
Braunschweig [Ort, Verwaltungseinheit] 110-111 C 1
Braunsdorf [= Brumovice] 113 D 5
Bräunsdorf 110-111 H 4
Braunseifen [= Ryžoviště] 113 C 6
Brautberg 110-111 J 2
Brauweiler 120 D 5
Braux 106-107 D 9
Bray-Dunes 106-107 a 1
Brda = Brahe 104-105 L 3
Brdawald = Brdywald 101 FG 4
Brdów 104-105 N 6
Brdy, Kanał – = Großer Brahekanal 104-105 L 3
Brdywald 101 FG 4
Brecht 106-107 D 6
Brechte 108-109 D 2
Brechten, Dortmund- 120 FG 2
Breckerfeld 120 F 3
Břeclav = Lundenburg 118-119 M 1
Breda 106-107 D 5
Breddin 102-103 M 5
Bredenbeck 108-109 J 2
Bredenborn 108-109 H 3
Bredene 106-107 ab 1
Bredeney, Essen- 120 DE 3
Bredenfelde 104-105 BC 4
Bredenscheid-Stüter 120 E 3
Bredereiche 104-105 B 4
Bredevoort, Aalten- 106-107 H 5
Bredinken [= Bredynki] 112 F 4
Bredow 102-103 N 5
Bredstedt 102-103 E 1
Bredynki = Bredinken 112 F 4
Bree 106-107 F 6
Breege 104-105 B 1
Breege-Juliusruh 104-105 B 1
Breese 102-103 L 4
Breesen 102-103 M 3
Breest 104-105 B 3
Breg 114-115 C 4-5
Bregaglia, Val – 116-117 HJ 4
Bregagno, Monte – 116-117 H 4
Breganze 116-117 N 5
Bregenbach, Hammereisenbach- 114-115 C 4-5
Bregenz 116-117 J 1
Bregenzer Ache 116-117 JK 2
Bregenzer Wald 116-117 J 2
Bregninge ⟶
Breguzzo 116-117 L 4
Breguzzo, Cima Cop di – 116-117 L 4
Brehna 110-111 F 2
Breidenbach [Deutschland] 108-109 FG 5
Breidenbach [Frankreich] 108-109 D 8
Breiholz 102-103 G 2
Breil = Brigels 116-117 H 3
Breisach 114-115 B 4
Breisgau 114-115 B 4-C 5
Breitebruch [= Łubianka] 104-105 F 5
Breitenau [= Široká Niva] 113 CD 5
Breitenauriegel 114-115 MN 3
Breitenbach 110-111 D 2
Breitenbach [= Potůčky] 110-111 G 5
Breitenbach [3 km ↘ Laufen 116-117 DE 2]
Breitenbach am Herzberg 108-109 HJ 5
Breitenbach am Inn 118-119 B 4
Breitenberg [= Gołogóra] 104-105 J 2
Breitenbruch 120 J 3
Breitenbrunn [Deutschland] 114-115 K 2
Breitenbrunn [Österreich] 118-119 M 3
Breitenbrunn (Erzgebirge) 110-111 G 5
Breitenfeld [= Sierszew, 5 km ↘ Neu Bronischewitz 113 D 2]
Breitenfelde 102-103 J 3
Breitenfelde [= Dobropole] 104-105 F 3
Breitenfurt = Brudnia 104-105 N 5
Breitenfurt bei Wien 118-119 L 2
Breitengüßbach 110-111 C 6
Breitenhagen 110-111 EF 2
Breitenhees 102-103 HJ 5
Breitenmarkt [= Sieraków] 113 EF 4
Breitenstein [= Bobrówko] 104-105 F 5
Breitenstein [4 km ↓ Reichenau 118-119 K 3]
Breitenstein [= Dobino (Wałeckie), 3 km ↙ Wittkow 104-105 J 4]
Breitenstein (Ostpreußen) [= Uljanovo] 112 H 2
Breitenworbis 110-111 BC 3
Breiter Grieskogl 116-117 M 2
Breiter Luzinsee 104-105 BC 4
Breithardt 108-109 F 6
Breithorn [Schweiz, Berner Alpen] 116-117 E 4
Breithorn [Schweiz, Walliser Alpen] 116-117 E 5
Breitingen, Regis- 110-111 FG 3
Breitling 102-103 M 2
Breitenberg 118-119 F 1
Breitnau 114-115 C 5
Breitscheid [Hessen] 108-109 F 5
Breitscheid [Nordrhein-Westfalen] 120 D 3
Breitstetten 118-119 M 2
Breitungen (Werra) 110-111 B 4
Breklum 102-103 EF 1
Brelingen 102-103 G 5
Breloh 102-103 H 4
Brembana, Valle – 116-117 J 5
Brembate [4 km ↗ Canònica d'Adda 116-117 J 5]
Brembo 116-117 J 5
Bremelau 114-115 F 4
Bremen [Feuerschiff] 102-103 D 3
Bremen [Ort] 120 HJ 2
Bremen [Ort, Verwaltungseinheit] 102-103 E 4
Bremen-Blumenthal 102-103 E 4
Bremen-Farge 102-103 DE 4
Bremen-Findorff [↑ Bremen 102-103 E 4]
Bremen-Gröpelingen 102-103 E 4
Bremen-Hemelingen 102-103 EF 4
Bremen-Horn-Lehe [↗ Bremen 102-103 E 4]
Bremen-Lesum 102-103 E 4
Bremen-Neustadt [↓ Bremen 102-103 E 4]
Bremen-Schwachhausen [↗ Bremen 102-103 E 4]
Bremen-Vegesack 102-103 E 4
Bremen-Walle [↖ Bremen 102-103 E 4]
Bremen-Woltmershausen [← Bremen 102-103 E 4]
Bremerhaven 102-103 E 3
Bremerhaven-Geestemünde 102-103 E 3
Bremerhaven-Lehe 102-103 E 3
Bremervörde 102-103 F 4
Bremgarten 116-117 F 2
Bremke 110-111 B 3
Bremm 108-109 D 6
Breń = Bernsee 104-105 G 4
Brend 110-111 B 5
Brendemühler Bach 104-105 EF 3
Brendlorenzen 110-111 B 5
Brenets, Les – 116-117 C 2
Brenken 108-109 G 3
Brenkenhofkanal 104-105 L 1
Brennberg 114-115 L 2
Brennberg [= Brennbergbánya] 118-119 LM 3
Brennbergbánya = Brennberg 118-119 LM 3
Brenner 116-117 M 2
Brenner [= Brènnero] 116-117 N 3
Brennerbad [= Terme di Brènnero] 116-117 MN 3
Brènnero = Brenner 116-117 N 3
Brenno [Polen] 110-111 O 2
Brenno [Schweiz] 116-117 G 3
Breno 116-117 K 5
Brensbach 108-109 G 7
Brenta [Fluß] 116-117 N 5
Brenta [Gebirge] 116-117 L 4
Brenta, Cima – 116-117 L 4
Brentònico 116-117 L 5
Brenz [Fluß] 114-115 G 3
Brenz [Ort] 102-103 L 4
Brenzone 116-117 L 5
Brescia [Ort, Verwaltungseinheit] 116-117 K 5
Bresewitz 102-103 N 2
Bresin [= Brzeźno Lęborskie] 104-105 L 1
Bresin [= Mrzezino] 104-105 M 1
Breskens 106-107 B 6
Breslau [= Wrocław] 113 BC 3
Breslau-Brockau [= Wrocław-Brochów] 113 BC 3
Breslau-Deutsch Lissa = Breslau-Lissa 113 B 3
Breslau-Herrnprotsch [= Wrocław-Pracze Odrzańskie] 113 BC 3
Breslau-Hundsfeld [= Wrocław-Psie Pole] 113 C 3
Breslau-Lissa [= Wrocław-Leśnica] 113 B 3
Breslau-Neukirch [= Wrocław-Żerniki] 113 B 3
Bressanone = Brixen 116-117 N 3
Bressoux 106-107 F 7
Brest 101 L 2
Brest = Brześć Kujawski 104-105 N 5
Břešťany = Preschen
Bretaye 116-117 D 4
Bretnig 110-111 K 3
Bretsch 102-103 L 5
Bretstein [5 km ↗ Sankt Johann am Tauern 118-119 GH 4]
Brettach 114-115 E 2
Bretten 114-115 D 2
Brettin 110-111 F 1
Bretwisch [3 km ↙ Rakow 104-105 B 2]
Bretzenheim [2 km ↓ Langenlonsheim 108-109 E 7]
Breuches 116-117 B 1
Breuchin 116-117 BC 1
Breugel, Son en – 106-107 EF 5-6
Breuil 116-117 E 5
Breukelen 106-107 DE 4
Breuleux, Les – [= Brandisholz] 116-117 D 2
Breuna 108-109 H 4
Breunau, Prag- = Prag-Břevnov 110-111 K 5
Brévent, le – 116-117 C 5
Brévine, La – 116-117 C 3
Břevnov, Prag- [= Praha-Břevnov] 110-111 K 5
Břevnov, Praha- = Prag-Břevnov 110-111 K 5
Brewnow, Prag- = Prag-Břevnov 110-111 K 5
Breyell 120 AB 3
Brez 116-117 M 4
Břežánky = Briesen
Březany = Frischau 118-119 L 1
Březina [5 km ↗ Münchengrätz 110-111 LM 4]
Brezno = Fresen 118-119 J 5
Březno 110-111 M 5
Březno = Priesen 110-111 HJ 5
Březová = Pirkenhammer 110-111 GH 5
Brianza 116-117 H 5
Briaucourt 116-117 B 1
Bricht 120 D 2
Brides-les-Bains 116-117 C 6
Břidličná = Friedland an der Mohrau 113 C 6
Brieg [= Brzeg] 113 CD 4
Brieg [= Brzeg Głogowski] 110-111 N 2
Brielle 106-107 C 5
Brielow 102-103 MN 6
Brienen 120 A 1
Brienz [Schweiz, Bern] 116-117 F 3
Brienz [Schweiz, Graubünden] 116-117 J 3
Brienzerrothorn 116-117 EF 3
Brienzersee 116-117 EF 3
Briese [= Brzezinka] 113 C 3
Brieselang 104-105 AB 5
Briesen 104-105 D 6
Briesen [= Brzeźno] 104-105 K 2
Briesen [= Wąbrzeźno] 104-105 N 4
Briesen [= Břežánky, 3 km ↖ Bilin 110-111 J 4]
Brieske 110-111 JK 3
Brieskow-Finkenheerd 110-111 KL 1
Briesnitz 110-111 M 2
Briesnitz [= Brzeźnica] 110-111 M 2
Briest [Brandenburg, Havelland] 102-103 M 6
Briest [Brandenburg, Uckermark] 104-105 D 4
Brietlingen 102-103 HJ 4
Brig 116-117 EF 4
Brigach 114-115 C 4
Brigels [= Breil] 116-117 H 3
Brignano Gera d'Adda 116-117 J 5
Brilon 108-109 G 4
Brims [= Brniště, 1 km ↖ Joachimsdorf 110-111 L 4]
Brinitza = Brynica 113 G 5
Brinitze = Brünne 113 D 4
Brinkum 102-103 E 4
Brin-sur-Seille 108-109 B 9
Briona 116-117 FG 5
Brione 116-117 G 4
Brissago 116-117 G 4
Bristow 102-103 N 3
Brittnau 116-117 E 2
Brivio 116-117 HJ 5
Brixen [= Bressanone] 116-117 N 3
Brixen im Thale 118-119 C 4
Brixental 118-119 C 4
Brixlegg 118-119 B 4
Brjazk = Brieske 110-111 JK 3
Brniště = Brims
Brno = Brünn 101 H 4
Broacker [= Broager] 102-103 G 1
Broager = Broacker 102-103 G 1
Broc 116-117 D 3
Brochocin = Brockendorf 110-111 NO 3
Brochów, Wrocław- = Breslau-Brockau 113 BC 3
Brockau, Breslau- [= Wrocław-Brochów] 113 BC 3
Brockel 102-103 G 4
Bröckel 102-103 H 5
Brocken 110-111 C 2
Brockendorf [= Brochocin] 110-111 NO 3
Brockhagen 108-109 F 3
Brockhausen 120 J 2
Brockhöfe 102-103 H 4
Brockum 102-103 D 6
Broczyna = Brotzen 104-105 JK 2
Broczyno = Brotzen 104-105 H 3
Brodenbach 108-109 D 6
Brodnia 113 F 2
Brodowin 104-105 C 5
Brody 104-105 H 6
Brody = Groß Blumberg 110-111 MN 1
Brody = Pförten 110-111 L 2
Brodźce = Steinforth 104-105 J 3
Broechem [3 km ↑ Emblem 106-107 D 6]
Broekhuizen 106-107 G 6
Broek in Waterland 106-107 DE 4
Bröggelbach 120 J 2
Broglio 116-117 G 4
Brohl 108-109 D 6
Brohm 104-105 C 3
Broich 120 B 5
Broichweiden 108-109 B 5
Broitz [= Brojce] 104-105 F 3
Broitzem 110-111 BC 1
Brójce = Brätz 110-111 N 1
Brojce = Broitz 104-105 F 3
Brokdorf 102-103 F 3
Brokęcino = Bahrenbusch 104-105 J 3
Brokistbucht 112 E 2
Brokstedt 102-103 G 2-3
Brölbach 108-109 D 5
Brombach 114-115 B 5
Bromberg [= Bydgoszcz] 104-105 LM 4
Bromberger Kanal 104-105 L 4
Brome 102-103 J 5
Bromskirchen 108-109 G 4
Brończyn 113 E 2
Broniewo 104-105 MN 5
Bronikowo 113 AB 2
Bronisław 104-105 MN 5
Broniszewice = Alt Bronischewitz 113 D 2
Broniszewice = Neu Bronischewitz 113 D 2
Broniszewo 104-105 M 6
Broniszów = Brunzelwaldau 110-111 MN 2
Bronn 114-115 J 1
Bronnzell 108-109 J 5
Bronów 113 D 2
Bronzolo = Branzoll 116-117 M 4
Broock 102-103 M 4
Brösen = Danzig-Brösen
Brosewitz [= Brożec] 113 C 4
Brosowo = Brzozowo 104-105 MN 4
Brostau [= Brzostów, 2 km ↙ Glogau 110-111 O 2]
Brotdorf 108-109 C 8
Brotterode 110-111 B 4
Brotzan [= Brozany] 110-111 K 5
Brotzen [= Broczyna] 104-105 JK 2
Brotzen [= Broczyno] 104-105 H 3
Broumov = Braunau 113 A 4
Broumovské mezihoří = Falkengebirge 113 A 4
Broumy = Braum 110-111 J 6
Brouwershaven 106-107 B 5
Brouwershavensche Gat 106-107 B 5
Broye 116-117 D 3
Brozany = Brotzan 110-111 K 5
Brożec = Brosewitz 113 C 4
Brt' = Pirten 110-111 G 5
Brtníky = Zeidler 110-111 K 4
Bruay-sur-l'Escaut 106-107 B 8
Brubberg 110-111 BC 2
Bruchdorf = Witomischel 104-105 H 6
Brucher Stausee 120 G 4
Bruchfelde = Parchanie 104-105 M 5
Bruchfelde [4 km ↓ Mühlenhöh 112 G 2]
Bruchhausen [Nordrhein-Westfalen, ↙ Brilon] 108-109 G 4
Bruchhausen [Nordrhein-Westfalen, → Neheim-Hüsten] 120 J 3
Bruchhausen-Vilsen 102-103 EF 5
Bruchmühlbach 108-109 DE 8
Bruchsal 114-115 D 2
Bruchweiler-Bärenbach 108-109 E 8
Brück 110-111 G 1
Brück (Ahr) 108-109 CD 6
Bruck am Ziller 118-119 B 4
Bruck an der Großglocknerstraße 118-119 D 4
Bruck an der Leitha 118-119 M 2
Bruck an der Mur 118-119 J 4
Bruckberg [Bayern, Mittelfranken] 114-115 H 2
Bruckberg [Oberbayern] 114-115 KL 3
Brückenau [Deutschland] 108-109 J 6
Brückenau [Polen] 104-105 L 6
Brückendorf [= Mostkowo] 112 D 4
Brückenkrug [= Mostowo] 104-105 HJ 2
Brücken (Pfalz) 108-109 D 8
Bruck, Erlangen- 114-115 H 1
Bruckhausen 120 D 2
Bruck in der Oberpfalz 114-115 L 2
Brück, Köln- 120 E 5
Brückl 118-119 H 5
Bruckmühl 114-115 KL 5
Bruckneudorf [2 km ↘ Bruck an der Leitha 118-119 M 2]
Bruck-Waasen [2 km ↓ Peuerbach 118-119 F 2]
Bruderkogel 118-119 G 4
Brudersdorf 102-103 NO 3
Brudnia 104-105 N 5
Brudzew [Polen, ↖ Kalisch] 113 D 2
Brudzew [Polen, ↓ Koło] 113 F 1
Brüel 102-103 L 3
Bruffione, Monte – 116-117 KL 5
Brugelette 106-107 B 7
Bruges = Brügge 106-107 A 6
Brugg 116-117 F 2
Brügg bei Biel 116-117 D 2
Brugge = Brügge 106-107 A 6
Brügge 106-107 A 6
Brügge = Brügge
Bruggen [2 km ↘ Greifenburg 118-119 E 5]
Brüggen 120 A 3-4
Brughèrio 116-117 H 5
Brühl 108-109 C 5
Bruinisse 106-107 C 5
Brumath 108-109 E 9
Brumby [4 km ↙ Calbe (Saale) 110-111 E 2]
Brummen 106-107 G 4
Brumovice = Braunsdorf 113 D 5
Brunate 116-117 H 5
Brunau 102-103 K 5
Brune 106-107 BC 9
Bruneck [= Brunico] 118-119 BC 5
Brunehamel 106-107 C 9
Brünen 120 C 2
Brunico = Bruneck 118-119 BC 5
Brünigpass 116-117 F 3
Brünn [= Brno] 101 H 4
Brunn am Gebirge 118-119 L 2
Brunne 102-103 N 5
Brünne 113 D 4
Brunnen [Deutschland] 120 J 3
Brunnen [Schweiz] 116-117 G 3
Brunnersdorf [= Prunéřov] 110-111 H 5
Brünnl [= Dobrá Voda] 118-119 H 1
Brunn, Pölfing- 118-119 J 5
Brunow = Bronów 113 D 2
Brunsberg 102-103 G 4
Brunsbüttel 102-103 F 3
Brunsbüttelkoog 102-103 F 3
Brunshaupten = Ostseebad Kühlungsborn 102-103 L 2
Brunssum 106-107 F 7
Brunstatt 116-117 D 1
Bruntál = Freudenthal 113 C 6
Brunzelwaldau [= Broniszów] 110-111 MN 2
Brusago 116-117 M 4
Bruschiek [= Brusiek] 113 F 4
Brusiek = Bruschiek 113 F 4
Brusio 116-117 K 4
Bruskowo Wielkie = Groß Brüskow 104-105 JK 2
Brusnice = Deutsch Prausnitz 110-111 NO 5
Bruß [= Brusy] 104-105 L 3
Brussel = Brüssel 106-107 C 7
Brüssel 106-107 C 7
Brüssel-Laeken [= Bruxelles-Laeken, ↑ Brüssel 106-107 C 7]
Brusson 116-117 E 5
Brüssow 104-105 D 4
Brustawe = Eichensee (Niederschlesien) 113 C 3
Brüsterort 112 C 2
Brusy = Bruß 104-105 L 3
Bruttig 108-109 D 6
Brüx [= Most] 110-111 J 4
Bruxelles = Brüssel 106-107 C 7
Bruxelles-Laeken = Brüssel-Laeken
Bruyelle 106-107 AB 7
Brynica 113 G 5
Brynica = Brünne 113 D 4
Brzeg = Brieg 113 CD 4
Brzeg Głogowski = Brieg 110-111 N 2
Brzenskowitz = Brzezinka 113 G 5
Brześć Kujawski 104-105 N 5
Brzewowitz-Kamin = Brzozowice-Kamień
Brzezie 113 D 2
Brzezie = Eickfier 104-105 JK 3
Brzezina = Falkenberg 104-105 F 4
Brzezina = Groß Bresa 113 B 3
Brzezinka 113 G 5
Brzezinka = Briese 113 C 3
Brzezinka Średzka = Klein Bresa 113 B 3
Brzeziny 113 E 2
Brzeziny = Berkenbrügge 104-105 G 4
Brzeziny Śląskie = Birkenhain
Brzeźnica = Briesnitz 110-111 M 2
Brzeźnik = Birkenbrück 110-111 MN 3
Brzeźnio = Brzeźno 113 F 2-3
Brzeźno [Polen, ↙ Sieradz] 113 F 2-3
Brzeźno [Polen, ↑ Włocławek] 104-105 O 5
Brzeźno = Briesen 104-105 K 2
Brzeźno = Gdańsk-Brzeźno
Brzeźno (Człuchowskie) = Deutsch Briesen 104-105 KL 3
Brzeźno Lęborskie = Bresin 104-105 L 1
Brzostków 113 D 1
Brzostów = Brostau
Brzostowo 112 H 5
Brzostowo = Eichensee (Niederschlesien) 113 C 3
Brzoza = Birkholz 104-105 FG 5
Brzoza = Hopfengarten 104-105 M 4
Brzozie Lubawskie = Deutsch Brzozie 112 C 5
Brzózka = Braschen 110-111 LM 2
Brzozowice-Kamień [3 km ↘ Deutsch Piekar 113 FG 5]
Brzozowo = Berkenwerder 104-105 FG 5
Brzozowo [= Brosowo] 104-105 MN 4
Brzydowo = Seubersdorf 112 D 4
Brzyskorzystew = Birkenfelde 104-105 L 5
Bubendorf 116-117 E 2
Bubendorf = Boncourt 116-117 D 2
Bubenreuth 114-115 J 1
Bublitz [= Bobolice] 104-105 J 3
Buch [Bayern] 114-115 G 4
Buch [Sachsen-Anhalt] 102-103 L 6
Buch am Erlbach 114-115 KL 4
Buchau 114-115 F 4
Buchau [= Bochov] 110-111 GH 5
Buch ⟶
Buchberg [Deutschland] 114-115 J 2
Buchberg [Österreich] 118-119 L 1
Buch, Berlin- 104-105 B 5
Buchdorf 114-115 H 3
Büche [= Wiechowo] 104-105 F 4
Bucheben 118-119 DE 4
Bucheggberg 116-117 D 2
Büchelberg [Berg] 108-109 J 6
Büchelberg [Ort] 108-109 F 8
Buchelsdorf [= Bukowa Śląska] 113 D 3
Büchen 102-103 J 4
Buchenau [Bayern] 114-115 N 2
Buchenau [Hessen] 108-109 G 5
Buchenau [= Nędza] 113 E 5
Buchenbach 114-115 F 2
Büchenbach 114-115 HJ 2
Buchenberg [6 km ↙ Kempten (Allgäu) 114-115 G 5]
Büchenbeuren 108-109 D 7
Buchenbronn [3 km ↘ Birkenfeld 114-115 D 3]
Buchenbühl = Nürnberg-Buchenbühl
Buchendamm [= Buczyna] 110-111 N 2
Buchen (Odenwald) 114-115 E 1
Buchers [= Pohoří na Šumavě] 118-119 H 1
Buchhain 110-111 H 2
Buchheide 104-105 E 4
Buchhof 112 G 2
Buchholterberg 116-117 E 3
Buchholtwelmen 120 CD 2
Buchholz [Brandenburg, ↗ Neuruppin] 104-105 B 4
Buchholz [Brandenburg, ↘ Potsdam] 110-111 G 1
Buchholz [Mecklenburg] 102-103 M 2
Buchholz [Niedersachsen] 102-103 G 4
Buchholz [Nordrhein-Westfalen] 120 F 3
Buchholz [= Bukowo (Człuchowskie)] 104-105 K 3
Buchholz, Annaberg- 110-111 GH 4
Buchholz, Duisburg- 120 CD 3
Buching 114-115 H 5
Buchkirchen 118-119 G 2
Buchloe 114-115 H 4
Buch, Nürnberg- 114-115 J 1
Buchs 116-117 H 2
Buchsweiler [= Bouxwiller] 108-109 DE 9
Buchwald [= Bučina] 118-119 F 1
Buchwald [= Bukówek] 113 B 3
Buchwald [= Bukowie] 113 D 3
Buchwald = Buchendamm 110-111 N 2
Buchwald bei Sagan [= Bukowina Bobrzańska] 110-111 MN 2
Buchwalde [= Kajkowo, 1 km ↓ Osterode in Ostpreußen 112 CD 4]
Buchwaldhöhe 104-105 F 6
Bučina = Buchwald 118-119 F 1
Buckau, Magdeburg- 110-111 E 1
Bückeberg 108-109 H 2
Bückeberge 108-109 H 2
Bückeburg 108-109 H 2
Bücken 102-103 F 5
Bucklige Welt 118-119 L 3
Bücknitz 110-111 F 1
Buckow [Brandenburg, ← Beeskow] 110-111 K 1
Buckow [Brandenburg, → Strausberg] 104-105 D 5
Buckower See 104-105 H 2
Buckowin [= Bukowina] [Fluß] 104-105 L 2
Buckowin [= Bukowina] [Ort] 104-105 L 2
Buckowiner See 104-105 L 2
Buckwa [= Bukovany, 4 km ← Falkenau an der Eger 110-111 G 5]
Buckwitz = Bukowiec 110-111 O 1
Bückwitz 102-103 MN 5
Bucsu = Butsching 118-119 LM 4
Bucsuszentlászló 118-119 M 5
Bucy-lès-Pierrepont 106-107 B 9
Bucz 113 A 1-2
Buczek Wielkie = Groß Butzig 104-105 K 4
Buczyna = Buchendamm 110-111 N 2
Budachów = Baudach 110-111 M 1
Budange, Hombourg- = Homburg-Bidingen 108-109 B 8
Budapest 101 J 5
Budberg 120 C 2
Buddenhagen 104-105 C 2
Buddern [= Budry] 112 G 3
Budel 106-107 F 6
Büdelsdorf 102-103 G 2
Budenheim 108-109 F6
Büderich [Nordrhein-Westfalen, ↖ Düsseldorf] 120 C 3
Büderich [Nordrhein-Westfalen, ↙ Wesel] 120 C 2
Büdesheim [2 km ↖ Kilianstädten 108-109 GH 6]
Budestecy = Großpostwitz 110-111 KL 3
Budigsdorf [= Krasíkov] 113 B 6
Budin [= Budyně nad Ohří] 110-111 K 5
Budinan = Budňany 110-111 K 6
Budingen 106-107 E 7
Büdingen 108-109 H 6
Budissin = Bautzen 110-111 KL 3
Budkowiczanka = Baudendorfer Flößbach 113 DE 4
Budkowitzer Bach = Baudendorfer Flößbach 113 DE 4
Budňany 110-111 K 6
Budow [= Budowo] 104-105 K 2
Budowo = Budow 104-105 K 2
Budry = Buddern 112 G 3
Budsin = Budzyń 104-105 JK 5
Budweis [= České Budějovice] 118-119 GH 1
Budwethen = Altenkirch 112 H 2
Budy = Jagdhaus 104-105 J 4
Budyně nad Ohří = Budin 110-111 K 5
Budyšin = Bautzen 110-111 KL 3
Budzislawer See = Jezioro Budzisławskie 104-105 M 5-6
Budzisław Kościelny 104-105 M 6
Budzisławskie, Jezioro – 104-105 M 5-6
Budziszów Wielki = Groß Baudiß 113 A 3
Budzów = Schönwalde
Budzyń 104-105 JK 5
Budzyń = Unterberg 113 B 1
Buer 108-109 F 2
Buer, Gelsenkirchen- 120 E 2
Buet, Mont – 116-117 C 4
Bug 101 L 2
Bug, Der – 104-105 B 1
Buggingen 114-115 B 5
Bùglio in Monte 116-117 J 4
Bühl 114-115 C 3
Bühler 114-115 F 2
Bühlertal 114-115 C 3
Bühlertann 114-115 F 2
Bühlerzell 114-115 F 2-3
Bühl, Gartrop- 120 D 2
Bühne 110-111 C 2
Buikslot, Amsterdam- 106-107 DE 4
Buillon, Chenecey- 116-117 AB 2
Buinen, Borger- 106-107 H 3
Buin, Piz – 116-117 K 3
Buir 108-109 C 5
Buironfosse 106-107 B 9
Buitenpost, Achtkarspelen- 106-107 G 2
Buk [Deutschland] 102-103 L 2
Buk [Polen] 104-105 J 6
Bük 118-119 M 4
Bukov = Pokau
Bukovany = Buckwa
Bukovno 110-111 L 5
Bukow = Hohenbocka 110-111 JK 3
Bukowa Śląska = Buchelsdorf 113 D 3
Bukówek = Buchwald 113 B 3
Bukowice = Frauenwaldau 113 C 3
Bukowie = Buchwald 113 D 3
Bukowiec 110-111 O 1
Bukowiec = Bukowitz 104-105 M 4
Bukowiec = Gramsdorf 104-105 J 5
Bukowiec Górny 113 AB 2
Bukowiec (Międzyrzecki) = Bauchwitz 104-105 G 6
Bukowina = Buckowin [Fluß] 104-105 L 2
Bukowina = Buckowin [Ort] 104-105 L 2
Bukowina Bobrzańska = Buchwald bei Sagan 110-111 MN 2
Bukowitz [= Bukowiec] 104-105 M 4
Bukówko = Neu Buckow 104-105 H 3
Bukowno 113 G 5
Bukowno = Bukovno 110-111 L 5
Bukovo (Człuchowskie) = Buchholz 104-105 K 3
Bukowo, Jezioro – = Buckower See 104-105 H 2
Bukowo Morskie = See Buckow 104-105 H 2
Buk (Szczeciński) = Böck 104-105 D 3
Bukwald = Groß Buchwalde
Bukwitz = Bukowiec Górny 113 AB 2
Bülach 116-117 G 1
Buldern 108-109 D 3
Bulgrin [= Białogórzyno] 104-105 H 2
Bülkau 102-103 EF 3
Bullange = Büllingen 106-107 G 8
Bullay 108-019 D 6
Bulle 116-117 D 3
Büllingen [= Bullange] 106-107 G 8
Bülowsthal [= Gościejewo] 104-105 J 5
Bülstringen 110-111 D 1
Bülzig 110-111 G 2
Bunde [Deutschland] 102-103 B 4
Bunde [Niederlande] 106-107 F 7
Bünde 108-109 G 2
Bünden = Graubünden 116-117 H-K 3
Bundenthal 108-109 E 8
Bundesrepublik Deutschland [101]
Bündheim 110-111 BC 2
Büngern 120 C 1
Bungsberg 102-103 J 2
Bunhausen [= Płociczno] 112 H 4
Bunnik [3 km ↗ Zeist 106-107 E 4]
Bünninghausen, Heintrop- 120 HJ 2
Bünningstedt 102-103 H 3
Bunschoten 106-107 E 4
Bünsdorf 102-103 G 2
Bünz 116-117 F 2
Bunzelwitz [= Bolesławice] 113 AB 4
Bunzlau [= Bolesławiec] 110-111 N 3
Buochs [4 km ↗ Stans 116-117 F 3]
Burau [= Borowe] 110-111 M 3
Bursch 108-109 EF 5
Bürchen 116-117 E 4
Burcht 106-107 C 6
Burdąg = Burdungen 112 E 4
Burdinne 106-107 E 7
Burdungen [= Burdąg] 112 E 4
Bure [5 km ↖ Pruntrut 116-117 D 2]
Buren [Niederlande, Friesland] 106-107 F 2
Buren [Niederlande, Gelderland] 106-107 E 5
Büren 108-109 G 3
Büren an der Aare 116-117 D 2
Burg [Brandenburg] 110-111 K 2
Burg [Hessen] 108-109 F 5
Burg [Schlesien] 110-111 K 3
Burg an der Wupper 120 E 4
Burgau [Deutschland] 114-115 G 4
Burgau [Österreich] 118-119 L 4
Burg auf Fehmarn ⟶
Burgberg 114-115 G 5
Burgbernheim 114-115 G 2
Burg (Bezirk Magdeburg) 110-111 EF 1
Burgbrohl 108-109 D 6
Burgdorf [Deutschland] 102-103 H 6
Burgdorf [Schweiz] 116-117 E 2
Burgebrach 114-115 H 1
Bürgel 110-111 E 4
Burgenland 118-119 L 4-M3
Burgenstraße 114-115 DE 2
Burgerau 118-119 J 3
Bürgerfeld, Oldenburg (Oldenburg)- 102-103 D 4
Burgfarrnbach = Fürth-Burgfarrnbach
Burggarten [= Grodziska, 6 km ↓ Kobulten 112 EF 4]
Burggen 114-115 H 5
Burggrub 110-111 D 5
Burghaslach 114-115 H 1
Burghaun 108-109 J 5
Burghausen 114-115 M 4
Burgheim 114-115 J 3
Burghof [= Grodzisko] 113 E 4
Burg in Dithmarschen ⟶
Burgkampen 112 HJ 2
Burgkirchen 118-119 E 2
Burgkirchen an der Alz 114-115 M 4

Burgkunstadt 7 Cienia

Burgkunstadt 110-111 D 5
Bürglen 116-117 H 1
Bürglen [1 km ↘ Altdorf 116-117 G 3]
Bürglen [3 km ↘ Weinfelden 116-117 H 1]
Burglengenfeld 114-115 KL 2
Burgpreppach 110-111 C 5
Burgrieden 114-115 FG 4
Burgscheidungen 110-111 E 3
Burgsinn 108-109 J 6
Burgsolms 108-109 FG 5
Burgstadl 110-111 H 5
Burgstadt = Pabianice 101 J 3
Burgstädt 110-111 G 4
Bürgstadt 114-115 E 1
Burgstall 110-111 E 1
Burgstall [= Postal] 116-117 M 3
Burg Stargard 104-105 B 3
Bürgstein [= Sloup] 110-111 L 4
Burgsteinfurt 108-109 D 2
Burg, Texel-Den – 106-107 D 2
Burgthann 114-115 J 2
Burgtonna [3 km ↓ Gräfentonna 110-111 C 3]
Burg Trifels [2 km ↘ Annweiler am Trifels 108-109 EF 8]
Burgund 101 B 5
Burgundische Pforte 116-117 CD 1
Burgund, Kanal von – 101 B 5
Burgwald 108-109 G 5
Burgwall 104-105 J 3
Burgwindheim 114-115 H 1
Burhafe 102-103 C 3
Burhave 102-103 D 3
Burk 114-115 H 2
Burkardsdorf [= Bierdzany] 113 E 4
Burkarty = Borchertsdorf
Burkau 110-111 K 3
Burkersdorf 110-111 HJ 4
Burkhardtsdorf 110-111 GH 4
Burkheim 114-115 B 4
Burladingen 114-115 E 4
Burlafingen [2 km ↗ Pfuhl 114-115 G 4]
Burlage 102-103 C 4
Burnhaupt-le-Haut = Ober-Burnhaupt
Buren 116-117 C 3
Burenzo 116-117 F 6
Burow [Mecklenburg] 102-103 LM 4
Burow [Pommern] 104-105 B 3
Burow [= Burowo] 104-105 E 3
Burowo = Burow 104-105 E 3
Bürresheim 108-109 D 6
Bürs 116-117 J 2
Bur Sankt Georg = Borský Svätý Jur 118-119 N 1
Bur Sankt Nikolaus = Borský Svätý Mikuláš 118-119 N 1
Burscheid 120 E 4
Burscheid [= Bourscheid] 106-107 G 9
Burschen [= Boryszyn] 104-105 F 6
Burschewen = Prußhöfen 112 F 4
Bursfelde [5 km ↗ Hemeln 108-109 J 3]
Burst 106-107 B 7
Bürstadt 108-109 F 7
Burszentgyörgy = Borsky Svätý Jur 118-119 N 1
Burszewo = Prußhöfen 112 F 4
Burtenbach 114-115 G 4
Burtscheid = Aachen-Burtscheid
Burzenin 113 F 3
Busazza, Cima – 116-117 KL 4
Buscate 116-117 G 5
Buschberg 118-119 L 1
Buschborn [= Boucheporn] 108-109 C 8
Buschdorf [= Zakrzewo] 104-105 K 4
Buscheid 120 J 4
Büschfeld 108-109 C 7
Buschfelde (Ostpreußen) 112 J 2
Buschhütten 120 HJ 5
Buschkowo = Buszkowo 104-105 L 4
Buschow 102-103 N 5
Buschtiehrad = Buštěhrad 110-111 K 5
Busdorf 102-103 G 2
Busenbach [4 km → Ettlingen 114-115 C 3]
Busenberg 108-109 E 8
Busendorf 104-105 A 6
Busendorf [= Bouzonville] 108-109 C 8
Büsingen (Oberrhein) 114-115 D 5
Buškovice = Puschwitz 110-111 H 5
Buslar [= Buślary] 104-105 H 3
Buślary = Buslar 104-105 H 3
Buslawitz [= Bohuslavice, 3 km ↑ Beneschau 113 E 6]
Bussang 116-117 C 1
Bussen 114-115 F 4
Bussen [= Boże] 112 F 4
Bussigny [3 km ↖ Renens 116-117 C 3]
Bussolengo 116-117 L 6
Büssow [= Buszów] 104-105 FG 5
Bussum 106-107 E 4
Bussurel [4 km ↑ Montbéliard 116-117 C 1]
Bussy-sur-Moudon [3 km ↓ Apples 116-117 B 3]
Buštěhrad 110-111 K 5
Busto Arsizio 116-117 G 5
Busto Garolfo 116-117 G 5
Büsum 102-103 E 2
Buszkowo 104-105 L 4
Buszów = Büssow 104-105 FG 5
But 118-119 E 5-6
Bütgenbach [= Butgenbach] 106-107 G 8
Butjadingen 102-103 D 3
Butow [= Bytowo (Lińskie)] 104-105 G 4
Bütow 104-105 K 2
Bütow [= Bytów] 104-105 L 2
Butryny = Wuttrienen 112 E 4
Bütschelegg 116-117 D 3
Butsching [= Bucsu] 118-119 LM 4
Bütschwil 116-117 GH 2
Büttelborn [3 km ↘ Groß-Gerau 108-109 F 7]
Buttelstedt 110-111 D 3
Buttenhausen 114-115 E 4
Buttenheim 114-115 J 1
Buttenwiesen 114-115 H 3
Buttes 116-117 C 3
Büttgen 120 C 4
Buttisholz 116-117 F 2
Buttkuhnen = Bodenhausen 112 HJ 3
Buttstädt 110-111 D 3
Butzbach 108-109 G 6
Bützfleth 102-103 FG 3
Butzheim, Nettesheim- 120 CD 4
Bützow 102-103 L 3
Buurmalsen [1 km ↑ Geldermalsen 106-107 E 5]
Buurse, Haaksbergen- 106-107 H 4
Buurserbeek 106-107 H 4
Buxheim 114-115 J 3
Buxtehude 102-103 G 4
Buxtehude-Alt Kloster 102-103 G 4

Bycina = Fichtenrode 113 F 5
Byczyna = Pitschen 113 E 3
Bydgoski, Kanał – = Bromberger Kanal 104-105 L 4
Bydgoszcz = Bromberg 104-105 LM 4
Byhlen 110-111 K 2
Byschewo 104-105 L 4
Byšice = Bischitz 110-111 L 5
Bysław = Groß Bislaw 104-105 LM 3-4
Bysławek = Klein Bislaw 104-105 LM 3-4
Býšť 110-111 N 5
Bystra = Bergland 104-105 E 4
Bystré = Bistrei 113 A 5
Bystřice = Bistritz 110-111 N 5
Bystřické hory = Habelschwerdter Gebirge 113 AB 5
Bystrzyca = Peisterwitz 113 C 4
Bystrzyca = Weistritz 113 B 4
Bystrzyca Górna = Ober Weistritz 113 AB 4
Bystrzyca Kłodzka = Habelschwerdt 113 AB 5
Bystrzyckie, Góry – = Habelschwerdter Gebirge 113 AB 5
Byszyno = Boissin
Bythiner See 104-105 HJ 5
Bytnica = Beutnitz 110-111 M 1
Bytom = Beuthen (Oberschlesien) 113 F 5
Bytom Odrzański = Beuthen/Oder 110-111 N 2
Bytoń 104-105 N 5
Bytów = Bütow 104-105 L 2
Bytowo (Lińskie) = Butow 104-105 G 4
Bytyńskie, Jezioro – = Großer Böthinsee 104-105 H 4

Bzowo = Goray 104-105 HJ 5
Bzura 101 J 2

C

Cachrau = Čachrov 114-115 N 2
Čachrov 114-115 N 2
Cadelle, Monte – 116-117 J 4
Cadenàbbia 116-117 H 5
Cadenazzo [7 km ↙ Bellinzona 116-117 H 5]
Cadenberge 102-103 EF 3
Caderzone 116-117 L 4
Cadinen [= Kadyny] 112 BC 3
Cadinjoch 116-117 M 4
Cadolzburg 114-115 H 2
Càdria, Monte – 116-117 L 5
Cadzand 106-107 A 6
Caëstre 106-107 a 2
Càglio 116-117 H 5
Cainsdorf [5 km ↓ Zwickau 110-111 FG 4]
Caiolo 116-117 J 4
Cairate 116-117 G 5
Cairn Roi Albert 106-107 E 8
Čakov 118-119 G 1
Čakovice 110-111 L 5
Calanca, Val – 116-117 H 4
Calanda 116-117 HJ 3
Calasca Castiglione 116-117 F 4
Calau 110-111 J 2
Calbe (Saale) 110-111 E 2
Calcinato 116-117 K 6
Càlcio 116-117 J 5
Caldaro = Kaltern 116-117 M 4
Caldaro, Lago di – 116-117 M 4
Calden 108-109 H 4
Caldes 116-117 LM 4
Caldiero 116-117 M 6
Caldogno 116-117 MN 5
Caldonazzo 116-117 M 5
Caldonazzo, Lago di – 116-117 M 4
Callantsoog 106-107 D 3
Calle 108-109 F 4
Callenberg 110-111 C 5
Calliano 116-117 M 5
Calmbach 114-115 D 3
Calolziocorte 116-117 HJ 5
Caltignaga 116-117 G 5
Caltrano 116-117 MN 5
Calusco d'Adda 116-117 HJ 5
Calvörde 110-111 D 1
Calw 114-115 D 3
Cama 116-117 H 4
Camberg 108-109 F 6
Cambs 102-103 L 3
Camburg 110-111 E 3
Càmeri 116-117 G 5
Camin 102-103 JK 4
Camino, Pizzo – 116-117 K 5
Cammer 110-111 E 1
Cammin 102-103 M 2-3
Camminer Bodden 104-105 E 2-3
Cammin in Pommern [= Kamień Pomorski] 104-105 E 3
Camoghe 116-117 H 4
Camònica, Val – 116-117 K 4-5
Campelli, Passo di – 116-117 K 4
Campine = Kempen 106-107 DE 6
Campione d'Itàlia 116-117 GH 5
Campitello 116-117 N 4
Campo 116-117 G 3
Campocologno 116-117 K 4
Campo di Trens = Freienfeld 116-117 MN 3
Campodolcino 116-117 H 4
Campo Fiscalino = Fischleinboden
Campolasta = Astfeld 116-117 M 3
Campo Lomaso 116-117 L 4
Camporosso in Valcanale [4 km ← Tarvis 118-119 F 5]
Campo Tencia, Pizzo – 116-117 G 4
Campo Tùres = Sand in Taufers 118-119 BC 5
Canale San Bovo 116-117 N 4
Canal, Val – = Kanaltal 118-119 EF 5
Canazei 116-117 N 4
Canciano, Pizzo – 116-117 JK 4
Candelo 116-117 E 5
Cankova 118-119 L 5
Canner = Kanner 108-109 B 8
Cànnero Riviera 116-117 G 4
Cannòbio 116-117 G 4
Cannstadt, Stuttgart-Bad – 114-115 E 3
Canònica d'Adda 116-117 J 5
Canow 102-103 N 4
Cantù 116-117 H 5
Canzo 116-117 H 5
Caoria 116-117 N 4
Čapajevo = Schlauthienen 112 D 3
Čapajevo = Tussainen 112 GH 1
Capelle aan de IJssel 106-107 D 5
Capelle-en-Thiérache, la – 106-107 BC 9
Capellen 106-107 FG 9
Capelle, Sprang- 106-107 E 5
Capezzone, Cima di – 116-117 F 5
Capo di Ponte 116-117 K 4
Capovalle 116-117 L 5
Cappel 108-109 G 5
Cappeln 102-103 E 5
Capriana 116-117 M 4
Capriano-Azzano [4 km ↗ Mairano 116-117 K 6]
Caprino Veronese 116-117 L 5
Capriolo 116-117 K 5
Caputh 104-105 AE 6
Carasso, Bellinzona- – 116-117 G 4
Carate Brianza 116-117 H 5
Caravàggio 116-117 J 5-6
Caravanche = Karawanken 118-119 F-H 5-6
Carbonin = Schluderbach 118-119 C 5
Cardano = Karneid
Cardano al Campo 116-117 G 5
Carè Alto, Monte – 116-117 L 4
Carei 101 L 5
Carema 116-117 E 5
Carignan 106-107 E 9
Carling = Karlingen 108-109 C 8
Carlow 102-103 J 3
Carlsfeld 110-111 FG 5
Carlsruhe (Oberschlesien) [= Pokój] 113 D 4
Carmzow 104-105 D 4
Carnières 106-107 C 8
Carnuntum 118-119 M 2
Carolath [= Siedlisko] 110-111 N 2
Carolinensiel 102-103 C 3
Carona 116-117 J 4
Carouge = Genf-Carouge
Carpignano Sèsia 116-117 F 5
Carpin 104-105 B 4
Cartignies 106-107 B 8
Carwitz 104-105 B 4
Carwitzer See 104-105 BC 4
Casaccia 116-117 L 4
Casale, Monte – 116-117 LM 4
Casana, Piz – 116-117 JK 3
Casatenovo 116-117 H 5
Casazza 116-117 J 5
Casekow 104-105 D 4
Casinotta = Göschenen 116-117 FG 3
Caslau = Čáslav 110-111 M 6
Čáslav 110-111 M 6
Casnigo [3 km ← Gandino 116-117 J 5]
Casorate Sempione [4 km ↖ Gallarate 116-117 G 5]
Casotto 116-117 M 5
Cassano d'Adda 116-117 HJ 5
Cassano Magnago 116-117 G 5
Cassel 106-107 a 2
Castagnola [1 km → Lugano 116-117 G 4]
Càstano Primo 116-117 G 5
Castasegna 116-117 H 4
Casteau 106-107 BC 7
Castelbello-Ciardes = Kastellbell-Tschars 116-117 L 3
Casteldarne [2 km ↓ Kiens 118-119 B 5]
Castell 114-115 G 1
Castellanza 116-117 G 5
Castelletto sopra Ticino 116-117 G 5
Castello, Cima di – 116-117 J 4
Castello, Massa del – 116-117 F 5
Castello, Monte – 116-117 J 5
Castello Tesino 116-117 N 4
Castelrotto = Kastelruth 116-117 N 3
Castelveccana 116-117 G 5
Castenèdolo 116-117 K 6
Castiglione Olona 116-117 G 5
Castione, Arbedo – 116-117 H 4
Castione della Presolana 116-117 JK 5
Casto 116-117 K 5
Castrezzato 116-117 JK 5
Castricum 106-107 D 3
Castronno [4 km ↑ Albizzate 116-117 G 5]
Castrop-Rauxel 120 F 2
Catinàccio = Rosengarten 116-117 N 4
Cats, Mont des – 106-107 a 2
Cattenom = Kattenhofen 108-109 B 8
Cauco 116-117 H 4
Cavalese 116-117 MN 4
Cavallina, Val – 116-117 JK 5
Cavèdine 116-117 LM 5
Cavel, Piz – 116-117 GH 3
Cavertitz 110-111 H 3
Cavour, Canale – 116-117 FG 6
Cazis 116-117 H 3

Cebiv = Zebau 114-115 MN 1
Cece, Cima di – 116-117 N 4
Cecenowo = Zezenow 104-105 KL 1
Čechovo = Godnicken 112 D 2
Čechovo = Uderwangen 112 E 2
Čechy = Böhmen 101 FG 4
Cedègolo 116-117 K 4
Cedry Wielkie = Groß Zünder 104-105 N 2
Cedynia = Zehden (Oder) 104-105 D 5
Cegléd 101 L 5
Cegłowo = Hermsdorf 112 D 4
Čejč 118-119 MN 1
Čejkovice 118-119 M 1
Cekcyn 104-105 M 3
Cekzin = Cekcyn 104-105 M 3
Čelákovice 110-111 L 5
Celakowitz = Čelákovice 110-111 L 5
Céligny 116-117 B 4
Celje = Cilli 101 G 5
Celle 102-103 H 5
Celles [Belgien, Hennegau] 106-107 AE 7
Celles [Belgien, Liège] 106-107 E 7
Celles [Belgien, Namur] 106-107 E 8
Cembra 116-117 M 4
Cene 116-117 J 5
Ceneri, Monte – 116-117 G 4
Čenkovice = Tschenkowitz 113 B 5-6
Censeau 116-117 B 3
Centovalli 116-117 G 4
Ceppo Morelli 116-117 F 4-5
Ceradz Kościelny [3 km ↘ Groß Gay 104-105 J 6]
Čerchov = Schwarzkoppe 114-115 M 2
Cerchow = Schwarzkoppe 114-115 M 2
Cercivento [3 km ← Paluzza 118-119 DE 5]
Cerekvice nad Loučnou 113 A 6
Cerekwica 113 C 2
Cerekwitz = Cerekvice nad Loučnou 113 A 6
Cerèsio, Lago – = Luganersee 116-117 G 5-H 4
Ceresole 116-117 D 6
Cerfontaine 106-107 C 8
Cerkiewnik = Münsterberg 112 D 4
Čerkov = Schwarzkoppe 114-115 M 2
Cerkwica = Zirkwitz 104-105 F 2
Cerlier = Erlach 116-117 D 2
Cerna = Alteichen
Čern'achovsk = Insterburg 112 G 2
Černá hora = Schwarzenberg 110-111 N 4
Černá v Pošumaví = Schwarzbach 118-119 G 1
Cerniat [2 km ↑ Charmey 116-117 D 3]
Cernier [4 km ↙ Dombresson 116-117 CD 2]
Černilov 110-111 N 5
Cernòbbio 116-117 H 5
Černošín = Tschernoschin 114-115 M 1
Cernusco sul Naviglio 116-117 H 5
Černyševskoje = Eydtkau 112 J 2
Červená Voda = Rothwasser 113 B 5
Červené Pečky = Rot-Petschkau
Červený Kostelec = Roth Kostelletz 110-111 NO 5
Cervina, Pizzo – = Hirzerspitze 116-117 M 3
Cervino = Matterhorn 116-117 E 5
Cervo 116-117 F 5
Cesano Maderno 116-117 H 5
Česká Kamenice = Böhmisch Kamnitz 110-111 K 4
Česká Kubice = Kubitzen 114-115 M 2
Česká Lípa = Böhmisch Leipa 110-111 L 4
Česká Rybná = Deutsch Rybna 113 A 5
Česká Skalice = Böhmisch Skalitz 110-111 NO 5
Česka Třebová = Böhmisch Trübau 113 A 6
Česká Ves = Böhmischdorf 113 C 5
České Budějovice = Budweis 118-119 GH 1
České Libchavy = Böhmisch Lichwe 113 A 5
České Meziříčí 110-111 NO 5
České Středohoří = Mittelgebirge 110-111 JK 4
České Velenice = Wielands 118-119 HJ 1
Českomoravská vrchovina = Böhmisch-Mährische Höhe 101 GH 4
Československo = Tschechoslowakei 101 G-K 4
Český Brod = Böhmisch Brod 110-111 L 5
Český Dub = Böhmisch Aicha 110-111 L 4
Český Jiřetín = Georgendorf 110-111 J 4
Český Krumlov = Krummau an der Moldau 118-119 G 1
Cesuna 116-117 MN 5
Ceto 116-117 K 4
Cetviny = Zettwing 118-119 H 1
Cetyń = Zettin 104-105 K 2
Cevedale, Monte – = Zufallspitze 116-117 L 4
Cevins 116-117 BC 5
Cevio 116-117 G 4
Cewice = Zewitz 104-105 L 2

Chaam 106-107 D 5
Chabařovice = Karbitz 110-111 J 4
Chabičov = Chabitschau
Chabitschau [= Chabičov, 3 km ↓ Beneschau 113 E 6]
Chablais 116-117 BC 4
Chaffois 116-117 B 3
Chagey 116-117 C 1
Chagny 101 B 5
Chalais 116-117 DE 4
Challant-Saint-Anselme 116-117 E 5
Challes-les-Eaux 116-117 AB 5
Châlons-sur-Marne 101 AB 4
Chalon-sur-Saône 101 B 5
Chałupki = Ruderswald 113 E 6
Cham [Deutschland, Fluß] 114-115 M 2
Cham [Deutschland, Ort] 114-115 M 2
Cham [Schweiz] 116-117 F 2
Chamaninek = Czamaninek 104-105 N 6
Chambéry 116-117 AB 5
Chambrey 108-109 B 9
Chamerau 114-115 M 2
Chamois 116-117 E 5
Chamonix-Mont-Blanc 116-117 C 5
Chamonix, Val de – 116-117 C 5
Chamoson 116-117 D 4
Chamoux-sur-Gelon 116-117 B 5
Champagne 101 AB 4
Champagney 116-117 C 1
Champagnole 116-117 AB 3
Champagny 116-117 C 6
Champenoux 108-109 B 9
Champéry 116-117 C 4
Champex 116-117 D 4
Champfer 116-117 J 4
Champion 106-107 D 7-8
Champlon 106-107 EF 8
Champorcher 116-117 E 5
Chancy 116-117 AB 4
Chandolin 116-117 E 4
Chantrans 116-117 B 2
Chapareillan 116-117 AB 6
Chapelle, la – 116-117 B 6
Chapelle-lez-Herlaimont 106-107 C 8
Chapendu, Raddon-et- 116-117 B 1
Chapieux, les – 116-117 C 5
Chapois 116-117 AB 3
Charbowo = Kleedorf 104-105 K 5
Charbrow = Degendorf 104-105 L 1
Charbrowo = Degendorf 104-105 L 1
Chardonne [2 km ↖ Vevey 116-117 C 4]
Charency-Vezin 106-107 F 10
Charleroi 106-107 CD 8
Charleville 106-107 D 9
Charlottenbrunn, Bad – [= Jedlina Zdrój] 113 A 4
Charlottenburg, Berlin- 104-105 B 5
Charłupia Wielka 113 F 2
Charmey 116-117 D 3
Charmoille 116-117 B 1
Charolais, Monts du – 101 B 5
Charquemont 116-117 C 2
Charvin, Mont – 116-117 B 5
Charzyno = Garrin 104-105 G 2
Chasseral 116-117 D 2
Chasseron, Mont – 116-117 C 3
Chastre-Villeroux-Blanmont 106-107 D 7
Château-d'Oex 116-117 D 4
Château-Regnault-Bogny 106-107 D 9
Château-Salins 108-109 BC 9
Châtel 116-117 C 4
Châtelard, Le – 116-117 C 4
Châtelard, le – 116-117 B 5
Châtelet 106-107 D 8
Chateleu, la Grand'Combe- 116-117 C 2
Châtelineau 106-107 D 8
Châtel-Saint-Denis 116-117 C 3
Châtenois-les-Forges 116-117 C 1
Châtillon 116-117 E 5
Châtillon-sur-Seine 101 B 5
Chaumont-en-Bassigny 101 B 4
Chaumont-Gistoux 106-107 D 7
Chaumont, Mont – 116-117 BC 2
Chaumont-Porcien 106-107 C 9
Chaux-de-Fonds, La – 116-117 C 2
Chavalatsch, Piz – 116-117 KL 3
Chavornay 116-117 C 3
Chazel, Anchenoncourt-et- 116-117 B 1
Chazelot, Mailley-et- 116-117 B 1
Cheb = Eger 110-111 F 5
Chelchen = Kelcherdorf 112 HJ 4
Chełchy = Kelcherdorf 112 HJ 4
Chelm 113 EF 5
Chełm [Polen, ↘ Kattowitz] 113 G 5
Chełm [Polen, → Lublin] 101 L 3
Chełmce [Polen, ↘ Kalisch] 113 E 2
Chełmce [Polen, ↙ Thorn] 104-105 M 5
Chełmica 104-105 O 5
Chełmno 113 F 1
Chełmno = Kulm 104-105 M 4
Chełmonie = Colmarsfeld 104-105 N 4
Chełmsko = Gollmitz 104-105 FG 5
Chełmsko Śląskie = Schömberg 110-111 O 4
Chełmża = Kulmsee 104-105 N 4
Chełmżyńskie, Jezioro – = Kulmsee 104-105 N 4
Chełst = Neuteich 104-105 G 5
Chemnitz [= Karl-Marx-Stadt] 110-111 GH 4
Chemnitz-Harthau [↓ Chemnitz 110-111 GH 4]
Chemnitz-Hilbersdorf [↗ Chemnitz 110-111 GH 4]
Chemnitz-Schönau [↙ Chemnitz 110-111 GH 4]
Chemnitz-Siegmar [↙ Chemnitz 110-111 GH 4]
Chêne-Bourg [3 km → Genf 116-117 B 4]
Chenecey-Buillon 116-117 AB 2
Chénée 106-107 F 7
Cherain 106-107 F 8
Cheratte 106-107 F 7
Cheseaux-sur-Lausanne 116-117 C 3
Chesières 116-117 D 4
Chevenez [8 km ↗ Damvant 116-117 C 2]
Chevenoz 116-117 C 4
Chevillepass 116-117 D 4
Chevron 106-107 F 8
Chevroux [4 km ↙ Portalban 116-117 CD 3]
Chevry 116-117 AB 4
Chexbres 116-117 C 4
Cheyres 116-117 C 3
Chiampo 116-117 M 5
Chiaravalle, Mailand- [= Milano-Chiaravalle] 116-117 H 6
Chiaravalle, Milano- = Mailand-Chiaravalle 116-117 H 6
Chiarèggio 116-117 J 4
Chiari 116-117 J 5
Chiasso 116-117 GH 5
Chiavenna 116-117 H 4
Chiaverano 116-117 EF 6
Chief, Villers – 116-117 B 2
Chieming 114-115 M 5
Chiemsee 114-115 LM 5
Chiènes = Kiens 118-119 B 5
Chiers 106-107 E 9
Chiesa in Valmalenco 116-117 J 4
Chiesch [= Chyše] 110-111 H 5
Chiese 116-117 L 5
Chiètres = Kerzers 116-117 D 3
Chièvres 106-107 B 7
Chillon 116-117 C 4
Chimay 106-107 C 8
Chiny 106-107 E 9
Chippis 116-117 E 4
Chironico [4 km ↖ Giornico 116-117 G 4]
Chiusa = Klausen 116-117 MN 3
Chlebówko = Sassenhagen 104-105 F 4
Chlebowo = Klebow 104-105 H 3
Chlewo [Polen, ↓ Kalisch] 113 DE 3
Chlewo [Polen, → Kalisch] 113 E 2
Chłop, Jezioro – = Kloppsee [Brandenburg, ↘ Landsberg (Warthe)] 104-105 G 6
Chłop, Jezioro – = Kloppsee [↓ Stargard in Pommern] 104-105 E 4
Chłopowo = Schwachenwalde 104-105 FG 4
Chludowo 104-105 J 5
Chlum 110-111 N 5
Chlum = Großer Chumberg 118-119 G 1
Chlum = Klum
Chlumec = Kulm 110-111 JK 4
Chlumec nad Cidlinou 110-111 MN 5
Chlumetz = Chlumec nad Cidlinou 110-111 MN 5
Chlumetz bei Wittingau [= Chlum u Třeboně] 118-119 H 1
Chlumín 110-111 K 5
Chlum Svate Maří = Maria Kulm
Chlum u Třeboně = Chlumetz bei Wittingau 118-119 H 1
Chmieleń = Langwasser 110-111 MN 4
Chmielinko = Steinberg 104-105 H 6
Chmielów = Schmellwitz 113 B 3
Chobienia = Köben an der Oder 113 A 2
Chobienice = Köbnitz 110-111 N 1
Choceň 113 A 5
Chocianów = Kotzenau 110-111 N 3
Chocicz = Hermswalde 110-111 M 2
Chocina = Chotzen 104-105 K 3
Chociule = Kutschlau 110-111 N 1
Chociw 113 G 3
Chociwel = Freienwalde in Pommern 104-105 F 4
Chocz 113 D 2
Choczewo = Gotendorf 104-105 LM 1
Chodau [= Chodov] 110-111 G 5
Chodecz 104-105 O 6
Chodetsch = Chodecz 104-105 O 6
Chodov = Chodau 110-111 G 5
Chodová Planá = Kuttenplan 114-115 M 1
Chodów 113 G 1
Chodzież = Gendarmenberg 104-105 L 1
Chodzież = Kolmar in Posen 104-105 JK 5
Chojna = Choyna 104-105 K 5
Chojna = Königsberg Neumark 104-105 DE 5
Chojne 113 F 2
Chojnice = Konitz 104-105 L 3
Chojniczki = Klein Konitz 104-105 L 3
Chojnik = Hagenau 112 C 4
Chojno 104-105 H 5
Chojnów = Haynau 110-111 N 3
Cholm = Chełm 101 L 3
Cholmogorovka = Goldschmiede 112 DE 2
Choltice 110-111 N 6
Choltitz = Choltice 110-111 N 6
Chomętowo = Gumtow
Chomętowo = Hedwigshorst 104-105 L 5
Chomętowo = Hermsdorf 104-105 G 5
Chomutov = Komotau 110-111 HJ 5
Chomutovka = Komotauer Bach 110-111 HJ 5
Chorin 104-105 C 5
Chorsele = Chorzele 101 K 2
Chorshele = Chorzele 101 K 2
Choryń 113 B 1
Chorzele 101 K 2
Chorzelin = Osternothhafen 104-105 D 3
Chorzellen = Chorzele 101 K 2
Chorzów = Königshütte 113 F 5
Chośebuz = Cottbus 110-111 K 2
Choszczno = Arnswalde 104-105 F 4
Choteschau = Chotieschau 114-115 N 1
Chotěšov = Chotieschau 114-115 N 1
Chotětov = Kuttenthal 110-111 L 5
Chotěvice = Kottwitz 110-111 N 4
Chotieschau [= Chotěšov] 114-115 N 1
Chotów 113 EF 3
Chottschow = Gotendorf 104-105 LM 1
Chotusice 110-111 M 6
Chotusitz = Chotusice 110-111 M 6
Chotzen 104-105 K 3
Chotzen = Choceň 113 A 5
Choustníkovo Hradiště = Gradlitz
Choyna 104-105 K 5
Chožov = Koschow 110-111 J 5
Chrabrovo = Powunden 112 E 2
Chrast 110-111 N 6
Chrást 114-115 NO 1
Chrastava = Kratzau 110-111 LM 4
Chřibská = Kreibitz 110-111 KL 4
Chříč 110-111 J 6
Christannes, Piz – >→
Christburg [= Dzierzgoń] 112 B 4
Christfelde [= Chrząstowo, 4 km ↗ Barkenfelde 104-105 K 3]
Christianstadt (Bober) [= Krzystkowice] 110-111 M 2
Christophsgrund [= Údol Svatého Kryštofa, 5 km ↗ Kriesdorf 110-111 L 4]
Chrobold = Chroboly 118-119 G 1
Chroboly 118-119 G 1
Chronstau = Kranst 113 E 4
Chronstauer Flößbach = Himmelwitzer Wasser 113 E 4
Chróścice = Rutenau 113 D 4
Chróścina = Falkenau 113 C 4
Chróścina = Kraschen 113 B 2
Chrosczütz = Rutenau 113 D 4
Chrośnica = Kroschnitz 110-111 NO 1
Chrostkowo 104-105 O 5
Chróstniki = Brauchitschdorf 110-111 O 3
Chrudim 110-111 N 6
Chruściel = Tiedmannsdorf 112 C 3
Chrząstowa = Haaken 104-105 K 3
Chrząstowa Wielka = Klarenwald 113 C 3
Chrząstowice = Kranst 113 E 4
Chrząstowo 113 C 1
Chrząstowo = Christfelde
Chrząszczewo = Gristow 104-105 E 3
Chrząszczyce = Schönkirch (Oberschlesien) 113 D 4
Chrzonstowo = Chrząstowo 113 C 1
Chrzumczütz = Schönkirch (Oberschlesien) 113 D 4
Chrzypskie, Jezioro – 104-105 H 5
Chrzypskosee = Jezioro Chrzypskie 104-105 H 5
Chrzypsko Wielkie = Seeberg 104-105 H 5
Chuchelná = Kuchelna 113 E 6
Chudenice 114-115 N 2
Chudenitz = Chudenice 114-115 N 2
Chudoba = Kirchwalde 113 E 4
Chulanka 104-105 O 5
Chur 116-117 J 3
Churfirsten 116-117 H 2
Chursdorf [= Mostkowo] 104-105 F 5
Churwalden 116-117 J 3
Chvaletice 110-111 MN 5
Chvalovice = Kallendorf 118-119 L 1
Chvalšiny = Kalsching 118-119 G 1
Chvaly = Chwala
Chwala [= Chvaly, 3 km ↗ Horní Počernice 110-111 L 5]
Chwałkowo 113 BC 2
Chwałkowo Kościelne 113 C 1
Chwalletitz = Chvaletice 110-111 MN 5
Chwałowice = Landsberger Holländer
Chwarstnica = Klein Schönfeld 104-105 E 4
Chwarszczany = Quartschen 104-105 E 5
Chwaszczyno = Quaschin 104-105 M 2
Chwiram = Quiram
Chybi = Chybie 113 F 6
Chybie 113 F 6
Chycina = Weißensee 104-105 F 6
Chyňava = Kienau 110-111 K 5
Chynow = Chynowa 113 D 2
Chynowa 113 D 2
Chyše = Chiesch 110-111 H 5

Ciasna = Teichwalde 113 F 4
Ciążeń 113 D 1
Ciążyń = Hallberg 104-105 J 5
Cicha Woda = Leisabach 113 A 3
Ciche = Czichen 112 B 5
Cichy = Bolken 112 H 3
Cidlina 110-111 M 5
Ciechanowice = Rudelstadt 110-111 NO 4
Ciechocin 104-105 NO 4
Ciechocinek 104-105 N 5
Ciecholub = Techlipp 104-105 J 2
Cieciory 112 G 5
Cieciułów 113 F 3
Ciećmierz = Zitzmar 104-105 EF 3
Ciekocino = Zackenzin 104-105 L 1
Ciele = Cielle 104-105 L 4
Cielle 104-105 L 4
Ciemino, Jezioro – = Zemminer See 104-105 HJ 3
Ciemnice = Thiemendorf 110-111 M 1
Ciemnik = Temnick 104-105 G 4
Ciemnoszyje 112 J 4
Cienia 113 E 2

Cienin 8 Deister

Cienin Kościelny 113 E 1
Cieplice Śląskie Zdrój = Bad Warmbrunn 110-111 N 4
Ciepłowody = Lauenbrunn 113 BC 4
Ciergnon 106-107 E 8
Cierpice = Schirpitz 104-105 MN 5
Cierznie = Peterswalde 104-105 JK 3
Cieśle = Zessel 113 C 3
Cieszęcin 113 E 3
Cieszencin = Cieszęcin 113 E 3
Cieszeniewo = Ziezeneff
Cieszków = Freyhan 113 C 2
Cieszkowice = Eichenhag 113 B 2
Cieszymowo Wielkie = Teschendorf 112 B 4
Cieszyn = Tessin 104-105 E 3
Cieszyn = Tscheschen 113 D 3
Cieszyno (Drawskie) = Teschendorf 104-105 H 3
Cigacice = Odereck 110-111 N 1
Cihana [= Cíhaná] 114-115 N 1
Cilli [= Celje] 101 G 5
Cima Gogna [2 km ↖ Vigo di Cadore 118-119 CD 6]
Cimego 116-117 L 5
Cimochy = Reuß 112 J 4
Cimon Rava 116-117 N 4
Ciney 106-107 E 8
Cínovec = Zinnwald 110-111 J 4
Cionzen = Ciążeń 113 D 1
Ciosaniec = Ostlinde 110-111 NO 2
Ciosaniec Pomorski = Hasenfier 104-105 J 4
Cirák 118-119 N 4
Cirkvice 110-111 LM 6
Cislago 116-117 GH 5
Cismar 102-103 J 2
Cismon 116-117 N 4
Cismon del Grappa 116-117 N 5
Cisowo = Zizow 104-105 H 2
Čistá [Tschechoslowakei, ↖ Jungbunzlau] 110-111 L 5
Čistá [Tschechoslowakei, ↙ Kladno] 110-111 J 5
Čistá = Lauterbach 110-111 G 5
Čistá [2 km ↗ Falgendorf 110-111 N4]
Citers 116-117 B 1
Citice = Zieditz
Citoliby = Zittolieb 110-111 J 5
Citov 110-111 K 5
Cittiglio 116-117 G 5
Cittow = Citov 110-111 K 5
Civate 116-117 H 5
Civezzano 116-117 M 4
Čížkovice 110-111 JK 5
Cizzago, Comezzano – 116-117 JK 6

Clabecq [= Klabbeek] 106-107 C 7
Clarens [2 km ↖ Montreux 116-117 C 4]
Clarholz 108-109 F 3
Claro 116-117 H 4
Claro, Pizzo di – 116-117 H 4
Clauen [3 km ↙ Hohenhameln 110-111 B 1]
Clausen [4 km ↗ Rodalben 108-109 E 8]
Clausnitz 110-111 H 4
Claußnitz 110-111 G 4
Clausthal-Zellerfeld 110-111 B 2
Clavadel 116-117 J 3
Cleebronn [4 km ← Bönnigheim 114-115 E 2]
Clemecy = Steinfort 106-107 F 9
Clémency, Matton-et- 106-107 E 9
Clenze 102-103 J 5
Clerf [= Clervaux] 106-107 G 8
Clerf [= Clerve] 106-107 FG 8
Cléron 116-117 B 2
Clerval 116-117 BC 2
Clervaux = Clerf 106-107 G 8
Clerve = Clerf 106-107 FG 8
Cles 116-117 LM 4
Clingen 110-111 C 3
Cloppenburg 102-103 CD 5
Cluny 101 B 5
Clusaz, la – 116-117 B 5
Cluses 116-117 C 4
Clusone 116-117 JK 5

Cobbelsdorf 110-111 G 2
Coburg 110-111 CD 5
Coca, Pizzo di – 116-117 JK 4
Coccáglio 116-117 J 5
Cochem 108-109 D 6
Cochstedt 110-111 D 2
Cocksdorp, Texel-De – 106-107 D 2
Coesfeld 108-109 D 3
Coevorden 106-107 H 3
Coevorden-Piccardie-Kanal 102-103 AB 5
Còggiola 116-117 F 5
Cogllans, Monte – = Hohe Warte 118-119 D 5
Cogne 116-117 D 5
Cogne, Val di – 116-117 D 5
Cogollo del Cengio 116-117 MN 5
Cògolo 116-117 L 4
Coira = Chur 116-117 J 3
Colà 116-117 L 6
Cölbe 108-109 G 5
Colbitz 110-111 E 1
Colbitz-Letzlinger Heide 102-103 L 6, 110-111 DE 1
Coldinne, Menstede- [3 km ↗ Großheide 102-103 B 3]
Colditz 110-111 G 3
Col du Mont 116-117 CD 5
Coleazzo, Monte – 116-117 KL 4
Cólico 116-117 H 4
Colijnsplaat 106-107 B 5
Colla 116-117 H 4
Collalbo = Klobenstein 116-117 MN 3
Collalto = Hochgall 118-119 C 5
Collècchio = Gleck 116-117 L 4
Colle Isarco = Gossensaß 116-117 MN 3
Collinghorst 102-103 C 4
Cóllio 116-117 K 5
Collm 110-111 GH 3
Collmberg 110-111 GH 3
Colloney Pointe du – 116-117 C 5
Collonge-Bellerive 116-117 B 4
Collonges 116-117 D 4
Colmansfeld [= Chełmonie] 104-105 N 4
Colmar [Frankreich] 101 C 4
Colmar [Luxemburg] 106-107 G 9
Colmberg 114-115 G 2
Colmnitz 110-111 HJ 4
Colnrade 102-103 DE 5
Cologne 116-117 J 5
Cologno al Sèrio 116-117 J 5
Colombier [6 km ↙ Neuenburg 116-117 CD 3]
Colombier-Fontaine 116-117 C 2
Colombier, Mont – 116-117 B 5
Colombine, Monte – 116-117 K 5
Colombo, Monte – 116-117 D 6
Colorina 116-117 J 4
Col Santo 116-117 M 5
Comàbbio, Lago di – 116-117 G 5
Combeaufontaine 116-117 A 1
Comblain-au-Pont 106-107 EF 8
Combolo, Monte – 116-117 JK 4
Comeglians 118-119 D 5
Comèlico Superiore 118-119 CD 5
Comer See = Comosee 116-117 H 4-5
Comezzano-Cizzago 116-117 JK 6
Comines 106-107 ab 2
Como [Ort, Verwaltungseinheit] 116-117 H 5
Comologno [4 km ← Russo 116-117 G 4]
Comosee [= Lago di Como] 116-117 H 4-5
Compatsch 116-117 K 3
Comprachtschütz = Gumpertsdorf 113 D 4
Concèsio 116-117 K 5
Conco 116-117 N 5
Concorezzo 116-117 H 5
Condé-Northen = Konden 108-109 B 8
Condé-sur-l'Escaut 106-107 B 8
Condino 116-117 L 5
Condroz 106-107 DE 8
Condrus = Condroz 106-107 DE 8
Coney 116-117 B 1
Confinale, Monte – 116-117 KL 4
Conflandey 116-117 B 1
Conflans-sur-Lanterne 116-117 B 1
Conradswaldau = Konradswaldau
Consdorf 106-107 G 9
Conters im Prätigau 116-117 J 3
Conthey 116-117 D 4
Conthil 108-109 C 9
Contwig 108-109 D 8
Čop = Tschop 101 L 4
Cop di Breguzzo, Cima – 116-117 L 4
Coppenbrügge 108-109 HJ 2
Coppet 116-117 B 4
Corbenay 116-117 B 1
Corbetta 116-117 G 6
Corbion 106-107 E 9
Corcelles-près-Payerne 116-117 CD 3
Corgémont 116-117 D 2
Corna Blacca 116-117 K 5
Corna Plumpa = Schwarze Pumpe 110-111 K 2
Cornaredo 116-117 H 6
Cornau 102-103 D 5
Corno Bianco 116-117 E 5
Corno Bianco = Weißhorn 116-117 M 4
Cornol 116-117 D 2
Corno, Monte – = Hornspitze 116-117 M 4
Corno Nero = Schwarzhorn 116-117 MN 4
Černy Chołmc = Schwarzkollm 110-111 K 3
Corny Gózd = Schwarzheide 110-111 J 3
Corònes, Plan de – = Kronplatz 118-119 BC 5
Corpataux 116-117 D 3
Corre 116-117 A 1
Còrsico 116-117 H 6
Cortàccia = Kurtatsch
Cortaillod [2 km → Boudry 116-117 C 3]
Cortenèdolo 116-117 K 4
Cortina d'Ampezzo 118-119 C 5
Corvara = Rabenstein 116-117 M 3
Corvara in Badia = Kurfar 118-119 BC 5
Corvey 108-109 H 3
Coschen 110-111 L 1
Cosel [= Koźle] 113 E 5
Costermano [5 km ↙ Caprino Veronese 116-117 L 5]
Cossato 116-117 F 5
Cossebaude 110-111 J 3
Cossonay 116-117 BC 3
Costainas, Piz – 116-117 KL 3
Coswig [Sachsen] 110-111 J 3
Coswig [Sachsen-Anhalt] 110-111 FG 2
Côte d'Or 101 B 5
Côte, La – 116-117 B 4
Cotschen, Munt – 116-117 JK 3
Cotta 110-111 J 4
Cottbus [Ort, Verwaltungseinheit] 110-111 K 2
Couillet 106-107 CD 8
Courcelles 106-107 C 8
Courcelles-Chaussy = Kurzel 108-109 B 8
Courcelles-sur-Nied 108-109 B 8
Courfaire [5 km ↙ Delsberg 116-117 D 2]
Courgenay = Jennsdorf
Courmayeur 116-117 CD 5
Courrendlin [= Rennendorf] 116-117 D 2
Courrière 106-107 DE 8
Courroux [= Lüttelsdorf] 116-117 D 2
Court 116-117 D 2
Courtelary 116-117 CD 2
Courtételle [3 km ↙ Delsberg 116-117 D 2]
Courtrai = Kortrijk 106-107 A 7
Court-Saint-Étienne 106-107 CD 7
Cousolre 106-107 C 8
Couthenans 116-117 C 1
Couthuin 106-107 E 7
Couvet 116-117 C 3
Couvin 106-107 CD 8
Covo 116-117 J 6

Crailsheim 114-115 FG 2
Crana, Pioda di – 116-117 FG 4
Cranzahl [3 km ↓ Sehma 110-111 GH 4]
Cranz [= Zelenogradsk] 112 D 2
Crasna 101 L 5
Crassier 116-117 B 4
Craveggia [2 km ↖ Malesco 116-117 FG 4]
Crawinkel 110-111 C 4
Creglingen 114-115 G 2
Creil, Noordoostelijke Polder- 106-107 F 3
Crescenzago, Mailand- [= Milano-Crescenzago] 116-117 H 5
Crescenzago, Milano- = Mailand-Crescenzago 116-117 H 5
Cresciano [3 km ↖ Claro 116-117 H 4]
Crespadoro 116-117 M 5
Cressa 116-117 G 5
Crêt-près-Semsales, Le – 116-117 C 3
Creusot, le – 101 B 5
Creußen 114-115 K 1
Creutzwald-la-Croix = Kreuzwald 108-109 C 8
Creuzburg 110-111 B 3
Crevacuore 116-117 F 5
Crèvola d'Òssola 116-117 F 4
Crimmitschau 110-111 F 4
Crinitz 110-111 J 2
Cristallina 116-117 G 4
Cristallo 118-119 C 5
Crişul Alb = Weiße Kreisch 101 KL 5
Crişul Repede = Schnelle Kreisch 101 KL 5
Crivitz 102-103 L 3
Črna = Schwarzenbach 118-119 H 6
Croce Dòmini, Passo – 116-117 K 5
Croce, Giogo di – = Kreuzjoch 116-117 M 3
Croce, Monte – 116-117 F 5
Croce, Pico di – = Wilde Kreuzspitze 113 D 2]
Cröchern 110-111 E 1
Croda Rossa = Cristallo 118-119 C 5
Crodo 116-117 F 4
Croix 106-107 A 7
Croix Scaille 106-107 D 9
Crombach 106-107 FG 8
Cronau [= Kronowo] 112 E 4
Cronenberg, Wuppertal- 120 E 4
Crossen 110-111 G 4
Crossen (Oder) [= Krosno Odrzańskie] 110-111 M 1
Crostwitz 110-111 K 3
Cröt 116-117 HJ 4
Crottendorf 110-111 G 4
Crozzon di Làbres 116-117 L 4
Cruschettapass 116-117 KL 3
Cruseilles 116-117 B 4

Csákánydoroszló 118-119 LM 5
Csapod 118-119 M 3
Csempeszkopács 118-119 M 4
Csepreg 118-119 M 4
Cserla 118-119 M 5
Csesztreg 118-119 LM 5
Csipkerek 118-119 M 4
Csömödér 118-119 M 5
Csönge 118-119 N 4
Csongrád 101 K 5
Csonkahegyhát 118-119 M 5
Csörötnek 118-119 L 5

Cudrefin 116-117 CD 3
Cuesmes 106-107 BC 8
Cuggiono 116-117 G 5-6
Cugnon 106-107 E 9
Cugy [Schweiz, Freiburg] 116-117 C 3
Cugy [Schweiz, Waadt] 116-117 C 3
Cul-des-Sarts 106-107 CD 9
Culemborg 106-107 E 5
Cully 116-117 C 4
Culm = Kulm 104-105 M 4
Culmsee = Kulmsee [Ort] 104-105 N 4
Culmsee = Kulmsee [See] 104-105 N 4
Cumlosen 102-103 L 4
Cunewalde 110-111 L 3
Curau 102-103 J 3
Cure, La – 116-117 B 4
Curino 116-117 F 5
Curon Venosta = Graun im Vintschgau 116-117 L 3
Curréggio 116-117 FG 5
Cursdorf 110-111 D 4
Curslack, Hamburg- 102-103 H 4
Curvèr, Piz – 116-117 HJ 3
Cusano Milanino [2 km ↓ Paderno Dugnano 116-117 H 5]
Cusio, Lago – = Lago d'Orta 116-117 F 5
Cusy 116-117 B 5
Cùvio 116-117 G 5
Cuxhaven 102-103 E 3
Cuxhaven-Duhnen 102-103 E 3
Cuxhaven-Groden 102-103 E 3
Cuyk en Sint Agatha 106-107 FG 5

Cvikov = Zwickau 110-111 L 4

Cybina 104-105 K 6
Cybinka = Ziebingen 110-111 L 1
Cybowo = Gutsdorf 104-105 G 4
Cychry = Zicher 104-105 E 5
Cysoing 106-107 A 7

Czacz 113 B 1
Czajcze 104-105 K 4
Czajków 113 E 3
Czamaninek 104-105 N 6
Czapla Góra = Zabelsberg 104-105 H 2
Czaplinek = Tempelburg 104-105 H 3
Czarków 113 E 1
Czarlin 104-105 N 2
Czarna = Zarne 104-105 J 3
Czarna Dąbrówka = Schwarz Damerkow 104-105 L 2
Czarna Struga 113 E 1
Czarna Woda = Schwarzwasser [Deutschland] 110-111 N 3
Czarna Woda = Schwarzwasser [Polen] 104-105 LM 3
Czarne = Hammerstein 104-105 J 3
Czarne Dolne = Niederzehren 112 AB 4
Czarne Góry = Damerauer Berge 104-105 KL 3
Czarnia 112 F 5
Czarnikau = Czarnków 104-105 J 5
Czarnków 104-105 J 5
Czarnkowie = Alt Liepenfier 104-105 H 3
Czarnogłowy = Zarnglaff
Czarnolas = Petersheide 113 C 4
Czarnowanz = Klosterbrück 113 DE 4
Czarnowąsy = Klosterbrück 113 DE 4
Czarnowęsy = Zarnefanz 104-105 G 3
Czarnowo = Neuendorf 110-111 LM 1
Czarnowo = Scharnau 104-105 M 4
Czarnożyły 113 F 3
Czarny Kierz = Blumenau
Czarnylas = Schwarzwald 113 D 2
Czarze = Scharnese 104-105 M 4
Czaslau = Čáslav 110-111 M 6
Czaycze = Czajcze 104-105 K 4
Czechowice [= Czechowitz] 113 FG 6
Czechowitz = Czechowice 113 FG 6
Czechy = Zechendorf 104-105 J 3
Czechy [3 km ← Zduńska Wola 113 FG 2]
Czekanów 113 D 2
Czeladź 113 G 5
Czelin = Zellin 104-105 D 5
Czemnik [10 km ← Nieder Gruppe 104-105 N 3]
Czempiń 113 B 1
Czerlejno = Scheringen 104-105 K 6
Czermin [4 km ↙ Neu Bronischewitz 113 D 2]
Czermnica = Rothenfier 104-105 EF 3
Czerna = Hammerfeld 110-111 M 2
Czerńczyce = Frömsdorf 113 B 4
Czernica = Zähne 104-105 JK 3
Czernice 113 F 3
Czernice = Königsdorf
Czerniejewo = Schwarzenau 104-105 K 6
Czerniki = Schwarzstein 112 FG 3
Czernikowo 104-105 N 5
Czernin = Zernin 104-105 G 2
Czernina = Lesten 113 B 2
Czersk 104-105 LM 3
Czerwieńsk = Rothenburg (Oder) 110-111 MN 1
Czerwionka [3 km ↗ Leszczyny 113 F 5]
Czerwona = Wonne 104-105 G 2
Czerwona Woda = Rothwasser 110-111 M 3
Czerwone 112 G 5
Czerwonka = Rothfließ 112 EF 4
Czerwony Dwor = Rothebude 112 H 3
Czerwony Kościół = Rothkirch 110-111 O 3
Czeschewo = Czeszewo 104-105 K 5
Czeska Wieś = Böhmischdorf 113 CD 4
Częstochowa = Tschenstochau 113 FG4
Czeszewo 104-105 K 5
Czeszewo [= Zeugnersruh] 113 CD 1
Czeszów = Deutsch Hammer 113 C 3
Czetowice = Zettitz 110-111 M 1
Czewujewo = Żerniki 104-105 L 5
Cziasnau = Teichwalde 113 F 4
Czichen [= Ciche] 112 B 5
Człopa = Schloppe 104-105 H 4
Człuchów = Schlochau 104-105 K 3
Czmoń 113 C 1
Czołpino = Scholpin 104-105 K 1
Czorneboh 110-111 KL 3
Czychen = Bolken 112 H 3

D

Daaden 108-109 E 5
Daarz [= Darż] 104-105 EF 4
Dabai, Jezioro ⟶
Dąbcze = Dambitsch 113 B 2
Dabel 102-103 L 3
Dabelow 104-105 B 4
Daber [= Dobra] 104-105 F 3
Daber [= Dobra (Szczecińska)] 104-105 D 4
Dabergotz 102-103 N 5
Daberkow 104-105 B 3
Dąbie 113 F 1
Dąbie ⟶
Dąbie Jezioro – = Dammscher See 104-105 E 3-4
Dąbie Kujawskie 104-105 N 5
Dąbki = Neuwasser 104-105 KL 3
Dąbkowice = Damkerort 104-105 H 2
Dabringhausen 129 EF 4
Dąbroczyna 113 BC 2
Dąbroszyn = Tamsel 104-105 E 5
Dąbrowa 113 EF 3
Dąbrowa = Dambrau 113 D 4
Dąbrowa = Damerau 112 E 3
Dąbrowa = Damerow
Dąbrowa = Kaisersfelde 104-105 L 5
Dąbrowa = Schöndamerau
Dąbrowa [= Dammer, 3 km ↑ Oels 113 C 3]
Dąbrowa [= Dammer, 4 km ↗ Schwirz 113 D 4]
Dąbrowa Bolesławiecka = Eichberg 110-111 MN 3
Dąbrowa Chełmińska = Damerau [Deutschland] 112 EF 4
Dąbrowa Chełmińska = Damerau [Polen] 104-105 M 4
Dąbrowa Góra = Dombrowaberg 104-105 L 1
Dąbrowa Górnicza = Dombrowa 112 G 4
Dąbrowa Nowogardzka = Damerow 104-105 F 3
Dąbrowa Wielka 113 F 2
Dąbrowa Wielka, Jezioro – = Großer Damerausee 112 D 5
Dąbrowice 104-105 O 6
Dąbrowiec = Königsdubrau 110-111 M 2
Dąbrówka 104-105 J 6
Dąbrówka = Damerau 104-105 L 3
Dąbrówka (Bytowska) = Damerkow 104 105 K 2
Dąbrówka = Eibenburg 112 G 3
Dąbrówka = Eichendorf 112 G 4
Dąbrówka Kościelna 104-105 K 5
Dąbrówka Malborska = Deutsch Damerau 112 B 3-4
Dąbrówka Wielkopolska = Groß Dammer 110-111 N 1
Dąbrówno = Gilgenburg 112 D 5
Dąbrowy 112 F 5
Dabrun-Melzwig [5 km → Pratau 110-111 G 2]
Dachau 114-115 J 4
Dachauer Moos 114-115 JK 4
Dachrieden 110-111 BC 3
Dachsbach 114-115 H 1
Dachsberg 113 C 2
Dachsfelden = Tavannes 116-117 D 2
Dachstein 118-119 F 4
Dachsteingruppe 118-119 F 3-4
Dachwig [3 km → Döllstädt 110-111 C 3]
Daddaisee 112 E 4
Dadeysee = Daddaisee 112 E 4
Dagebüll 102-103 E 1
Dagebüllerkoog 102-103 E 1
Dagmersellen 116-117 EF 2
Dahl 120 G 3
Dahlbruch 120 HJ 5
Dahle 120 GH 3
Dahlem 108-109 BC 6
Dahlemer See 102-103 E 3
Dahlen 110-111 GH 3
Dahlenberg 110-111 G 2
Dahlenburg 102-103 J 4
Dahlener Heide 110-111 GH 3
Dahlewitz 104-105 BC 6
Dahlhausen, Schloß – 120 G 3
Dahlwitz-Hoppegarten 104-105 C 5
Dahme [Fluß] 110-111 J 1
Dahme [Ort] 102-103 K 2
Dahmeshöved 102-103 K 2
Dahmsdorf 104-105 D 5
Dahn 108-109 E 8
Dahnsdorf 110-111 G 1
Dähre 102-103 J 5
Dajtki = Deuthen 112 D 4
Dakehnen = Daken 112 H 3
Daken 112 H 3
Dakowy Mokre 113 AB 1
Dalaas 116-117 JK 2
Dalachów [4 km ↑ Rudniki 113 F 3]
Daleiden [4 km ↗ Dasburg 108-109 B 6]
Dalen 106-107 H 3
Daleszewo = Ferdinandstein 104-105 E 4
Dalewo 113 B 1
Dalfsen 106-107 G 3
Dalhausen 108-109 H 3
Dalheim [Belgien] 106-107 F 7
Dalheim [Luxemburg] 106-107 G 9
Dalkauer Berge = Katzbachgebirge 110-111 N 4
Dallau 114-115 E 2
Dallgow 104-105 B 5
Dallmin 102-103 L 4
Dallwitz [= Dalovice] 110-111 G 5
Dal'neje = Schirrau 112 F 2
Dalovice = Dallwitz 110-111 G 5
Dalpe 116-117 G 4
Dalum 102-103 B 5
Damasławek = Elsenau 104-105 KL 5
Dambach 108-109 E 8
Dambach = Fürth-Dambach
Dambeck 102-103 K 5
Dambelin 116-117 C 2
Damberg [Deutschland] 120 J 3
Damberg [Österreich] 118-119 G 3
Dambitsch [= Dąbcze] 113 B 2
Dambrau [= Dąbrowa] 113 D 4
Damen [= Stare Dębno] 104-105 H 3
Damerau [Ostpreußen, Masuren] 112 EF 4
Damerau [Ostpreußen, Natangen] 112 E 3
Damerau [= Dąbrowa] 112 E 3
Damerau [= Dąbrowa Chełmińska] 104-105 M 4
Damerau [= Dąbrówka] 104-105 L 3
Damerauer Berge 104-105 KL 3
Damerausee, Großer – 112 D 5
Damerkow [= Dąbrówka (Bytowska)] 104-105 K 2
Damerow 102-103 M 3
Damerow [= Dąbrowa Nowogardzka] 104-105 F 3
Damerow [= Dąbrowa, 4 km ↗ Karnkewitz 104-105 H 2]
Damgarten, Ribnitz- 102-103 MN 2
Damitz 104-105 H 3
Damitz [= Dębica] 104-105 G 3
Damkerort [= Dąbkowice] 104-105 H 2
Damm 120 D 2
Dammastock 116-117 F 3
Damme [Belgien] 106-107 A 6
Damme [Deutschland, Brandenburg] 104-105 CD 4
Damme [Deutschland, Niedersachsen] 102-103 D 5
Dammen [= Damno] 104-105 K 1
Dammer [= Dąbrowa, 3 km ↑ Oels 113 C 3]
Dammer [= Dąbrowa, 4 km ↗ Schwirz 113 D 4]
Dammer Berge 102-103 D 5
Dammerkirch [= Dannemarie] 116-117 D 1
Dämmerwald 120 D 2
Dammscher See 104-105 E 3-4
Dammvorstadt, Frankfurt (Oder)- [= Słubice] 104-105 E 6
Damnatz 102-103 K 4
Damnau [= Damnov] 114-115 M 1
Damnica = Hebrondamnitz 104-105 K 1-2
Damníkov = Thomigsdorf 113 B 6
Damnitz [= Dębica] 104-105 E 4
Damno = Dammen 104-105 K 1
Damnov = Damnau 114-115 M 1
Dampierre-sur-Linotte 116-117 B 1
Dampremy 106-107 C 8
Damprichard 116-117 C 2
Damsdorf [= Niezabyszewo] 104-105 K 2
Damshagen 102-103 K 3
Damsterdiep 106-107 H 2
Damvant 116-117 C 2
Dändorf 102-103 M 2
Dänemark 101 D-F 1
Dangast 102-103 D 4
Dänholm 104-105 B 2
Dänischenhagen 102-103 H 2
Dänischer Wohld 102-103 GH 2
Dänische Wiek 104-105 BC 2
Danjoutin 116-117 C 1
Dankerode 110-111 D 2
Dankersen 108-109 GH 2
Dankmarshausen 110-111 B 4
Danków = Tankow 104-105 F 5
Danmark = Dänemark 101 D-F 1
Dannemarie = Dammerkirch 116-117 D 1
Dannenberg 102-103 JK 4
Dannenwalde [Brandenburg, ↗ Neuruppin] 104-105 B 4
Dannenwalde [Brandenburg, ↗ Wittenberge] 102-103 M 4
Dannewerk 102-103 FG 2
Dänschenburg 102-103 MN 2
Dänschendorf (Fehmarn) 102-103 K 1-2
Dantumadeel 106-107 FG 2
Dantumadeel-Murmerwoude 106-107 FG 2
Danzig [= Gdańsk] [Freistaat] 104-105 NO 2
Danzig [= Gdańsk] [Ort] 104-105 N 2
Danzig-Brösen [= Gdańsk-Brzezno, ↑ Danzig 104-105 N 2]
Danziger Bucht 112 AB 2
Danziger Höhe 104-105 MN 2
Danziger Niederung 104-105 N 2
Danziger Weichsel 104-105 N 2
Danzig-Langfuhr [= Gdańsk-Wrzeszcz] 104-105 MN 2
Danzig-Neufahrwasser [= Gdańsk-Nowy Port] 104-105 N 2
Danzig-Oliva [= Gdańsk-Oliwa] 104-105 MN 2
Dardesheim 110-111 C 2
Darfeld 108-109 D 2
Darfo 116-117 K 5
Dargainensee = Dargeinensee 112 G 3
Dargebanz [= Dargobądz] 104-105 E 3
Dargeinensee 112 G 3
Dargen 104-105 D 3
Dargin, Jezioro – = Dargeinensee 112 G 3
Dargislaff [= Dargosław] 104-105 F2-3
Dargobądz = Dargebanz 104-105 E 3
Dargomyśl = Darrmietzel
Dargosław = Dargislaff 104-105 F 2-3
Dargun 102-103 N 3
Darkau, Freistadt – [= Karviná-Darkov] 113 F 6
Darkehmen = Angerapp 112 H 3
Darkov, Karviná- = Freistadt-Darkau 113 F 6
Darlingerode [3 km ↖ Wernigerode 110-111 C 2]
Darłówko = Rügenwaldermünde 104-105 H 2
Darłowo = Rügenwalde 104-105 HJ 2
Darme 102-103 B 6
Darmstadt [Ort, Verwaltungseinheit] 108-109 G 7
Darmstadt-Arheilgen 108-109 G 7
Darmstadt-Eberstadt 108-109 G 7
Darrmietzel [= Dargomyśl, 4 km ↙ Neudamm 104-105 E 5]
Darsin [= Darżyno, 2 km ↙ Pottangow 104-105 K 2]
Darß 102-103 MN 2
Darßer Ort 102-103 MN 2
Darup 108-109 D 3
Darż = Daarz 104-105 EF 4
Darze 102-103 L 4
Darżyno = Darsin
Dasburg 108-109 B 6
Daschitz [= Dašice] 110-111 N 5
Daseburg 108-109 H 3
Dašice = Daschitz 110-111 N 5
Dasing 114-115 J 4
Daskow 102-103 N 2
Dassel 108-109 J 3
Dassendorf [7 km ↙ Schwarzenbek 102-103 HJ 3-4]
Dassow 102-103 JK 3
Dassow [= Daszewo] 104-105 G 2
Dassower See 102-103 JK 3
Daszewo = Dassow 104-105 G 2
Datteln 120 F 2
Datteln-Meckinghoven 120 F 2
Dattenfeld 108-109 DE 5
Datze 104-105 B 3
Dauba [= Dubá] 110-111 L 4
Daubitz 110-111 L 3
Daubrawitz = Doubravice 110-111 N 5
Dauelsen 102-103 F 5
Dauendorf 108-109 E 9
Dauer 104-105 C 4
Daumen [= Tumiany] 112 E 4
Daun 108-109 C 6
Dauner Maare 108-109 C 6
Dautphe 108-109 G 5
Dave 106-107 D 8
Daverden [2 km ↖ Langwedel 102-103 F 5]
Daverdisse 106-107 E 8
Davert [Landschaft] 120 G 1
Davert [Ort] 108-109 E 3
Davos [Landschaft] 116-117 J 3
Davos [Ort] 116-117 J 3
Davos Dorf 116-117 J 3
Davosersee 116-117 J 3

Dębe [= Dembe] 113 E 2
Dębica 101 K 3-4
Dębica = Damitz 104-105 G 3
Dębica = Samnitz 104-105 E 4
Dębicze 113 E 3
De Bilt 106-107 E 4
Dębinka = Eichenrode (Niederlausitz) 110-111 L 2
Dęblin = Demblin 101 K 3
Dębnica 104-105 K 5
Dębnica = Damnitz 104-105 H 3
Dębnica Kaszubska = Rathsdamnitz 104-105 K 2
Dębno 104-105 N 6
Dębno = Neudamm 104-105 E 5
Dębogóra = Eichberg
Dębosznica = Kreiher 104-105 FG 2
Dębowa Góra = Eichberge 104-105 K 4
Dębowa Łęka = Geyersdorf
Dębowiec = Eichberg Hauland 104-105 G 5
Debrecen 101 K 5
Debreczen = Debrecen 101 K 5
Debretzin = Debrecen 101 K 5
Debrzksee = Jezioro Dybrzk 104-105 L 3
Debrzno = Preußisch Friedland 104-105 K 3
Debrzno Wieś = Dobrin 104-105 K 3
Debrzyca = Döberitz 104-105 H 4
Debrzynka = Dobrinka 104-105 K 3
Dębsko (Pomorskie) = Denzig 104-105 G 4
Debstedt 102-103 E 3
Dęby 112 F 5
Dechantskirchen 118-119 KL 4
Dechsel [= Deszczno] 104-105 F 5
Dechy 106-107 A 8
Děčín = Tetschen 110-111 K 4
Děčín-Podmokly = Tetschen-Bodenbach 110-111 K 4
Děčínský Sněžník = Hoher Schneeberg 110-111 K 4
De Cocksdorp, Texel- 106-107 D 2
Dedeleben 110-111 C 1
Dedelow 104-105 C 4
Dedemsvaart 106-107 GH 3
Dedensvaart, Avereest- 106-107 GH 3
Dedenhausen 102-103 H 6
Dědina 110-111 O 5
Dědina = Dietersbach 113 A 5
Deensen 108-109 J 3
Deep [= Mrzeżyno] 104-105 F 2
Deerlijk 106-107 A 7
Deersheim 110-111 C 2
Deetz 102-103 N 6
Deetz [= Dziedzice] 104-105 F 4
Defereggengebirge 118-119 CD 5
Defereggental 118-119 C 5
Degano 118-119 D 5
Degendorf [= Charbrowo] 104-105 L 1
Degerloch, Stuttgart- 114-115 E 3
Degernbach [4 km ← Schwarzach 114-115 M 3]
Degerndorf am Inn 114-115 L 5
Degersheim 116-117 H 2
Deggenau 114-115 MN 3
Deggendorf 114-115 MN 3
Deggingen 114-115 F 3
Degow [= Dygowo] 104-105 G 2
De Haan 106-107 ab 1
de Haar 106-107 D 4
Deichow [= Dychów] 110-111 M 2
Deichslau [= Dziesław] 113 A 3
Deidesheim 108-109 F 8
Deihornswalde 112 H 2
Deil 106-107 E 5
Deilingen 114-115 D 4
Deilinghofen 120 H 3
Deime 112 F 2
Deining 114-115 K 2
Deiningen 114-115 H 3
Deinste 102-103 FG 3
Deinum, Menaldumadeel- 106-107 F2
Deinze 106-107 B 7
Deiringsen 120 J 2
Deisel 108-109 H 3
Deißlingen 114-115 D 4
Deister 108-109 HJ 2

Farsleben 12 Frunzenskoje

Farsleben 110-111 E 1
Faryny = Farienen 112 F 4
Fassatal 116-117 N 4
Fassa, Val di – = Fassatal 116-117 N 4
Faßberg 102-103 H 5
Faucigny 116-117 BC 4
Faucille, Col de la – 116-117 B 4
Faucilles, Monts – 101 BC 4
Faucogney-et-la-Mer 116-117 C 1
Faulbach [3 km ← Haßloch 108-109 HJ 7]
Faulbrück [= Mościsko] 113 B 4
Faule Ihna 104-105 F 4
Faulenrost 102-103 N 3
Faule Obra 110-111 N 1
Faulhorn 116-117 EF 2
Faulquemont = Falkenberg 108-109 C 8
Faulx 108-109 B 9
Faurndau [2 km ← Göppingen 114-115 F 3]
Fauroeulx 106-107 C 8
Fauvillers 106-107 F 9
Fava, La – 116-117 D 4
Faverges 116-117 B 5
Faverney 116-117 B 1
Faymont 116-117 C 1
Fays-les-Veneurs 106-107 E 9

Fechingen 108-109 D 8
Federow 102-103 N 4
Federsee 114-115 F 4
Fédry 116-117 A 1
Fegersheim 114-115 B 4
Fehlen [= Wieleń] 110-111 O 2
Fehl-Ritzhausen [4 km → Marienberg (Westerwald) 108-109 EF 5]
Fehmarn 102-103 K 2
Fehmarnbelt 102-103 J-L 1
Fehmarnsund 102-103 JK 2
Fehntjer Tief 102-103 B 4
Fehraltorf [3 km ↖ Pfäffikon 116-117 G 2]
Fehrbach 108-109 DE 8
Fehrbellin 102-103 N 5
Fehring 118-119 L 5
Fehrow 110-111 K 2
Feignies 106-107 B 8
Feilbinger 108-109 E 7
Feilitzsch 110-111 E 5
Feilnbach 114-115 L 5
Feissons-sur-Isère 116-117 BC 5
Feistritz 118-119 K 4
Feistritz am Wechsel 118-119 L 3
Feistritz an der Gail 118-119 F 5
Feistritz bei Anger 118-119 K 4
Feistritz im Rosental 118-119 G 5-6
Feistritz ob Bleiburg 118-119 H 5
Felber Tauern 118-119 D 4
Felda [Fluß ⊳ Ohm] 108-109 H 5
Felda [Fluß ⊳ Werra] 110-111 B 4
Feldafing 114-115 J 5
Feldaist 118-119 H 2
Feld am See 118-119 F 5
Feldbach 118-119 K 5
Feldberg [Baden-Württemberg] 114-115 BC 5
Feldberg [Mecklenburg] 104-105 B 4
Feldberg [Nordrhein-Westfalen] 120 H 4
Feldberg, Großer – 108-109 F 6
Felde 102-103 GH 2
Feldis [= Veulden] 116-117 HJ 3
Feldkirch 116-117 J 2
Feldkirchen [Bayern, → München] 114-115 K 4
Feldkirchen [Bayern, ↖ Rosenheim] 114-115 K 5
Feldkirchen an der Donau 118-119 G 2
Feldkirchen bei Graz 118-119 JK 4
Feldkirchen bei Mattighofen [4 km ↘ Eggelsburg 118-119 D 2]
Feldkirchen in Kärnten 118-119 G 5
Feldmoching, München- 114-115 JK 4
Feldrennach [4 km ↖ Neuenbürg 114-115 CD 3]
Feldsberg [= Valtice] 118-119 M 1
Feldstädt [= Biezdrowo 104-105 H 5
Feldstetten 114-155 F 4
Feldthurns [= Velturno] 116-117 N 3
Felenne 106-107 D 8
Felixdorf 118-119 L 3
Fell 108-019 C 7
Fell [6 km ↖ Sankt Michael im Lungau 118-119 F 4]
Fella 118-119 E 5-6
Fellach bei Villach [3 km ↖ Villach 118-119 F 5]
Fellbach 114-115 E 3
Felleries 106-107 BC 8
Fellern [8 km ↘ Uttendorf 118-119 D 4]
Fellers [= Fallera] 116-117 H 3
Fellhammer [= Kuźnice Świdnickie] 113 A 4
Fellinghausen 120 H 5
Fellingshausen 108-109 FG 5
Fels [= Larochette] 106-107 G 9
Fels am Wagram 118-119 K 2
Felsberg [Deutschland] 108-109 H 4
Felsberg [Schweiz] 116-117 H 3
Felsőpaty 118-119 M 4
Felsőrajk 118-119 MN 5
Felsőszölnök = Oberzeming 118-119 L 5
Feltre 116-117 N 4
Feluy 106-107 C 7
Fénétrange = Finstingen 108-109 D 9
Fensterbach 114-115 L 2
Ferch 104-105 A 6
Ferchland 110-111 F 1
Ferdinandshof 104-105 CD 3
Ferdinandstein [= Daleszewo] 104-105 E 4
Ferenbalm [5 km ↘ Kerzers 116-117 D 3]
Ferlach 118-119 G 5
Ferleiten 118-119 D 4
Fermelberg 116-117 DE 3
Fermerswalde 110-111 H 2
Ferndorf [Deutschland] 120 J 5
Ferndorf [Österreich] 118-119 F 5
Ferney-Voltaire 116-117 B 4
Fernitz 118-119 K 5
Ferno 116-117 G 5
Fernpaß 116-117 L 2
Fernsehturm Stuttgart 114-115 E 3
Ferpècle 116-117 E 4
Ferret 116-117 D 5
Ferrette = Pfirt 116-117 D 2
Ferret, Val – [Italien] 116-117 CD 5
Ferret, Val – [Schweiz] 116-117 D 4-5
Ferrière, La – 116-117 C 2
Ferrière-la-Grande 106-107 BC 8
Ferrières 106-107 F 8
Ferschnitz 118-119 HJ 2
Ferse 104-105 N 3
Fertő = Neusiedler See 118-119 M 3
Fertőd 118-119 M 3
Fertőrákos = Kroisbach 118-119 M 3
Fertőszentmiklós 118-119 M 3
Fervall = Verwall 116-117 K 2
Ferwerd 106-107 F 2
Ferwerderadeel 106-107 F 2
Fesches [8 km → Montbéliard 116-117 C 1]
Fesches-le-Châtel 116-117 C 1
Fessenheim 114-115 B 5
Fess, Piz – 116-117 H 3
Festenberg [= Twardogóra] 113 CD 3
Festenburg, Schloß – 118-119 KL 4
Féternes 116-117 C 4
Feucht 114-115 J 2
Feuchten 116-117 L 2
Feuchtwangen 114-115 G 2
Feudingen 108-109 F 5
Feuerbach = Stuttgart-Feuerbach
Feuerkogel 118-119 F 3
Feuerstein [= Krzemieniewo] 113 B 2
Feulen 106-107 G 9
Feutersoey 116-117 D 4
Fey 116-117 C 3

Fiavè [3 km ↓ Blèggio 116-117 L 4]
Fichtelberg [Berg] 110-111 G 5
Fichtelberg [Ort] 110-111 E 5
Fichtelgebirge 110-111 EF 5-6
Fichtelnaab 114-115 L 1
Fichtenberg 110-111 H 3
Fichtenrode [= Bycina] 113 F 5
Fichtenwalde 110-111 G 1
Fichthorst [= Jegłownik] 112 B 3
Fiddichow [= Widuchowa] 104-105 D4
Fidèle Bourg- 106-107 CD 9
Fiè = Völs 116-117 N 3
Fieberbrunn 118-119 CD 4
Fiemme, Val di – = Fleimser Tal 116-117 M 4
Fiener Bruch 110-111 F 1
Fier 116-117 B 5
Fiera di Primiero 116-117 N 4
Fiernaz 116-117 E 5
Fiesch 116-117 F 4
Fiesso 116-117 G 4
Fietze 104-105 M 2
Filadonna 116-117 M 5
Filain 116-117 B 1
Filder 114-115 E 3
Filehne [= Wieleń] 104-105 H 5
Filino = Klein Kuhren 112 D 1-2
Filipów 112 J 3
Filisur 116-117 J 3
Fils 114-115 F 3
Filsdorf [= Filstroff] 108-109 BC 8
Filstroff = Filsdorf 108-109 BC 8
Filsum 102-103 C 4
Filzmoos 118-119 F 4
Finckenstein [= Kamieniec] 112 B 4
Findelen 116-117 E 4
Findorff = Bremen-Findorff
Finhaut 116-117 D 4
Finkenheerd, Brieskow- 110-111 KL 1
Finkenstein [3 km ↓ Faak 118-119 F 5]
Finkenthal 102-103 N 3
Finkenwalde ⟶
Finkenwerder, Hamburg- 102-103 G 3
Finne 110-111 D 3
Finnentrop, Schönholthausen- 120 H 4
Fino Mornasco 116-117 H 5
Finow 104-105 C 5
Finowfurt 104-105 C 5
Finowkanal 104-105 B 5, C 5
Finsing 114-115 K 4
Fins, les – 116-117 C 2
Finsteraarhorn 116-117 F 3
Finsterbergen 110-111 C 4
Finstermünzpaß 116-117 KL 3
Finsterwalde (Niederlausitz) 110-111 J 2
Finsterwolde 106-107 HJ 2
Finstingen [= Fénétrange] 108-109 D 9
Finta = Flinta 104-105 J 5
Fintel 102-103 G 4
Finthen 108-109 F 7
Fionnay 116-117 D 4
Firchau [= Wierzchowo (Człuchowskie)] 104-105 K 3
Fischa 118-119 M 2
Fischach 114-115 H 4
Fischamend ⟶
Fischau, Bad – 118-119 L 3
Fischbach [Deutschland, Bayern] 114-115 L 2
Fischbach [Deutschland, Rheinland-Pfalz] 108-109 D 7
Fischbach [Österreich] 118-119 K 4
Fischbach [= Karpniki] 110-111 N 4
Fischbachau 114-115 KL 5
Fischbach bei Dahn 108-109 E 8
Fischbach bei Nürnberg 114-115 J 2
Fischbacher Alpen 118-119 JK 4
Fischbeck 102-103 M 5
Fischbeck (Weser) 108-109 H 2
Fischborn (Ostpreußen) [= Dłutowo] 112 G 5
Fischelbach 108-109 F 5
Fischeln, Krefeld- 120 C 3
Fischen 114-115 G 6
Fischerhude 102-103 EF 4
Fischering [2 km ↑ Sankt Andrä 118-119 H 5]
Fischern, Karlsbad- [= Karlovy Vary-Rybáře] 110-111 G 5
Fischhausen [= Primorsk] 112 CD 2
Fischingen 116-117 GH 2
Fischland 102-103 M 2
Fischleinboden [= Campo Fiscalino, 10 km ↘ Innichen 118-119 C 5]
Fiumenero 116-117 J 4
Fivelingo 106-107 H 2

Flaach [5 km ↗ Grossandelfingen 116-117 G 1]
Flaba, Baconrut-et- 106-107 DE 9
Flachau 118-119 E 4
Flachgau 118-119 DE 3
Flachsberg 104-105 K 2
Flachslanden 114-115 H 2
Flachsmeer 102-103 B 4
Fladnitz an der Teichalpe 118-119 JK 4
Fladnitz im Raabtal [2 km ↘ Studenzen 118-119 K 4]
Fladungen 110-111 B 4
Flaesheim 120 EF 2
Fláje = Fleyh 110-111 J 4
Flamatt [3 km ↗ Wünnewil 116-117 D3]
Flamengrie, la – 106-107 BC 8-9
Flamierge 106-107 F 8
Fläming, Hoher – 110-111 F 1-G 2
Fläming, Niederer – 110-111 HJ 2
Flammberg [= Opaleniec] 112 E 5
Flammersfeld 108-109 E 5
Flanchebouche [3 km → Avoudrey 116-117 B 2]
Flandre occidentale = Westflandern 106-107 A 6-7
Flandre orientale = Ostflandern 106-107 B 7-C 6
Fläsch 116-117 J 2
Flatow 104-105 A 5
Flatow [= Złotów] 104-105 K 4
Flattach 118-119 E 5
Flattnitz 118-119 G 5
Flavòn 116-117 LM 4
Flawil 116-117 H 2
Flawinne 106-107 D 8
Flaz 116-117 J 4
Flechtingen 110-111 D 1
Flechtorf 110-111 C 1
Fleckeby 102-103 G 2
Fleckenberg [3 km ↗ Schmallenberg 108-109 F 4]
Flederborn [= Podgaje] 104-105 J 4
Fleesensee 102-103 MN 3-4
Fleestedt 102-103 GH 4
Flettmark 102-103 KL 5
Flehingen 114-115 D 2
Fleimser Tal 116-117 M 4
Flein [4 km ↓ Heilbronn 114-115 E 2]
Fleißen [= Plesná] 110-111 F 5
Flem = Flims 116-117 H 3
Flémalle-Haute 106-107 E 7
Fleming [= Frączki] 112 E 4
Flensburg 102-103 FG 1
Flensburger Förde 102-103 G 1
Flensburg-Mürwik 102-103 FG 1
Flensburg-Weiche 102-103 F 1
Flénu [2 km ← Cuesmes 106-107 BC8]
Flères = Boden 116-117 M 3
Fletschhorn 116-117 EF 4
Fleurbaix 106-107 A 7
Fleurier 116-117 C 3
Fleurus 106-107 CD 7-8
Fleuth 120 B 2
Flevoland, Östliches – 106-107 EF 4
Flevoland, Südliches – 106-107 E 4
Flexenpaß 116-117 K 2
Fleyh [= Fláje] 110-111 J 4
Flieden 108-109 J 6
Fliegengas 118-119 L 1
Fliegenplate 102-103 DE 2
Flierich 120 H 2
Fließ 116-117 L 2
Fließdorf [= Stare Juchy] 112 H 4
Flieth 104-105 C 4
Flims [= Flem] 116-117 H 3
Flinsberg, Bad – [= Świeradów Zdrój] 110-111 M 4
Flinta 104-105 J 5
Flintbek 102-103 H 2
Flintsbach [2 km ↘ Degerndorf am Inn 114-115 L 5]
Flirsch [5 km → Pettneu am Arlberg 116-117 K 2]
Flize 106-107 D 9
Flobecq [= Vloesberg] 106-107 B 7
Flögeln 102-103 E 3
Flögelner See 102-103 E 3
Flöha [Fluß] 110-111 H 4
Flöha [Ort] 110-111 H 4
Flöha [= Blšany] 110-111 HJ 5
Floing 106-107 D 9
Flond 116-117 H 3
Flonheim 108-109 EF 7
Florange = Flörchingen 108-109 B 8
Flörchingen [= Florange] 108-109 B 8
Floreffe 106-107 D 8
Florennes 106-107 D 8
Florenville 106-107 E 9
Floridsdorf, Wien- 118-119 LM 2
Florsbach 108-109 FG 6
Floß 114-115 L 1
Flößberg 110-111 G 3
Flossenbürg 114-115 L 1
Flossing 114-115 LM 4
Flötenstein [= Koczała] 104-105 K 3
Fluchthorn 116-117 K 3
Flüelapass 116-117 JK 3
Flüelen 116-117 G 3
Flüelenpass = Flüelapass 116-117 JK 3
Fluessen 106-107 EF 3
Flügge 102-103 JK 2
Fluhberg 116-117 G 2
Flühli 116-117 F 3
Flumet 116-117 C 5
Flums 116-117 H 2
Fluorn 114-115 C 4
Flüren 120 C 2

Fobello 116-117 F 5
Föching 114-115 K 5
Fockbek 102-103 G 2
Fohnsdorf 118-119 H 4
Föhr 102-103 DE 1
Fohrde 102-103 MN 6
Föhren 108-109 C 7
Föhrendorf [= Zębowice] 113 E 4
Föhrste 108-109 J 3
Fokovoi 118-119 L 5
Folgaria 116-117 M 5
Folgensbourg = Volkensberg 116-117 D 1
Foncine-le-Bas 116-117 B 3
Foncine-le-Haut 116-117 B 3
Fondo 116-117 M 4
Fontaine 116-117 CD 1
Fontaine, Colombier- 116-117 C 2
Fontaine-lès-Clerval 116-117 B 2
Fontaine-l'Évêque 106-107 C 8
Fontaine, Maubert- 106-107 CD 9
Fontana 116-117 G 4
Fontanella [Italien] 116-117 J 6
Fontanella [Österreich] 116-117 J 2
Fontaneto d'Agogna 116-117 FG 5
Fonte, Cima di – 116-117 MN 5
Fontenelle 106-107 B 8
Fonzaso 116-117 N 4
Fòppolo 116-117 J 4
Forbach [Deutschland] 114-115 C 3
Forbach [Frankreich] 108-109 C 8
Forcella del Picco = Birnlücke 118-119 C 4
Forchheim [Baden-Württemberg] 114-115 C 3
Forchheim [Bayern] 114-115 HJ 1
Forchheim [Sachsen] 110-111 H 4
Forchies-la-Marche 106-107 C 8
Forchtenau 118-119 L 3
Forchtenberg 114-115 F 2
Forchtenstein, Schloß – 118-119 L 3
Forclaz, Col de la – [Frankreich] 116-117 B 5
Forclaz, Col de la – [Schweiz] 116-117 CD 4
Förderstedt 110-111 E 2
Fordon 104-105 M 4
Forest [= Vorst] 106-107 C 7
Forêt 106-107 F 7
Forggensee 114-115 H 5
Förlingen, Wagenfeld- 102-103 DE 5
Formazza 116-117 F 4
Formico, Pizzo – 116-117 J 5
Fornace 116-117 M 4
Forni Avoltri 118-119 D 5
Fornogletscher 116-117 J 4
Forno, Monte – = Ofen 118-119 F 5
Fornsbach 114-115 F 3
Forrières 106-107 E 8
Forst 114-115 D 2
Forstau [6 km ↘ Radstadt 118-119 EF 4]
Forste 110-111 B 2
Förstenau [= Gwieździn] 104-105 K 3
Förstgen 110-111 L 3
Forstinning 114-115 KL 4
Forstkastl 114-115 M 4
Forst (Lausitz) 110-111 L 2
Forst (polnisch verwaltet) [= Zasieki] 110-111 L 2
Fortezza = Franzensfeste 116-117 MN 3
Forth 114-115 J 1
Förtha 110-111 B 4
Fort-Louis = Ludwigsfeste 108-109 EF 9
Fortuna, Oberaußem- 120 C 5
Forville 106-107 DE 7
Foscagno, Monte – 116-117 K 4
Fosse [Belgien, Liège] 106-107 F 8
Fosse [Belgien, Namur] 106-107 D 8
Fougerolles 116-117 BC 1
Fourgs, les – 116-117 B 3
Fourmies 106-107 C 8

Frączki = Fleming 112 E 4
Frain [= Vranov] 118-119 K 1
Frainspitz [= Branišovice] 118-119 LM 1
Fraire 106-107 CD 8
Fraiture, Baraque de – 106-107 F 8
Frambouhans 116-117 C 2
Frameries 106-107 BC 8
Framersheim 108-109 F 7
Frammering 114-115 M 3
Frammersbach 108-109 HJ 6
France = Frankreich 101 A 4-B 5
Franche-Comté 101 BC 5
Franches Montagnes 116-117 CD 2
Francheval 106-107 E 9
Franchimont 106-107 F 7
Francorchamps 106-107 FG 8
Franeker 106-107 F 2
Franekeradeel 106-107 EF 2
Frangy 116-117 A 4
Franken = Oberfranken, Mittelfranken, Unterfranken 108-109, 110-111, 114-115
Frankena 110-111 J 2
Frankenau 108-109 G 4
Frankenau [= Frankowo] 112 E 3
Frankenbach [4 km ↖ Heilbronn 114-115 E 2]
Frankenberg 110-111 GH 4
Frankenberg-Eder 108-109 G 4
Frankenburg 118-119 E 2
Frankendorf 102-103 N 4
Frankenfelde 110-111 H 1
Frankenfels 118-119 J 3
Frankenhagen [= Silno] 104-105 L 3
Frankenhausen (Kyffhäuser), Bad – 110-111 D 3
Frankenheim 110-111 AB 4
Frankenhöhe 114-115 G 2
Frankenmarkt 118-119 E 2-3
Franken, Mittel- 114-115 G 1-J 3
Franken, Ober- 114-115 H-K 1
Frankenstein 108-109 EF 8
Frankenstein in Schlesien [= Ząbkowice Śląskie] 113 B 4
Frankenthal (Pfalz) 108-109 F 7
Franken, Unter- 114-115 E-H 1
Frankenwald 110-111 E 5
Frankenwinheim [3 km ↗ Gerolzhofen 110-111 B 6]
Frankfurt am Main 108-109 G 6
Frankfurt am Main-Heddernheim 108-109 G 6
Frankfurt am Main-Höchst 108-109 FG 6
Frankfurt (Oder) [Ort, Verwaltungseinheit] 104-105 DE 6
Frankfurt (Oder)-Dammvorstadt [= Słubice] 104-105 E 6
Frankfurt (Oder)-Güldendorf 104-105 DE 6
Frankfurt (Oder)-Kliestow 104-105 DE6
Fränkisch-Crumbach 108-109 G 7
Fränkische Alb 114-115 H 3-K 1
Fränkische Rezat 114-115 H 2
Fränkischer Jura = Fränkische Alb 114-115 H 3-K 1
Fränkische Saale 108-109 J 6, 110-111 AB 5
Fränkische Schweiz 114-115 J 1
Frankleben 110-111 E 3
Frankowo = Frankenau 112 E 3
Frankreich 101 A 4-B 5
Frankstadt [= Nový Malín] 113 C 6
Františkovy Lázně = Franzensbad 110-111 F 5
Frantschach-Sankt Gertraud 118-119 H 5
Franzburg 102-103 N 2
Franzenburg 102-103 E 3
Franzensbad [= Františkovy Lázně] 110-111 F 5
Franzensfeste [= Fortezza] 116-117 MN 3
Französische Nied 108-109 B 8-9
Französischer Jura 101 B 6-C 5
Frasdorf 114-115 L 5
Frasne 116-117 B 3
Frasnes-lez-Buissenal 106-107 B 7
Frasnes-lez-Gosselies 106-107 C 7
Frastanz 116-117 J 2
Fratres 118-119 J 1
Fraubrunnen 116-117 E 2
Frauenau 114-115 N 3
Frauenberg 118-119 G 3
Frauenburg [= Frombork] 112 C 3
Frauenchiemsee 114-115 LM 5
Frauendorf [= Babiak] 112 D 3
Frauendorf [= Pamięcin] 104-105 E 6
Frauendorf, Stettin- [= Szczecin-Golęcino] 104-105 DE 4
Frauenfeld 116-117 G 1
Frauenhain 110-111 H 3
Frauenkirchen 118-119 MN 3
Frauenneuharting 114-115 KL 4
Frauensee 110-111 B 4
Frauenstein 110-111 HJ 4
Frauenwald 110-111 C 4
Frauenwaldau [= Bukowice] 113 C 3
Fraulautern, Saarlouis- 108-109 C 8
Fraureuth 110-111 F 4
Fraustadt [= Wschowa] 113 A 2
Frechen 108-109 C 5
Freckenhorst 108-109 EF 3
Fredeburg 108-109 F 4
Fredelsloh 108-109 J 3
Freden (Leine) 108-109 J 3
Fredersdorf 110-111 G 1
Fredersdorf bei Berlin [3 km ↘ Neuenhagen bei Berlin 104-105 C5]
Frednowy = Frödenau 112 C 4
Freest 104-105 C 2
Freetz [= Wrześnica] 104-105 J 2
Frehne 102-103 M 4
Freialdenhoven 120 AB 5
Freiamt [Deutschland] 114-115 B 4
Freiamt [Schweiz] 116-117 F 2
Freiberg [Deutschland] 110-111 H 4
Freiberg [Österreich] 118-119 G 5-6
Freiberger Mulde 110-111 GH 3
Freiburg ⟶
Freiburg [= Fribourg] [Ort] 116-117 D
Freiburg [= Fribourg] [Verwaltungseinheit] 116-117 CD 3
Freiburg (Elbe) 102-103 F 3
Freiburger Alpen 116-117 CD 3
Freiburg in Schlesien [= Świebodzice] 113 A 4
Freiburg-Littenweiler ⟶
Freiburg-Sankt Georgen ⟶
Freiburg-Zähringen ⟶
Freie Hansestadt Bremen = Bremen 102-103 E 4
Freienfeld [= Campo di Trens] 116-117 MN 3
Freienhagen 108-109 H 4
Freienhufen 110-111 JK 2
Freienohl 108-109 F 4
Freienseen 108-109 H 5
Freiensteinau 108-109 H 6
Freienstein, Sankt Peter- 118-119 J 4
Freienwalde in Pommern [= Chociwel] 104-105 F 4
Freienwalde (Oder), Bad – 104-105 D 5
Freie Stadt Danzig = Danzig 104-105 NO 2
Freie und Hansestadt Hamburg = Hamburg 102-103 GH 3-4
Freigrafschaft = Franche-Comté 101 BC 5
Freigrafschaft Burgund = Franche-Comté 101 BC 5
Freiheit 110-111 B 2
Freiheit [= Svoboda nad Úpou] 110-111 N 4
Freihufen = Dłoń 113 C 2
Freihung 114-115 KL 1
Freiland 118-119 K 3
Freilassing 114-115 M 5
Freilingen 108-109 E 5
Freimarkt [= Wolnica] 112 D 3
Freinberg 118-119 EF 1
Freinsheim 108-109 F 7
Frei Proskau [= Ligota Prószkowska] 113 D 4
Freisdorf [= Freistroff] 108-109 BC 8
Freisen 108-109 D 7
Freising 114-115 K 4
Freisinger Moos 114-115 K 4
Freising-Neustift 114-115 K 4
Freising-Weihenstephan 114-115 K 4
Freist [= Wrzeście] 104-105 K 1
Freist [= Wrzeście, 3 km ↗ Degendorf 104-105 L 1]
Freistadt 118-119 GH 1
Freistadt [= Karviná] 113 F 6
Freistadt-Darkau [= Karviná-Darkov] 113 F 6
Freistatt 102-103 E 5
Freistett 114-115 B 3
Freistroff = Freisdorf 108-109 BC 8
Freitagsheim [= Pieranie] 104-105 MN 5
Freital 110-111 J 3
Freiwald 118-119 H 1
Freiwaldau [= Gozdnica] 110-111 M 3
Freiwaldau (Oder) [= Jeseník] 113 C 5
Freiwalde [= Leśnica] 112 C 4
Frellstedt 110-111 CD 1
Frelsdorf 102-103 E 4
Fremdingen 114-115 G 3
Frénois 106-107 D 9
Frensdorf 114-115 H 1
Frens, Schloß – 120 C 5
Freren 102-103 BC 6
Fresach 118-119 F 5
Fresen [= Brezno] 118-119 J 5
Fresnes-sur-Escaut 106-107 AB 8
Fresse 116-117 C 1
Frétigney-et-Velloreille 116-117 A 2
Fretzdorf 102-103 N 4
Freudenberg [Baden-Württemberg] 114-115 E 1
Freudenberg [Nordrhein-Westfalen] 108-109 E 5
Freudenberg [= Radostowo] 112 E 4
Freudenberg [2 km ↖ Tiefensee 104-105 C 5]
Freudenberg 108-109 BC 7
Freudenfier [= Szwecja] 104-105 J 4
Freudenheim = Mannheim-Freudenheim
Freudenstadt 114-115 CD 4
Freudenthal [= Bruntál] 113 C 6
Freyburg (Unstrut) 110-111 E 3
Freyenstein 102-103 M 4
Freyhan [= Cieszków] 113 C 2
Freystadt 114-115 J 2
Freystadt in Niederschlesien [= Kożuchów] 110-111 N 2
Freystadt in Westpreußen [= Kisielice] 112 B 4
Freyung 118-119 EF 1
Friaul-Julisch-Venetien = Friuli-Venèzia Giùlia 118-119 D-F 6
Fribourg = Freiburg [Ort] 116-117 D 3
Fribourg = Freiburg [Verwaltungseinheit] 116-117 CD 3
Frick 116-117 F 1
Frickenhausen 114-115 E 3
Frickenhausen am Main 114-115 G 1
Frickenhofen 114-115 F 3
Frickhofen 108-109 EF 5
Frickingen 114-115 E 5
Fridau [8 km ↗ Olten 116-117 E 2]
Fridingen an der Donau 114-115 DE 4-5
Fridolfing 114-115 M 4-5
Friedberg [Deutschland, Bayern] 114-115 HJ 4
Friedberg [Deutschland, Hessen] 108-109 G 6
Friedberg [Österreich] 118-119 L 4
Friedberg [Polen] 104-105 L 4
Friedberg [= Frymburk] 118-119 G 1
Friedeberg [= Žulová] 113 C 5
Friedeberg am Queis = Friedeberg (Isergebirge) 110-111 M 4
Friedeberg (Isergebirge) [= Mirsk] 110-111 M 4
Friedeberg Neumark [= Strzelce Krajeńskie] 104-105 G 5
Friedeburg [Niedersachsen] 102-103 C 4
Friedeburg [Sachsen-Anhalt] 110-111 E 2
Friedeburger Wiesmoor 102-103 C 4
Friedenberg [= Dworkino] 112 F 3
Friedenfels 114-115 L 1
Friedenhorst [= Stare Jastrzębsko] 110-111 NO 1
Friedenshagen [= Jaczów] 110-111 O 2
Friedenshütte = Antonienhütte 113 F 5
Friedersdorf [Brandenburg] 110-111 J1
Friedersdorf [Sachsen-Anhalt] 110-111 F 2
Friedersdorf [= Biedrzychowice] 110-111 M 3
Friedersdorf [= Biedrzychowice, 6 km ↖ Oberglogau 113 D 5]
Friedersdorf [= Biedrzychowice Dolne] 110-111 M 2
Friedewald 108-109 J 5
Friedewalde 108-109 G 2
Friedewalde [= Kopań] 113 C 4
Friedheim [= Miasteczko Krajeńskie] 104-105 JK 4
Friedland [Mecklenburg] 104-105 C 3
Friedland [Niedersachsen] 108-109 JK 4
Friedland [= Frýdlant] 110-111 M 4
Friedland [= Mieroszów] 110-111 O 4
Friedland an der Mohrau [= Břidličná] 113 C 6
Friedland in Ostpreußen = Friedland (Ostpreußen) 112 EF 3
Friedland (Niederlausitz) 110-111 K 1
Friedland (Oberschlesien) [= Korfantów] 113 D 5
Friedland (Ostpreußen) [= Pravdinsk] 112 EF 3
Friedlos 108-109 J 5
Friedrichroda 110-111 C 4
Friedrichsberg [= Błotno] 104-105 F 3
Friedrichsbruch [= Kosobudy] 104-105 L 3
Friedrichsbrunn 110-111 CD 2
Friedrichsdorf 108-109 G 6
Friedrichsdorf [= Przeborowo] 104-105 G 5
Friedrichsdorf [= Sal'skoje] 112 F 2
Friedrichsfeld, Mannheim- 114-115 D 2
Friedrichsfeld, Voerde (Niederrhein)- 120 C 2
Friedrichsgabe 102-103 GH 3
Friedrichsgraben, Großer – 112 F 2
Friedrichshafen 114-115 EF 5
Friedrichshagen 102-103 K 3
Friedrichshagen, Berlin- 104-105 C 6
Friedrichshain 110-111 KL 2
Friedrichshall, Bad – 114-115 E 2
Friedrichshof [= Rozogi] 112 FG 5
Friedrichshöhe 104-105 L 5
Friedrichskirch [= Koniowo] 113 C 3
Friedrichskoog 102-103 E 2
Friedrichsort, Kiel- 102-103 H 2
Friedrichstadt 102-103 F 2
Friedrichstal [2 km ← Spöck 114-115 CD 2]
Friedrichstein (Niederschlesien) [= Gęsiniec] 113 C 4
Friedrichsthal [Brandenburg] 104-105 B 5
Friedrichsthal [Saarland] 108-109 D 8
Friedrichswald [= Hnátnice] 113 AB 5
Friedrichswalde 104-105 C 4
Friedrichswalde [= Podlesie] 104-105 E 4
Friedrichswerth 110-111 BC 3-4
Frielendorf 108-109 H 5
Frielingsdorf, Lindlar- 120 F 4
Friemar 110-111 C 4
Frienisberg 116-117 D 2
Friesach 118-119 G 5
Friesack 102-103 N 5
Friesche Gat 106-107 G 1-2
Friesche Wad 106-107 F 2
Friesebach 113 B 6
Friesenheim 114-115 B 4
Friesenhofen 114-115 G 5
Friesland 106-107 FG 2
Friesoythe 102-103 C 4
Frimmersdorf 120 C 4
Frischau [= Břežany] 118-119 L 1
Frische Nehrung = Mierzeja Wiślana 112 B 3-C 2
Frisches Haff 112 B 3 - C 2
Frisching [Fluß] 112 E 2
Frisching [Landschaft] 112 EF 2
Frisingen 106-107 G 9
Fritzlar 108-109 H 4
Fritzow [= Wrzosowo] [↗ Cammin in Pommern] 104-105 E 2
Fritzow [= Wrzosowo] [Pommern, ↘ Kolberg] 104-105 G 2
Friuli-Venèzia Giùlia 118-119 D-F 6
Frixheim-Anstel 120 CD 4
Fröbel [= Wróblin Głogowski] 110-111 NO 2
Frödenau [= Frednowy] 112 C 4
Frögenau [= Frygnowo] 112 D 4
Frohburg 110-111 FG 3
Frohenau [= Wronowy] 104-105 M 5
Frohnhausen [Hessen] 108-109 F 5
Frohnhausen [Nordrhein-Westfalen] 120 H 3
Frohnleiten 118-119 J 4
Froi, Bad – 116-117 N 3
Froid-Chapelle 106-107 C 8
Frojach [5 km ↗ Niederwölz 118-119 G 4]
Frombork = Frauenburg 112 C 3
Fromelennes 106-107 D 8
Frömern 120 GH 2
Frommern 114-115 D 4
Frömsdorf [= Czerńczyce] 113 B 4
Fronberg 114-115 L 2
Fröndenberg 120 H 3
Fronhausen 108-109 G 5
Fronhofen 114-115 EF 5
Frönsberg 120 H 3
Frontenex 116-117 B 5
Frontenhausen 114-115 LM 3
Fröschen [2 km ↓ Thaleischweiler 108-109 E 8]
Frose 110-111 D 2
Frotheim 108-109 G 2
Frouard 108-109 B 9
Froyennes 106-107 A 7
Frühbuß [= Přebuz] 110-111 G 5
Frunzenskoje = Bokellen 112 FG 3

Frutigen 13 Gladau

Frutigen 116-117 E 3
Frýdlant = Friedland 110-111 M 4
Frygnowo = Frögenau 112 D 4
Frymburk = Friedberg 118-119 G 1

Fuans 116-117 C 2
Fuchsberg [Deutschland, Brandenburg] 102-103 N 5
Fuchsberg [Deutschland, Pommern] 104-105 G 4
Fuchsberg [Tschechoslowakei] 110-111 N 4
Fuchsberg [= Semenovo] 112 E 2
Fuchsberge 112 D 3
Fuchskauten 108-109 F 5
Fuchsmühl [= Lisiec] 110-111 NO 3
Fuchsstadt 108-109 J 6
Füchtorf 108-109 F 2
Fucine 116-117 L 4
Fuglse 102-103 L 1
Fühlingen, Köln- 120 D 4
Fuhlsbüttel, Hamburg- 102-103 GH 3
Fuhne 110-111 E 2
Fuhrberg 102-103 G 5
Fuhse 102-103 H 5, 110-111 B 1
Fulda [Fluß] 108-109 HJ 4
Fulda [Ort] 108-109 J 5
Fully 116-117 D 4
Fulpmes 116-117 M 2
Fumal 106-107 E 7
Fumay 106-107 D 9
Fümmelse 110-111 B 1
Fumo, Monte - = Rauchkofl 118-119 C 4
Fündres = Pfunders 118-119 B 5
Fünen 101 E 1
Fünfeichen [7 km ← Fürstenberg (Oder) 110-111 L 1]
Fünfhunden [= Pětipsy] 110-111 H 5
Fünfkirchen [= Pécs] 101 HJ 5
Fünfkirchen, Schloß - 118-119 M 1
Fünfstetten 114-115 H 3
Fünfteichen [= Miłoszyce] 113 C 3
Funkenhagen [= Gąski] 104-105 G 2
Funne 120 G 2
Fuorn, Il - = Ofenberg 116-117 K 3
Fürfeld 108-109 E 7
Furfooz 106-107 DE 8
Furgler 116-117 KL 2
Furkajoch 116-117 J 2
Furkapass 116-117 F 3
Furmanovo = Zweilinden 112 H 2
Furnes = Veurne 106-107 a 1
Fürstenau [Niedersachsen] 102-103 C 5
Fürstenau [Nordrhein-Westfalen] 108-109 H 3
Fürstenau [= Barnimie] 104-105 G 4
Fürstenau [= Milin] 113 B 4
Fürstenau [= Leśniewo, 2 km → Drengfurth 112 G 3]
Fürstenauer Berge 102-103 C 5-6
Fürstenberg [Baden-Württemberg] 114-115 D 5
Fürstenberg [Brandenburg] 104-105 B 4
Fürstenberg [Hessen] 108-109 G 4
Fürstenberg [Niedersachsen] 108-109 HJ 3
Fürstenberg [Nordrhein-Westfalen] 108-109 G 3
Fürstenberg (Oder)
Fürstenbruck [= Kněžmost] 110-111 M 5
Fürsteneck 114-115 NO 3
Fürsteneich [= Zabór] 110-111 N 2
Fürsten-Ellguth [= Ligota Książęca] 113 D 3
Fürstenfeld 118-119 KL 4
Fürstenfeldbruck 114-115 J 4
Fürstenfelde [= Bleszkowice] 104-105 DE 5
Fürstenflagge [= Bolesławice] 104-105 E 3
Fürstensee 104-105 B 4
Fürstensitz 118-119 FG 1
Fürstenstein 114-115 N 3
Fürstentum Liechtenstein = Liechtenstein 116-117 J 2
Fürstenwalde [= Księży Lasek] 112 F 5
Fürstenwalde (Spree) 104-105 D 6
Fürstenwerder 104-105 C 4
Fürstenwerder [= Żuławki] 104-105 NO 2
Fürstenzell 114-115 N 3
Fürstlich Drehna = Drehna 110-111 J 2
Fürstlich Neudorf [= Nowa Wieś Książęca] 113 D 3
Furth [Deutschland] 114-115 KL 3
Furth [Österreich] 118-119 K 2
Fürth [Bayern] 114-115 HJ 2
Fürth [Hessen] 108-109 G 7
Fürth [2 km → Piesendorf 118-119 D 4]
Furth am Berg 110-111 D 5
Furth an der Triesting 118-119 K 3
Fürth-Burgfarrnbach [↖ Fürth 114-115 HJ 2]
Fürth-Dambach [↙ Fürth 114-115 HJ 2]
Furth im Wald 114-115 M 2
Fürth-Unterfarrnbach [↖ Fürth 114-115 HJ 2]
Furtwangen 114-115 C 4
Fusch an der Großglocknerstraße 118-119 D 4
Fusch, Bad - 118-119 D 4
Fuscher Tal 118-119 D 4
Fuscher Törl 118-119 D 4
Fuschl am See 118-119 E 3
Fuschlsee 118-119 E 3
Füsinger Au 102-103 G 1
Fusio 116-117 G 4
Füssen 114-115 H 5
Füssing 114-115 N 4
Fützen 114-115 CD 5

Fyn = Fünen 101 E 1

G

Gaal 118-119 H 4
Gaarz 102-103 N 4
Gaasterland 106-107 F 3
Gaast, Wonseradeel- 106-107 E 2
Gabel = Gabl 113 B 5
Gabernik 118-119 KL 6
Gabersdorf [= Wojbórz] 113 B 4-5
Gäbersdorf [= Udanin] 113 AB 3
Gabhorn [= Javorná] 110-111 GH 5
Gąbin = Gummin 104-105 F 2
Gąbino = Gambin 104-105 K 1
Gabl [= Jablonné nad Orlicí] 113 B 5
Gablenberg = Stuttgart-Gablenberg
Gablicksee 112 H 3
Gablingen 114-115 H 4
Gablitz 118-119 L 2
Gablonz an der Neiße [= Jablonec nad Nisou] 110-111 M 4
Gaby 116-117 E 5
Gać = Speck 104-105 KL 1
Gadderbaum 108-109 FG 2
Gadebusch 102-103 K 3
Gadeland 102-103 GH 2
Gadenstedt 110-111 B 1
Gádera = Gaderbach 118-119 B 5
Gaderbach 118-119 B 5
Gadernheim 108-109 G 7
Gądki 104-105 K 6
Gądkowice = Schönkirch 113 CD 2
Gądków Mały = Klein Gandern 110-111 LM 1
Gądków Wielki = Groß Gandern 110-111 LM 1
Gadmen 116-117 F 3
Gadow 102-103 N 4
Gaffken [= Parusnoje] 112 CD 2
Gaffron [= Gawrony, 3 km → Lindenbach 113 A 2]
Gaflenz 118-119 H 3
Gägelow 102-103 K 3
Gager 104-105 C 2
Gaggenau 114-115 C 3
Gagnone, Cima di - 116-117 G 4
Gahlen 120 D 2
Gahlen (Ostpreußen) [= Rogale] 112 H 3
Gahns 118-119 K 3
Gail 118-119 E 5
Gailbergsattel 118-119 DE 5
Gaildorf 114-115 F 2-3
Gailenkirchen 114-115 F 2
Gailingen 114-115 D 5
Gailtal 118-119 E 5
Gailtaler Alpen 118-119 D-F 5
Gaimersheim 114-115 J 3
Gainfarn 118-119 L 3
Gairing [= Gajary] 118-119 M 2
Gais [Italien] 118-119 B 5
Gais [Schweiz] 116-117 HJ 2
Gaisbach 118-119 GH 2
Gaisberg 118-119 E 3
Gaisburg = Stuttgart-Gaisburg
Gaisfeld, Krottendorf- 118-119 J 4
Gaishorn [Deutschland] 114-115 G 6
Gaishorn [Österreich, Berg] 116-117 KL 2
Gaishorn [Österreich, Ort] 118-119 H 3-4
Gaißach 114-115 K 5
Gaisstein 118-119 CD 4
Gajary = Gairing 118-119 M 2
Gajek = Rosenhain (Oberschlesien)
Gajewo = Nesselgrund 104-105 E 5
Gajków = Margareth 113 C 3
Gaj Wielki = Groß Gay 104-105 J 6
Galbiate 116-117 H 5
Galbrasten = Dreifurt 112 H 1-2
Gałdowo = Goldau 112 B 4
Galenbeck 104-105 C 3
Galenbecker See 104-105 C 3
Galgenberg [Brandenburg] 104-105 G 5
Galgenberg [Pommern] 104-105 H 4
Galicja = Galizien 101 J-L 4
Galinde 112 G 4
Galiny = Gallingen 112 E 3
Galisia, Punta di - 116-117 D 6
Galizien 101 J-L 4
Gallarate 116-117 G 5
Gallegione, Pizzo - 116-117 HJ 4
Galliate 116-117 G 6
Gallin 102-103 M 3
Gallinakopf 116-117 J 2
Gallingen [= Galiny] 112 E 3
Gállio 116-117 N 5
Gallitzen [8 km ↖ Sittersdorf 118-119 H 5]
Gallneukirchen 118-119 G 2
Gallspach 118-119 F 2
Galmaarden 106-107 BC 7
Galtgarben 112 D 2
Galtür 116-117 K 3
Gambach 108-109 G 6
Gambin [= Gąbino] 104-105 K 1
Gambsheim 114-115 B 3
Gamburg 114-115 F 1
Gaming 118-119 J 3
Gamlitz 118-119 JK 5
Gammelsdorf 114-115 K 3
Gammertingen 114-115 E 4
Gampel [8 km → Leuk 116-117 E 4]
Gams 116-117 H 2
Gams bei Hieflau 118-119 H 3
Gamsen 102-103 HJ 5-6
Gamsfeld 118-119 E 3
Gamskarkogel 118-119 E 4
Gamskarlspitze 118-119 E 4-5
Gams ob Frauental 118-119 J 5
Ganacker 114-115 M 3
Gand = Gent 106-107 B 6
Gandenitz 104-105 B 4
Ganderkesee 102-103 DE 4
Gandersheim, Bad - 110-111 AB 2
Gandino 116-117 J 5
Gandria 116-117 GH 4
Gang [= Kaňk] 110-111 M 6
Gangelt 108-109 AB 5
Ganghofen 114-115 M 4
Gangloffsömmern [5 km ↓ Clingen 110-111 C 3]
Gansbach [6 km ↗ Aggsbach 118-119 J 2]
Gänsbrunnen 116-117 DE 2
Gänsebach 104-105 H 3
Gänserndorf 118-119 M 2
Ganshoren 106-107 C 7
Ganzlin 102-103 M 4
Garbagnate 116-117 H 5
Garbas = Garbasaen 112 HJ 3
Garbassen [= Garbas] 112 HJ 3
Garbeck 120 H 3
Garbicz = Görbitsch 110-111 LM 1
Garbno = Gerbin 104-105 J 2
Garbno = Lamgarben 112 F 3
Garbolzum, Garmssen- 110-111 B 1
Garbsen [2 km ↑ Seelze 108-109 J 2]
Garching 114-115 K 4
Garching an der Alz 114-115 M 4
Garczegorze = Garzigar 104-105 L 1
Garczyn = Gartschin
Garda 116-117 L 5
Garda, Ìsola di - 116-117 L 5
Garda, Lago di - 116-117 L 5
Gardasee 116-117 L 5
Gardęga = Gardenga 112 B 4
Gardeja = Garnsee 112 AB 4
Gardelegen 102-103 K 5
Gardena, Val - = Grödnertal 116-117 N 3
Gardenga 112 B 4
Garder See 104-105 K 1
Garding 102-103 E 2
Gardna, Jezioro - = Garder See 104-105 K 1
Gardna Wielka = Groß Garde 104-105 K 1
Gàrdolo, Trento- = Trient-Gàrdolo 116-117 M 4
Gàrdolo, Trient- [= Trento-Gàrdolo] 116-117 M 4
Gardone Riviera 116-117 L 5
Gardone Val Trómpia 116-117 K 5
Gardschau [= Godziszewo] 104-105 N 2
Garenfeld 120 G 3
Gâres 116-117 N 4
Gargellen 116-117 J 3
Gargnano 116-117 L 5
Garham [6 km ↑ Vilshofen 114-115 N 3]
Garitz [Bayern] 110-111 AB 5
Garitz [Sachsen-Anhalt] 110-111 F 2
Garlate, Lago di - 116-117 HJ 5
Garlin 102-103 L 4
Garlitz [Brandenburg] 102-103 N 5
Garlitz [Mecklenburg] 102-103 JK 4
Garlstedt 102-103 E 4
Garlstedter Heide 102-103 E 4
Garlstorf 102-103 H 4
Gärmersdorf 114-115 K 2
Garmisch-Partenkirchen 114-115 J 5-6
Garmissen-Garbolzum 110-111 B 1
Garnsee [= Gardeja] 112 AB 4
Garrel 102-103 D 5
Garrin [= Charzyno] 104-105 G 2
Gars am Kamp 118-119 K 1
Garsebach [2 km ↘ Löthain 110-111 H 3]
Garßen 102-103 H 5
Garstadt [5 km ↑ Wipfeld 110-111 B 6]
Garstedt 102-103 GH 3
Garsten 118-119 G 2
Gärtitz, Döbeln- 110-111 H 3
Gärtnerkofel 118-119 E 5
Gartow 102-103 K 4
Gärtringen 114-115 D 3
Gartrop-Bühl 120 E 2
Gartschin [= Garczyn, 4 km ↓ Lienfelde 104-105 M 2]
Gartz (Oder) 104-105 D 4
Garwitz 102-103 L 4
Garz [Brandenburg] 102-103 N 5
Garz [Mecklenburg] 104-105 B 2
Garzau 104-105 C 5
Garzeno 116-117 H 4
Garzigar [= Garczegorze] 104-105 L 1
Garzweiler 120 C 4
Garzyn 113 B 2
Gąsawa 104-105 L 5
Gaschurn 116-117 K 3
Gaschwitz 110-111 F 3
Gasen 118-119 K 4
Gąski = Funkenhagen 104-105 G 2
Gąski = Herzogskirchen 112 HJ 4
Gaspoltshofen 118-119 F 2
Gasselte 106-107 H 3
Gassen [= Jasień] 110-111 LM 2
Gasteiner Tal 118-119 E 4
Gastellovo = Groß Friedrichsdorf 112 G 1
Gastern [Österreich] 118-119 J 1
Gastern [Schweiz] 116-117 E 4
Gastorf [= Hošťka] 110-111 K 5
Gaszyn [3 km ↓ Wieluń 113 F 3]
Gatersleben 110-111 D 2
Gatow, Berlin- 104-105 B 6
Gattendorf 118-119 MN 2
Gatterstädt 110-111 DE 3
Gattinara 116-117 E 5
Gau-Algesheim 108-109 EF 7
Gaukönigshofen 114-115 FG 1
Gauleden [= Tumanovka] 112 EF 2
Gau-Odernheim 108-109 F 7
Gaurain-Ramecroix 106-107 AB 7
Gaustadt 114-115 H 1
Gauting 114-115 J 4
Gavardo 116-117 K 5
Gàvia, Monte - 116-117 KL 4
Gavirate 116-117 G 5
Gavrilovo = Herzogsrode 112 H 3
Gaweinstal 118-119 M 2
Gaweiten = Herzogsrode 112 H 3
Gawliki Wielkie = Groß Gablick
Gawlik, Jezioro - = Gablicksee 112 H 3
Gaworzyce = Oberquell 110-111 N 2
Gawroniec = Gersdorf 104-105 H 3
Gawrony = Gaffron
Gazzaniga 116-117 J 5

Gbell [= Kbely] 110-111 L 5
Gbely = Egbell 118-119 N 1

Gdańsk = Danzig [Ort] 104-105 N 2
Gdańsk = Danzig [Staat] 104-105 NO 2
Gdan'skaja buchta = Danziger Bucht 104-105 NO 1
Gdańska, Nizina - = Danziger Niederung 104-105 N 2
Gdańsko, Wyżyna - = Danziger Höhe 104-105 MN 2
Gdańska, Zatoka - = Danziger Bucht 104-105 NO 1
Gdańsk-Brzeźno = Danzig-Brösen
Gdańsk-Nowy Port = Danzig-Neufahrwasser 104-105 N 2
Gdańsk-Oliwa = Danzig-Oliva 104-105 MN 2
Gdańsk-Wrzeszcz = Danzig-Langfuhr 104-105 MN 2
Gdingen [= Gdynia] 104-105 M 1
Gdingen-Groß Katz [= Gdynia-Wielki Kack] 104-105 N 2
Gdingen-Oxhöft [= Gdynia-Oksywie] 104-105 N 1
Gdynia = Gdingen 104-105 N 1
Gdynia-Oksywie = Gdingen-Oxhöft 104-105 N 1
Gdynia-Wielki Kack = Gdingen-Groß Katz 104-105 N 2

Gebaberg 110-111 B 4
Gebesee 110-111 C 3
Gebhardshagen = Salzgitter-Gebhardshagen
Gebhardshain 108-109 E 5
Gębice = Gembitz [Polen, ↙ Hohensalza] 104-105 M 5
Gębice = Gembitz [Polen, ↙ Kolmar in Posen] 104-105 J 5
Gębice (Gubińskie) = Amtitz 110-111 L 2
Gebirgsneudorf [= Nová Ves v Horách] 110-111 HJ 4
Gebottskirchen [3 km ↓ Haag am Hausruck 118-119 F 2]
Gebra-Hainleite 110-111 C 3
Gebrazhofen 114-115 FG 5
Gebweiler [= Guebwiller] 116-117 D 1
Gedern 108-109 H 6
Gedesby 102-103 LM 1
Gedinne 106-107 D 9
Gedser 102-103 L 1
Gedser Odde 102-103 LM 1
Gedser Rev 102-103 M 2
Gedwangen [= Jedwabno] 112 E 4
Geel 106-107 D 6
Geer = Jeker 106-107 F 7
Geertruidenberg 106-107 D 5
Geeste 102-103 E 3
Geeste-Bederkesa-Kanal 102-103 E 3
Geeste-Elbe-Kanal = Geeste-Bederkesa-Kanal 102-103 E 3
Geestemünde, Bremerhaven-102-103 E 3
Geestgottberg 102-103 L 5
Geesthacht 102-103 H 4
Geetbets 106-107 E 7
Gefell 110-111 E 5
Geffen 106-107 E 5
Gefrees 110-111 E 5
Gehaus 110-111 B 4
Gehlandsee 112 F 4
Gehlenburg [= Biała Piska] 112 H 4
Gehlsdorf, Rostock- 102-103 M 2
Gehlsee, Großer - 112 C 4
Gehn 102-103 C 6
Gehofen [3 km ← Schönewerda 110-111 DE 3]
Gehrde 102-103 D 5
Gehrden [Niedersachsen] 108-109 J 2
Gehrden [Nordrhein-Westfalen] 108-109 H 3
Gehren [Brandenburg] 110-111 J 2
Gehren [Thüringen] 110-111 CD 4
Gehrenberg 114-115 E 5
Gehsen [= Jeże] 112 G 4-5
Geibsdorf [= Siekierzyn, 4 km ↖ Ober Lichtenau 110-111 M 3]
Geiersberg [= Latohrad] 113 A 5
Geiersthal 114-115 M 2
Geierswalde [= Gierzwałd] 112 D 4
Geiglitz [= Iglice] 104-105 F 3
Geilenkirchen 108-109 B 5
Geinberg 118-119 E 2
Geinsheim 108-109 F 8
Geinsheim [4 km ↗ Oppenheim 108-109 F 7]
Geisa 110-111 AB 4
Geisberg 114-115 J 1
Geisecke 120 G 3
Geiselbullach 114-115 J 4
Geiselhöring 114-115 LM 3
Geiselkopf 118-119 DE 4
Geiselwind [7 km → Abtswind 114-115 G 1]
Geisenfeld 114-115 K 3
Geisenhausen 114-115 L 4
Geisenheim 108-109 E 6-7
Geising ↣
Geising [Ort] 110-111 J 4
Geisingen 114-115 D 5
Geisleden 110-111 B 3
Geislerspitze 118-119 B 5
Geislingen 118-119 M 2
Geislingen 114-115 D 4
Geislingen an der Steige 114-115 F 3
Geismar [Hessen] 108-109 H 4
Geismar [Niedersachsen] 108-109 JK 3
Geismar [Thüringen] 110-111 B 3
Geispolsheim 114-115 B 3
Geissteinkopf 118-119 F 4
Geisthal 118-119 J 4
Geithain 110-111 G 3
Gelbach 108-109 E 6
Gelbensande 102-103 M 2
Gelbsand 102-103 E 2-3
Gelchsheim 114-115 FG 1
Geldenaken = Jodoigne 106-107 D 7
Gelderland 106-107 FG 4
Geldermalsen 106-107 E 5
Geldern 120 B 2
Geldern = Gelderland 106-107 FG 4
Geldersche IJssel = IJssel 106-107 G 4
Geldersche Vallei 106-107 EF 4
Geldersheim [5 km ← Schweinfurt 110-111 B 5]
Geldrop 106-107 F 6
Geleen 106-107 F 7
Gelé, Mont - 116-117 D 5
Gelenau 110-111 G 4
Gellen 104-105 AB 2
Gellen [= Jeleniec] 104-105 DE 5
Gellendorf [= Sokowa] 113 B 3
Gellin [= Jelenino] 104-105 J 3
Gellingen = Ghislenghien 106-107 B 7
Gelnhausen 108-109 H 6
Gelse 118-119 MN 5
Gelsenkirchen 120 E 2
Gelsenkirchen-Buer 120 E 2
Gelsenkirchen-Hassel 120 DE 2
Gelsenkirchen-Horst 120 E 2
Gelsenkirchen-Schalke 120 E 2
Gelsenkirchen-Scholven 120 E 2
Gelsenkirchen-Ückendorf 120 E 3
Geltendorf 114-115 J 4
Gelterkinden 116-117 E 2
Gelting 102-103 G 1
Geltinger Bucht 102-103 G 1
Geltschberg 110-111 K 4
Géluccurt = Gisselfingen 108-109 C 9
Geluwe 106-107 A 7
Gembitz [= Gębice] [Polen, ↙ Hohensalza] 104-105 M 5
Gembitz [= Gębice] [Polen, ↙ Kolmar in Posen] 104-105 J 5
Gembloux 106-107 D 7
Gemen 108-109 C 3
Gemert 106-107 F 5
Gemlitz [= Giemlice] 104-105 N 2
Gemmenalphorn 116-117 E 3
Gemmenich 106-107 FG 7
Gemmingen 114-115 D 2
Gemmipass 116-117 E 4
Gemmrigheim [2 km ↓ Kirchheim am Neckar 114-115 E 2]
Gemünd 108-109 BC 5
Gemünden [Bayern] 108-109 J 6
Gemünden [Rheinland-Pfalz] 108-109 D 7
Gemünden an der Wohra 108-109 GH 5
Genappe [= Genepiën] 106-107 C 7
Gencsapáti = Gersdorf 118-119 M 4
Gendarmenberg 104-105 L 1
Genderkingen 114-115 H 3
Gendringen 106-107 G 5
Gendt 106-107 F 5
Genemuiden 106-107 FG 3
Genepiën = Genappe 106-107 C 7
Genève = Genf [Ort] 116-117 B 4
Genève = Genf [Verwaltungseinheit] 116-117 B 4
Genevez, Les - [2 km → Prédame 116-117 D 2]
Genevois 116-117 AB 4
Genf [= Genève] [Ort] 116-117 B 4
Genf [= Genève] [Verwaltungseinheit] 116-117 B 4
Genf-Carouge [↓ Genf 116-117 B 4]
Genfersee 116-117 BC 4
Gengenbach 114-115 C 4
Genk 106-107 EF 7
Genkel-Stausee 120 G 4
Gennach 114-115 H 4-5
Gennebreck 120 E 3
Gennep 106-107 FG 5
Gennin [= Jenin, 2 km ↗ Dührings hof 104-105 EF 5]
Genschmar 104-105 DE 5
Gensdorf [= Gencsapáti] 118-119 M 4
Gensingen 108-109 EF 7
Gensungen 108-109 HJ 4
Gent [= Ganc] 106-107 B 6
Genthal 116-117 F 3
Genthbrugge 106-107 B 6
Genthin 110-111 F 1
Genthod [2 km ↓ Versoix 116-117 B 4]
Georgenberg [= Miasteczko Śląskie] 113 F 4-5
Georgenburg 112 G 2
Georgenburg = Jurbarkas 112 J 1
Georgendorf [= Český Jiřetín] 110-111 J 4
Georgensgmünd 114-115 J 2
Georgenswalde [= Poležajevo] 112 D 2
Georgenthal 112 CD 4
Georgenthal (Thüringen) 110-111 C 4
Georgsberg 110-111 K 5
Georgsfehnkanal, Nord- ↣
Georgsmarienhütte 108-109 EF 2
Georgswalde [= Jiříkov] 111 KL 4
Gera [Fluß] 110-111 C 3
Gera [Ort, Verwaltungseinheit] 110-111 F 4
Geraardsbergen [= Grammont] 106-107 B 7
Geraberg 110-111 C 4
Gerabronn 114-115 F 2
Gera-Langenberg 110-111 F 4
Gera-Liebschwitz 110-111 F 4
Geras 118-119 K 1
Gerasdorf [5 km ↘ Aderklaa 118-119 LM 2]
Gerbershausen 110-111 AB 3
Gerbin [= Garbno] 104-105 J 2
Gerbstedt 110-111 E 2
Gérce 118-119 N 4
Gerchsheim 114-115 F 1
Gerdau 102-103 H 5
Gerdauen [= Železnodorožnyj] 112 F 3
Gerderath 120 AB 4
Gerdin 104-105 N 2
Gerenzano 116-117 G 5
Gereonsweiler 120 A 5
Gerersdorf bei Güssing 118-119 L 4
Geretsried 114-115 JK 5
Gerichtsberg 110-111 K 3
Geringswalde 110-111 G 3
Gerlachshausen [2 km ↑ Stadtschwarzach 114-115 G 1]
Gerlachsheim 114-115 F 1
Gerlafingen [4 km ↘ Solothurn 116-117 DE 2]
Gerlebogk 110-111 E 2
Gerleve 108-109 D 3
Gerlingen [3 km → Leonberg 114-115 E 3]
Gerlingen (Wartheland) = Gąsawa 104-105 L 5
Gerlitzen 118-119 F 5
Gerlos 118-119 C 4
Gerlosberg [4 km ↘ Zell am Ziller 118-119 B 4]
Gerlospaß 118-119 C 4
Gerlostal 118-119 BC 4
Gerlsdorfer Spitze 101 JK 4
Germanengrund [= Domanowice] 113 BC 3
Germau [= Russkoje] 112 D 2
Germendorf [4 km ← Oranienburg 104-105 B 5]
Germering 114-115 J 4
Germerode 108-109 JK 4
Germersdorf [= Jaromirowice] 110-111 L 2
Germersheim 108-109 F 8
Germignaga 116-117 G 5
Gernrode 110-111 D 2
Gernsbach 114-115 C 3
Gernsheim 108-109 FG 7
Gerojskoje = Alt Gertlauken 112 F 2
Gerola Alta 116-117 J 4
Gerolfing 114-115 J 3
Gerolsbach 114-115 J 4
Gerolstein 108-109 C 6
Gerolzhofen 114-115 G 1
Gérouville 106-107 E 9
Gerpinnes 106-107 D 8
Gerresheim, Düsseldorf- 120 D 4
Gerritshof = Groß Luttom 104-105 H 5
Gersau 116-117 FG 2-3
Gerschede, Essen- 120 D 3
Gersdorf [Sachsen] 110-111 G 4
Gersdorf [Schlesien] 110-111 L 3
Gersdorf [= Gawroniec] 104-105 H 3
Gersdorf = Dąbie 113 F 1
Gersdorf am Queis [= Gierałtów] 110-111 M 3
Gersdorf, Bischheim- 110-111 K 3
Gersfeld 108-109 J 6
Gersprenz 108-109 G 7
Gersten 102-103 BC 5
Gerstetten 114-115 FG 3
Gerstheim 114-115 B 4
Gersthofen 114-115 H 4
Gerstungen 110-111 B 4
Geruswalde 104-105 C 4
Gerswalde [= Jerzwałd] 112 BC 4
Gersweiler 108-109 C 8
Gerthe, Bochum- 120 F 2
Gerverschagen 120 G 4
Gervin [= Gorawino] 104-105 F 3
Gerwen [= Prziezerskoje] 112 H 2
Gerwisch 110-111 E 1
Gerwischkehmen = Gerwen 112 H 2
Gerzen 114-115 L 3
Gerzlow [= Jarosławsko] 104-105 FG 4
Gesäuse 118-119 H 3
Gescher 108-109 D 3
Geschriebenstein 118-119 LM 4
Geschwenda 110-111 C 4
Geseke 108-109 G 3
Gesenke 101 H 3-4
Geserichsee 112 C 4
Gęsia = Gänsebach 104-105 H 3
Gęsia Górka = Groß Cosel
Gęsiniec = Friedrichstein (Niederschlesien) 113 C 4
Geslau 114-115 G 2
Gespunsart 106-107 D 9
Gessate 116-117 H 5
Gessenay = Saanen 116-117 D 4
Gessertshausen 114-115 H 4
Gestohlene Ihna 104-105 F 4
Gestowice = Tammendorf 110-111 LM 1
Gesves 106-107 E 8
Geten = Jauche 106-107 D 7
Gets, les - 116-117 C 4
Gettorf 102-103 GH 2
Gevelsberg 120 F 3
Gevelinghausen 120 B 4
Gevenich 120 B 5
Geversberg 102-103 F 3
Gevezin 104-105 B 3
Gevigney-et-Mercey 116-117 A 1
Gex 116-117 B 4
Geyen 120 D 5
Geyer 110-111 G 4
Geyersberg 114-115 EF 1
Geyersdorf [= Dębowa Łęka, 4 km ↗ Fraustadt 113 A 2]
Gföhl 118-119 JK 1

Ghemme 116-117 F 5
Ghirla 116-117 G 5
Ghirone 116-117 G 3
Ghisalba 116-117 J 5
Ghislenghien [= Gellingen] 106-107 B 7
Ghlin 106-107 B 8

Giavino, Monte - 116-117 E 5
Giazza 116-117 M 5
Gibloux, Mont - 116-117 CD 3
Giebelstadt 114-115 F 1
Gieboldehausen 110-111 B 2
Giekau 102-103 HJ 2
Gielądzkie, Jezioro - = Gehlandsee 112 F 4
Gielde 110-111 BC 1
Gielow 102-103 N 3
Gielsdorf 104-105 C 5
Giemlice = Gemlitz 104-105 N 2
Giengen an der Brenz 114-115 G 3
Gierałtów = Gersdorf am Queis 110-111 M 3
Gierałtowice = Gieraltowitz 113 F 5
Gieraltowitz [= Gierałtowice] 113 F 5
Gierle 106-107 D 6
Giersdorf [= Podgórzyn, 3 km ↘ Hermsdorf (Kynast) 110-111 N 4]
Giershagen 108-109 G 4
Giersleben 110-111 DE 2
Gierzwałd = Geierswalde 112 D 4
Giesebitz [= Izbica] 104-105 K 1
Giesel 108-109 J 5
Giesen [= Giże] 112 H 4
Giesen [= Giżyno] 104-105 G 4
Giesenkirchen, Rheydt- 120 BC 4
Giesenslage 102-103 LM 5
Giesing = München-Giesing
Giessbach 116-117 EF 3
Gießen 108-109 G 5
Giessendam, Hardinxveld- 106-107 D 5
Gießhübel [= Olešnice] 113 A 5
Gießing [= Sopronkövesd] 118-119 M 3
Gießmannsdorf 110-111 J 2
Gießmannsdorf [= Gościszowice, 4 km ↘ Waltersdorf 110-111 N 2]
Gieten 106-107 H 2
Giethoorn 106-107 G 3
Gietrzwałd = Dietrichswalde 112 D 4
Giettaz, la - 116-117 BC 5
Giewartów 104-105 LM 6
Giezza, Pizzo - 116-117 F 4
Giffre 116-117 C 4
Gifhorn 102-103 J 6
Gignod 116-117 D 5
Giławy = Gillau 112 E 4
Gilching 114-115 J 4
Gildehaus 108-109 D 2
Gileppe 106-107 FG 7
Gilge 112 G 1
Gilge [= Matrosovo] 112 F 1
Gilgenberg am Weilhart 118-119 DE 2
Gilgenburg [= Dąbrówno] 112 D 5
Gillau [= Giławy] 112 E 4
Gillbach 120 C 4
Gillenfeld 108-109 C 6
Gilley 116-117 B 2
Gilly 106-107 CD 8
Gilly [2 km ← Rolle 116-117 B 4]
Gilschwitz [= Kylešovice] 113 D 6
Gilserberg 108-109 H 5
Gil Wielki, Jezioro - = Großer Gehlsee 112 C 4
Gilze en Reijen 106-107 D 5
Gimborn 120 F 4
Gimbsheim 108-109 F 7
Gimel 116-117 B 3
Gimmel [= Jemielna] 113 D 3
Gimmel [= Jemielno] 113 AB 2
Gimmeldingen [3 km ↑ Neustadt an der Weinstraße 108-109 F 8]
Gimmeldingen
Ginevra = Genf 116-117 B 4
Gingelom 106-107 E 7
Gingen an der Fils 114-115 F 3
Gingst 104-105 B 2
Giogo della Croce = Kreuzjoch 116-117 M 3
Giornico 116-117 G 4
Giove, Monte - 116-117 F 4
Giovo, Passo di Monte - = Jaufen 116-117 M 3
Gippel 118-119 K 3
Girkhausen 108-109 FG 4
Giromagny 116-117 C 1
Girsch [= Krsy] 114-115 N 1
Gisikon 116-117 F 2
Gisselfingen [= Géluccurt] 108-109 C 9
Gistel 106-107 ab 1
Gistoux, Chaumont- 106-107 D 7
Giswil 116-117 F 3
Gits 106-107 A 6-7
Gitsch 116-117 N 3
Gitschin [= Jičín 110-111 M 5
Gitschtal 118-119 E 5
Gittelde 110-111 B 2
Gitter = Salzgitter-Gitter
Giubiasco 116-117 H 4
Giudicàrie, Valli - 116-117 L 4-K 5
Giumaglio [3 km ↘ Someo 116-117 G 4]
Giussano 116-117 H 5
Giuv, Piz - 116-117 G 3
Givet 106-107 D 8
Givonne 106-107 DE 9
Givry 106-107 BC 8
Giwartowo = Giewartów 104-105 LM 6
Giże = Giesen 112 H 4
Giżyce Wieś 113 E 2
Giżycko = Lötzen 112 G 3
Giżyno = Giesen 104-105 G 4

Glaaien = Glons 106-107 EF 7
Gladau 110-111 F 1

Gladau 14 Greifenberg

Gladau [= Głodowo] 104-105 M 2
Gladbach [2 km ↖ Heimbach 108-109 E 6]
Gladbeck 120 DE 2
Gladbeck-Zweckel 120 D 2
Gladenbach 108-109 G 5
Glageon 106-107 C 8
Glaisin 102-103 K 4
Glambach [= Głęboka] 113 C 4
Glan [Deutschland] 108-109 E 7
Glan [Österreich] 118-119 G 5
Gland [Frankreich] 106-107 C 9
Gland [Schweiz] 116-117 B 4
Glandorf 108-109 EF 2
Glâne 116-117 CD 3
Glanerbrug, Enschede- 106-107 HJ 4
Glaner Bucht 108-109 EF 2
Glanhofen 118-119 G 5
Glan-Münchweiler 108-109 D 8
Glaris ↣
Glarner Alpen 116-117 GH 3
Glärnisch 116-117 GH 2
Glarus [Ort] 116-117 GH 2
Glarus [Verwaltungseinheit] 116-117 GH 3
Glasau 102-103 HJ 2
Glasberg [= Głażewo] 104-105 G 5
Gläsendorf [= Szklary] 113 C 4
Glaserberg 113 C 5
Glasewitz 102-103 M 3
Glashütte [Pommern] 104-105 D 3
Glashütte [Sachsen] 110-111 J 4
Glashütte [Schleswig-Holstein] 102-103 H 3
Glashütte [= Huta Szklana] 104-105 H 5
Glashütten 118-119 J 5
Glasow [Brandenburg] 104-105 BC 6
Glasow [Pommern] 104-105 D 4
Glasow [= Głazów] 104-105 E 5
Glaswein, Schloß – 118-119 L 1
Glatsenberg 113 B 5
Glatt [Deutschland] 114-115 D 4
Glatt [Schweiz] 116-117 G 2
Glatz [= Kłodzko] 113 B 5
Glatzenkopf = Glatsenberg 113 B 5
Glatzer Neiße 113 CD 4
Glatzer Schneeberg = Großer Schneeberg 113 B 5
Glatzer Schneegebirge 113 B 5
Glauchau 110-111 FG 4
Głażewo = Glasberg 104-105 G 5
Glaznoty = Marienfelde 112 C 4
Głazów = Glasow 104-105 E 5
Głębock = Tiefensee 112 D 3
Głęboka = Glambach 113 C 4
Głębowice = Alteichenau 113 B 3
Gleck 116-117 L 4
Ględowo = Lichtenhagen
Gleesen 102-103 B 6
Glehn 120 C 4
Gleiberg, Krofdorf- 108-109 G 5
Gleichberg, Großer – 110-111 C 5
Gleichberg, Kleiner – 110-111 C 5
Gleichenberg, Bad – 118-119 KL 5
Gleidingen 108-109 J 2
Gleina 110-111 E 3
Gleinalpe 118-119 HJ 4
Gleinstätten [4 km ↗ Pölfing-Brunn 118-119 J 5]
Gleisdorf 118-119 K 4
Gleißen [= Glisno] 104-105 F 6
Gleißenberg 114-115 M 2
Gleiszellen-Gleishorbach [3 km ↓ Klingenmünster 108-109 EF8]
Gleiwitz [= Gliwice] 113 F 5
Gleize, la – 106-107 F 8
Glemmtal 118-119 D 4
Glenne 108-109 F 3
Glenner 116-117 H 3
Gleno, Monte – 116-117 K 4
Glesch 120 C 5
Gleschendorf 102-103 J 2
Glesien 110-111 F 3
Gleśno 104-105 K 4
Gletsch 116-117 F 3
Glewitz 102-103 N 2
Glien 104-105 AB 5
Glienick 110-111 H 1
Glienicke [Brandenburg, ↑ Berlin] 104-105 B 5
Glienicke [Brandenburg, ↓ Fürstenwalde (Spree)] 110-111 K 1
Glienicke, Gühlen- 102-103 N 4
Glienke 104-105 BC 3
Glinde 102-103 H 3
Glindow 104-105 A 6
Glingspitze 118-119 E 4
Glinica = Glinitz 113 F 4
Glinik = Altensorge
Glinitz [= Glinica] 113 F 4
Glinka = Klinge 110-111 KL 2
Glinki, Szczecin- = Stettin-Stolzenhagen 104-105 E 4
Glinno 113 F 2
Glińsk = Leimnitz 110-111 N 1
Gliny 113 E 1
Glion = Ilanz 116-117 H 3
Glis [1 km ↙ Brig 116-117 EF 4]
Glisno = Gleißen 104-105 F 6
Gliwice = Gleiwitz 113 F 5
Gliwicki, Kanał – = Klodnitzkanal 113 E 5
Globasnitz 118-119 H 5
Glockturm 116-117 L 3
Glödnitz [3 km ↖ Kleinglödnitz 118-119 G 5]
Głodowa = Goldbeck 104-105 HJ 3
Głodowo = Gladau 104-105 M 2
Glogau [= Głogów] 110-111 O 2
Gloggnitz 118-119 KL 3
Głogów = Glogau 110-111 O 2
Głogówek = Oberglogau 113 D 5
Glojach 118-119 K 5
Głomia = Glumia 104-105 J 4
Glommen [= Głomno] 112 E 3
Głomno = Glommen 112 E 3
Głomsk = Glumen 104-105 K 4
Glonn 114-115 K 5
Glonn [Fluß] 114-115 J 4
Glonn [Ort] 114-115 K 5
Glons [= Glaaien] 106-107 EF 7
Glorenza = Glurns 116-117 L 3
Glör-Stausee 120 G 4
Gloschkau [= Głoska] 113 B 3
Głoska = Gloschkau 113 B 3
Gloslunde 102-103 K 1
Głotowo = Glottau 112 D 4
Glött 114-115 H 4-5
Glottau [= Głotowo] 112 D 4
Glovelier = Lietingen
Głowczyce = Glowitz 104-105 K 1
Glowe 104-105 B 1
Glöwen 102-103 M 5
Glowitz [= Głowczyce] 104-105 K 1
Głowna = Gluwna 104-105 K 6
Głowna, Poznań- = Posen-Glowno 104-105 JK 6
Glowno, Posen- [= Poznań-Głowna] 104-105 JK 6
Glozewo = Glasberg 104-105 G 5
Głubczyce = Leobschütz 113 D 5
Glubczyn = Steinau 104-105 J 4
Glubschin = Steinau 104-105 J 4
Głuchołazy = Ziegenhals 113 C 5
Głuchów 113 F 2
Głuchowo 113 B 1
Glücksburg 102-103 G 1
Glückstadt 102-103 FG 3
Glumbowitz = Alteichenau 113 B 3
Glumen [= Głomsk] 104-105 K 4
Glumia 104-105 J 4
Glupon = Głuponie 104-105 H 6
Głuponie 104-105 H 6
Glurns [= Glorenza] 116-117 L 3
Gluschin [= Głuszyna] 104-105 J 6
Głusko = Steinbusch 104-105 G 4
Głuszyca = Wüstegiersdorf 113 A 4
Głuszyna = Gluschin 104-105 J 6
Gluszyner See = Jezioro Głuszyńskie 104-105 N 5
Głuszyńskie, Jezioro – 104-105 N 5
Gluwna 104-105 K 6

Gmünd [Niederösterreich] 118-119 HJ 1
Gmünd [Österreich, Kärnten] 118-119 F 5
Gmund am Tegernsee 114-115 K 5
Gmunden 118-119 F 3

Gnadau 110-111 E 2
Gnadenfeld [= Pawłowiczki] 113 DE 5
Gnadenfrei [= Piława Górna] 113 B 4
Gnarrenburg 102-103 EF 4
Gnas 118-119 K 5
Gneisenaustadt Schildau = Schildau 110-111 G 3
Gnesau 118-119 FG 5
Gnesen [= Gniezno] 104-105 L 5
Gnevezin 104-105 C 3
Gnevkow 104-105 B 3
Gnevsdorf 102-103 M 4
Gnewin [= Gniewino] 104-105 LM 1
Gnichwitz = Altenrode (Niederschlesien) 113 B 4
Gnida = Zian 113 G 1
Gniechowice = Altenrode (Niederschlesien) 113 B 4
Gniew = Mewe 104-105 N 3
Gniewino = Gnewin 104-105 LM 1
Gniewkowo = Argenau 104-105 M 5
Gniewomierz = Oyas 113 A 3
Gniezno = Gnesen 104-105 L 5
Gnin 113 A 1
Gnoien 102-103 N 3
Gnotzheim 114-115 H 2
Gnutz 102-103 G 2

Göbelsberg 118-119 EF 2
Goch 120 A 2
Gochsheim 110-111 B 5
Göcsej 118-119 M 5
Goczałków = Gutschdorf 113 A 3-4
Goczałkowickie, Jezioro – 113 F 6
Goddelau 108-109 FG 7
Goddelsheim 108-109 G 4
Godelheim 108-109 H 3
Gödens 102-103 CD 4
Godesberg, Bad – 108-109 CD 5
Godetz = Chodecz 104-105 O 6
Göding [= Hodonín] 118-119 N 1
Godinne 106-107 D 8
Godków = Jädickendorf 104-105 D 5
Godkowo = Göttchendorf 112 C 3
Godnicken [= Čechovo] 112 D 2
Godow = Golkowitz 113 EF 6
Godramstein 108-109 F 8
Godrienen [= Laskino] 112 D 2
Godshorn 102-103 G 6
Godynice 113 F 3
Godziesze Wielkie 113 E 2
Godzieszów = Günthersdorf 110-111 M3
Godzikowice = Rosenhain 113 C 4
Godziszewo = Gardschau 104-105 N 2
Goedereede 106-107 BC 5
Goeree [Feuerschiff] 106-107 B 5
Goeree [Insel] 106-107 B 5
Goes 106-107 B 5
Goetsenhoven [= Gossoncourt] 106-107 DE 7
Göfis [3 km → Feldkirch 116-117 J 2]
Gögging, Bad – 114-115 K 3
Göggingen 114-115 H 4
Gogolewko = Neu Jugelow 104-105 K 2
Gogolewo 113 C 1
Gogolewo = Pegelow 104-105 F 4
Gogolin 113 E 5
Gohfeld 108-109 G 2
Göhl 102-103 JK 2
Göhlen 110-111 KL 1
Gohlis 110-111 H 3
Göhlsdorf 104-105 A 6
Gohr 120 C 4
Gohrau 110-111 FG 2
Göhrde [Landschaft] 102-103 J 4
Göhrde [Ort] 102-103 J 4
Gohren [= Gorzyno, 2 km ↘ Stojentin 104-105 KL 1]
Göhren 104-105 C 2
Göhren [= Górzyn] 110-111 LM 2
Goirle 106-107 E 5
Goisern, Bad – 118-119 F 3
Gojac = Goyatz 110-111 K 1
Gola = Guhlau
Gołańcz 104-105 K 5
Golanka = Heidau
Gołaszyn = Lindau 110-111 N 2
Gölbner 118-119 D 5
Golce = Neugolz 104-105 H 4
Golczewo = Gülzow 104-105 E 3
Goldap 112 H 3
Goldap [= Gołdap] 112 H 3
Goldap
Goldap
Goldapgarsee 112 GH 3
Goldau 116-117 G 2
Goldau [= Gałdowo] 112 B 4
Goldbach [Deutschland, Bayern] 108-109 H 6-7
Goldbach [Deutschland, Thüringen] 110-111 C 4
Goldbach [Tschechoslowakei] 113 A 5
Goldbach [= Slavinsk] 112 F 2
Goldbeck 102-103 L 5
Goldbeck [= Głodowa] 104-105 HJ 3
Goldberg [Deutschland] 102-103 M 3
Goldberg [Tschechoslowakei] 110-111 H 5
Goldberg [= Złotoryja] 110-111 NO 3
Goldberge 112 E 5
Goldberger See 102-103 M 3
Goldegg 118-119 E 4
Goldelund 102-103 F 1
Goldene Aue 110-111 C 2-D 3
Goldenöls [= Zlatá Olešnice, 4 km ↘ Schatzlar 110-111 N 4]
Goldenstedt 102-103 DE 5
Goldenstein [= Branná] 113 C 5
Goldfließ 112 G 2
Goldlauter 110-111 C 4
Goldmoor [= Szydłów] 113 D 4
Gołdopiwo, Jezioro – = Goldapgarsee 112 GH 3
Goldscheuer 114-115 B 3
Goldschmiede [= Cholmogorovka] 112 DE 2
Golęcino, Szczecin – = Stettin-Frauendorf 104-105 DE 4
Golenice = Schildberg 104-105 E 5
Goleniów = Gollnow 104-105 E 3
Golin = Gollin 104-105 H 4
Golina [Polen, ↓ Jarotschin] 113 CD 2
Golina [Polen, ↖ Konin] 113 E 1
Goliszew 113 E 2
Goliszów = Göllschau 110-111 NO 3
Gołkojce = Kolkwitz 110-111 K 2
Gołkowice = Golkowitz 113 EF 6
Golkowitz [= Gołkowice] 113 EF 6
Golkrath 120 B 4
Gollach 114-115 G 1
Gollantsch = Gołańcz 105 K 5
Gollenberg 104-105 H 2
Göller 118-119 JK 3
Göllersbach 118-119 L 2
Göllersdorf 118-119 L 1-2
Göllheim 108-109 F 7
Gollhofen 114-115 G 1
Gollin 104-105 C 4
Gollin [= Golin] 104-105 H 4
Golling 118-119 G 4
Golling an der Salzach 118-119 E 3
Göllingen 110-111 D 3
Gollmitz [Brandenburg, Niederlausitz] 110-111 J 2
Gollmitz [Brandenburg, Uckermark] 104-105 C 4
Gollmütz [= Chełmsko] 104-105 FG 5
Gollnow [= Goleniów] 104-105 E 3
Göllschau [= Goliszów] 110-111 NO 3
Gollub-Dobrschin = Golub-Dobrzyń 104-105 NO 4
Gollubien = Unterfelde 112 J 3
Golm 104-105 D 3
Golmbach 108-109 J 3
Golmberg 110-111 H 1
Golmsdorf 110-111 E 4
Gołogóra = Breitenberg 104-105 J 2
Gołogóra = Gollenberg 104-105 H 2
Golovkino = Elchwerder 112 F 2
Gols 118-119 M 3
Gölsen 118-119 K 2
Golßen 110-111 J 2
Golubaja = Goldfließ 112 G 2
Golub-Dobrzyń 104-105 NO 4
Golubie = Unterfelde 112 J 3
Gołuchów 113 D 2
Gölzau, Weißandt- 110-111 EF 2
Golze 110-111 L 2
Golzow [Brandenburg, Oderbruch] 104-105 D 5
Golzow [Brandenburg, Zauche] 110-111 G 1
Golzow [7 km → Altenhof 104-105 C 5]
Gomadingen 114-115 EF 4
Gomaringen 114-115 E 4
Gommern 110-111 E 1
Gompitz [4 km ↑ Freital 110-111 J 3]
Goms 116-117 F 4
Gondek = Gądki 113 C 1
Gondelsheim [6 km ↖ Prüm 108-109 B 6]
Gondo = Ruden 116-117 F 4
Goniads = Goniądz 112 J 5
Goniądz 112 J 5
Gönnern 108-109 FG 5
Gönningen 114-115 E 4
Gonrieux 106-107 CD 8
Gonsans 116-117 B 2
Gonsawa = Gąsawa 104-105 L 5
Gonsken = Herzogskirchen 112 HJ 4
Gontenbad [5 km ← Appenzell 116-117 HJ 2]
Gontenschwil [1 km ↓ Zetzwil 116-117 F 2]
Gontkowitz = Schönkirch 113 CD 2
Gontyniec = Tempelsberg 104-105 J 5
Gooi 106-107 E 4
Gooik 106-107 C 7
Goor 106-107 H 4
Goor, Sint-Job-in-'t- 106-107 D 6
Göpfritz an der Wild 118-119 JK 1
Gopło, Jezioro – = Goplosee 104-105 M 5
Goplosee 104-105 M 5
Goppenstein 116-117 E 4
Göppingen 114-115 F 3
Góra [Polen, ← Hohensalza] 104-105 L 5
Góra [Polen, ← Jarotschin] 113 C 2
Góra = Guhrau 113 B 2
Goraj = Goray 104-105 HJ 5
Goral [= Górale] 104-105 O 4
Górale = Goral 104-105 O 4
Góralice = Görlsdorf
Góra Siemieżycka = Schimmritzberg 104-105 K 2
Gorawino = Gervin 104-105 F 3
Goray [= Bzowo] 104-105 HJ 5
Görbitsch [= Garbicz] 110-111 LM 1
Görchen [= Miejska Górka] 113 B 2
Gorden 110-111 J 2
Gordola [4 km → Locarno 116-117 G 4]
Gordona 116-117 H 4
Górecko = Alt Gurkowschbruch 104-105 G 5
Goręczyno = Gorrenschin 104-105 M 2
Gorgast 104-105 E 5
Gorgonzola [7 km ↘ Brughèrio 116-117 H 5]
Göriach [3 km ↗ Mariapfarr 118-119 F 4]
Gorinchem 106-107 DE 5
Görisried [4 km ↙ Wald 114-115 H 5]
Göritten [= Puškino] 112 J 2
Göritz 104-105 C 4
Göritz (Oder) [= Górzyca] 104 105 E 6
Görkau [= Jirkov] 110-111 H 4
Görke [= Górki (Pomorskie)] 104-105 F 3
Górki = Gurkow 104-105 FG 5
Górki (Pomorskie) = Görke 104-105 F3
Górki Wschodnie = Östlich Neufähr 104-105 N 2
Gorkum 110-111 D 5
Gorlago 116-117 J 5
Gorla Minore 116-117 G 5
Gorleben 102-103 K 4
Görlitz 110-111 L 3
Görlitzen = Gerlitzen 118-119 F 5
Görlitzer Neiße = Lausitzer Neiße 110-111 L 2
Görlitz (polnisch verwaltet) [= Zgorzelec] 110-111 M 3
Gorlosen 102-103 KL 4
Görlsdorf [= Góralice, 5 km → Bad Schönfließ Neumark 104-105 E 5]
Görmin 104-105 B 3
Görmitz 104-105 CD 2
Górne = Gurnen 112 HJ 3
Gornergletscher 116-117 E 5
Gornergrat 116-117 E 5
Górnica = Gornitz 104-105 H 5
Gornitz [= Górnica] 104-105 H 5
Gornja Radgona = Oberradkersburg 118-119 KL 5
Gorno [6 km ↑ Vertova 116-117 J 5]
Gornsdorf 110-111 G 4
Górny Śląsk = Oberschlesien 113 C 4-E 5
Górowo = Konradswaldau
Górowo Iławeckie = Landsberg (Ostpreußen) 112 D 3
Gorredijk, Ooststellingwerf- 106-107 G 2-3
Gorrenschin [= Goręczyno] 104-105 M 2
Gorrsel-Eefde 106-107 G 4
Görsbach [4 km ↗ Heringen 110-111 C 3]
Gorschendorf 102-103 N 3
Görschitz 118-119 H 4-5
Görsdorf 110-111 H 2
Görsdorf [= Ogorzeliny] 104-105 KL 3
Górsk = Gurske 104-105 MN 4
Gorssel 106-107 G 4
Görwihl 114-115 C 5
Goryń = Guhringen 112 B 4
Gorzanów = Grafenort 113 B 5
Görzig 110-111 K 1
Görzke 110-111 F 1
Górzno 113 D 2
Gorzów Śląski = Landsberg (Oberschlesien) 113 E 3
Gorzów Wielkopolski = Landsberg (Warthe) 104-105 F 5
Gorzuchowo Chełmińskie = Gottersfeld 104-105 N 4
Górzyca = Göritz (Oder) 104-105 E 6
Gorzyce 104-105 L 5
Górzyn = Göhren 110-111 LM 2
Gorzyno = Gohren
Gosau 118-119 F 3
Gosauseen 118-119 F 3
Gosćeraz = Groß Gastrose 110-111 L 2
Göschenen 116-117 FG 3
Goscheschin = Gościeszyn 104-105 L 5
Goschütz [= Goszcz] 113 CD 3
Gościęcin = Kostenthal 113 E 5
Gościejewo = Bülowsthal 104-105 J 5
Gościeradz 104-105 L 4
Gościeszyn 104-105 L 5
Gościkowo = Paradies 104-105 G 6
Gościm = Gottschimm 104-105 G 5
Gościno = Groß Jestin 104-105 G 2
Gósciszowice = Gießmannsdorf
Gosda [6 km ↘ Gosda-Haidemühl 110-111 K 2]
Gosda-Haidemühl 110-111 K 2
Gosdorf 118-119 K 5
Goseck 110-111 E 3
Gösel 110-111 G 3
Gosenbach [2 km ↑ Niederschelden 108-109 EF 5]
Gosheim 114-115 D 4
Gösing 118-119 J 3
Goskar [= Gostchorze, 5 km → Crossen (Oder) 110-111 M 1]
Goslar 110-111 B 2
Gosław = Gützlaffshagen 104-105 F 2
Gosławice 113 E 1
Goslawicer See = Jezioro Gosławskie 104-105 M 6
Gosławskie, Jezioro – 104-105 M 6
Goslin = Murowana Goślina 104-105 K 5
Gossa 110-111 FG 2
Gossau 116-117 H 2
Gößeck 118-119 H 4
Gosselies 106-107 CD 8
Gossengrün [= Krajková] 110-111 FG 5
Gossensaß [= Colle Isarco] 116-117 MN 3
Gossentin 104-105 M 1
Göß, Leoben- 118-119 J 4
Goßlerhof [= Świątkowo] 104-105 L 5
Goßlershausen 104-105 O 4
Goßmannsdorf am Main 114-115 FG 1
Goßmar 110-111 J 2
Goßnau = Kaznau 114-115 N 1
Gößnitz 110-111 FG 4
Gossoncourt = Goetsenhoven 106-107 DE 7
Gossow [= Goszków] 104-105 E 5
Gößweinstein 114-115 J 1
Gostchorze = Goskar
Gostine 113 F 5
Gostingen = Gostyń 113 BC 2
Gösting, Graz- 118-119 J 4
Gostkowo = Gustkow 104-105 KL 2
Göstling an der Ybbs 118-119 HJ 3
Gostomia = Arnsfelde 104-105 H 4
Gostycyn = Liebenau 104-105 L 4
Gostyczyn = Gostyczyna 113 E 2
Gostyczyna 113 E 2
Gostyń 113 BC 2
Gostyń = Groß Justin 104-105 E 2
Gostynia = Gostine 113 F 5
Gostyń Stary 113 B 2
Goszcz = Goschütz 113 CD 3
Goszczanów 113 EF 2
Goszczanowo = Guscht 104-105 G 5
Goszczyna = Gusten 113 C 4
Goszków = Gossow 104-105 E 5
Gotendorf [= Choczewo] 104-105 LM 1
Gotenhafen = Gdingen 104-105 N 1
Gotha 110-111 C 4
Gotha-Siebleben 110-111 C 4
Gotschdorf [= Hošt'álkovy] 113 D 5
Gottberg 102-103 N 5
Göttchendorf [= Godkowo] 112 C 3
Gottenheim 114-115 B 4
Gottersfeld [= Gorzuchowo Chełmińskie] 104-105 N 4
Gottesberg (Schlesien) [= Boguszów] 110-111 O 4
Gottesgab [= Boží Dar] 110-111 G 5
Gotteskoogsee 102-103 E 1
Gottesthal [= Valdieu] 116-117 CD 1
Götting [5 km ← Bad Aibling 114-115 KL 5]
Göttingen 108-109 JK 3
Göttinsee 104-105 A 6
Göttkendorf [= Gutkowo] 112 DE 4
Gottleuba, Bad – 110-111 JK 4
Gottmadingen 114-115 D 5
Gottorp, Schloß – 102-103 FG 1-2
Gottsbüren 108-109 J 3
Gottschimm [= Gościm] 104-105 G 5
Gottwaldov 101 H 4
Göttweig, Stift – 118-119 K 2
Götz [2 km ↗ Jeserig 110-111 G 1]
Götzens bei Innsbruck [4 km ← Natters 116-117 M 2]
Götzer Berg 110-111 G 1
Götzis 116-117 J 2
Gouda 106-107 D 4
Goudswaard 106-107 C 5
Gouhenans 116-117 BC 1
Gouvy 106-107 FG 8
Gouwe Aar 106-107 D 4
Gouwzee 106-107 E 4
Goux-les-Usiers 116-117 B 3
Gowidlino 104-105 L 2
Gowidlinoer See 104-105 L 2
Gowienica = Gubenbach 104-105 E 3
Goworów = Lauterbach
Goyatz 110-111 K 1
Gozd = Gust 104-105 J 2
Gozdnica = Freiwaldau 110-111 M 3
Gozdow = Gozdowo 113 D 1
Gozdowice = Güstebiese 104-105 D 5
Gozdowo 113 D 1
Gozzano 116-117 F 5

Graafschap 106-107 GH 4
Graal-Müritz, Ostseebad – 102-103 M 2
Graase [= Gracze] 113 D 4
Graauw en Langendam 106-107 C 6
Grab 113 D 1
Grabau [= Grabowno] [Polen, ↗ Kolmar in Posen] 104-105 K 4
Grabau [= Grabowo] [Polen, ↗ Löbau] 112 C 4
Graben 114-115 C 2
Gräben 110-111 F 1
Gräben [= Grabina] 113 A 4
Gräbendorf 110-111 J 1
Grabenland 118-119 K 5
Grabenstätt 114-115 M 5
Graber [= Kravaře] 110-111 K 4
Gräbern-Prebl 118-119 H 5
Grabfeld 110-111 B 5
Grabia 113 F 2-3
Grabianowo 113 B 1
Grabienice 113 E 1
Grabig [= Grabik] 110-111 M 2
Grabin = Grüben 113 D 4
Grabina = Gräben 113 A 4
Grabkowo 104-105 O 5
Grabnick [= Grabnik] 112 H 4
Grabnik = Grabnick 112 H 4
Grabno = Wintershagen 104-105 JK 1
Grabo 110-111 G 2
Graboszewo 113 D 1
Grabow [Mecklenburg] 102-103 L 4
Grabow [Niedersachsen] 102-103 K 4
Grabow [Pommern, Fluß] 104-105 H 2
Grabow [Pommern, Meer] 102-103 N 2
Grabow [Sachsen-Anhalt] 110-111 EF 1
Grabow [= Grabowo] 104-105 D 4
Grabów 113 G 1
Grabowa = Grabow 104-105 H 2
Grabowen = Arnswald 112 H 3
Grabów nad Prosną 113 E 2
Grabowno = Grabau 104-105 K 4
Grabowno Wielkie = Groß Graben 113 CD 3
Grabowo [Polen, ↗ Jarotschin] 113 D 1
Grabowo [Polen, ← Osowiec] 112 H 5
Grabowo [Polen, ↑ Wongrowitz] 104-105 K 5
Grabowo = Alt Grabau 104-105 M 2
Grabowo = Arnswald 112 H 3
Grabowo = Grabau 112 C 4
Grabowo = Grabow 104-105 D 4
Grabs 116-117 H 2
Graburg
Grachaux, Oiselay-et- 116-117 A 2
Grächen [4 km ↗ Sankt Niklaus Valais 116-117 E 4]
Gracze = Graase 113 D 4
Grades 118-119 G 5
Gradetsch [= Granges, 5 km ↗ Bramois 116-117 D 4]
Graditz 110-111 H 2
Grądki = Groß Thierbach 112 C 3
Gradlitz [= Choustníkovo Hradiště, 3 km ↗ Schurz 110-111 N 5]
Gräfelfing 114-115 J 4
Grafenau 114-115 N 3
Grafenbach [2 km ↙ Wimpassing 118-119 L 3]
Grafenberg 118-119 K 1
Gräfenberg 114-115 J 1
Gräfendorf 108-109 J 6
Grafendorf bei Hartberg 118-119 KL 4
Gräfenhain 110-111 C 4
Gräfenhain [= Grotów] 110-111 LM 2
Gräfenhainichen 110-111 FG 2
Grafenhausen 114-115 C 5
Gräfenhausen 108-109 G 7
Grafenkirchen 114-115 M 2
Grafenort [= Gorzanów] 113 B 5
Grafenrheinfeld 110-111 B 5-6
Gräfenroda 110-111 C 4
Grafenschachen [5 km ↙ Pinkafeld 118-119 L 4]
Grafenschlag 118-119 J 1
Grafenstaden, Illkirch- [= Illkirch-Graffenstaden] 114-115 B 3
Grafenstein 118-119 GH 5
Gräfenthal 110-111 D 4
Gräfentonna 110-111 C 3
Grafenweiler [= Kolonowskie] 113 E 4
Grafenwöhr 114-115 K 1
Grafenwörth 118-119 K 2
Graffenstaden, Illkirch- = Illkirch-Grafenstaden 114-115 B 3
Gräfinau-Angstedt 110-111 CD 4
Grafing bei München 114-115 KL 4
Gräfrath, Solingen- 120 E 4
Grafschaft 108-109 F 4
Grafschaft Bentheim 102-103 A 5-B 6
Graft 106-107 D 3
Gràglia 116-117 E 5
Graide 106-107 E 9
Graie, Alpi – = Grajische Alpen 116-117 C 6-E 5
Graies, Alpes – = Grajische Alpen 116-117 C 6-E 5
Grainau 114-115 J 6
Grajewo 112 H 4
Grajische Alpen 116-117 G 6-E 5
Gralewo = Gralow 104-105 F 5
Gralow [= Gralewo] 104-105 F 5
Gramais 116-117 L 2
Gramastetten 118-119 G 2
Gramatheusiedl [3 km ↙ Ebergassing 118-119 LM 2]
Grambin [3 km ↖ Ueckermünde 104-105 D 3]
Grambow 104-105 D 4
Gramenz [= Grzmiąca] 104-105 H 3
Grammen [= Grom] 112 E 4
Grammentin 102-103 NO 3
Grammont 116-117 C 4
Grammont = Geraardsbergen 106-107 B 7
Gramsbergen 106-107 H 3
Gramschütz [= Grębocice] 110-111 O 2
Gramsdorf [= Bukowiec] 104-105 J 5
Gramtschen [= Grębocin] 104-105 N 4
Gramzow 104-105 CD 4
Gran 101 J 4
Gran [= Esztergom] 101 J 5
Gran Cemetta 116-117 E 5
Grancy 116-117 B 3
Grandate 116-117 H 5
Grand Ballon = Großer Belchen 116-117 D 1
Grand-Bornand, le – 116-117 B 5
Grand Canal d'Alsace = Rhein-Seitenkanal 114-115 B 5, 116-117 DE 1
Grand'Combe-Chateleu, la – 116-117 C 2
Grand Combin 116-117 D 5
Grandcour [5 km ↓ Portalban 116-117 CD 3]
Grande 102-103 H 3
Grande Helpe 106-107 BC 8
Grande Rousse 116-117 D 5
Grande Sassière 116-117 CD 6
Grandes Jorasses 116-117 CD 5
Grand Eyvia 116-117 D 5
Grand-Halleux 106-107 FG 8
Grandhan 106-107 EF 8
Grandingen [= Borszyn Mały, 4 km → Guhrau 113 B 2]
Grand-Leez 106-107 D 7
Grandmenil 106-107 F 8
Grand Mont 116-117 C 5
Grand Muveran 116-117 D 4
Grandorf = Granowiec 113 D 2
Grand-Saconnex, Le – 116-117 B 4
Grandsee = Grandson 116-117 C 3
Grandson 116-117 C 3
Grandvillers 116-117 CD 1
Grange, Pointe de – 116-117 C 4
Granges = Gradetsch
Granges-près-Marnand 116-117 CD 3
Gränichen [5 km ↘ Aarau 116-117 F 2]
Granier 116-117 C 5
Granitz 104-105 C 2
Granitzthal [4 km ← Sankt Paul im Lavanttal 118-119 H 5]
Granow [= Granowo] 104-105 F 4
Granowiec = Grandorf 113 D 2
Granowo 113 B 1
Granowo = Granow 104-105 F 4
Gran Paradiso 116-117 D 5
Gran-Paradiso-Nationalpark 116-117 D 5-6
Gran Paradiso, Parco nazionale – = Gran-Paradiso-Nationalpark 116-117 D 5-6
Gran Pilastro = Hochfeiler 118-119 B 5
Gransee 104-105 B 4
Granterath 120 B 4
Gran Zebrù = Königsspitze 116-117 L 4
Granzin [Mecklenburg, ↖ Neustrelitz] 102-103 N4
Granzin [Mecklenburg, ↗ Parchim] 102-103 L 3-4
Grapzow [4 km ↗ Altentreptow 104-105 B 3]
Grasberg 110-111 H 5
Grasdorf 108-109 J 2
Grasgirren = Dingelau 112 H 3
Grasleben 110-111 CD 1
Graslitz [= Kraslice] 110-111 G 5
Grassau 114-115 LM 5
Grassee [= Studnica] 104-105 G 4
Gråsten = Gravenstein 102-103 FG 1
Grathem 106-107 F 6
Gratkorn 118-119 J 4
Gratschen = Kratschenberg 110-111 K 4
Gratwein 118-119 J 4
Grätz [= Grodzisk Wielkopolski] 113 A 1
Grätz [= Hradec] 113 D 6
Gratzen [= Nové Hrady] 118-119 H 1
Graubünden 116-117 H-K 3
Graudenz [= Grudziądz] 104-105 N 3-4
Graudschen, Argeningken- = Argenhof
Graudzen, Argeningken- = Argenhof
Graue Hörner 116-117 H 3
Grauhörner 116-117 H 3
Graun im Vintschgrau [= Curon Venosta] 116-117 L 3
Gràuno 116-117 M 4
Graupen [= Krupá] 110-111 J 5
Graupen [= Krupka] 110-111 J 4
Graustein 110-111 KL 2
Grave 106-107 F 5
Gravedona 116-117 H 4
Gravellona Toca 116-117 F 5
Graven = Grez-Doiceau 106-107 D 7
Gravenbrakel, 's- = Braine-le-Comte 106-107 C 7
Gravendeel, 's- 106-107 CD 5
Gravenhage, 's- = Den Haag 106-107 C 4
Gravenstein [= Gråsten] 102-103 FG 1
Gravenwezel, 's- [4 km ↖ Schilde 106-107 D 6]
Grävenwiesbach 108-109 FG 6
Gravenzande, 's- 106-107 C 4
Gray 101 B 5
Graz 118-119 J 4
Graz-Andritz 118-119 J 4
Grazer Feld 118-119 J 4-5
Graz-Gösting 118-119 J 4
Graz-Mariatrost 118-119 K 4
Graz-Straßgang 118-119 J 4
Graz-Waltendorf 118-119 JK 4
Grebbin 102-103 L 3
Grebenau 108-109 H 5
Grebenhain 108-109 H 6
Grebenstein 108-109 H 4
Grebenzen 118-119 G 4
Grębocice = Gramschütz 110-111 O 2
Grębocin = Gramtschen 104-105 N 4
Greding 114-115 J 2
Greene 108-109 J 3
Greetsiel 102-103 B 3-4
Greffen 108-109 F 3
Grefrath bei Krefeld 120 B 3
Greifenberg 114-115 J 4
Greifenberg in Pommern [= Gryfice] 104-105 F 3

Greifenburg 118-119 E 5
Greifenhagen [= Gryfino] 104-105 DE 4
Greifenhain [Brandenburg] 110-111 K 2
Greifenhain [Sachsen] 110-111 G 3
Greifensee [Ort] 116-117 G 2
Greifensee [See] 116-117 G 2
Greifenstein 108-109 F 5
Greiffenberg 104-105 CD 4
Greiffenberg in Schlesien [= Gryfów Śląski] 110-111 MN 3
Greifswald 104-105 B 2
Greifswald-Eldena 104-105 B 2
Greifswalder Bodden 104-105 BC 2
Greifswalder Oie 104-105 CD 2
Greifswald-Wiek 104-105 B 2
Grein 118-119 H 2
Greinapass 116-117 G 3
Greisau [= Gryżów] 112 CD 5
Greißelbach 114-115 JK 2
Greith 118-119 J 3
Greiz 110-111 F 4
Grem'ačje = Birken (Ostpreußen) 112 G 2
Grembergen 106-107 C 6
Gremersdorf 102-103 JK 2
Gremilly, Mercury- 116-117 B 5
Gremsdorf [= Gromadka] 110-111 N 3
Grenchen 116-117 D 2
Grenchenbergtunnel 116-117 D 2
Grengiols 116-117 F 4
Grentzingen = Grenzingen 116-117 D 1
Grenzach [3 km ← Wyhlen 114-115 B 5]
Grenzbach 102-103 N 3
Grenzdorf = Kuchary 113 DE 2
Grenzhammer (Niederschlesien) [= Kuźnica Czeszycka] 113 C 3
Grenzhausen = Słupca 113 D 1
Grenzhausen, Höhr- 108-109 E 6
Grenzhöhe 112 J 2
Grenzin 102-103 N 2
Grenzingen [= Grentzingen] 116-117 D 1
Grenzlandring 120 B 4
Grenzmark Posen-Westpreußen [101 GH 2-3]
Grenztal [= Kamienica] 113 BC 5
Grenzwacht [= Zawady-Tworki] 112 J 4
Grenzwald [= Pugačevo] 112 J 1
Greppin 110-111 F 2
Gresenhorst 102-103 M 2
Gressan [4 km ↗ Aosta 116-117 D 5]
Gresse 102-103 J 4
Gressenich 108-109 B 5
Gressoney-la-Trinité 116-117 E 5
Gressoney-Saint-Jean 116-117 E 5
Gressoney, Val di - 116-117 E 5
Gressow 102-103 K 3
Grethal 110-111 AB 5
Gresten 118-119 J 3
Grésy-sur-Isère 116-117 B 5
Grethen 110-111 G 3
Grettstadt 110-111 B 6
Greußen 110-111 CD 3
Greutingen = Schadlowitz 104-105 M 5
Grevelingen 106-107 BC 5
Greven [Mecklenburg] 102-103 J 4
Greven [Nordrhein-Westfalen] 108-109 E 2
Grevenbroich 120 C 4
Grevenbrück 120 J 4
Grevenhagen 108-109 GH 3
Grevenmacher [Ort, Verwaltungseinheit] 106-107 G 9
Grevenstein 120 J 3
Grevesmühlen 102-103 K 3
Grez-Doiceau [= Graven] 106-107 D 7
Grezzana 116-117 M 5
Griankopf 116-117 K 3
Gribow [= Grzybowo] 104-105 FG 2
Grieben [Brandenburg, → Neuruppin] 104-105 B 5
Grieben [Mecklenburg, ↙ Wismar] 102-103 K 3
Grieben [Sachsen-Anhalt, ↗ Burg (Bezirk Magdeburg)] 110-111 E 1
Griebenau [= Grzybno Chełmińska, 5 km ↘ Unisław 104-105 M 4]
Griebenow 104-105 D 2
Griefstedt 110-111 D 3
Griend 106-107 E 2
Gries 108-109 E 9
Griesalp 116-117 E 3
Gries am Brenner 116-117 M 2
Griesbach 118-119 HJ 1
Griesbach, Bad - 114-115 C 4
Griesbach im Rottal 114-115 N 4
Griesel [= Gryżyna] 110-111 M 1
Griesen 114-115 H 6
Griesheim 108-109 FG 7
Griesingen 114-115 H 4
Gries in Sellrain 116-117 M 2
Grieskirchen 118-119 F 2
Grieskogl 116-117 M 2
Grieslienen [= Gryźliny] 112 D 4
Griespass 116-117 F 4
Grießen 114-115 C 5
Grießenpaß 118-119 D 4
Griesstätt 114-115 L 4-5
Grieth 120 B 1
Griethausen 120 A 1
Griffen 118-119 H 5
Griffen [= Grzywna] 104-105 N 4
Grigia, Testa - 116-117 E 5
Grignasco 116-117 F 5
Grigno 116-117 N 4
Grijpskerk 106-107 G 2
Grillenberg [3 km ↙ Berndorf 118-119 L 3]
Grimbergen 106-106 C 7
Grimma 110-111 G 3
Grimma-Kloster Nimbschen 110-111 G 3
Grimmelfingen = Ulm-Grimmelfingen
Grimmelsberg 102-103 H 2
Grimmen 104-105 B 2
Grimmenthal, Obermaßfeld-110-111 BC 4
Grimmialp 116-117 D 3
Grimming 118-119 FG 3
Grimnitzsee 104-105 C 5
Grimselpass 116-117 F 3
Grindelwald 116-117 F 3
Grins 116-117 L 2
Grinzing = Wien-Grinzing
Grischow 104-105 B 3
Grisch, Piz - 116-117 HJ 3
Grischun = Graubünden 116-117 H-K 3
Grisons = Graubünden 116-117 H-K 3
Gristow [= Chrząszczewo] 104-105 E 3
Grivegnée 106-107 F 7
Grivola 116-117 D 5
Grobbendonk 106-107 D 6
Gröben 110-111 F 3
Gröbenzell 114-115 J 4
Gröbers 110-111 F 3
Gröbming 118-119 F 4
Gröbnig [= Grobniki] 113 D 5
Grobniki = Gröbnig 113 D 5
Gröbzig 110-111 E 2
Grochowice = Heidegrund 110-111 NO 2
Grochowy 113 E 1
Grochwitz = Heidegrund 110-111 NO 2
Gröde-Appelland 102-103 E 1
Groden = Grodzisko 113 D 2
Gröden 110-111 J 3
Groden, Cuxhaven- 102-103 E 3
Grödig 118-119 E 3
Grodis = Burghof 113 E 4
Grodisko = Burghof 113 E 4
Gröditz 110-111 H 3
Gröditzberg 110-111 N 3
Gródk (Łużyca) = Spremberg (Niederlausitz) 110-111 K 2
Grodków = Grottkau 113 C 4
Grödnertal 116-117 N 3
Grodno 101 LM 2
Grodziczno 112 C 5
Grodziec 113 E 1
Grodziec = Gröditzberg 110-111 N 3
Groszisko 113 D 2
Grodzisko = Burghof 113 E 4
Grodzisko = Heidenberg
Grodzisk Wielkopolski = Grätz 113 A 1
Groede 106-107 AB 6
Groenlo 106-106 H 4
Groesbeek 106-107 F 5
Grohnde 108-109 H 2
Groisy 116-117 B 4
Groitzsch 110-111 F 3
Grom = Grammen 112 E 4
Gromaden 104-105 K 4
Gromadka = Gremsdorf 110-111 N 3
Grömitz 102-103 J 2
Gromo 116-117 J 5
Gromowice = Grunwitz 113 D 3
Gronau 108-109 J 2
Gronau in Westfalen 108-109 CD 2
Grone 108-109 J 3
Grône [4 km ↗ Bramois 116-117 D 4]
Grone an der Brahe = Krone an der Brahe 104-105 L 4
Grönenbach 114-115 G 5
Grönhart 114-115 HJ 3
Groningen [Ort] 106-107 H 2
Groningen [Verwaltungseinheit] 106-107 G 2-J 3
Gröningen 110-111 D 2
Groninger Wad 106-107 GH 2
Gronlait 116-117 M 4
Gronów = Grunow bei Wutschdorf 110-111 M 1
Gronowo = Grunau [Ostpreußen, ↗ Braunsberg (Ostpreußen)] 112 C 3
Gronowo = Grunau [Ostpreußen, ↙ Elbing] 112 B 3
Gronowo = Grunau Höhe 112 BC 3
Grønsund 102-103 M 1
Gronsveld 106-107 F 7
Grönwohld 102-103 HJ 3
Groot-Ammers 106-107 D 5
Grootebroek 106-107 E 3
Grootegast 106-107 G 2
Groote Nete [Fluß ▷ Demer] 106-107 D 7
Groote Nete [Fluß ▷ Nete] 106-107 DE 6
Groote Plaat 106-107 E 2
Gröpelingen, Bremen- 102-103 E 4
Grosbliederstroff = Großblittersdorf 108-109 CD 8
Grosbous 106-107 F 9
Groschowitz [= Groszowice] 113 DE 4
Grósio 116-117 K 4
Grosotto 116-117 K 4
Grossaffoltern 116-117 D 2
Großaitingen 114-115 H 4
Großalbrechtsort [= Piwnice Wielkie] 112 EF 5
Großalmerode 108-109 J 4
Großalsleben 110-111 D 2
Großaltdorf 114-115 FG 2
Groß Ammensleben 110-111 DE 1
Großsandelfingen 116-117 G 1
Großarl 118-119 E 4
Groß Arnsdorf [= Jarnołtowo] 112 BC 4
Großaspach 114-115 E 3
Großauheim 108-109 GH 6
Groß Aupa [= Velká Úpa] 110-111 N 4
Groß Bandtken = Pankendorf 112 A 4
Groß Bartelsdorf [= Bartołty Wielkie] 112 E 4
Großbartloff [4 km ↗ Geismar 110-111 B 3]
Groß Baudiß [= Budziszów Wielki] 113 A 3
Groß Baum [= Sosnovka] 112 F 2
Großbeeren 104-105 B 6
Groß Behnitz 102-103 N 5
Groß Bellschwitz [= Bałoszyce] 112 B 4
Groß Berkel 108-109 H 2
Groß Berschkallen = Birken (Ostpreußen) 112 G 2
Groß Berßen 102-103 BC 5
Groß-Bieberau 108-109 G 7
Groß Bisdorf [3 km ↙ Griebenow 104-105 B 2]
Groß Bislaw [= Bysław] 104-105 LM 3-4
Großblittersdorf [= Grosbliederstroff] 108-109 CD 8
Groß Blumberg [= Brody] 110-111 MN 1
Groß Blumenau [= Świniary Wielkie] 113 DE 3
Großbockenheim 108-109 F 7
Großbodungen 110-111 BC 3
Groß Borckenhagen [= Borkowo Wielkie] 104-105 FG 3
Groß Born [= Borne] 104-105 J 3
Groß Börnecke 110-111 DE 2
Groß Borowitz [= Borovnice, 3 km ↘ Falgendorf 110-111 N 4]
Groß Boschpol [= Bożepole Wielkie] 104-105 LM 1
Groß Bösendorf [= Toporzysko] 104-105 M 4
Großbösental = Groß Bösendorf 104-105 M 4
Groß Bößau [= Biesowo] 112 E 4
Großbothen 110-111 G 3
Großbottwar 114-115 E 2-3
Großbreitenbach 110-111 CD 4
Großbrembach 110-111 D 3
Groß Bresa [= Brzezina] 113 B 3
Groß Briesnig 110-111 L 2
Groß Brüskow [= Bruskowo Wielkie] 104-105 JK 2
Groß Brütz 102-103 K 3
Groß Bubainen = Waldhausen 112 G 2
Groß Buchwalde [= Bukwałd, 5 km ← Spiegelberg 112 DE 4]
Groß Buckow 110-111 K 2
Groß Bülten 110-111 B 1
Groß Bürglitz [= Velký Vřešťov] 110-111 N 5
Großburgwedel 102-103 G 5-6
Groß Burlo 108-109 C 3
Großburschla 110-111 B 3
Groß Butzig [= Buczek Wielkie] 104-105 K 4
Groß Cainowe = Friedrichskirch 113 C 3
Groß Cakowitz = Čakovice 110-111 L 5
Groß Cammin [= Kamień Wielkie] 104-105 E 5
Groß Chelm [= Wielkie Chełmy] 104-105 L 3
Groß Christinenberg [= Kliniska Wielkie] 104-105 E 4
Groß Cosel [= Gęsia Górka, 4 km ↘ Groß Wartenberg 113 D 3]
Groß Cronau = Cronau 112 E 4
Groß Czymochen = Reuß 112
Groß Dahlum 110-111 C 1
Groß Dammer [= Dąbrówka Wielkopolska] 110-111 N 1
Groß Damerkau [= Przedzięk Wielki] 112 EF 5
Groß Denkte 110-111 C 1
Großderschau 102-103 MN 5
Großdeuben 110-111 FG 3
Groß Dexen 112 E 3
Groß Dirschkeim [= Donskoje] 112 C 2
Groß Döbern 110-111 K 2
Groß Döbern = Döbern 113 D 4
Groß Dölln 104-105 C 5
Groß Dommatau [= Domatowo, 4 km ← Mechau 104-105 M 1]
Groß Dratow 102-103 N 3
Groß Dreidorf [= Dźwierszno Wielkie] 104-105 K 4
Groß Drensen [= Dzierżążno Wielkie] 104-105 H 4-5
Groß Droosden [= Žuravlevka] 112 EF 2
Groß Dubberow = Dubberow 104-105 H 3
Großdubrau 110-111 KL 3
Groß Dübsow [= Dobieszewo (Słupskie)] 104-105 K 2
Groß Düngen 108-109 JK 2
Große Aa 102-103 C 6
Große Ache = Kössner Ache 118-119 C 3
Große Blöße 108-109 J 3
Große Enz 114-115 CD 3
Große Erlauf 118-119 J 3
Große Heide = Hohe Heide 110-111 O 4
Große Isper 118-119 J 2
Große Kamp 118-119 HJ 1
Große Laaber 114-115 L 3
Große Laber = Große Laaber 114-115 L 3
Große Lauter 114-115 EF 4
Große Ley 120 B 2
Groß Elmenhorst = Elmenhorst 102-103 O 2
Große Mogilnitza 104-105 H 6
Große Mühl 118-119 G 1
Großenaspe 102-103 GH 3
Großenborau [= Borów, 3 km ↑ Langheinersdorf 110-111 N 2]
Großenbrode 102-103 K 2
Großenbrode Kai 102-103 K 2
Großen-Buseck 108-109 C 5
Großendorf [= Wielka Wieś] 104-105 K 1
Großenehrich 110-111 C 3
Großengersdorf 118-119 LM 2
Großengottern 110-111 BC 3
Großengstingen 114-115 E 4
Großenhagen [= Tarnowo] 104-105 E 3-4
Großenhagen = Magnuszewice 113 D 2
Großenhain 110-111 J 3
Großenheidorn 102-103 FG 6
Großenkneten 102-103 D 5
Großen-Linden 108-109 G 5
Großenlüder 108-109 HJ 5
Großenlupn tz [4 km ↗ Wutha (Thüringen) 110-111 B 4]
Großenritte 108-109 H 4
Großensee 102-103 H 3
Großenstein 110-111 F 4
Große Nuthe 110-111 F 1
Großenwiche 102-103 F 1
Großenzersdorf 118-119 M 2
Große Ohe 114-115 N 3
Grosser Aletschfirn 116-117 EF 4
Grosser Aletschgletscher 116-117 F 4
Großer Arber 114-115 N 2
Großer Auerberg 110-111 CD 2
Großer Beerberg 110-111 C 4
Großer Belchen 116-117 D 1
Großer Bösenstein 118-119 G 4
Großer Bosruck 118-119 G 3
Großer Böttinsee 104-105 H 4
Großer Brahekanal 104-105 L 3
Großer Chumberg 118-119 G 1
Großer Damerausee 112 D 5
Großer Dhünnbach 120 F 4
Großer Ettersberg 110-111 D 3
Großer Falkenstein 114-115 N 2
Großer Feldberg 108-109 F 6
Großer Friedrichsgraben 112 F 2
Großer Fulssee 104-105 F 4
Großer Galtenberg 118-119 BC 4
Großer Geh see 112 C 4
Großer Geiger 118-119 C 4
Großer Gleichberg 110-111 C 5
Großer Graben 104-105 A 5
Großer Griesstein 118-119 H 4
Großer Hammerbach 110-111 M 3
Großer Heuberg 114-115 DE 4
Großer Inselsberg 110-111 BC 4
Großer Jasmunder Bodden 104-105 B 1-C 2
Großer Kalmbasee 104-105 N 3
Großer Kalmberg 110-111 D 4
Großer Kämmerer See 104-105 H 3
Großer Ketscher See 104-105 J 6
Großer Klenschansee 104-105 LM 2
Großer Knechtsand 102-103 D 3
Großer Knetzberg 110-111 BC 6
Großer Knollen 110-111 B 2
Großer Kornberg 110-111 F 5
Grosser Krottenkopf 116-117 K 2
Großer Labussee 102-103 N 4
Großer Lancgraben 110-111 NO 2, 113 A 2
Großer Lautersee 112 E 3-4
Großer Lepczinsee 104-105 K 3
Grosser Litzner 116-117 K 3
Großer Löffler 118-119 BC 4
Großer Lübbesee 104-105 G 4
Großer Lubowsee 104-105 G 5
Großer Lychensee 104-105 B 4
Großer Maransensee 112 E 4
Großer Mauschsee 104-105 L 2
Großer Mözele 118-119 B 5
Großer Müggelsee 104-105 C 6
Großer Nischlitzsee 110-111 M 1
Große Rodl →
Großer Ölberg 108-109 D 5
Großer Osser 114-115 N 2
Großer Papenzinsee 104-105 J 2
Großer Peilstein 118-119 J 2
Großer Pielburgsee 104-105 HJ 3
Großer Plautziger See 112 D 4
Großer Pleislingkeil 118-119 EF 4
Großer Plöner See 102-103 H 2
Großer Prie 118-119 G 3
Großer Priezensee 104-105 G 4
Großer Pyhrgas 118-119 G 3
Großer Quesersee 104-105 K 3
Großer Rachel 114-115 N 3
Großer Rettenstein 118-119 C 4
Grosser Sankt Bernhard 116-117 D 5
Großer Schreeberg 113 B 5
Großer Schobensee 112 EF 4
Großer See 104-105 G 6
Großer See = Steinmarker See 104-105 K 4
Großer Selmentsee 112 HJ 4
Großer Sellmentsee = Großer Selmentsee 112 HJ 4
Großer Speikkogel 118-119 H 5
Großer Stechlinsee 104-105 AB 4
Großer Stubbensee 104-105 C 2
Großer Walcstein 110-111 E 5
Großer Wintersberg 108-109 E 9
Großer Woltiner See 104-105 E 4
Großer Zietherer See 104-105 K 3
Großer Zinnower See 104-105 L 5
Große Sandspitze 118-119 D 5
Große Saualpe 118-119 H 5
Grosse Scheidegg 116-117 F 3
Großes Gebirch [= Svetajevka] 112 FG 2
Grosse Schl eren 116-117 F 3
Große Schützinsel 101 HJ 4-5
Grosses Fiescherhorn 116-117 F 3
Großes Haff 104-105 DE 3
Großes Meer 102-103 B 4
Großes Moor 102-103 D 6
Großes Moosbruch 112 F 2
Große Sölk 118-119 F 4
Großes Sonnenstück 120 J 3
Großes Walsertal 116-117 J 2
Grosses Wannenhorn 116-117 F 4
Großes Wiesbachhorn 118-119 D 4
Große Tulln 118-119 K 2
Große Vils 114-115 L 4
Grosse Windgälle 116-117 G 3
Großfahner 110-111 C 3
Groß Falkenau [= Wielkie Wallichnowy] 104-105 N 3
Groß-Felda 108-109 H 5
Groß Friedrichsdorf [= Gastellovo] 112 G 1
Groß Friedrichsgraben I = Hinderburg 112 F 2
Groß Friedrichsgraben II = Ludendorff 112 F 2
Großfurra 110-111 C 3
Groß Gablick [= Gawliki Wielkie] 112 GH 3
Groß Gaglow [5 km ↓ Cottbus 110-111 K 2]
Groß Gandern [= Gądków Wielki] 110-111 LM 1
Groß Garde [= Gardna Wielka] 104-105 K 1
Großgartach 114-115 E 2
Groß Garten [= Pozezdrze] 112 G 3
Groß Garz 102-103 L 5
Groß Gastrose 110-111 L 2
Groß Gay [= Gać Wielki] 104-105 J 6
Groß-Gerau 108-109 F 7
Großgerungs 118-119 HJ 1
Groß Gievitz 102-103 N 3
Groß Gleidingen 110-111 B 1
Groß Glienicke 104-105 B 6
Großglobnitz 118-119 J 1
Großglockner 118-119 D 4
Großglocknerstraße 118-119 D 4
Großgmein 118-119 DE 3
Großgörschen 110-111 F 3
Groß Graben [= Grabowno Wielkie] 113 CD 3
Groß Grönau 102-103 J 3
Großgründlach 114-115 J 1
Groß Gustkow = Gustkow 104-105 KL 2
Großhabersdorf 114-115 H 2
Großhansdorf-Schmalenbeck 102-103 H 3
Großhartmannsdorf [Deutschland] 110-111 H 4
Großhartmannsdorf [Österreich] 118-119 K 4
Groß Hartmannsdorf [= Raciborowice] 110-111 N 3
Großhaslach 114-115 H 2
Groß Hehlen 102-103 H 5
Großheide 102-103 B 3
Groß Heinzendorf [= Jędrzychów] 110-111 NO 3
Großhennersdorf 110-111 L 4
Großheringen 110-111 E 3
Groß Hermenau [= Niebrzydowo Wielkie] 112 C 4
Groß Herrlitz [= Velké Heraltice] 113 D 6
Großherzogtum Luxemburg = Luxemburg 106-107 F 8-G 9
Groß Hesepe 102-103 B 5
Großhettingen [= Hettange-Grande] 108-109 B 8
Großheubach 114-115 E 1
Groß Heydekrug = Groß Heidekrug 112 C 2
Groß Heydekrug [= Vzmorje] 112 D 2
Groß Hluschitz [= Hlušice] 110-111 M 5
Großhöbing 114-115 J 2
Grosshöchstetten [2 km ↖ Zäziwil 116-117 E 3]
Großhöflein 118-119 L 3
Großholzhausen [3 km ↙ Raubling 114-115 L 5]
Großholzleute 114-115 G 5
Groß Hoschütz [= Velké Hoštice, 5 km → Troppau 113 D 6]
Groß Il men 112 G 3
Groß Ilsede 110-111 B 1
Grössin [= Krosino] 104-105 G 3
Großinzersdorf 118-119 M 1
Groß Jablau [= Jabłowo] 104-105 MN 3
Groß Jägersdorf 112 FG 2
Groß Jannewitz [= Janowice, 5 km ↖ Garzigar 104-105 L 1]
Groß Jehser 110-111 JK 2
Groß Jenkwitz [= Jankowice Wielkie] 113 C 4
Groß Jenznick [= Jęczniki Wielkie, 6 km ↘ Schlochau 104-105 K 3]
Groß Jestin [= Gościno] 104-105 G 2
Groß Justin [= Gostyń] 104-105 E 2
Großkadolz 118-119 L 1
Großkanizsa = Nagykanizsa 118-119 MN 6
Groß-Karben 108-109 G 6
Großkarolinenfeld 114-115 KL 5
Groß Karpowen = Karpauen 112 G 3
Groß Karzenburg [= Sępolno Wielkie] 104-105 J 3
Groß Katz, Gdingen- [= Gdynia-Wielki Kack] 104-105 L 1
Groß Kauern [= Kurzn a] 113 D 4
Großkayna 110-111 E 3
Groß Kiesow 104-105 BC 2
Groß-Kikinda = Kikinda 101 K 6
Groß Kirschbaum [= Trzeźniówek] 104-105 F 6
Groß Kleeberg [= Klebark Wielki] 112 E 4
Groß Kleschkau [= Kleszczewo] 104-105 M 2
Groß Klinsch [= Klincz Wielki] 104-105 M 2
Groß Kochen [= Kotór Wielki] 113 E 4
Groß Köllen [= Kolno] 112 EF 4
Großkölnbach 114-115 LM 3
Groß Konarczyn = Konarzyny 104-105 K 3
Groß Konopken = Hantten 112 G 4
Großkorbetha 110-111 F 3
Groß Kordshagen 102-103 N 2
Groß Köris 110-111 J 1
Groß Koschlau [= Koszelewy] 112 C 5
Großkosel [= Kozłowo] 112 D 5
Groß Koslau = Großkosel 112 D 5
Groß Kotten [= Kocień Wielki, 3 km ↖ Ascherbude 104-105 H 5]
Groß Kottorz = Groß Kochen 113 E 4
Groß Kottulin = Rodenau (Oberschlesien) 113 E 5
Großkötz 114-115 G 4
Groß Krebs [= Rakowiec] 112 AB 4
Groß Kreidel [= Krzydlina Wielka] 113 AB 3
Groß Kreutz 102-103 N 6
Groß Krössin [= Krosino] 104-105 H 3
Groß Kruschin [= Kruszyny] 104-105 O 4
Großkrut 118-119 M 1
Groß Kryszzahnen = Seckenburg 112 FG 1
Großkuchen 114-115 G 3
Groß Küdde [= Gwda Wielka] 104-105 J 3
Groß Kuhren [= Primorje] 112 D 1-2
Groß Kummerfeld 102-103 H 2
Groß Kuntschitz [= Kończyce Wielkie] 113 F 6
Groß Kunzendorf [= Sławniowice] 113 C 5
Groß Kunzendorf [= Velké Kunětice] 113 C 5
Groß Laasch 102-103 L 4
Groß Lafferde 110-111 B 1
Großlangheim 114-115 G 1
Groß Läswitz [= Lasowice Wielkie] 113 A 3
Groß Legitten [= Mordovskoje] 112 F 2
Groß Leistenau [= Lisnowo] 104-105 O 4
Groß Leschinen 112 F 5
Groß Lemkendorf [= Lamkowo] 112 E 4
Großlenkenau [= Lesnoje, 6 km → Untereißeln 112 H 1]
Groß Lenkeningken = Großlenkenau
Groß Lenki [= Łęki Wielkie, 4 km ↘ Konojad 113 B 1]
Groß Leppin 102-103 LM 5
Groß Leschienen [= Lesiny Wielkie] 112 F 5
Groß Lesewitz [= Lasowice Wielkie] 104-105 O 2
Groß Lessen 102-103 E 5
Groß Lessen [= Leśniów Wielki] 110-111 M 2
Groß Leuthen 110-111 K 1
Groß Lichtenau [= Lichnowy] 104-105 NO 2
Groß Lieskow 110-111 KL 2
Groß Lindenau [= Ozerki] 112 E 2
Groß Lindow 110-111 L 1
Groß Linichen [= Świerczyna (Drawska)] 104-105 H 4
Großlittgen 108-109 C 6
Großlobming [4 km → Zeltweg 118-119 H 4]
Groß Logisch [= Łagoszów Wielki, 2 km → Wiesau 110-111 NO 2]
Groß Lonk 104-105 M 4
Groß Loßburg [= Włościborz] 104-105 L 3
Groß Lubolz 110-111 J 2
Groß Luckow 104-105 C 3
Groß Lutau [= Lutowo] 104-105 K 4
Groß Luttom [= Lutomek] 104-105 H 5
Großmachnow 110-111 H 1
Groß Mackenstedt [3 km ↑ Heiligenrode 102-103 E 5]
Groß Mahner = Salzgitter-Groß Mahner
Groß Mandelkow [= Bądargowo (Myśliborskie)] 104-105 FG 4
Groß Mangelmühle [= Mędromierz Wielki] 104-105 L 3
Groß Maßdorf [= Rozmierka] 113 E 4
Groß Massow [= Maszewo (Lęborskie)] 104-105 L 2
Groß Mausdorf [= Myszewo] 104-105 O 2
Großmehring 114-115 JK 3
Großmeiselsdorf [3 km ← Ziersdorf 118-119 K 1]
Groß Mellen [= Mielno Stargardzkie] 104-105 G 4
Groß Merzdorf [= Marcinowice] 113 B 4
Groß Mochbern = Lohbrück
Groß Mohrau [= Velká Morava] 113 B 5
Groß Mohrdorf 102-103 N 2
Großmöllen [= Mielno (Koszalińskie)] 104-105 H 2
Groß Mooren = Groß Morin 105-105 MN 5
Groß Morin [= Murzynno] 104-105 MN 5
Groß Muckrow 110-111 K 1
Großmugl 118-119 L 2
Großmühlingen 110-111 E 2
Groß Mutz 104-105 B 5
Groß Mützelburg [= Myślibórz Wielki] 104-105 D 3
Großnaundorf 110-111 J 3
Groß Nebrau [= Nebrowo Wielkie] 112 A 4
Groß Nemerow 104-105 B 4
Groß Nessau 104-105 MN 4
Groß Neudorf [= Nowa Wieś Wielka] 104-105 M 5
Groß Neuendorf 104-105 D 5
Großneuhausen 110-111 D 3
Groß Neuhof [= Biedaszki] 112 F 3
Groß Neukirch [= Polska Cerekiew] 113 E 5
Groß Nenndorf [= Złotogłowice, 4 km ↙ Waltdorf 113 C 4]
Groß Nimsdorf [= Naczęsławice, 4 km ↙ Kasimir 113 D 5]
Groß Nossin [= Nożyno] 104-105 KL 2
Groß Oesingen 102-103 HJ 5
Großolbersdorf 110-111 H 4
Groß Olbersdorf [= Olbrachcice Wielkie] 113 B 4
Großörner 110-111 D 2
Groß Oßnig 110-111 K 2
Großostheim 114-115 DE 1
Groß Pankow 102-103 M 4
Groß Patschin = Hartlingen 113 EF 5
Groß Paulowitz [= Velké Pavlovice] 118-119 M 1
Groß Pawlowitz = Groß Paulowitz 118-119 M 1
Groß Peisten [= Piasty Wielkie, 3 km ↘ Landsberg (Ostpreußen) 112 D 3]
Groß Pentlack [= Kamenka] 112 FG 3
Großpertholz 118-119 H 1
Groß Peterkau [= Pietrzykowo] 104-105 K 3
Großpetersdorf 118-119 L 4
Groß Peterwitz [= Pietrowice Wielkie] 113 E 5
Groß Peterwitz [= Piotrowice] (Ostpreußen)] 112 B 4
Groß Peterwitz [= Piotrowice] [Schlesien] 113 B 3
Groß Petrowitz [= Petrovice] 110-111 N 5
Groß Piwnitz = Großalbrechtsort 112 EF 5
Groß Plasten 102-103 N 3
Groß Plowenz [= Płowęż] 104-105 O 4
Groß Pobloth = Pobloth 104-105 G 2
Groß Pohlom [= Velká Polom] 113 E 6
Groß Pomeiske [= Pomysk Wielki] 104-105 L 2
Groß Poplow [= Popielewo] 104-105 H 3
Großpopowitz [= Velké Popovice] 110-111 KL 6
Großpösna 110-111 G 3
Großpostwitz 110-111 KL 3
Groß Priesen [= Velké Březno] 110-111 K 4
Groß Przesdenk = Groß Dankheim 112 EF 5
Groß Przygodzice = Przygodzice 113 D 2
Groß Purden [= Purda] 112 E 4
Groß Quassow 102-103 NO 4
Groß Quenstedt 110-111 CD 2
Groß Raddow [= Radowo Wielkie] 104-105 F 3
Groß Radowisk [= Radowiska Wielkie] 104-105 O 4
Groß Rakow = Rakow 104-105 B 2
Groß Rambin [= Rąbino] 104-105 G 3
Großraming 118-119 H 3
Großräschen 110-111 K 2
Groß Rauden [= Rudy] 113 E 5
Groß Rautenberg [= Wierzno Wielkie] 112 C 3
Groß Reichenau = Reichenau bei Naumburg am Bober 110-111 M 2
Großreifling 118-119 H 3
Großreinprechts 118-119 J 2
Groß Reken 120 E 1
Groß Revenow = Revenow
Groß Rheide 102-103 FG 2
Groß Rhüden 110-111 B 2
Groß Rietz 110-111 K 1
Großrinderfeld 114-115 F 1
Großringe 102-103 A 5
Groß Rinnersdorf [= Rynarcice] 110-111 O 3
Groß Rischow [= Ryszewo] 104-105 E 4
Groß Ritte [= Řetová] 113 A 6
Groß Rodensleben 110-111 D 1
Groß Rogallen [= Rogale Wielkie] 112 H 4
Groß-Rohrheim 108-109 FG 7
Großröhrsdorf 110-111 JK 3
Groß Rominten = Hardteck 112 H 3
Groß Rosen [= Rogoźnica] 113 A 3
Großrosen [= Różyńsk Wielki] 112 H 4
Groß Rosenburg 110-111 E 2
Groß Rosinsko = Großrosen 112 H 4
Großrosseln 108-109 C 8
Großrückerswalde 110-111 H 4
Großrudestedt 110-111 D 3
Groß Rudlauken = Rotenfeld
Groß Sabin [= Żabin] 104-105 H 4
Groß Sabow [= Żabowo] 104-105 F 3
Großsachsenheim 114-115 DE 3
Groß Samrodt [= Sambród, 13 km ↖ Mohrungen 112 C 4]
Groß Sankt Florian 118-119 J 5
Groß Särchen 110-111 K 3
Groß Särchen [= Żarki Wielkie] 110-111 L 2
Groß Saul [= Sułów Wielki] 113 B 2
Groß Schacksdorf 110-111 L 2
Groß Schiemanen [= Szymany] 112 EF 5
Großschiffahrtsweg Berlin-Stettin = Oder-Havel-Kanal 104-105 BC 5
Groß Schimmendorf [= Zimnice Wielkie] 113 D 4
Groß Schimnitz = Groß Schimmendorf 113 D 4
Großschirma 110-111 H 4
Groß Schliewitz [= Śliwice] 104-105 M 3
Groß Schlönwitz [= Słonowice] 104-105 J 2
Groß Schmöllen [= Smolno Wielkie] 110-111 N 1
Groß Schneen 108-109 JK 4
Großschönau 110-111 L 4
Groß Schönau [= Peskovo] 112 F 3
Groß Schönau [= Velký Šenov] 110-111 K 3-4
Groß Schönbrück [= Szembruk] 104-105 O 3
Groß Schöndamerau [= Trelkowo] 112 EF 4
Groß Schönebeck (Schorfheide) 104-105 BC 5
Groß Schönfeld [= Obryta] 104-105 EF 4

Groß Schorellen 16 Ham

Groß Schorellen = Adlerswalde 112 H 2
Groß Schoritz 104-105 BC 2
Groß Schützen [= Vel'ké Leváre] 118-119 MN 1-2
Groß Schwansfeld [= Łabędnik] 112 EF 3
Groß Schwaß 102-103 LM 2
Großschweidnitz 110-111 L 3
Großschweinbarth 118-119 M 2
Groß Schwiersen [= Swierzno, 2 km ← Kaffzig 104-105 J 2]
Groß Schwülper 110-111 BC 1
Großsee [= Jezioro Wielkie] 104-105 M 5
Großseeberg = Seeberg 104-105 H 5
Großseelheim 108-109 G 5
Großsiegharts 118-119 JK 1
Groß Silber [= Sulibórz] 104-105 G 4
Groß Sittensen 102-103 FG 4
Groß Skaisgirren = Kreuzingen 112 G 2
Groß Skal [= Hrubá Skála] 110-111 M 4
Groß Skirlack [= Opočenskoje] 112 G 3
Großsölk 118-119 FG 4
Groß Spiegel [= Poźrzadło Wielkie] 104-105 G 4
Groß Stanisch = Groß Zeidel 113 E 4
Groß Starsin [= Starzyno] 104-105 M 1
Groß Stavern 102-103 BC 5
Groß Stein [= Kamień Śląski] 113 E 4
Großsteinbach [3 km ↖ Groß-hartmannsdorf 118-119 K 4]
Großsteinhausen [6 km → Hornbach 108-109 D 8]
Groß Steinort [= Sztynort, 6 km → Rosengarten 112 G 3]
Groß Stiebnitz [= Velký Zdobnice] 113 A 5
Großstöbnitz 110-111 F 4
Groß Stoboi [= Kamiennik Wielki] 112 BC 3
Groß Stoboy = Groß Stoboi 112 BC 3
Groß Strehlitz [= Strzelce Opolskie] 113 E 4
Groß Strellin [= Strzelino] 104-105 J 1
Groß-Strengelner See 112 GH 3
Groß Stürlack [= Sterławki Wielkie] 112 G 3
Groß Tajax [= Velké Dyjákovice] 118-119 L 1
Großtänchen [= Grostenquin] 108-109 C 9
Groß Teschendorf [= Cieszymowo Wielkie] 112 B 4
Groß Tessin 102-103 L 3
Großthiemig 110-111 J 3
Groß Thierbach [= Grądki] 112 C 3
Groß Thondorf 102-103 J 4
Groß Trakehnen [= Jasnaja Pol'ana] 112 HJ 2
Großtreben 110-111 GH 2
Groß Trzebcz = Trzebcz Szlachecki 104-105 MN 4
Groß Tschekau = Čakov 118-119 G 1
Groß Tschuder = Steinbrück (Schlesien) 113 B 2
Groß Tuchen [= Tuchomie] 104-105 K 2
Groß Tychow [= Tychowo] 104-105 H 3
Groß Uderballen = Großudertal 112 EF 2
Großudertal 112 EF 2
Groß Ullersdorf [= Velké Losiny] 113 BC 5
Groß-Umstedt 108-109 GH 7
Großvargula 110-111 C 3
Großvenediger 118-119 C 4
Großvoigtsberg 110-111 H 4
Großwalde [= Rekownica, 5 km ↗ Malga 112 E 5]
Groß Walden [= Zalesie Śląskie] 113 E 5
Groß Walditz [= Włodzice Wielkie] 110-111 N 3
Großwallstadt 114-115 E 1
Großwaltersdorf [= Ol'chovatka] 112 H 2
Grosswangen 116-117 EF 2
Großwarasdorf 118-119 M 3
Großwardein [= Oradea] 101 KL 5
Groß Warnow 102-103 L 4
Groß Wartenberg [= Syców] 113 D 3
Großwechsungen 110-111 C 2-3
Groß Weichsel [= Wisła Wielka] 113 F 6
Groß Weide [= Pastwa] 112 AB 4
Großweikersdorf 118-119 KL 2
Groß Wersmeningken = Langenfelde 112 HJ 2
Großwilfersdorf 118-119 KL 4
Groß Wilkau [= Wilków Wielki] 113 B 4
Groß Wittenberg [= Szydłowo (Krajeńskie)] 104-105 J 4
Groß Wittensee 102-103 G 2
Groß Wohnsdorf [= Kurortnoje] 112 EF 3
Groß Wokern 102-103 MN 3
Großwolde [3 km ↙ Ihrhove 102-103 BC 4]
Groß Wöllwitz [= Wielowicz, 3 km → Hohenfelde 104-105 L 4]
Großwoltersdorf 104-105 AB 4
Groß Wolz [= Wełcz Wielki] 104-105 N 3
Groß Wossek = Velký Osek 110-111 M 5
Groß Wudschin [= Wudzyn] 104-105 LM 4
Groß Wüstenfelde 102-103 MN 3
Groß Wysocko = Wysocko Wielkie 113 D 2
Groß Zacharin [= Starowice] 104-105 H 3
Groß Zechen [= Szczechy Wielkie] 112 G 4
Groß Zeidel [= Staniszcze Wielkie] 113 E 4
Groß Zicker 104-105 C 2
Groß Ziethen 104-105 C 5
Groß Ziethen [4 km ↓ Kremmen 102-103 NO 5]
Groß-Zimmern 108-109 G 7
Groß Zmietsch = Smědeč 118-119 G 1
Groß Zöllnig [= Solniki Wielkie, 3 km ↓ Allerheiligen 113 CD 3]
Groß Zünder [= Cedry Wielkie] 104-105 N 2
Grostenquin = Großtänchen 108-109 C 9
Groszowice = Groschowitz 113 DE 4
Grotenberge 106-107 B 7
Grothe 102-103 C 5
Grothensee >→
Grotów = Gräfenhain 110-111 LM 2
Grotów = Modderwiese 104-105 G 5
Grottau [= Hrádek nad Nisou] 110-111 L 4
Grottkau [= Grodków] 113 C 4
Grötzingen [Baden-Württemberg, → Karlsruhe] 114-115 D 2
Grötzingen [Baden-Württemberg, ↘ Stuttgart] 114-115 E 3
Grouw 106-107 F 2
Grub am Forst 110-111 D 5
Grubbenvorst 106-107 G 6
Grube 102-103 JK 2
Grüben [= Grabin] 113 D 4
Gruczno 104-105 M 4
Grudziądz = Graudenz 104-105 N 3-4
Gruffy 116-117 B 5
Gruiten 120 DE 4
Gruitode 106-107 F 6
Grulich [= Králíky] 113 B 5
Grumbach 108-109 DE 7
Grumbach [2 km ↓ Wilsdruff 110-111 J 3]
Grumberg [= Podlesí] 113 B 5
Grumbkowkaiten = Grumbkowsfelde 112 J 2
Grumbkowsfelde [= Pravdino] 112 J 2
Grumello del Monte 116-117 J 5
Grün [= Zelená Lhota] 114-115 N 2
Grüna [Brandenburg] 110-111 H 1
Grüna [Sachsen] 110-111 G 4
Grunau [= Gronowo] [Ostpreußen, ↗ Braunsberg (Ostpreußen)] 112 C 3
Grunau [= Gronowo] [Ostpreußen, ↙ Elbing] 112 B 3
Grunau [= Stare Gronowo] 104-105 K 3
Grünau 102-103 E 1
Grünau, Berlin- 104-105 C 6
Grunau Höhe [= Gronowo] 112 BC 3
Grünau im Almtal 118-119 FG 3
Grünbach [Deutschland] 110-111 F 5
Grünbach [Österreich] 118-119 H 1
Grünbach am Schneeberg 118-119 K 3
Grünberg 108-109 GH 5
Grünberg in Schlesien [= Zielona Góra] 110-111 N 2
Grünburg 118-119 G 3
Grünchotzen [= Zielona Chocina] 104-105 KL 3
Gründelhardt 114-115 FG 2
Grund im Harz, Bad – 110-111 B 2
Grundlsee [Ort] 118-119 F 3
Grundlsee [See] 118-119 F 3
Grüneberg 104-105 B 5
Grüneberg [= Miradz] 104-105 H 4
Grünefeld 104-105 A 5
Grünendeich 102-103 FG 3
Grünenplan 108-109 J 3
Grünes Fließ 104-105 L 5
Grunewald 104-105 BC 4
Grünewald [= Mieszałki] 104-105 H 3
Grünewalde 110-111 J 2
Grünfließ [= Napiwoda] 112 DE 5
Grünhagen [= Zielonka Pasłęcka] 112 C 3-4
Grünhain [4 km ← Elterlein 110-111 G 4]
Grünhainichen [2 km ↙ Borstendorf 110-111 H 4]
Grün Hartau [= Zielenice] 113 B 4
Grünhayn [= Krasnaja Gorka] 112 F 2
Grünheide 104-105 C 6
Grünheide [= Kalużskoje] 112 GH 2
Grüningen 108-109 G 5
Grünkirch [= Rojewice] 104-105 M 5
Grünlas [= Loučky, 2 km ↑ Elbogen 110-111 G 5]
Grünlichtenberg [4 km ↘ Waldheim 110-111 GH 3]
Grünlinde [= Jeršovo, 5 km ↘ Grünhayn 112 F 2]
Grunow 110-111 K 1
Grünow 104-105 B 4
Grunow bei Wutschdorf [= Gronów] 110-111 M 1
Grünsfeld 114-115 F 1
Grunsruh [= Bodzanowice] 113 F 4
Grünstadt 108-109 F 7
Grüntal 104-105 C 5
Grünten 114-115 G 5
Grünthal [= Okonin] 104-105 M 3
Grünthal [= Studzienki] 104-105 L 4
Grünwald 114-115 K 4
Grünwalde [= Kolonia] 112 F 4
Grünwalde-Saaben [= Role] 104-105 K 2
Grunwitz [= Gromowice] 113 D 3
Gruol 114-115 D 4
Grupa = Gruppe 104-105 N 4
Grupa Dolna = Nieder Gruppe 104-105 N 3
Grupenhagen [= Krupy, 6 km → Rügenwalde 104-105 HJ 2]
Grupont 106-107 E 8
Gruppe [= Grupa] 104-105 N 4
Grusbach [= Hrušovany nad Jevišovkou] 118-119 L 1
Grüsch 116-117 J 3
Grüssau [= Krzeszów] 110-111 O 4
Gruszczyce 113 EF 2
Gruszczeczka = Birnbäumel 113 C 3
Gruta = Grutta 104-105 N 4
Grütlohn 120 D 1
Grutschno = Gruczno 104-105 M 4
Grutta [= Gruta] 104-105 N 4
Gruyère 116-117 D 3
Gruyère, Lac de la – 116-117 D 3
Gruyères 116-117 D 3
Gryfice = Greifenberg in Pommern 104-105 F 3
Gryfino = Greifenhagen 104-105 DE 4
Gryfów Śląski = Greiffenberg in Schlesien 110-111 MN 3
Grylewo 104-105 K 5
Gryon 116-117 D 4
Gryzliny = Grieslienen 112 D 4
Gryżów = Greisau 113 CD 5
Gryzyn = Gryżyna 113 B 1
Gryżyna 113 B 1
Gryżyna = Griesel 110-111 M 1
Grzędzice = Seefeld 104-105 E 4
Grzegorzew 113 F 1
Grzegrzółki = Kukukswalde 112 E 4
Grzmiąca = Gramenz 104-105 H 3
Grzybki 113 F 2
Grzybno = Thänsdorf 104-105 E 4
Grzybno Chełmińska = Griebenau
Grzybowo = Gribow 104-105 FG 2
Grzymalin = Langenwaldau 110-111 O 3
Grzymiszew 113 E 1
Grzywna = Griffen 104-105 N 4

Gschnitz 116-117 M 2
Gschütt, Paß – 118-119 F 3
Gschwandt [4 km ↗ Gmunden 118-119 F 3]
Gschwend 114-115 F 3
Gspaltenhorn 116-117 E 3
Gstaad 116-117 D 4
Gstadt am Chiemsee 114-115 L 5
Gstatterboden 118-119 H 3
Gsteig bei Gstaag 116-117 D 4
Gstoder 118-119 G 4

Guben 110-111 L 2
Gubenbach [= Stepenitzbach] 104-105 E 3
Guben (polnisch verwaltet) [= Gubin] 110-111 L 2
Guber 112 F 3
Gubin 104-105 N 3
Gubin = Guben 110-111 L 2
Gubin = Guben (polnisch verwaltet) 110-111 L 2
Guck 110-111 J 5
Gudelacksee 104-105 AB 5
Güdenhagen [= Mścice] 104-105 H 2
Gudensberg 108-109 H 4
Guderhandviertel [2 km ↓ Steinkirchen 102-103 G 3]
Güdingen 108-109 D 8
Gudow 102-103 J 3
Gudowo = Baumgarten 104-105 G 3-4
Gudschen = Insterbergen
Gudwallen [= L'vovskoje] 112 GH 3
Gudzisz = Kutzdorf
Guebwiller = Gebweiler 116-117 D 1
Guffertspitze 118-119 MN 2
Guggisberg 116-117 D 3
Güglingen 114-115 DE 2
Guglielmo, Monte – 116-117 K 5
Guhlau [= Gola, 3 km ↙ Alt Driebitz 113 A 2]
Gühlen-Glienicke 102-103 N 4
Guhrau [= Góra] 113 B 2
Guhringen [= Goryń] 112 B 4
Guldborg 102-103 L 1
Guldborgsund 102-103 L 1
Güldenboden [= Bogaczewo] 112 C 3
Güldendorf, Frankfurt (Oder)- 104-105 E 6
Güldenhof [= Złotniki Kujawskie] 104-105 M 5
Gülitz 102-103 L 4
Gullegem [5 km ↖ Kortrijk 106-107 A 7]
Gulpen 106-107 F 7
Gülper See 102-103 M 5
Gulstavflak 102-103 J 1
Gültstein 114-115 D 3
Gültz 104-105 B 3
Gülzow 102-103 HJ 4
Gülzow [= Golczewo] 104-105 E 3
Gumbinnen [= Gusev] 112 H 2
Gümlingen [3 km → Bern 116-117 D 3]
Gummersbach 120 FG 4
Gummin [= Gąbin] 104-105 F 2
Gumpelstadt 110-111 B 4
Gumpeneck 118-119 FG 4
Gumpertsdorf [= Komprachcice] 113 D 4
Gumpoldskirchen 118-119 L 2
Gumschen [= Belfaux] 116-117 D 3
Gumtow 102-103 M 5
Gumtow [= Chometowo, 6 km ↙ Treptow an der Rega 104-105 F 2]
Gundelfingen an der Donau 114-115 G 3
Gundelsheim 114-115 E 2
Gundersheim 108-109 F 7
Gundershofen [= Gundershoffen] 108-109 E 9
Gundershoffen = Gundershofen 108-109 E 9
Gundertshausen [2 km ↑ Eggelsberg 118-119 D 2]
Gundheim 108-109 F 7
Gundslev 102-103 L 1
Günne 120 J 2
Güns 118-119 M 4
Güns [= Kőszeg] 118-119 M 4
Günselsdorf [4 km ↗ Leobersdorf 118-119 L 3]
Günser Gebirge 118-119 L 4
Gunskirchen 118-119 F 2
Gunsleben 110-111 CD 1
Günstedt [3 km ↑ Weißensee 110-111 CD 3]
Günterberg [2 km ↗ Greiffenberg 104-105 CD 4]
Güntersberg [= Nosowo, 3 km ← Ravenstein 104-105 F 4]
Güntersberg [= Osiecznica] 110-111 M 1
Güntersberge 110-111 CD 2
Guntersblum 108-109 F 7
Guntersdorf 118-119 L 1
Güntershagen [= Lubieszewo] 104-105 G 4
Güntersleben [4 km ↖ Rimpar 114-115 F 1]
Günthersdorf [= Godzieszów] 110-111 M 3
Günthersdorf [= Zatonie] 110-111 MN 2
Guntramsdorf 118-119 L 2
Günz 114-115 G 4
Günzburg 114-115 G 4
Gunzenhausen 114-115 H 2
Günz, Östliche – 114-115 G 5
Günz, Westliche – 114-115 G 5
Gurim = Kouřim 110-111 L 5
Gurin = Bosco 116-117 FG 4
Gurjevsk = Neuhausen 112 E 2
Gurk [Fluß] 118-119 GH 5
Gurk [Ort] 118-119 G 5
Gurkow [= Górki] 104-105 FG 5
Gurktaler Alpen 118-119 FG 5
Gurnen [= Górne] 112 HJ 3
Gurnigel Bad 116-117 DE 3
Gurro 116-117 G 4
Gurske [= Górsk] 104-105 MN 4
Gurten [Österreich] 118-119 E 2
Gurten [Schweiz] 116-117 D 3
Gurtnellen >→
Gürzenich 108-109 BC 5
Gurzno = Górzno 113 D 2
Guscht [= Goszczanowo] 104-105 G 5
Gusen 118-119 G 2
Güsen 110-111 EF 1
Gusev = Gumbinnen 112 H 2
Gusow 104-105 D 5
Gussago 116-117 K 5
Gussenstadt 114-115 F 3
Güssing 118-119 L 4
Gußwerk 118-119 J 3
Gust [= Gozd] 104-105 J 2
Güstebiese [= Gozdowice] 104-105 D 5
Gusten [= Goszczyna] 113 C 4
Güsten [Nordrhein-Westfalen] 120 B 5
Güsten [Sachsen-Anhalt] 110-111 E 2
Gustkow [= Gostkowo] 104-105 KL 2
Gustorf 120 C 4
Gustow [4 km ← Poseritz 104-105 B 2]
Güstow 104-105 C 4
Güstrow 102-103 M 3
Gutach (Schwarzwaldbahn) 114-115 C 4
Gutau 118-119 H 2
Gütenbach 114-115 C 4
Gutenbrunn 118-119 J 2
Gutenfeld [= Lugovoje] 112 E 2
Gutenfeld = Dobruška 110-111 O 5
Gutenfürst 110-111 EF 5
Gutengermendorf 104-105 B 5
Gutenstein [Deutschland] 114-115 E 4
Gutenstein [Österreich] 118-119 K 3
Gutenzell 114-115 FG 4
Gütergück 110-111 EF 2
Gütersloh 108-109 FG 3
Gutfließ 112 G 2
Gutkowo = Göttkendorf 112 DE 4
Gutland 106-107 FG 9
Gutowo = Guttau
Gutschdorf [= Goczałków] 113 A 3-4
Gutsdorf [= Cybowo] 104-105 G 4
Guttannen 116-117 F 3
Guttaring 118-119 GH 5
Guttau [= Gutowo, 2 km ↗ Pensau 104-105 M 4]
Gutten [= Stare Guty, 8 km ↘ Johannisburg 112 G 4]
Güttenbach 118-119 L 4
Guttenberg 114-115 LM 4
Gutten E = Seegutten 112 G 4
Guttentag [= Dobrodzień] 113 E 4
Gutstadt [= Dobre Miasto] 112 DE 4
Gutweide [= Przedkowice, 1 km → Urdorf 113 B 3]
Gützkow 104-105 B 3
Gützlaffshagen [= Gosław] 104-105 F 2
Guxhagen 108-109 HJ 4

Gvardejsk = Tapiau 112 F 2
Gvardejskoje = Mühlhausen 112 E 3

Gwatt >→
Gwda = Küddow 104-105 J 3
Gwda Wielka = Groß Küdde 104-105 J 3
Gwdziska = Burggarten
Gwieździn = Förstenau 104-105 K 3
Gwizdanów = Queißen

Gyhum [5 km ↙ Elsdorf 102-103 F 4]
Gymnich 108-109 C 5
Gyöngyös 101 J 5
Gyöngyös = Güns 118-119 M 4
Győr = Raab 101 H 5
Győr-Sopron 118-119 M 4-N 3
Györvár 118-119 M 5

H

Haacht 106-107 D 7
Haaften 106-107 E 5
Haag 118-119 H 2
Haag am Hausruck 118-119 F 2
Haag, Den – 106-107 C 4
Haage 102-103 N 5
Haagen 114-115 B 5
Haag in Oberbayern 114-115 L 4
Haagscher Berg 120 B 2
Haag, Schloß – 120 B 2
Haaken 104-105 K 3
Haaksbergen 106-107 H 4
Haaksbergen-Buurse 106-107 H 4
Haale 102-103 G 2
Haaltert 106-107 BC 7
Haamstede 106-107 B 5
Haan 120 DE 4
Haan, De – 106-107 ab 1
Haar 114-115 K 4
Haarbach 114-115 N 3
Haarbach [3 km ↗ Karpfham 114-115 N 4]
Haarbølle 102-103 M 1
Haard 120 E 2
Haar, de – 106-107 D 4
Haardt = Hardt 108-109 EF 6-7
Haardtkopf 108-109 D 7
Haaren [Deutschland, Nordrhein-Westfalen, ↑ Aachen] 108-109 B 5
Haaren [Deutschland, Nordrhein-Westfalen, → Hamm] 120 H 2
Haaren [Deutschland, Nordrhein-Westfalen, ↓ Paderborn] 108-109 G 3
Haaren [Niederlande] 106-107 E 5
Haarlem 106-107 D 4
Haarlemmermeer 106-107 D 4
Haarlerberg 106-107 G 4
Haarschen [= Harsz, 5 km ← Groß-garten 112 G 3]
Haarstrang 108-109 EF 3
Haarszen = Haarschen
Haasdonk 106-107 C 6
Haastrecht 106-107 D 4-5
Habach [Deutschland] 114-115 J 5
Habach [Österreich, Fluß] 118-119 C 4
Habach [Österreich, Ort] 118-119 C 4
Habartice = Ebersdorf 110-111 J 4
Habartov = Habersbirk 110-111 G 5
Habay-la-Neuve 106-107 F 9
Habay-la-Vieille 106-107 F 9
Habel 102-103 E 1
Habelschwerdt [= Bystrzyca Kłodzka] 113 AB 5
Habelschwerdter Gebirge 113 AB 5
Habendorf [= Stráž nad Nisou, 4 km ↖ Reichenberg 110-111 M 4]
Haberg 118-119 KL 2
Habersbirk [= Habartov] 110-111 G 5
Habicht 116-117 M 2
Habichtsberg 104-105 MN 1
Habichtswald 108-109 H 4
Habkern [4 km ↑ Unterseen 116-117 E 3]
Habrachčicy = Ebersbach 110-111 L 3
Habsburg 116-117 F 2
Habsheim 116-117 DE 1
Habstein [= Jestřebí] 110-111 L 4
Haccourt 106-107 F 7
Hachelbich [3 km ← Göllingen 110-111 D 3]
Hachen 120 HJ 3
Hachenburg 108-109 E 5
Hachiville = Helzingen 106-107 F 8
Hachy 106-107 F 9
Hackel 110-111 D 2
Hackenbroich 120 D 4
Hackenwalde [= Krępsko] 104-105 E 3
Hackliberg 114-115 N 3
Hadamar 108-109 F 6
Hadeln 102-103 E 3
Hadelner Kanal 102-103 E 3
Hademarschen, Hanerau- 102-103 F 2
Hadersdorf am Kamp 118-119 K 2
Hadmersleben 110-111 D 2
Hadres 118-119 L 1
Hafelekarspitze 116-117 M 2
Hafenlohr 114-115 EF 1
Haffen-Mehr 120 B 2
Haffkrug-Scharbeutz 102-103 J 2
Haffstrom 112 D 2
Haffwerder 112 F 2
Hafner 118-119 E 4
Hafnerbach 118-119 JK 2
Hafnerberg 118-119 L 2
Hafnerluden [= Lubnice] 118-119 K 1
Hage 102-103 B 3
Hageland 106-107 DE 7
Hagelberg 110-111 FG 1
Hagen [Niedersachsen] 102-103 F 5
Hagen [Nordrhein-Westfalen, ↓ Dortmund] 120 FG 3
Hagen [Nordrhein-Westfalen, ↗ Plettenberg] 120 H 3
Hagen [= Tatynia, 4 km ↖ Pölitz 104-105 DE 3]
Hagenau 118-119 E 2
Hagenau [= Chojnik] 112 C 4
Hagenau [= Haguenau] 108-109 E 9
Hagenbach 108-109 F 8
Hagenberg 118-119 LM 1
Hagenberg im Mühlkreis [2 km ↖ Pregarten 118-119 H 2]
Hagenburg 102-103 F 5
Hagendingen [= Hagondange] 108-109 B 8
Hägendorf [4 km ↙ Olten 116-117 E 2]
Hagengebirge 118-119 E 3
Hagen-Haspe 120 F 3
Hagen-Hengstey 120 FG 3
Hagen im Bremischen 102-103 E 4
Hagen, Natrup- [3 km ↙ Hasbergen 108-109 EF 2]
Hagenort [= Osieczno] 104-105 M 3
Hagenow 102-103 K 4
Hagenow [= Bieczyno] 104-105 F 2
Hagen-Vorhalle 120 F 3
Hagenwerder 110-111 L 3
Hagnau 114-115 E 5
Hagondange = Hagendingen 108-109 B 8
Haguenau = Hagenau 108-109 E 9
Hahausen 110-111 B 2
Hahle 110-111 B 2
Hahlen 108-109 G 2
Hahn 108-109 F 6
Hahnbach 114-115 K 1
Hahndorf 110-111 B 2
Hahnenbach 108-109 D 7
Hahnenkamm [Deutschland, Bayern, Mittelfranken] 114-115 H 2-3
Hahnenkamm [Deutschland, Bayern, Unterfranken] 108-109 H 6
Hahnenkamm [Österreich] 118-119 C 4
Hahnenklee-Bockswiese im Oberharz 110-111 B 2
Hahnheide 102-103 HJ 3
Hänichen 110-111 L 3
Hähnlein [3 km ↖ Zwingenberg 108-109 FG 7]
Hahnstätten 108-109 EF 6
Hahót 118-119 M 5
Haibach 108-109 H 7
Haibach ob der Donau 118-119 F 2
Haibühl 114-115 MN 2
Haid [= Bor] 114-115 M 1
Haid [= Bor, 4 km ↓ Schlackenwerth 110-111 G 5]
Haida 110-111 HJ 3
Haida [= Nový Bor] 110-111 L 4
Haidboden 118-119 N 2-3
Haideberg [= Kobylagóra] 113 D 3
Haidemühl, Gosda- 110-111 K 2
Haidenaab = Heidenaab 114-115 KL 1
Haidershofen 118-119 GH 2
Haiding 118-119 FG 2
Haidl [= Zhůří] 114-115 N 2
Haidlfing 114-115 M 3
Haidmühle 118-119 F 1
Haidstein 114-115 M 2
Haiger 108-109 F 5
Haigermoos [4 km → Ostermiething 118-119 D 2]
Haimburg 118-119 H 5
Haimhausen 114-115 JK 4
Haina 108-109 G 4
Hainaut = Hennegau 106-107 B 7-C 8
Hainberg 110-111 B 1
Hainbuchen = Gabernik 118-119 KL 6
Hainburg an der Donau 118-119 M 2
Haindorf [= Hejnice] 110-111 M 4
Haine 106-107 C 8
Haine-Saint-Paul [3 km ↓ la Louvière 106-107 C 8]
Haine-Saint-Pierre [3 km ↘ la Louvière 106-107 C 8]
Hainfeld 118-119 K 2
Hainich 110-111 B 3
Hainichen 110-111 H 4
Hainleite 110-111 CD 3
Hainsberg 110-111 J 4
Hainsfarth 114-115 H 3
Hainspach [= Lipová] 110-111 K 3
Hainstadt 114-115 E 1
Hainstadt [3 km ↓ Großauheim 108-019 GH 6]
Haisterkirch 114-115 F 5
Haiterbach 114-115 D 3
Haithabu 102-103 G 1-2
Hakenstedt 110-111 D 1
Hal = Halle 106-107 C 7
Halámky = Witschkoberg 118-119 H 1
Halanzy 106-107 F 9
Halbau [= Iłowa] 110-111 M 3
Halbe 110-111 J 1
Halbenrain [5 km ↖ Radkersburg 118-119 KL 5]
Halberstadt 110-111 CD 2
Halbstadt [= Meziměstí] 113 A 4
Halbturn 118-119 MN 3
Haldem 102-103 D 6
Haldensleben 110-111 DE 1
Haldenwang [5 km ↖ Dietmannsried 114-115 G 5]
Haldern 120 BC 1
Halen 106-107 E 7
Halfing 114-115 L 5
Halfweg 106-107 D 4
Halingen 120 GH 3
Hall 118-119 GH 3
Hall = Alle 116-117 D 2
Hall = Schwäbisch Hall 114-115 F 2
Hallau 116-117 FG 1
Hall, Bad – 118-119 G 2
Hallberg [= Ciążyń] 104-105 J 5
Hallbergmoos 114-115 K 4
Halle 108-109 J 2-3
Halle [= Hal] 106-107 C 7
Hallein 118-119 E 3
Hallenberg 108-109 G 4
Hallenberg, Steinbach- 110-111 C 4
Hallendorf = Salzgitter-Hallendorf
Hallenfelde [= Żelazki] 112 H 3
Haller Ebene 114-115 F 2
Haller Mauern 118-119 H 3
Hallerndorf 114-115 HJ 1
Hallertau 114-115 K 3
Halle (Saale) [Ort, Verwaltungseinheit] 110-111 EF 3
Halle (Saale)-Ammendorf 110-111 EF3
Halle (Saale)-Böllberg [↓ Halle (Saale) 110-111 EF 3]
Halle (Saale)-Diemitz [→ Halle (Saale) 110-111 EF 3]
Halle (Saale)-Dölau [↖ Halle (Saale) 110-111 EF 3]
Halle (Saale)-Lettin [↖ Halle (Saale) 110-111 EF 3]
Halle (Saale)-Nietleben [← Halle (Saale) 110-111 EF 3]
Halle (Saale)-Wörmlitz [↓ Halle (Saale) 110-111 EF 3]
Halle (Westfalen) 108-109 F 2
Halligen 102-103 E 1
Hall in Tirol, Solbad – 116-117 MN 2
Hallschlag 108-109 B 6
Hallstadt 114-115 H 1
Hallstatt 118-119 F 3
Hallstätter See 118-119 F 3
Halluin 106-107 A 7
Hallum 106-107 F 2
Hallwilersee 116-117 F 2
Hals 106-107 C 5
Hals [= Halže] 114-115 M 1
Hals [1 km ↑ Passau 114-115 N 3]
Halsbrücke 110-111 H 4
Halstenbek 102-103 G 3
Halsteren 106-107 C 5
Halštrow = Elstra 110-111 K 3
Haltern 120 E 2
Halterner Stausee 120 EF 2
Haltingen 114-115 B 5
Haltinne 106-107 E 8
Halver 120 FG 4
Halže = Hals 114-115 M 1
Hamb 120 B 2
Hambach [Deutschland] 110-111 B 5
Hambach [Frankreich] 108-109 CD 8
Hambach an der Weinstraße 108-109 EF 8
Hambergen 102-103 E 4
Hamborn, Duisburg- 120 CD 3
Hambrücken 114-115 D 2
Hamburg [Ort, Verwaltungseinheit] 102-103 GH 3-4
Hamburg-Altona 102-103 G 3
Hamburg-Bergedorf 102-103 H 3-4
Hamburg-Billstedt [↖ Hamburg 102-103 GH 3-4]
Hamburg-Blankenese 102-103 G 3
Hamburg-Curslack 102-103 H 4
Hamburg-Eidelstedt [↖ Hamburg 102-103 GH 3-4]
Hamburger Hallig 102-103 E 1
Hamburg-Finkenwerder 102-103 G 3
Hamburg-Fuhlsbüttel 102-103 GH 3
Hamburg-Harburg 102-103 GH 4
Hamburg-Kirchwerder 102-103 H 4
Hamburg-Langenhorn 102-103 GH 3
Hamburg-Ottensen [← Hamburg 102-103 GH 3-4]
Hamburg-Poppenbüttel [↗ Hamburg 102-103 GH 3-4]
Hamburg-Rahlstedt [↗ Hamburg 102-103 GH 3-4]
Hamburg-Rissen [← Hamburg 102-103 GH 3-4]
Hamburg-Stellingen [↖ Hamburg 102-103 GH 3-4]
Hamburg-Volksdorf 102-103 H 3
Hamburg-Wandsbek 102-103 H 3
Hamburg-Wilhelmsburg 102-103 GH 3-4
Ham, Den – 106-107 GH 4
Hamdorf 102-103 G 2
Hämelerwald 110-111 B 1
Hameln 108-109 H 2
Hämelschenburg 108-109 HJ 2
Hamelwörden 102-103 F 3
Hamersleben 110-111 D 1
Hamm [Nordrhein-Westfalen] 120 E 2
Hamm [Rheinland-Pfalz] 108-109 E 5
Hamm [= Ham-sous-Varsberg] 108-109 C 8
Hamm [3 km ↘ Eich 108-109 F 7]
Hammbach 120 D 2
Hamme [Belgien] 106-107 C 6
Hamme [Deutschland] 102-103 E 4
Hamme, Bochum- 120 EF 3
Hammelburg 108-109 J 6
Hammelspring 104-105 BC 4
Hamme-Mille 106-107 D 7
Hammen 106-107 B 5
Hamme-Oste-Kanal 102-103 EF 4
Hammer [Deutschland] 104-105 CD 3
Hammer [Polen] 110-111 O 1
Hammer [= Babigoszcz] 104-105 E 3
Hammer [= Kuźnica Czarnkowska] 104-105 HJ 5
Hammer [= Rudnica] 104-105 F 5
Hammer = Nürnberg-Hammer
Hammerbach 110-111 M 2
Hammerbach, Großer – 110-111 M 3
Hammerbach, Kleiner – 110-111 M 3
Hammerbrücke 110-111 F 5
Hammereisenbach-Bregenbach 114-115 C 4-5
Hammerfeld [= Czerna] 110-111 M 2
Hammerfließ 104-105 K 3
Hammer, Katholisch – [= Skoroszów] 113 C 3
Hammermühle [= Krępice] 104-105 JK 2
Hammern [= Hamry] 114-115 N 2
Hämmern, Mengersgereuth- 110-111 D 5
Hammer, Reinfeld- [= Słosinko] 104-105 JK 3
Hammerstein [= Czarne] 104-105 J 3
Hamminkeln 120 C 2
Hamm (Westfalen) 120 H 2
Hamoir 106-107 EF 8
Hamois 106-107 E 8
Hamont 106-107 F 6
Hampont 108-109 BC 9
Hamry = Hammern 114-115 N 2
Ham-sous-Varsberg = Hamm 108-109 C 8
Ham-sur-Heure 106-107 C 8

Han 17 Herrnlauersitz

Han an der Nied [= Han-sur-Nied] 108-109 BC 9
Hanau am Main 108-109 G 6
Handeggfall 116-117 F 3
Handenberg 118-119 E 2
Handewitt 102-103 F 1
Handorf 102-103 H 4
Handzame [3 km ← Kortemark 106-107 ab 1]
Hanerau-Hademarschen 102-103 F 2
Hanffen [= Konopki Wielkie] 112 G 4
Hangelar 108-109 D 5
Hangelsberg 104-105 CD 6
Hänigsen 102-103 H 6
Hankensbüttel 102-103 J 5
Hannover [Ort, Verwaltungseinheit] 108-109 J 2
Hannover-Döhren [↖ Hannover 108-109 J 2]
Hannover-Herrenhausen [↖ Hannover 108-109 J 2]
Hannover-Kirchrode 108-109 J 2
Hannover-Leinhausen [↑ Hannover 108-109 J 2]
Hannover-Linden 108-109 J 2
Hannover-Ricklingen [↓ Hannover 108-109 J 2]
Hannoversch-Münden = Münden 108-109 J 4
Hannover-Wülfel [↖ Hannover 108-109 J 2]
Hannsdorf [= Hanušovice] 113 BC 5
Hannuit = Hannut 106-107 E 7
Hannut [= Hannuit] 106-107 E 7
Hanredder, Bokholt- [4 km ↙ Barmstedt 102-103 G 3]
Hanság = Waasen 118-119 MN 3
Hansági főcsatorna = Einser Kanal 118-119 M 3
Hansbach = Hainspach 110-111 K 3
Hansbeke 106-107 AB 6
Hansdorf [= Jankowa Żagańska] 110-111 M 2
Hanseberg [= Krzymów] 104-105 D 5
Hansestadt Bremen = Bremen 102-103 E 4
Hansestadt Hamburg = Hamburg 102-103 GH 3-4
Hansestadt Lübeck = Lübeck 102-103 J 3
Hansfelde [= Nadziejewo] 104-105 K 3
Hansfelde [= Tychowo, 3 km ← Schöneberg 104-105 F 4]
Hanshagen 104-105 BC 2
Hanshagen [= Janikowo] 112 D 3
Hanstedt 102-103 GH 4
Hanstedt I 102-103 H 4
Han-sur-Lesse 106-107 E 8
Han-sur-Nied = Han an der Nied 108-109 BC 9
Hanswalde 113 D 2
Hanswalde [= Jachowo, 5 km ↘ Deutsch Thierau 112 D 3]
Hansweert 106-107 B 6
Hanum 102-103 J 5
Hanušovice = Hannsdorf 113 BC 5
Hanweiler, Rilchingen- 108-109 D 8
Happurg 114-115 JK 2
Haps 106-107 F 5
Harbke 110-111 D 1
Harburg, Hamburg- 102-103 GH 4
Harburg (Schwaben) 114-115 H 3
Hard 116-117 J 2
Hardberg 108-109 G 7
Hardegarijp, Tietjerksteradeel- 106-107 FG 2
Hardegg 118-119 K 1
Hardegsen 108-109 J 3
Hardenbeck 104-105 BC 4
Hardenberg 106-107 GH 3
Hardenberg [= Twarda Góra] 104-105 N 3
Hardenberg-Bergentheim 106-107 H 3
Hardenberg-Kloosterhaar 106-107 H 4
Hardenberg-Marienberg 106-107 H 3
Hardenberg, Nörten- 108-109 JK 3
Hardenstein 120 F 3
Harderwijk 106-107 F 4
Harderwijk, Hierden- 106-107 F 4
Harderwijk-Nunspeet 106-107 F 4
Hardheim 114-115 EF 1
Hardinxveld-Giessendam 106-107 D 5
Hädler 108-109 F 4
Hardt 108-109 E 8-F 7
Hardteck [= Krasnolesje] 112 H 3
Hardt, Mönchengladbach- 120 B 4
Hardtshufen = Wąsowo 104-105 H 6
Harelbeke 106-107 A 7
Haren [Deutschland] 102-103 B 5
Haren [Niederlande] 106-107 H 2
Harenkarspel 106-107 D 3
Harff 120 C 4
Hargarten [= Hargarten-aux-Mines] 108-109 C 8
Hargarten-aux-Mines = Hargarten 108-109 C 8
Hargnies 106-107 D 8
Häring 118-119 C 3
Haringe, Roesbrugge- 106-107 a 2
Haringvliet 106-107 C 5
Harinxmakanaal, Van – 106-107 EF 2
Harkortsee 120 F 3
Harksheide 102-103 GH 3
Harland, Sankt Pölten- 118-119 K 2
Harlange 106-107 F 9
Harle 102-103 C 3
Harlingen 106-107 E 2
Harlinger Land 102-103 BC 3
Harlingerode 110-111 C 2
Harmannschlag ⟶
Harmannsdorf 118-119 L 2
Harmelsdorf [= Rutwica] 104-105 H 4
Harmsdorf 102-103 J 2
Harpstedt 102-103 E 5
Harrachov = Harrachsdorf 110-111 M 4
Harrachsdorf [= Harrachov] 110-111 M 4
Harre 106-107 F 8
Harriehausen 110-111 B 2
Harrislee 102-103 F 1
Harsdorf 110-111 E 5
Harsefeld 102-103 FG 4
Harsewinkel 108-109 F 3
Harsleben 110-111 D 2
Harsum 108-109 J 2
Harsz = Haarschen
Hartau [= Borowina] 110-111 N 2
Hartau, Grün – [= Zielenice] 113 B 4
Hart bei Sankt Peter 118-119 JK 4
Hartberg 118-119 KL 4
Hartenau [= Twardawa] 113 E 5
Hartenholm 102-103 H 3
Hartenrod 108-109 FG 5
Hartenstein 110-111 G 4
Hartershofen 114-115 G 2
Hartfelde [= Baszyn, 4 km ↓ Winzig 113 B 3]
Hartha 110-111 GH 3
Harthau = Chemnitz-Harthau
Harthausen [4 km ↙ Dudenhofen 108-109 F 8]
Hartigswalder See 112 E 4
Hartkirchen [2 km ↙ Aschach an der Donau 118-119 FG 2]
Hartkirchen [3 km → Indling 114-115 N 4]
Hartlingen [= Paczyna] 113 EF 5
Hartmanice = Hartmanitz 114-115 N 2
Hartmanitz [= Hartmanice] 114-115 N 2
Hartmannsdorf 118-119 K 4
Hartmannsdorf [= Miłoszów] 110-111 M 3
Hartmannsdorf bei Chemnitz 110-111 G 4
Hartmannshain 108-109 H 6
Hartmannshof 114-115 K 2
Hartmannsweilerkopf 116-117 D 1
Hartmannswillerkopf = Hartmannsweilerkopf 116-117 D 1
Härtsfeld 114-115 G 3
Harz 110-111 C 2
Harzburg, Bad – 110-111 C 2
Harzé 106-107 F 8
Harzgerode 110-111 D 2
Harzgerode-Alexisbad 110-111 D 2
Harz-Heide-Straße 102-103 H 5
Hasbergen [Niedersachsen, ← Bremen] 102-103 E 4
Hasbergen [Niedersachsen, ↙ Osnabrück 108-109 EF 2]
Hasborn 108-109 C 6
Haschner See 112 H 3
Hase 108-109 F 1-2
Haselau [2 km ↙ Moorrege 102-103 G 3]
Haselbach [= Lisková] 114-115 M 2
Haselberg (Ostpreußen) [= Krasnoznamensk] 112 HJ 2
Haseldorf 102-103 G 3
Häselgehr 116-117 K 2
Häselgrund [= Żernica] 113 EF 5
Häslrieth 110-111 C 5
Haselünne 102-103 BC 5
Haselfelde 104-105 D 6
Hasenfier [= Ciosaniec Pomorski] 104-105 J 4
Hasenohr 116-117 L 3
Haskerland 106-107 F 3
Haskerland-Joure 106-107 F 3
Haslach [Baden-Württemberg, ← Memmingen] 114-115 G 5
Haslach [Baden-Württemberg, ↘ Offenburg] 114-115 C 4
Haslach an der Mühl 118-119 G 1
Haslau [= Hazlov] 110-111 F 5
Hasle [1 km ↙ Entlebuch 116-117 F 3]
Haslital 116-117 F 3
Hasloch 114-115 EF 1
Hasloh 102-103 G 3
Hasnon 106-107 A 8
Haspe, Hagen- 120 F 3
Haspelscheid [= Haspelschiedt] 108-109 DE 8
Haspelschiedt = Haspelscheid 108-109 DE 8
Hasperbach-Stausee 120 F 3
Haßbach [6 km ↘ Wimpassing 118-119 L 3]
Haßberge 110-111 C 5
Haßbergen 102-103 F 5
Hassel 102-103 F 5
Hassel [3 km ↘ Niederwürzbach 108-109 D 8]
Hasselbach 104-105 H 3
Hasselbeck-Schwarzbach 120 D 3
Hasselfelde 110-111 C 2
Hassel, Gelsenkirchen- 120 DE 2
Hasselsweiler 120 B 5
Hasselt [Belgien] 106-107 E 7
Hasselt [Niederlande] 106-107 G 3
Hassendorf [= Żółwino] 104-105 G 4
Hasserode, Wernigerode- 110-111 C 2
Haßfurt 110-111 BC 5
Haßlach 110-111 D 5
Haßlau, Wilkau- 110-111 FG 4
Haßleben [Brandenburg] 104-105 C 4
Haßleben [Thüringen] 110-111 D 3
Haßlingen, Wagerfeld- 102-103 DE 5
Haßlinghausen 120 F 3
Haßloch 108-109 F 8
Haßmersheim 114-115 E 2
Haste 108-109 H 2
Hastenbeck 108-109 HJ 2
Hasten, Remscheid- 120 E 4
Hastière-Lavaux 106-107 D 8
Hatrival 106-107 E 8
Hatten [Deutschland] 102-103 D 4
Hatten [Frankreich] 108-109 EF 9
Hattem [Niederlande] 106-107 G 4
Hattenheim 108-109 EF 6
Hattersheim 108-109 F 6
Hattingen [Baden-Württemberg] 114-115 D 5
Hattingen [Nordrhein-Westfalen] 120 EF 3
Hattorf am Harz 110-111 B 2
Hattrop 120 J 2
Hattstedt 102-103 F 1
Hatzfeld 108-109 G 4-5
Hatzfeld [= Jimbolia] 101 K 6
Hätzingen 116-117 H 3
Hau 120 A 1
Hauenstein [Deutschland] 108-109 E 8
Hauenstein [Schweiz] 116-117 E 2
Hauerz 114-115 FG 5
Haugschlag 118-119 J 1
Haugsdorf 118-119 L 1
Haugsdorf [= Hulovice] 113 C 5
Hauingen [1 km ↗ Haagen 114-115 B 5]
Hauland = Psarskie 104-105 H 5
Haulerwijk, Ooststellingwerf- 106-107 G 2
Haune 108-109 J 5
Hauneck 108-109 J 5
Haunstetten 114-115 HJ 4
Hauptkanal 114-115 J 3
Haus 118-119 F 4
Hausach 114-115 C 4
Hausberge an der Porta 108-109 G 2
Hausbrunn 118-119 M 1
Hausdorf (Eulengebirge) bei Neurode [= Jugów] 113 AB 4
Hausen [Baden-Württemberg] 114-115 B 5
Hausen [Bayern] 114-115 HJ 1
Hausen [6 km ↘ Großauheim 108-109 GH 6]
Hausen bei Bad Kissingen 110-111 AB 5
Häusern 114-115 C 5
Hausham 114-115 K 5
Haus im Wald 114-115 N 3
Hausleiten 118-119 L 2
Hausmannstätten [3 km ↗ Fernitz 118-119 K 5]
Hausmehring 114-115 L 4
Hausruck 118-119 EF 2
Hausselberg 102-103 H 5
Haussömmern 110-111 C 3
Hausstock 116-117 H 3
Haustenbach 108-109 G 3
Hausweiler [2 km ↙ Lommersum 108-109 C 5]
Haute Joux 116-117 B 3
Hauteluce 116-117 C 5
Haute-Saône 116-117 A-C 1
Haute-Savoie 116-117 A 5-C 4
Hautes Fagnes = Hohes Venn 106-107 F 8-G 7
Hautes-Rivières, es – 106-107 D 9
Haut-Fays 106-107 E 8-9
Hautmont 106-107 B 8
Haut-Rhin 116-117 D 1
Hauzenberg 118-119 F 1
Havel 101 F 2
Havelange 106-107 E 8
Havelberg 102-103 M 5
Havelkanal 104-105 AB 5
Havelland 102-103 M 5-O 6
Havelländischer Großer Hauptkanal 102-103 MN 5
Havelländisches Luch 102-103 MN 5
Havelquelle 102-103 N 4
Havelse [2 km ↗ Seelze 108-109 J 2]
Havelte 106-107 G 3
Havixbeck 108-109 D 3
Havlíčkův Brod = Deutsch Brod 101 G 4
Havraň = Hawran 110-111 J 5
Havré 106-107 C 8
Hawangen [4 km ↘ Ottobeuren 114-115 G 5]
Hawran [= Havraň] 110-111 J 5
Hayange = Hayingen 108-109 B 8
Haybes 106-107 D 8
Hayingen 114-115 E 4
Hayingen [= Hayange] 108-109 B 8
Hayn 110-111 D 2
Haynau [= Chojnów] 110-111 N 3
Haynrode 110-111 B 3
Haynsburg 110-111 F 3
Hazebrouck 106-107 a 2
Hazerswoude 106-107 CD 4
Hazlov = Haslau 110-111 F 5

Heber 102-103 G 4
Hebrondamnitz [= Damnica] 104-105 K 1-2
Hechendorf am Pilsensee [2 km ← Oberalting-Seefeld 114-115 J 4]
Hechingen 114-115 DE 4
Hechlingen 114-115 H 3
Hechtel 106-107 E 6
Hechthausen 102-103 F 3
Hechtsheim 108-109 F 7
Heckberg 120 F 5
Heckelberg 104-105 C 5
Heckenbeck 114-115 D 3
Hecklingen 110-111 DE 2
Heddernheim, Frankfurt am Main- 108-109 G 6
Heddesheim 114-115 D 1
Heddesheim [3 km ↘ Windesheim 108-109 E 7]
Hedel 106-107 E 5
Hedelfingen = Stuttgart-Hedelfingen
Hedemünden 108-109 J 4
Hedeper 110-111 C 1
Hedersleben 110-111 D 2
Hedwigenkoog 102-103 E 2
Hedwigshorst [= Chomętowo] 104-105 L 5
Heede 102-103 B 4-5
Heegermeer 106-107 F 3
Heegermühle = Finow 104-105 C 5
Heeg, Wymbritseradeel- 106-107 F 3
Heek 108-109 D 2
Heelden 120 B 1
Heel en Panheel 106-107 F 6
Heemskerk 106-107 D 3
Heemstede 106-107 CD 4
Heenvliet 106-107 C 5
Heepen 108-109 G 2
Heer [Belgien] 106-107 D 8
Heer [Niederlande] 106-107 F 7
Heer-Arendskerke, 's- 106-107 B 5-6
Heerde 106-107 FG 4
Heerenloo, 's- 106-107 EF 4
Heerenveen 106-107 FG 3
Heeren-Werve 120 GH 2
Heerhugowaard 106-107 D 3
Heerjansdam [3 km ↘ Barendrecht 106-107 CD 5]
Heerlen 106-107 F 7
Heers 106-107 E 7
Heerwegen [= Polkowice] 110-111 NC 2
Heesch 106-107 F 5
Heeslingen 102-103 F 4
Heessen 120 HJ 2
Heeswijk 106-107 EF 5
Heeze 106-107 F 6
Hegau 114-115 D 5
Hegyeshalom = Straßsommerein 118-119 N 3
Hegyfalu 118-119 M 4
Hehlen 108-109 H 3
Hehlingen 110-111 C 1
Heidau [= Golanka, 4 km → Bienau 113 A 3]
Heide 102-103 F 2
Heidebrink [= Międzywodzie] 104-105 E 2
Heideburg = Borohrádek 110-111 NO 5
Heideck 114-115 J 2
Heidegrund [= Grochowice] 110-111 NO 2
Heidelberg 114-115 D 2
Heidelberg-Kirchheim 114-115 D 2
Heidelberg-Neuenheim [↑ Heidelberg 114-115 D 2]
Heidelberg-Rohrbach [↓ Heidelberg 114-115 D 2]
Heidelberg-Wieblingen 114-115 D 2
Heidelsheim 114-115 D 2
Heidemühl [= Borowy Młyn] 104-105 J 3
Heiden [Deutschland, Nordrhein-Westfalen, ↘ Borken] 120 D 1
Heiden [Deutschland, Nordrhein-Westfalen, ↖ Detmold] 108-109 G 3
Heiden [Schweiz] 116-117 J 2
Heidenaab 114-115 KL 1
Heidenau [Niedersachsen] 102-103 G 4
Heidenau [Sachsen] 110-111 J 4
Heidenberg 114-115 HJ 2
Heidenberg [= Grodzisko, 5 km ↓ Benkheim 112 H 3]
Heidenfeld 110-111 B 6
Heidenheim [Baden-Württemberg] 114-115 G 3
Heidenheim [Bayern] 114-115 H 2
Heidenheim-Mergelstetten 114-115 FG 3
Heidenheim-Schnaitheim 114-115 G 3
Heidenoldendorf [3 km ↖ Detmold 108-109 G 3]
Heidenpiltsch [= Bilčice] 113 D 6
Heidenreichstein 118-119 J 1
Heiderode = Czersk 104-105 LM 3
Heiderscheid 106-107 FG 9
Heidersdorf [= Łagiewniki] 113 B 4
Heidesheim am Rhein 108-109 E 6-7
Heidewald [= Knieja, 4 km ← Föhrenwald 113 E 4]
Heidewasser 112 H 2
Heidewilxen [= Wilczyn] 113 B 3
Heidgarten [1 km ↘ Klein Norcende 102-103 G 3]
Heidhof, Maxhütte- 114-115 L 2
Heidingsfeld, Würzburg- 114-115 F 1
Heigenbrücken 108-109 H 6
Heijthuizen 106-107 FG 6
Heikendorf 102-103 H 2
Heilbronn 114-115 E 2
Heilbronn-Böckingen 114-115 E 2
Heilbronn-Neckargartach 114-115 E 2
Heilbronn-Sontheim 114-115 E 2
Heilbrunn, Bad – 114-115 JK 5
Heilenbecker Stausee 120 F 3-4
Heiligelinde [= Święta Lipka] 112 F 3
Heiligenbei [= Mamonovo] 112 C 3
Heiligenberg 114-115 E 5
Heiligenblut 118-119 D 4
Heiligendamm 102-103 L 2
Heiligendorf 110-111 C 1
Heiligendre faltigkeit in Windischbüheln [= Sveta Trojica v Slovenskih Goricah] 118-119 K 5
Heiligengrabe 102-103 M 4
Heiligenhafen 102-103 J 2
Heiligenhagen 102-103 L 2
Heiligenhaus 120 DE 3
Heiligenkirchen 108-109 G 3
Heiligenkreutz [= Krasnotorovka] 112 D 2
Heiligenkreuz 118-119 L 2
Heiligenkreuz [= Svatý Kříž] 114-115 M 1
Heiligenkreuz am Waasen 118-119 K 5
Heiligenkreuz im Lafnitztal 118-119 L 5
Heiligenloh 102-103 DE 5
Heiligenrode [Hessen] 108-109 J 4
Heiligenrode [Niedersachsen] 102-103 E 5
Heiligenstadt [Bayern] 114-115 J 1
Heiligenstadt [Thüringen] 110-111 B 3
Heiligenstedten 102-103 F 3
Heiligenstuhl 120 H 4
Heiligenthal [= Świątki] 112 E 4
Heiligenwald [3 km ↑ Friedrichsthal 108-109 D 8]
Heiligenwalde [10 km ↘ Arnau 112 E 2]
Heiliger Berg 104-105 J 2
Heiligerlee 106-107 HJ 2
Heiloo 106-107 D 3
Heilsberg [= Lidzbark Warmiński] 112 E 3
Heilsberg-Neuhof [= Lidzbark Warmiński-Pilnik, ↙ Heilsberg 112 E 3]
Heilsbronn 114-115 H 2
Heimbach [Nordrhein-Westfalen] 108-109 BC 5
Heimbach [Rheinland-Pfalz, ↙ Idar-Oberstein] 108-109 D 7
Heimbach [Rheinland-Pfalz, ↗ Neuwied] 108-109 E 6
Heimberg 116-117 E 3
Heimbachenthal 114-115 E 1
Heimenkirch 114-115 F 5
Heimersheim 108-109 D 5
Heimertingen 114-115 G 4
Heimersheim 108-109 C 5
Heimschuh [6 km ← Mühlhausen 116-117 D 1]
Heimschuh [4 km ↘ Kitzeck im Sausal 118-119 J 5]
Heimsheim 114-115 D 3
Hein = Hainberg 110-111 B 1
Heinebach 108-109 J 4
Heinersbrück 110-111 L 2
Heinersdorf 104-105 D 6
Heinersdorf [= Dziewiętlice] 113 C 5
Heinersdorf [6 km ↘ Schwedt (Oder) 104-105 D 4]
Heinersdorf [= Spalona, 3 km ↘ Bienau 113 A 3]
Heinersdorf an der Tafelfichte [= Jindřichovice pod Smrkem] 110-111 M 4
Heinersreuth 110-111 DE 6
Heining 114-115 N 3
Heino 106-107 G 4
Heinrichs bei Weitra 118-119 H 1
Heinrichau [= Henryków] 113 B 4
Heinrichau [= Jędrychowo] 112 B 4
Heinrichsdorf [= Henrykowice] 113 CD 2
Heinrichsdorf [= Płewno] 104-105 M 4
Heinrichsdorf [= Siemczyno] 104-105 H 3
Heinrichsdorf [= Babinek, 3 km ← Liebenow 104-105 E 4]
Heinrichsgrün [= Jindřichovice] 110-111 G 5
Heinrichsthal 108-109 H 6
Heinrichswalde [= Slavsk] 112 G 1
Heinrichswalde [= Uniechów] 104-105 K 3
Heinrichswerk, Suhl- 110-111 C 4
Heinrikau [= Henrykowo] 112 D 3
Heinrode [= Mleczewo] 112 B 4
Heinsberg [Nordrhein-Westfalen, ↙ Mönchengladbach] 108-109 B 4
Heinsberg [Nordrhein-Westfalen, ↗ Siegen] 108-109 F 4
Heinsch 106-107 F 9
Heinsdorf, Niebendorf- 110-111 H 2
Heinsen 108-109 H 3
Heintrop-Bünninghausen 120 HJ 2
Heinzendorf [= Bagno] 113 B 3
Heinzendorf [= Hynčice] 113 CD 5
Heinzendorf [= Witoszyce] 113 AB 2
Heisfelde 102-103 B 4
Heisingen, Essen- 120 E 3
Heist 106-107 A 6
Heist [1 km ↓ Moorrege 102-103 G 3]
Heisternest [= Jastarnia] 104-105 N 1
Heist-op-den-Berg 105-107 D 6
Heiteren 116-117 B 5
Heitersheim 114-115 B 5
Heiterwanger See 116-117 L 2
Hejnice = Haindorf 110-111 M 4
Hejnov = Nieder Hillersdorf 113 C 5
Hel = Hela 104-105 N 1
Hela [= Hel] 104-105 N 1
Hela, Halbinsel – [= Putziger Nehrung] 104-105 MN 1
Helbe 110-111 D 3
Helbra 110-111 DE 2
Helchteren 106-107 E 6
Heldburg 110-111 C 5
Helden [Deutschland] 120 H 4
Helden [Niederlande] 106-107 FG 6
Heldenbergen 108-109 GH 6
Helder, Den – 106-107 D 3
Helder-Huisduinen, Den – 106-107 D 3
Heldra 110-111 E 3
Heldrungen 110-111 D 3
Helenenberg [2 km ← Welschbillig 108-109 C 7]
Helenenfelde 104-105 M 3
Helfenberg 118-119 G 1
Helfendorf 114-115 K 5
Helfta 110-111 E 2
Helgoland 102-103 C 2
Helgoländer Bucht 102-103 DE 2
Hellbach 120 H 1
Hellberge 102-103 K 5
Hellefe d 120 J 3
Hellefe der Höhe 120 J 3
Hellemmes-Lille 106-107 A 7
Hellendoorn 106-107 GH 4
Hellendoorn-Nijverdal 106-107 GH 4
Hellenthal 108-109 B 6
Hellerau, Dresden- 110-111 J 3
Hellerbach 108-109 F 5
Hellern 108-109 EF 2
Hellevoetsluis 106-107 C 5
Hellingen 110-111 C 5
Hellmonsödt 118-119 G 2
Hellweg 108-109 EF 3
Helm 118-119 C 5
Helmarshausen 108-109 H 3
Helmbrechts 110-111 E 5
Helme 110-111 D 3
Helmond 106-107 F 6
Helmsand 102-103 E 2
Helmstadt [Baden-Württemberg] 114-115 DE 2
Helmstadt [Bayern] 114-115 F 1
Helmstedt 110-111 CD 1
Helpe, Grande – 106-107 BC 8
Helpe, Petite – 106-107 B 8
Helpfau-Uttendorf 118-119 E 2
Hel, Półwysep – = Halbinsel Hela
Helpt 104-105 C 3
Helpter Berg 104-105 C 4
Helsa 108-109 J 4
Helsenhorn 116-117 F 4
Heltersberg 108-109 E 8
Helvetia = Schweiz 116-117 D-H 3
Helvetien = Schweiz 116-117 D-H 3
Helvoirt 106-107 E 5
Helzingen [= Hachiville] 106-107 F 8
Hemau 114-115 K 2
Hemberg 120 H 3
Hemdingen 102-103 G 3
Hemelingen, Bremen- 102-103 EF 4
Hemeln 108-109 J 3
Hemelumer Oldeferd 106-107 EF 3
Hemer 120 H 3
Hemeringen 108-109 H 2
Hemhofen [2 km ↗ Röttenbach 114-115 H 1]
Hemiksem 106-107 C 6
Hemme 102-103 EF 2
Hemmelsdorfer See 102-103 J 3
Hemmerde 120 H 2
Hemmerden 120 G 4
Hemmingen-Westerfeld [3 km ↖ Laatzen 108-109 J 2]
Hemmingstedt 102-103 F 2
Hemsbach 114-115 D 1
Hemslingen 102-103 G 4
Hendrik-Ido-Ambacht 106-107 D 5
Hendrik-Kapelle = Henri-Chapelle 106-107 FG 7
Hengelo [Niederlande, Gelderland] 106-107 G 4
Hengelo [Niederlande, Overijssel] 106-107 H 4
Hengersberg 114-115 N 3
Hengsen 120 G 3
Hengst 106-107 D 2
Hengstdijk 106-107 B 6
Hengsterholz 102-103 DE 5
Hengstey, Hagen- 120 FG 3
Hengsteysee 120 FG 3
Henkenhagen [= Ustronie Morskie] 104-105 G 2
Henkenhagen [= Wiewiecko] 104-105 G 3
Hennaarderadeel 106-107 EF 2
Henndorf am Wallersee 118-119 E 3
Hennef (Sieg) 108-109 D 5
Hennegau 106-107 B 7-C 8
Hennegouwen = Hennegau 106-107 B 7-C 8
Hennen 120 G 3
Hennebach [2 km ↗ Ansbach 114-115 H 2]
Hennersdorf [= Dolní Branná, 4 km ↙ Hohenelbe 110-111 N 4]
Hennersdorf [= Jędrzychowice] 110-111 M 3
Hennersdorf [= Jindřichov] 113 D 5
Hennersdorf [= Sidzina] 113 C 4
Henne-Stausee 108-109 F 4
Hennickendorf [Brandenburg, → Berlin] 104-105 CD 5
Hennickendorf [Brandenburg, ↙ Berlin] 110-111 H 1
Hennigsdorf 104-105 B 5
Hennigsdorf-Niederneuendorf 104-105 B 5
Hennstedt [Schleswig-Holstein, Dithmarschen] 102-103 F 2
Hennstedt [Schleswig-Holstein, Stormarn] 102-103 G 2
Henri-Chapelle [= Hendrik-Kapelle] 106-107 FG 7
Henrichenburg 120 F 2
Henryków = Heinrichau 113 BC 4
Henrykowice = Heinrichsdorf 113 CD 2
Henrykowo = Heinrikau 112 D 3
Henstedt 102-103 H 3
Hepcelak 118-119 N 4
Heppen 106-107 E 6
Heppenbach 106-107 G 8
Heppendorf 108-109 C 5
Heppenheim an der Bergstraße 108-109 G 7
Hepstedt 102-103 EF 4
Herandstal [= Boćwinka] 112 H 3
Herbede 120 F 3
Herbern 120 G 2
Herbertingen 114-115 EF 4
Herbertshofen 114-115 H 3
Herbestal [2 km → Welkenraedt 106-107 FG 7]
Herbeumont 106-107 E 9
Herbisheim = Herbitzheim 108-109 D 8
Herbitzheim [= Herbisheim] 108-109 D 8
Herbolzheim [Baden-Württemberg] 114-115 B 4
Herbolzheim [Bayern] 114-115 G 1
Herbolzheim (Jagst) [1 km ↙ Neudenau 114-115 E 2]
Herborn 108-109 F 5
Herbornseelbach 108-109 FG 5
Herbrechtingen 114-115 G 3
Herbsleben 110-111 C 3
Herbstein 108-109 H 5
Herby Śląskie 113 F 4
Herchen 108-109 E 5
Herchies 106-107 B 7
Herda 110-111 B 4
Herdecke 120 F 3
Herdenau [= Prochladnoje] 112 F 1
Herderen 106-107 F 7
Herdorf 108-109 EF 5
Herdringen 120 HJ 3
Herdwangen 114-115 E 5
Hérémence [4 km ↓ Vex 116-117 D 4]
Hérens, Dent d' 116-117 E 5
Hérens, Val d' 116-117 DE 4
Herent 106-107 D 7
Herentals 106-107 D 6
Herenthout 106-107 D 6
Herfelingen 106-107 C 7
Herford 108-109 G 2
Hergatz 114-115 F 5
Hergenrath 106-107 G 7
Hergisdorf [3 km ↙ Helbra 110-111 DE 2]
Hergiswil 116-117 F 3
Héricourt 116-117 C 1
Hérimoncourt 116-117 C 2
Heringen [Hessen] 110-111 AB 4
Heringen [Thüringen] 110-111 C 3
Heringsdorf 102-103 K 2
Heringsdorf, Seebad – 104-105 D 3
Hérinnes 106-107 A 7
Herisau 116-117 H 2
Herk 106-107 E 7
Herk-de-Stad 106-107 E 7
Herkenbosch, Melick en – 106-107 G 6
Herk, Sint-Lambrechts- 106-107 E 7
Herlazhofen 114-115 FG 5
Herleshausen 110-111 B 3
Herlikofen 114-115 F 3
Herlingen [= Herny] 108-109 BC 8
Herlisheim [= Herrlisheim] 108-109 E 9
Hermagor 118-119 E 5
Hermalle-sous-Argenteau 106-107 F 7
Hermance 116-117 B 4
Hermania [= Jerzmanice Lubuskie, 5 km ↘ Reppen 110-111 L 1]
Hermanmestez = Heřmanův Městec 110-111 N 6
Hermannsbad = Ciechocinek 104-105 N 5
Hermannsburg 102-103 H 5
Hermannsdenkmal 108-109 GH 3
Hermannsdorf [= Radzicz] 104-105 KL 4
Hermannskoppe 108-109 J 6
Hermannsruhe [= Kawki] 104-105 O 4
Hermannstadt [= Heřmanovice] 113 C 5
Hermannstadt = Nieszawa 104-105 N 5
Hermannstädtel = Heřmanův Městec 110-111 N 6
Hermannstein [3 km ↘ Wetzlar 108-109 G 5]
Hermannsthal [= Jeřmanice, 4 km ↑ Liebenau 110-111 M 4]
Hermannsthal (Oberschlesien) [= Murów] 113 DE 4
Heřmanovice = Hermannstadt 113 C 5
Heřmanův Městec 110-111 N 6
Hermaringen 114-115 G 3
Hermelsdorf [= Nastazin, 4 km ← Kannenberg 104-105 F 3]
Hermersberg 108-109 E 8
Hermeskeil 108-109 C 7
Hermeton 106-107 D 8
Hermsdorf [Schlesien] 110-111 J 3
Hermsdorf [Thüringen] 110-111 E 4
Hermsdorf [= Cegłowo] 112 D 4
Hermsdorf [= Chomętowo] 104-105 G 5
Hermsdorf ⟶
Hermsdorf [= Osiek] 112 C 3
Hermsdorf [= Pograničnyj] 112 D 3
Hermsdorf an der Katzbach [= Jerzmanice Zdrój] 110-111 N 3
Hermsdorf, Berlin- 104-105 B 5
Hermsdorfer See 104-105 G 5
Hermsdorf (Erzgebirge) 110-111 J 4
Hermsdorf (Kynast) [= Sobieszów] 110-111 N 4
Hermsdorf unterm Kynast = Hermsdorf (Kynast) 110-111 N 4
Hermstal 104-105 J 5
Hermswalde [= Chocicz] 110-111 M 2
Herne [Deutschland] 120 EF 2
Herne [Belgien] 106-107 C 7
Herne-Rhein-Kanal 120 DE 2
Herny = Herlingen 108-109 BC 8
Heroldsberg 114-115 J 1
Héron 106-107 E 7
Herongen 120 B 3
Herpel 120 H 4
Herpenyő 118-119 M 4
Herrenalb 114-115 C 3
Herrenberg 114-115 D 3
Herrenberg, 's- 106-107 G 5
Herrenhausen = Hannover-Herrenhausen
Herrenkirch [= Rudnik] 113 E 5
Herrieden 114-115 H 2
Herringen 120 GH 2
Herringhausen [3 km → Enger (Westfalen) 108-109 G 2]
Herrischried 114-115 BC 5
Herritslev 102-103 L 1
Herrlingen 114-115 F 4
Herrlisheim = Herlisheim 108-109 E 9
Herrmannsdorf [= Męcinka] 110-111 NO 3
Herrnbaumgarten 118-119 M 1
Herrnberchtheim 114-115 G 1
Herrnburg 102-103 J 3
Herrnchiemsee 114-115 LM 5
Herrndorf [= Żukowice] 110-111 N 2
Herrndorf [= Kněževes, 2 km ↗ Kolleschowitz 110-111 HJ 5]
Herrnhut 110-111 L 3
Herrnlauersitz [= Luboszyce] 113 AB 2

Herrnmotschelnitz 18 Hooglede

Herrnmotschelnitz [= Moczydlnica Dworska] 113 B 3
Herrnprotsch, Breslau- [= Wrocław-Pracze Odrzańskie] 113 BC 3
Herrnkretschen →
Herrnstadt [= Wąsosz] 113 B 2
Herrsching am Ammersee 114-115 J 4-5
Hersbruck 114-115 J 1-2
Herschbach (Unterwesterwald) 108-109 E 5
Herscheid 120 GH 4
Herseaux 106-107 A 7
Herselt 106-107 D 6
Herserange 106-107 F 9
Hersfeld, Bad – 108-109 J 5
Herstal 106-107 F 7
Herstelle 108-109 H 3
Herten 120 E 2
Herten [4 km ← Rheinfelden 114-115 B 5]
Herten-Langenbochum 120 E 2
Hertin [= Rtýně v Podkrkonoší] 110-111 O 4
Hertogenbosch, 's- = Herzogenbusch 106-107 EF 5
Hertwigswaldau [= Chotków] 110-111 M 2
Hertwigswaldau [= Snowidza, 5 km ↗ Sauer 113 A 3]
Hertwigswalde [= Doboszowice] 113 BC 4
Herve 106-107 F 7
Herver Land 106-107 F 7
Herwen en Aerdt 106-107 G 5
Herwigsdorf [= Stypułów] 110-111 N 2
Herwijnen [3 km → Brakel 106-107 E 5]
Herxheim 108-109 F 8
Herzberg [Brandenburg, ↓ Fürstenwalde (Spree)] 110-111 K 1
Herzberg [Brandenburg, ↘ Neuruppin] 104-105 AB 5
Herzberg [Hessen] 108-109 H 5
Herzberg [Mecklenburg] 102-103 LM 3
Herzberg am Harz 110-111 B 2
Herzberg (Elster) 110-111 H 2
Herzebrock 108-109 F 3
Herzele 106-107 B 7
Herzfeld 120 J 2
Herzfelde [Brandenburg, → Berlin] 104-105 C 6
Herzfelde [Brandenburg, ↙ Prenzlau] 104-105 BC 4
Herzhausen 120 J 5
Herzhorn 102-103 FG 3
Herzlake 102-103 C 5
Herzogenaurach 114-115 H 1
Herzogenbuchsee 116-117 E 2
Herzogenburg 118-119 K 2
Herzogenbusch 106-107 EF 5
Herzogenrath 108-109 B 5
Herzogsmühle [= Połom] 112 H 4
Herzogsdorf [3 km ↘ Niederwaldkirchen 118-119 G 2]
Herzogskirch [= Krasnogorskoje] 112 H 2
Herzogskirchen [= Gąski] 112 HJ 4
Herzogsrode [= Gavrilovo] 112 H 3
Herzogswaldau [= Niemstów] 113 A 3
Herzogswalde [= Książnik] 112 D 4
Herzsprung 102-103 MN 4
Hesbaye 106-107 E 7
Hesborn 108-109 G 4
Hesedorf bei Bremervörde 102-103 F 4
Hesel 102-103 C 4
Hesenheim [= Hésingue, 3 km ← Basel 116-117 DE 1]
Hesepe 102-103 C 6
Hesepertwist 102-103 B 5
Hesingen [3 km ↖ Basel 116-117 DE 1]
Hésingue = Hesingen
Heslach = Stuttgart-Heslach
Hesperange = Hesperingen 106-107 G 9
Hesperingen [= Hesperange] 106-107 G 9
Hesselbach 110-111 B 5
Hesselberg 114-115 H 2
Hesselsdorf [= Host'ka] 114-115 M 1
Hessen [Ort] 110-111 C 1
Hessen [Verwaltungseinheit] 101 D 3
Hessental, Schwäbisch Hall- 114-115 F 2
Heßheim [4 km ↗ Lambsheim 108-109 F 7]
Hessisch-Lichtenau 108-109 J 4
Hessisch Oldendorf 108-109 H 2
Hestehoved 102-103 M 1
het Bildt 106-107 F 2
Heteren 106-107 F 5
Het Loo 106-107 F 4
Hettange-Grande = Großhettingen 108-109 B 8
Hettenheuvel 106-107 G 5
Hettenhausen 108-109 J 6
Hettenleidelheim 108-109 EF 7
Hettingen [Baden-Württemberg, ↖ Bad Mergentheim] 114-115 E 1
Hettingen [Baden-Württemberg, ↓ Reutlingen] 114-115 E 4
Hettstadt [2 km ↖ Waldbüttelbrunn 114-115 F 1]
Hettstedt 110-111 DE 2
Hetzbach 108-109 G 7
Hetzerath 108-109 C 7
Heubach [Fluß] 120 E 1
Heubach [Ort] 114-115 FG 3
Heuberg 113 B 5
Heuchelberg 114-115 DE 2
Heuchelheim 108-109 G 5
Heudeber 110-111 C 2
Heukelum 106-107 E 5
Heumen 106-107 F 5
Heure [Fluß] 106-107 C 8
Heure [Ort] 106-107 E 8
Heuscheuergebirge 113 A 5
Heusden 106-107 E 6
Heusden, Land van – 106-107 E 5
Heusenstamm [8 km → Neu-Isenburg 108-109 G 6]
Heustreu 110-111 B 5
Heustrich, Bad – [4 km ↓ Spiez 116-117 E 3]
Heusweiler 108-109 C 8
Heve 108-109 F 4
Heven, Witten- 120 F 3
Heverlee 106-107 D 7
Heverstrom 102-103 E 2
Hevlín-Höflein 118-119 L 1
Hexenberg 102-103 M 4
Hexenkopf 116-117 KL 2
Hexenteich 113 C 2
Heydebreck (Oberschlesien) [= Kędzierzyn] 113 E 5
Heydekrug [= Šilutė] 101 K 1
Heyerode 110-111 B 3
Heyersdorf [= Jędrzychowice] 113 A 2

Hiddenhausen [4 km ↘ Bünde 108-109 G 2]
Hiddensee 104-105 AB 1
Hiddensö = Hiddensee 104-105 AB 1
Hiddesen 108-109 G 3
Hiddinghausen 120 F 3
Hiddingsel 120 F 1
Hieflau 118-119 H 3
Hienheim 114-115 K 3
Hierden, Harderwijk- 106-107 F 4
Hiesberg 118-119 J 2
Hiesfeld, Dinslaken- 120 D 2
Hijken, Beilen- 106-107 G 3
Hilbeck 120 H 2
Hilbersdorf = Chemnitz-Hilbersdorf
Hilbersdorf [3 km → Freiberg 110-111 H 4]
Hilbringen 108-109 C 8
Hilchenbach 120 J 4-5
Hildburghausen 110-111 C 5
Hilden 120 D 4
Hilders 110-111 B 4
Hildesheim [Ort, Verwaltungseinheit] 108-109 JK 2
Hilgertshausen 114-115 J 4
Hilkerode 110-111 B 2
Hill 106-107 G 7
Hille 108-109 G 2
Hillegom 106-107 CD 4
Hillegossen 108-109 G 2-3
Hillentrup 108-109 GH 2
Hillersdorf, Nieder- [= Hejnov] 113 C 5
Hillerse [Niedersachsen, ↖ Braunschweig] 110-111 B 1
Hillerse [Niedersachsen, ↙ Northeim] 108-109 J 3
Hillesheim 108-109 C 6
Hillested 102-103 K 1
Hillscheid 108-109 E 6
Hilpoltstein 114-115 J 2
Hils 108-109 J 3
Hilsbach 114-115 D 2
Hilsenheim 114-115 B 4
Hiltenfingen 114-115 H 4
Hilter 108-109 F 2
Hilterfingen [2 km ↘ Thun 116-117 E 3]
Hiltpoltstein 114-115 J 1
Hiltrop, Bochum- 120 EF 2
Hiltrup 108-109 E 3
Hilvarenbeek 106-107 E 6
Hilversum 106-107 E 4
Hilzingen 114-115 D 5
Himberg 118-119 LM 2
Himbergen 102-103 J 4
Himmelberg 118-119 FG 5
Himmelforth [= Bramka] 112 C 4
Himmelkron [3 km → Trebgast] 110-111 DE 5
Himmelpfort 104-105 B 4
Himmelpforten [Niedersachsen] 102-103 F 3
Himmelpforten [Nordrhein-Westfalen] 120 J 3
Himmelsstadt 114-115 F 1
Himmelstädt [= Mironice] 104-105 F 5
Himmelsthür 110-111 A 1
Himmelwitz [= Jemielnica] 113 EF 4
Himmelwitzer Wasser 113 E 4
Himmerod [3 km ← Grosslittgen 108-109 C 6]
Hindelang 114-115 G 5
Hindelbank [6 km ↙ Burgdorf 116-117 E 2]
Hindeloopen 106-107 E 3
Hindenburg [Ostpreußen] 112 F 2
Hindenburg [Sachsen-Anhalt] 102-103 L 5
Hindenburgdamm 102-103 DE 1
Hindenburg (Oberschlesien) [= Zabrze] 113 F 5
Hinderbank 106-107 B 5
Hingeon 106-107 D 7
Hinrichshagen [Mecklenburg, ↘ Neubrandenburg] 104-105 BC 4
Hinrichshagen [Mecklenburg, ↑ Waren (Müritz)] 102-103 N 3
Hinsbeck 120 B 3
Hinte 102-103 B 4
Hinterberg = Zagórów 113 D 1
Hinterbrühl [2 km ← Mödling 118-119 L 2]
Hintere Aach 114-115 E 5
Hinteres Sonnwendjoch 118-119 BC 3
Hinterhermsdorf 110-111 K 4
Hintermeilingen 108-109 F 5
Hinternah 110-111 C 4
Hinterpommern 104-105 F 3-K 2
Hinterrhein [Fluß] 116-117 H 3
Hinterrhein [Ort] 116-117 H 3
Hinterriß 116-117 MN 2
Hintersee [Deutschland] 104-105 D 3
Hintersee [Österreich] 118-119 E 3
Hintersee [9 km ↙ Zinkenbach 118-119 E 3]
Hintersteiner See 118-119 C 3
Hinterstoder 118-119 G 3
Hintertux 116-117 N 2
Hinterwald (Niederschlesien) [= Zalesie, 2 km ← Deutscheck 113 A 2]
Hinterweidenthal 108-109 E 8
Hinterzarten 114-115 BC 5
Hintschingen 114-115 D 5
Hinwil 116-117 G 2
Hinzendorf [= Zamysłów, 3 km ↑ Schlichtingsheim 113 A 2]
Hippersdorf [3 km ↖ Absdorf 118-119 K 2]
Hippolytushoef 106-107 DE 3
Hirrlingen 114-115 D 4
Hirsau 114-115 D 3
Hirschaid 114-115 HJ 1
Hirschau 114-115 K 1
Hirschbach [4 km ↙ Vitis 118-119 J 1]
Hirschbach im Mühlkreis [3 km ↙ Waldburg 118-119 G 1-2]
Hirschberg [Nordrhein-Westfalen] 108-109 F 4
Hirschberg [Thüringen] 110-111 E 5
Hirschberg [= Doksy] 110-111 L 4
Hirschberg im Riesengebirge [= Jelenia Góra] 110-111 N 4
Hirschenstand
Hirschenstein 114-115 M 3
Hirschfeld 110-111 J 3
Hirschfeld [= Jelonki] 112 BC 3
Hirschfeldau [= Jelenin] 110-111 MN 2
Hirschfelde 110-111 L 4
Hirschhorn (Neckar) 108-109 G 8
Hirschwang 118-119 K 3
Hirsingen [= Hirsingue] 116-117 D 1
Hirsingue = Hirsingen 116-117 D 1
Hirson 106-107 C 9
Hirtenberg 118-119 L 3
Hirtzenberg 106-107 F 9
Hirtzfelden = Hirzfelden 116-117 D 1
Hirzenhain 108-109 H 6
Hirzerberg 116-117 N 2
Hirzerspitze 116-117 M 3
Hirzfelden [= Hirtzfelden] 116-117 D 1
Hiskau = Hýskov 110-111 K 5-6
Hitdorf 120 D 4
Hitlersee = Szczedrzik 113 E 4
Hittbergen 102-103 J 4
Hittfeld 102-103 GH 4
Hittisau 116-117 J 2
Hitzacker 102-103 JK 4
Hitzdorf [= Objezierze] 104-105 G 4
Hitzendorf 118-119 J 4
Hitzerode 108-109 J 4
Hitzsand 102-103 E 2

Hlavice = Hlawitz
Hlawitz [= Hlavice, 6 km ↙ Böhmisch Aicha 110-111 L 4]
Hlinai = Hlinay 110-111 K 4
Hlinay [= Hlinná] 110-111 K 4
Hlinec = Aubach 110-111 HJ 5
Hlinná = Hlinay 110-111 K 4
Hlučín = Hultschin 113 E 6
Hlušice = Groß Hluschitz 110-111 M 5

Hnátnice = Friedrichswald 113 AB 5
Hněvčeves 110-111 N 5
Hniewtschowes = Hněvčeves 110-111 N 5

Hoboken 106-107 C 6
Hobscheid 106-107 FG 9
Höch [2 km ← Kitzeck im Sausal 118-119 J 5]
Hochalmspitze 118-119 E 4
Hochalpe 118-119 J 4
Hocharn 118-119 DE 4
Hochberg 114-115 EF 5
Höchberg 114-115 F 1
Hochburg-Ach 118-119 D 2
Hochdahl 120 D 4
Hochdonn 102-103 F 2
Hochdorf [Deutschland] 114-115 N 3
Hochdorf [Schweiz] 116-117 F 2
Hochducan 116-117 J 3
Hochdünen 112 F 1
Hocheck [Österreich, Grabenland] 118-119 K 3
Hocheck [Steirisch-Niederösterreichische Kalkalpen] 118-119 K 5
Höchenschwand 114-115 C 5
Hochfeiler 118-119 B 5
Hochfelden 108-109 E 9
Hochfilzen [6 km → Fieberbrunn 118-119 CD 4]
Hochfinstermünz 116-117 L 3
Hochfließ 112 H 2
Hochgall 118-119 C 5
Hochgern 114-115 M 5
Hochgolling 118-119 F 4
Hochgrat 114-115 G 5
Hochheim am Main 108-109 F 6
Hochkar 118-119 H 3
Hochkirch [Deutschland] 110-111 KL 3
Hochkirch [Polen] 104-105 M 5
Hochkirch [= Wysoka Cerekiew] 110-111 O 2
Hochkönig 118-119 E 4
Hochlantsch 118-119 JK 4
Hochmölbing 118-119 G 3
Hochmunde 116-117 M 2
Hochneukirch 120 BC 4
Hochnisslspitze 116-117 N 2
Hochobir 118-119 GH 6
Hochosterwitz, Schloß – 118-119 GH 5
Hochpetsch [= Bečov] 110-111 J 5
Hochplatte 114-115 H 5
Hochratzenberg 104-105 H 4
Hochreichart 118-119 H 4
Hochrhein = Rhein 114-115 C 7
Hochrode [= Trzebicko] 113 C 2
Hochschneeberg 118-119 K 3
Hochschober 118-119 D 5
Hochschwab [Berg] 118-119 J 3
Hochschwab [Gebirge] 118-119 HJ 3
Hochspeyer 108-109 E 8
Hochspitz 118-119 D 5
Höchst [3 km → Rheineck 116-117 J 2]
Hochstadl 118-119 J 3
Hochstadt [= Vysoké nad Jizerou] 110-111 M 4
Hochstadt [2 km ↑ Dörnigheim 108-109 F 6]
Hochstadt am Main 110-111 D 5
Höchstadt an der Aisch 114-115 H 1
Höchstädt an der Donau 114-115 H 3
Hochstädten [= Vysoká pri Moravě] 118-119 MN 2
Hochstatt 116-117 D 1
Hochstätt 114-115 L 5
Hochstaufen 114-115 M 5
Hochstein [Niederschlesien] 110-111 L 3
Hochstein [Sachsen] 110-111 K 3
Höchsten, Auf dem – 120 J 4
Höchst, Frankfurt am Main- 108-109 FG 6
Höchst im Odenwald 108-109 GH 7
Hochstollen 116-117 F 3
Hochsträß 114-115 F 4
Hoch Stüblau [= Zblewo] 104-105 M 3
Hochstuhl 118-119 G 6
Hochter [Berg] 118-119 H 3
Hochtor [Paß] 118-119 D 4
Hochvogel 116-117 KL 2
Hochwald [Deutschland] 110-111 L 4
Hochwald [Frankreich] 108-109 E 8-9
Hochwang [Schweiz] 116-117 J 3
Hochwald [Tschechoslowakei] 118-119 H 1
Hochwechsel 118-119 KL 3
Hochweiler [= Wierzchowice] 113 C 3
Hochweißstein 118-119 D 5
Hoch Weseli [= Vysoké Veselí] 110-111 M 5
Hochwesseln = Hoch Wesely 110-111 M 5
Hochwessely = Hoch Wesely 110-111 M 5
Hochwilde 116-117 M 3
Hochwildstelle 118-119 F 4
Hochzeit [= Stare Osieczno] 104-105 G 4
Hochzoll = Augsburg-Hochzoll
Höckendorf 110-111 J 4
Hockenheim 114-115 CD 2
Hockerland 112 CD 4
Hockstein, Rheydt- 120 B 4
Hodenhagen 102-103 G 5
Hodkovice nad Mohelkou = Liebenau 110-111 M 4
Hódmezővásárhely 101 K 5
Hödnitz = Kirschfeld 118-119 L 1
Hodonice = Kirschfeld 118-119 L 1
Hodonín = Göding 118-119 N 1
Hodoš 118-119 L 5
Hoedekenskerke 106-107 BC 6
Hoegaarden 106-107 D 7
Hoëgne 106-107 F 7-8
Hoei = Huy 106-107 E 7
Hoeilaart 106-107 CD 7
Hoek 106-107 B 6
Hoeksche Waard 106-107 CD 5
Hoek van Holland, Rotterdam- 106-107 BC 4-5
Hoenderberg 106-107 F 5
Hoensbroek 106-107 FG 7
Hoerdt = Hordt 114-115 B 3
Hoeselt 106-107 E 7
Hoetmar 108-109 E 3
Hoevelaken 106-107 EF 4
Hieven [3 km ↖ Etten en Leur 106-107 D 5]
Hoevenen [3 km ↙ Kapellen 106-107 CD 6]
Hof 110-111 E 5
Hof [= Dvorce] 113 D 6
Hof am Leithaberge 118-119 M 3
Höfen 108-109 B 5
Höfen an der Ens 114-115 D 3
Hohenstaufen 114-115 F 3
Höfer 102-103 H 5
Hoff [= Trzęsacz] 104-105 EF 2
Hoffenheim [3 km ↖ Sinsheim 114-115 D 2]
Hoffstädt [= Rudki] 104-105 H 4
Hofgastein, Bad – 118-119 E 4
Hofgeismar 108-109 H 4
Hofheim 108-109 F 7
Hofheim am Taunus 108-109 F 6
Hofheim in Unterfranken 110-111 BC 5
Höfingen [2 km ↑ Leonberg 114-115 E 3]
Hofkirchen [3 km ↗ Pleinting 114-115 N 3]
Hofkirchen an der Trattnach 118-119 F 2
Hofkirchen im Mühlkreis 118-119 F 2
Höflein [= Hevlín] 118-119 L 1
Hofolding 114-115 K 5
Hofstetten 118-119 JK 2
Hofweier [2 km ↗ Niederschopfheim 114-115 B 4]
Hogendorf [= Wysoka Braniewska, 7 km ← Mehlsack 112 D 3]
Hogne 106-107 E 8
Hogolie 110-111 N 4
Höhbeck 102-103 K 4
Hohburg 110-111 G 3
Hohburger Berge 110-111 G 3
Hohe Acht 108-109 CD 6
Hohe Bleick 114-115 H 5
Hohe Buch 108-109 D 6
Hohe Burg 102-103 L 3
Hohe Eifel 108-109 CD 6
Hohe Eule 113 A 4
Höhefeld 114-115 F 1
Hohe Föhren 114-115 H 1
Hohe Gaisl 118-119 C 5
Hohe Geige 116-117 L 2
Hohegeiß 110-111 C 2
Hohe Heide [Münsterland] 120 C 1
Hohe Heide [Schlesien] 110-111 O 4
Höheinöd [4 km ← Waldfischbach 108-109 E 8]
Hohe Kanzel 108-109 F 6
Hohe Kreuzspitze 116-117 M 3
Hohe Ley 120 B 2
Hohe Lieth 102-103 E 3
Hohe Mark 120 E 1
Hohe Molmert 120 H 4
Hohenaschau im Chiemgau 114-115 L 5
Hohenaspe 102-103 FG 3
Hohenau →
Hohenau [= Mieleszyn] 104-105 KL 5
Hohenberg [Berg] 118-119 K 3
Hohenberg
Hohenbocka 110-111 JK 3
Hohenbollentin [4 km ↗ Molzahn 102-103 N 3]
Hohenborau [= Borowiec] 110-111 N 2
Hohenbruch (Ostpreußen) 112 FG 2
Hohenbruck [= Třebechovice pod Orebem] 110-111 NO 5
Hohenbrunn 114-115 K 4
Hohenbucko 110-111 H 2
Hohendodeleben 110-111 DE 1
Hohendorf 104-105 C 2
Hohendorf [= Wysocko] 110-111 N 3
Hohenebra 110-111 C 3
Hohenecken 108-109 E 8
Hoheneich 118-119 J 1
Hoheneiche 108-109 J 4
Hoheneiche (Ostpreußen) [3 km ↓ Neukirch 112 G 1]
Hohenelbe [= Vrchlabí] 110-111 N 4
Hohenems 116-117 J 2
Hohenfelde [Schleswig-Holstein, Probstei] 102-103 J 2
Hohenfelde [Schleswig-Holstein, Stormarn] 102-103 G 3
Hohenfelde [= Miłogoszcz] 104-105 G 2
Hohenfelde [= Wysoka] 104-105 L 4
Hohenfels 114-115 J 2
Hohenfinow 104-105 C 5
Hohenfriedeberg [= Dobromierz] 113 A 4
Hohenfurch 114-115 H 5
Hohenfürst [= Wyszkowo, 4 km ↑ Peterswalde 112 D 3]
Hohenfurth [= Vyšší Brod] 118-119 G 1
Hohengöhren 102-103 M 5
Hohengüstow 104-105 CD 4
Hohenhameln 110-111 B 1
Hohenhausen 108-109 G 2
Höhenhaus, Köln- 120 E 5
Hohenkammer 114-115 K 4
Hohenkarpfen 114-115 D 4
Hohenkirch [= Książki] 104-105 O 4
Hohenkirchen [Hessen] 108-109 HJ 4
Hohenkirchen [Niedersachsen] 102-103 CD 3
Höhenkirchen 114-115 K 4
Hohenlandin 104-105 D 4
Hohenlandsberg 114-115 G 1
Hohenleipisch 110-111 J 3
Hohenleuben 110-111 F 4
Hohenlimburg 120 G 3
Hohenlinden 114-115 L 4
Hohenlockstedt 102-103 G 3
Hohenloher Ebene 114-115 FG 2
Hohen Mechtin →
Hohenmölsen 110-111 F 3
Hohennauen 102-103 M 5
Hohennauener See 102-103 M 5
Hohen Neuendorf 104-105 B 5
Hohenpeißenberg 114-115 HJ 5
Hohenprießnitz 110-111 G 2
Hohenraden, Borstel- [4 km ↗ Pinneberg 102-103 G 3]
Höhenrain [3 km ↖ Wolfratshausen 114-115 J 5]
Hohenreinkendorf 104-105 D 4
Hohenroda 110-111 FG 2-3
Hohenrode = Salzgitter-Hohenrode
Hohenruppersdorf 118-119 M 2
Hohensaaten 104-105 D 5
Hohensalza [= Inowrocław] 104-105 M 5
Hohensalza-Mątwy [= Inowrocław-Mątwy] 104-105 M 5
Hohensalzburg 118-119 DE 3
Hohensalzburg [= Lunino] 112 H 2
Hohenschönau [= Jenikowo] 104-105 F 3
Hohenschwangau 114-115 H 5
Hohensee [= Radzewice] 113 BC 1
Hohenseeden 110-111 EF 1
Hohenseefeld 110-111 H 2
Hohenselchow 104-105 D 4
Hohensolms 108-109 FG 5
Hohen Sprenz 102-103 M 3
Hohenstadt 114-115 J 1
Hohenstadt [= Zábřeh] 113 B 6
Höhenstadt, Bad – 114-115 N 3-4
Hohenstein [= Pszczółki] 104-105 N 2
Hohenstein-Ernstthal 110-111 G 4
Hohenstein in Ostpreußen [= Olsztynek] 112 D 4
Hohentauern 118-119 G 4
Hohenthann 114-115 K 5
Hohenthurm 110-111 F 2
Hohentwiel 114-115 D 5
Hohen Viecheln 102-103 L 3
Hohenwalde [=Wysoka Wielkopolska] 104-105 F 5
Hohenwaldheim [= Żelazno] 104-105 L 1
Hohen Wangelin 102-103 M 3
Hohenwart
Hohenwart [Oberbayern] 114-115 J 3
Hohenwarte-Stausee 110-111 E 4
Hohenwarth 118-119 K 1-2
Hohenwarthe 110-111 E 1
Hohenwestedt 102-103 G 2
Hohenwulsch 102-103 L 5
Hohenwutzen 104-105 CD 5
Hohenzell [4 km ↖ Ried im Innkreis 118-119 EF 2]
Hohenzethen 102-103 J 4
Hohenziatz 110-111 F 1
Hohenzieritz 104-105 B 4
Hohenzollern 114-115 DE 4
Hohenzollernkanal = Oder-Havel-Kanal 104-105 BC 5
Hohenzollern, Südwürttemberg- 114-115 C 4-F 5
Hoher Berg [Hinterpommern] 104-105 H 3
Hoher Berg [Lüneburger Heide] 102-103 J 5
Hoher Bogen 114-115 M 2
Hoher Bühl 114-115 J 2
Hoher Eulenberg 104-105 G 5
Hoher Fläming 110-111 F 1-G 2
Hoher Freschen 116-117 J 2
Hoher Göll 114-115 N 5
Hoher Hagen 108-109 J 4
Hoher Hemmberg 120 J 4
Hoher Ifen 116-117 K 2
Hoher Iserkamm 110-111 M 4
Hoher Nock
Hoher Riffler 116-117 K 2
Hoher Schneeberg 110-111 K 4
Hoher Sonnblick 118-119 D 4
Hoher Tauern 118-119 E 4
Hoher Wald 120 J 4
Hoher Weg 102-103 D 3
Hoher Westerwald 108-109 EF 5
Hoher Zinken 118-119 E 3
Hohe Salve 118-119 C 4
Hohe Schrecke 110-111 D 3
Hohes Licht 116-117 K 2
Hohes Lohr 108-109 H 4
Hohe Sondern 120 H 3
Hohes Rad 110-111 N 4
Hohes Venn 106-107 F 8-G 7
Hohe Tatra 101 JK 4
Hohe Tauern 118-119 C-E 4
Hohe Wand 118-119 L 3
Hohe-Wand-Spitze 116-117 N 2
Hohe Warte [Deutschland] 120 FG 5
Hohe Warte [Italien] 118-119 D 5
Hohgleifen 116-117 E 4
Hohkeppel 120 F 5
Hohloh 114-115 C 3
Hohn 102-103 FG 2
Hohndorf 110-111 G 4
Hohne 102-103 H 5
Hohne, Drei Annen- [5 km ↗ Elend 110-111 C 2]
Höhnhart [3 km ↙ Aspach 118-119 E 2]
Hohnstorf (Elbe) 102-103 J 4
Höhr-Grenzhausen 108-109 E 6
Höhscheid, Solingen- 120 E 4
Hohwacht 102-103 J 2
Hohwachter Bucht 102-103 J 2
Hoiersdorf 110-111 C 1
Höingen 120 H 3
Hoisbüttel [3 km ← Bünningstedt 102-103 H 3]
Hoisdorf 102-103 H 3
Hojsova Stráž = Eisenstraß 114-115 N 2
Hökendorf [= Klęskowo, 3 km ↓ Altdamm 104-105 E 4]
Holdenstedt 102-103 HJ 5
Holdorf 102-103 D 5
Holeby 102-103 K 1
Holič 118-119 N 1
Holice = Holitz 110-111 N 5
Holitsch = Holič 118-119 N 1
Holitz [= Holice] 110-111 N 5
Hollabrunn 118-119 L 1
Hollage 108-109 E 2
Hollain 106-107 A 7
Holland = Niederlande 106-107 B 6-H 2
Holländisches Tief = Hollandsch Diep 106-107 CD 5
Holland, Nord- 106-107 D 3-4
Hollandsch Diep 106-107 CD 5
Hollandsche IJssel 106-107 D 4-5
Holland, Süd- 106-107 C 5-D 4
Hollange 106-107 F 9
Holleben 110-111 E 3
Holledau = Hallertau 114-115 K 3
Holleischen [= Holýšov] 114-115 MN 1
Hollenbek 102-103 J 4
Höllenberge 104-105 J 2
Hollenburg 118-119 K 2
Höllenegg 118-119 J 5
Höllengebirge 118-119 F 3
Höllenkogel →
Hollenstedt [Niedersachsen, Lüneburger Heide] 102-103 G 4
Hollenstedt [Niedersachsen, Weserbergland] 108-109 J 3
Hollenstein an der Ybbs 118-119 H 3
Hollenstein-Stausee 114-115 M 2
Höllental [Deutschland] 114-115 BC 5
Höllental [Österreich] 118-119 K 3
Hollerath 108-109 B 6
Hollerich, Luxembourg- = Luxemburg-Hollerich 106-107 G 9
Hollerich, Luxemburg- [= Luxembourg-Hollerich] 106-107 G 9
Hollersbach im Pinzgau [5 km ← Mittersill 118-119 CD 4]
Hollfeld 114-115 J 1
Hollingstedt 102-103 F 2
Hollogne-aux-Pierres 106-107 E 7
Höllstein [1 km ↖ Steinen 114-115 B 5]
Hollum 106-107 F 2
Höllwand 118-119 E 4
Holm 102-103 G 3
Holnstein 114-115 K 2
Holsen [4 km ← Ennigloh 108-109 FG 2]
Hölstein 116-117 E 2
Holsteinische Schweiz 102-103 HJ 2
Holstein, Schleswig- 101 D 1-E 2
Holsthum 108-109 B 7
Holte 102-103 C 5
Holtemme 110-111 C 2
Holten 106-107 G 4
Holtenau, Kiel- 102-103 H 2
Holthausen 120 E 3
Holthusen [Mecklenburg] 102-103 K 3
Holthusen [Niedersachsen] 102-103 B 4
Holtorf 102-103 F 5
Holtrop [3 km ↘ Wiesens 102-103 C 4]
Holtsee 102-103 G 2
Holtum [Niedersachsen] 102-103 F 5
Holtum [Nordrhein-Westfalen] 120 H 2
Holtwick 108-019 D 2
Holwerd 106-107 F 2
Holýšov = Holleischen 114-115 MN 1
Holzappel 108-109 E 6
Holzdorf [Sachsen-Anhalt] 110-111 H 2
Holzdorf [Schleswig-Holstein] 102-103 G 1
Holzen [Nordrhein-Westfalen, ↓ Dortmund] 120 G 3
Holzen [Nordrhein-Westfalen, ↙ Neheim-Hüsten] 120 H 3
Holzendorf [Brandenburg] 104-105 C 4
Holzendorf [Mecklenburg] 102-103 L 3
Holzendorf [2 km ↑ Oertzenhof 104-105 C 3]
Hölzer Kopf 120 F 5
Holzgau 116-117 K 2
Holzgerlingen 114-115 DE 3
Holzhausen [Hessen] 108-109 J 4
Holzhausen [Niedersachsen] 108-109 EF 2
Holzhausen [Nordrhein-Westfalen, → Bielefeld] 108-109 G 2
Holzhausen [Nordrhein-Westfalen, ← Minden] 108-109 FG 2
Holzhausen [Nordrhein-Westfalen ↘ Siegen] 108-109 F 5
Holzhausen [Sachsen] 110-111 FG 3
Holzhausen an der Porta [2 km ↗ Hausberge an der Porta 108-109 G 2]
Holzheim 120 C 4
Holzkathen [= Smołdziński Las] 104-105 K 1
Holzkirchen 114-115 K 5
Holzleithen 118-119 F 2
Holzminden 108-109 HJ 3
Holzthaleben 110-111 C 3
Holzweiler 120 B 4
Holzweißig 110-111 F 2
Holzwickede 120 G 2-3
Homankanaal, Linthorst – 106-107 H 3
Hombeek 106-107 C 6
Homberg (Bezirk Kassel) 108-109 H 4
Homberg-Bracht-Bellscheid 120 DE 3
Homberg (Kreis Alsfeld) 108-109 GH 5
Homberg (Niederrhein) 120 C 3
Hombourg = Homburg 106-107 F 7
Hombourg-Budange = Homburg-Bidingen 108-109 B 8
Hombourg-Haut = Oberhomburg 108-109 C 8
Hombressen 108-109 HJ 3-4
Hombruch, Dortmund- 120 F 3
Homburg 108-109 D 8
Homburg [= Hombourg] 106-107 F 7
Homburg am Main 114-115 F 1
Homburg-Bidingen [= Hombourg-Budange] 108-109 B 8
Homburg vor der Höhe, Bad – 108-109 G 6
Homer 120 D 1
Homert [Berg, ↓ Arnsberg] 120 J 3
Homert [Berg, ↖ Meinerzhagen] 120 G 4
Homert [Gebirge] 120 J 3-4
Homonau = Humenné 101 KL 4
Hompré 106-107 F 9
Honau 114-115 E 4
Hondelange 106-107 F 9
Hondschoote 106-107 A 2
Hondsrug 106-107 H 2-3
Hône 116-117 E 5
Hönebach 108-109 J 5
Honegg 116-117 E 3
Höngen 108-109 B 5
Hongrin 116-117 D 4
Honhardt 114-115 FG 2
Honigfelde [= Trzciano] 112 B 4
Höningen 120 C 4
Hönne 120 H 3
Honnef 108-109 D 5
Hönnepel 120 B 1
Hönningen, Bad – 108-109 D 5
Honte = Westerschelde 106-107 BC 6
Hontenisse 106-107 BC 6
Hontheim 108-109 CD 6
Hoof 108-109 H 4
Hoofdplaat 106-107 B 6
Hoofdvaart I 106-107 F 4
Hoofdvaart II 106-107 F 3
Hooge 102-103 DE 1
Hooge en Lage Mierde 106-107 E 6
Hoogeloon 106-107 E 6
Hoogeveen 106-107 GH 3
Hoogeveen-Elim 106-107 H 3
Hoogeveen-Lutten 106-107 H 3
Hoogeveensche Vaart 106-107 GH 3
Hoogezand-Sappemeer 106-107 H 2
Hooge Zwaluwe 106-107 D 5
Hooghalen, Beilen- 106-107 H 3
Hoogkerk 106-107 GH 2
Hooglede 106-107 A 7

Hoogstade 19 Jahnsfelde

Hoogstade 106-107 a 2
Hoogstede-Bathorn 102-103 AB 5
Hoogstraten 106-107 D 6
Hoogwoud 106-107 D 3
Hooksiel 102-103 CD 3
Hoorn 106-107 E 3
Hoorn, Texel-Den – 106-107 D 2
Hopfengarten [= Brzoza] 104-105 M 4
Hopfensee 114-115 H 5
Hopferau 114-115 H 5
Hopfgarten 110-111 D 4
Hopfgarten in Defereggen 118-119 CD 5
Hopfgarten in Nordtirol 118-119 C 4
Höpfingen 114-115 EF 1
Hôpital-du-Grosbois, l' 116-117 B 2
Hoppegarten, Dahlwitz- 104-105 C 5
Hoppenrade 102-103 M 3
Hoppenwalde 104-105 D 3
Hoppstädten 108-109 D 7
Hopsten 102-103 C 6
Hora Svatého Šebestiána = Sebastiansberg 110-111 H 4
Hora Svaté Kateřiny = Katharinaberg 110-111 H 4
Horatitz [= Hořetice] 110-111 J 5
Horb am Neckar 114-115 D 4
Hörbranz 116-117 J 1
Hörde, Dortmund- 120 FG 3
Hörden 114-115 C 3
Hördt [= Hœrdt] 114-115 B 3
Hördt [3 km ↗ Rülzheim 108-109 F 8]
Hořelice 110-111 K 5
Horelitz = Hořelice 110-111 K 5
Hořesedly = Horosedl 110-111 J 5
Hořetice = Horatitz 110-111 J 5
Horgen 116-117 G 2
Horhausen (Westerwald) 108-109 E 5
Hořice 110-111 N 5
Hořice na Šumavě = Höritz 118-119 G 1
Hořičky [7 km ↖ Böhmisch Skalitz 110-111 NO 5]
Höringhausen 108-109 GH 4
Horion-Hozémont 106-107 E 7
Horitschon [2 km ↓ Neckenmarkt 118-119 M 3]
Höritz [= Hořice na Šumavě] 118-119 G 1
Horka 110-111 L 3
Horka [= Horky nad Jizerou] 110-111 L 5
Horka u Staré Paky = Falgendorf 110-111 N 4
Horky nad Jizerou = Horka 110-111 L 5
Horle 113 B 2
Hörmanns bei Weitra 118-119 HJ 1
Hörmannsdorf 114-115 K 2
Horn [Deutschland] 108-109 G 3
Horn [Niederlande] 106-107 F 6
Horn [Österreich] 118-119 K 1
Horn [= Żabi Róg] 112 D 4
Horná Ves = Oberdorf 110-111 H 5
Hornbach [Fluß] 108-109 D 8
Hornbach [Ort] 108-109 D 8
Hornberg [Berg] 114-115 G 2
Hornberg [Ort] 114-115 C 4
Hornbostel 102-103 G 5
Hornburg 110-111 C 1
Horneburg [Niedersachsen] 102-103 FG 3
Horneburg [Nordrhein-Westfalen] 120 F 2
Horneck [= Tworóg] 113 F 4
Hörnerkirchen, Brande- 102-103 G 3
Hornhausen 110-111 D 1
Hornheim [= Rączki] 112 D 5
Horní Benešov = Benisch 113 D 6
Horní Blatná = Bergstadt Platten 110-111 G 5
Horní Bousov = Ober Bautzen 110-111 M 5
Horní Bříza 114-115 N 1
Horní Dvořiště = Ober Haid 118-119 G 1
Horní Folmava = Ober Vollmau 114-115 M 2
Horní Jelení 110-111 O 5
Horní Jiřetín = Ober Georgenthal 110-111 HJ 4
Horní Libana = Bergstadt 113 C 6
Horní Libina = Deutsch Liebau 113 C 6
Horní Planá = Ober Plan 118-119 G 1
Horní Počernice 110-111 L 5
Horní Ročov = Ober Rotschau 110-111 J 5
Horní Sekyřany = Ober Sekeran 114-115 N 1
Hornisgrinde 114-115 C 3
Horní Slavkov = Schlaggenwald 110-111 G 5
Horní Sloupnice = Ober Schlaupnitz 113 A 6
Horní Staré Město = Altstadt 110-111 N 4
Horní Štěpanice = Oberstepanitz
Horní Stropnice = Strobnitz 118-119 H 1
Horní Třešňovec = Ober Johnsdorf 113 B 6
Horní Vítkov = Ober Wittig
Horní Vltavice = Obermoldau 118-119 F 1
Hornje Kundraćicy = Obercunnersdorf 110-111 L 3
Horn-Lehe = Bremen-Horn-Lehe
Hörnli 116-117 G 2
Hornow [2 km ↖ Bohsdorf 110-111 KL 2]
Hornspitze 116-117 M 4
Horbstein [5 km ↗ Neufeld an der Leitha 118-119 L 3]
Hornstorf 102-103 KL 3
Hornu 106-107 B 8
Hörnum ≻→
Hörnumodde 102-103 D 1
Hörnumtief 102-103 D 1
Horosedl [= Hořesedly] 110-111 J 5
Hörre 108-109 F 5
Horrem 108-109 C 5
Horrues 106-107 BC 7
Horsbüll 102-103 E 1
Horschelitz = Hořelice 110-111 K 5
Hörsching 118-119 G 2
Horschitz = Hořice 110-111 N 5
Horschitz = Horšice 114-115 N 1
Hörselberge 110-111 BC 4
Horšice 114-115 N 1
Hörsingen [5 km ↖ Ivenrode 110-111 D 1]
Horslunde 102-103 K 1
Horsmar 110-111 B 3
Horšovský Týn = Bischofteinitz 114-115 M 1
Horst [Deutschland, Hessen] 108-109 H 6
Horst [Deutschland, Nordrhein-Westfalen, Berg] 120 H 4
Horst [Deutschland, Nordrhein-Westfalen, Ort] 120 A 4
Horst [Deutschland, Pommern] 104-105 B 2
Horst [Deutschland, Schleswig-Holstein] 102-103 G 3
Horst [Niederlande] 106-107 FG 6
Hörstel 108-109 E 2
Horsten 102-103 CD 4
Horstenau [7 km ↑ Insterburg 112 G 2]
Horst, Gelsenkirchen- 120 E 2
Horstmar 108-109 D 2
Horst (Seebad) [= Niechorze] 104-105 F 2
Horw 116-117 F 2
Hory Matky Boži = Bergstadtl 114-115 N 2
Hörzhausen 114-115 J 3
Hösbach 108-109 H 6
Hösel 120 D 3
Hosena 110-111 JK 3
Hosenfeld 108-109 HJ 5
Hosingen 106-107 G 8
Hospental [4 km ↙ Andermatt 116-117 G 3]
Hosposin [= Hospozín] 110-111 K 5
Hospozín = Hosposin 110-111 K 5
Hošt'álkovy = Gotschdorf 113 D 5
Hostau [= Hostouň] 114-115 M 1
Hostaun [= Hostouň, 3 km ↓ Lidice 110-111 K 5]
Hostenbach [2 km ↘ Wadgassen 108-109 C 8]
Hosterlitz [= Hostěradice] 118-119 L 1
Hostěradice = Hosterlitz 118-119 L 1
Hostinné = Arnau 110-111 N 4
Hostivař, Prag- [= Praha-Hostivař] 110-111 L 5
Hostivař, Praha- = Prag-Hostivař 110-111 L 5
Hostivice 110-111 K 5
Hostiwar, Prag- = Prag-Hostivař 110-111 L 5
Hostiwitz = Hostivice 110-111 K 5
Hošt'ka = Gastorf 110-111 K 5
Hošt'ka = Hesselsdorf 114-115 M 1
Hostouň = Hostau 114-115 M 1
Hostouň = Hostaun
Hötensleben 110-111 D 1
Hotiza 118-119 L 5
Hötting, Innsbruck- 116-117 M 2
Hotton 106-107 EF 8
Hottorf 120 B 4-5
Hotzenplotz 113 D 5
Hotzenplotz [= Osoblaha] 113 D 5
Hotzenwald 114-115 BC 5
Hötzingen 102-103 GH 4
Houches, les – 116-117 C 5
Houdeng-Aimeries 106-107 BC 8
Houffalize 106-107 F 8
Houille 106-107 D 8
Houillères de Sarre, Canal de – = Saar-Kohlen-Kanal 108-109 CD 8-9
Houplines 106-107 ab 2
Houtain-le-Val 106-107 C 7
Houtem, Sint-Lievens- 106-107 B 7
Houten 106-107 E 4
Houthalen 106-107 E 6
Houthem 106-107 ab 2
Houthem, Valkenburg- 106-107 F 7
Houthulst 106-107 a 2
Houyet 106-107 DE 8
Hove [2 km ↘ Mortsel 106-107 CD 6]
Hövel 120 H 3
Hövel, Bockum- 120 GH 2
Hövelhof 108-109 G 3
Hövelsberg 120 D 2
Hoven, Mariaweiler- [2 km ↙ Birkesdorf 108-109 B 5]
Hoverbeck [= Baranowo] 112 FG 4
Hovestadt 120 J 2
Hovorany 118-119 MN 1
Howoran = Hovorany 118-119 MN 1
Höxberg 120 J 2
Hoxfeld [4 km ← Borken 120 D 1]
Höxter 108-109 H 3
Hoya 102-103 F 5
Hoyerhagen 102-103 F 5
Hoyerswerda 110-111 K 3
Hoym 110-111 D 2
Hoyoux 106-107 E 8
Hozémont, Horion- 106-107 E 7

Hrabenov = Rabenau 113 B 6
Hrabin [= Hrabyně] 113 DE 6
Hrabišín = Rabersdorf 113 C 6
Hrabyně = Hrabin 113 DE 6
Hrachoviště 118-119 H 1
Hrachowischt = Hrachoviště 118-119 H 1
Hradčany = Kummer 110-111 L 4
Hradec = Grätz 113 D 6
Hradec Králové = Königgrätz 110-111 N 5
Hrádek = Erdberg 118-119 L 1
Hrádek nad Nisou = Grottau 110-111 L 4
Hradiště = Burgstadl 110-111 H 5
Hranice = Roßbach 110-111 F 5
Hřebeč = Rebetz
Hřensko = Herrnskretschen 110-111 K 4
Hřivice = Riwitz 110-111 J 5
Hrob = Klostergrab 110-111 J 4
Hrochowteinitz [= Hrochův Týnec] 110-111 NO 6
Hrochův Týnec = Hrochowteinitz 110-111 NO 6
Hron = Gran 101 J 4
Hronov 110-111 O 5
Hronow = Hronov 110-111 O 5
Hroznětín = Lichtenstadt 110-111 G 5
Hrubá Skála = Groß Skal 110-111 M 4
Hrubý = Altvatergebirge 113 C 5
Hruschau [= Hrušová] 113 A 6
Hruschau, Ostrau- [= Ostrava-Hrušov] 113 E 6
Hrušová = Hruschau 113 A 6
Hrušovany nad Jevišovkou = Grusbach 118-119 L 1
Hrušov, Ostrava- = Ostrau-Hruschau 113 E 6

Huben [Österreich, Osttirol] 118-119 D 5
Huben [Österreich, Tirol] 116-117 LM 2
Hubertusburg 110-111 GH 3
Hubertusruh [= Wojnowice] 113 D 5
Hubertusstock, Eichhorst- 104-105 C 5
Hubertusstock, Jagdschloß – 104-105 C 5
Hüchelhoven 120 C 4
Huckarde, Dortmund- 120 F 2
Hückelhoven-Ratheim AB 4
Hückeswagen 120 F 4
Huckingen, Duisburg- 120 CD 3
Hude 102-103 DE 4
Hudlice = Hudlitz 110-111 J 6
Hudlitz [= Hudlice] 110-111 J 6
Hüffenhardt 114-115 DE 2
Hüfingen 114-115 C 5
Hügelsheim 114-115 C 3
Hugenpoet, Schloß – 120 D 3
Hühnerkogel 118-119 HJ 5
Hühnerwasser [= Kuřívody] 110-111 L 4
Huijbergen 106-107 C 6
Huisberden 120 AB 1
Huisduinen, Den Helder- 106-107 D 3
Huissen 106-107 F 5
Huizen 106-107 E 4
Hukovice = Haugsdorf 113 C 5
Huldenberg 106-107 D 7
Huldsessen 114-115 M 4
Huliern 120 F 2
Hülm 120 A 2
Hulpe, la – [= Terhulpen] 106-107 C 7
Hüls 120 C 3
Hülscheid 120 G 3
Hülser Berg 120 C 3
Hüls, Marl- 120 E 2
Hulst 106-107 C 6
Hülsten 120 E 1
Hultrop 120 J 2
Hultschin [= Hlučín] 113 E 6
Hultschiner Ländchen 113 E 6
Humbeek 106-107 C 7
Humble 102-103 J 1
Hümbrecht 108-109 E 5
Humenné 101 KL 4
Humfeld in Lippe 108-109 GH 2
Hümme 108-109 H 3
Hummel [= Trzmielów] 110-111 NO 3
Hummelo en Keppel 106-107 G 4
Hummelshain 110-111 E 4
Hummelstadt [= Lewin Kłodzki] 113 A 5
Hümmling 102-103 BC 5
Humprechtshausen 110-111 B 5
Humptrup 102-103 E 1
Hundeluft 110-111 F 2
Hunderdorf 114-115 M 3
Hundeshagen 110-111 B 3
Hundheim 114-115 E 1
Hundsangen 108-109 EF 6
Hundsfeld, Breslau- [= Wrocław-Psie Pole] 113 C 3
Hundsheimer Berg 118-119 MN 2
Hundstein 118-119 DE 4
Hünernbach 113 C 4
Hünfeld 108-109 J 5
Hungen 108-109 G 6
Hüningen [= Huningue] 116-117 DE 1
Hüninger Zweigkanal 116-117 DE 1
Huningue = Hüningen 116-117 DE 1
Huningue, Canal de – = Hüninger Zweigkanal 116-117 DE 1
Hunnebrock [2 km ↓ Bünde 108-109 G 2]
Hunseby 102-103 KL 1
Hunsel 106-107 F 6
Hunsingo 106-107 GH 2
Hunsrück 108-109 CD 7
Hunsrück-Höhenstraße 108-109 D 6-7
Hunte 102-103 D 4-5
Huntlosen 102-103 D 5
Hünxe 120 D 2
Hunze = Oostermoersche Vaart 106-107 H 2-3
Huppaye 106-107 D 7
Huppen, Auf dem – 120 H 5
Hüpstedt 110-111 B 3
Hurl 120 B 1
Hurtaut 106-107 C 9
Hürtgen [3 km ↑ Vossenack 108-109 B 5]
Hürth [Deutschland] 108-109 C 5
Hürth [Österreich] 118-119 K 5
Husby 102-103 G 1
Hussinetz = Friedrichstein (Niederschlesien) 113 C 4
Hüsten, Neheim- 120 HJ 3
Hustopeče = Auspitz 118-119 M 1
Husum 102-103 EF 2
Hut [= Kłobuky] 110-111 J 5
Huta = Althütte 104-105 J 5
Huta = Hütte 104-105 M 3
Huta Szklara = Glashütte 104-105 H 5
Hutberg 110-111 L 1
Hüthum 108-109 B 3
Hüttau 118-119 E 4
Hütte [= Huta] 104-105 M 3
Hütteltalkopf 118-119 C 4
Hütten bei Gellin [= Sitno, 6 km ↙ Neustettin 104-105 J 3]
Hüttenberg 118-119 H 5
Hüttenbusch 102-103 E 4
Hüttendorf [5 km → Herzogenaurach 114-115 H 1]
Hüttener Berge 102-103 G 2
Hüttengesäß 108-109 H 6
Huttenheim = Hüttenheim 114-115 B 4
Hüttenheim [= Huttenheim] 114-115 B 4
Hüttenrode 110-111 C 2
Hüttersdorf 108-109 C 8
Hutthurm 118-119 EF 1
Hüttlingen 114-115 G 3
Hüttschlag 118-119 E 4
Huttwil 116-117 E 2
Hüttwilen 116-117 G 1
Hutwisch 118-119 L 4
Hützel 102-103 H 4
Huy 110-111 C 2
Huy [= Hoei] 106-107 E 7
Huzenbach 114-115 C 3

Hygendorf [= Udorpie] 104-105 KL 2
Hyllekrog 102-103 KL 1
Hynčice = Heinzendorf 113 C 5
Hynčice
Hyon [3 km ↘ Mons 106-107 BC 8]
Hýskov 110-111 K 5-6
Hyskow = Hýskov 110-111 K 5-6

I

Iba 108-109 J 5
Ibbenbüren 108-109 E 2
Ibitzgraben 102-103 N 2
Ibm [3 km ↑ Moosdorf 118-119 DE 2]
Iburg [Niedersachsen] 108-109 EF 2
Iburg [Nordrhein-Westfalen] 108-109 H 3

Ichendorf, Quadrath- 120 C 5
Ichenhausen 114-115 G 4
Ichenheim 114-115 B 4
Ichstedt 110-111 D 3
Ichtegem 106-107 b 1
Ichtershausen 110-111 CD 4
Icking 114-115 JK 5

Idaarderadeel 106-107 F 2
Idarbach 108-109 D 7
Idarkopf 108-109 D 7
Idar-Oberstein 108-109 D 7
Idarwald 108-109 D 7
Idegem 106-107 B 7
Iden 102-103 L 5
Idestrup 102-103 LM 1
Idro 116-117 KL 5
Idro, Lago d' 116-117 L 5
Idstedt 102-103 FG 1
Idstein 108-109 F 6

Ieper = Ypern 106-107 a 2

Iferten = Yverdon 116-117 C 5
Iffeldorf 114-115 J 5
Iffezheim 114-115 C 3
Ifta 110-111 B 3

Igel 108-109 C 7
Igersheim 114-115 F 1-2
Iggelheim 108-109 F 8
Iggensbach 114-115 N 3
Igis 116-117 J 3
Iglau [= Jihlava] 101 G 4
Iglbach 114-115 N 3
Iglice = Geiglitz 104-105 F 3
Igls 116-117 M 2
Ignalin = Reimerswalde 112 E 3

Ihle 110-111 E 1
Ihlienworth 102-103 E 3
Ihlpohl, Osterhagen- 102-103 E 4
Ihmert 120 GH 3
Ihna 104-105 F 4
Ihna, Faule – 104-105 F 4
Ihna, Gestohlene – 104-105 F 4
Ihren 108-109 B 6
Ihrhove 102-103 BC 4
Ihringen 114-115 B 4
Ihringsfehn 102-103 C 4
Ihringshausen [4 km → Niedervellmar 108-109 HJ 4]
Ihrlerstein 114-115 K 3

IJ 106-107 DE 4
IJlst 106-107 F 2
IJmuidengrund 106-107 BC 4
IJmuiden, Velsen- 106-107 D 4
IJsel = IJssel 106-107 G 4
IJssel 106-107 G 4
IJssel, Alte – 108-109 B 3
IJssel, Hollandsche – 106-107 D 4-5
IJsselmeer 106-107 EF 3
IJsselmonde 106-107 CD 5
IJsselmonde, Rotterdam- 106-107 D 5
IJsselmuiden 106-107 FG 3
IJsselmuiden-Kamerveen 106-107 F 3
IJssel, Oude – 106-107 G 5
IJsselstein 106-107 DE 4
IJsselstein [6 km ↙ Venraj 106-107 F 5]
IJzendijke 106-107 B 6
IJzer 106-107 a 1

Ikervár 118-119 M 4
Ikva 118-119 M 3

Ilanka = Eilang 110-111 L 1
Ilanz [= Glion] 116-117 H 3
Iława = Deutsch Eylau 112 C 4
Ilberg 120 J 4
Ilberstedt 110-111 E 2
Ilfeld-Wiegersdorf 110-111 C 2
Ilfis 116-117 E 3
Il Fuorn = Oferberg 116-117 K 3
Ilgen [= Lgiń] 110-111 O 2
Iljičevka = Lank 112 D 2
Ilkenau = Olkusz 101 J 3
Ill [Frankreich] 114-115 B 4, 116-117 D 1
Ill [Österreich] 116-117 J 2
Illasi 116-117 M 6
Iller 114-115 G 5
Illereichen-Altenstadt 114-115 G 4
Illertissen 114-115 G 4
Illfurt [= Illfurth] 116-117 D 1
Illfurth = Illfurt 116-117 D 1
Illiez, Val d' 116-117 C 4
Illingen [Baden-Württemberg] 114-115 D 3
Illingen [Nordrhein-Westfalen] 120 H 2
Illingen [Saarland] 108-109 CD 8
Illkirch-Grafenstaden [= Illkirch-Graffenstaden] 114-115 B 3
Illkirch-Graffenstaden [= Illkirch-Grafenstaden] 114-115 B 3
Illmensee 114-115 E 5
Illmitz 118-119 M 3
Illnau 116-117 G 2
Illowo [= Iłowo] 104-105 K 4
Illschwang 114-115 K 2
Illy 106-107 D 9
Illzach 116-117 D 1
Ilm [Bayern] 114-115 K 3
Ilm [Thüringen] 110-111 D 4
Ilme [Niedersachsen] 108-109 J 3
Ilme [Ostpreußen] 112 G 3
Ilmenau [Fluß] 102-103 J 4
Ilmenau [Ort] 110-111 CD 4
Ilmenau-Neetze-Kanal 102-103 H 4
Ilmenhorst 112 G 3
Ilmmünster 114-115 J 4
Ilmsdorf [= Novobobrujsk] 112 F 2
Ilnau [= Jełowa] 113 E 4
Iłowa = Halbau 110-111 M 3
Iłowo = Illowo 104-105 K 4
Il Palon 116-117 LM 4
Ilpendam 106-107 D 4
Ilscha = Iłża 101 K 3
Ilse 110-111 C 1-2
Ilsenburg (Harz) 110-111 C 2
Ilsfeld 114-115 E 2
Ilshofen 114-115 FG 2
Ilten 108-109 J 2
Ilvesheim 114-115 D 2
Ilz [Deutschland] 114-115 N 3
Ilz [Österreich, Fluß] 118-119 K 4
Ilz [Österreich, Ort] 118-119 K 4
Iłża 101 K 3

Imbramowice = Ingramsdorf 113 B 4
Imielin 113 G 5
Imielno 104-105 D 6
Immekath 102-103 K 5
Immelborn 110-111 B 4
Immendingen 114-115 D 5
Immendorf 120 A 5
Immenhausen 108-109 HJ 4
Immenheim = Mrocza 104-105 L 4
Immenreuth 114-115 K 1
Immenrode [Niedersachsen] 110-111 BC 2
Immenrode [Thüringen] 110-111 C 3
Immensee [3 km ↗ Küssnacht 116-117 FG 2]
Immensen 110-111 B 1
Immenstaad 114-115 E 5
Immenstadt im Allgäu 114-115 G 5
Immenthal [3 km ↙ Obergünzburg 114-115 G 5]
Immerath 120 B 4
Immerkopf 120 F 5
Imnau, Bad – 114-115 D 4
Imst 116-117 L 2

Ina = Ihna 104-105 F 4
Inchenhofen 114-115 J 3
Incourt 106-107 D 7
Inde 108-109 B 5
Inden [Deutschland] 108-109 B 5
Inden [Schweiz] 116-117 E 4
Indersdorf, Markt – 114-115 J 4
In der Wart 118-119 L 4
Indevillers 116-117 C 2
Indling 114-115 N 4
Induno Olona 116-117 G 5
Ingelfingen 114-115 F 2
Ingelheim am Rhein 108-109 F 7
Ingelmunster 106-107 A 7
Ingenbohl 116-117 G 2
Ingenheim 108-109 F 3
Ingering 118-119 H 4
Ingolstadt 114-115 J 3
Ingramsdorf [= Imbramowice] 113 B 4
Ingria 116-117 E 6
Ingstetten 114-115 G 4
Ingweiler [= Ingwiller] 108-109 DE 9
Ingwiller = Ingweiler 108-109 DE 9
Inn 101 E 5
Inn [= En] 116-117 K 3
Innbach 118-119 F 2
Innerbraz 116-117 J 2
Innerferrera 116-117 HJ 3
Inner-Rhoden 116-117 H 2
Innerridnaun [= Ridanna] 116-117 M 3
Innerste 110-111 B 1
Innersulden [= Solda] 116-117 L 3
Innertkirchen 116-117 F 3
Innervillgraten 118-119 C 5
Innichen [= San Càndido] 118-119 C 5
Innien 102-103 G 2
Inning am Ammersee 114-115 J 4
Inningen 114-115 H 4
Innsbruck 116-117 MN 2
Innsbruck-Hötting 116-117 M 2
Innviertel 118-119 EF 2
Inzell 114-115 M 5
Inowrocław = Hohensalza 104-105 M 5
Inowrocław-Mątwy = Hohensalza-Mątwy 104-105 M 5
Ins [= Anet] 116-117 D 2
Inschot 106-107 E 2
Inse 112 F 1
Insel [Niedersachsen] 102-103 G 4
Insel [Sachsen-Anhalt] 102-103 L 5
Inselsberg, Großer – 110-111 BC 4
Insheim [2 km ↗ Rohrbach 108-109 F 8]
Ińsko = Nörenberg 104-105 G 4
Ińsko, Jezioro – = Enzigsee 104-105 FG 4
Insming = Insmingen 108-109 C 9
Insmingen [= Insming] 108-109 C 9
Inster 112 G 2
Insterbergen [5 km ↖ Rautenberg 112 H 2]
Insterburg [= Čern'achovsk] 112 G 2
Instruč = Inster 112 G 2
Interlaken 116-117 E 3
Intragna 116-117 G 4
Intra, Verbània- 116-117 G 5
Intròbio 116-117 H 5
Inverigo 116-117 H 5
Inveruno 116-117 G 5
Invòrio 116-117 FG 5
Inzago 116-117 HJ 5
Inzersdorf im Kremstal [3 km ↙ Schlierbach 118-119 G 3]
Inzing 116-117 M 2

Ipel' = Eipel 101 J 4
Ipf 114-115 G 3
Iphofen 114-115 G 1
Ippesheim 114-115 G 1
Ipsheim 114-115 G 1

Iragna 116-117 G 4
Irancovo = Deutsch Thierau 112 D 3
Irchel 116-117 G 1
Irdning 118-119 G 3-4
Irlbach 114-115 M 3
Irlich 108-109 D 6
Irmgarteichen 108-109 F 5
Irnsum 106-107 F 2
Irottkő = Geschriebenstein 118-119 LM 4
Irrel 108-109 BC 7
Irritz [= Jiřice] 118-119 L 1
Irsch 108-109 C 7
Irschenberg 114-115 K 5
Irsee 114-115 H 5
Irsen 108-109 B 6
Irxleben [5 km → Eichenbarleben 110-111 D 1]

Isąg = Eißingsee 112 D 4
Isar 101 F 4
Isarco = Eisack 116-117 N 3
Isarco, Valle – = Eisacktal 116-117 MN 3
Isartal 114-115 J 5
Isch 108-109 D 9
Ischdaggen = Branden
Ischgl 116-117 K 2
Ischl, Bad – 118-119 F 3
Ise 102-103 J 5
Isel 118-119 D 5
Iselle 116-117 F 4
Iselsberg 118-119 D 5
Iselsberg-Stronach [1 km ↑ Dölsach 118-119 D 5]
Iseltal 118-119 D 5
Iseltwald [9 km ↗ Interlaken 116-117 E 3]
Isen [Fluß] 114-115 L 4
Isen [Ort] 114-115 L 4
Isenach 108-109 F 7-8
Isenbüttel 102-103 J 6
Isenthal 116-117 G 3
Iseo 116-117 K 5
Iseo, Lago d' 116-117 K 5
Iser 110-111 L 4
Isera 116-117 LM 5
Isérables 116-117 D 4
Isère 116-117 B 5
Isère, Val-d' 116-117 C 6
Isergebirge 110-111 M 4
Iser, Kleine – = Zabeitka 110-111 L 4
Iserlohn 120 G 3
Isernhagen 102-103 G 6
Isinger [= Nieborowo] 104-105 E 4
Islek = Ösling 108-109 B 6-7
Isle, L' 116-117 B 3
Isle-sur-le-Doubs, l' 116-117 BC 2
Ismaning 114-115 K 4
Isny 114-115 G 5
Isolàccia 116-117 K 4
Isolato 116-117 H 4
Isone 116-117 GH 4
Isorno 116-117 F 4
Isper 118-119 J 2
Ispra 116-117 G 5
Ispringen 114-115 D 3
Issel 120 C 1
Isselburg 120 BC 1
Isselhorst 108-109 F 3
Issime 116-117 E 5
Issing 114-115 H 5
Issogne 116-117 E 5
Issum 120 B 2
Istein 114-115 B 5
Isterberg 108-109 D 2
Istha 108-109 H 4

Itàlia = Italien 101 D-F 5
Italien 101 D-F 5
Itegem 106-107 D 6
Ith 108-109 J 2
Ittenbach [2 km ↗ Ägidienberg 108-109 D 5]
Itter = Ittre 106-107 C 7
Itter [3 km ↖ Hopfgarten in Nordtirol 118-119 C 4]
Itterbeck 102-103 A 5
Itter, Düsseldorf- 120 D 4
Ittersbach 114-115 CD 3
Ittling 114-115 M 3
Ittre [= Itter] 106-107 C 7
Itz 110-111 C 5
Itzehoe 102-103 G 3

Iván 118-119 M 4
Ivánc 118-119 M 5
Ivenack 102-103 N 3
Ivenrode 110-111 D 1
Ivrea 116-117 E 6

Iwanowice 113 E 2
Iwięcino = Eventin 104-105 H 2
Iwiny = Ober Mittlau 110-111 N 3

Ixelles [= Elsene] 106-107 C 7
Ixtsee 112 F 4

Izbica = Giesebitz 104-105 K 1
Izbica Kujawska 104-105 N 6
Izbicko = Stubendorf 113 E 4
Izegem 106-107 A 7
Izel 106-107 E 9
Izerskie, Góry – = Isergebirge 110-111 M 4

J

Jabbeke 106-107 A 6
Jabel 102-103 N 3
Jablone [= Jabłonna] 110-111 O 1
Jablonec nad Nisou = Gablonz an der Neiße 110-111 M 4
Jabłonka = Seehag 112 DE 5
Jablonken = Seehag 112 DE 5
Jabłonna = Jablone 110-111 O 1
Jablonné nad Orlicí = Gabl 113 B 5
Jablonné v Podještědí = Deutsch Gabel 110-111 L 4
Jablonové = Apfelsbach 118-119 N 2
Jabłonów = Schönbrunn
Jabłonowo [Polen, ↘ Graudenz] 104-105 O 4
Jabłonowo [Polen, ← Kolmar in Posen] 104-105 J 4
Jabłonskie = Urbansdorf
Jabłowo = Groß Jablau 104-105 MN 3
Jablunka 101 J 4
Jachen 114-115 JK 5
Jachenau 114-115 J 5
Jachovo = Hanswalde
Jáchymov = Joachimsdorf 110-111 L 4
Jáchymov = Radiumbad Sankt Joachimsthal 110-111 GH 5
Jacinki = Jatzingen 104-105 J 2
Jacobshagen [= Dobrzany] 104-105 F 4
Jaczów = Friedenshagen 110-111 O 2
Jade [Fluß] 102-103 D 4
Jade [Ort] 102-103 D 4
Jadebusen 102-103 D 4
Jaderberg 102-103 D 4
Jädickendorf [= Godków] 104-105 D 5
Jagdhaus [= Budy] 104-105 J 4
Jagdbusen [= Niezgoda] 113 C 2
Jagdhaus Rominten [= Jaszkotle] 112 J 3
Jagenbach 118-119 J 1
Jagerberg 118-119 K 5
Jägerbrück, Torgelow- 104-105 CD 3
Jägerhof [3 km ↖ Bromberg 104-105 LM 4]
Jägerndorf 114-115 M 3
Jägerndorf [= Krnov] 113 D 5
Jägersburg [2 km ↙ Waldmohr 108-109 D 8]
Jäglitz 102-103 M 5
Jagniątków = Agnetendorf 110-111 N 4
Jagodne Jezioro = Jagodner See 112 G 4
Jagodner See 112 G 4
Jagodzin = Neuhammer 110-111 M 3
Jagow 104-105 C 4
Jagst 114-115 F 2
Jagstheim 114-115 G 2
Jagstzell 114-115 G 2
Jahn [= Jania, 5 km ← Schmentau 104-105 N 3]
Jahna 110-111 H 3
Jahnsbach [2 km ↙ Thum 110-111 G 4]
Jahnsdorf 110-111 G 4
Jähnsdorf [= Janiszowice] 110-111 LM 2
Jähnsdorfer See 110-111 LM 2
Jahnsfelde 104-105 D 5
Jahnsfelde [= Jańczewo, 2 km ↖ Gralow 104-105 F 5]

Jaispitz 20 Kapos

Jaispitz [= Jevišovice] 118-119 KL 1
Jaispitz [= Jevišovka] 118-119 L 1
Ják 118-119 M 4
Jakobsdorf [= Jakubov] 118-119 M 2
Jakobsdorf [= Jakubowo Lubińskie] 110-111 N 3
Jakobsdorf [= Sienica] 104-105 G 4
Jakobskirch [= Jakubów, 6 km ↙ Friedenshagen 110-111 O 2]
Jakobswalde [= Kotlarnia] 113 E 5
Jakschitz [= Jaksice] 104-105 M 5
Jaksice = Jakschitz 104-105 M 5
Jakubov = Jakobsdorf 118-119 M 2
Jakubów = Jakobskirch
Jakubowo Lubińskie = Jakobsdorf 110-111 N 3
Jakunen [= Jakunówko] 112 GH 3
Jakunowken = Jakunen 112 GH 3
Jakunówko = Jakunen 112 GH 3
Jalhay 106-107 FG 7
Jambes 106-107 D 8
Jamielnica = Himmelwitzer Wasser 113 E 4
Jamielnik 112 C 4
Jamioulx 106-107 C 8
Jamno = Jamund 104-105 H 2
Jamno, Jezioro - = Jamunder See 104-105 H 2
Jamoigne 106-107 E 9
Jamund [= Jamno] 104-105 H 2
Jamunder See 104-105 H 2
Jańczewo = Jahnsfelde
Jandelsbrunn 118-119 F 1
Jania = Jahn
Jänichen [= Svoboda] 112 G 2
Jänickendorf 110-111 H 1
Janiewice = Jannewitz
Janikow [= Jankowo (Pomorskie)] 104-105 G 3
Janikowo = Amsee 104-105 M 5
Janikowo = Hanshagen 112 D 3
Jänischken = Jänischen 112 G 2
Janiszewice [3 km ↗ Zduńska Wola 113 FG 2]
Janiszowice = Jähnsdorf 110-111 LM 2
Jankendorf [= Sokołowo Budzyńskie] 104-105 J 5
Jänkendorf 110-111 L 3
Janków 113 G 1
Jankowa Żagańska = Hansdorf 110-111 M 2
Jankowice = Jankowitz 113 FG 5
Jankowice Wielkie = Groß Jenkwitz 113 C 4
Jankowitz [= Jankowice] 113 FG 5
Jankowo (Pomorskie) = Janikow 104-105 G 3
Jänner 114-115 N 5
Jannewitz [= Janiewice, 3 km ↙ Suckow 104-105 J 2]
Jannowitz [= Janowice Wielkie] 110-111 N 4
Jannowitz = Janowitz 104-105 KL 5
Janov = Jansdorf 113 A 6
Janov = Johannesthal 113 CD 5
Janov = Johnsdorf
Janovice = Johnsdorf 113 C 6
Janovice nad Úhlavou = Janowitz 114-115 N 2
Janov nad Niscou = Johannesberg
Janowice = Groß Jannowitz
Janowice Wielkie = Jannowitz 110-111 N 4
Janowiec Wielkopolski = Janowitz 104-105 KL 5
Janowitz [= Janovice nad Úhlavou] 114-115 N 2
Janowitz [= Janowiec Wielkopolski] 104-105 KL 5
Janowo [Polen, ↗ Mława] 112 E 5
Janowo [Polen, ↘ Posen] 113 C 1
Janowo = Johannisdorf
Jänschwalde 110-111 L 2
Jansdorf [= Janov] 113 A 6
Jánské Lázně = Johannisbad 110-111 N 4
Janšojce = Jänschwalde 110-111 KL 2
Jantar = Pasewark 104-105 O 2
Jantarnyj = Palmnicken 112 C 2
Janův Důl = Liberec-Janův Důl
Japons 118-119 K 1
Japsand 102-103 D 1
Jaraczewo 113 C 2
Jarantowice = Arnoldsdorf 104-105 N 4
Jaratschewo = Jaraczewo 113 C 2
Jarchlin [= Jarchlino] 104-105 F 3
Jarchlino = Jarchlin 104-105 F 3
Jarft 112 D 3
Järischau [= Jaroszów] 113 A 3-4
Jarmen 104-105 B 3
Jarnołtowo = Groß Arnsdorf 112 BC 4
Jarny 101 B 4
Jarocin = Jarotschin 113 D 2
Jaroměř 110-111 N 5
Jaromirowice = Germersdorf 110-111 L 2
Jaroslau = Jarosław 101 L 3-4
Jaroslaus = Jaroslav 110-111 O 5
Jaroslav 110-111 O 5
Jaroslavice = Joslowitz 118-119 L 1
Jaroslavskoje = Schönwalde [Ostpreußen, Natangen] 112 F 3
Jaroslavskoje = Schönwalde [Ostpreußen, Samland] 112 E 2
Jarosław 101 L 3-4
Jarosławiec = Jershöft 104-105 HJ 1
Jarosławsko = Gerzlow 104-105 FG 4-5
Jaroszów = Järischau 113 A 3-4
Jaroszówka = Vorhaus 110-111 NO 3
Jarotschin [= Jarocin] 113 D 2
Jaroty = Jomendorf
Jarroz, Mont - 116-117 B 1
Jarschombkowo = Jarząbkowo
Jarszewo = Jassow bei Cammin in Pommern 104-105 E 3
Jarząbkowo [6 km ↘ Żydowo 104-105 L 6]
Jaschiersk 104-105 M 3
Jasenitz [= Jasienica] 104-105 DE 3
Jasień = Gassen 110-111 LM 2
Jasień = Jassen 104-105 L 2
Jasienica = Jasenitz 104-105 DE 3
Jasienica Dolna = Nieder Hermsdorf 113 CD 4
Jasienica (Gubińska) = Jeßnitz 110-111 L 2
Jasień, Jezioro - = Jassener See 104-105 L 2
Jäskendorf [= Jaśkowo] 112 C 4
Jaśkowo = Jäskendorf 112 C 4
Jasmund 104-105 C 1
Jasna = Lichtfelde 112 B 3
Jasnaja Pol'ana = Groß Trakehnen 112 HJ 2
Jasnitz 102-103 K 4
Jasnoje = Kuckerneese 112 G 1
Jassen [= Jasień] 104-105 L 2
Jassener See 104-105 L 2
Jassow bei Cammin in Pommern [= Jarszewo] 104-105 E 3
Jastarnia = Heisternest 104-105 N 1
Jastrow [= Jastrowie] 104-105 J 4
Jastrowie = Jastrow 104-105 J 4
Jastrzębia Góra = Habichtsberg 104-105 MN 1
Jastrzębie = Nassadel 113 D 3
Jastrzębie, Zdrój - 113 F 6
Jastrzębowo = Rosenau 104-105 L 5
Jászberény 101 JK 5
Jaszkotle = Jagdhaus Rominten 112 J 3
Jaszkowo Dolna = Niederhannsdorf 113 B 5
Jätschau = Friedenshagen 110-111 O 2
Jatzingen [= Jacinki] 104-105 J 2
Jatznick 104-105 C 3
Jauche [= Geten] 106-107 D 7
Jauer ≻→
Jauerling 118-119 J 2
Jauernig [= Javorník] 113 B 5
Jauersche Berge 110-111 NO 3
Jaufen 116-117 M 3
Jaun 116-117 D 3
Jaunbach 116-117 D 3
Jaunpass 116-117 D 3
Jauntal 118-119 H 5
Javenitz 102-103 L 5
Javorka = Jaworka 110-111 MN 5
Javorná = Gabhorn 110-111 GH 5
Javorná = Seewiesen 114-115 N 2
Javornic = Javornice 113 A 5
Javornice 113 A 5
Javornické hory = Reichensteiner Gebirge 113 BC 5
Javorník = Jauernig 113 B 5
Jawor ≻→
Jaworka 110-111 MN 5
Jawornitz = Javornice 113 A 5
Jaworzno 113 F 3
Jaworzyna Śląska = Königszelt 113 AB 4
Jazowa = Einlage 104-105 O 2

Jeblonsken = Urbansdorf
Jecha, Sondershausen- 110-111 C 3
Jechnitz [= Jesenice] 110-111 HJ 5
Jęczniki Wielkie = Groß Jenznick
Jeddingen 102-103 FG 5
Jedenspeigen 118-119 M 1-2
Jedlec 113 DE 2
Jedli = Jeedl 113 B 6
Jedlina Zdrój = Bad Charlottenbrunn 113 A 4
Jedlová = Tennenberg
Jędrychowo = Heinrichau 112 B 4
Jędrzejewo = Putzig 104-105 H 5
Jędrzejów 101 K 3
Jędrzychów = Groß Heinzendorf 110-111 NO 3
Jędrzychowice = Hennersdorf 110-111 M 3
Jędrzychowice = Heyersdorf 113 A 2
Jedwabno = Gedwangen 112 E 4
Jeedl [= Jedlí] 113 B 6
Jeetze 102-103 K 4
Jegenstorf 116-117 DE 2
Jegłowa = Riegersdorf 113 C 4
Jegłownik = Fichthorst 112 B 3
Jegrznia 112 J 4
Jeker 106-107 F 7
Jelení ≻→
Jelenia Góra = Hirschberg im Riesengebirge 110-111 N 4
Jelenin = Gellen 104-105 DE 5
Jelenin = Hirschfeldau 110-111 MN 2
Jelenino = Gellin 104-105 J 3
Jellowa = Ilnau 113 E 4
Jelonki = Hirschfeld 112 BC 3
Jełowa = Ilnau 113 E 4
Jemappes 106-107 B 8
Jembke 102-103 J 6
Jemelle 106-107 E 8
Jemeppe [Belgien, Liège] 106-107 EF
Jemeppe [Belgien, Namur] 106-107 D 8
Jemgum 102-103 B 4
Jemielna = Gimmel 113 D 3
Jemielnica = Himmelwitz 113 EF 4
Jemielnica = Himmelwitzer Wasser 113 E 4
Jemielno = Gimmel 113 AB 2
Jemiołow = Petersdorf 104-105 F 6
Jena 110-111 E 4
Jena-Lichtenhain 110-111 DE 4
Jena-Lobeda 110-111 E 4
Jenaz 116-117 J 3
Jenbach 118-119 B 4
Jendschejow = Jędrzejów 101 K 3
Jeneč 110-111 K 5
Jenesien [= San Genèsio Atesino] 116-117 M 3
Jenikowo = Hohenschönau 104-105 F 3
Jenin = Gennin
Jenkau [= Jenków] 113 A 3
Jenków = Jenkau 113 A 3
Jenlain 106-107 B 8
Jennersdorf 118-119 L 5
Jennsdorf [= Courgenay, 3 km ↘ Pruntrut 116-117 D 2]
Jentkutkampen = Burgkampen 112 HJ 2
Jentsch = Jeneč 110-111 K 5
Jerchel 102-103 K 6
Jerichow 102-103 M 5
Jerka 113 B 1-2
Jermacovo = Deutsch Wilten 112 EF 3
Jeřmanice = Hermannsthal
Jermer = Jaroměř 110-111 N 5
Jershöft [= Jarosławiec] 104-105 HJ 1
Jeršovo = Grünlinde
Jerutki = Klein Jerutten 112 F 4
Jerzheim 110-111 C 1
Jerzmanice Lubuskie = Hermania
Jerzmanice Zdrój = Hermsdorf an der Katzbach 110-111 N 3
Jerzwałd = Gerswalde 112 BC 4
Jesau [= Južnyj] 112 E 2
Jesberg 108-109 H 5
Jeschken 110-111 L 4
Jeschonowitz = Eschenwalde
Jeschowo = Jeżewo 104-105 N 3
Jesenice = Jechnitz 110-111 HJ 5
Jesenice = Jessenitz 110-111 L 6
Jesenice = Aßling 118-119 G 6
Jeseník = Freiwaldau 113 C 5
Jeseník = Gesenke 101 H 3-4
Jeserig 110-111 G 3
Jeserig (Fläming) 110-111 FG 1
Jesewitz 110-111 G 3
Jesionowice = Eschenwalde
Jesionowo = Schönow 104-105 F 4
Jessen (Elster) 110-111 GH 2
Jessenitz [= Jesenice] 110-111 L 6
Jeßnitz 110-111 F 2
Jeßnitz [= Jasienica (Gubińska)] 110-111 L 2
Jesteburg 102-103 GH 4
Ještěd = Jeschken 110-111 L 4
Jestetten 114-115 CD 5
Jestřebí = Habstein 110-111 L 4
Jesziorowsken = Seehausen 112 GH 3
Jetřichovice = Dittersbach 110-111 K 4
Jette 106-107 C 7
Jettenitz = Dětenice 110-111 M 5
Jettingen 114-115 G 4
Jeuk 106-107 E 7
Jeumont 106-107 C 8
Jevenstedt 102-103 G 2
Jever 102-103 C 3
Jeverland 102-103 CD 3
Jevišovice = Jaispitz 118-119 KL 1
Jevišovka = Jaispitz 118-119 L 1
Ježe = Gehsen 112 G 4-5
Jezerní hora = Seewand 114-115 N 2
Jezerski vrh = Seebergsattel 118-119 GH 6
Jezersko = Seeland 118-119 GH 6
Jeżewo [Polen, ← Graudenz] 104-105 N 3
Jeżewo [Polen, ← Jarotschin] 113 C 2
Jezierzyce Kościelne = Deutsch Jeseritz 113 A 2
Jeziorak, Jezioro - = Geserichsee 112 C 4
Jeziorany = Seeburg 112 E 4
Jezioro Wielkie = Großsee 104-105 M 5
Jeziorki (Wałeckie) = Schulzendorf 104-105 H 4
Jezioro Rajgródzkie 112 J 4
Jezioro Skarlińskie = Skarliner See 112 BC 5
Jezioro Wielkie = Großer See 104-105 G 6
Jeziorowskie = Seehausen 112 GH 3
Jeziorsko 113 F 2
Jeżyce = Altenhagen 104-105 HJ 2

Jičín 110-111 M 5
Jičíněves 110-111 M 5
Jihlava = Iglau 101 G 4
Jilemnice = Starkenbach 110-111 MN 4
Jillowej [= Jílové, 2 km ↘ Liebenau 110-111 M 4]
Jílové = Eula 110-111 K 6
Jílové = Jillowej
Jimbolia = Hatzfeld 101 K 6
Jindřichov = Hennersdorf 113 D 5
Jindřichovice = Heinrichsgrün 110-111 G 5
Jindřichovice pod Smrkem = Heinersdorf an der Tafelfichte 110-111 M 4
Jiřetín pod Jedlovou = Sankt Georgenthal 110-111 L 4
Jiřice = Irritz 118-119 L 1
Jiříkov = Georgswalde 110-111 KL 4
Jirkov = Görkau 110-111 H 4
Jitschin = Jičín 110-111 M5
Jitschinowes = Jičíněves 110-111 M 5
Jizera = Iser 110-111 L 4
Jizera = Sieghügel 110-111 M 4
Jizerské hory = Isergebirge 110-111 M 4

Joachimsdorf [= Jáchymov] 110-111 L 4
Joachimsthal 104-105 C 5
Joachimsthal, Radiumbad Sankt - [= Jáchymov] 110-111 GH 5
Jochberg 118-119 C 4
Jochenstein 118-119 F 1
Jochpass 116-117 F 3
Jockgrim 108-109 F 8
Jodlauken = Schwalbental 112 G 2
Jodłowno = Stangenwalde 104-105 M 2
Jodoigne [= Geldenaken] 106-107 D 7
Joglland 118-119 K 4
Jogne = Jaunbach 116-117 D 3
Johannesberg [= Krzyż] 104-105 L 3
Johannesberg [= Janov nad Nisou, 3 km ↙ Josefsthal 110-111 M 4]
Johannesthal [= Janov] 113 CD 5
Johannesthal = Reichenberg-Johannesthal
Johanngeorgenstadt 110-111 G 5
Johannisbad [= Jánské Lázně] 110-111 N 4
Johannisberg 108-109 EF 6
Johannisburg [= Pisz] 112 G 4
Johannisburger Heide 112 FG 4
Johannisdorf [= Janowo, 3 km ↘ Mewe 104-105 N 3]
Johanniskirchen 114-115 M 3
Jöhlingen 114-115 D 2
Johnsbach 118-119 H 3
Johnsdorf [= Janovice] 113 C 6
Johnsdorf [7 km → Feldbach 118-119 K 5]
Johnsdorf [= Janov, 3 km ↘ Herrnskretschen 110-111 K 4]
Johnsdorf, Ober - [= Horní Třešňovec] 113 B 6
Jöhstadt 110-111 H 4
Jois 118-119 M 3
Jókút = Kuty 118-119 N 1
Joldelund 102-103 F 1
Jöllenbeck 108-109 G 2
Joly, Mont - 116-117 C 5
Jomendorf [= Jaroty, 3 km ↓ Allenstein 112 DE 4]
Jonienen = Tilsenau 112 G 2
Jonkendorf [= Jonkowo] 112 D 4
Jonkowo = Jonkendorf 112 D 4
Jonsdorf, Kurort - 110-111 L 4
Jorasses, Grandes - 116-117 CD 5
Jorat 116-117 C 3
Jorat, Mont - 116-117 C 3
Jordan [= Jordanowo] 104-105 G 6
Jordanbad, Biberach an der Riß- 114-115 F 4
Jordanowo = Jordan 104-105 G 6
Jordanów Śląski = Jordansmühl 113 B 4
Jordansmühl [= Jordanów Śląski] 113 B 4
Jördenstorf 102-103 N 3
Jordsand 102-103 E 1
Jork 102-103 G 3
Jorken [= Jurkowo, 7 km ← Adlersdorf 112 H 3]
Jorkowen = Jorken
Josefov = Josefstadt 110-111 NO 5
Josefstadt [= Josefov] 110-111 NO 5
Josefsthal [= Josefův Důl] 110-111 M 4
Josefův Důl = Josefsthal 110-111 M 4
Josephowo = Józefowo 104-105 L 5
Joslawitz [= Jaroslavice] 118-119 L 1
Jossa [Fluß] 108-109 H 6
Jossa [Ort] 108-109 J 6
Jößnitz 110-111 F 4
Jougne 116-117 B 3
Joure, Haskerland- 106-107 F 3
Joux, Lac de - 116-117 B 3
Joux, Vallée de - 116-117 B 3
Jouy-aux-Arches 108-109 B 8
Jovet, Mont - 116-117 C 5-6
Józefowo 104-105 L 5

Jubach-Stausee 120 G 4
Jübar 102-103 J 5
Jübek 102-103 F 1
Jucha = Fließdorf 112 H 4
Jüchen 120 BC 4
Juchow [= Juchowo] 104-105 HJ 3
Juchowo = Juchow 104-105 HJ 3
Jüchsen 110-111 BC 5
Juckeln = Buchhof 112 G 2
Judenau 118-119 L 2
Judenbach 110-111 D 5
Judenburg 118-119 H 4
Judendorf-Straßengel 118-119 J 4
Judenhau 110-111 G 5
Judikarien = Valli Giudicàrie 116-117 K 5-L 4
Juditten [= Judyty] 112 D 2
Judtschen = Kanthausen 112 GH 2
Judyty = Juditten 112 D 2
Judziki = Wiesenhöhe 112 HJ 3
Juf 116-117 J 4
Jugenheim an der Bergstraße 108-109 G 7
Jügesheim 108-109 G 6
Jugoslavija = Jugoslawien 101 F-H 5
Jugoslawien 101 F-H 5
Jugów = Hausdorf (Eulengebirge) bei Neurode 113 AB 4
Jühnde 108-109 J 4
Juifen 116-117 N 1
Juist [Insel] 102-103 A 3
Juist [Ort] 102-103 AB 3
Jukšty, Jezioro - = Ixtsee 112 F 4
Julbach 118-119 F 1
Julia 116-117 J 3
Julianakanaal 106-107 F 6-7
Jülich 120 B 5
Jülicher Börde 108-109 BC 5
Julienhöfen [= Woźnice] 112 G 4
Julierpass 116-117 J 4
Julier, Piz - 116-117 J 3
Juliusburg [= Dobroszyce] 113 C 3
Juliusburger Wasser 113 C 3
Juliusruh, Breege- 104-105 B 1
Jumet 106-107 C 8
Jümme 102-103 C 4
Jungbuch [= Mladé Buky, 2 km ↘ Freiheit 110-111 N 4]
Jungbunzlau [= Mladá Boleslav] 110-111 LM 5
Jungfer [= Marzęcino] 104-105 O 2
Jungfernsee [= Kotowice] 113 C 3
Jungferteinitz [= Panenský Týnec] 110-111 K 5
Jungfrau 116-117 EF 3
Jungfraufirn 116-117 EF 3
Jungfraujoch 116-117 E 3
Jungholz 116-117 KL 1
Jungingen 114-115 E 4
Junglinster 106-107 G 9
Jünkerath 108-109 C 6
Junkerhof [= Trzebciny] 104-105 M 3
Juno, Jezioro - = Junosee 112 F 4
Junosee 112 F 4
Jura 116-117 A 3-4
Jura, Französischer - 101 B 6-C 5
Jura, Schweizer - 116-117 C 3-E 2
Jurbarkas 112 J 1
Jurbeke = Jurbise 106-107 B 7
Jurbise [= Jurbeke] 106-107 B 7
Jurburg = Jurbarkas 112 J 1
Jürgenshagen 102-103 L 3
Jurki = Georgenthal 112 CD 4
Jurkowo = Jorken
Juseret 106-107 EF 9
Jussey 116-117 A 1
Jussy 116-117 B 4
Jüterbog 110-111 H 2
Jutphaas 106-107 E 4
Jütrichau 110-111 F 2
Jutroschin = Jutrosin 113 C 2
Jutrosin 113 C 2
Jutrzenka = Morgenstern
Jützenbach 110-111 B 2
Južnyj = Jesau 112 E 2

K

Kaan-Marienborn 108-109 F 5
Kaaden [= Kadaň] 110-111 H 5
Kaarßen 102-103 K 4
Kaarst 120 C 4
Kaaskerke 106-107 a 1
Kabienen [= Kabiny, 2 km → Groß Köllen 112 EF 4]
Kabiny = Kabienen
Kacakbach 110-111 K 5
Kaceřov = Katzengrün 110-111 FG 5
Kachlet, Kraftwerk - [4 km ← Passau 114-115 N 3]
Kącik = Eckersdorf
Kaczanowo 113 D 1
Kaczawa = Katzbach 110-111 O 3, 113 A 3
Kaczawskie, Góry - = Katzbachgebirge 110-111 N 4
Kaczewo 104-105 N 5
Kaczkowo = Katschkau 113 B 2
Kaczorów = Ketschdorf 110-111 NO 4
Kaczory = Erpel 104-105 J 4
Kadaň = Kaaden 110-111 H 5
Kade 110-111 F 1
Kadetrinne 102-103 M 1-2
Kadłub 113 F 3
Kadyny = Cadinen 112 BC 3
Käfertal, Mannheim- 114-115 CD 1
Kaffzig [= Kawcze] 104-105 J 2
Kagen 110-111 H 3
Kahl 108-109 H 6
Kahla 110-111 E 4
Kahl am Main 108-109 H 6
Kahlau [= Kalnik] 112 C 4
Kahlberg-Liep [= Łysica] 112 BC 3
Kahler Asten 108-109 FG 4
Kahlstädt 104-105 J 4-5
Kähme [= Kamionna] 104-105 G 5
Kahren 110-111 KL 2
Kaibing 118-119 K 4
Kailbach jenseits 108-109 GH 7
Kaimen [= Zarečje] 112 E 2
Kain 106-107 A 7
Kainach 118-119 J 5
Kaindorf 118-119 K 4
Kaindorf an der Sulm 118-119 JK 5
Kainowe = Friedrichskirch 113 C 3
Kainscht [= Kęszyca, 2 km ↖ Nipter 104-105 FG 6]
Kaiseregg 116-117 D 3
Kaiserfahrt 104-105 D 3
Kaisergebirge 118-119 C 3
Kaiserjoch 116-117 L 3
Kaisersaue 104-105 K 5
Kaisersbach 114-115 E 3
Kaisersesch 108-109 D 6
Kaisersfelde [= Dąbrowa] 104-105 L 5
Kaiserslautern 108-109 E 8
Kaiserstraße 108-109 E 7
Kaiserstuhl [Deutschland] 114-115 B 4
Kaiserstuhl [Schweiz] 116-117 F 1
Kaiserswaldau [= Okmiany] 110-111 N 3
Kaiserswerth, Düsseldorf- 120 CD 3
Kaiserwald 110-111 G 5
Kaisheim 114-115 H 3
Kaisten [3 km ↙ Laufenburg 116-117 F 1]
Kaitersberg 114-115 MN 2
Kajkowo = Buchwalde
Kakerbeck 102-103 K 5
Kąkolewo 110-111 O 1
Kąkolewo = Kankel 113 B 2
Kal = Kehlen
Kalau [= Kaława] 104-105 G 6
Kalau = Calau 110-111 J 2
Kaława = Calau 110-111 J 2
Kaława = Kalau 104-105 G 6
Kalbe (Milde) 102-103 K 5
Kalbsrieth 110-111 D 3
Kalch 118-119 L 5
Kalchreuth 114-115 J 1
Káld 118-119 N 4
Kaldenhausen, Rumeln- 120 C 3
Kaldenkirchen 120 A 3
Kałębie, Jezioro - = Großer Kalembasee 104-105 M 3
Kałęczyn = Dreifelde 112 G 4
Kalefeld 108-109 JK 3
Kalej 113 FG 4
Kalek = Kallich 110-111 H 4
Kalety = Stahlhammer 113 F 4
Kalfiach 120 B 1
Kalhausen 108-109 D 8
Kaliningrad = Königsberg (Preußen) 112 E 3
Kalinino = Birkenmühle 112 J 3
Kalinovka = Aulenbach (Ostpreußen) 112 G 2
Kalinów = Blütenau 113 E 4
Kalinowa 113 EF 2
Kalinowo = Dreimühlen 112 J 4
Kalisch [= Kalisz] [Polen, ↙ Berent] 104-105 L 2
Kalisch [= Kalisz] [Polen, ↘ Posen] 113 E 2
Kalischaner See 104-105 K 5
Kaliska = Dreidorf-Kaliska 104-105 M 3
Kaliska, Dreidorf- [= Kaliska] 104-105 M 3
Kalisz = Kalisch [Polen, ↙ Berent] 104-105 L 2
Kalisz = Kalisch [Polen, ↘ Posen] 113 E 2
Kaliszanskie, Jezioro - = Kalischaner See 104-105 K 5
Kalisz Pomorskie = Kallies 104-105 G 4
Kalkar 120 B 2
Kalkau [= Kałków] 113 C 5
Kalkberg [Deutschland] 102-103 H 3
Kalkberg [Tschechoslowakei] 110-111 L 4
Kalken 106-107 B 6
Kalkhorst 102-103 K 3
Kalk, Köln- 120 E 5
Kałków = Kalkau 113 C 5
Kalkowski [= Kałkowskie] 113 D 3
Kałkowskie = Kalkowski 113 D 3
Kall 108-109 C 5
Kallehne 102-103 K 5
Kallendorf [= Chvalovice] 118-119 L 1
Kallenzinnen = Dreifelde 112 G 4
Kallham [2 km ↗ Neumarkt im Hausruckkreis 118-119 F 2]
Kallich [= Kalek] 110-111 H 4
Kallies [= Kalisz Pomorskie] 104-105 G 4
Kallinowen = Dreimühlen 112 J 4
Kallmünz 114-115 KL 2
Kallnach [4 km ↙ Aarberg 116-117 D 2]
Kallnen = Drachenberg 112 GH 3
Kallningken = Herdenau 112 F 1
Kallo [3 km ↑ Melsele 106-107 C 6]
Kalmit 108-109 F 8
Kalmthout 106-107 CD 6
Kalnik = Kahlau 112 C 4
Kálócfa 118-119 M 5
Kałów 113 G 2
Kals 118-119 D 4-5
Kalsching [= Chvalšiny] 118-119 G 1
Kalsdorf bei Graz 118-119 JK 5
Kalser Bach 118-119 D 4-5
Kalser Tauern 118-119 D 4
Kalsk = Kalzig 110-111 N 1
Kalsko = Kalzig 104-105 G 5
Kaltbrunn 116-117 H 2
Kalte Bode 110-111 C 2
Kaltebortschen = Grandingen
Kalte Eiche 108-109 F 5
Kalte Moldau 118-119 F 1
Kaltenbach [4 km ↓ Uderns 118-119 B 4]
Kaltenbrunn 114-115 KL 1
Kaltenkirchen 102-103 GH 3
Kaltenleutgeben [5 km ↑ Perchtoldsdorf 118-119 L 2]
Kaltennordheim 110-111 B 4
Kaltensundheim 110-111 B 4
Kaltenwiede 102-103 G 6
Kalter Berg 116-117 K 2
Kalterer See 116-117 M 4
Kalterherberg 108-109 B 5
Kaltern [= Caldaro] 116-117 M 4
Kalthof 120 G 3
Kaltwasser [= Zimna Woda] 110-111 O 3
Kalużskoje = Grünheide 112 GH 2
Kalvarienberg 114-115 K 1
Kalwang 118-119 H 4
Kalzig [= Kalsk] 110-111 N 1
Kalzig [= Kalsko] 104-105 G 5
Kám 118-119 M 4
Kamen 120 G 2
Kamenice = Kamnitz [Fluß ▷ Elbe] 110-111 K 4
Kamenice = Kamnitz [Fluß ▷ Iser] 110-111 M 4
Kamenický Šenov = Steinschönau 110-111 K 4
Kamenka = Groß Pentlack 112 FG 3
Kamenné Žehrovice = Stein-Schechrowitz
Kamenný Újezd = Steinkirchen 118-119 GH 1
Kamensk = Saalau 112 G 2
Kamenz [Fluß] 104-105 K 2
Kamenz [Ort] 110-111 K 3
Kamenz [= Kamieniec Ząbkowicki] 113 B 4
Kamenzsee 104-105 K 2
Kamerik 106-107 D 4
Kamień 113 E 2
Kamień, Brzozowice- [3 km ↘ Deutsch Piekar 113 FG 5]
Kamienica = Grenztal 113 BC 5
Kamienica = Kamenz 104-105 K 2
Kamieniec [Polen, → Gnesen] 104-105 L 5
Kamieniec [Polen, ↘ Posen] 113 A 1
Kamieniec = Finckenstein 112 B 4
Kamieniec Ząbkowicki = Kamenz 113 B 4
Kamień Krajeński = Kamin in Westpreußen 104-105 KL 3
Kamień Mały = Stolberg Neumark 104-105 E 5
Kamienna 104-105 O 6
Kamienna Góra = Landeshut in Schlesien 110-111 O 4
Kamienna, Skarschisko- = Skarżysko-Kamienna 101 K 3
Kamienna, Skarżysko- 101 K 3
Kamiennik = Steinhaus 113 C 4
Kamiennik Wielki = Groß Stoboi 112 BC 3
Kamień Pomorski = Cammin in Pommern 104-105 E 3
Kamieńsko 113 F 4
Kamień Śląski = Groß Stein 113 E 4
Kamień Wielkie = Groß Cammin 104-105 E 5
Kamin, Brzewowitz- = Brzozowice-Kamień
Kaminiec = Kamieniec [Polen, → Gnesen 104-105 L 5
Kaminiec = Kamieniec [Polen, ↘ Posen] 113 A 1
Kamin in Westpreußen [= Kamień Krajeński] 104-105 KL 3
Kamionka [Fluß] 104-105 L 3
Kamionka [Ort] 113 F 3
Kamionki = Steinkunzendorf 113 B 4
Kamionna = Kähme 104-105 G 5
Kamitz = Grenztal 113 BC 5
Kamjenc = Kamenz 110-111 K 3
Kammel 114-115 G 4
Kammer [1 km → Schörfling 118-119 F 3]
Kammerforst 110-111 BC 3
Kammern im Liesingtal 118-119 H 4
Kammersee = Attersee 118-119 F 3
Kammin 104-105 B 3
Kamminke 104-105 D 3
Kammlach = Kammel 114-115 G 4
Kammspitz 118-119 F 4
Kamnice = Kamnitz 104-105 L 4
Kamnickie Jezioro = Kammer Bodden 104-105 E 2-3
Kamnig = Steinhaus 113 C 4
Kamniške planine = Steiner Alpen 118-119 H 6
Kamnitz [Fluß ▷ Elbe] 110-111 K 4
Kamnitz [Fluß ▷ Iser] 110-111 M 4
Kamnitz [= Kamnice] 104-105 L 4
Kamp 118-119 K 1-2
Kamp-Bornhofen 108-109 E 6
Kampen [Deutschland] 102-103 D 1
Kampen [Niederlande] 106-107 F 3
Kampenhout 106-107 D 7
Kampenwand 114-115 L 5
Kamper Eiland 106-107 F 3
Kamper See 104-105 F 2
Kamperveen, IJsselmuiden- 106-107 F 3
Kamp-Lintfort 120 C 2-3
Kamyk 113 G 4
Kanal 104-105 J 5
Kanaltal 118-119 EF 5
Kandel [Berg] 114-115 BC 4
Kandel [Ort] 108-109 F 8
Kander [Deutschland] 114-115 B 5
Kander [Schweiz] 116-117 E 3-4
Kandergrund 116-117 E 3
Kandern 114-115 B 5
Kandersteg 116-117 E 3-4
Kandien [= Kanigowo] 112 D 5
Kandikó 118-119 M 5
Konditten [= Kandyty] 112 D 3
Kändler [2 km → Limbach-Oberfrohna 110-111 G 4]
Kandrzin-Pogorzelletz = Heydebreck (Oberschlesien) 113 E 5
Kandyty = Konditten 112 D 3
Kania 104-105 L 5
Kania = Kannenberg 104-105 F 3
Kanig [= Kaniów] 110-111 L 2
Kanigowo = Kandien 112 D 5
Kaniów = Kanig 110-111 L 2
Kanitz [= Olszewo Węgorzewskie, 7 km ← Perlswalde 112 G 3]
Kańk = Gang 110-111 M 6
Kankel [= Kąkolewo] 113 B 2
Kannawurf [3 km ↗ Kindelbrück 110-111 CD 3]
Kannenberg [= Kania] 104-105 F 3
Kannenberge 104-105 E 5
Kanner 108-109 B 8
Kanth [= Kąty Wrocławskie] 113 B 3
Kanthausen 112 GH 2
Kantreck [= Łożnica] 104-105 E 3
Kányavár 118-119 M 5
Kanzel 118-119 F 5
Kapelle ≻→
Kapelle [Niederlande] 106-107 B 5-6
Kapellen [Belgien] 106-107 CD 6
Kapellen [Deutschland, Nordrhein-Westfalen, ↗ Geldern] 120 B 2
Kapellen [Deutschland, Nordrhein-Westfalen, ↑ Krefeld] 120 C 3
Kapellen [4 km ↘ Neuberg an der Mürz 118-119 K 3]
Kapellen (Erft) 120 C 4
Kapelle-op-den-Bos 106-107 C 6
Kapfelberg 114-115 K 3
Kapfenberg 118-119 J 4
Kapfenstein 118-119 KL 5
Kapice 112 J 4
Kaplice = Kaplitz 118-119 GH 1
Kaplitz [= Kaplice] 118-119 GH 1
Kapos 101 J 5

Kaposvár 21 Klein Helmsdorf

Kaposvár 101 HJ 5
Kappel [Dänemark] 102-103 JK 1
Kappel [Deutschland, Baden-Württemberg] 114-115 C 5
Kappel [Deutschland, Rheinland-Pfalz] 108-109 D 7
Kappel [Schweiz] 116-117 H 2
Kappel am Albis 116-117 FG 2
Kappel am Rhein 114-115 B 4
Kappeln 102-103 GH 1
Kappenberg, Schloß – 120 G 2
Kappl 116-117 K 2
Kaprijke 106-107 B 6
Kaprun 118-119 D 4
Kapruner Tal 118-119 D 4
Kapsukas 101 L 1
Kapuvár 118-119 N 3
Karavanke = Karawanken 118-119 F-H 5-6
Karawanken 118-119 F-H 5-6
Karawankentunnel 118-119 G 5–6
Karbach [4 km ↗ Marktheidenfeld 114-115 F 1]
Karbitz [= Chabařovice] 110-111 J 4
Karby 102-103 GH 1
Karcag 101 K 5
Karcino = Langenhagen
Karczów = Schönwitz 113 D 4
Karczowiska = Neurode 110-111 O 3
Karczyn 104-105 M 5
Karden 108-109 D 6
Kargow 102-103 N 3-4
Kargowa = Unruhstadt 110-111 N 1
Karkeln [= Mysovka] 112 F 1
Karken 108-109 B 4
Karkonosze = Riesengebirge 110-111 MN 4
Karlburg 108-109 J 7
Karlburg [= Rusovce] 118-119 N 2
Karleby 102-103 M 1
Karlingen [= Carling] 108-109 C 8
Karlino = Körlin an der Persante 104-105 G 2
Karl-Marx-Stadt [Ort, Verwaltungseinheit] = Chemnitz 110-111 GH 4
Karlova Studánka = Karlsbrunn 113 C 5
Karlovice = Karlsthal 113 CD 5
Karlovy Vary = Karlsbad 110-111 G 5
Karlovy Vary-Rybáře = Karlsbad-Fischern 110-111 G 5
Karlovy Vary-Tuhnice = Karlsbad-Donitz
Karłowice = Karlsmarkt 113 D 4
Karlsbad [= Karlovy Vary] 110-111 G 5
Karlsbad-Fischern [= Karlovy Vary-Rybáře] 110-111 G 5
Karlsbad-Donitz [= Karlovy Vary-Tuhnice, ← Karlsbad 110-111 G 5]
Karlsbrunn [= Karlova Studánka] 113 C 5
Karlsburg 104-105 C 3
Karlsdorf [4 km ↗ Bruchsal 114-115 D 2]
Karls Eisfeld 118-119 F 4
Karlsfeld = Chojno 104-105 H 5
Karlshafen 108-109 HJ 3
Karlshagen 104-105 C 2
Karlshausen = Czempiń 113 B 1
Karlshöfen 102-103 F 4
Karlshorst, Berlin- 104-105 C 6
Karlshuld 114-115 J 3
Karlskron 114-115 J 3
Karlslust, Schloß – 118-119 K 1
Karlsmarkt [= Karłowice] 113 D 4
Karlsruhe 114-115 C 2–3
Karlsruhe-Durlach 114-115 CD 3
Karlsruhe-Rüppurr 114-115 CD 3
Karlstadt 108-109 J 7
Karlstal [= Orle] 110-111 M 4
Karlstein 118-119 JK 1
Karlstein [= Karlštejn] 110-111 K 6
Karlštejn = Karlstein 110-111 K 6
Karlsthal [= Karlovice] 113 CD 5
Karlstift 118-119 H 1
Karnap, Essen- 120 DE 2
Karneid [= Cardano, 3 km → Bozen 116-117 M 3-4]
Karnice (Gryfickie) = Karnitz 104-105 F 2
Karnieszewice = Karnkewitz 104-105 H 2
Karnin [Pommern, → Anklam] 104-105 C 3
Karnin [Pommern, ← Stralsund] 102-103 N 2
Karnin [= Kernein] 104-105 F 5
Karnische Alpen 118-119 C-F 5
Karnitz [= Karnice (Gryfickie)] 104-105 F 2
Karnkewitz [= Karnieszewice] 104-105 H 2
Karnkowo 104-105 O 5
Karnowo = Werthheim 104-105 L 4
Kärnten 118-119 E-H 5
Karolinenhorst [= Reptowo] 104-105 E 4
Karolinenkoog 102-103 EF 2
Karoschke = Lindenwaldau 113 BC 3
Karow [Mecklenburg] 102-103 M 3
Karow [Sachsen-Anhalt] 110-111 F 1
Karow [= Karwowo] 104-105 G 3
Karpa = Karpen 112 G 4-5
Karpacz = Krummhübel 110-111 N 4
Karpaten [101]
Karpaten, Kleine – 101 H 4
Karpaten, Wald- 101 L 4
Karpaten, Weiße – 101 HJ 4
Karpauen [= Nekrasovo] 112 G 3
Karpen [= Karpa] 112 G 4-5
Karpfham 114-115 N 4
Karpniki = Fischbach 110-111 N 4
Karpowen = Karpauen 112 G 3
Karrenzin 102-103 L 4
Karschenken [= Karszanek] 104-105 MN 3
Karschin [= Karsin] 104-105 L 3
Karschinsee 104-105 KL 3
Karścino = Kerstin 104-105 G 2
Karsibór = Kaseburg 104-105 D 3
Karsin = Karschin 104-105 L 3
Karsino = Karzin 104-105 J 2
Karsko = Karzig 104-105 F 5
Karstadt [Brandenburg] 102-103 L 4
Karstädt [Mecklenburg] 102-103 KL 4
Karszanek = Karschenken 104-105 MN 3
Karthane 102-103 L 5
Karthaus [= Kartuzy] 104-105 M 2
Kartitsch 118-119 CD 5
Kartuzy = Karthaus 104-105 M 2
Karviná = Freistadt 113 F 6
Karviná-Darkov = Freistadt-Darkau 113 F 6
Karvinná-Doly = Karwinna 113 EF 6
Karwe 102-103 N 5
Karwen [= Karwia] 104-105 M 1
Karwen [= Karwno] 104-105 L 2
Karwendelgebirge 116-117 MN 2
Karwia = Karwen 104-105 M 1
Karwica = Kurwien 112 FG 4
Karwice = Karwitz 104-105 J 2
Karwin = Karwinna 113 EF 6
Karwinna [= Karvinná-Doly] 113 EF 6
Karwitz [= Karwice] 104-105 J 2
Karwno = Karwen 104-105 L 2
Karwowo = Karow 104-105 G 3
Karzig [= Karsko] 104-105 F 5
Karzin [= Karsino] 104-105 J 2
Kasberg 118-119 FG 3
Kaschau [= Košice] 101 K 4
Kaschitz [= Kaštice] 110-111 HJ 5
Kaschubei [← Danzig 104-105 NO 2]
Kaschubenland [← Danzig 104-105 NO 2]
Käseberg 104-105 M 2
Kaseburg [= Karsibór] 104-105 D 3
Käsemark [= Kiezmark] 104-105 NO 2
Kasendorf 110-111 D 5
Kasenowsken = Tannsee
Kashagen [= Kozy (Pomorskie)] 104-105 FG 4
Kasimir [= Kazimierz] 113 D 5
Kasimirshof [= Kazimierz] 104-105 J 3
Kaširskoje = Schaaksvitte 112 E 2
Käsmark [= Kežmarok] 101 K 4
Kasnevitz 104-105 B 2
Kasparus 104-105 M 3
Kasperhof = Kasprowo 104-105 L 4
Kasprowo 104-105 L 4
Kasseedorf 102-103 J 2
Kassel [Ort] 108-109 H 6
Kassel [Ort, Verwaltungseinheit] 108-109 HJ 4
Kassianspitze 116-117 N 3
Kassubei [← Danzig 104-105 NO 2]
Kaštanovka = Mollehnen 112 E 2
Kasteelbrakel = Braine-le-Château 106-107 C 7
Kastel 108-109 CD 7
Kastel [3 km ↗ Taben-Rodt 108-109 C 7]
Kastellaun 108-109 D 6
Kastellbell-Tschars [= Castelbello-Ciardes] 116-117 L 3
Kastelruth [= Castelrotto] 116-117 N 3
Kastenreith 118-119 H 3
Kaster 120 C 4
Kasterlee 106-107 DE 6
Kaštice = Kaschitz 110-111 HJ 5
Kastl 114-115 K 2
Kastorf [Mecklenburg] 104-105 B 3
Kastorf [Schleswig-Holstein] 102-103 J 3
Kästorf 102-103 J 5
Kasczor = Altkloster 110-111 O 2
Kaszuby = Kaschubei
Kateřinky = Katharein 113 D 6
Katharein [= Kateřinky] 113 D 6
Katharinaberg [= Hora Svaté Kateřiny] 110-111 H 4
Katharinaberg ⤚→
Kathenberg 120 J 4
Katholisch Hammer [= Skoroszów] 113 C 3
Katlenburg-Duhm 110-111 AB 2
Katowice = Kattowitz 113 FG 5
Katsch an der Mur [7 km ← Niederwölz 118-119 G 4]
Katschbergpaß 118-119 EF 4
Katscher [= Kietrz] 113 DE 5
Katschkau [= Kaczkowo] 113 B 2
Kattenau [= Zavety] 112 HJ 2
Kattenhofen [= Cattenom] 108-109 B 8
Kattenhof (Ostpreußen) 112 H 2
Kattern [= Święta Katarzyna] 113 C 3
Kattowitz [= Katowice] 113 FG 5
Katusice = Katusitz
Katusitz [= Katusice, 3 km → Sudoměř 110-111 L 5]
Katwijk 106-107 C 4
Katwijk aan de Rijn, Katwijk- 106-107 C 4
Katwijk aan Zee, Katwijk- 106-107 C 4
Katwijk-Katwijk aan de Rijn 106-107 C 4
Katwijk-Katwijk aan Zee 106-017 C 4
Kąty = Bodenwinkel 104-105 O 2
Kąty 112 G 5
Kąty Wrocławskie = Kanth 113 B 3
Katzbach 110-111 O 3, 113 A 3
Katzbachgebirge 110-111 N 4
Katzenbuckel 114-115 DE 2
Katzenelnbogen 108-109 EF 6
Katzengebirge [Schlesien, ↑ Breslau] 113 BC 3
Katzengebirge [Schlesien, ↙ Neusalz (Oder)] 110-111 N 2
Katzengrün [= Kaceřov] 110-111 FG 5
Katzhütte 110-111 CD 4
Katzow 104-105 C 2
Katzwang 114-115 J 2
Kaub 108-109 E 6
Kauernik [= Kurzętnik] 112 C 5
Kaufbeuren 114-115 H 5
Kaufbeuren-Neugablonz 114-115 H 5
Kaufering 114-115 H 4
Kauffung [= Wojcieszów] 110-111 NO 4
Kaufunger Wald 108-109 J 4
Kaukehmen = Kuckerneese 112 G 1
Kaulille 106-107 EF 6
Kaumberg 118-119 K 2
Kaumberger Sattel 118-119 K 2
Kaunitz [= Kounice] 110-111 L 5
Kaunowa [= Kounov] 110-111 J 5
Kauns 116-117 L 2
Kaunser Tal 116-117 L 2-3
Kaurim = Kouřim 110-111 L 5
Kauschen = Horstenau
Kautelbach 104-105 H 2-3
Kautenbach 106-107 G 9
Kauth [= Kout na Šumavě] 114-115 MN 2
Kauthen [= Kouty, 2 km ↘ Deutsch Krawarn 113 E 6]
Kautzen 118-119 J 1
Kavelsdorf 102-103 N 2
Kavelstorf 102-103 M 2
Kawcze = Kaffzig 104-105 J 2
Kawice = Koitz 113 A 3
Kawki = Hermannsruhe 104-105 O 4
Kay 114-115 M 4
Kay [= Kije] 110-111 MN 1
Kayl 106-107 G 9-10
Kaymen = Kaimen 112 E 2
Kayna 110-111 F 4
Kaza = Waldluch 104-105 G 5
Kazimierz = Kasimir 113 D 5
Kazimierz = Kasimirshof 104-105 J 3
Kazimierz Biskupi 104-105 M 6
Kazimierzewo = Ellerwald 112 B 3
Kaźmierz 104-105 J 5
Kaznau [= Kaznějov] 114-115 N 1
Kaznějov = Kaznau 114-115 N 1

Kbely = Gbell 110-111 L 5

Kcynia = Exin 104-105 K 5

Kdyně = Neugedein 114-115 N 2

Kebłowo = Kiebel 110-111 O 1
Kecskemét 101 J 5
Kédange-sur-Canner = Kedingen 108-109 B 8
Kedichem [3 km ↘ Heukelum 106-107 E 5]
Kedingen [= Kédange-sur-Canner] 108-109 B 8
Kedzierzyn 104-105 L 6
Kędzierzyn = Heydebreck (Oberschlesien) 113 E 5
Keeken 108-109 B 3
Keerbergen 106-107 D 6-7
Keeseck 118-119 C 5
Keeten Mastgat 106-107 BC 5
Kefermarkt 118-119 H 2
Kehdingen 102-103 F 3
Kehl 114-115 B 3
Kehlen 114-115 F 5
Kehlen [= Kal, 3 km ↓ Angerburg 112 G 3]
Kehnert 110-111 E 1
Kehrberg [= Krzywin] 104-105 DE 4
Keilberg 110-111 G 5
Keilerswalde [= Kielcza] 113 F 4
Keitum 102-103 D 1
Kekenis 102-103 GH 1
Kelberg 108-109 CD 6
Kelbra (Kyffhäuser) 110-111 D 3
Kelchendorf [= Chełchy] 112 HJ 4
Kelchsau 118-119 C 4
Kelchsauer Ache 118-119 C 4
Kelheim 114-115 K 3
Kelkheim 108-109 F 6
Kell 108-109 C 7
Kellen 120 A 1
Kellenbach 108-109 D 7
Kellenberg, Schloß – 120 B 5
Kellenhusen (Ostsee) 102-103 K 2
Kellen (Ostpreußen) 112 G 2
Kellerberg [Deutschland] 120 J 3
Kellerberg [Österreich] 118-119 F 5
Kellerjoch 118-119 B 4
Kellersee 102-103 J 2
Kellerwald 108-109 H 4-5
Kellinghusen 102-103 G 3
Kellmienen = Kellen (Ostpreußen) 112 G 2
Kellmünz 114-115 G 4
Kelpin [= Kiełpin] 104-105 K 3
Kelpin [= Kiełpino] 104-105 M 2
Kelsterbach 108-109 G 6
Keltsch = Keilerswalde 113 F 4
Kematen am Innbach 118-119 F 2
Kematen an der Krems 118-119 G 2
Kematen bei Wels = Kematen am Innbach 118-119 F 2
Kematen in Tirol 116-117 M 2
Kemberg 110-111 G 2
Kembs 116-117 DE 1
Kemenesalja 118-119 M 5-N 4
Kemeneshát 118-119 M 4-5
Kemeten 118-119 L 4
Kemmelberg 106-107 a 2
Kemmeriboden 116-117 E 3
Kemnat [2 km ↗ Stuttgart-Plieningen 114-115 E 3]
Kemnath 114-115 K 1
Kemmnath bei Neunaigen 114-115 L 1
Kemnitz [Pommern] 104-105 C 2
Kemnitz [Sachsen] 110-111 L 3
Kemnitz [Schlesien] 110-111 MN 4
Kempen [Belgien] 106-107 DE 6
Kempen [Deutschland] 120 B 3
Kempenich 108-109 CD 6
Kempen in Posen [= Kępno] 113 D 3
Kempenland 106-107 E 6
Kempenland = Kempen 106-107 DE 6
Kempfeld 108-109 D 7
Kempisch Kanaal 106-107 E 6
Kempten (Allgäu) 114-115 G 5
Kendzierzyn = Kędzierzyn 104-105 L 6
Kennemerland 106-107 D 3-4
Kenyeri 118-119 N 4
Kenz 102-103 N 2
Kenzingen 114-115 B 4
Kepa = Mittagskogel 118-119 F 5
Kępno = Kempen in Posen 113 D 3
Keppel, Hummelo en – 106-107 G 4
Keppel, Laag- 106-107 G 4-5
Keppeln 120 B 2
Keprník = Glaserberg 113 C 5
Kerb = Krpy
Kerka 118-119 M 5
Kerkáskápolna 118-119 LM 5
Kerkaszentkirály 118-119 M 6
Kerkerbach [2 km ← Runkel 108-109 F 6]
Kerkojce = Kerkwitz 110-111 L 2
Kerkow [= Kierzków] 104-105 E 5
Kerkow [3 km ↑ Angermünde 104-105 D 4]
Kerkrade 106-107 FG 7
Kerkwijk 106-107 E 5
Kerkwitz 110-111 L 2
Kernein [= Karnin] 104-105 F 5
Kernhof 118-119 JK 3
Kerns 116-117 F 3
Kernsdorfer Höhe 112 CD 4
Kerpen 108-109 C 5
Kerpen [= Kierpień] 113 D 5
Kerschbaum 118-119 GH 1
Kerspe-Stausee 120 G 4
Kerstin [= Karścino] 104-105 G 2
Kervendonk 120 B 2
Kervenheim 120 B 2
Kerzers [= Chiètres] 116-117 D 3
Kesbern 120 G 3
Kesch, Piz – 116-117 J 3
Keskastel 108–109 D 9
Kesseburen 120 GH 2
Kessel [Belgien] 106-107 D 6
Kessel [Deutschland] 108-109 B 3
Kessel [Niederlande] 106-107 FG 6
Kesselbach 114-115 H 3
Kesselbach (Niederschlesien) [= Żarki] 110-111 M 3
Kesselberge 102-103 L 6
Kessel-Lo 106-107 D 7
Kesselsdorf 110-111 J 3
Kesselsdorf [= Kotliska] 110-111 MN 3
Kesselsee 112 G 4
Kessenich 106-107 F 6
Kesswil [5 km ↗ Romanshorn 116-117 H 1]
Kesteren 106-107 F 5
Kestert 108-109 E 6
Keszthely 101 H 5
Kęszyca = Kairscht
Ketelmeer 106-107 F 3
Kętrzyn = Rastenburg 112 F 3
Ketsch 114-115 CD 2
Ketsch [= Kiekrz] 104-105 J 6
Ketschdorf [= Kaczorów] 110-111 NO 4
Ketscher See, Großer – 104-105 J 6
Kettershausen 114-115 G 4
Kettinge 102-103 L 1
Kettwig 120 D 3
Kettwiger See 120 DE 3
Ketzelsdorf [= Kocléřov] 110-111 N 5
Ketzin 102-103 N 6
Keuchingen 108-109 BC 7-8
Keukenhof, Lisse- 106-107 CD 4
Keula 110-111 BC 3
Keulenberg 110-111 JK 3
Keutschach 118-119 O 5
Kevelaer 120 A 2
Keyenberg 120 B 4
Kežmarok = Käsmark 101 K 4

Kiauschen = Wetterau 112 J 2
Kiauten = Zellmühle 112 H 3
Kibartaj = Kybartai 112 J 2
Kicin [8 km ↗ Posen 104-105 J 6]
Kickelhahn 110-111 C 4
Kiebel [= Kębłowo] 110-111 O 1
Kiebitz 110-111 H 3
Kiedrich [4 km ↑ Hattenheim 108-109 EF 6]
Kieferle 110-111 D 5
Kiefernwalde [= Laskowice] 113 E 4
Kiefersfelden 114-115 L 5
Kieferstädtel [= Sośnicowice] 113 F 5
Kiehnshof = Zalesie 104-105 L 5
Kiekrz = Ketsch 104-105 J 6
Kiekrzskie, Jezioro – = Großer Ketscher See 104-105 J 6
Kiel 102-103 H 2
Kiełbaska 113 F 1
Kielce 101 K 3
Kielcza = Keilerswalde 113 F 4
Kiełczewo 113 B 1
Kiełczygłów 113 FG 3
Kielczyn = Költsche 113 B 4
Kieldrecht 106-107 C 6
Kiel-Elmschenhagen 102-103 H 2
Kieler Bucht 102-103 H 1-J 2
Kieler Förde 102-103 H 2
Kiel-Friedrichsort 102-103 H 2
Kiel-Holtenau 102-103 H 2
Kielno = Kölln 104-105 M 2
Kiełpany = Kielpin 112 C 5
Kielpin [= Kiełpiny] 112 C 5
Kiełpin = Kelpin 104-105 K 3
Kiełpin = Kölpin
Kiełpino = Kelpin 104-105 M 2
Kiełpino = Kölpin 104-105 HJ 3
Kieltze = Kielce 101 K 3
Kienau [= Chyňava] 110-111 K 5
Kienberg [Deutschland] 114-115 L 4
Kienberg [Österreich] 118-119 B 3
Kienberg [Schweiz] 116-117 EF 2
Kienitz 104-105 D 5
Kiens [= Chiènes] 118-119 B 5
Kiental 116-117 E 3
Kienthal 116-117 E 3
Kierpień = Kerpen 113 D 5
Kierspe 120 G 4
Kierst, Langst- 120 C 3
Kierzków = Kerkow 104-105 E 5
Kierzno 113 E 3
Kiesdorf (Ostpreußen) 112 HJ 2
Kieselbach 110-111 B 4
Kietrz = Katscher 113 DE 5
Kietz 104-105 E 5
Kieve 102-103 N 4
Kiezmark = Käsemark 104-105 NO 2
Kije = Kay 110-111 MN 1
Kijewo = Kiöwen
Kijewo Królewskie = Kīniglich Kiowo 104-105 MN 4
Kikinda 101 K 6
Kikół 104-105 O 5
Kilb 118-119 J 2
Kilchberg 116-117 FG 2
Kilianstädten 108-109 GH 6
Kilnprein 118-119 F 5
Kimratshofen 114-115 G 5
Kindberg 118-119 J 3
Kindelbrück 110-111 CD 3
Kindelsberg 120 HJ 5
Kindsbach 108-109 E 8
Kinrooi 106-107 F 6
Kinzig [Baden-Württemberg] 114-115 BC 4
Kinzig [Hessen] 108-109 H 6
Kinzweiler [3 km → Broichweiden 108-109 B 5]
Kiöwen [= Kijewo 5 km ↘ Herzogskircher 112 HJ 4]
Kipfenberg 114-115 JK 3
Kippel 116-117 E 4
Kippenheim 114-115 B 4
Kipsdorf, Kurort – 110-111 J 4
Kirberg 108-109 F 6
Kirchanschöring 114-115 M 5
Kirchardt 114-115 DE 2
Kirchbach [3 km ↘ Reisach 118-119 E 5]
Kirchbach in Steiermark 118-119 K 5
Kirchbarkau 102-103 H 2
Kirchberg [Deutschland, Niederbayern] 114-115 M 3
Kirchberg [Deutschland, Oberbayern] 114-115 M 4
Kirchberg [Deutschland, Sachsen] 110-111 FG 4
Kirchberg [Schweiz] 116-117 E 2
Kirchberg [= Kostelní] 110-111 FG 5
Kirchberg [3 km ↓ Jülich 108-109 B 5]
Kirchberg [4 km ↗ Otterskirchen 114-115 N 3]
Kirchberg [6 km ↓ Wil 116-117 H 2]
Kirchberg am Wagram 118-119 K 2
Kirchberg am Walde 118-119 J 1
Kirchberg am Wechsel 118-119 KL 3
Kirchberg an der Jagst 114-115 FG 2
Kirchberg an der Murr [6 km ← Backnang 114-115 EF 3]
Kirchberg an der Pielach 118-119 J 2
Kirchberg an der Raab 118-119 K 5
Kirchberg an der Wild [4 km ← Blumau an der Wild 118-119 JK 1]
Kirchberg (Hunsrück) 108-109 D 7
Kirchberg in Tirol 118-119 C 4
Kirchberg-Thening [3 km ← Pasching 118-119 G 2]
Kirchbichl 118-119 C 3
Kirchbichl [4 km ↑ Bad Tölz 114-115 JK 5]
Kirchboitzen 102-103 F 5
Kirchborchen 108-109 G 3
Kirch-Brombach [3 km ↗ Zell 108-109 GH 7]
Kirchdorf [Bayern] 114-115 K 4
Kirchdorf [Mecklenburg] 102-103 K 3
Kirchdorf [Niedersachsen, Böhrde] 102-103 E 5
Kirchdorf [Niedersachsen, Ostfriesland] 102-103 B 4
Kirchdorf [Pommern] 104-105 B 2
Kirchdorf [2 km ← Pernegg an der Mur 118-119 J 4]
Kirchdorf am Inn 114-115 M 4
Kirchdorf an der Krems 118-119 G 3
Kirchdorf im Wald 114-115 N 3
Kirchdorf in Tirol 118-119 C 3
Kirchehrenberg 114-115 J 1
Kirchenberg 104-105 CD 3
Kirchen-Dombrowka = Dąbrówka Kościelna 104-105 K 5
Kirchen, Efringen- 114-115 B 5
Kirchenlamitz 110-111 E 5
Kirchen-Podlesche [= Ruda Koźlanka, 3 km ← Markstädt 104-105 K 5]
Kirchen-Popow = Popowo Kościelne 104-105 K 5
Kirchentellinsfurt 114-115 E 3
Kirchenthumbach 114-115 K 1
Kirchen-Wehbach (Sieg) 108-109 EF 5
Kirchgellersen 102-103 H 4
Kirchhain 108-109 G 5
Kirchhain, Doberlug- 110-111 HJ 2
Kirchham [Deutschland] 114-115 N 4
Kirchham [Österreich] 118-119 F 3
Kirchhausen 114-115 E 2
Kirchheiligen 110-111 C 3
Kirchheim [Bayern] 114-115 F 1
Kirchheim [Hessen] 108-109 HJ 5
Kirchheim am Neckar 114-115 E 2
Kirchheimbolanden 108-109 EF 7
Kirchheim, Heidelberg- 114-115 D 2
Kirchheim in Schwaben 114-115 G 4
Kirchheim unter Teck 114-115 EF 3
Kirchhellen 120 D 2
Kirchhofen 114-115 B 5
Kirchhoven 108-109 B 4
Kirchhundem 120 J 4
Kirchhundem-Altenhundem 120 HJ 4
Kirchhundem ⤚→
Kirch Jesar 102-103 K 4
Kirchlengern [9 km → Herford] 108-109 G 2
Kirchlinden [= Piskorzyna] 113 B 2
Kirchlinden [= Wojsławice] 113 E 3
Kirchlinteln 102-103 F 5
Kirchmöser, Brandenburg (Havel)- 110-111 F 1
Kirch Mulsow 102-103 L 3
Kirch Mummendorf 102-103 JK 3
Kirchnaumen [= Kirschnaumen] 108-109 B 8
Kirchohsen 108-109 HJ 2
Kirchplatz-Borui [= Boruja Kościelna] 110-111 O 1
Kirchrode, Hannover- 108-109 J 2
Kirchroth 114-115 M 3
Kirchschlag 118-119 J 2
Kirchschlag [= Světlík] 118-119 G 1
Kirchschlag in der Buckligen Welt 118-119 L 3-4
Kirchseeon 114-115 K 4
Kirchtimke 102-103 F 4
Kirchveischede 120 HJ 4
Kirchwalde [= Chudoba] 113 E 4
Kirchwalsede 102-103 F 4
Kirchweidach 114-115 M 4
Kirchwerder, Hamburg – 102-103 H 4
Kirchweyhe 102-103 E 4-5
Kirchworbis [2 km → Breitenworbis 110-111 C 3]
Kirchzarten 114-115 BC 5
Kirchzell 114-115 E 1
Kirkel-Neuhäusel 108-109 D 8
Kirn 108-109 D 7
Kirrlach 114-115 D 2
Kirschfeld [= Hodonice] 118-119 L 1
Kirschnaumen = Kirchnaumen 108-109 B 8
Kirschneustadt = Neustadt bei Pinne 104-105 H 6
Kirtorf 108-109 H 5
Kisajno, Jezioro – = Mauersee 112 G 3
Kisalföld 118-119 M 4-N 3
Kisdorf [3 km ↑ Henstedt 102-103 H 3]
Kisdorfer Wohld 102-103 GH 3
Kisfalud 118-119 N 3
Kisielice = Freystadt in Westpreußen 112 B 4
Kiskunhalas 101 J 5
Kissainsee = Mauersee 112 G 3
Kissenbrück 110-111 C 1
Kissing 114-115 HJ 4
Kissingen, Bad – 110-111 B 5
Kißlegg 114-115 F 5
Kist 114-115 F 1
Kistenpass 116-117 H 3
Kistenstein 116-117 J 3
Kisunyom 118-119 M 4
Kisvárda 101 KL 4
Kiszkowo = Weinau 104-105 K 5
Kittendorf 102-103 NO 3
Kittlitztreben [= Trzebień] 110-111 N 3
Kittsee 118-119 N 2
Kitzbühel 118-119 C 4
Kitzbühler Alpen 118-119 B-D 4
Kitzbühler Horn 118-119 CD 4
Kitzeck im Sausal 118-119 J 5
Kitzingen 114-115 G 1
Kitzlochklamm 118-119 D 4
Kitzscher 110-111 G 3
Kitzsteinhorn 118-119 D 4
Kiwitten [= Kiwity] 112 E 3
Kiwity = Kiwitten 112 E 3

Kjelbaska = Kiełbaska 113 F 1

Klabbeek = Clabecq 106-107 C 7
Kłączno, Jezioro – = Klonczener See 104-105 L 2
Kläden 102-103 L 5
Kladno 110-111 K 5
Kladno-Kročehlavy 110-111 K 5
Kladno-Krocehlaw = Kladno-Kročehlavy 110-111 K 5
Kladno-Maßhaupt = Kladno-Kročehlavy 110-111 K 5
Kladow [= Kłodawa] 104-105 F 5
Kladrau [= Kladruby] 114-115 M 1
Kladrub = Kladruby nad Labem 110-111 M 5
Kladruby = Kladrau 114-115 M 1
Kladruby nad Labem 110-111 M 5
Klafeld 108-109 F 5
Klaffenbach 110-111 GH 4
Klaffer [3 km ↗ Ulrichsberg 118-119 FG 1]
Klagenfurt 118-119 G 5
Klagenfurt-Annabichl 118-119 G 5
Klagenfurt-Sankt Ruprecht 118-119 G 5
Klahrheim [= Kotomierz] 104-105 M 4
Klaipėda = Memel 101 K 1
Klammpaß 118-119 E 4
Kłanino = Klannin 104-105 H 2
Klannin [= Kłanino] 104-105 H 2
Klanxbüll 102-103 E 1
Klappau [= Klapy] 110-111 K 5
Klapperberge 104-105 B 4
Klapy = Klappau 110-111 K 5
Klardorf 114-115 L 2
Klarenkranst = Klarenwald 113 C 3
Klarenthal [2 km ↘ Gersweiler 108-109 C 8]
Klarenwald [= Chrząstowa Wielka] 113 C 3
Klasdorf 110-111 J 1
Klášterec nad Ohří = Klösterle an der Eger 110-111 H 5
Klášter Hradiště nad Jizerou = Kloster
Klášter Teplá = Tepl Stift 110-111 G 6
Klasztorne = Klosterfelde
Klätkow [= Kłodkowo] 104-105 F 2
Klatovy = Klattau 114-115 N 2
Klattau [= Klatovy] 114-115 N 2
Klaukendorf [= Klewki, 3 km ↗ Groß Kleeberg 112 E 4]
Klaus [Österreich, Steiermark] 118-119 J 3
Klaus [Österreich, Vorarlberg] 116-117 J 2
Klaus an der Pyhrnbahn 118-119 G 3
Klausberg [= Mikulczyce] 113 F 5
Klausdorf [Brandenburg] 110-111 H 1
Klausdorf [Pommern] 102-103 NO 2
Klausdorf [Schleswig-Holstein] 102-103 H 2
Klausdorf [= Kłębowiec] 104-105 HJ 4
Klausdorf [= Płonno, 3 km → Berlinchen 104-105 F 5]
Klausdorf, Rehagen- [4 km ↗ Mellensee 110-111 H 1]
Klausen [= Chiusa] 116-117 MN 3
Klausenpass 116-117 G 3
Klaushagen [= Kluczewo] 104-105 H 3
Klaussen [= Klusy] 112 H 4
Klawsdorf [= Klewno, 3 km ↗ Rößl 112 F 3]
Klazienaveen, Emmen- 106-107 H 3
Klebark Wielki = Groß Kleeberg 112 E 4
Klebow [= Chlebowo] 104-105 H 3
Kłębowiec = Klausdorf 104-105 HJ 4
Kłębowo = Wernegitten 112 E 3
Kłecko 104-105 K 5
Kleczew 104-105 M 6
Kleeberg [= Słonice] 104-105 FG 4
Kleedorf [= Charbowo] 104-105 K 5
Kleeth 104-105 AB 3
Klein 118-119 J 5
Kleinarlbach 118-119 E 4
Klein-Auheim [2 km ← Großauheim 108-109 GH 6]
Klein Bartelsee 104-105 LM 4
Klein Berßen 102-103 BC 5
Klein Bislaw [= Bysławek] 104-105 LM 3-4
Kleinbittersdorf 108-109 D 8
Klein Bresa [= Brzezinka Średzka] 113 B 3
Klein Bünzow 104-105 C 3
Kleinburgwedel 102-103 G 5-6
Klein Chelm [= Małe Chełmy] 104-105 L 3
Klein Dommatau [= Domatówka, 5 km ↙ Mechau 104-105 M 1]
Klein Drensen [= Dzierżążno Małe] 104-105 H 4
Kleine Aller 102-103 J 5-6
Kleine Elbe 110-111 N 4
Kleine Elster 110-111 J 2
Kleine Emme 116-117 F 2
Kleine Erlauf 118-119 HJ 2
Kleine Gete 106-107 E 7
Kleine Iser = Zabeitka 110-111 L 4
Kleine Issel 120 C 1
Kleine Kamp 118-119 J 1
Kleine Karpaten 101 H 4
Kleine Laaber 114-115 L 3
Kleine Laber = Kleine Laaber 114-115 L 3
Klein Ellguth [= Ligota Mała] 113 C 3
Kleine Lohe 113 BC 4
Kleinen, Bad – 102-103 K 3
Kleinenberg 108-109 G 3
Kleinenbremen 108-109 H 2
Kleinenbroich 120 C 4
Kleine Nete 106-107 D 6
Kleine Ohe 114-115 N 3
Kleine Peene 102-103 N 3
Kleiner Arber 114-115 N 2
Kleiner Belt 102-103 H 1
Kleiner Dhünnbach 120 EF 4
Kleiner Gleichberg 110-111 C 5
Kleiner Hammerbach 110-111 M 3
Kleiner Heuberg 114-115 D 4
Kleiner Jasmunder Bodden 104-105 B 1-C 2
Kleiner Sankt Bernhard 116-117 C 5
Kleiner Schobensee 112 EF 4
Kleines Haff 104-105 D 3
Kleine Sölk 118-119 F 4
Kleines Walsertal 116-117 K 2
Kleine Welna 104-105 K 5
Kleinfriedeck [= Zaozernoje] 112 G 3
Klein Gandern [= Gądków Mały] 110-111 LM 1
Kleingartach [4 km ↖ Güglingen 114-115 DE 2]
Kleinglödnitz 118-119 G 5
Kleingnie [= Mozyr'] 112 F 3
Klein Gustkow = Gustkow 104-105 KL 2
Klein Heidorn [2 km ↘ Großenheidorn 102-103 FG 6]
Klein Helmsdorf [= Dobków, 5 km ↗ Kauffung 110-111 NO 4]

Klein Herrlitz 22 Kostelec nad Labem

Klein Herrlitz [= Malé Heraltice] 113 D 6
Kleinheubach 114-115 E 1
Klein Horschitz = Hořičky
Klein Hoschütz [= Malé Hoštice, 3 km → Troppau 113 D 6]
Kleinitz [= Klenica] 110-111 N 2
Klein Jerutten [= Jerutki] 112 F 4
Klein Kollmar 102-103 FG 3
Klein Konitz [= Chojniczki] 104-105 L 3
Klein Köris 110-111 J 1
Klein Krebbel [= Krobielewko] 104-105 G 5
Klein Kreidel [= Krzydlina Mała] 113 AB 3
Klein Kreutsch [= Krzycko Małe, 2 km ↓ Lindensee 113 AB 2]
Klein Kuhren [= Filino] 112 D 1-2
Klein Kummetschen = Schäferberg (Ostpreußen)
Kleinlangheim 114-115 G 1
Klein Lassowitz = Schloßwalden 113 E 4
Kleinlautersee [= Żabinek] 112 H 3
Klein Lutau [= Lutówko] 104-105 K 4
Kleinlützel [= Petit-Lucelle] 116-117 D 2
Kleinmachnow 104-105 B 6
Klein Mohrau [= Malá Morava] 113 B 5
Klein Mohrau [= Malá Morávka] 113 C 5
Klein Morin [= Murzynko, 2 km ↗ Groß Morin 104-105 MN 5]
Klein Mutz 104-105 B 5
Klein Nakel [= Nakielno] 104-105 H 4
Klein Nordende 102-103 G 3
Klein Nuhr [= Suchodolje, 5 km ↘ Wehlau 112 F 2]
Klein Offenseth-Sparrieshoop [6 km ↗ Barmstedt 102-103 G 3]
Kleinostheim 108-109 GD 6
Kleinpaschleben 110-111 E 2
Klein Plasten 102-103 N 3
Klein Pomeiske [= Pomysk Mały, 1 km ↑ Groß Pomeiske 104-105 L 2]
Klein Priebus 110-111 L 3
Kleinreifling 118-119 H 3
Klein Reken 120 E 1
Kleinrinderfeld 114-115 F 1
Klein Sankt Paul 118-119 H 5
Klein Schabienen = Kleinlautersee 112 H 3
Klein Schönfeld [= Chwarstnica] 104-105 E 4
Klein Schützen [= Malé Leváre] 118-119 MN 1-2
Klein Schwadowitz [= Malé Svatoňovice] 110-111 O 4
Klein Silber [= Suliborek] 104-105 FG 4
Kleinskal [= Malá Skála, 5 km ← Eisenbrod 110-111 M 4]
Kleinsölk 118-119 F 4
Klein Spiegel [= Poźrzadło] 104-105 G 4
Klein Stöckheim [5 km ↓ Braunschweig 110-111 C 1]
Klein Strehlitz [= Strzeleczki] 113 D 5
Klein Stürlack [= Sterławki Małe 6 km ↘ Lötzen 112 G 3]
Klein Topola [= Topola Mała] 113 D 2
Klein Trebbow 102-103 K 3
Klein Tromnau [= Trumiejki] 112 B 4
Klein Tschirne = Alteichen
Klein Umstadt 108-109 GH 7
Kleinwallstadt 114-115 E 1
Klein Wanzleben 110-111 DE 1
Kleinwarasdorf 118-119 M 3
Klein Warnow 102-103 L 4
Kleinwelka 110-111 K 3
Kleinwiese [6 km ↙ Straszewo 104-105 N 5
Klein Zastrow 104-105 B 2
Klein Zecher 102-103 J 3
Kleinzell 118-119 K 3
Klein Zell [= Sárvár] 118-119 M 4
Kleistdorf [= Nowe Kramsko] 110-111 N 1
Klempenow 104-105 B 3
Klempicz = Klempitz 104-105 HJ 5
Klempin [= Klępino] 104-105 F 4
Klempitz [= Klempicz] 104-105 HJ 5
Klemskerke [7 km → Ostende 106-107 a 1]
Klemzig [= Klępsk] 110-111 N 1
Klemzow [= Klępicz] 104-105 D 5
Klenči pod Čerchovem = Klentsch 114-115 M 2
Kleneč = Klentsch 114-115 M 2
Klenica = Kleinitz 110-111 N 2
Klentsch [= Klenčí pod Čerchovem] 114-115 M 2
Klępicz = Klemzow 104-105 D 5
Klępino = Klempin 104-105 F 4
Klępsk = Klemzig 110-111 N 1
Kleptow 104-105 D 4
Kleschauen [= Bagrationovo] 112 H 3
Kleschen [= Kleszczewo] 112 HJ 4
Kleschowen = Kleschauen 112 H 3
Kleschöwen = Kleschen 112 HJ 4
Klęskowo = Hökendorf
Kleszczewo = Groß Kleschkau 104-105 N 2
Kleszczewo = Kleschen 112 HJ 4
Kleszczewo = Wilhelmshorst 104-105 K 6
Klětno = Klitten 110-111 L 3
Kletschew = Kleczew 104-105 M 6
Klettbach 110-111 D 4
Klettgau [Deutschland] 114-115 CD 5
Klettgau [Schweiz] 116-117 F 1
Klettwitz 110-111 JK 2
Kletzin 104-105 B 3
Kletzko = Kłecko 104-105 K 5
Kleusheim 120 H 4
Kleuterbach 120 F 1
Kleve 120 A 1
Klewki = Klaukendorf
Klewno = Klawsdorf
Kliczków = Klitschdorf 110-111 MN 3
Kliczków Mały 113 EF 2
Kliczków Wielki 113 F 2
Klieken 110-111 F 2
Kliestow, Frankfurt (Oder)- 104-105 DE 6
Klietz 102-103 M 5
Klimaszewnica 112 HJ 5
Klińcz Wielki = Groß Klinsch 104-105 M 2
Klinge 110-111 KL 2
Klinge, De – 106-107 C 6
Klingenbach 118-119 LM 3
Klingenberg [3 km ↗ Colmnitz 110-111 HJ 4]
Klingenberg am Main 114-115 E 1
Klingenbrunn 114-115 N 3
Klingendorf 102-103 M 3
Klingenmünster 108-109 EF 8
Klingenstein 114-115 F 4
Klingenthal 110-111 F 5
Klinger [= Tleń] 104-105 M 3
Kliniska Wielkie = Groß Christinenberg 104-105 E 4
Klink 102-103 N 4
Klínovec = Keilberg 110-111 G 5
Klintum, Oldsum- 102-103 DE 1
Klipleff 102-103 F 1
Klippitztörl 118-119 H 5
Klitschdorf [= Kliczków] 110-111 MN 3
Klitsche 102-103 M 6
Klitten 110-111 L 3
Klitzschen 110-111 GH 2
Klix 110-111 KL 3
Klixbüll 102-103 E 1
Klobenstein [= Collalbo] 116-117 MN 3
Kłobia 104-105 N 5
Kłóbka 104-105 O 6
Klobouky = Hut 110-111 J 5
Kłobuck 113 FG 4
Kłobuczyn = Klopschen 110-111 NO 2
Klobuky = Hut 110-111 J 5
Klobuzko = Kłobuck 113 FG 4
Klöch 118-119 KL 5
Klockenhagen 102-103 M 2
Kłocko [5 km ↙ Sieradz 113 F 2]
Klockow 102-103 N 4
Kłodawa 113 F 1
Kłodawa = Kladow 104-105 F 5
Klodebach [= Kłodobok] 113 C 4
Klöden 110-111 G 2
Kłodkowo = Klätkow 104-105 F 2
Klodnitzkanal 113 E 5
Kłodobok = Klodebach 113 C 4
Kłodzino = Klötzin 104-105 G 3
Kłodzka Góra = Glatsenberg 113 B 5
Kłodzko = Glatz 113 B 5
Klomin = Chlumín 110-111 K 5
Klon = Liebenberg 112 F 5
Klonczener See 104-105 L 2
Kłoniecznica = Klonisnitza 104-105 L 2-3
Klonisnitza 104-105 L 2-3
Klonowa 113 E 3
Klonowo = Klonowa 113 E 3
Klonowo nad Brdą 104-105 L 4
Klöntalersee 116-117 GH 2
Kloosterburen 106-107 G 2
Kloosterhaar, Hardenberg- 106-107 H 4
Klopein [1 km ↘ Sankt Kanzian 118-119 H 5]
Klopeiner See 118-119 H 5
Kłopot = Kloppitz 110-111 L 1
Kloppitz [= Kłopot] 110-111 L 1
Kloppsee [Brandenburg, ↖ Landsberg (Warthe)] 104-105 E 4
Kloppsee [Brandenburg, ↘ Schwerin (Warthe)] 104-105 G 6
Klopschen [= Kłobuczyn] 110-111 NO 2
Klorberg 104-105 G 3
Klorówka = Klorberg 104-105 G 3
Kłosów = Klossow 104-105 DE 5
Klossow [= Kłosów] 104-105 DE 5
Kloster 104-105 B 1
Kloster [= Klášter Hradiště nad Jizerou, 2 km ← Münchengrätz 110-111 LM 4]
Klosterbach 102-103 E 5
Klosterberg 120 GH 3
Klosterbrück [= Czarnowąsy] 113 DE 4
Klosterfelde 104-105 BC 5
Klosterfelde [= Klasztorne, 3 km ← Lämmersdorf 104-105 G 4]
Klostergrab [= Hrob] 110-111 J 4
Klosterhäseler 110-111 E 3
Klosterlausnitz, Bad – 110-111 E 4
Klösterle an der Eger [= Klášterec nad Ohří] 110-111 H 5
Klosterlechfeld [2 km → Untermeitingen 114-115 H 4]
Kloster Malchow 102-103 MN 4
Klostermansfeld 110-111 D 2
Kloster Mariawald [2 km ↓ Heimbach 108-109 BC 5]
Klosterneuburg 118-119 L 2
Kloster Nimbschen, Grimma- 110-111 G 3
Kloster Ösede 108-109 F 2
Klosterreichenbach 114-115 CD 3
Klosters 116-117 J 3
Klostertal [Niederösterreich] 118-119 K 3
Klostertal [Österreich, Vorarlberg] 116-117 JK 2
Klosterwalde [4 km ↙ Herzfelde 104-105 BC 4]
Klosterwasser 110-111 K 3
Kloster Zinna 110-111 H 1
Kloten 116-117 G 2
Klotingen 120 HJ 2
Klotten 108-109 D 6
Klötze 102-103 K 5
Klötzen = Kłecko 104-105 K 5
Klötzin [= Kłodzino] 104-105 G 3
Klotzsche, Dresden- 110-111 J 3
Klöwsteiner Berg 104-105 JK 2
Kłucz ↣
Kluczbork = Kreuzberg (Oberschlesien) 113 E 4
Kluczewo = Klaushagen 104-105 H 3
Kluczewo = Klützow 104-105 EF 4
Kluis 104-105 B 2
Kluisberg 106-107 AB 7
Klukowa Huta 104-105 L 2
Klukowahutta = Klukowa Huta 104-105 L 2
Klukš = Klix 110-111 KL 3
Klum [= Chlum, 4 km ↙ Habstein 110-111 L 4]
Klundert 106-107 D 5
Klüppelberg [Berg] 120 FG 4
Klüppelberg [Ort] 120 FG 4
Klusy = Klaussen 112 H 4
Klütz 102-103 K 3
Klütz ↣
Klützer Ort 102-103 JK 3
Klützhöved 102-103 K 2
Klützow [= Kluczewo] 104-105 EF 4

Knakendorf [= Rzeczyca] 104-105 H 4
Knar 106-107 E 4
Knau 110-111 E 4
Knechtsteden 120 CD 4
Knesebeck 102-103 J 5
Knesselare 106-107 A 6
Knetzgau 110-111 BC 6
Kněževes = Herrndorf
Kněžmost = Fürstenbruck 110-111 M 5
Knickberg 102-103 E 5
Knieja = Heidewald
Kniepsand 102-103 D 1
Kniewenbruch [= Kniewo] 104-105 LM 1
Kniewo = Kniewenbruch 104-105 LM 1
Knippelsdorf 110-111 H 2
Kniprode [= Półczno] 104-105 L 2
Knittelfeld 118-119 H 4
Knittlingen 114-115 D 2
Knížecí Stolec = Fürstensitz 118-119 FG 1
Knobelsdorf 110-111 H 3
Knokke 106-107 A 6
Knorrendorf 104-105 B 3
Knüll 108-109 H 5
Knüllgebirge 108-109 HJ 5
Knurów 113 F 5

Kobbelbude [= Svetloje] 112 DE 2
Købelev 102-103 K 1
Kobelnitz [= Kobylnica] 104-105 K 6
Köben an der Oder = Chobienia 113 A 2
Kobenz 118-119 H 4
Kobeřice = Köberwitz 113 E 6
Kobern 108-109 D 6
Kobernaußer Wald 118-119 E 2
Kobersdorf 118-119 L 3
Koberwitz = Rößlingen 113 B 4
Köberwitz [= Kobeřice] 113 E 6
Kobier [= Kobiór] 113 FG 5
Kobierno 113 CD 2
Kobierzyce = Rößlingen 113 B 4
Kobiletz [= Kobylec] 104-105 K 5
Kobilje 118-119 L 5
Kobiór = Kobier 113 FG 5
Koblau [= Koblov, 2 km → Petershofen 113 E 6]
Koblenz [Deutschland; Ort, Verwaltungseinheit] 108-109 DE 6
Koblenz [Schweiz] 116-117 F 1
Koblenz-Ehrenbreitstein 108-109 E 6
Koblov = Koblau
Köbnitz [= Chobienice] 110-111 N 1
Kobulten [= Kobułty] 112 EF 4
Kobułty = Kobulten 112 EF 4
Koburg = Coburg 110-111 CD 5
Kobylagóra = Haideberg 113 D 3
Kobylanka = Kublank 104-105 E 4
Kobylec = Kobiletz 104-105 K 5
Kobyletz = Kobiletz 104-105 K 5
Kobylin 113 C 2
Kobylnica = Hublitz 104-105 K 2
Kobylnica = Kobelnitz 104-105 K 6
Kochel ↣
Kochelsee 114-115 J 5
Kochem = Cochem 108-109 D 6
Kocher 114-115 F 2
Kochlow [= Kochłowy] 113 DE 3
Kochłowy = Kochlow 113 DE 3
Koch, Mönchengladbach- 120 B 4
Kocie Góry = Katzengebirge 110-111 N 2
Kocień Wielki = Groß Kotten
Kociołek Szlachecki = Adlig Kessel
Kocioł, Jezioro – = Kesselsee 112 G 4
Köckte 102-103 K 5
Kocléřov = Ketzelsdorf 110-111 N 5
Koczała = Flötenstein 104-105 K 3
Kodersdorf 110-111 L 3
Köditz 110-111 E 5
Ködnitz [3 km ↖ Trebgast 110-111 DE 5]
Kodrąb = Kodram 104-105 E 3
Kodram [= Kodrąb] 104-105 E 3
Kodrecy = Kodersdorf 110-111 L 3
Koedijk 106-107 D 3
Koegras 106-107 D 3
Koekelare 106-107 ab 1
Koekelberg 106-107 C 7
Kœnigsmacker = Königsmachern 108-109 B 8
Koersel 106-107 E 6
Koevordermeer 106-107 F 3
Köfering [Bayern, ↓ Amberg] 114-115 K 2
Köfering [Bayern, ↘ Regensburg] 114-115 L 3
Köflach 118-119 J 4
Kogenheim 114-115 B 4
Koglhof 118-119 K 4
Kohaut = Kohout 118-119 H 1
Kohlberg [Bayern] 114-115 KL 1
Kohlberg [Nordrhein-Westfalen] 120 H 3
Köhlen 102-103 E 3
Kohlfurt [= Węgliniec] 110-111 M 3
Kohlgrub, Bad – 114-115 J 5
Kohlhagen 120 J 4
Kohlo [= Koło, 2 km ← Jeßnitz 110-111 L 2]
Kohlow [= Kowalów] 104-105 E 6
Kohlscheid 108-109 B 5
Kohlstädt 108-109 G 3
Kohout 118-119 H 1
Kohren-Sahlis 110-111 G 3
Koitz [= Kawice] 113 A 3
Kokanin 113 E 2
Kokocko 104-105 M 4
Kokottek 113 F 4
Kokotzko = Kokocko 104-105 M 4
Koksijde 106-107 a 1
Kołacz = Kollatz 104-105 H 3
Kołaczkowice 113 C 2
Kołaczkowo 113 D 1
Kolau = Kołaczkowice 113 C 2
Kołbacz = Kolbatz 104-105 E 4
Kołbaskowo = Kolbitzow 104-105 D 4
Kolbatz [= Kołbacz] 104-105 E 4
Kolberg [= Kołobrzeg] 104-105 FG 2
Kolberger Deep [= Dźwirzyno] 104-105 F 2
Kolbermoor 114-115 KL 5
Kolbitzow [= Kołbaskowo] 104-105 D 4
Kolbnitz 118-119 E 5
Kołczewo = Kolzow 104-105 E 3
Kołczygłowy = Alt Kolziglow 104-105 K 2
Kołczyn = Költschen 104-105 F 5
Koldemanz [= Kołomąć] 104-105 F 3
Kołdrąb [6 km ↗ Rogowo 104-105 L 5]
Koldromb = Kołdrąb
Koleč 110-111 K 5
Koleczkowo = Kolletzkau 104-105 M 1-2
Kolenfeld 108-109 HJ 2
Kolešovice = Kolleschowitz 110-111 HJ 5
Koletsch = Koleč 110-111 K 5
Kolín 110-111 M 5
Kolin = Kollin 104-105 F 4
Kolinec = Kolinetz 114-115 N 2
Kölinitz [= Kolinec] 114-115 N 2
Kołki = Rohrbeck 104-105 G 4
Kolkwitz 110-111 K 2
Kollatz [= Kołacz] 104-105 H 3
Kollautschen [= Kolovec] 114-115 MN 2
Kollbach 114-115 M 3
Kölleda 110-111 D 3
Kollendorf = Kolletzkau 104-105 M 1-2
Köllerbach [2 km ↗ Püttlingen 108-109 C 8]
Kollerschlag 118-119 F 1
Kolleschowitz [= Kolešovice] 110-111 HJ 5
Kolletzkau [= Koleczkowo] 104-105 M 1-2
Kölliken [4 km ↙ Oberentfelden 116-117 EF 2]
Kollin [= Kolin] 104-105 F 4
Kölln 104-105 B 3
Kölln [= Kielno] 104-105 M 2
Kollnau 114-115 B 4
Kollnburg 114-115 M 2
Kollnitz = Kolniczki 113 C 1
Kollumerland 106-107 G 2
Kollumerland-Kollum 106-107 G 2
Kollum, Kollumerland- 106-107 G 2
Kollund 102-103 F 1
Kolmar = Colmar 101 C 4
Kolmar in Posen [= Chodzież] 104-105 JK 5
Kölmerfelde [= Kożuchy, 3 km ↘ Gehlenburg 112 H 4]
Kölmersdorf [= Wiśniowo Ełckie] 112 HJ 4
Köln [Ort, Verwaltungseinheit] 108-109 C 5
Köln-Brück 120 E 5
Köln-Dellbrück 120 E 5
Köln-Deutz 120 DE 5
Köln-Ehrenfeld [← Köln 108-109 C 5]
Köln-Ehrenfried 120 D 5
Kölner Randkanal 120 D 4-5
Köln-Fühlingen 120 D 4
Köln-Höhenhaus 120 E 5
Kolnica = Lichtenberg 113 C 4
Kolniczki 113 C 1
Köln-Kalk 120 E 5
Köln-Longerich 120 D 4-5
Köln-Merkenich 120 D 4
Köln-Mülheim 120 E 5
Köln-Nippes 120 D 5
Kolno 112 GH 5
Kolno = Groß Köllen 112 EF 4
Köln-Ossendorf 120 D 5
Köln-Rath 108-109 D 5
Köln-Sülz [↙ Köln 108-109 C 5]
Köln-Worringen 120 D 4
Koło 113 F 1
Koło = Kohlo
Kołobrzeg = Kolberg 104-105 FG 2
Kolochau 110-111 H 2
Kołomąć = Koldemanz 104-105 F 3
Kolonia = Grünwalde 112 F 4
Kolonnowska = Grafenweiler 113 E 4
Kolonowski = Grafenweiler 113 E 4
Koloveč = Kollautschen 114-115 MN 2
Kolpin 110-111 J 1
Kölpin [= Kiełpino] 104-105 HJ 3
Kölpin [= Kiełpin, 4 km ← Lanken 104-105 K 3]
Kölpinsee 102-103 N 3
Kölsa 110-111 H 2
Kolsko = Kolzig 110-111 NO 2
Költschen [= Kielczyn] 113 B 4
Költschen [= Kołozyn] 104-105 F 5
Kolzig [= Kolsko] 110-111 NO 2
Kölzin 104-105 B 3
Kolzow [= Kołczewo] 104-105 E 3
Kölzow, Dettmannsdorf- 102-103 MN 2
Komárno = Komorn 101 J 5
Komer See = Comosee 116-117 H 5
Kommern 108-109 C 5
Kommern [= Komořany] 110-111 HJ 4
Komořany = Kommern 110-111 HJ 4
Komorn [= Komárno] 101 J 5
Komornik = Komorniki 104-105 J 6
Komorniki 113 E 3
Komorniki [= Komornik] 104-105 J 6
Komorniki = Eichbach 110-111 O 2
Komorowice 113 FG 6
Komorze 113 D 1
Komorze, Jezioro – = Großer Kämmerer See 104-105 H 3
Komorzno = Reinersdorf 113 E 3
Komotau [= Chomutov] 110-111 HJ 5
Komotauer Bach 110-111 HJ 5
Komprachcice = Gumpertsdorf 113 D 4
Komptendorf 110-111 KL 2
Komsomol'sk = Löwenhagen 112 E 2
Konarschin [= Konarzyny] 104-105 M 3
Konarzewo 104-105 J 6
Konarzyny 104-105 K 3
Konarzyny = Konarschin 104-105 M 3
Kończewice = Kunzendorf 104-105 N 2
Kończyce Wielkie = Groß Kuntschitz 113 F 6
Konden [= Condé-Northen] 108-109 B 8
Kondorfa = Krottendorf 118-119 L 5
Kondratowice = Kurtwitz 113 B 4
Köndringen 114-115 B 4
Köngen 114-115 E 3
König, Bad – 108-109 GH 7
Königrode 110-111 D 2
Königgrätz [= Hradec Králové] 110-111 N 5
Königheim 114-115 F 1
Königinhof an der Elbe [= Dvůr Králové nad Labem] 110-111 N 5
Königlich Damerkow = Damerkow 104-105 K 2
Königlich Dubrau = Königsdubrau 110-111 M 2
Königlich Freist = Freist
Königlich Groß Tuchen = Groß Tuchen 104-105 K 2
Königlich Kiowo [= Kijewo Królewskie] 104-105 MN 4
Königlich Kublitz = Kublitz 104-105 K 2
Königlich Neudorf = Bolko 113 DE 4
Königreich Belgien = Belgien 106-107 A 6-E 8
Königreich Dänemark = Dänemark 101 D-F 1
Königreich der Niederlande = Niederlande 106-107 B 6-H 2
Königsaal [= Zbraslav] 110-111 K 6
Königsbach 114-115 D 3
Königsberg [Berg] 104-105 F 2
Königsberg [Ort] 102-103 MN 4
Königsberg an der Eger [= Kynšperk nad Ohří] 110-111 G 5
Königsberger Seekanal 112 CD 2
Königsberg in Bayern 110-111 C 5
Königsberg Neumark [= Chojna] 104-105 DE 5
Königsberg (Preußen) [= Kaliningrad] 112 E 3
Königsberg (Preußen)-Ponarth 112 DE 2
Königsbronn 114-115 FG 3
Königsbruch 104-105 LM 3
Königsbrück 110-111 J 3
Königsbrunn 114-115 H 4
Königsdorf [Deutschland] 114-115 JK 5
Königsdorf [Österreich] 118-119 L 4
Königsdorf [= Czernice, 2 km ← Glumen 104-105 K 4]
Königsdubrau [= Dąbrowiec] 110-111 M 2
Königsee 110-111 D 4
Königsfeld 114-115 J 1
Königsfelde [= Niekłończyca] 104-105 DE 3
Königsfelde = Alttomischel 104-105 H 6
Königsfeld im Schwarzwald 114-115 C 4
Königsgraben 102-103 M 5
Königshain 110-111 L 3
Königshof [= Králův Dvůr] 110-111 JK 6
Königshofen 114-115 F 1
Königshofen im Grabfeld 110-111 BC 5
Königshoven 120 C 4
Königshütte [= Chorzów] 113 F 5
Königshütte (Harz) 110-111 C 2
Königslutter am Elm 110-111 C 1
Königsmachern [= Kœnigsmacker] 108-109 B 8
Königsmoor 102-103 G 4
Königssee [Ort] 114-115 M 5
Königssee [See] 114-115 MN 5
Königsspitze 116-117 L 4
Königsstuhl 104-105 C 1
Königstädten [2 km ↑ Nauheim 108-109 F 7]
Königstadtl [= Městec Králové] 110-111 M 5
Königstal [= Dziadowo] 112 G 4
Königstein 114-115 K 1
Königstein im Taunus 108-109 F 6
Königstein (Sächsische Schweiz) 110-111 JK 4
Königstetten 118-119 L 2
Königstuhl 118-119 F 5
Königswald [= Libouchec] 110-111 K4
Königswalde 110-111 H 4
Königswalde [= Lubniewice] 104-105 F 5
Königswalde [= Świerki] 113 A 4
Königswalde [3 km ↓ Morroschin 104-105 N 3]
Königswart, Bad – [= Lázně Kynžvart] 110-111 G 5
Königswartha 110-111 K 3
Königswiesen 118-119 H 2
Königswinter 108-109 D 5
Königs Wusterhausen 110-111 HJ 1
Königszelt [= Jaworzyna Śląska] 113 AB 4
Konikow [= Konikowo] 104-105 H 2
Konikowo = Konikow 104-105 H 2
Konin 113 E 1
Koningshooikt 106-107 D 6
Koniowo = Friedrichskirch 113 C 3
Konitz [= Chojnice] 104-105 L 3
Könitz 110-111 D 4
Köniz 116-117 D 3
Konkolewo = Kąkolewo 110-111 O 1
Könnern 110-111 E 2
Konnersreuth 110-111 F 5
Konojad 113 B 1
Konojad [= Konojady] 104-105 O 4
Konojady = Konojad 104-105 O 4
Konolfingen 116-117 E 3
Konopiska 113 FG 4
Konopki Wielkie = Hanffen 112 G 4
Konopnica 113 F 3
Konotop = Köntopf 104-105 G 4
Konotop = Kontopp 110-111 N 2
Konradowo = Kursdorf 113 A 2
Konradserbe [= Wierzbice] 113 B 4
Konradsreuth 110-111 E 5
Konradswaldau [= Wroniniec] 113 AB 2
Konradswaldau [= Górowo, 2 km ↓ Stroppen 113 B 3]
Konradswaldau [= Mrowiny, 4 km ↙ Ingramsdorf 113 B 4]
Konradswalde [= Konstantinovka] 112 E 2
Konradswiese = Polzin 104-105 M 1
Konstadt [= Wołczyn] 113 E 3
Konstantinovka = Konradswalde 112 E 2
Konstantinovy Lázně = Konstantinsbad 114-115 MN 1
Konstantinsbad [= Konstantinovy Lázně] 114-115 MN 1
Konstanz 114-115 E 5
Konstanz-Petershausen 114-115 E 5
Konstein 114-115 J 3
Kontich 106-107 C 6
Köntopf [= Konotop] 104-105 G 4
Kontopp [= Konotop] 110-111 N 2
Konz 108-109 C 7
Konzell 114-115 M 2
Koog aan de Zaan 106-107 D 4
Koog, Texel De – 106-107 D 2
Koolskamp [6 km ↘ Lichtervelde 106-107 A 6]
Koos 104-105 B 2
Kootwijk, Barneveld- 106-107 F 4
Kopań = Friedewalde 113 C 4
Kopańce = Neuhausen 110-111 KL 2
Kopanica = Kopnitz 110-111 NO 1
Kopaniny = Rankelberge 104-105 G 4
Kopán, Jezioro – = Vitter See 104-105 H 2
Kopčany 118-119 N 1
Köpenick, Berlin- 104-105 BC 6
Kopersand 102-103 AB 3
Kopfing im Innkreis 118-119 F 2
Köpfle 116-117 L 2
Kopice = Köpitz 104-105 E 3
Kopice = Koppelsberge 104-105 E 3
Kopice = Schwarzengrund 113 C 4
Kopidlno 110-111 M 5
Kopisty = Kopitz 110-111 J 4
Kopitz [= Kopisty] 110-111 J 4
Köpitz [= Kopice] 104-105 E 3
Kopla = Koppelbach 113 BC 1
Kopnitz [= Kopanica] 110-111 NO 1
Koppelbach 113 BC 1
Koppelsberge 104-105 E 3
Koppen [= Kupienino] 110-111 N 1
Koppental 118-119 F 3
Kopperby 102-103 GH 1
Köppern 108-109 G 6
Koppigen [4 km → Utzenstorf 116-117 E 2]
Koppitz = Schwarzengrund 113 C 4
Köppling, Sankt Johann- [1 km → Krottendorf-Gaisfeld 118-119 J 4]
Kopreinitz = Koprivnica 101 H 5
Koprivnica 101 H 5
Koralpe 118-119 HJ 5
Korb 114-115 E 3
Korbach 108-109 G 4
Körbecke [Nordrhein-Westfalen, Haarstrang] 120 J 2-3
Körbecke [Nordrhein-Westfalen, Warburger Börde] 108-109 H 3
Korbeek-Lo 106-107 D 7
Korczyców = Kurtschow 110-111 L 1
Kordel 108-109 C 7
Kordeshagen [= Dobrzyca] 104-105 G 2
Korfantów = Friedland (Oberschlesien) 113 D 5
Kőrishegy = Blauer Berg 101 HJ 5
Köritz 102-103 M 5
Kork 114-115 B 3
Körlin an der Persante [= Karlino] 104-105 G 2
Körmend 118-119 M 4
Kornatowo 104-105 N 4
Kornberg bei Riegersburg [3 km ↑ Feldbach 118-119 K 5]
Korne = Kornen 104-105 L 2
Kornelimünster 108-109 B 5
Kornen [= Korne] 104-105 L 2
Körner 110-111 C 3
Korneuburg 118-119 L 2
Kornevo = Zinten 112 D 3
Korngau = Oberes Gäu 114-115 D 3
Kornhaus [= Mšec] 110-111 JK 5
Kórnik 113 C 1
Korntal 114-115 E 3
Korntauern = Hoher Tauern 118-119 E 4
Kornwestheim 114-115 E 3
Koronowo = Krone an der Brahe 104-105 L 4
Körös = Kreisch 101 K 5
Korpavár 118-119 M 5
Körrenzig 120 B 4-5
Korschen [= Korsze] 112 F 3
Korschenbroich 120 C 4
Korsenz [= Korzeńsko] 113 B 2
Korsze = Korschen 112 F 3
Korszyń, Jezioro – = Karschinsee 104-105 KL 3
Kortemark 106-107 ab 1
Kortenberg [5 km → Zaventem 106-107 CD 7]
Kortenhoef 106-107 E 4
Kortessem 106-107 E 7
Kortgene 106-107 B 5
Körtnitzfließ 104-105 G 4
Kortrijk [= Courtrai] 106-107 A 7
Korvey = Corvey 108-109 H 3
Koryta 113 D 2
Korytnica = Körtnitzfließ 104-105 G 4
Korytowo = Kürtow 104-105 G 4
Korytowo = Walsleben 104-105 F 3
Korzeniew [2 km ↙ Mycielin Kaliski 113 E 2]
Korzeniewo = Kurzebrack 112 A 4
Korzeńsko = Korsenz 113 B 2
Korzybie = Zollbrück 104-105 J 2
Koscerjow = Kostebrau 110-111 J 2
Koschentin [= Koszęcin] 113 F 4
Kösching 114-115 K 3
Koschmieder [= Kośmidry] 113 F 4
Koschmin [= Koźmin] 113 CD 2
Koschnosee 112 E 4
Koschow [= Chožov] 110-111 J 5
Koschtalow [= Košt'álov, 2 km ↖ Liebstadtl 110-111 M 4]
Kościan = Kosten 113 B 1
Kościański, Kanał – = Kostener Obrakanal 113 B 1-2
Kosciecin = Koschentin 113 F 4
Kościelec [Polen, ← Hohensalza] 104-105 M 5
Kościelec [Polen, ↙ Koło] 113 F 1
Kościelna Wieś 113 E 2
Kościernica (Sławieńska) = Kösternitz 104-105 H 2
Kościerzyna = Berent 104-105 LM 2
Kosel 102-103 G 1-2
Kosel [= Koźla] 110-111 M 2
Kosel [= Kozly] 110-111 J 5
Kosel = Cosel 113 E 5
Koselitz 110-111 H 3
Köselitz 110-111 F 2
Köselitz [= Kozielice] 104-105 E 4
Kösen, Bad – 110-111 E 3
Koserow 104-105 D 2
Kosevo = Rechenberg (Ostpreußen)
Košice = Kaschau 101 K 4
Kosieczyn = Kuschten 110-111 N 1
Kosierz = Kossar 110-111 M 2
Koslar 120 B 5
Köslin [= Koszalin] 104-105 H 2
Koslinka [1 km ↑ Tuchel 104-105 L 3]
Koslitz [= Koźlice] 110-111 O 3
Koslow = Lindenhain (Oberschlesien) 113 EF 5
Kosmanos = Kosmonosy 110-111 LM 5
Kośmidry = Koschmieder 113 F 4
Kosmonosy 110-111 LM 5
Kosmów 113 E 2
Kosmütz [= Kozmice, 3 km ↘ Beneschau 113 E 6]
Kośno, Jezioro – = Koschnosee 112 E 4
Kosobudy = Friedrichsbruch 104-105 L 3
Kosobudz = Kunersdorf 110-111 M 1
Kosový potok = Wünschel 114-115 M1
Kossar [= Kosierz] 110-111 M 2
Koßdorf 110-111 H 3
Kösseine 110-111 EF 6
Kössen 118-119 C 3
Kossenblatt 110-111 K 1
Kössener Ache 118-119 C 3
Kossewen = Rechenberg (Ostpreußen)
Kößlarn 114-115 N 4
Koßlau [= Kozlov] 110-111 GH 5
Kossów 113 F 1
Košt'álov = Koschtalow
Kostau [= Kostów] 113 E 3
Kostebrau 110-111 J 2
Kostel [= Podivín] 118-119 M 1
Kostelec nad Černými Lesy = Schwarz Kosteletz 110-111 L 5-6
Kostelec nad Labem = Elbe Kosteletz 110-111 L 5

Kostelec nad Orlicí 23 Kyritz

Kostelec nad Orlicí = Adlerkosteletz 113 A 5
Kostelní = Kirchberg 110-111 FG 5
Kosten [= Kościan] 113 B 1
Kostenblut [= Kostomłoty] 113 B 3
Kostener Obrakanal 113 A 1-2
Kostenthal [= Gościęcin] 113 E 5
Kösternitz [= Kościernica (Sławieńska)] 104-105 H 2
Kostomlat = Kostomlaty 110-111 L 5
Kostomlaty 110-111 L 5
Kostomłoty = Kostenblut 113 B 3
Kostów = Kostau 113 E 3
Kostowo [5 km ← Wirsitz 104-105 K 4]
Köstritz, Bad - 110-111 F 4
Kostromino = Neumühl 112 F 3
Kostrschin = Kostschin 104-105 K 6
Kostrzyn = Kostschin 104-105 K 6
Kostrzyn = Küstrin 104-105 E 5
Kostschin [= Kostrzyn] 104-105 K 6
Kosuchen = Kölmerfelde
Koszalin = Köslin 104-105 H 2
Koszęcin = Koschentin 113 F 4
Kőszeg = Güns 118-119 M 4
Kőszegi hegység = Günser Gebirge 118-119 L 4
Koszelewy = Groß Koschlau 112 C 5
Kosztow = Kosztowy 113 G 5
Kosztowy 113 G 5
Kot = Omulefofen 112 E 5
Kotelow 104-105 C 3
Köterberg 108-109 H 3
Köthen 110-111 EF 2
Kotla = Kuttlau 110-111 O 2
Kotlarnia = Jakobswalde 113 E 5
Kotlin 113 D 2
Kotliska = Kesselsdorf 110-111 MN 3
Kotłów 113 DE 2
Kotomierz = Klahrheim 104-105 M 4
Kotórz Wielki = Groß Kochen 113 E 4
Kotowice = Jungfernsee 113 C 3
Kötschach ≻→
Kottbus = Cottbus 110-111 K 2
Kottenheim 108-109 D 6
Kottes [= 6 km ↙ Els 118-119 J 2]
Kottingbrunn [3 km ↗ Leobersdorf 118-119 L 3]
Kottlau = Kotlin 113 D 2
Kottwitz [= Chotěvice] 110-111 N 4
Kottwitz = Jungfernsee 113 C 3
Kotulin = Rodenau (Oberschlesien) 113 E 5
Kotzenau [= Chocianów] 110-111 N 3
Kötzschau 110-111 F 3
Kötzting 114-115 M 2
Koudekerke 106-107 AB 6
Koudum 106-107 E 3
Kounice = Kaunitz 110-111 L 5
Kounov = Kaunowa 110-111 J 5
Kouřim 110-111 L 5
Kout na Šumavě = Kauth 114-115 MN 2
Kouty = Kauthen
Kouty = Winkelsdorf 113 C 5
Kovářská = Schmiedeberg 110-111 H5
Kowahlen = Reimannswalde 112 HJ 3
Kowal 104-105 O 5
Kowald [3 km ↙ Voitsberg 118-119 J 4]
Kowale 113 EF 3
Kowale Oleckie = Reimannswalde 112 HJ 3
Kowale Pańskie 113 F 2
Kowalew 113 D 2
Kowalewo Opactwo 113 DE 1
Kowalewo Pomorskie = Schönsee 104-105 NO 4
Kowalk [= Kowalki, 4 km ↑ Naseband 104-105 H 3]
Kowalki = Kowalk
Kowalów = Kohlow 104-105 E 6
Kowarren = Kleinfriedeck 112 G 3
Kowary = Schmiedeberg im Riesengebirge 110-111 N 4
Koza = Waldluch 104-105 G 5
Kozakow = Kozákov 110-111 M 4
Kozákov 110-111 M 4
Kozielice = Köselitz 104-105 E 4
Kozielsko 104-105 K 5
Kozjak = Poßruck 118-119 JK 5
Kozła = Kosel 110-111 M 2
Koźle = Cosel 113 E 5
Koźlice = Koslitz 110-111 O 3
Kozlov = Koßlau 110-111 GH 5
Kozłów = Lindenhain (Oberschlesien) 113 EF 5
Kozłowo = Großkosel 112 D 5
Kozly = Kosel 110-111 J 5
Kozmice = Kosmütz
Koźmin = Koschmin 113 CD 2
Koźminek 113 E 2
Kożuchów = Freystadt in Niederschlesien 110-111 N 2
Kożuchy = Kölmerfelde
Kozy (Pomerskie) = Kashagen 104-105 FG 4

Kraazen [= Krasne] 104-105 EF 4
Krabbendijke 106-107 C 6
Krackow 104-105 D 4
Kraftsdorf 110-111 EF 4
Kraftshof = Nürnberg-Kraftshof
Krąg = Krangen 104-105 J 2
Kragenæs 102-103 K 1
Krągi = Krangen 104-105 J 3
Krähenberge 102-103 N 4
Krahnberg 110-111 C 4
Krahne 110-111 G 1
Kraiburg am Inn 114-115 LM 4
Kraichbach 114-115 D 2
Kraichgau 114-115 DE 2
Krainach bei Voitsberg ≻→
Krainburg [= Kranj] 101 G 5
Krajenka = Krojanke 104-105 K 1
Kraj Jihočeský 118-119 F-H 1
Kraj Jihomoravský 118-119 K-N 1
Kraľová = Gossengrün 110-111 FG 5
Krajnik Dolny = Nieder Kränig 104-105 D 4
Kraj Severočeský 110-111 H-M 4-5
Kraj Severomoravský 113 CD 5-6
Kraj Středočeský 110-111 KL 5-6
Kraj Východočeský 110-111 M-O 5-6
Kraj Západočeský 110-111 GH 5-6
Kraj Západoslovenský 118-119 N 1-2
Krakau [= Kraków] 101 JK 3
Krakaudorf 118-119 FG 4
Kraków = Krakau 101 JK 3
Krakow am See 102-103 M 3
Krakower See 102-103 M 3
Králíky = Grulich 113 B 5
Kralovice = Kralowitz 110-111
Kralowitz [= Kralovice] 110-111 H 6
Kralup = Kralupy nad Vltavou 110-111 K 5
Kralupy nad Vltavou 110-111 K 5
Kralupy u Chomutova = Deutsch Kralup 110-111 H 5
Králův Dvůr = Königshof 110-111 JK 6
Krammer 106-107 C 5
Krampehl 104-105 F 4
Kramsach 118-119 B 4
Kramsk 113 E 1
Kramske [= Krępsko] 104-105 J 4
Kranenburg 108-109 AB 3
Krangen [= Krąg] 104-105 J 2
Krangen [= Krągi] 104-105 J 3
Kranichfeld 110-111 D 4
Kranj = Krainburg 101 G 5
Kranjska Gora = Kronau 118-119 F 6
Krarkenhagen 108-109 H 2
Kranowitz = Kranstädt 113 E 5
Kranst [= Chrząstowice] 113 E 4
Kranstädt [= Krzanowice] 113 E 5
Kranster Flößbach = Himmelwitzer Wasser 113 E 4
Kranz [= Kręcko] 110-111 N 1
Kranz = Cranz 112 D 2
Kranzberg 114-115 K 4
Kranzin [= Kręcin] 104-105 F 4
Kränzlin [4 km ← Neuruppin 102-103 N 5]
Krąpiel = Schöneberg 104-105 F 4
Krapin 113 E 1
Krapkowice = Krappitz 113 D 5
Krappfeld 118-119 GH 5
Krappitz [= Krapkowice] 113 D 5
Kraschen [= Chróścina] 113 B 2
Krascheow = Schönhorst 113 E 4
Kraschnitz [= Krośnice] 113 C 3
Krasiejów = Schönhorst 113 E 4
Krasíkov = Budigsdorf 113 B 6
Kraskowo = Schönfließ 112 F 3
Kraslice = Graslitz 110-111 G 5
Krásná = Schönbach 110-111 F 5
Krasnaja = Rominte 112 H 3
Krasnaja Gorka = Grünhayn 112 F 2
Krásná Lípa = Schönlind 110-111 G 5
Krásná Lípa = Schönlinde 110-111 KL 4
Krásná Pole = Schönfelden 118-119 G 1
Krasne = Kraazen 104-105 EF 4
Krásné Pole = Schönfeld
Krásné Údolí = Schönthal 110-111 G 5
Krásnik 101 KL 3
Kraśnik Dolny = Nieder Schönfeld 110-111 N 3
Kraśnik Górny = Ober Schönfeld 110-111 N 3
Kraśnik Koszaliński = Kratzig 104-105 G 2
Krásno = Schönfeld 110-111 G 5
Krasnogorskoje = Herzogskirch 112 H 2
Krasnojarskoje = Sodehnen 112 GH 2
Krasnołęg = Beaulieu 104-105 F 5
Krasnolesje = Hardteck 112 H 3
Krasnostaw = Krasnystaw 101 L 3
Krasnotorovka = Heiligenkreutz 112 D 2
Krasnoznamensk = Haselberg (Ostpreußen) 112 HJ 2
Krasnoznamenskoje = Dollstädt 112 E 3
Krásný Les = Schönwald 110-111 JK 4
Krasnystaw 101 L 3
Kraszewice 113 E 2
Kraszewo = Reichenberg 112 DE 3
Kratenau [= Kratonohy] 110-111 N 5
Kratonohy = Kratenau 110-111 N 5
Kratschenberg 110-111 K 4
Kratzau [= Chrastava] 110-111 LM 4
Kratzeburg 102-103 N 4
Kratzig [= Kraśnik Koszaliński] 104-105 G 2
Kraubath an der Mur 118-119 H 4
Krauchenwies 114-115 E 4
Krauchthal [7 km ↙ Burgdorf 116-117 E 2]
Kraukelner See 112 G 3
Kraupischken = Breitenstein (Ostpreußen) 112 H 2
Krauschwitz 110-111 L 2
Kräuterin 118-119 J 3
Krauthausen, Lendersdorf- 108-109 BC 5
Krautheim 114-115 F 2
Krautsand 102-103 F 3
Krautscheid 108-109 D 5
Kravaře = Deutsch Krawarn 113 E 6
Kravaře = Graber 110-111 K 4
Krawarn, Deutsch - [= Kravaře] 113 E 6
Kreba ≻→
Krebsbach 104-105 F 3
Krebsjauche = Wiesenau 110-111 L 1
Krechting 120 C 1
Krećko = Krenz 110-111 N 1
Kreckow, Stettin- [= Szczecin-Krzekowo] 104-105 D 4
Kredenbach 120 J 5
Krefeld 120 C 3
Krefeld-Bockum 120 C 3
Krefeld-Fischeln 120 C 3
Krefeld-Traar 120 C 3
Krefeld-Uerdingen 120 C 3
Krehlau [= Krzelów] 113 B 3
Kreibitz [= Chřibská] 110-111 KL 4
Kreidelwitz = Lindenbach 113 A 2
Kreien 102-103 M 4
Kreiensen 110-111 AB 2
Kreiher 104-105 FG 2
Kreisau [= Krzywosądów] 113 D 2
Kreisau [= Krzyżowa] 113 B 4
Kreisch 101 K 5
Kreischa 110-111 J 4
Kreischberg 118-119 G 4
Kreisch, Schnelle - 101 KL 5
Kreisch, Schwarze - 101 KL 5
Kreisch, Weiße - 101 KL 5
Kreisewitz [= Krzyżowice]
113 C 4
Kreising, Posen- [= Poznań-Krzesiny] 104-105 K 6
Kreitsch = Chřič 110-111 J 6
Krekole = Krekollen 112 E 3
Krekollen [= Krekole] 112 E 3
Kremitz 110-111 H 2
Kremmen 102-103 NO 5
Kremnitz 110-111 D 5
Krempe 102-103 FG 3
Krems [Niederösterreich] 118-119 K 2
Krems [Oberösterreich] 118-119 G 3
Krems [= Křemže] 118-119 G 1
Krems an der Donau 118-119 K 2
Krems an der Donau-Stein [↙ Krems an der Donau 118-119 K 2]
Kremsbrücke 118-119 F 5
Kremsmünster 118-119 G 2
Křemže = Krems 118-119 G 1
Kremzow [= Krępcewo] 104-105 F 4
Krenglbach [2 km ↙ Haiding 118-119 FG 2]
Krensitz 110-111 F 3
Krępcewo = Kremzow 104-105 F 4
Krepenhof = Hammermühle 104-105 JK 2
Krępiel = Krampehl 104-105 F 4
Krępsko = Hackenwalce 104-105 E 3
Krępsko = Kramske 104-105 J 4
Krerowo 113 C 1
Kreßbronn am Bodensee 114-115 F 5
Krestenberg 118-119 GH 3
Kretzschau 110-111 EF 3
Kreuth 114-115 K 5
Kreutzenstein, Schloß - ≻→
Kreuz 116-117 J 3
Kreuzau 108-109 B 5
Kreuzberg [Berg] 110-111 AB 5
Kreuzberg [Ort] 118-119 EF 1
Kreuzbergsattel [Italien] 118-119 CD5
Kreuzbergsattel [Österreich] 118-119 E 5
Kreuzburg (Oberschlesien) [= Kluczbork] 113 E 4
Kreuzburg (Ostpreußen) [= Slavskoje] 112 DE 2
Kreuzeck 118-119 E 5
Kreuzeckgruppe 118-119 DE 5
Kreuzegg 116-117 GH 2
Kreuzen 118-119 H 2
Kreuzerort [= Krzyżanowice] 113 E 6
Kreuzingen [= Bol'šakovo] 112 G 2
Kreuzjoch [Italien] 116-117 M 3
Kreuzjoch [Österreich] 118-119 BC 4
Kreuzlingen 116-117 H 1
Kreuznach, Bad - 108-109 EF 7
Kreuzofen [= Krzyże] 112 FG 4
Kreuz (Ostbahn) [= Krzyż] 104-105 H 5
Kreuzspitze [Deutschland] 114-115 H 5
Kreuzspitze [Österreich] 116-117 L 1
Kreuztal 120 HJ 5
Kreuzwald [= Creutzwald-la-Croix] 108-109 C 8
Krewelin 104-105 B 5
Kriebethal 110-111 GH 3
Krieckenberg, Schloß - 120 AB 3
Kriegern [= Kryry] 110-111 HJ 5
Krieglach 118-119 JK 3
Kriegsdorf [= Valšov] 113 C 6
Kriegsfeld 108-109 EF 7
Kriegshaber = Augsburg-Kriegshaber
Kriele 102-103 N 5
Krien 104-105 B 3
Kriens 116-117 F 2
Kriescht [= Krzeszyce] 104-105 EF 5
Kriesdorf [= Křižany] 110-111 L 4
Kriewen [= Krzywiń] 113 B 2
Kriftel [2 km ↘ Hofheim am Taunus 108-109 F 6]
Krimml 118-119 C 4
Krimmler Fälle 118-119 C 4
Krimmler Tal 118-119 C 4
Krimmler Wasserfälle = Krimmler Fälle 118-119 C 4
Krimpen aan de IJssel [2 km ↓ Capelle aan de IJssel 106-107 D 5]
Krimpen aan de Lek [4 km ← Lekkerkerk 106-107 D 5]
Krimpenerwaard 106-107 D 5
Křinec 110-111 M 5
Křinetz = Křinec 110-111 M 5
Krippehna 110-111 G 2
Krippen 110-111 K 4
Kritzow 102-103 M 4
Křižany = Kriesdorf 110-111 L 4
Križevci 118-119 L 5
Krkonoše = Riesengebirge 110-111 MN 4
Krnov = Jägerndorf 113 D 5
Krobanów 113 G 2
Kröben 113 BC 2
Krobia = Kröben 113 BC 2
Krobielewko = Klein Krebbel 104-105 G 5
Kročehlavy, Kladno- 110-111 K 5
Krocehlaw, Kladno- = Kladno-Kročehlavy 110-111 K 5
Krockow [= Krokowa] 104-105 M 1
Krofdorf-Gleiberg 108-109 G 5
Kröhstorf 114-115 M 3
Kroisbach [= Fertőrákos] 118-119 M 3
Krojanke [= Krajenka] 104-105 K 4
Krokowa = Krockow 104-105 M 1
Królewice = Krolowstrand 104-105 J 1
Krolowstrand [= Królewice] 104-105 J 1
Krombach 120 H 5
Krombach = Crombach 106-107 FG 8
Krombach-Stausee 108-109 F 5
Krommenie 106-107 D 3-4
Kromme Rijn 106-107 E 4-5
Krommert 120 C 1
Krompin = Krąpin 113 E 1
Kronach 110-111 D 5
Kronau [= Kranjska Gora] 118-119 F 6
Kronau [2 km ← Mingolsheim 114-115 D 2]
Kronberg (Taunus) 108-109 G 6
Krondorf [1 km ↘ Schwarzdorf in Bayern 114-115 KL 2]
Krone an der Brahe [= Koronowo 104-105 L 4
Kronowo = Cronau 112 E 4
Kronplatz 118-119 BC 5
Kronprinzenkoog 102-103 E 3
Kronshagen 102-103 GH 2
Kronstadt [= Kunštát] 113 A 5
Kronstorf 118-119 G 2
Kronweiler 108-109 D 7
Kröpelin 102-103 L 2
Kropiwnica = Cienia 113 E 2
Kropp 102-103 FG 2
Kroppach 108-109 E 5
Kroppenstedt 110-111 D 2
Kropstädt 110-111 G 2
Kroptewitz 110-111 G 3
Kroschnitz [= Chrośnica] 110-111 NO 1
Krosino = Groß Krössin 104-105 H 3
Krosino = Grössin 104-105 G 3
Kröslin 104-105 C 2
Krośnice = Kraschnitz 113 C 3
Krosno 101 K 4
Krosno Odrzańskie = Crossen (Oder) 110-111 M 1
Krosnowice = Reagersdorf 113 B 5
Krossen = Crossen (Oder) 110-111 M1
Krossen = Krosno 101 K 4
Krossen (Elster) 110-111 E 4
Kröstensee = Jagodner See 112 G 4
Krotoschin 113 C 2
Krotoschin [= Krotoszyn] 113 C 2
Krotoszyn = Krotoschin 113 C 2
Krottendorf [= Kondorfa] 118-119 L 5
Krottendorf-Gaisfeld 118-119 J 4
Krottenkopf 114-115 J 5
Krottenkopf, Großer - 116-117 K 2
Kröv 108-109 D 7
Kröxen [= Krzykosy] 112 B 4
Krozingen, Bad - 114-115 B 5
Krpy [3 km ↓ Mělnické Vtelno 110-111 L 5]
Krshepize = Krzepice 113 F 4
Krsy = Girsch 114-115 N 1
Krukau 102-103 G 3
Kruckenspitze 118-119 FG 5
Krüden 102-103 L 5
Kruft 108-109 D 6
Krugau 110-111 J 1
Kruglanken [= Kruklanki] 112 G 3
Kruglinner See = Kraukelner See 112 G 3
Kruibeke 106-107 C 6
Kruiningen 106-107 C 6
Kruishoutem 106-107 AB 7
Kruisland, Steenbergen en - 106-107 C 5
Kruklanki = Kruglanken 112 G 3
Kruklin, Jezioro - = Kraukelner See 112 G 3
Krumau = Krummau an der Moldau 118-119 G1
Krumau am Kamp 118-119 JK 1
Krumbach 118-119 L 3
Krumbach (Schwaben) 114-115 G 4
Krumau [= Krummau an der Moldau [= Český Krumlov] 118-119 G 1
Krummbach 104-105 K 2
Krumme Horn = Krummhörn 102-103 B 4
Krummendeich 102-103 F 3
Krummendorf [= Krzywa] 112 F 4
Krummenerl, Bahnhof - 120 GH 4
Krummenfließ [= Krzywa Wies] 104-105 K 4
Krummensee [= Krzemienniewo] 104-105 JK 3
Krummesse 102-103 J 3
Krumme Steyrling 118-119 G 3
Krummes Wasser 104-105 G 3
Krummhörn 102-103 B 4
Krummhübel [= Karpacz] 110-111 N 4
Krumpendorf [8 km ← Klagenfurt 118-119 G 5]
Krün 114-115 J 5
Krupe = Graupen 110-111 J 5
Krupka = Graupen 110-111 J 4
Krupy = Grupenhagen
Kruschdorf [= Kruszyn] 104-105 L 4
Kruschin [= Kruszyn] 104-105 L 3
Kruschinsee 104-105 L 3
Kruschwitz [= Kruszwica] 104-105 M 5
Krušné hory = Erzgebirge 110-111 F 5-J 4
Kruświca = Krauschwitz 110-111 L 2
Krusza 112 G 5
Kruszewo 104-105 J 5
Kruszwica = Kruschwitz 104-105 M 5
Kruszyn 104-105 NO 5
Kruszyn = Kruschdorf 104-105 L 4
Kruszyn = Kruschin 104-105 L 3
Kruszyńskie, Jezioro - = Kruschinsee 104-105 L 3
Kruszyny = Groß Kruschin 104-105 O 4
Kruth = Krüt 116-117 CD 1
Krüt [= Kruth] 116-117 CD 1
Krutinnen [= Krutyń] 112 F 4
Krutyń = Kruttinnen 112 F 4
Krynn 113 C 4
Krylovo = Nordenburg 112 G 3
Krynka = Krynn 113 C 4
Kryry = Kriegern 110-111 HJ 5
Krzanowice = Kranstädt 113 E 5
Kręcin = Kranzin 104-105 F 4
Krzekowo, Szczecin- = Stettin-Kreckow 104-105 D 4
Krzelów = Krehlau 113 B 3
Krzemienniewo = Feuerstein 113 B 2
Krzemienniewo = Krummensee 104-105 JK 3
Krzepice 113 F 4
Krzepielów = Langemark 110-111 O 2
Krzepów = Schwarztal 110-111 O 2
Krzesiny, Poznań- = Posen-Kreising 104-105 K 6
Krześnica = Wilkersdorf
Krzeszów = Grüssau 110-111 O 4
Krzeszyce = Kriescht 104-105 EF 5
Krzycki Rów = Großer Landgraben 110-111 NO 2
Krzycko Małe = Klein Kreutsch
Krzycko Wielkie = Lindensee
Krzydlina Mała = Klein Kreidel 113 AB 3
Krzydlina Wielka = Groß Kreidel 113 AB 3
Krzydłowice = Lindenbach 113 A 2
Krzykosy = Kröxen 112 B 4
Krzymów = Hanseberg 104-105 D 5
Krzystkowice = Christianstadt (Bober) 110-111 M 2
Krzywa Wieś = Krummenfließ 104-105 K 4
Krzywe = Krummendorf 112 F 4
Krzywen = Fundfließ
Krzywin = Kehrberg 104-105 DE 4
Krzywiń = Kriewen 113 B 2
Krzywizna = Schönwald 113 E 3
Krzywnica = Uchtenhagen 104-105 F 4
Krzywosądów = Kreisau 113 D 2
Krzywosądz [3 km ↑ Dobre 104-105 N 5]
Krzywosoncz = Krzywosądz
Krzyż = Johannesberg 104-105 L 3
Krzyż = Kreuz (Ostbahn) 104-105 H 5
Krzyżanowice = Kreuzenort 113 E 6
Krzyże = Kreuzofen 112 FG 4
Krzyżowa = Kreisau 113 B 4
Krzyżowa = Lichtenwaldau 110-111 N 3
Krzyżowiec = Kreisewitz 113 C 4

Księbow = Moszczanka 113 D 2
Książki = Hohenkirch 104-105 O 4
Książnik = Herzogswalde 112 D 4
Księż Wielkopolski = Xions 113 C 1
Księży Lasek = Fürstenwalde 112 F 5

Kubang 118-119 F 1
Kubány = Kubang 118-119 F 1
Kubitzen [= Česká Kubice] 114-115 M 2
Kubitzer Bodden 104-105 B 2
Kublank 104-105 BC 3
Kublank [= Kobylanka] 104-105 E 4
Kublis 116-117 J 3
Kublitz [= Kobylnica] 104-105 K 2
Kucharki = Moltkesruhm 113 DE 2
Kuchary 113 E 3
Kuchelmiß 102-103 M 3
Kuchelna [= Chuchelná] 113 E 6
Kuchen 114-115 F 3
Kuchenheim 108-109 C 5
Kuchenspitze 116-117 K 2
Kuchl 118-119 E 3
Kuckau, Panschwitz- 110-111 K 3
Kuckerneese [= Jasnoje] 112 G 1
Kückhoven 120 B 4
Kucklinsberg 112 G 3
Kücknitz, Lübeck- 102-103 J 3
Kuczków 113 D 2
Kuddern = Kudern 112 H 3
Kuddow 104-105 J 3
Kudern [= Bagr'anovo] 112 H 3
Kudoba = Kirchwalde 113 E 4
Kudowa, Bad - [= Kudowa Zdrój] 113 A 5
Kudowa Zdrój = Bad Kudowa 113 A 5
Kues, Bernkastel- 108-109 D 7
Kufstein 118-119 C 3
Kuglack 112 F 2
Kühbach 114-115 J 4
Kühhelle 120 J 4
Kühkopf 114-115 JK 1
Kühlungsborn, Ostseebad - 102-103 L 2
Kuhnau [= Kuniów] 113 E 4
Kühndorf 110-111 B 4
Kühnhaide [3 km ↗ Reitzenhain 110-111 H 4]
Kühnsdorf 118-119 H 5
Kühren (Sachsen) 110-111 G 3
Kühren [Schleswig-Holstein] 102-103 H 2
Kuhstedt 102-103 E 4
Kuhstorf 102-103 K 4
Kuiken = Albrechtsrode 112 J 3
Kuinre 106-107 F 3
Kujan 104-105 K 4
Kujawien 104-105 M 4-N 5
Kujawisch Brest = Brześć Kujawski 104-105 N 5
Kujawy = Kujawien 104-105 M 4-N 5
Kujbyševskoje = Petersdorf 112 F 2
Kukinia = Quetzin 104-105 G 2
Kuklena [= Kukleny] 110-111 N 5
Kukleny = Kuklena 110-111 N 5
Kuklinów 113 C 2
Kukmirn 118-119 L 4
Kukukswalde [= Grzegrzółki] 112 E 4
Kuleszewo = Kulsow
Kulligkehmen = Ohldorf (Ostpreußen)
Küllstedt 110-111 B 3
Kulm [= Chełmno] 104-105 M 4
Kulm [= Chlumec] 110-111 JK 4
Kulmain 114-115 K 1
Kulmbach 110-111 D 5
Kulmberg 118-119 K 4
Kulmerland 104-105 M-O 4
Kulmsee 104-105 N 4
Kulmsee [= Chełmża] 104-105 N 4
Kulow = Wittichenau 110-111 K 3
Külsheim 114-115 EF 1
Kulsow [= Kuleszewo, 4 km ↙ Quackenburg 104-105 JK 2]
Kumačevo = Kumehnen 112 D 2
Kumberg 118-119 K 4
Kumehnen [= Kumačevo] 112 D 2
Kumelsk 112 H 4-5
Kumiecie Małe = Schäferberg (Ostpreußen)
Kumiels = Kumelsk 112 H 4-5
Kumielsk = Morgen 112 GH 4
Kumilsko = Morgen 112 GH 4
Kummer 102-103 K 4
Kummer [= Hradčany] 110-111 L 4
Kummerfeld [3 km ↑ Pinneberg 102-103 G 3]
Kummernick = Eichbach 110-111 O 2
Kummerow [Mecklenburg] 102-103 H 3
Kummerow [Pommern] 102-103 N 2
Kummerower See 102-103 N 3
Kummersdorf 110-111 H 1
Kumtich 106-107 D 7
Kunwald = Cunewalde 110-111 L 3
Kunčice = Pelsdorf 110-111 N 4
Kundl 118-119 BC 4
Kunersdorf [= Kosobudz] 110-111 M 1
Kunersdorf [= Kunowice] 104-105 E 6
Kunětice = Kunetitz 110-111 N 5
Kunetitz [= Kunětice] 110-111 N 5
Künheim [= Kunheim] 114-115 B 4
Kunice = Kunitz [Brandenburg] 110-111 L 1
Kunice = Kunitz [Schlesien] 113 A 3
Kunice Żarskie = Kunzendorf 110-111 M 2
Kunigehlen = Stroppau
Kuniów = Kuhnau 113 E 4
Kunitz 110-111 E 4
Kunitz [= Kunice] [Brandenburg] 110-111 L 1
Kunitz [= Kunice] [Schlesien] 113 A 3
Kunkels 116-117 H 3
Kunkelspass 116-117 H 3
Kunnersdorf [= Kunratice, 3 km → Zwickau 110-111 L 4]
Kunow [Brandenburg] 102-103 M 4-5
Kunow [Pommern] 104-105 D 4
Kunow [= Kunowo] 104-105 E 4
Kunowice = Kunersdorf 104-105 E 6
Kunowo = Kunow 104-105 E 4
Kunowo = Kunthal 113 C 2
Kunratice = Kunnersdorf
Kunratice u Prahy = Kunratitz 110-111 KL 5
Kunratitz [= Kunratice u Prahy] 110-111 KL 5
Kunrau 102-103 JK 5
Kunštát = Kronstadt 113 A 5
Kunthal [= Kunowo] 113 C 2
Küntrop 120 H 3
Küntzig 106-107 F 9
Kunvald = Kunwald 113 AB 5
Kunwald [= Kunvald] 113 AB 5
Künzell 108-109 J 5
Künzelsau 114-115 F 2
Kunzendorf [= Dziadowa Kłoda] 113 D 3
Kunzendorf [= Kończewice] 104-105 N 2
Kunzendorf [= Kunice Żarskie] 110-111 M 2
Kunzendorf [= Małowice] 113 AB 3
Kunzendorf [= Sieroszowice] 110-111 N 2
Kunzendorf [= Trzebieszowice] 113 B 5
Kunzendorf [= Trzebina] 113 D 5
Künzing 114-115 N 3
Kunžvart = Kuschwarda 118-119 F 1
Kup = Kupp 113 D 4
Kupferberg [= Měděnec] 110-111 H 5
Kupferberg [4 km → Untersteinach 110-111 DE 5]
Kupferberg (Riesengebirge) [= Miedzianka] 110-111 N 4
Kupferdreh, Essen- 120 E 3
Kupferhammer [= Miedzichowo 104-105 G 6
Kupfermühle 102-103 FG 1
Kupferzell 114-115 F 2
Kupienino = Koppen 110-111 N 1
Kupp [= Kup] 113 D 4
Kuppenheim 114-115 C 3
Küpper bei Sagan [= Stara Kopernia] 110-111 MN 2
Küps 110-111 D 5
Kuraszków = Lindenwaldau 113 BC 3
Kürbitz 110-111 F 5
Kurfar [= Corvara in Badia] 118-119 BC 5
Kuringen 106-107 E 7
Kurische Nehrung 112 E 1
Kurisches Haff 101 K 1
Kuřivody = Hühnerwasser 110-111 L 4
Kurken = Kurki] 112 DE 4
Kurki = Kurken 112 DE 4
Kurl, Dortmund- 120 G 2
Kürn 114-115 L 2
Kürnach [3 km ↗ Estenfeld 114-115 G 1]
Kürnberg [Niederösterreich] 118-119 H 2
Kürnberg [Oberösterreich] 118-119 G 2
Kurnik = Kórnik 113 C 1
Kurort Jonsdorf 110-111 L 4
Kurort Kipsdorf 110-111 J 4
Kurort = Groß Wohnsdorf 112 EF 3
Kurort Oberwiesenthal 110-111 G 5
Kurort Oybin 110-111 L 4
Kurort Rathen 110-111 K 4
Kurow [= Kurowo] 104-105 J 2
Kurowo = Kurow 104-105 J 2
Kursdorf [= Konradowo] 113 A 2
Kurskaja kosa = Kurische Nehrung 112 E 1
Kurskij zaliv = Kurisches Haff 101 K 1
Kursko = Kurzig 104-105 F 6
Kurtatsch [= Cortàccia, 4 km ← Neumarkt 116-117 M 4
Kürten 120 F 4
Kürtow [= Korytowo] 104-105 G 4
Kurtschow [= Korczyców] 110-111 L 1
Kurtwitz [= Kondratowice] 113 B 4
Kurwien [= Karwica] 112 FG 4
Kurzebrack [= Korzeniewo] 112 A 4
Kurzel [= Courcelles-Chaussy] 108-109 B 8
Kürzell 114-115 B 4
Kurzętnik = Kauernik 112 C 5
Kurzig [= Kursko] 104-105 F 6
Kurznie = Groß Kauern 113 D 4
Kuschkow 110-111 JK 1
Kuschlin [= Kuślin, 2 km ↓ Głuponie 104-105 H 6]
Kuschten [= Kosieczyn] 110-111 N 1
Kuschwarda [= Kunžvart] 118-119 F 1
Kusel 108-109 D 7
Kusey 102-103 K 5
Kuślin = Kuschlin
Küsnacht 116-117 G 2
Kussen [= Vesnovo] 112 H 2
Küssnacht am Rigi 116-117 FG 2
Kustánszeg 118-119 M 5
Küstelberg 108-109 G 4
Küstenkanal 102-103 CD 4
Küstrin [= Kostrzyn] 104-105 E 5
Kutenholz 102-103 F 4
Kutná Hora = Kuttenberg 110-111 M 6
Kutno 101 J 2
Kutschlau [= Chociule] 110-111 N 1
Kuttelbach [4 km ↘ Wasen im Emmental 116-117 E 2]
Kutten [= Kuty] 112 GH 3
Kuttenberg [= Kutná Hora] 110-111 M 6
Kuttenplan [= Chodová Planá] 114-115 M 1
Kuttenthal [= Chotětov] 110-111 L 5
Küttigen 116-117 F 2
Kuttkuhnen = Eggenhof 112 H 2
Kuttlau [= Kotla] 110-111 O 2
Kutuzovo = Schirwindt 112 J 2
Kuty = Kutten 112 GH 3
Küty 118-119 N 1
Kutzdorf [= Gudzisz, 2 km ↙ Quartschen 104-105 E 5]
Kutzleben 110-111 C 3
Kuurne 106-107 A 7
Kuxhaven = Cuxhaven 102-103 E 3
Kuźnia Raciborska = Ratiborhammer 113 E 5
Kuźnica Czarnkowska = Hammer 104-105 HJ 5
Kuźnica Czeszycka = Grenzhammer (Niederschlesien) 113 C 3
Kuźnica Żelichowska = Selchowhammer 104-105 H 5
Kuźnice Świdnickie = Fellhammer 113 A 4

Kvednau = Quednau 112 DE 2

Kwaadmechelen 106-107 E 6
Kwakowo = Quackenburg 104-105 JK 2
Kwerps, Erps- 106-107 D 7
Kwidzyn = Marienwerder 112 AB 4
Kwiecewo = Queetz 112 D 4
Kwieciszewo = Blütenau 104-105 M 5
Kwiejce = Altsorge 104-105 G 5
Kwietniki = Blumenau 110-111 O 4
Kwik = Quicka 112 G 4
Kwilcz = Kwiltsch 104-105 H 5
Kwiltsch [= Kwilcz] 104-105 H 5
Kwisa = Queis 110-111 M 3

Kybartai 112 J 2
Kyburg 116-117 G 2
Kyffhäuser 110-111 D 3
Kylešovice = Gilschwitz 113 D 6
Kyll 108-109 C 6
Kyllburg 108-109 C 6
Kynau [= Zagórze Śląskie] 113 A 4
Kynšperk nad Ohří = Königsberg an der Eger 110-111 G 5
Kyritz 102-103 M 5

Laa 24 Leibitsch

L

Laa an der Thaya 118-119 L 1
Laab [= Láb] 118-119 M 2
Laaben [10 km ↑ Kaumberg 118-119 K 2]
Laaber 114-115 K 2
Laaber, Große – 114-115 L 3
Laaber, Kleine – 114-115 L 3
Laaber, Schwarze – 114-115 K 2
Laaber, Weiße – 114-115 JK 2
Laacher See 108-109 D 6
Laage 102-103 M 3
Laag-Keppel 106-107 G 4-5
Laakirchen 118-119 F 3
Laaland = Lolland 101 E 1
Laar 102-103 A 5
Laarne 106-107 B 6
Laarwald 102-103 A 5
Laas [= Lasa] 116-117 L 3
Laasan [= Łażany, 2 km ↑ Saarau 113 A 4]
Laase 102-103 K 4
Laaser Spitze 116-117 L 3
Laaslich 102-103 L 4
Laasow 110-111 K 2
Laasphe 108-109 F 5
Laatzen 108-109 J 2
Láb = Laab 118-119 M 2
Laband [= Łabędy] 113 F 5
Labbeck 120 B 2
Labe = Elbe 110-111 LM 5
Łabędnik = Groß Schwansfeld 112 EF 3
Łabędy = Laband 113 F 5
Łabędzie = Labenz [↖ Falkenburg in Pommern] 104-105 G 3
Łabędzie = Labenz [Pommern, ↘ Leba] 104-105 L 1
Labehn [= Łebień] 104-105 L 1
Labenz [= Łabędzie] [↖ Falkenburg in Pommern] 104-105 G 3
Labenz [= Łabędzie] [Pommern, ↘ Leba] 104-105 L 1
Labergement-Sainte-Marie 116-117 B 3
Laberweinting 114-115 L 3
Labes [= Łobez] 104-105 G 3
Labiau [= Polessk] 112 F 2
Labischin = Łabiszyn 104-105 L 5
Łabiszyn 104-105 L 5
Lablacken [= Lopatino] 112 E 2
Laboe 102-103 H 2
Labuhn [= Łabuń Wielki] 104-105 F 3
Labuhn [= Łebunia] 104-105 L 2
La Buitz bei Murau [5 km ↘ Murau 118-119 G 4]
Łabuń Wielki = Labuhn 104-105 F 3
Làces = Latsch 116-117 L 3
Łacha 112 G 5
Lachapelle-sous-Rougemont 116-117 CD 1
Lache 110-111 CD 3
Lache [= Śmieszkowo] 110-111 O 2
Lachen 116-117 G 2
Lachendorf 102-103 H 5
Lachen-Speyerdorf 108-109 F 8
Lachowo 112 H 5
Lachte 102-103 H 5
Lackenbach 118-119 LM 3
Lackenhof [9 km ↗ Lunz am See 118-119 J 3]
Lackhausen, Obrighoven- 120 C 2
Łącko = Lanzig 104-105 J 1
Łącznik = Wiesengrund (Oberschlesien) 113 D 5
Łączno = Wiese 112 C 4
Ladbergen 108-109 E 2
Ladeburg [Brandenburg] 104-105 C 5
Ladeburg [Sachsen-Anhalt] 110-111 E 1
Lądek 113 D 1
Ladekopp [= Lubieszewo] 104-105 O 2
Lądek Zdrój = Bad Landeck in Schlesien 113 B 5
Ladelund 102-103 F 1
Ladenburg 114-115 D 2
Ladendorf 118-119 LM 1
Ladowitz [= Ledvice] 110-111 J 4
Lad, Piz – 116-117 KL 3
Laduškin = Ludwigsort 112 D 2
Ładzin = Rehberg 104-105 E 3
Laeken = Brüssel-Laeken
Laer [Niedersachsen] 108-109 F 2
Laer [Nordrhein-Westfalen] 108-109 D 2
Lafnitz [Fluß] 118-119 L 5
Lafnitz [Ort] 118-119 KL 4
Łag = Long 104-105 M 3
Lagarina, Val – 116-117 L 5
Lage 108-109 G 3
Lage Mierde, Hooge en – 106-107 E 6
Lägerdorf 102-103 G 3
Lage Zwaluwe 106-107 D 5
Lagiewniki = Heidersdorf 113 B 4
Łagiewniki [4 km ← Wydrzyn 113 F 3]
Lago Maggiore = Langensee 116-117 G 5
Lagorai 116-117 N 4
Łagoszów Wielki = Groß Logisch
Lagow [= Łagów] 104-105 F 6
Lagower See 104-105 F 6
Łagowskie, Jezioro – = Lagower See 104-105 F 6
Lagrev, Piz – 116-117 J 4
Lahde 108-109 GH 2
Lähden 102-103 C 5
Lahe 102-103 C 4
Lahn 108-109 FG 5
Lähn [= Wleń] 110-111 N 3
Lahna [= Łyna] 112 D 5
Lahngangsee 118-119 FG 3
Lahnsattel 118-119 K 3
Lahr 114-115 B 4
Laibach [= Ljubljana] 101 FG 5
Laichingen 114-115 F 3-4
Laifour 106-107 D 9
Laim = München-Laim
Lainbach [3 km ↘ Landl 118-119 H 3]
Lainsitz = Luschnitz 118-119 H 1
Laion = Lajen 116-117 N 3
Laives = Leifers 116-117 M 4
Lajen [= Laion] 116-117 N 3
Łajs = Layß 112 E 4
Łajsy = Layß 112 D 3
Łąka = Wiesau 113 C 5
Lakellen = Schönhofen (Ostpreußen)
Łąkie = Lanken 104-105 K 3
Łakiele = Schönhofen (Ostpreußen)
Łąkociny 113 D 2
Łakorz = Lonkorsz 112 B 5
Łąkowo = Lankow 104-105 G 3
Lakšárska Nová Ves 118-119 N 1
Lakschar Neudorf = Lakšárska Nová Ves 118-119 N 1
Lalling 114-115 N 3
Lallio 116-117 J 5
Lam 114-115 N 2
Lambach 118-119 F 2
Lamberg, Dortmund- 120 G 3
Lambersart 106-107 ab 2
Łambinowice = Lamsdorf 113 D 4
Lambrate, Mailand- [= Milano Lambrate] 116-117 H 6
Lambrate, Milano- = Mailand-Lambrate 116-117 H 6
Lambrecht 108-109 EF 8
Lambrechten 118-119 EF 2
Lambrugo [2 km ↗ Inverigo 116-117 H 5]
Lambsheim 108-109 F 7
Lamenstein [= Elganowo] 104-105 M 2
Lamerdingen 114-115 H 4
Lamgarben [= Garbno] 112 F 3
Lamkowo = Groß Lemkendorf 112 E 4
Lammer 118-119 E 3
Lammersdorf 108-109 B 5
Lämmersdorf [= Słowin] 104-105 G 4-5
Lamon 116-117 N 4
Lamone 116-117 G 4
Lamorteau 106-107 EF 9
Lamoura 116-117 AB 4
Lampersdorf [= Zaborów] 113 AB 3
Lampersdorf [3 km ↘ Weigelsdorf (Eulengebirge) 113 B 4]
Lampertheim 108-109 FG 7
Lampertheim-Neuschloß 108-109 FG 7
Lampertswalde 110-111 J 3
Lamprechtshausen 118-119 DE 2-3
Lamsdorf [= Łambinowice] 113 D 4
Lamsfeld 110-111 K 2
Lamspringe 108-109 JK 3
Lamstedt 102-103 F 3
Lana 116-117 M 3
Lana [= Lány] 110-111 J 5
Lanaken 106-107 F 7
Lancy [3 km ↙ Genf 116-117 B 4]
Landau 108-109 E 4
Landau an der Isar 114-115 M 3
Landau in der Pfalz 108-109 F 8
Ländchen Rhinow 102-103 M 5
Landeck 116-117 L 2
Landeck in Schlesien, Bad – [= Lądek Zdrój] 113 B 5
Landeck in Westpreußen [= Lędyczek] 104-105 J 3
Landek [= Otročín] 110-111 G 5
Landen 106-107 DE 7
Landenne 106-107 E 7
Landeron, Le – [3 km ↘ Neuenstadt 116-117 CD 2]
Landesbergen 102-103 F 5
Landeshuter Kamm 110-111 N 4
Landeshut in Schlesien [= Kamienna Góra] 110-111 O 4
Landeskrone 110-111 L 3
Landgericht 114-115 F 4
Landgestüt [= Świętoborzec] 104-105 G 3
Landgraben 104-105 BC 3
Landkirchen 102-103 K 3
Landl 118-119 H 3
Landorf [= Landroff] 108-109 C 9
Landquart [Fluß] 116-117 J 3
Landquart [Ort] 116-117 J 3
Landro 118-119 C 5
Landroff = Landorf 108-109 C 9
Landsberg am Lech 114-115 H 4
Landsberg bei Halle (Saale) 110-111 F 2
Landsberger Holländer [= Chwałowice, 4 km ↓ Loppow 104-105 F 5]
Landsberg (Oberschlesien) [= Gorzów Śląski] 113 E 3
Landsberg (Ostpreußen) [= Górowo Iławeckie] 112 D 3
Landsberg, Schloß – 120 D 3
Landsberg (Warthe) [= Gorzów Wielkopolski] 104-105 F 5
Landsburg 108-109 H 5
Landser 116-117 D 1
Landshut 114-115 L 3
Landshut-Achdorf 114-115 L 3
Landshut in Mähren [= Lanžhot] 118-119 MN 1
Landskron [= Lanškroun] 113 B 6
Landskron [= Smolanka] 112 E 3
Landskron [5 km ↗ Villach 118-119 F 5]
Landstuhl 108-109 E 8
Landsweiler-Reden [1 km ↓ Schiffweiler 108-109 D 8]
Landwehrhagen [4 km ↗ Sandershausen 108-109 J 4]
Landwürden 102-103 DE 4
Laneffe 106-107 CD 8
Langau 118-119 K 1
Langdorf 114-115 N 2-3
Lange Berge 110-111 C 5
Langeböse [= Pogorzelice] 104-105 L 2
Langebrück 110-111 J 3
Langeland 101 E 1
Langelands Belt 102-103 J 1
Langelsheim 110-111 B 2
Langemark 106-107 a 2
Langemark [= Krzepielów] 110-111 O 2
Langen [Deutschland, Hessen] 108-109 G 7
Langen [Deutschland, Niedersachsen, Emsland] 102-103 B 5
Langen [Deutschland, Niedersachsen, Wursten] 102-103 E 3
Langen [Österreich] 116-117 K 2
Langen [= Łęgi] 104-105 G 3
Langenaltheim 114-115 H 3
Langenargen 114-115 EF 5
Langenau [Baden-Württemberg] 114-115 G 3-4
Langenau [Sachsen] 110-111 H 4
Langenau [= Łęgnowo Bydgoskie] 104-105 M 4
Langenau [= Łęgowo] 104-105 N 2
Langenau [= Skalice] 110-111 KL 4
Langenau [= Łęgowo, 4 km ↗ Freystadt in Westpreußen 112 B 4]
Langenbach 114-115 K 4
Langenberg [Nordrhein-Westfalen, ↙ Gütersloh] 108-109 F 3
Langenberg [Nordrhein-Westfalen, ↑ Winterberg] 108-109 G 4
Langenberg [Nordrhein-Westfalen, ↖ Wuppertal] 120 E 3
Langenberg, Gera- 110-111 F 4
Langenbernsdorf 110-111 F 4
Langenbieber 108-109 J 5
Langenbielau [= Bielawa] 113 B 4
Langenbochum, Herten- 120 E 2
Langenbruck 114-115 K 1
Langenbruck [5 km → Mümliswil-Ramiswil 116-117 E 2]
Langenbrücken 114-115 D 2
Langenburg 114-115 F 2
Langendam, Graauw en – 106-107 C 6
Langendamm 102-103 F 5
Langendernbach 108-109 F 5
Langendiebach 108-109 G 6
Langendorf [Sachsen-Anhalt, ↓ Weißenfels] 110-111 EF 3
Langendorf [Sachsen-Anhalt, ↗ Zeitz] 110-111 F 3
Langendorf [= Dlouhá Ves] 114-115 NO 2
Langendorf [= Wielowieś] 113 F 4
Langendreer, Bochum- 120 F 3
Langeneichstädt 110-111 E 3
Langenenslingen 114-115 E 4
Langeneß, Nordmarsch- 102-103 E 1
Langenfeld [= Długoszyn] 104-105 EF 6
Langenfeld 116-117 L 2
Langenfelde (Ostpreußen) 112 HJ 2
Langenfelde [Pommern] 102-103 H 2
Langenfeld (Rheinland) 120 D 4
Langengeisling 114-115 KL 4
Langengrassau 110-111 J 2
Langenhagen 102-103 G 6
Langenhagen [= Karcino, 3 km ↗ Hagenow 104-105 F 2]
Langenhanshagen 102-103 N 2
Langenhessen 110-111 F 4
Langenholthausen 120 H 3
Langenhorn 102-103 E 1
Langenhorn, Hamburg- 102-103 JH 3
Langenlebarn [5 km → Tulln 118-119 L 2]
Langenleuba-Niederhain 110-111 G 4
Langenleuba-Oberhain 110-111 G 4
Langenlipsdorf 110-111 H 2
Langenlois 118-119 K 2
Langenlonsheim 108-109 E 7
Langenmoosen 114-115 J 3
Langennaundorf 110-111 H 2
Langenneufnach 114-115 H 4
Langenöls [= Olszyna] 110-111 M 3
Langenorla 110-111 E 4
Langenpfuhl [= Wielowieś, 5 km ↙ Pieske 104-105 FG 6]
Langenpreising 114-115 KL 4
Langenprozelten 108-109 J 6
Langenrohr 118-119 KL 2
Langensalza, Bad – 110-111 C 3
Langenschemmern 114-115 F 4
Langensee [= Lago Maggiore] 116-117 G 5
Langenselbold 108-109 H 6
Langensendelbach [3 km ↘ Baiersdorf 114-115 HJ 1]
Langenstein 110-111 CD 2
Langenstein [3 km ↗ Mauthausen 118-119 H 2]
Langensteinach 114-115 G 2
Langensteinbach 114-115 CD 3
Langenthal 116-117 E 2
Langentriebe [= Dlouhá Třebová] 113 AB 6
Langenwaldau [= Grzymalin] 110-111 O 3
Langenwang 118-119 K 3
Langenweddingen 110-111 DE 1
Langenwetzendorf 110-111 F 4
Langenzenn 114-115 H 2
Langenzersdorf 118-119 L 2
Langeoog [Insel] 102-103 BC 3
Langeoog [Ort] 102-103 BC 3
Langer Berg [Mecklenburg] 102-103 L 4
Langer Berg [Usedom] 104-105 D 2-3
Langerfeld = Słupia Kapitulna 113 BC 2
Langerfeld, Wuppertal- 120 EF 3
Langerringen 114-115 H 4
Langer See 104-105 E 4
Langerwehe 108-109 B 5
Langerwisch 104-105 B 6
Langewiese [= Długołęka] 113 C 3
Langewiesen 110-111 CD 4
Langförden 102-103 D 5
Langfuhr, Danzig- [= Gdańsk-Wrzeszcz] 104-105 MN 2
Lang-Göns 108-109 G 6
Lang-Goslin [= Długa Goślina] 104-105 K 5
Langhagen 102-103 MN 3
Langheim [= Łankiejmy] 112 EF 3
Langheinersdorf [= Długie] 110-111 N 2
Lang Heinersdorf [= Łęgowo] 110-111 N 1
Langhelwigsdorf [= Pogwizdów] 110-111 O 4
Langhennersdorf 110-111 H 4
Langhof [= Toporzyk] 104-105 H 4
Langkofel 116-117 N 3
Langlingen 102-103 H 5
Langmeil, Alsenbrück- 108-109 E 7
Langnau 114-115 F 5
Langnau [2 km → Thalwil 116-117 G 2]
Langnau im Emmental 116-117 E 3
Langquaid 114-115 KL 3
Langres 101 B 5
Langschede 120 GH 3
Langscheid 120 H 3
Langschlag 118-119 H 1
Langsdorf [= Longeville-lès-Saint-Avold] 108-109 C 8
Langsee 102-103 FG 1
Langsee [= Długochorzele] 112 H 4
Langsow 104-105 G 5
Langstadt [4 km ← Schaafheim 108-109 G 7]
Langst-Kierst 120 C 3
Languard, Piz – 116-117 JK 4
Langula 110-111 BC 3
Langwalde [= Długobór] 112 CD 3
Langwaltersdorf [= Unisław Śląski] 113 A 4
Langwarden 102-103 D 3
Langwasser [= Chmieleń] 110-111 MN 4
Langwedel [Niedersachsen] 102-103 F 5
Langwedel [Schleswig-Holstein] 102-103 GH 2
Langweid 114-115 H 4
Langwies 116-117 J 3
Łania 104-105 N 6
Łaniewo = Launau 112 D 3
Lank [= Iljičevka] 112 D 2
Lanken [= Łąkie] 104-105 K 3
Lanker See 102-103 H 2
Łankiejmy = Langheim 112 EF 3
Lanklaar [2 km ← Stokken 106-107 F 6]
Lank-Latum 120 C 3
Lankow [= Łąkowo] 104-105 G 3
Lannach [7 km ↗ Sankt Stefan ob Stainz 118-119 J 5]
Lannersbach [6 km ↗ Hintertux 118-119 B 4]
Lansker See 112 DE 4
Łańskie, Jezioro = Lansker See 112 DE 4
Lanškroun = Landskron 113 B 6
Lanterne 116-117 B 1
Lantower See 104-105 J 2
Lány = Lana 110-111 J 5
Lanz 102-103 L 4
Lanz [= Łęczyce] 104-105 L 1
Lanz [= Lomnice] 110-111 G 5
Lanzada 116-117 J 4
Lanzenkirchen 118-119 L 3
Lanžhot = Landshut in Mähren 118-119 MN 1
Lanzig [= Łącko] 104-105 J 1
Lanzo d'Intelvi 116-117 H 5
Laon 101 A 4
Laorca 116-117 H 5
Lappach [= Lappago] 118-119 B 5
Lappago = Lappach 118-119 B 5
Laptau [= Muromskoje] 112 DE 2
Lärchensee = Kwiltsch 104-105 H 5
Laren [Niederlande, Gelderland] 106-107 G 4
Laren [Niederlande, Nordholland] 106-107 E 4
Laret 116-117 J 3
Làrio, Lago – = Comosee 116-117 H 4-5
Larmont, Montagne du – 116-117 BC 3
Larochette = Fels 106-107 G 9
Larrelt, Emden- 102-103 B 4
Lärz 102-103 N 4
Lasa = Laas 116-117 L 3
Lasa, Pico di – = Laaser Spitze 116-117 L 3
Lasa, Pizzo di – = Laaser Spitze 116-117 L 3
Lasberg 118-119 H 2
Laschmiedensee 112 H 4
Lasdehnen = Haselberg (Ostpreußen) 112 HJ 2
Lasdinkalnis 112 HJ 3
Łasin = Lessen 104-105 O 3
Łasin (Koszalińskie) = Lassehne 104-105 G 2
Laski [Polen, ↖ Graudenz] 104-105 M 3
Laski [Polen, ↘ Kempen in Posen] 113 E 3
Laski (Lubuskie) = Lässig 104-105 E 6
Laskino = Godrienen 112 D 2
Łasko = Althütte 104-105 G 4
Laskowice = Kiefernwalde 113 E 4
Laskowice Oławskie = Markstädt 113 C 3
Laskowitz = Kiefernwalde 113 E 4
Laskowitz = Markstädt 113 C 3
Laskowitz, Bahnhof – 104-105 MN 4
Łaśmiady, Jezioro – = Laschmiedensee 112 H 4
Lasne 106-107 D 7
Lasocice = Laßwitz 113 AB 2
Lasowice = Groß Läswitz 113 A 3
Lasowice Małe = Schloßwalden 113 E 4
Lasowice Wielkie = Groß Lesewitz 104-105 O 2
Lassahn 102-103 JK 3
Lassan 104-105 C 3
Lassee 118-119 M 2
Lassehne [= Łasin (Koszalińskie)] 104-105 G 2
Lasselsdorf 118-119 J 5
Lassen [4 km ↖ Neusiedel (Ostpreußen) 112 H 2]
Lässig [= Laski (Lubuskie)] 104-105 E 6
Lassing 118-119 H 3
Laßnitz 118-119 J 5
Laßnitzhöhe 118-119 K 4
Laßnitzthal 118-119 K 4
Laßwitz [= Lasocice] 113 AB 2
Laste = Asten 116-117 M 3
Lastè delle Sute 116-117 MN 4
Lastrup 102-103 C 5
Latemar 116-117 N 4
Laterns, Bad – 116-117 J 2
Lathen 102-103 B 5
Latowitz 113 D 2
Latsch 116-117 J 3
Latsch [= Làces] 116-117 L 3
Latschur 118-119 E 5
Lattengebirge 114-115 H 5
Lättnitz [= Letnica] 110-111 M 2
Latum, Lank- 120 C 3
Laubach [Hessen] 108-109 GH 5
Laubach [Rheinland-Pfalz] 108-109 E 6
Lauban [= Lubań] 110-111 M 3
Lauben [= Lubska] 113 D 3
Laubnitz [= Lubanice] 110-111 M 2
Laubow [= Lubów] 104-105 EF 6
Laubsky = Lauben 113 D 3
Laubusch 110-111 K 3
Laubuseschbach 108-109 F 6
Laucha 110-111 E 3
Lauchert 114-115 E 4
Lauchhammer 110-111 J 2
Lauchhamor = Lauchhammer
Lauchheim 114-115 G 3
Lauchröden 110-111 B 4
Lauchstädt [= Ługi] 104-105 G 5
Lauchstädt, Bad – 110-111 E 3
Lauda 114-115 F 1
Laudenbach [Baden-Württemberg] 114-115 F 2
Laudenbach [Bayern] 114-115 F 1
Lauenau 108-109 H 2
Lauenbrück 102-103 FG 4
Lauenbrunn [= Ciepłowody] 113 BC 4
Lauenburg 102-103 H 4-J 3
Lauenburg an der Elbe 102-103 HJ 4
Lauenburg in Pommern [= Lębork] 104-105 L 1
Lauenen bei Gstaad 116-117 D 4
Lauenförde 108-109 HJ 3
Lauenstein [Niedersachsen] 108-109 J 2
Lauenstein [Sachsen] 110-111 J 4
Lauer 110-111 B 5
Lauersfort, Schloß – 120 C 3
Lauerzersee 116-117 G 2
Lauf 114-115 C 3
Laufach 108-109 H 6
Laufamholz = Nürnberg-Laufamholz
Läufelfingen [8 km → Waldenburg 116-117 E 2]
Laufen [Deutschland] 114-115 M 5
Laufen [Schweiz] 116-117 DE 2
Laufenburg 116-117 F 1
Laufenburg (Baden) 114-115 C 5
Laufenselden 108-109 EF 6
Laufen-Uhwiesen 116-117 G 1
Lauffen 118-119 F 3
Lauffen am Neckar 114-115 E 2
Lauf (Pegnitz) 114-115 J 1-2
Laugenspitze 116-117 M 3
Laugwitz [= Łukowice Brzeskie] 113 C 4
Lauingen 110-111 C 1
Lauingen (Donau) 114-115 G 3
Laukischken [= Saranskoje] 112 F 2
Laukne 112 F 1-2
Lauknen = Hohenbruch (Ostpreußen) 112 FG 2
Laun [= Louny] 110-111 J 5
Launau [= Łaniewo] 112 D 3
Launingken = Sanden 112 G 3
Launken [= Lounky] 110-111 K 5
Launois-sur-Vence 106-107 D 9
Launsdorf 118-119 GH 5
Launsdorf [= Launstroff] 108-109 BC 8
Launstroff = Launsdorf 108-109 BC 8
Laupen 116-117 D 3
Lauperswil 116-117 E 3
Laupheim 114-115 F 4
Laurahütte →
Laurasca, Cima di – 116-117 FG 4
Lauregno = Laurein 116-117 LM 4
Laurein [= Lauregno] 116-117 LM 4
Laurensberg 108-109 AB 5
Lausanne 116-117 C 3
Lauscha 110-111 D 5
Lausche 110-111 L 4
Lauschen [= Łowoszów, 5 km → Kirchwalde 113 E 4]
Lausick, Bad – 110-111 G 3
Lausitzer Gebirge 110-111 LM 4
Lausitzer Neiße [= Görlitzer Neiße] 110-111 L 2
Lausitz, Nieder- 110-111 J-M 2
Lausitz, Ober- 110-111 K-M 2-3
Laussa 118-119 H 3
Laußnitz 110-111 J 3
Lauta 110-111 K 3
Lautenbach [Deutschland] 114-115 C 3
Lautenbach [Frankreich] 116-117 D 1
Lautenthal 110-111 B 2
Lauter [Baden-Württemberg] 114-115 E 3
Lauter [Rheinland-Pfalz, Pfälzer Bergland] 108-109 E 7
Lauter [Rheinland Pfalz, Pfälzer Wald] 108-109 E 8
Lauter [Sachsen] 110-111 G 4
Lauterach [Deutschland] 114-115 K 2
Lauterach [Österreich] 116-117 J 2
Lauterbach [Baden-Württemberg] 114-115 C 4
Lauterbach [Hessen, Fluß] 108-109 H 5
Lauterbach [Hessen, Ort] 108-109 H 5
Lauterbach [= Čistá] 110-111 G 5
Lauterbach [6 km ↙ Ludweiler-Warndt 108-109 C 8]
Lauterbach [= Goworów, 3 km ↘ Schönfeld 113 B 5]
Lauterbach [= Młynów, 1 km ↑ Primkenau 110-111 N 2]
Lauterbach, Putbus- 104-105 BC 2
Lauterberg im Harz, Bad – 110-111 BC 2
Lauterbourg = Lauterburg 108-109 F 9
Lauterbrunnen 116-117 E 3
Lauterburg [= Lauterbourg] 108-109 F 9
Lautereschen 108-109 E 7
Lauterfingen [= Loudrefing] 108-109 C 9
Lauterhofen 114-115 K 2
Lautern [= Lutry] 112 E 3
Lauth [2 km ↙ Schrombehnen 112 DE 2]
Lautkeim 112 E 2
Lautlingen 114-115 D 4
Lautrach 114-115 G 5
Lautschin = Loučeň 110-111 LM 5
Lauw 106-107 E 7
Lauwe 106-107 A 7
Lauwers [Fluß] 106-107 G 2
Lauwers [Meer] 106-107 G 1
Lauwersee 106-107 G 2
Lava = Alle 112 E 3
Lavagno 116-117 M 6
Lavamünd 118-119 HJ 5
Lavant [Österreich, Kärnten] 118-119 H 5
Lavant [Österreich, Osttirol] 118-119 D 5
Lavanttal 118-119 H 5
Lavarone 116-117 M 5
Lavaux 116-117 C 3
Lavaux-Sainte-Anne 106-107 E 8
Lavelsloh 102-103 E 6
Laveno-Mombello 116-117 G 5
Lavenone 116-117 K 5
Laventie 106-107 a 2
Laveron, Montagne du – 116-117 B 3
Lavertezzo 116-117 G 4
Lavey-les-Bains 116-117 D 4
Lavin 116-117 K 3
Lavina, Torre di – 116-117 D 5
Laviron 116-117 C 2
Lavis 116-117 M 4
Lavizzara, Valle – 116-117 G 4
Lawaldau [= Racula] 110-111 N 2
Ławica Odrzana = Oderbank 104-105 DE 1
Lawinenstein 118-119 FG 3
Ławsk 112 H 5
Ławszowa = Lorenzdorf 110-111 MN 3
Ławy = Brügge 104-105 E 5
Laxenburg 118-119 L 2
Laxten 102-103 B 5
Lay-Saint-Christophe 108-109 B 9
Layß [= Łajs] 112 E 4
Layß [= Łajsy] 112 D 3
Łaz = Lohsa 110-111 K 3
Łażany = Laasan
Łążek = Lonsk 104-105 M 3
Lazise 116-117 L 5
Łaziska Górne = Ober Lazisk
Łaziska Średnie = Mittel Lazisk 113 F 5
Lázně Bělohrad 110-111 N 5
Lázně Kynžvart = Bad Königswart 110-111 G 5
Łaźno, Jezioro – = Haschner See 112 H 3
Lazy [2 km ↓ Orlau 113 E 6]
Łażyn 104-105 N 5
Łażyn [2 km ↗ Birglau 104-105 M 4]
Léau = Zoutleeuw 106-107 E 7
Leba 104-105 L 1
Leba [= Łeba] 104-105 L 1
Lebach 108-109 C 8
Lebasee 104-105 K 1
Lebbeke 106-107 C 7
Lebbin 104-105 B 3
Lebbin [= Lubin] 104-105 DE 3
Lebbin, Talsperre – 104-105 F 3
Lebehnke [= Stara Łubianka] 104-105 J 4
Lebendorf 110-111 E 2
Lebenstedt, Salzgitter- 111-111 B 1
Łebień = Labehn 104-105 L 1
Łebno 10[illegible]
Lębork = Lauenburg in Pommern 104-105 L 1
Lebring-Sankt Margarethen 118-119 K 5
Łebsko, Jezioro – = Lebasee 104-105 K 1
Łebunia = Labuhn 104-105 L 2
Lebus [Brandenburg, Landschaft] 104-105 D 6
Lebus [Brandenburg, Ort] 104-105 E 6
Lebusa 110-111 H 2
Lecco 116-117 H 5
Lecco, Lago di – 116-117 H 5
Lech [Fluß] 101 E 4
Lech [Ort] 116-117 K 2
Lechaschau 116-117 L 2
Léchaud, Pointe – 116-117 C 5
Lechbruck 114-115 H 5
Lechenich 108-109 C 5
Lechère, la – 116-117 DE 5
Lechfeld 114-115 H 4
Lechhausen, Augsburg- 114-115 HJ 4
Lechleiten 116-117 K 2
Lechlin 104-105 K 5
Lechovice = Lechwitz 118-119 L 1
Lechowo = Lichtenau 112 D 3
Lechtal 116-117 KL 2
Lechtaler Alpen 116-117 KL 2
Lechtrup-Merzen 102-103 C 6
Lechwitz [= Lechovice] 118-119 L 1
Leck 102-103 EF 1
Lecker Au 102-103 EF 1
Leckow [= Lekowo] 104-105 G 3
Łęcza = Lenze 104-105 E 5-6
Łęcze = Lenzen 112 B 3
Łęczno = Lenzen 104-105 G 3
Łęczyca (Pomorska) = Lenz 104-105 F 4
Łęczyce = Lanz 104-105 L 1
Leda 102-103 C 4
Ledava = Lendava 118-119 L 5
Ledde 108-109 E 2
Lede 106-107 B 7
Ledeberg 106-107 B 6
Ledegem 106-107 A 7
Ledenice = Ledenitz 118-119 H 1
Ledenitz [= Ledenice] 118-119 H 1
Ledenitzen [5 km → Faak 118-119 F 5]
Lednice = Eisgrub 118-119 M 1
Lędów = Lindow 104-105 F 6
Ledro, Lago di – 116-117 L 5
Ledvice = Ladowitz 110-111 J 4
Lędyczek = Landeck in Westpreußen 104-105 J 3
Lędziny = Lendzin 113 G 5
Leeden 108-109 E 2
Leeder 114-115 H 5
Leegebruch 104-105 B 5
Leegen = Lega 112 H 4
Leek 106-107 G 2
Leekstermeer 106-107 GH 2
Leende 106-107 F 6
Leer 102-103 B 4
Leerdam 106-107 E 5
Leerhafe 102-103 C 3
Leese 102-103 F 5
Leeste 102-103 E 5
Leeuwarden 106-107 F 2
Leeuwarden-Wirdum 106-107 F 2
Leeuwarderadeel 106-107 F 2
Leeuw, Sint-Pieters- 106-107 C 7
Leezdorf [3 km ↗ Osteel 102-103 B 3]
Leezen 102-103 H 3
Leffe 116-117 J 5
Leffinge 106-107 a 1
Łęg 112 J 4
Lega 112 H 4
Legau 114-115 G 5
Legden 108-109 D 2
Legden [= Lejdy] 112 E 3
Legelshurst [3 km → Kork 114-115 B 3]
Łęgi = Langen 104-105 G 3
Legiener See 112 F 4
Łęgi nad Wartą = Warthebruch 104-105 EF 5
Łęgi Noteckie = Netzebruch 104-105 FG 5
Legińskie Jezioro = Legiener See 112 F 4
Léglise 106-107 F 9
Legnano 116-117 G 5
Legnica = Liegnitz 110-111 O 3
Legnickie Pole = Wahlstatt 113 A 3
Legnone, Monte – 116-117 HJ 4
Łęgnowo Bydgoskie = Langenau 104-105 M 4
Łęgowo = Langenau 104-105 N 2
Łęgowo = Lang Heinersdorf 110-111 N 1
Łęgowo = Vorbruch
Lehde 110-111 K 2
Lehe 102-103 EF 2
Lehe, Bremerhaven- 102-103 E 3
Lehengericht 114-115 C 4
Lehesten (Thüringer Wald) 110-111 DE 5
Lehmkuhlen 102-103 HJ 2
Lehmstädt = Kleczew 104-105 M 6
Lehndorf 110-111 F 4
Lehnin 110-111 G 1
Lehnitz 104-105 B 5
Lehrberg 114-115 H 2
Lehrde 102-103 F 5
Lehre 110-111 C 1
Lehrte 108-109 JK 2
Lehsen 102-103 K 4
Leiben 118-119 J 2
Leibitsch [= Lublicz] 104-105 N 4

Leibnitz 25 Lipowo

Leibnitz 118-119 JK 5
Leibnitzer Feld 118-119 K 5
Leichendorf [2 km ↙ Zirndorf 114-115 H 2]
Leichholz [= Drzewce] 110-111 M 1
Leichlingen (Rheinland) 120 E 4
Leiden 106-107 C 4
Leidenborn 108-109 B 6
Leiderdorp 106-107 D 4
Leidschendam 106-107 CD 4
Leie 106-107 B 6
Leien 106-107 G 2
Leiferde 102-103 HJ 6
Leifers [= Laives] 116-117 M 4
Leignon 106-107 E 8
Leihgestern [2 km → Großen-Linden 108-109 G 5]
Leikow [= Lejkowo] 104-105 J 2
Leimbach
Leimen 114-115 D 2
Leimnitz [= Glińsk] 110-111 N 1
Leimuiden 106-107 D 4
Lein 114-115 F 3
Leinburg 114-115 J 2
Leine 102-103 G 5, 108-109 J 2, 110-111 B 3
Leinefelde 110-111 B 3
Leinhausen = Hannover-Leinhausen
Leinzell 114-115 F 3
Leip [= Lipowo] 112 C 4
Leipe 110-111 K 2
Leipe = Lipno 104-105 O 5
Leiperode [= Lipno] 113 B 2
Leipertitz [= Litobratřice] 118-119 L 1
Leipheim 114-115 G 4
Leippa = Selingersruh 110-111 M 3
Leippe-Torno 110-111 K 3
Leipzig [Ort, Verwaltungseinheit] 110-111 F 3
Leipzig-Lindenau 110-111 F 3
Leisabach 113 A 3
Leisach 118-119 D 5
Leiser Berge 118-119 L 1
Leisnig 110-111 GH 3
Leisnitz (Oberschlesien) [= Lisięcice] 113 D 5
Leissigen 116-117 E 5
Leißow [= Lisów] 104-105 E 6
Leitersdorf [= Sycowice] 110-111 M 1
Leitershofen [2 km ↙ Stadtbergen 114-115 H 4]
Leitha 118-119 N 3
Leithagebirge 118-119 LM 3
Leitholm 104-105 DE 3
Leitmeritz [= Litoměřice] 110-111 K 4
Leitomischl [= Litomyšl] 113 A 6
Leitsberg 114-115 J 1
Leitzach 114-115 K 5
Leitzkau 110-111 EF 1
Leitznitzbach 104-105 H 3
Leiwen 108-109 C 7
Lejdy = Legden 112 E 3
Lejkowo = Leikow 104-105 J 2
Lek 106-107 D 5
Łęka Opatowska 113 E 3
Leke 106-107 a 1
Łęki Wielkie = Groß Lenki
Lekkerkerk 106-107 D 5
Łęknice = Lugknitz 110-111 L 2
Łekno 104-105 K 5
Łekno = Bast 104-105 H 2
Lekowo = Leckow 104-105 G 3
Lelkowo = Lichtenfeld 112 D 3
Lelm [4 km ↘ Königslutter am Elm 110-111 C 1]
Lelystad 106-107 EF 3
Leman 112 G 5
Léman, Lac - = Genfersee 116-117 BC 4
Lemathe-Oestrich 120 G 3
Lembach 108-109 E 8
Lembach [4 km ↓ Eltmann 110-111 C 6]
Lembach im Mühlkreis [3 km ↘ Putzleinsdorf 118-119 F 1]
Lembeck 120 DE 1
Lembeck, Schloß – 120 DE 2
Lembeek 106-107 C 7
Lembeke 106-107 B 6
Lemberg [Deutschland, Baden-Württemberg] 114-115 D 4
Lemberg [Deutschland, Rheinland-Pfalz] 108-109 E 8
Lemberg [Frankreich] 108-109 D 8
Lembruch 102-103 D 5
Lemelerberg 106-107 G 4
Lemförde 102-103 D 6
Lemgo 108-109 G 2
Lemgow 102-103 K 5
Lemierzyce = Alt Limmritz 104-105 EF 5
Lemke 102-103 F 5
Lemnitz [= Łomnica] 104-105 J 4
Lemoncourt 108-109 BC 9
Lemsterland 106-107 F 3
Lenarshof = Lenartowitz
Lenartowice = Lenartowitz
Lenartowitz [= Lenartowice, 3 km ↗ Pleschen 113 D 2]
Lend 118-119 E 4
Lendava [Fluß] 118-119 L 5
Lendava [Ort] 118-119 L 5
Lendelede 106-107 A 7
Lendersdorf-Krauthausen 108-109 BC5
Lendringsen 120 H 3
Lendzin [= Lędziny] 113 G 5
Leneschitz [= Lenešice] 110-111 J 5
Lenešice = Leneschitz 110-111 J 5
Leng = Łęg 112 J 4
Lengainen [= Łęgajny, 4 km ← Wartenburg in Ostpreußen 112 E 4]
Lengau 118-119 E 2
Lengde 110-111 BC 2
Lengdorf 114-115 L 4
Lengede 110-111 B 1
Lengefeld [Sachsen] 110-111 H 4
Lengefeld [Sachsen-Anhalt] 110-111 D 2
Lengefeld [Thüringen] 110-111 D 4
Lengenfeld [Deutschland, Bayern] 114-115 K 2
Lengenfeld [Deutschland, Sachsen] 110-111 F 4
Lengenfeld [Deutschland, Thüringen] 110-111 B 3
Lengenfeld [Österreich] 118-119 K 2
Lengenwang 114-115 H 5
Lengerich [Niedersachsen] 102-103 C 5
Lengerich [Nordrhein-Westfalen] 108-109 E 2
Lengfurt 114-115 F 1
Lenggries 114-115 K 5
Lenglern 108-109 J 3
Lengnau [4 km ↑ Baden 116-117 F 2]
Lengnau bei Biel 116-117 D 2
Lengsdorf [2 km ↘ Duisdorf 108-109 CD 5]
Lengwethen = Hohensalzburg 112 H 2
Lenka Opatowska = Łęka Opatowska 113 E 3
Lenk im Simmental 116-117 DE 4
Lenne 108-109 E 4
Lennep, Remscheid- 120 F 4
Lennik, Sint-Kwintens- 106-107 C 7
Lenningsen, Bramey- 120 GH 2
Lenno 116-117 H 5
Lenora = Eleonorenhain 118-119 F 1
Lens 106-107 B 7
Lens [4 km → Ayant 116-117 D 4]
Lensahn 102-103 J 2
Lensitz 104-105 M 1
Lenta 116-117 F 5
Lentate sul Sèveso 116-117 H 5
Lentföhrden 102-103 G 3
Lenti 118-119 M 5
Lenting [2 km ↗ Oberhaunstadt 114-115 JK 3]
Lentzke 102-103 N 5
Lenz [= Łęczyca (Pomorska)] 104-105 F 4
Lenzburg 116-117 F 2
Lenze 104-105 E 5-6
Lenzen 102-103 KL 4
Lenzen [= Łęcze] 112 B 3
Lenzen [= Łęczno] 104-105 G 3
Lenzerheide 116-117 J 3
Lenzing 118-119 F 3
Lenzinghausen 108-109 FG 2
Lenzkirch 114-115 C 5
Leoben 118-119 J 4
Leoben-Donawitz 118-119 HJ 4
Leobendorf [Deutschland] 114-115 M 5
Leobendorf [Österreich] 118-119 L 2
Leoben-Göß 118-119 J 4
Leobersdorf 118-119 L 3
Leobschütz [= Głubczyce] 113 D 5
Leogang 118-119 D 4
Leoganger Steinberge 118-119 D 3-4
Leonberg [Baden-Württemberg] 114-115 E 3
Leonberg [Bayern] 114-115 L 2
Leonbronn 114-115 D 2
Leonding [4 km ← Linz 118-119 G 2]
Leone, Monte – 116-117 F 4
Leonfelden 118-119 G 1
Leonstein [3 km ↗ Molln 118-119 G 3]
Léopoldkanaal 106-107 B 6
Leopoldsburg 106-107 E 6
Leopoldschlag 118-119 H 1
Leopoldsdorf im Marchfelde 118-119 M 2
Leopoldshagen 104-105 C 3
Leopoldskanal 114-115 B 4
Leopoldstein, Schloß – 118-119 H 3
Lepczin 104-105 K 3
Lepontinische Alpen = Tessiner Alpen, Adula-Alpen 116-117 GH 3-4
Leppebach 120 F 4
Leppin 104-105 B 4
Lepuix 116-117 C 1
Lerbach 110-111 B 2
Lerbeck [2 km ↗ Hausberge an der Porta 108-109 G 2]
Lerche 120 G 2
Lerchenberg [= Sorby] 110-111 O 2
Lermoos 116-117 L 2
Lesa 116-117 G 5
Lesachtal 118-119 D 5
Leschaisk = Leżajsk 101 L 3
Leschaux 116-117 B 5
Leschczin = Leszczyny 113 F 5
Lesche [= Lesnice] 113 B 6
Leschede 102-103 B 6
Lescheraines 116-117 AB 5
Leschna = Mühlendorf (Oberschlesien) 113 E 4
Leschnitz = Bergstadt 113 E 5
Leschnitzabach 113 F 4
Leschwitz [= Lisowice] 113 A 3
Lesica = Königsberg 104-105 F 2
Lesiny Wielki = Groß Leschienen 112 F 5
Lesiska = Reichwa de (Ostpreußen) 112 CD 3
Lesista Wielka = Hohe Heide 113 A 4
Lesistyje Karpaty = Waldkarpaten 101 L 4
Leskau [= Lestkov] 114-115 M 1
Leskovec nad Moravicí = Spachendorf 113 D 6
Leslau = Włocławek 104-105 O 5
Lesná = Schönwald 114-115 LM 1
Leśna = Marklissa 110-111 M 3
Leśna = Mühlendorf (Oberschlesien) 113 E 4
Leśnica = Bergstadt 113 E 5
Leśnica = Freiwalde 112 C 4
Leśnica, Wrocław- = Breslau-Lissa 113 B 3
Lesnice = Lesche 113 B 6
Leśniewo = Fürstenau
Leśniów Wielki = Groß Lesson
110-111 M 2
Leśno 104-105 L 3
Lesnoje = Großlenkenau
Lesnoje = Ludwigswalde 112 E 2
Lesný = Judenhau 110-111 G 5
Lessach [Fluß] 118-119 F 4
Lessach [Ort] 118-119 F 4
Lesse 106-107 E 8
Lesse = Salzgitter-Lesse
Lessen [= Łasin] 104-105 O 3
Lessen = Lessines 106-107 B 7
Lessenbos = Bois-de-Lessires 106-107 B 7
Lessien, Ehra- 102-103 J 5
Lessines [= Lessen] 106-107 B 7
Lessini, Monti – 116-117 LM 5
Lèssolo 116-117 E 6
Lessona 116-117 F 5
Lesten [= Czernina] 113 B 2
Lestkov = Leskau 114-115 M 1
Lesum, Bremen- 102-103 E 4
Leszczynka = Hasselbach 104-105 H 3
Leszczyny 113 F 5
Leszno = Lissa 113 B 2
Leszno Dolne = Nieder Leschen 110-111 N 2-3
Leszno Górne = Ober Leschen 110-111 N 3
Leteln [3 km ↑ Minden 108-109 G 2]
Letenye 118-119 M 6
Lethe 102-103 D 4
Letiny = Lettin 114-115 NO 1
Letmathe 120 G 3
Letnica = Lättnitz 110-111 M 2
Letnin = Lettnin 104-105 EF 4
Letohrad = Geiersberg 113 A 5
Łętów = Lichtenberg 110-111 L 2-3
Łętówko, Jezioro – = Lantower See 104-105 L 2
Létricourt 108-109 B 9
Letschin 104-105 D 5
Lette 108-109 D 3
Letter [4 km → Seelze 108-109 J 2]
Lettin = Halle (Saale)-Lettin
Lettin [= Letiny] 114-115 NO 1
Lettnin [= Letnin] 104-105 EF 4
Letzeburg = Luxemburg 106-107 G 9
Letzlingen 102-103 KL 6
Letzlinger Heide, Colbitz- 110-111 DE 1
Leuben 110-111 H 3
Leuber [= Lubrza] 113 D 5
Leubingen 110-111 D 3
Leubnitz 110-111 F 4
Leubsdorf 110-111 H 4
Leubus [= Lubiąż] 113 AB 3
Leuchtenberg 114-115 L 1
Leuchtenburg 110-111 E 4
Leuggern [3 km ↘ Koblenz 116-117 F 1]
Leuk [= Loèche] 116-117 E 4
Leukerbad 116-117 E 4
Leun 108-109 F 5
Leuna 110-111 EF 3
Leunenburg [= Sątoczno, 7 km ↘ Schippenbeil 112 F 3]
Leupoldsdorf 110-111 E 5
Leur, Etten en – 106-107 D 5
Leuscheid 108-109 DE 5
Leusden 106-107 E 4
Leussow 102-103 K 4
Leutascher Ache 116-117 M 2
Leutenbach [1 km ↑ Winnenden 114-115 EF 3]
Leutenberg 110-111 DE 4
Leuterschach 114-115 H 5
Leutersdorf 110-111 L 4
Leutershausen 114-115 G 2
Leutesdorf 108-109 D 6
Leuth 120 A 3
Leuthen [= Lutynia] 113 B 3
Leuthen-Wintdorf 110-111 K 2
Leutkirch 114-115 G 5
Leutmannsdorf [= Lutomia] 113 AB 4
Leutsch [= Luče] 118-119 H 6
Leutschach 118-119 JK 5
Leutstetten [4 km ↗ Starnberg 114-115 J 4-5]
Leuven = Löwen 106-107 D 7
Leuze [Belgien, Hennegau] 106-107 B 7
Leuze [Belgien, Namur] 106-107 D 7
Leuzingen [6 km ↙ Solothurn 116-117 DE 2]
Leval-Trahegnies [4 km ↖ Anderlues 106-107 C 8]
Levenhagen [2 km ↗ Griebenow 104-105 B 2]
Leventina, Valle – 116-117 G 3-4
Leverkusen 120 E 4
Leverkusen-Rheindorf 120 D 4
Leverkusen-Schlebusch 120 E 4
Levern 108-109 FG 2
Levice 101 J 4
Lèvico 116-117 M 4
Levier 116-117 B 3
Levin = Lewin 110-111 K 4
Lewenz = Levice 101 J 4
Lewice = Lewitz 104-105 G 6
Lewice = Löwitz 113 D 5
Lewiczynek = Lewitzhauland 104-105 G 6
Lewin [= Levín] 110-111 K 4
Lewin Brzeski = Löwen 113 D 4
Lewin Kłodzki = Hummelstadt 113 A 5
Lewitz 102-103 L 4
Lewitz [= Lewice] 104-105 G 6
Lewitzhauland [= Lewiczynek] 104-105 G 6
Lexmonde [5 km ↙ Vianen 106-107 E 5]
Leybucht 102-103 B 3
Leyenburg, Schloß – 120 C 3
Ley, Große – 120 B 2
Ley, Hohe – 120 B 2
Leysin 116-117 CD 4
Leytron 116-117 D 4
Leżajsk 101 L 3
Lèzzeno 116-117 H 5
Lgota Górna 113 FG 4
Lhomme 106-107 E 8-9
Lianne [= Lniano] 104-105 M 3
Liart 106-107 C 9
Libá = Liebenstein 110-111 F 5
Libáň 110-111 M 5
Libau [= Lubowo] 104-105 K 5
Libčany [7 km ↗ Hradec Králové
110-111 N 5]
Libčeves = Liebshausen 110-111 J 5
Liběchov = Liboch 110-111 KL 5
Liberec = Reichenberg 110-111 M 4
Liberec-Janův Důl = Reichenberg-Johannesthal
Liberec-Rochlice = Reichenberg-Röchlitz 110-111 LM 4
Liběšice = Liebeschitz 110-111 K 4
Libeznice = Libeznitz 110-111 K 5
Libeznitz [= Líbeznice] 110-111 K 5
Libin 106-107 E 9
Libinberg 118-119 G 1
Libkovice = Likwitz
Liblar 108-109 G 5
Liblin 114-115 O 1
Liboch [= Liběchov] 110-111 KL 5
Libochovice = Libochowitz 110-111 JK 5
Libochowitz [= Libochovice] 110-111 JK 5
Libouchec = Königswald 110-111 K 4
Libramont 106-107 E 9
Libštát = Liebstadtl 110-111 M 4
Libuň 110-111 M 4
Libuschin = Libušín 110-111 JK 5
Libušín 110-111 JK 5
Lich 108-109 G 5
Lichkov = Lichtenau 113 B 5
Lichnov = Lichten 113 D 5
Lichnowy = Groß Lichtenau 104-105 NO 2
Lichnowy = Lichnau 104-105 L 3
Lichtaart [3 km ↘ Tielen 106-107 D 6]
Lichte 110-111 D 4
Lichten [= Lichnov] 113 D 5
Lichtenau [Deutschland, Baden-Württemberg] 114-115 BC 3
Lichtenau [Deutschland, Bayern] 114-115 H 2
Lichtenau [Deutschland, Nordrhein-Westfalen] 108-109 G 3
Lichtenau [Österreich] 118-119 J 1
Lichtenau [= Lechowo] 112 D 3
Lichtenau [= Lichkov] 113 B 5
Lichtenberg [Deutschland, Baden-Württemberg] 114-115 E 2
Lichtenberg [Deutschland, Sachsen] 110-111 H 4
Lichtenberg [Frankreich] 108-109 DE 9
Lichtenberg [Österreich] 118-119 G 2
Lichtenberg [= Białogórze] 110-111 M 3
Lichtenberg [= Kolnica] 113 C 4
Lichtenberg [= Łętów] 110-111 L 2-3
Lichtenberg = Salzgitter-Lichtenberg
Lichtenberg, Berlin- 104-105 BC 5
Lichtendorf 120 G 3
Lichtenegg 118-119 L 4
Lichtenfeld [= Lelkowo] 112 D 3
Lichtenfels 110-111 CD 5
Lichtenhagen 102-103 M 2
Lichtenhagen [= Głęgowo, 3 km → Schlochau 104-105 K 3]
Lichtenhain, Jena- 110-111 DE 4
Lichtenhorst 102-103 F 5
Lichtermoor 102-103 F 5
Lichtenrade, Berlin- 104-105 B 6
Lichtenstadt [= Hroznětín] 110-111 G 5
Lichtensteig [2 km ↑ Wattwil 116-117 H 2]
Lichtenstein 114-115 E 4
Lichtenstein [= Líšťany] 114-115 N 1
Lichtenstein [Sachsen] 110-111 G 4
Lichtentanne 110-111 F 4
Lichtenvoorde 106-107 GH 5
Lichtenvoorde-Lievelde 106-107 H 4
Lichtenwald [= Krzyżowa] 110-111 N 3
Lichtenwörth 118-119 L 3
Lichterfelde 104-105 C 5
Lichterfelde, Berlin- 104-105 B 5
Lichtervelde 106-107 A 6
Lichtewerden [= Světlá] 113 CD 5
Lichtfelde [= Jasna] 112 B 3
Liddes 116-117 D 5
Lidice 110-111 K 5
Liditz = Lidice 110-111 K 5
Lidzbark Warmiński = Heilsberg 112 E 3
Liebau in Schlesien [= Lubawka] 110-111 O 4
Liebe [Ostpreußen, Barten] 112 F 3
Liebe [Ostpreußen, Pomesanien] 112 AB 4
Liebeiche [= Wędrynia, 2 km → Kirchwalde 113 E 4]
Liebelberg 120 H 5
Liebemühl [= Miłomłyn] 112 C 4
Liebenau [Deutschland, Hessen] 108-109 H 3
Liebenau [Deutschland, Niedersachsen] 102-103 F 5
Liebenau [Österreich] 118-119 H 1
Liebenau [= Gostycyn] 104-105 L 4
Liebenau [= Hodkovice nad Mohelkou] 110-111 M 4
Liebenau = Miłosław 113 CD 1
Liebenau bei Schwiebus [= Lubrza] 110-111 MN 1
Liebenberg [= Kłon] 112 F 5
Liebenburg 110-111 BC 1
Liebenfelde (Ostpreußen) [= Zalesje] 112 G 2
Liebenort 112 FG 2
Liebenow [= Lubanowo] 104-105 E 4
Liebenow [= Lubieniów] 104-105 G 4
Liebenow [= Lubno] 104-105 F 5
Liebensee [= Lisewo Kościelne] 104-105 M 5
Liebenstein 108-109 E 6
Liebenstein [= Libá] 110-111 F 5
Liebenstein, Bad – 110-111 B 4
Liebenthal [= Dolní Dobrouč] 113 AB 6
Liebenthal [= Liptaň] 113 CD 5
Liebenthal [= Lubomierz] 110-111 N 3
Liebenwalde 104-105 B 5
Liebenwerda, Bad – 110-111 HJ 2
Liebenzig [= Lubięcin] 110-111 N 2
Lieberhausen 120 G 4
Lieberose 110-111 K 2
Liebertwolkwitz 110-111 FG 3
Liebeschitz [= Liběšice] 110-111 K 4
Liebeseele [= Lubiewo] 104-105 D 3
Liebfeld = Miłostowo 104-105 H 5
Lieblos 108-109 H 6
Lieboch 118-119 J 5
Liebschau [= Lubiszewo Tczewskie] 104-105 N 2
Liebschütz 110-111 E 4
Liebschwitz, Gera- 110-111 F 4
Liebsee 104-105 G 5
Liebsgen [= Lipsk Żarski] 110-111 LM 2
Liebshausen [= Libčeves] 110-111 J 5
Liebstadt 110-111 J 4
Liebstadt [= Miłakowo] 112 D 3
Liebstadt = Lubień Kujawski 104-105 O 6
Liebstadtl [= Libštát] 110-111 M 4
Liebthal [= Lubiatów] 110-111 M 2
Liebtschan = Libčany
Liebucher See 104-105 G 5
Liebwalde [= Lubochowo, 5 km ↑ Preußisch Mark 112 BC 4]
Liechtenstein 116-117 J 2
Liechtensteinklamm 118-119 E 4
Liedberg 120 C 4
Liedern 120 C 1
Liedolsheim [4 km ↑ Linkenheim 114-115 C 2]
Liegau-Augustusbad 110-111 JK 3
Liège = Liège 106-107 EF 7
Liège 106-107 EF 7
Liège = Lüttich 106-107 EF 7
Liegnitz [= Legnica] 110-111 O 3
Liehn = Lihn 114-115 N 1
Liemke 108-109 G 3
Liempde [4 km ↘ Boxtel 106-107 E 5]
Lienden 106-107 EF 5
Lienen 108-109 E 2
Lienfelde [= Liniewo] 104-105 M 2
Lienfitz [= Linowiec] 104-105 MN 2
Lienne 106-107 F 8
Lienz 118-119 D 5
Lienzer Dolomiten 118-119 D 5
Liepe [Brandenburg] 104-105 C 5
Liepe [Pommern] 104-105 C 3
Liepe [= Lipa nad Notecią, 4 km ↘ Lindenwerder 104-105 K 4]
Liepen 104-105 B 3
Lieper Winkel 104-105 C 3
Liepgarten 104-105 CD 3
Liep, Kahlberg- [= Łysica] 112 BC 3
Liepnitz [= Lipnica] 104-105 K 3
Lieps 104-105 B 4
Lier 106-107 D 6
Lier, De – [3 km ↘ Naaldwijk 106-107 C 4-5]
Lierce, Sint-Maria- 106-107 B 7
Lierenfeld, Düsseldorf- 120 D 4
Lierna 116-117 H 5
Lierneux 106-107 F 8
Liers 106-107 F 7
Liesberg 116-117 D 2
Liesborn 108-109 F 3
Liesenow 104-105 B 2
Lieser [Deutschland] 108-109 CD 7
Lieser [Österreich] 118-119 F 5
Lieserbach 108-109 C 6
Lieshout 106-107 F 5
Liesing 118-119 H 4
Liesing, Wien- 118-119 L 2
Liesse 106-107 B 9
Liessies 106-107 C 8
Liestal 116-117 E 2
Liethberg 102-103 G 2
Lietingen [= Glovelier, 4 km ← Bassecourt 116-117 D 2]
Lietuva = Litauische Sozialistische Sowjetrepublik 112 J 1-2
Lietzow 104-105 C 2
Lieu, Le – 116-117 B 3
Lievelde, Lichtenvoorde- 106-107 H 4
Liezen 118-119 G 3
Ligerz [4 km ↗ Neuenstadt 116-117 CD 2]
Ligist 118-119 J 5
Ligne 106-107 B 7
Ligneuville, Bellevaux- 106-107 G 8
Ligny 106-107 D 7
Ligòncio, Pizzo – 116-117 J 4
Ligota Książęca = Fürsten-Ellguth 113 D 3
Ligota Mała = Klein Ellguth 113 C 3
Ligota Prószkowska = Frei Proskau 113 D 4
Ligota Turawska = Ellguth-Turawa 113 E 4
Lihn [= Líně] 114-115 N 1
Lijsen = Lincent 106-107 E 7
Liksajny = Nickelshagen 112 C 4
Likwitz [= Libkovice, 5 km ↗ Kopitz 110-111 J 4]
Liliendorf [= Šumná] 118-119 K 1
Lilienfeld 118-119 K 2
Lilienstein 110-111 K 4
Lilienthal 102-103 E 4
Lille [Belgien] 106-107 D 6
Lille [Frankreich] 106-107 A 7
Lilleø 102-103 KL 1
Lille, Sint-Huibrechts- 106-107 EF 6
Lillo 106-107 C 6
Lillois-Witterzé 106-107 C 7
Limal 106-107 D 7
Limbach [Baden-Württemberg] 114-115 E 2
Limbach [Sachsen, ← Dresden] 110-111 H 3
Limbach [Sachsen, ↗ Plauen] 110-111 F 4
Limbach = Lendava 118-119 L 5
Limbach bei Homburg 108-109 D 8
Limbach (Kreis Saarlouis) 108-109 C 8
Limbach-Oberfrohna 110-111 G 4
Limberg bei Wies 118-119 J 5
Limbourg = Limburg [Ort] 106-107 FG 7
Limbourg = Limburg [Verwaltungseinheit] 106-107 EF 7
Limbricht 106-107 F 6-7
Limburg [Deutschland] 108-109 F 8
Limburg [Niederlande] 106-107 F 7-G 5
Limburg [= Limbourg] [Ort] 106-107 FG 7
Limburg [= Limbourg] [Verwaltungseinheit] 106-107 EF 7
Limburg an der Lahn 108-109 EF 6
Limburgerhof 108-109 FG 8
Limarlé 106-107 F 8
Limes 108-109 G 6, 114-115 E 1-2, F 2, H 2, J 2-3
Limidàrio, Monte – 116-117 G 4
Limmat 116-117 F 2
Limmritz 110-111 GH 3
Limone sul Garda 116-117 L 5
Limpelberg 114-115 K 2
Limpurger Berge 114-115 F 2-3
Linard, Piz – 116-117 K 3
Lincent [= Lijsen] 106-107 E 7
Lind 118-119 E 5
Linda [Sachsen-Anhalt] 110-111 H 2
Linda [Thüringen] 110-111 E 4
Lindau [Niedersachsen] 110-111 B 2
Lindau [Sachsen-Anhalt] 110-111 F 1
Lindau [= Gołaszyn] 110-111 N 2
Lindau [4 km ↘ Holtsee 102-103 G 2]
Lindau (Bodensee) 114-115 F 5
Lindau (Bodensee)-Bad Schachen [← Lindau (Bodensee) 114-115 F 5]
Lindava = Lindenau 110-111 L 4
Lindberg 114-115 N 2
Linde 106-107 F 3
Linde [= Dłusko Gryfińskie] 104-105 E 4
Linde [= Linia] 104-105 L 2
Linde [= Lipka] 104-105 K 4
Lindelse 102-103 J 1
Linden = Hannover-Linden
Linden [6 km ↗ Eggenfelden 114-115 M 4]
Lindena 110-111 J 2
Lindenau [= Lindava] 110-111 L 4
Lindenau [= Linowo] 104-105 O 4
Lindenau [= Lipowina] 112 CD 3
Lindenau [4 km ↘ Ortrand 110-111 J 3]
Lindenau [= Lipica, 4 km ↑ Dietrichsdorf 112 EF 3]
Lindenau [= Lipniki, 3 km ↘ Neu Altmannsdorf 113 C 4]
Lindenau, Leipzig- 110-111 F 3
Lindenbach [= Krzydłowice] 113 A 2
Lindenberg [Deutschland, Brandenburg, ↓ Fürstenwalde (Spree)] 110-111 K 1
Lindenberg [Deutschland, Brandenburg, ↗ Wittenberge] 102-103 M 4
Lindenberg [Schweiz] 116-117 F 2
Lindenberg [4 km ↘ Molzahn 102-103 N 3]
Lindenberg [4 km ↙ Schwanebeck 104-105 C 5]
Lindenberg im Allgäu 114-115 F 5
Lindenbrück [= Dziewierzewo] 104-105 L 5
Lindenbusch, Bahnhof – 104-105 M 3
Linden, Bochum- 120 E 3
Lindendorf [= Lipowo] 112 F 4
Lindenfels 108-109 G 7
Lindengarten 112 H 2
Lindenhain
→
Lindenhain (Oberschlesien) [= Kozłów] 113 EF 5
Linden, Hannover- 108-109 J 2
Lindenhardt 114-115 JK 1
Lindenhöhe (Oberschlesien) [= Wysoka] 113 EF 4
Lindenholzhausen 108-109 F 6
Lindenhorst, Dortmund- 120 F 2
Lindenkranz [= Bielawy] 110-111 NO 2
Lindenort [= Lipowiec] 112 F 5
Lindensee [= Krzycko Wielkie] 113 AB 2
Lindenthal 110-111 F 3
Lindenwald [= Wąwelno] 104-105 L 4
Lindenwaldau [= Kuraszków] 113 BC 3
Lindenwalde [= Lipowo Kurkowskie] 112 DE 4
Lindenwerder [= Lipia Góra] 104-105 K 4
Linderei [= Lipinka] 110-111 O 2
Linderey = Linderei 110-111 O 2
Linderhausen 120 F 3
Linderhof 114-115 HJ 5
Lindern [Niedersachsen] 102-103 C 5
Lindern [Nordrhein-Westfalen] 120 AB 5
Linderode [= Lipinski] 110-111 LM 2
Linderweiher 108-109 C 9
Lindewiese [= Lipowa, 3 km ← Greisau 113 CD 5]
Lindholm 102-103 E 1
Lindhorst 108-109 H 2
Lindkirchen 114-115 K 3
Lindlar 120 F 4
Lindlar-Frielingsdorf 120 F 4
Lindow 104-105 AB 5
Lindow [= Lędów] 104-105 F 6
Lindow [= Lubicz] 104-105 DE 4
Lindre, Étang de – = Linderweiher 108-109 C 9
Lind, Schloß – 118-119 GH 4
Lindstedt 102-103 KL 5
Líně = Lihn 114-115 N 1
Linge 106-107 E 5
Lingen 102-103 B 5
Lingenfeld 108-109 F 8
Lingeser Stausee 120 G 4
Lingolsheim 114-115 B 3
Linia = Linde 104-105 L 2
Liniewo = Lienfelde 104-105 M 2
Linkenheim 114-115 C 2
Linne 106-107 FG 6
Linnich 120 B 5
Linowiec 104-105 M 5
Linowiec = Lienfitz 104-105 MN 2
Linowo = Lindenau 104-105 O 4
Linsburg 102-103 F 5
Linschoten [3 km ↘ Montfoort 106-107 D 4]
Linsdorf [= Těchonín] 113 B 5
Linselles 106-107 A 7
Lińsk 104-105 M 3
Lint 106-107 CD 6
Lintach 114-115 K 2
Lintelermarsch [4 km ↑ Norden 102-103 B 3]
Lintfort, Kamp- 120 C 2-3
Lintgen 106-107 G 9
Linth 116-117 H 2
Linthal [Frankreich] 116-117 D 1
Linthal [Schweiz] 116-117 GH 3
Linthe 110-111 G 1
Linthkanal 116-117 H 2
Linthorst Homankanaal 106-107 H 3
Lintig 102-103 E 3
Lintorf 120 D 3
Linum 102-103 N 5
Linz 118-119 G 2
Linz am Rhein 108-109 D 5
Linz-Ebelsberg 118-119 G 2
Linzgau 114-115 E 5
Linz-Urfahr 118-119 G 2
Lipa Łużycka = Selingersruh 110-111 M 3
Lipan = Lipany 110-111 L 5
Lipa nad Notecią = Liepe
Lipany 110-111 L 5
Lipczynka = Lepczin 104-105 K 3
Lipczyno, Jezioro – = Großer Lepczinsee 104-105 K 3
Lipe 113 E 2
Lipia Góra = Lindenwerder 104-105 K 4
Lipiany = Lippehne 104-105 EF 4
Lipica = Lindenau
Lipie 113 F 3
Lipie = Arnhausen 104-105 G 3
Lipie Góry = Mansfelde
Lipinka = Linderei 110-111 O 2
Lipinki = Lippink 104-105 M 3
Lipinski = Linderode 110-111 LM 2
Lipka = Linde 104-105 K 4
Lipke [= Lipki Wielkie] 104-105 G 5
Lipki Wielkie = Lipke 104-105 G 5
Lipn'aki = Trausen F 3
Lipnica [Polen, ↖ Posen] 104-105 HJ 5
Lipnica [Polen, ↗ Thorn] 104-105 O 4
Lipnica = Liepnitz 104-105 K 3
Lipnice = Lipnitz 118-119 H 1
Lipnik 113 F 3
Lipniki 112 G 5
Lipniki = Lindenau
Lipnitz [= Lipnice] 118-119 H 1
Lipnitza = Lipnica 104-105 O 4
Lipno 104-105 O 5
Lipno = Leiperode 113 B 2
Lipno = Lippen 110-111 N 2
Lipno nad Vltavou = Lippen 118-119 G 1
Lipová = Hainspach 110-111 K 3
Lipowa = Deutsch Leippe 113 CD 4
Lipowa = Lindewiese
Lipowiec = Lindenort 112 F 5
Lipowina = Lindenau 112 CD 3
Lipowitz = Lindenort 112 F 5
Lipowo = Leip C 4
Lipowo = Lindendorf 112 F 4

Lipowo Kurkowskie 26 Luxemburg

Lipowo Kurkowskie = Lindenwalde 112 DE 4
Lipp 120 C 5
Lippborg 120 J 2
Lippe 108-109 D 3
Lippehne [= Lipiany] 104-105 EF 4
Lippe, Land – [→ Lippischer Wald 108-109 G 3]
Lippen [= Lipno] 110-111 N 2
Lippen [= Lipno nad Vltavou] 118-119 G 1
Lipper Bergland 108-109 GH 2
Lipperode 108-109 F 3
Lippe-Seitenkanal 120 DE 2, GH 2
Lippink [= Lipinki] 104-105 M 3
Lippischer Wald 108-109 G 3
Lippische Werra = Werre 108-109 G 2-3
Lippoldsberg 108-109 HJ 3
Lippramsdorf 120 E 2
Lippspringe, Bad – 108-109 G 3
Lippstadt 108-109 F 3
Lippusch [= Lipusz] 104-105 L 2
Lipschau-Dohms [= Luboszów] 110-111 MN 3
Lipsk Żarski = Liebsgen 110-111 LM 2
Liptań = Liebenthal 113 CD 5
Liptanka = Mień 104-105 NO 5
Liptingen 114-115 D 5
Lipusz = Lippusch 104-105 L 2
Liro 116-117 H 4
Lišany = Lischan 110-111 J 5
Lischan [= Lišany] 110-111 J 5
Lischkowo = Liszkowo 104-105 M 5
Lisewo 104-105 N 4
Lisewo Kościelne = Liebensee 104-105 M 5
Lisiec = Fuchsmühl 110-111 NO 3
Lisięcice = Leisnitz (Oberschlesien) 113 D 5
Lisiec Wielki 113 E 1
Lisie Pole = Uchtdorf 104-105 DE 4
Liska-Schaaken [= Nekrasovo] 112 E 2
Lísková = Haselbach 114-115 M 2
Lisków 113 E 2
Liśnica = Leitznitzbach 104-105 H 3
Lisnovo = Groß Leistenau 104-105 O4
Lisów = Leißow 104-105 E 6
Lisów = Lissau 113 F 4
Lisowice = Leschwitz 113 A 3
Lissa [= Leszno] 113 B 2
Lissa an der Elbe [= Lysá nad Labem] 110-111 L 5
Lissa, Breslau- [= Wrocław-Leśnica] 113 B 3
Lissa Gora = Łysa Góra 113 CD 1
Lissau [= Lisów] 113 F 4
Lißberg 108-109 H 6
Lisse 106-107 D 4
Lisse-Keukenhof 106-107 CD 4
Lissen [= Lisy] 112 GH 3
Lissen [= Łysiny] 110-111 O 2
Lissendorf 108-109 BC 6
Lissewege 106-107 A 6
Lissewo = Lisewo 104-105 N 4
Lissone 116-117 H 5
Lisswarthe = Liswarta 113 F 3
List 102-103 D 1
Lišt'any = Lichtenstein 114-115 N 1
Lister 120 H 4
Lister Ley 102-103 DE 1
Lister-Stausee 120 H 4
Liswarta 113 F 3
Lisy = Lissen 112 GH 3
Liszkowo 104-105 M 5
Liszkowo = Altenwalde 104-105 HJ 3
Litauische Sozialistische Sowjet-republik 112 J 1-2
Litava = Litavabach 110-111 K 6
Litavabach 110-111 K 6
Litavka = Litavabach 110-111 K 6
Litberg 102-103 G 4
Lith 106-107 E 5
Litice ⤚→
Litobratřice = Leipertitz 118-119 L 1
Litoměřice = Leitmeritz 110-111 K 4
Litomyšl = Leitomischl 113 A 6
Litoschitz [= Litošice] 110-111 MN 6
Litošice = Litoschitz 110-111 MN 6
Litovskaja Sovetskaja Sozialističeskaja Respublika = Litauische Sozialistische Sowjetrepublik 112 J 1-2
Litschau 118-119 J 1
Littau [2 km ← Luzern 116-117 F 2]
Littenweiler ⤚→
Littfeld 120 H 4
Littitz ⤚→
Litvínov = Oberleutensdorf 110-111 J 4
Litzelsdorf 118-119 L 4
Litzmannstadt = Lodsch 101 J 3
Livenskoje = Dreifurt 112 H 1-2
Livigno 116-117 K 3
Livigno, Val – ⤚→
Livinallongo del Col di Lana 118-119 BC 6
Livo 116-117 LM 4
Liwa = Bieberswalde 112 C 4
Liwa = Liebe 112 AB 4
Lixfeld 108-109 F 5
Lizerne 116-117 D 4
Lizumer Reckner 116-117 N 2
Lizzana 116-117 M 5

Ljubelj = Loibl 118-119 G 6
Ljublin = Lublin 101 L 3
Ljubljana = Laibach 101 FG 5
Ljutomer = Luttenberg 118-119 L 5

Lniano = Lianno 104-105 M 3

Lo 106-107 a 2
Lobau 118-119 M 2
Löbau 110-111 L 3
Löbau [= Lubawa] 112 C 4
Lobberich 120 B 3
Lobbes 106-107 C 8
Łobdowo = Lobedau
Lobeda, Jena- 110-111 E 4
Lobedau [= Lubiatów] 113 BC 4-5
Lobedau [= Łobdowo, 3 km ← Wrocki 104-105 O 4]
Löbegallen = Löbenau 112 H 2
Löbejün 110-111 E 2
Loben = Lublinitz 113 F 4
Löbenau [= Tolstovo] 112 H 2
Lobenstein 110-111 E 5
Lobenstein [= Úvalno] 113 D 5
Łobez = Labes 104-105 G 3
Lobnig [= Lomnice] 113 C 6
Löbnitz 110-111 F 2
Łobodno 113 G 4
Lobositz [= Lovosice] 110-111 JK 4
Lobsens [= Łobżenica] 104-105 K 4
Lobsonka 104-105 K 4
Lobstädt 110-111 FG 3
Loburg 110-111 F 1
Łobżenica = Lobsens 104-105 K 4
Łobżonka = Lobsonka 104-105 K 4
Locarno 116-117 G 4
Lòccie, Cima delle – 116-117 EF 5
Loccum 102-103 F 6
Lochau 116-117 J 1
Lochem 106-107 G 4
Lochen [3 km ↖ Lengau 118-119 E 2]
Łochocin 104-105 O 5
Łochowo 104-105 L 4
Lochristi 106-107 B 6
Lochstädt 112 CD 2
Locken [= Łukta] 112 D 4
Lockenhaus 118-119 L 4
Löcknitz [Brandenburg, Barnim] 104-105 C 6
Löcknitz [Brandenburg, Prignitz 102-103 KL 4
Löcknitz [Pommern] 104-105 D 4
Lockweiler 108-109 C 7
Locle, Le – 116-117 C 2
Lócs 118-119 M 4
Lödderitz 110-111 E 2
Lodelinsart 106-107 CD 8
Lodenau 110-111 LM 3
Loděnice = Kacakbach 110-111 K 5
Loděnice = Lodenitz 110-111 K 6
Lodenitz [= Loděnice] 110-111 K 6
Löderburg 110-111 E 2
Lödersdorf [4 km → Feldbach 118-119 K 5]
Lodrino [1 km ↙ Osogna 116-117 GH 4]
Lods 116-117 B 2
Lodsch [= Łódź] 101 J 3
Łódź 113 B 1
Łódź = Lodsch 101 J 3
Loèche = Leuk 116-117 E 4
Loenen 106-107 E 4
Loenen, Apeldoorn- 106-107 FG 4
Loenhout 106-107 D 6
Lofer 118-119 D 3
Loferer Steinberge 118-119 D 3
Löffingen 114-115 G 5
Loga 102-103 BC 4
Lögow 102-103 N 5
Lograto 116-117 K 6
Logvino = Medenau 112 D 2
Lohausen, Düsseldorf- 120 CD 3
Lohberg 114-115 N 2
Lohbrück [= Muchobór Wielki, 5 km ↗ Schmolz 113 B 3]
Lohe 113 B 4
Lohe [4 km ↖ Gohfeld 108-109 G 2]
Lohfelden 108-109 J 4
Lohheide [2 km ↙ Bergen 102-103 GH 5]
Lohkopf 120 H 5
Löhlbach 108-109 GH 4
Lohmar 108-109 D 5
Lohme 104-105 C 1
Lohmen [Mecklenburg] 102-103 M 3
Lohmen [Sachsen] 110-111 JK 3-4
Löhnberg 108-109 F 5
Lohne 102-103 D 5
Löhne 108-109 G 2
Lohner 116-117 E 4
Lohne, Schepsdorf- 102-103 B 6
Lohnsburg 118-119 E 2
Lohra 108-109 G 5
Lohr am Main 108-109 J 7
Lohrbach 114-115 E 2
Lohrhaupten 108-109 HJ 6
Lohsa 110-111 K 3
Loibach [4 km ↘ Feistritz ob Bleiburg 118-119 H 5]
Loibl 118-119 G 6
Loiblthal 118-119 G 6
Loich 118-119 J 3
Loikum 120 C 1
Loipersbach im Burgenland [3 km ↘ Rohrbach bei Mattersburg 118-119 LM 3]
Loipersdorf bei Fürstenfeld 118-119 L 4
Loisach 114-115 J 5
Loitsche 110-111 E 1
Loitz 104-105 B 3
Loiwein 118-119 J 2
Łojki 113 FG 4
Lokeren 106-107 BC 6
Lo, Kessel- 106-107 D 7
Loket = Elbogen 110-111 G 5
Lo, Korbeek- 106-107 D 7
Lolland 101 E 1
Lollar 108-109 G 5
Lom = Steinbrüchberg 110-111 H 6
Lomazzo 116-117 H 5
Lombardei 116-117 H-K 5
Lombardia = Lombardei 116-117 H-K 5
Lommatzsch 110-111 H 3
Lomme 106-107 a 2
Lommel 106-107 E 6
Lommersum 108-109 C 5
Lommersweiler 106-107 G 8
Łomnica = Lemnitz 110-111 N 4
Łomnica = Lomnitz 110-111 N 4
Lomnice = Lanz 110-111 G 5
Lomnice = Lobnig 113 C 6
Lomnice nad Popelkou = Lomnitz an der Popelka 110-111 M 4
Łomnickie, Góry – = Landeshuter Kamm 110-111 N 4
Lomnitz [= Łomnica] 110-111 N 4
Lomnitz an der Popelka [= Lomnice nad Popelkou] 110-111 M 4
Lomont, Montagnes du – 116-117 BC 2
Lompönen [= Lumpėnai] 112 GH 1
Łomża 101 L 2
Lonate Pozzolo 116-117 G 5
Lonato 116-117 K 6
Lonau 110-111 B 2
Londek = Lądek 113 D 1
Londerzeel 106-107 C 6-7
Londorf 108-109 G 5
Lonzée 106-107 D 7
Lone 114-115 G 3
Long [= Łąg] 104-105 M 3
Longchamps 106-107 F 8
Longchaumois 116-117 AB 4
Longerich, Köln- 120 D 4-5
Longeville-lès-Monte 108-109 B 8
Longeville-lès-Saint-Avold = Langsdorf 108-109 C 8
Longlaville 106-107 F 9
Longlier 106-107 EF 9
Longvilly 106-107 F 8
Longwy 106-107 F 9
Löningen 102-103 C 5
Lonkocin = Łąkociny 113 D 2
Lonkorsz [= Łakorz] 112 B 5
Lonnerstadt 114-115 H 1
Lonnewitz [2 km ↘ Oschatz 110-111 H 3]
Loschnik = Wiesengrund (Oberschlesien) 113 D 5
Lonsee 114-115 F 3
Lonsk [= Łążek] 104-105 M 3
Lons-le-Saunier 101 B 5
Lontzkenberg 104-105 K 1
Lonzée 106-107 D 7
Lonzyn = Łążyn 104-105 N 5
Lonzyn [= Łążyn, 2 km ↙ Birglau 104-105 M 4]
Loo, Het – 106-107 F 4
Loon op Zand 106-107 DE 5
Loos [= Łozy] 110-111 M 3
Loosdorf 118-119 J 2
Loosdorf [= Ludvíkovice, 4 km ↗ Tetschen 110-111 K 4]
Loosdrecht 106-107 E 4
Lopatino = Lablacken 112 E 2
Łopatki 113 G 2
Łopienno 104-105 K 5
Lopik 106-107 D 5
Lopikerwaard 106-107 DE 5
Loppersum [Deutschland] 102-103 B 4
Loppersum [Niederlande] 106-107 H 2
Loppow [= Łupowo] 104-105 F 5
Loray 116-117 BC 2
Lorch [Baden-Württemberg] 114-115 F 3
Lorch [Hessen] 108-109 E 6
Loreakopf 116-117 L 2
Loreley 108-109 E 6
Lorentzweiler 106-107 G 9
Lorenz [= Loryniec] 104-105 L 2
Lorenzago di Cadore 118-119 CD 6
Lorenzdorf [= Ławszowa] 110-111 MN 3
Loretto 118-119 LM 3
Lörrach 114-115 B 5
Lorraine = Lothringen 101 BC 4
Lorsch 108-109 G 7
Lorup 102-103 C 5
Loryniec = Lorenz 104-105 L 2
Losa [= Loza] 114-115 N 1
Loschowitz [= Lovečkovice] 110-111 K 4
Losdorf = Zvoleněves 110-111 K 5
Losen = Losa 114-115 N 1
Losenstein 118-119 G 3
Losheim [Nordrhein-Westfalen] 108-109 B 6
Losheim [Saarland] 108-109 C 7
Łosiów = Lossen [Schlesien, ↗ Breslau 113 C 3
Łosiów = Lossen [Schlesien, ↖ Oppeln] 113 EF 5
Loslau [= Wodzisław Śląski] 113 EF 5
Łośno = Lotzen 104-105 F 5
Losoncz = Lučenec 101 J 4
Losonz = Lučenec 101 J 4
Łososiowice = Loßwitz
Lossa [Sachsen] 110-111 G 3
Lossa [Sachsen-Anhalt] 110-111 D 3
Loßburg 114-115 C 4
Lössel 120 G 3
Lossen [= Łosiów] [Schlesien, ↗ Breslau] 113 C 3
Lossen [= Łosiów] [Schlesien, ↖ Oppeln] 113 D 4
Losser 106-107 HJ 4
Losser-De Lutte 106-107 HJ 4
Lößnitz 110-111 G 4
Lossow 110-111 L 1
Loßwitz [= Łososiowice, 4 km ↓ Wohlau 113 B 3]
Lostallo 116-117 H 4
Lostau [= Włostowo] 104-105 M 5
Lostorf 116-117 E 2
Löthain 110-111 H 3
Lötschbergtunnel 116-117 E 4
Lötschenpass 116-117 E 4
Lötschental 116-117 E 4
Lotseninsel 102-103 H 1
Lotte 108-109 E 2
Lottin [= Lotyń] 104-105 J 3
Lötttringhausen, Dortmund- 120 F 3
Lottstetten [3 km ↓ Jestetten 114-115 CD 5]
Lotyń = Lottin 104-105 J 3
Lotzen [= Łośno] 104-105 F 5
Lötzen [= Giżycko] 112 G 3
Lotzwil [2 km ↓ Langenthal 116-117 E 2]
Loučeň 110-111 LM 5
Loučky = Grünlas
Loučná 110-111 NO 5-6
Loučná = Böhmisch Wiesenthal 110-111 GH 5
Loučná = Wieselstein 110-111 J 4
Loučná nad Desnou = Wiesenberg 113 BC 5
Loudrefing = Lauterfingen 108-109 C 9
Louisendorf 120 A 2
Louisenthal 104-105 M 3
Loulans 116-117 B 2
Lounky = Launken 110-111 K 5
Louny = Laun 110-111 J 5
Lourches 106-107 A 8
Louvain= Löwen 106-107 D 7
Louveigné 106-107 F 7
Louvière, la – 106-107 C 8
Louvigny 108-109 B 9
Louvroil 106-107 BC 8
Lovagny 116-117 AB 5
Lovászi 118-119 M 5
Lovečkovice = Loschowitz 110-111 K 4
Lovello, Monte – = Großer Löffler 118-119 BC 4
Lovendegem 106-107 AB 6
Lövenich [Nordrhein-Westfalen, ↓ Erkelenz] 120 B 4
Lövenich [Nordrhein-Westfalen, ← Köln] 120 D 5
Lovere 116-117 K 5
Lövő = Schützen 118-119 M 3
Lovosice = Lobositz 110-111 JK 4
Löwen 106-107 D 7
Löwen [= Lewin Brzeski] 113 D 4
Löwenberg in Schlesien [= Lwówek Śląski] 110-111 MN 3
Löwenberg (Mark) 104-105 B 5
Löwenhagen [= Komsomol'sk] 112 E 2
Löwenstedt 102-103 F 1
Löwenstein 114-115 E 2
Löwensteiner Berge 114-115 EF 2
Löwentinsee 112 G 3-4
Lowick 120 C 1
Łowicz = Lowitsch 101 JK 2
Łowiczek 104-105 N 5
Lowin [= Łowyń 104-105 G 5-6
Lowin [= Ługowina] 104-105 F 3
Łowinek = Lowinneck 104-105 M 4
Lowinneck [= Łowinek] 104-105 M 4
Lowitsch [= Łowicz] 101 JK 2
Löwitz 104-105 C 3
Löwitz [= Lewice] 113 D 5
Lowoschau = Lauschen
Łowoszów = Lauschen
Łowyń = Lowin 104-105 G 5-6
Loxstedt 102-103 E 4
Loxten 108-109 F 2
Loy 102-103 D 4
Loye [= Rybacje] 112 F 1
Loza = Losa 114-115 N 1
Łoźnica = Kantreck 104-105 E 3
Lozorno 118-119 N 2
Łozy = Loos 110-111 M 3
Lozzo Cadore 118-119 C 6

Luban [= Lubón] 104-105 J 6
Lubań = Lauban 110-111 M 3
Lubanice = Laubnitz 110-111 M 2
Lubanie 104-105 NO 5
Lubanowo = Liebenow 104-105 E 4
Lübars 110-111 F 1
Lubasch [= Lubasz] 104-105 HJ 5
Lubasz = Lubasch 104-105 HJ 5
Lubawa = Löbau 112 C 4
Lubawka = Liebau in Schlesien 110-111 O 4
Lübbecke 108-109 G 2
Lubbeek 106-107 D 7
Lubben [= Łubno] 104-105 K 2
Lübbenau im Spreewalde 110-111 J 2
Lübben (Spreewald) 110-111 J 2
Lübbesee [Brandenburg, ↖ Angermünde] 104-105 C 4
Lübbesee [Brandenburg, ↖ Landsberg (Warthe)] 104-105 E 5
Lübbow 102-103 K 5
Lübchen [= Lubów] 113 AB 2
Lubczyna = Lübzin 104-105 E 3
Lübeck 102-103 J 3
Lübeck-Elbe-Kanal 102-103 J 3
Lübecker Bucht 102-103 JK 2
Lübeck-Kücknitz 102-103 J 3
Lübeck-Niendorf 102-103 J 3
Lübeck-Sankt Jürgen 102-103 J 3
Lübeck-Schlutup 102-103 J 3
Lübeck-Travemünde 102-103 JK 3
Lüben [= Lubin] 110-111 O 3
Lüben [= Lubno] 104-105 H 4
Lubenec = Lubenz 110-111 H 5
Lubens = Lubenz 110-111 H 5
Lubenz [= Lubenec] 110-111 H 5
Lübesse 102-103 KL 4
Lubiana (Pyrzycka) = Alt Libbehne 104-105 F 4
Łubianka = Breitenbruch 104-105 F 5
Lubiath [= Lubiatów] 104-105 G 5
Lubiatów = Liebthal 110-111 M 2
Lubiatów = Lobedau 113 BC 4-5
Lubiatów = Lubiath 104-105 G 5
Lubiatowo = Lübtow 104-105 EF 4
Lubiatowo, Jezioro – = Lüptowsee 104-105 H 2
Lubiąż = Leubus 113 AB 3
Lubichow [= Lubichowo] 104-105 M 3
Lubichowo = Lubichow 104-105 M 3
Lubicz = Blumenfelde 104-105 G 5
Lubicz = Leibitsch 104-105 N 4
Lubicz = Lindow 104-105 DE 4
Lubicz [1 km ↘ Leibitsch 104-105 N 4]
Lubięcin = Liebenzig 110-111 N 2
Lubie, Jezioro – = Großer Lübbesee 104-105 G 4
Łubie Jezioro = Lübbesee 104-105 E 5
Lubienia = Sacken 113 D 4
Lubieniów = Liebenow 104-105 G 4
Lubień Kujawski 104-105 O 6
Lubieszewo = Güntershagen 104-105 G 4
Lubieszewo = Ladekopp 104-105 O 2
Lubiewo 104-105 M 4
Lubiewo = Liebeseele 104-105 D 3
Lubij = Löbau 110-111 L 3
Lubikowskie, Jezioro – = Liebucher See 104-105 G 5
Lubin = Lebbin 104-105 DE 3
Lubin = Lüben 110-111 O 3
Lubin = Lübben (Spreewald) 110-111 J 2
Lubiń 113 B 2
Lubiszewo Tczewskie = Liebschau 104-105 N 2
Lubiszyn = Ludwigsruh 104-105 EF 5
Lubkowskie Wzgórze = Sprengelberg 104-105 F 3
Lublin 101 L 3
Lubliniec = Lublinitz 113 F 4
Lubliniec = Lublinitzer Wasser 113 EF 4
Lublinitz [= Lubliniec] 113 F 4
Lublinitzer Wasser 113 EF 4
L'ublino = Seerappen 112 D 2
Lüblow 102-103 K 4
Lubmin 104-105 C 2
Lubná 110-111 J 5
Lubnia 104-105 L 3
Łubniany = Lugendorf 113 E 4
Lubnice = Hafnerluden 118-119 K 1
Lubniewice = Königswalde 104-105 F 5
Lubniewsko, Jezioro – = Ankensee 104-105 F 6
Lubnjow (Błota) = Lübbenau im Spreewalde 110-111 J 2
Lubno = Liebenow 104-105 F 5
Lubno = Lüben 104-105 H 4
Łubno = Lubben 104-105 K 2
Lubochowo = Liebwalde
Lubogoszcz = Eichberg 110-111 L 1
Lubom = Lubomia 113 E 5
Lubomia 113 E 5
Lubomierz = Liebenthal 110-111 N 3
Lubomino = Arnsdorf 112 D 3
Lubón = Luban 104-105 J 6
Luboraz = Lieberose 110-111 K 2
Lubosch [= Lubosz] 104-105 H 5
Lubosin [= Lubosina] 104-105 H 5
Lubosina = Lubosin 104-105 H 5
Lubosz = Lubosch 104-105 H 5
Luboszów = Lipschau-Dohms 110-111 MN 3
Luboszyce = Herrnlauersitz 113 AB 2
Lubotyń 104-105 N 6
Lubow [= Łubowo] 104-105 H 3
Lubów = Laubow 104-105 EF 6
Lubów = Lübchen 113 AB 2
Lübow 102-103 L 3
Lubowo 104-105 H 5
Łubowo = Libau 104-105 K 5
Łubowo = Lubow 104-105 H 3
Lubraniec 104-105 N 5
Lubraniez = Lubraniec 104-105 N 5
Lubrza = Leuber 113 D 5
Lubrza = Liebenau bei Schwiebus 110-111 MN 1
Lubska = Lauben 113 D 3
Lubsko = Sommerfeld (Niederlausitz) 110-111 LM 2
Lubst 110-111 L 2
Lübstorf 102-103 K 3
Lubstów [3 km ↗ Lubstówek 104-105 MN 6]
Lubstówek 104-105 MN 6
Lubsza = Lubst 110-111 L 2
Lübtheen 102-103 K 4
Lübtow [= Lubiatowo] 104-105 EF 4
Lubuczewo = Lübzow 104-105 K 1
Luby = Schönbach 110-111 F 5
Lübz 102-103 LM 4
Lübzin [= Lubczyna] 104-105 E 3
Lübzow [= Lubuczewo] 104-105 K 1
Lučany nad Nisou = Wiesenthal an der Neiße 110-111 M 4
Luče = Leutsch 118-119 H 6
Lučenec 101 J 4
Lucens 116-117 C 3
Lucerna = Luzern 116-117 F 2
Lucerne = Luzern 116-117 F 2
Lüchenthin [= Łukęcin] 104-105 E 2
Lüchow 102-103 K 5
Lüchtringen 108-109 HJ 3
Luck [= Łuka] 110-111 H 5
Lucka 110-111 F 3
Luckau (Niederlausitz) 110-111 J 2
Luckenau 110-111 EF 3
Luckenwalde 110-111 H 1
Lucknainer See 112 FG 4
Luckow 104-105 D 3
Luco, Monte – = Laugenspitze 116-117 M 3
Lucy 108-109 BC 9
Ludendorff 112 F 2
Lüdenscheid 120 GH 4
Lüder 108-109 HJ 5
Lüderichsberg 120 E 5
Lüderitz 102-103 L 5
Lüderitz = Łabiszyn 104-105 L 5
Lüderode, Weißenborn- 110-111 BC 2
Lüdersdorf [3 km ↖ Lunow 104-105 D 5]
Lüdershagen 102-103 N 2
Ludesch [2 km ↘ Thüringen 116-117 J 2]
Ludgeřovice = Ludgerstal
Ludgerstal [= Ludgeřovice, 4 km → Hultschin 113 E 6]
Lüdinghausen 120 FG 1
Lüdingworth 102-103 E 3
Luditz [= Žlutice] 110-111 H 5
Ludom [= Ludomy] 104-105 J 5
Ludomy = Ludom 104-105 J 5
Ludvíkov = Ludwigsthal 113 C 5
Ludvíkovice = Loosdorf
Ludweiler/Warndt 108-109 C 8
Ludwels [3 km → Blumau an der Wild 118-119 JK 1]
Ludwigsburg 114-115 E 3
Ludwigsdorf 110-111 L 3
Ludwigsdorf [= Nagodowice] 113 E 3
Ludwigsfeld = Neu-Ulm-Ludwigsfeld
Ludwigsfelde 110-111 H 1
Ludwigsfeste [= Fort-Louis] 108-109 EF 9
Ludwigshafen am Bodensee 114-115 E 5
Ludwigshafen am Rhein-Oppau 108-109 F 7
Ludwigshafen am Rhein 108-109 F 8
Ludwigshafen am Rhein-Friesenheim [↑ Ludwigshafen am Rhein 108-109 F 8]
Ludwigshafen am Rhein-Mundenheim [↙ Ludwigshafen am Rhein 108-109 F 8]
Ludwigshafen am Rhein-Oggersheim [↖ Ludwigshafen am Rhein 108-109 F 8]
Ludwigshöhe [= Osowa Góra] 113 B 1
Ludwigskanal 114-115 J 2
Ludwigslust 102-103 KL 4
Ludwigsluster Kanal 102-103 K 4
Ludwigsort [= Laduškin] 112 D 2
Ludwigsruh [= Lubiszyn] 104-105 EF 5
Ludwigsstadt 110-111 D 5
Ludwigsthal [= Ludvíkov] 113 C 5
Ludwigswalde [= Lesnoje] 112 E 2
Lueg, Paß – 118-119 E 3
Luganersee 116-117 G 5-H 4
Lugano 116-117 G 4
Lugano-Paradiso [↓ Lugano 116-117 G 4]
Lugau [Brandenburg] 110-111 J 2
Lugau [Sachsen] 110-111 G 4
Lügde 108-109 H 3
Lugendorf [= Łubniany] 113 E 4
Lugetal [= Stara Wiśniewka] 104-105 K 4
Luggau 118-119 D 5
Luggau [= Lukov] 118-119 K 1
Ługi, Lauchstädt 104-105 G 5
Ługi Radły 113 F 4
Ługi Ujskie = Usch Hauland 104-105 J 4
Lugknitz [= Łęknice] 110-111 L 2
Lugnezertal 116-117 H 3
Lugnian = Lugendorf 113 E 4
Lugo di Vicenza 116-117 MN 5
Lugoj 101 KL 6
Lugos = Lugoj 101 KL 6
Lugosch = Lugoj 101 KL 6
Lugovoje = Gutenfeld 112 E 2
Ługowina = Lowin 104-105 F 3
Lühburg 102-103 N 3
Luhe [Bayern, Fluß] 114-115 L 1
Luhe [Bayern, Ort] 114-115 L 1
Luhe [Niedersachsen] 102-103 H 4
Lühmannsdorf 104-105 C 2
Luijksgestel 106-107 E 6
Luik = Liège 106-107 EF 7
Luik = Lüttich 106-107 EF 7
Luino 116-117 G 4
Luisenfelde [4 km ↘ Brudnia 104-105 N 5
Luisenthal 110-111 C 4
Luisenthal [= Szklarka Myślniewska] 113 D 3
Luka = Luck 110-111 H 5
Lukavice = Lukawitz 113 A 5
Lukawitz [= Lukavice] 113 A 5
Łukęcin = Lüchenthin 104-105 E 2
Lukmanierpass 116-117 G 3
Łuknajno, Jezioro – = Lucknainer See 112 FG 4
Łukom 113 D 1
Lukow = Luggau 118-119 K 1
Łuków 101 L 4
Lukowice Brzeskie = Laugwitz 113 C 4
Łukowiec = Bachwitz 104-105 L 4
Łukta = Locken 112 D 4
Lumda 108-109 G 5
Lumezzane 116-117 K 5
Lumino [3 km ↗ Arbedo-Castione 116-117 H 4]
Lummen 106-107 E 6-7
Lumpėnai = Lompönen 112 GH 1
Lunden 102-103 F 2
Lundenburg [= Břeclav] 118-119 M 1
Lundtop 102-103 F 1
Lune 102-103 E 4
Lüneburg [Ort, Verwaltungseinheit] 102-103 H 4
Lüneburger Heide 102-103 GH 4-5
Lünen 120 FG 2
Lünen-Brambauer 120 FG 2
Lünern 120 H 2
Lunéville 101 C 4
Lungau 118-119 F 4
Lungern 116-117 F 3
Lungernsee 116-117 F 3
Lungo, Sasso – = Langkofel 116-117 N 3
Lunino = Hohensalzburg 112 H 2
Lunow 104-105 D 5
Lunz am See 118-119 J 3
Lunzenau 110-111 G 4
Lunzer See 118-119 J 3
Łupawa = Lupow [Fluß] 104-105 K 1
Łupawa = Lupow [Ort] 104-105 K 2
Lupburg 114-115 K 2
Lupfen 114-115 D 4
Łupków 101 L 4
Lupow [= Łupawa] [Fluß] 104-105 K 1
Lupow [= Łupawa] [Ort] 104-105 K 2
Łupowo = Loppow 104-105 F 5
Luppa 110-111 G 3
Luppy 108-109 B 9
Lüptitz 110-111 G 3
Lüptowsee 104-105 H 2
Lure 116-117 BC 1
Lurley = Loreley 108-109 E 6
Luschan = Lužany 114-115 N 1
Lusche = Luže 110-111 O 6
Luschetz an der Moldau = Lužec nad Vltavou 110-111 K 5
Lusohna = Lužná 110-111 J 5
Luschnitz 118-119 H 1
Luschtenitz = Luštěnice 110-111 LM 5
Luschwitz [= Włoszakowice] 113 A 2
Lusen 114-115 N 3
Luseney, Becca de – 116-117 DE 5
Lusiana 116-117 N 5
Lusin [= Luzino] 104-105 M 1
Lusowo 104-105 J 6
Lüssel 116-117 E 2
Lüssow 104-105 BC 3
Lussowo = Lusowo 104-105 J 6
Lustenau 116-117 J 2
Luštěnice 110-111 LM 5
Lustin 106-107 D 8
Lüstringen 108-109 F 2
Łuta = Lauta 110-111 K 3
Lutago = Luttach 118-119 B 5
Lütau 102-103 J 4
Luterskie Jezioro = Großer Lauternsee 112 E 3-4
Lütetsburg 102-103 B 3
Lütgendorf 102-103 N 3
Lütgendortmund, Dortmund- 120 F 2
Luthe 102-103 FG 6
Luthern 116-117 E 2
Luthern Bad 116-117 EF 2
Lutherstadt Eisleben = Eisleben 110-111 E 2
Lutherstadt Wittenberg = Wittenberg 110-111 G 2
Lüthorst 108-109 J 3
Lütjehörn 102-103 A 3
Lütjenburg 102-103 J 2
Lütjensee 102-103 H 3
Lutjeswaard 106-107 DE 2-3
Lutkowo = Rehwinkel
Lutogniew [5 km ↖ Krotoschin 113 C 2]
Lutol = Leuthen-Wintdorf 110-111 K 2
Lutol, Jezioro – = Naßlettelsee 104-105 G 6
Lutol Suchy = Dürrlettel 104-105 G 6
Lutomek = Groß Luttom 104-105 H 5
Lutomia = Leutmannsdorf 113 AB 4
Lutówko = Klein Lutau 104-105 K 4
Lutowo = Groß Lutau 104-105 K 4
Lutry 116-117 C 3-4
Lutrye = Lautern 112 E 3
Luttach [= Lutago] 118-119 B 5
Lütte 110-111 G 1
Lutte, Losser-De – 106-107 HJ 4
Lüttelsdorf = Courroux 116-117 D 2
Lutten 102-103 D 5
Luttenberg [= Ljutomer] 118-119 L 5
Lutten, Hoogeveen- 106-107 H 3
Lutter am Barenberge 110-111 B 2
Lutterbach 116-117 D 1
Lüttich 106-107 EF 7
Luttre 106-107 C 7
Lüttringhausen, Remscheid- 120 EF 4
Lututów 113 EF 3
Lutynia 113 D 2
Lutynia = Leuthen 113 B 3
Lützel 108-109 F 5
Lützelbourg = Lützelburg 108-109 D 9
Lützelburg [= Lutzelbourg] 108-109 D 9
Lützelflüh [7 km ↙ Burgdorf 116-117 E 2]
Lützelsachsen 114-115 D 1
Lützelstein [= la Petite-Pierre] 108-109 D 9
Lutzen 110-111 F 3
Lutzig [= Stare Ludzicko] 104-105 H 3
Lützlow [4 km ↗ Gramzow 104-105 CD 4]
Lutzmannsburg 118-119 M 4
Lützow 102-103 K 3
Lützschena 110-111 F 3
Luxembourg = Luxemburg [Belgien] 106-107 E 9-F 8
Luxembourg = Luxemburg [Luxemburg; Ort, Verwaltungseinheit] 106-107 G 9
Luxembourg = Luxemburg [Luxemburg, Staat] 106-107 F 8-G 9
Luxembourg-Eich = Luxemburg-Eich 106-107 G 9
Luxemburg-Hollerich = Luxemburg-Hollerich 106-107 G 9
Luxemburg [= Luxembourg] [Belgien] 106-107 E 9-F 8
Luxemburg [= Luxembourg] [Luxembourg; Ort, Verwaltungseinheit] 106-107 G 9

Luxemburg [=Luxembourg] [Luxemburg, Staat] 106-107 F 8-G 9
Luxemburg-Eich [= Luxembourg-Eich] 106-107 G 9
Luxemburg-Hollerich [= Luxembourg-Hollerich] 106-107 G 9
Luxeuil-les-Bains 116-117 BC 1
Luzan = Lužany 114-115 N 1
Lužany 114-115 N 1
Luže 110-111 O 6
Lužec nad Vltavou 110-111 K 5
Luzein 116-117 J 3
Luzern [Ort] 116-117 F 2
Luzern [Verwaltungseinheit] 116-117 EF 2
Lužická Nisa = Lausitzer Neiße 110-111 L 2
Lužické hory = Lausitzer Gebirge 110-111 LM 4
Luzino = Lusin 104-105 M 1
Lužná 110-111 J 5
Lužnice = Luschnitz 118-119 H 1
Łużyca 113 E 3

L'vovskoje = Gudwallen 112 GH 3

Lwówek = Neustadt bei Pinne 104-105 H 6
Lwówek Śląski = Löwenberg in Schlesien 110-111 MN 3

Lyaumont, Aillevillers-et- 116-117 B 1
Lychen 104-105 B 4
Lyck 112 H 4
Lyck [= Ełk] 112 H 4
Łyna = Alle 112 E 3
Łyna = Lahna 112 D 5
Lyoffans 116-117 C 1
Lyon 101 B 6
Lys >—>
Lys [Italien] 116-117 E 5
Lysa = Schauerberg 114-115 M 2
Lysagora 101 K 3
Łysa Góra 113 CD 1
Lysá hora 101 J 4
Lysá nad Labem = Lissa an der Elbe 110-111 L 5
Łyse 112 G 5
Łysica = Kahlberg-Liep 112 BC 3
Łysiny = Lissen 110-111 O 2
Lyskamm 116-117 E 5
Łyskornia 113 E 3
Lys-lès-Lannoy 106-107 A 7
Łysogóry = Lysagora 101 K 3
Lyss 116-117 D 2

M

Maarheeze 106-107 F 6
Maarssen 106-107 E 4
Maartensdijk 106-107 E 4
Maas 101 B 3, B 4
Maas [= Meuse] 106-107 D 8-9
Maas, Alte – 106-107 CD 5
Maas, Bergsche – 106-107 DE 5
Maasbracht 106-107 F 6
Maasbree 106-107 FG 6
Maasdam [4 km \ 's-Cravendeel 106-107 CD 5]
Maasdorf 110-111 HJ 2
Maaseik 106-107 F 6
Maas en Waal 106-107 EF 5
Maasholm 102-103 GH 1
Maaskant 106-107 EF 5
Maasland [2 km ✗ Maassluis 106-107 C 5]
Maas, Neue – 106-107 C 5
Maasniel, Roermond- 106-107 G 6
Maas, Nieuwe – = Neue Maas 106-107 C 5
Maas, Oude – = Alte Maas 106-107 CD 5
Maastricht 106-107 F 7
Maas-Waalkanaal 106-107 EF 5
Maccagno 116-117 G 4
Machelen 106-107 CD 7
Macherio [5 km → Seregno 116-117 H 5]
Machern 110-111 G 3
Machland 118-119 H 2
Machlin [= Machliny] 104-105 H 4
Machliny = Machlin 104-105 H 4
Maciowakrze = Matzkirch 113 DE 5
Mackenberg 120 J 1
Mackenrode 110-111 C 2
Mackenzell 108-109 J 5
Mačkovci 118-119 L 1
Mackovice = Moskowitz 118-119 L 1
Macon 106-107 C 8
Mâcon 101 B 5
Mâcot 116-117 C 5
Macugnaga 116-117 E 5
Maczków = Matschdorf 110-111 L 1
Made en Drimmelen 106-107 D 5
Mädelegabel [Ort, Verwaltungseinheit] 116-117 K 2
Madeleine, la – 106-107 A 7
Mader [= Modrava] 114-115 NO 2
Maderno 116-117 L 5
Madèsimo 116-117 H 4
Madfeld [= 4 km \ Beringhausen 108-109 G 4]
Madiswil 116-117 E 2
Madone, II – 116-117 G 4
Madonna di Campiglio 116-117 L 4
Madris, lo – 116-117 J 3
Madruzzo 116-117 LM 4
Madüsee 104-105 E 4

Maffe 106-107 E 8
Maffersdorf [= Vratislavice nad Nisou] 110-111 M 4
Magadino 116-117 G 4
Magasa 116-117 L 5
Magdala 110-111 DE 4
Magdeburg [Ort, Verwaltungseinheit] 110-111 E 1
Magdeburg-Buckau 110-111 E 1
Magdeburger Börde 110-111 DE 1
Madeburgerforth 110-111 F 1
Magden [4 km ↓ Rheinfelden 116-117 E 1]
Magenta 116-117 G 6
Mägerkingen 114-115 E 4
Maggia [Fluß] 116-117 G 4
Maggia [Ort] 116-117 G 4
Maggiânico >—>
Magland 116-117 C 4
Magleby 102-103 J 1
Maglinau = Ostrau-Maglinau
Magnago 116-117 G 5
Magnuszewice 113 D 2
Magrè all'Àdige = Margreid
Magstadt 114-115 DE 3
Magyarország = Ungarn 101 H-K 5
Magyarszombatfa 118-119 LM 5
Mahlberg 114-115 E 4
Mahlin [= Malenin] 104-105 N 2
Mahlow 104-105 B 3
Mahlsdorf 102-103 K 5
Mahlsdorf, Berlin- 104-105 C 5
Mahlspüren im Tal 114-115 E 5
Mahlwinkel 110-111 E 1
Mahnwitz [= Mianowice] 104-105 K 2
Mähren 101 G 4
Mahrenberg [= Märenberg] 118-119 J 5
Mähring 114-115 LM 1
Mährisch Altstadt = Altstadt 113 B 5
Mährische Thaya 118-119 J 1
Mährisch Neudorf [= Moravská Nová Ves] 118-119 MN 1
Mährisch Ostrau = Ostrau 113 E 6
Mährisch Rothwasser = Rothwasser 113 B 5
Mährisch Schönberg [= Šumperk] 113 BC 6
Mahrungsee 112 D 4
Maiche 116-117 C 2
Maichingen [2 km ↓ Magstadt 114-115 DE 3]
Maienfeld 116-117 J 2
Maienfels 114-115 F 2
Maiersgrün [= Vysoká] 110-111 FG 6
Maihingen 114-115 H 3
Maikammer 108-109 F 8
Mailand [= Milano] [Ort, Verwaltungseinheit] 116-117 H 6
Mailand-Affori [= Milano-Affori] 116-117 H 6
Mailand-Bàggio [= Milano-Bàggio] 116-117 H 6
Mailand-Chiaravalle [= Milano-Chiaravalle] 116-117 H 6
Mailand-Crescenzago [= Milano-Crescenzago] 116-117 H 5
Mailand-Lambrate [= Milano-Lambrate] 116-117 H 6
Mailand-Precotto [= Milano-Precotto] 116-117 H 5
Mailand-Rogoredo [= Milano-Rogoredo] 116-117 H 6
Mailand-Vigentino [= Milano-Vigentino] 116-117 H 6
Mailand-Niguarda [= Milano-Niguarda, ↑ Mailand 116-117 H 6]
Mailberg 118-119 L 1
Mailing [4 km \ Großmehring 114-115 JK 3]
Mailley-et-Chazelot 116-117 B 1
Main 101 E 3
Mainaschaff [4 km ← Aschaffenburg 108-109 H 7]
Mainau 114-115 E 5
Mainbernheim 114-115 G 1
Mainburg 114-115 K 3
Main-Donau-Kanal 114-115 J 2
Mainhardt 114-115 F 2
Mainhardter Wald 114-115 F 2
Mainleus 110-111 D 5
Main, Roter – 110-111 D 5, 114-115 K 1
Mainroth 110-111 D 5
Main, Sankt-Gorgon- 116-117 B 2
Mainstockheim 114-115 G 1
Mainvault 106-107 B 7
Main, Weißer – 110-111 D 5
Mainz 108-109 F 6-7
Mairano 116-117 H 6
Maisach 114-115 J 4
Maishofen 118-119 H 3
Maissau 118-119 K 1
Maissin 106-107 E 9
Maitenbeth 114-115 L 4
Maizières-lès-Metz 108-109 B 8
Maizières-lès-Vic 108-109 C 9
Majakowskoje = Nemmersdorf 112 H 2
Majbølle 102-103 L 1
Majskaja = Pasmar 112 E 3
Majskoje = Mallwen 112 H 2
Makkinga, Ooststellingwerf- 106-107 G 2-3
Makkum, Wonseradeel- 106-107 E 2
Makó 101 K 5
Mąkolno 104-105 N 6
Mąkowarsko 104-105 L 4
Makowiska 113 FG 3
Maksymilianowo = Maxtal 104-105 M 4
Malacka [= Malacky] 118-119 MN 2

Malacky = Malacka 118-119 MN 2
Malaczka = Malacka 118-119 MN 2
Mała Ina = Paule Ina 104-105 F 4
Malá Morava = Klein Mohrau 113 B 5
Malá Morávka = Klein Mohrau 113 C 5
Malanów 113 EF 2
Malans 116-117 J 3
Malapane 113 E 4
Malapane [= Ozimek] 113 E 4
Mała Panew = Malapane 113 E 4
Malá Skála = Kleinskal
Mała Śleza = Kleine Lohe 113 BC 4
Malberg 108-109 BC 6
Malborghetto Valbruna [10 km → Pontebba 118-119 E 5]
Malbork = Marienburg (Westpreußen) 112 AB 3
Malborn 108-109 CD 7
Malbuisson 116-117 B 3
Malcèsine 116-117 L 5
Malchen = Melibocus 108-109 G 7
Malchin 102-103 N 3
Malchiner See 102-103 N 3
Malching 114-115 N 4
Malchow 102-103 MN 4
Malchow [= Malechowo] 104-105 HJ 2
Malchow, Kloster – 102-103 MN 4
Malczyce = Maltsch 113 AB 3
Maldegem 106-107 AB 6
Maldeuten [= Małdyty] 112 C 4
Maldwein = Mołdawin 104-105 F 3
Małdyty = Maldeuten 112 C 4
Malè 116-117 L 4
Małe Chełmy = Klein Chelm 104-105 L 3
Malechowo = Malchow 104-105 HJ 2
Malé Heraltice = Klein Herrlitz 113 D 6
Malé Hoštice = Klein Hoschütz
Malé Karpaty = Kleine Karpaten 101 H 4
Malé Levàre = Klein Schützen 118-119 MN 1-2
Malen = Mélin 106-107 D 7
Malenin = Mahlin 104-105 N 2
Malente 102-103 HJ 2
Maleschau = Malešov] 110-111 M 6
Malešov = Maleschau 110-111 M 6
Malé Svatoňovice = Klein Schwadowitz 110-111 O 4
Malga [= Małga] 112 E 5
Malín 110-111 M 6
Malines = Mechelen 106-107 CD 6
Malinovka = Rautenburg 112 F 1
Malitsch [= Maluszów] 110-111 O 3
Mallerau [6 km ✗ Tavannes 116-117 D 2]
Mallersdorf 114-115 L 3
Màlles Venosta = Mals 116-117 L 3
Mallin 104-105 B 3
Malliß 102-103 K 4
Mallmitz [= Małomice] 110-111 M 2
Mallnitz 118-119 E 5
Mallnitzer Tauern = Niederer Tauern 118-119 E 4
Mallnow [= Malonowo] 104-105 G 2-3
Mallwen [= Majskoje] 112 H 2
Mallwischken = Mallwen 112 H 2
Malmédy 106-107 G 8
Malnate 116-117 G 5
Malo 116-117 M 5
Maloggia = Maloja 116-117 J 4
Maloja 116-117 J 4
Malojapass 116-117 J 4
Małomice = Mallnitz 110-111 M 2
Malomożajskoje = Neusiedel (Ostpreußen) 112 H 2
Malonne 106-107 D 8
Malonno 116-117 L 5
Malonowo = Mallnow 104-105 G 2-3
Malonty = Meinetschlag 118-119 H 1
Malовice = Kunzendorf 113 AB 3
Malowice = Małowice = Mårzdorf 104-105 H 4
Mals [= Màlles Venosta] 116-117 L 3
Malsburg 114-115 B 5
Malsch 114-115 C 3
Malschwitz [3 km ↓ Klix 110-111 KL 3]
Malse = Maltsch 118-119 H 1
Malsfeld 108-109 J 4
Malsow [= Małuszów] 104-105 F 6
Malta [Fluß] 118-119 E 5
Malta [Ort] 118-119 EF 5
Malterdingen 114-115 B 4
Malterhausen 110-111 G 1
Malters 116-117 F 2
Maltheuern [= Záluži, 2 km ✗ Nieder Georgenthal 110-111 HJ 4]
Maltsch 118-119 H 1
Maltsch [= Malczyce] 113 AB 3
Małujowice = Mollwitz 113 C 4
Malura, Pizzo – 116-117 G 4
Małuszów = Malitsch 110-111 O 3
Małuszów = Malsow 104-105 F 6
Malvaglia 116-117 GH 4
Malval, Saulnot-et- 116-117 C 1
Małyn 113 G 2
Mały Płock 112 H 5
Mały Wjelkow = Kleinwelka 110-111 K 3
Malz [2 km ✗ Friedrichsthal 104-105 B 5]
Malzéville 108-109 B 9
Mamer 106-107 G 9
Mamerow 102-103 M 3
Mamirolle 116-117 B 2
Mamming 114-115 M 3
Mamonovo = Heiligenbeil 112 C 3
Mamry, Jezioro – = Mauersee 112 G 3
Manage 106-107 C 7
Manchengut [= Mańki] 112 D 4

Manching 114-115 JK 3
Manczka = Malacka 118-119 MN 2
Mandello del Làrio 116-117 H 5
Mandeln 112 E 2
Mandelsloh über dem See 102-103 FG 5
Manderfeld 106-107 G 8
Manderscheid 108-109 C 6
Mandeure 116-117 C 2
Mandlingpaß 118-119 F 4
Manebach 110-111 C 4
Manerba del Garda 116-117 L 5
Manětín 110-111 H 6
Mangfall 114-115 K 5
Mangfallgebirge 114-115 KL 5
Mangschütz [= Mąkczyce] 113 D 4
Manhartsberg 118-119 K 1-2
Manieczki 113 B 1
Maniewo 104-105 J 5
Manigod 116-117 B 5
Mank 118-119 J 2
Mańki = Manchengut 112 D 4
Männedorf 116-117 G 2
Mannersdorf am Leithagebirge 118-119 M 3
Mannheim 114-115 CD 1-2
Mannheim-Freudenheim [→ Mannheim 114-115 CD 1-2]
Mannheim-Friedrichsfeld 114-115 D 2
Mannheim-Käfertal 114-115 CD 1
Mannheim-Neckarau [↓ Mannheim 114-115 CD 1-2]
Mannheim-Rheinau 114-115 CD 1-2
Mannheim-Sandhofen [\ Mannheim 114-115 CD 1-2]
Mannheim-Wallstadt [✗ Mannheim 114-115 CD 1-2]
Manow [= Manowo] 104-105 H 2
Manowo = Manow 104-105 H 2
Manschnow 104-105 DE 5
Mansfeld 110-111 D 2
Mansfelde [= Lipie Góry, 5 km ↑ Friedsberg Neumark 104-105 G 5]
Mansfeld-Leimbach
Manslagt 102-103 B 4
Mantau [= Mantov] 114-115 N 1
Mantel 114-115 L 1
Mantgum 106-107 F 2
Mantov = Mantau 114-115 N 1
Maräg, Jezioro – = Mahrungsee 112 D 4
Maransense, Großer – 112 D 4
Marbach [Deutschland, Baden-Württemberg] 114-115 C 4
Marbach [Deutschland, Hessen] 108-109 J 5
Marbach [Deutschland, Sachsen] 110-111 H 3
Marbach [Schweiz] 116-117 E 3
Marbach an der Donau 118-119 J 2
Marbais 106-107 CD 7
Marbeck 120 J 1
Marburg [= Maribor] 118-119 K 5
Marburg an der Lahn 108-109 G 5
Marcallo con Casone 116-117 G 6
Marcardsmoor 102-103 C 4
March 101 H 4
Marchairupass 116-117 B 3
Marchaux 116-117 B 2
Marche-en-Famenne 106-107 E 8
Marchegg 118-119 M 2
Marche-les-Dames 106-107 DE 7-8
Marche-lez-Écaussinnes 106-107 C 7
Marchfeld 118-119 M 2
Marchienne-au-Pont 106-107 C 8
Marchiennes 106-107 A 8
Marchin 106-107 E 8
Marchtrenk 118-119 G 2
Marcinelle 106-107 CD 8
Marcinki = Märzdorf 113 D 3
Marcinkowice = Marzdorf 104-105 H 4
Marcinkowice = Märzdorf 113 C 4
Marcinkowo = Mertinsdorf 112 F 4
Marcinowice = Groß Merzdorf 113 B 4
Marckolsheim = Markolsheim 114-115 B 4
Marcoing 106-107 A 8
Marcourt 106-107 F 8
Marcq [= Mark] 106-107 C 7
Mardorf 102-103 F 5-6
Marenberg = Mahrenberg 118-119 J 5
Maret [= Gajków] 113 C 3
Margarethenhütte 111 FG 5
Margetshöchheim 114-115 F 1
Marggrabowa = Treuburg 112 J 3
Margonin 104-105 K 5
Margoniner See 104-105 K 5
Margonińskie, Jezioro – = Margoniner See 104-105 K 5
Margraten 106-107 F 7
Margreid = Magrè all'Àdige 116-117 M 4
Maria Anzbach 118-119 KL 2
Maria Eichsel 116-117 G 2
Maria Erzersdorf [2 km ↑ Mödling 118-119 L 2]
Maria Gail [3 km \ Villach 118-119 F 5]
Mariahilf 118-119 K 3
Mariakerke 106-107 B 6
Mariakerke, Ostende- = Ostende-Mariakerke 106-107 a 1
Maria Kulm [= Chlum Svaté Maří, 2 km → Katzengrün 110-111 FG 5]
Maria Laach 108-109 D 6
Maria Lauch am Jauerling 118-119 J 2
Maria Lankowitz 118-119 HJ 4
Marianka = Kapsukas 101 L 1
Mariano Comense 116-117 H 4
Marianowo = Marienfließ

Mariánské Lázně = Marienbad 110-111 G 6
Mariapfarr 118-119 F 4
Maria Plain 118-119 E 3
Maria Rain 118-119 G 5
Maria Rast [= Ruše] 118-119 K 5
Maria Rojach 118-119 H 5
Maria Saal 118-119 G 5
Maria Schmolln [5 km ✗ Schalchen 118-119 E 2]
Maria Schütz 118-119 K 3
Mariasdorf 118-119 L 4
Mariasteir 116-117 DE 2
Maria Taferl 118-119 J 2
Mariatres, Graz- 118-119 K 4
Mariavese 120 E 1
Mariawałe, Kloster – [2 km ↓ Heimbach 108-109 BC 5]
Mariawei er-Hoven [2 km \ Birkesdorf 108-109 E 5]
Maria Wörth 118-119 G 5
Mariazell 118-119 J 3
Maribo [Ort] 102-103 L 1
Maribo [Verwaltungseinheit] 102-103 KL 1
Maribor = Marburg 118-119 K 5
Mariena = Marynowo] 104-105 O 2
Marienbad = Mariánské Lázně 110-111 G 6
Marienbaum 122 B 2
Marienberg [Brandenburg] 110-111 JK 2
Marienberg [Sachsen] 110-111 H 4
Marienberg, Festung – [2 km ✗ Würzburg 114-115 FG 1]
Marienburg, Hardenberg- 106-107 H 3
Marienberg (Westerwald) 108-109 EF 5
Marienborn 110-111 D 1
Marienborn, Kaan- 108-109 F 5
Marienbourg 106-107 CD 8
Marienbronn = Neu Bronischewitz 113 D 2
Marienbronn = Marienhof 112 D 2
Marienburg [Niedersachsen] 108-109 J 2
Marienburg (Westpreußen) [= Malbork] 112 AB 3
Marienburg (Westpreußen)-Tessendorf [= Malbork Nowa Wieś 112 AB 3]
Marienburg (Westpreußen) [= Malbork] 112 AB 3
Mariendrebber 102-103 DE 5
Marienfeld [4 km \ Harsewinkel 108-109 H 3]
Marienfeld = Glaznoty 112 C 4
Marienfelde [= Mariengoł] 112 C 4
Mariengoł = Mariengoł] 112 D 2
Marienhafe 102-103 B 3
Marienheide 120 F 2
Marienhof [Deutschland] 102-103 EF 3
Marienhof 108-109 J 3
Marienhof [Rheinland-Pfalz] 108-109 D 6
Marienheim 114-115 AB 3
Marienhül[s 120 E 2
Marienrachwitz 104-105 C 5
Marienstein 102-103 DE 5
Marienstatt 108-109 E 5
Marienstedt 108-109 E 5
Marienthal [Niedersachsen] 108-109 J 2
Marienburg [Westpreußen] [= Malbork] 112 AB 3
Marienthal [Nordrhein-Westfalen] 120 D 2
Marienthal [= Baniewice] 104-105 E 4
Marienthal [2 km ✗ Ostritz 110-111 L 3]
Marienthal [5 km \ Torgelow-Jäger-brück 104-105 D 3]
Marienwalde = Bierzwnik 104-105 G 4
Marienwerder 104-105 C 5
Marienwerder [= Kwidzyn] 112 AB 4
Marigniar 116-117 BC 4
Marihn 102-103 NO 3
Marinsee 118-119 EF 5
Marisée 110-111 C 4
Marjino = Arnau 112 E 2
Marjoß 108-109 J 6
Mark 116-107 D 5
Mark = Marcq 106-107 C 7
Marka 02-103 C 5
Mark Brandenburg = Brandenburg 101 FG 2
Markdorf 114-115 E 5
Markdorf [= Markowice] 113 E 5
Markelo 106-107 GH 4
Varkelsdorfer Huk 102-103 JK 1
Markersheim [5 km \ Bad Merkentheim 114-115 F 2]
Marken 106-107 E 4
Markendorf 110-111 L 2
Markersdorf [= Markvartice] 110-111 L 2
Markersdorf an der Pielach 118-119 K 2
Markerwaard 106-107 E 3
Markgräfierland 114-115 B 5
Markgrafpieske 104-105 C 3
Markie: 114-115 DE 3
Markkleeberg 110-111 F 3
Marklissa = Leśna 110-111 M 3
Mankkofen 114-115 LM 3
Marklohe 102-103 F 5

Marklowice = Nieder Marklowitz 113 F 5
Marknesse, Noordoostelijke Polder- 106-107 F 3
Markneukirchen 110-111 F 5
Markoldendorf 108-109 J 3
Markolsheim [= Marckolsheim] 114-115 B 4
Markosice = Markersdorf 110-111 L 2
Markowice = Markdorf 113 E 5
Markowice = Markowitz 104-105 M 5
Markowice = Markowice 104-105 M 5
Markowitz = Markdorf 113 E 5
Markowitz = Markdorf 113 E 5
Markranstädt 110-111 F 3
Marksburg 108-109 E 6
Marksoby [= Marksoby] 112 F 4
Marksoby = Markshöfen 112 F 4
Markstädt [= Laskowice Oławskie] 113 C 3
Markstädt [= Mieścisko] 104-105 K 5
Marksuhl 110-111 B 4
Markt Allhau 118-119 L 4
Markt Berolzheim 114-115 H 2
Markt Bohrau = Borów] 113 B 4
Marktbreit 114-115 G 1
Markt Erlbach 114-115 H 2
Markthausen [= Vysokoje] 112 G 2
Marktheidenfeld 114-115 F 1
Markthof [6 km ✗ Engelhartstetten 118-119 M 2]
Markt Indersdorf 114-115 J 4
Marktl 114-115 M 4
Marktlaugast 110-111 E 5
Marktleuthen 110-111 EF 5
Marktlustenau 114-115 G 3
Marktoberdorf 116-117 K 5
Marktoffingen 114-115 G 3
Marktredwitz 110-111 F 5
Markt Rettenbach 114-115 G 5
Markt Sankt Florian 118-119 G 2
Marktschorgast 110-111 E 5
Markt Schwaben 114-115 KL 4
Markt Wald 114-115 H 4
Marktzeuln [3 km ← Redwitz an der Rodach 110-111 D 5]
Markvartice = Markersdorf 110-111 L 2
Marl 120 E 2
Marloie 106-107 E 8
Marlow 102-103 MN 2
Marl-Sinsen 120 E 2
Marly-le-Grand [3 km \ Freiburg 116-117 D 3]
Marmarole 118-119 C 5-6
Marmarole, Gruppo di – = Marmarole 118-119 C 5-6
Marmolada [Berg] 116-117 M 4
Marmolada [Gebirge] 116-117 N 4
Marmontana, Monte – 116-117 H 4
Marmoutier = Maursmünster 108-108 D 9
Marne [Deutschland] 102-103 EF 3
Marne [Frankreich] AB 4
Marne au Rhin, Canal de la – = Marne-Rhein-Kanal 101 B 4
Marne-Rhein-Kanal 101 C 4
Marnheim 108-109 F 7
Marnitz 102-103 LM 4
Maroldsweisach 110-111 C 5
Marone 110-111 C 5
Maros = Mureş 101 K 5
Maròstica 118-119 N 5
Maróz, Jezioro – = Großer Maransen-see
Marpent 106-107 C 8
Marpingen 108-109 D 8
Marquartstein 114-115 LM 5
Marsal 108-109 C 9
Marscheiten [1 km ↓ Groß Dirschkeim 112 C 2]
Marsdiep 106-107 D 3
Marsdorf [= Marszów] 110-111 M 2
Màrser, Monte – 116-117 K 4
Mars, Monte – 116-117 E 5
Marsow [= Marszewo, 5 km ← Saleske 104-105 J 1]
Marstal 102-103 J 1
Marstalbucht 102-103 HJ 1
Märstetten 116-117 H 1
Marszewo = Marsow
Marszów = Marsdorf 110-111 M 2
Martelange [Berg] 116-117 F 4
Martello, Val – = Marteltal 116-117 L 3-4
Marteltal 116-117 L 3-4
Marthenthiner See 104-105 L 3
Martew = Marthe 104-105 H 4
Martfeld 102-103 EF 5
Marthalen [8 km ↓ Schaffhausen 116-117 G 1]
Marthe [= Martew] 104-105 H 4
Martigny [Frankreich] 106-107 C 9
Martigny >—>
Martina = Martinsbruck 116-117 K 3
Martinach = Martigny 116-117 D 4
Martinèves = Martinowes 110-111 K 5
Martinlamitz 110-111 EF 5
Martinowes = Martinèves 110-111 K 5
Martinsberg 118-119 J 2
Martinsbruck [= Martina] 116-117 K 3
Martinsdorf = Sankt Martin bei Wurmberg 118-119 K 6
Martinshöhe 108-109 DE 8
Martinstein [2 km \ Simmern unter Dhaun 108-109 DE 7]
Martinszell 114-115 G 5

Martjanci 118-119 L 5
Mártonhely = Martjanci 118-119 L 5
Martwa Wisła = Danziger Weichsel 104-105 N 2
Marum 106-107 G 2
Marwałd = Marwalde 112 C 4
Marwalde = Marwałd 112 C 4
Marwice = Marwitz 104-105 D 4
Marwitz [= Marwice] 104-105 D 4
Marwitz [3 km ✗ Velten 104-105 B 5]
Marx [2 km \ Friedeburg 102-103 C 4]
Marxöwen = Markshöfen 112 F 4
Marxwalde 104-105 D 5
Marynowy = Marienau 104-105 O 2
Marz [1 km \ Rohrbach bei Mattersburg 118-119 LM 3]
Marzahna 110-111 G 2
Marzahne 102-103 N 5-6
Marzdorf [= Marcinkowice] 104-105 H 4
Märzdorf [= Marcinki] 113 D 3
Märzdorf [= Marcinkowice] 113 C 4
Märzdorf [= Żelazna] 113 C 4
Marzęcin = Marienspring 104-105 F 5
Marzęcino = Jungfer 104-105 O 2
Marzell 114-115 B 5
Marzenin 104-105 L 6
Marzo, Monte – 116-117 E 5
Maschau [= Mašt'ov] 110-111 H 5
Maschen 102-103 H 4
Maselheim 114-115 F 4
Masenberg 118-119 K 4
Masera 116-117 F 4
Masevaux = Masmünster 116-117 CD 1
Maskawa = Moskawa 113 C 1
Maskawa = Schrodaer Fließ 113 C 1
Mąskoszyce = Mangschütz 113 D 4
Maślaki [4 km ✗ Wilczyn 104-105 M 5-6]
Masłów = Massel 113 C 3
Masłowice 113 F 3
Masmünster [= Masevaux] 116-117 CD 1
Maßbach 110-111 B 5
Massel [= Masłów] 113 C 3
Massen 120 G 2
Masserano 116-117 F 5
Masserberg 110-111 CD 4
Maßhaupt, Kladno = Kladno-Kročehlavy 110-111 J 5
Massin [= Mosina] 104-105 E 5
Massing 114-115 M 4
Massow [= Maszewo] 104-105 F 3-4
Mastàun 116-117 L 3
Mastholte 108-109 F 3
Mastig [= Mostek] 110-111 N 5
Mašt'ov = Maschau 110-111 H 5
Masúccio, Monte – 116-117 K 4
Masuchowken = Rodental (Ostpreußen)
Masuren 112 DH 4
Masurischer Kanal 112 FG 3
Maszewo = Massow 104-105 F 3-4
Maszewo = Messow 110-111 L 1
Maszewo (Lęborskie) = Groß Massow 104-105 L 2
Mątawa = Montau 104-105 N 3
Materborn 108-109 AB 3
Mattheningken = Mattenau 112 G 2
Mátra 101 JK 5
Matrei am Brenner 116-117 MN 2
Matrei in Osttirol 118-119 D 4-5
Matrosovka = Gilge 112 G 1
Matrosovka = Gilge 112 F 1
Matschdorf [= Maczków] 110-111 L 1
Matt 116-117 H 3
Mattarello 116-117 M 4
Matten [5 km ↑ Lenk 116-117 DE 4]
Mattenhagen 120 H 4
Mattenhorn [= Cervino] 116-117 E 5
Mattenau 112 G 2
Mattersburg 118-119 L 3
Mattertal = Nikolaital 116-117 E 4
Mattig 118-119 E 2
Mattighofen 118-119 E 2
Matton-et-Clémency 106-107 E 9
Mattsee 118-119 E 3
Mattwaldhorn 116-117 E 4
Matzkirch [= Maciowakrze]
Mątwy, Hohensalza- [= Inowrocław-Mątwy]
Mątwy, Inowrocław- = Hohensalza-Mątwy 104-105 M 5
Matzdorf [= Maciowakrze] 113 F 6
Matzen 118-119 M 2
Matzingen 116-117 GH 1
Matzkirch = Maciowakrze 113 DE 5
Maubert-Fontaine 106-107 CD 8
Maubeuge 106-107 BC 8
Maudit, Mont – 116-117 C 5
Mauer 112 F 2
Mauer [= Pilchowice] 110-111 N 4
Mauer = Wien-Mauer
Mauer [2 km \ Meckesheim 114-115 D 2]
Mauer bei Amstetten 118-119 H 2
Mauerkirchen 118-119 E 2
Mauersee 112 G 3
Mauersee [= Kissainsee] 112 G 3
Maulbronn 114-115 D 2-3
Mauls [= Mūles] 116-117 N 3
Maurach 118-119 B 4
Maurik 106-107 E 5
Maursmünster [= Marmoutier] 108-109 D 9
Mausküw [= Muszkowo] 104-105 EF 5
Mausz, Jezioro – = Großer Mauschsee 104-105 L 2
Mautern 118-119 K 2
Mauterndorf 118-119 F 4
Mautern in Steiermark 118-119 H 4
Mauth 118-119 F 1
Mauthausen 118-119 H 2

Mauthen 28 Młodoszowice

Mauthen >→
Mauvoisin 116-117 D 4
Maxdorf [= Dolní Maxov, 3 km ↘ Josefsthal 110-111 M 4]
Maxen 110-111 J 4
Maxéville 108-109 B 9
Maxhütte-Haidhof 114-115 L 2
Maximiliansau 108-109 F 8
Maxtal [= Maksymilianowo] 104-105 M 4
Maydenberg 118-119 M 1
Mayen 108-109 D 6
Mayerling, Schloß - 118-119 KL 2
Mayrhofen 118-119 B 4
Mazańkowice = Matzdorf 113 F 6
Mazew 113 G 1
Mazuchówka = Rodental (Ostpreußen)
Mazures, les - 106-107 D 9
Mazurskijkanal = Masurischer Kanal 112 FG 3
Mazury = Masuren 112 D-H 4
Mazy 106-107 D 7

Mchy = Emchen 113 C 1

Mechau [= Mechowo] 104-105 M 1
Mecheln [= Malines] 106-107 CD 6
Mechelen-aan-de-Maas 106-107 F 7
Mecheln = Mechelen 106-107 CD 6
Mechernich 108-109 C 5
Mechnica = Mechnitz 113 DE 5
Mechnitz [= Mechnica] 113 DE 5
Měcholupy = Miecholup 110-111 HJ 5
Mechow 104-105 B 4
Mechowo = Dorphagen 104-105 F 3
Mechowo = Mechau 104-105 M 1
Mechowo (Łobeskie) = Zimmerhausen 104-105 F 3
Mechowo (Pyrzyckie) = Megow 104-105 E 4
Mechterstädt 110-111 BC 4
Męcikał = Mentschikal 104-105 L 3
Měčín 114-115 N 2
Męcinka = Herrmannsdorf 110-111 NO 3
Meckelfeld 102-103 H 4
Meckenbeuren 114-115 F 5
Meckenheim [Nordrhein-Westfalen] 108-109 CD 5
Meckenheim [Rheinland-Pfalz] 108-109 F 8
Meckesheim 114-115 D 2
Meckinghoven, Datteln- 102 F 2
Mecklenburg [Landschaft] 102-103 K 4-0 3, 104-105 A 3-B 4
Mecklenburg [Ort] 102-103 K 3
Mecklenburg [Verwaltungseinheit] 101 EF 2
Mecklenburger Bucht 102-103 K-M 2
Mécleuves 108-109 B 8
Mecsekgebirge 101 J 5
Meda 116-117 H 5
Medaro, Pizzo - 116-117 FG 4
Medebach 108-109 G 4
Medeglia 116-117 GH 4
Medelby 102-103 F 1
Medel, Piz - 116-117 G 3
Medelsheim 108-109 D 8
Medel, Val - = 116-117 G 3
Medemblik 106-107 E 3
Medemsand 102-103 E 3
Medenau [= Logvino] 112 D 2
Měděnec = Kupferberg 110-111 H 5
Medenost = Medonost 110-111 KL 5
Medewitz 110-111 F 1
Medjimurje 118-119 L 6
Mednitz [= Miodnica] 110-111 M 2
Medonost [= Medonosy] 110-111 KL 5
Medonosy = Medonost 110-111 KL 5
Medow 104-105 BC 3
Medritsch = České Meziříčí 110-111 NO 5
Mędromierz Wielki = Groß Mangelmühle 104-105 L 3
Medvědí = Bärenstein 110-111 H 4
Meeder 110-111 C 5
Meer 106-107 D 6
Meerane 110-111 FG 4
Meerdorf [5 km → Stederdorf 110-111 B 1]
Meerhof 108-109 G 3
Meerholz [4 km ↙ Gelnhausen 108-109 H 6]
Meerhout 106-107 E 6
Meerkerk 106-107 D 5
Meerle 106-107 D 6
Meerlo 106-107 G 5
Meern, Vleuten-De - 106-107 DE 4
Meersburg 114-115 E 5
Meerssen 106-107 F 1
Meeschendorf (Fehmarn) 102-103 K 2
Meesiger 102-103 NO 3
Meesow [= Mieszewo] 104-105 F 3
Meeuwen 106-107 F 6
Megchelen 120 B 1
Megen 106-107 F 5
Mégève 116-117 C 5
Mégevette 116-117 BC 4
Meggen [6 km → Luzern 116-117 F 2]
Megow [= Mechowo (Pyrzyckie)] 104-105 E 4
Méhaigne 106-107 D 7
Mehderitzsch 110-111 GH 2-3
Mehlauken = Liebenfelde (Ostpreußen)
Mehlawischken = Liebenort 112 FG 2
Mehlby 102-103 G 1
Mehlen [= Mielno] 110-111 L 2
Mehlingen [6 km ↘ Otterberg 108-109 E 7]
Mehlis, Zella- 110-111 C 4
Mehlkehmen = Birkenmühle 112 J 3
Mehlsack [= Pieniężno] 112 D 3
Mehltheuer 110-111 H 3
Mehrenthin [= Mierzęcin] 104-105 G 5
Mehring [Bayern] 114-115 M 4
Mehring [Rheinland-Pfalz] 108-109 C 7
Mehringen 110-111 E 2
Mehrnbach [4 km → Ried im Innkreis 118-119 EF 2]
Mehrstetten 114-115 F 4
Mèia, Monte della - 116-117 EF 5
Meichow [3 km ↑ Polßen 104-105 C 4]
Meiden [10 km ↓ Turtmann 116-117 E 4]
Meidenpass 116-117 E 4
Meiderich, Duisburg- 120 D 3
Meiental 116-117 FG 3
Meigelshof [= Trhanov] 114-115 M 2
Meijel 106-107 F 6
Meikirch [7 km ← Münchenbuchsee 116-117 D 2]
Meilen 116-117 G 2
Meillerie 116-117 C 4
Meimersdorf [3 km ↗ Molfsee 102-103 GH 2]
Mèina 116-117 FG 5
Meinberg, Bad - 108-109 GH 3
Meine 110-111 C 1
Meinersen 102-103 H 6
Meinerzhagen 120 G 4
Meinetschlag [= Malonty] 118-119 H 1
Meiningen 110-111 B 4
Meiningsen 120 J 2
Meinsdorf 120-111 F 2
Meiringen 116-117 F 3
Meisdorf 110-111 D 2
Meiseberg 110-111 M 2
Meisenheim 108-109 E 7
Meisenthal 108-109 D 9
Meiserich, Ulmen- 108-109 CD 6
Meiße 102-103 G 5
Meißen 110-111 HJ 3
Meißen [2 km ↗ Neesen 108-109 GH 2]
Meißendorf 102-103 G 5
Meißenheim [3 km ↗ Ottenheim 114-115 B 4]
Meißner 108-109 J 4
Meisterschwanden 116-117 F 2
Meisterswalde [= Mierzeszyn] 104-105 MN 2
Meistratzheim 114-115 AB 4
Meitingen 114-115 H 3
Meitzendorf [4 km ← Barleben 110-111 E 1]
Meix-devant-Virton 106-107 EF 9
Męka 113 F 2
Melbeck 102-103 H 4
Melchenberg 120 E 1
Melchnau 116-117 E 2
Melchow 104-105 C 5
Melchtal 116-117 F 3
Melchthal [8 km ↘ Sarnen 116-117 F 3]
Meldorf 102-103 EF 2
Meldorfer Bucht 102-103 E 2
Meledo 116-117 M 6
Meleschwitz = Fünfteichen 113 C 3
Melezza 116-117 G 4
Melibocus 108-109 G 7
Melibokus = Melibocus 108-109 G 7
Melick en Herkenbosch 106-107 G 6
Melide 116-117 G 5
Mélin [= Malen] 106-107 D 7
Melisey 116-117 C 1
Melk [Fluß] 118-119 J 2
Melk [Ort] 118-119 J 2
Mella 116-117 K 5
Mellau 116-117 J 2
Melle [Belgien] 106-107 B 6-7
Melle [Deutschland] 108-109 F 2
Mellen 120 H 3
Mellen = Mellensee 110-111 H 1
Mellenbach 110-111 D 4
Mellendorf 102-103 G 5
Mellensee 110-111 H 1
Mellentin [= Mielęcin (Myśliborski)] 104-105 E 4
Mellentin [= Mielęcin (Wałecki)] 104-105 H 4
Mellier [Fluß] 106-107 EF 9
Mellier [Ort] 106-107 F 9
Mellingen 110-111 D 4
Mellno [= Mielno] 104-105 K 3
Mellrichstadt 110-111 B 5
Mělnické Vtelno 110-111 L 5
Mělník 110-111 KL 5
Mel'nikov = Rudau 112 D 2
Melno 104-105 N 4
Mels 116-117 H 2
Melsbroek 106-107 CD 7
Melsele 106-107 C 6
Melsungen 108-109 J 4
Melzo 116-117 H 6
Melzow 104-105 C 4
Melzwig, Dabrun- [5 km → Pratau 110-111 G 2]
Memel 101 K 1
Memel [= Klaipėda] 101 K 1
Memelgebiet = Memelland 101 KL 1
Memelland 101 KL 1
Memleben 110-111 DE 3
Memmelsdorf 114-115 HJ 1
Memmert 102-103 AB 3
Memmingen 114-115 G 5
Memmingerberg [3 km → Memmingen 114-115 G 5]
Menàggio 116-117 H 4
Menaldumadeel 106-107 F 2
Menaldumadeel-Deinum 106-107 F 2
Menaldumadeel-Menaldum 106-107 F 2
Menaldum, Menaldumadeel- 106-107 F 2
Menden 120 H 3
Menden (Rheinland) 108-109 D 5
Mèndola 116-117 M 4
Mendrisio >→
Menen [= Menin] 106-107 A 7
Mengen 114-115 E 4
Mengeringhausen 108-109 G 4
Mengersgereuth-Hämmern 110-111 D 5
Mengerskirchen 108-109 F 5
Mengkofen 114-115 L 3
Menin = Menen 106-107 A 7
Menka = Męka 113 F 2
Menninghüffen 108-109 G 2
Mensfelden 108-109 F 6
Mensguth [= Dźwierzuty] 112 E 4
Menslage 102-103 C 5
Menstede-Coldinne [3 km ↗ Großheide 102-103 B 3]
Menteroda 110-111 C 3
Menthon-Saint-Bernard 116-117 B 5
Mentschikal [= Męcikał] 104-105 L 3
Mentue 116-117 C 3
Menz 104-105 AB 4
Menzelen 120 C 2
Menzenschwand 114-115 BC 5
Menziken 116-117 F 2
Menzingen [Deutschland] 114-115 D 2
Menzingen [Schweiz] 116-117 G 2
Menznau 116-117 EF 2
Meppel 106-107 G 3
Meppeler Diep 106-107 G 3
Meppen 102-103 B 5
Mera 116-117 H 4
Meran [= Merano] 116-117 M 3
Merano = Meran 116-117 M 3
Merate 116-117 H 5
Merbes-le-Château 106-107 C 8
Mercey, Gevigney-et- 116-117 A 1
Merching 114-115 HJ 4
Merchingen 114-115 EF 2
Merchtem 106-107 C 7
Merchweiler 108-109 CD 8
Mercury-Gémilly 116-117 B 5
Merdingen 114-115 B 4
Mere 106-107 BC 7
Merelbeke 106-107 B 7
Merendree [3 km → Hansbeke 106-107 AB 6]
Merfeld 120 E 1
Mergelstetten, Heidenheim- 114-115 FG 3
Mergentheim, Bad - 114-115 F 2
Mergoscia 116-117 G 4
Mergozzo 116-117 FG 5
Mergozzo, Lago di - 116-117 FG 5
Mering 114-115 HJ 4
Merke [= Mierków] 110-111 L 2
Merkelsgrün [= Merklín] 110-111 G 5
Merkem 106-107 a 2
Merken [5 km ↗ Langerwehe 108-109 B 5]
Merkendorf 114-115 H 2
Merkenich, Köln- 120 D 4
Merkenstein, Schloß - 118-119 L 3
Merkers [2 km ↓ Kieselbach 110-111 B 4]
Merklin 114-115 N 1
Merklín = Merkelsgrün 110-111 G 5
Merklingen 114-115 F 3
Merksem 106-107 CD 6
Merksplas 106-107 D 6
Merkstein 108-109 D 5
Merlau 108-109 H 5
Merlemont 106-107 D 8
Meronitz [= Měrunice] 110-111 J 5
Meroux [5 km ↘ Belfort 116-117 C 1]
Mersch [Deutschland] 120 B 5
Mersch [Luxemburg] 106-107 G 9
Merseburg 110-111 E 5
Mersin [= Miersino] 104-105 LM 1
Mersuay 116-117 B 1
Mertensdorf 102-103 M 4
Mertingen 114-115 H 3
Mertinsdorf [= Marcinkowo] 112 F 4
Mertschütz [= Mierczyce] 113 A 3
Mertzwiller = Merzweiler 108-109 E 9
Merunen = Mieruniszki 112 J 3
Měrunice = Meronitz 110-111 J 5
Merville 106-107 a 2
Merwede, Beneden- 106-107 D 5
Merwedekanaal 106-107 E 5
Merwede, Nieuwe - 106-107 D 5
Merxhausen [2 km ↓ Sand 108-109 H 4]
Merxheim 108-109 DE 7
Merzdorf 110-111 H 2
Merzdorf [3 km ← Gröden 110-111 J 3]
Merzenhausen 120 B 5
Merzenich 108-109 C 5
Merzen, Lechtrup- 102-103 C 6
Merzenstein 118-119 J 1
Merzhausen 114-115 B 5
Merzig 108-109 C 8
Merzweiler [= Mertzwiller] 108-109 E9
Merzwiese [= Węzyska] 110-111 L 1
Mésandans 116-117 B 2
Meschede 108-109 F 4
Mescherin 104-105 D 4
Meseberg 102-103 L 5
Mesen [= Messines] 106-107 a 2
Mesendorf 102-103 M 4
Meseritz [= Międzyrzecz] 104-105 G 6
Mesnil-Saint-Blaise 106-107 DE 8
Mesocco = Misox 116-117 H 4
Mesolcina, Val - 116-117 H 4
Mespelbrunn 114-115 E 1
Messancy 106-107 F 9
Meßdorf 102-103 L 5
Messenthin, Stettin- [= Szczecin-Mścięcino] 104-105 DE 3
Messincourt 106-107 E 9
Messines = Mesen 106-107 a 2
Meßkirch 114-115 E 5
Messow [= Maszewo] 110-111 L 1
Meßstetten 114-115 DE 4
Městečko = Städtel 110-111 J 5
Městec Králové = Königstadtl 110-111 M 5
Mestlin 102-103 L 3
Město Albrechtice = Olbersdorf 113 D 5
Město Touškov = Tuschkau 114-115 N 1
Mèsule = Groß Mösele 118-119 B 5
Mesum 108-109 DE 2
Meszna 113 D 1
Metelen 108-109 D 2
Metgethen 112 D 2
Methler 120 G 2
Metnitz [Fluß] 118-119 G 5
Metnitz [Ort] 118-119 G 5
Metschin = Měčín 114-115 N 2
Metschlau [= Mycielin] 110-111 N 2
Metslawier 106-107 G 2
Mettau 110-111 O 5
Metten 114-115 M 3
Mettendorf 108-109 B 7
Mettenheim 114-115 LM 4
Mettet 106-107 D 8
Mettingen 108-109 E 2
Mettkau [= Mietków] 113 B 4
Mettkeim [= Novgorodskoje] 112 E 2
Mettlach 108-109 C 7-8
Mettmach 118-119 E 2
Mettmann 120 DE 3-4
Mettmenstetten 116-117 F 2
Metuje = Mettau 110-111 O 5
Metz 108-109 B 8
Metzervisse = Metzerwiese 108-109 B 8
Metzerwiese [= Metzervisse] 108-109 B 8
Metzhausen 120 DE 3
Meulebeke 106-107 A 7
Meurcourt 116-117 B 1
Meurthe 101 C 4
Meuse = Maas 106-107 D 8-9
Meuselbach-Schwarzmühle 110-111 D 4
Meuselwitz 110-111 F 3
Mewe [= Gniew] 104-105 N 3
Mewegen [3 km → Rothenklempenow 104-105 D 3]
Meyenburg [Brandenburg] 102-103 M 4
Meyenburg [Niedersachsen] 102-103 E 4
Meyerode [= Meyrode] 106-107 G 8
Meyn 102-103 KL 4
Meyrin [2 km ↑ Vernier 116-117 B 4]
Meyrode = Meyerode 106-107 G 8
Meždurečje = Norkitten 112 G 2
Mézières 106-107 D 9
Meziměstí = Halbstadt 113 A 4
Meziřitz = České Meziříčí 110-111 NO 5
Mezzana 116-117 L 4
Mezzano 116-117 N 4
Mezzaselva = Mittewald 116-117 MN 3
Mezzocorona 116-117 M 4
Mezzola, Lago di - 116-117 H 4
Mezzolombardo 116-117 LM 4

Miała 104-105 H 5
Miały = Miała 104-105 H 5
Mianowice = Mahnwitz 104-105 K 2
Miasteczko Krajeńskie = Friedheim 104-105 JK 4
Miasteczko Śląskie = Georgenberg 113 F 4-5
Miastko = Rummelsburg in Pommern 104-105 JK 2
Miava 118-119 N 1
Michaelnbach 118-119 F 2
Michalovce 101 KL 4
Michalovy Hory = Michelsberg 114-115 M 1
Michałowice = Michelwitz 113 CD 4
Michelau 110-111 D 5
Michelbach [Deutschland, Baden-Württemberg] 114-115 C 3
Michelbach [Deutschland, Hessen] 108-109 F 6
Michelbach [Österreich] 118-119 K 2
Michelbach an der Bilz 114-115 F 2
Michelberg 118-119 L 2
Micheldorf in Oberösterreich 118-119 G 3
Michelfeld [Baden-Württemberg, Kraichgau] 114-115 D 2
Michelfeld [Baden-Württemberg, Waldenburger Berge] 114-115 F 2
Michelfeld [Bayern] 114-115 K 1
Michelhausen 118-119 K 2
Michelob = Miecholup 110-111 HJ 5
Michelsberg 108-109 C 5
Michelsberg [= Michalovy Hory] 114-115 M 1
Michelsdorf 110-111 G 1
Michelsdorf [= Miszkowice] 110-111 N 4
Michelsdorf [= Ostrov, 3 km ↖ Rudelsdorf 113 AB 6]
Michelsneukirchen 114-115 M 2
Michelstadt 108-109 H 7
Michelwitz [= Michałowice] 113 CD 4
Michendorf 104-105 AB 6
Michle, Prag- [= Praha-Michle] 110-111 KL 5
Michle, Praha- = Prag-Michle 110-111 KL 5
Michl, Prag- = Prag-Michle 110-111 KL 5
Michorzewo [4 km ↖ Rudniki 104-105 H 6]
Mickrow [= Mikorowo] 104-105 L 2
Middelburg [Belgien] 106-107 A 6
Middelburg [Niederlande] 106-107 AB 5-6
Middelhagen 104-105 C 2
Middelharnis 106-107 C 5
Middelkerke 106-107 a 1
Middels 102-103 C 3
Middelstum 106-107 H 2
Midden-Beemster 106-107 DE 3
Middenmeer 106-107 DE 3
Midi, Dent du - 116-117 CD 4
Midlum 102-103 E 3
Midsland 106-107 E 2
Miecholup [= Měcholupy] 110-111 HJ 5
Miechucino 104-105 M 2
Miechutschin = Miechucino 104-105 M 2
Miedwie, Jezioro - = Madüsee 104-105 E 4
Miedzianka = Kupferberg (Riesengebirge) 110-111 N 4
Miedzichowo = Kupferhammer 104-105 G 6
Miedzno 113 F 4
Międzybórz = Neumittelwalde 113 D 3
Międzybórz = Wehnershof 104-105 JK 3
Międzychód = Birnbaum 104-105 G 5
Międzylesie = Mittelwalde (Schlesien) 113 B 5
Międzyrzecz = Meseritz 104-105 G 6
Międzywodzie = Heidebrink 104-105 E 2
Międzyzdroje = Misdroy 104-105 DE 3
Miehlen 108-109 E 6
Miejsce Odrzańskie = Schönblick 113 E 5
Miejska Górká = Görchen 113 B 2
Miękinia = Nimkau 113 B 3
Miękowo = Münchendorf 104-105 E 3
Mielau = Mława 101 K 2
Mielec 101 K 3
Mielęcin (Myśliborski) = Mellentin 104-105 E 4
Mielęcin (Wałecki) = Mellentin 104-105 H 4
Mieleszyn 113 E 3
Mieleszyn = Hohenau 104-105 KL 5
Mieletz = Mielec 101 K 3
Mielno = Mehlen 110-111 L 2
Mielno = Mellno 104-105 K 3
Mielno = Mühlen 112 D 4
Mielno (Koszalińskie) = Großmöllen 104-105 H 2
Mielno Stargardzkie = Groß Mellen 104-105 G 4
Mieltschin [= Mielżyn] 104-105 L 6
Mielżyn = Mieltschin 104-105 L 6
Mieming 116-117 L 2
Mienken [= Dominikowo] 104-105 G 4
Mień [= Liptanka] 104-105 NO 5
Mierczyce = Mertschütz 113 A 3
Mierde, Hooge en Lage - 106-107 E 6
Mieresch = Mureş 101 K 5
Mierków = Merke 110-111 L 2
Mierlo 106-107 F 6
Mieroszów = Friedland 110-111 O 4
Miersino = Mersin 104-105 LM 1
Mieruniszki = Merunen 112 J 3
Mierzęcin = Mehrenthin 104-105 G 5
Mierzeszyn = Meisterswalde 104-105 MN 2
Mierzyce 113 F 3
Mierzyn = Möhringen 104-105 DE 4
Mies 114-115 N 1
Mies [= Stříbro] 114-115 MN 1
Miesau 108-109 D 8
Miesbach 114-115 K 5
Mieschkow = Mieszków 113 CD 1
Mieścisko = Markstädt 104-105 K 5
Miesenheim [4 km ↙ Weißenthurm 108-109 D 6]
Mieste 102-103 K 6
Miesterhorst 110-111 D 1
Mieszałki = Grünewald 104-105 H 3
Mieszewo = Meesow 104-105 F 3
Mieszków 113 CD 1
Mieszkowice = Bärwalde Neumark 104-105 DE 5
Mieszkowice = Dittmannsdorf
Mietingen 114-115 F 4
Miętkie = Mingfen
Mietków = Mettkau 113 B 4
Mietraching 114-115 N 3
Mietzel 104-105 E 5
Mieussy 116-117 C 4
Migehnen [= Mingajny] 112 D 3
Mignovillard 116-117 B 3
Mihályi 118-119 N 3-4
Mihla 110-111 B 3
Mijdrecht 106-107 D 4
Mijoux 116-117 A 4
Mikołajki = Nikolaiken 112 G 4
Mikołajki Pomorskie [= Niklaskirchen] 112 B 4
Mikołajowice = Nikolstadt 113 A 3
Mikołów = Nikolai 113 F 5
Mikorowo = Mickrow 104-105 L 2
Mikorzyn 113 E 3
Mikoszewo = Nickelswalde 104-105 N0 2
Mikow = Mücka (Oberlausitz) 110-111 L 3
Mikstat = Mixstadt 113 D 2
Mikulášovice = Nixdorf 110-111 K 4
Mikulczyce = Klausberg 113 F 5
Mikulov = Niklasberg 110-111 J 4
Mikulov = Nikolsburg 118-119 M 1
Mikulovice = Niklasdorf 113 C 5
Mikułowa = Nikolausdorf 110-111 M 3
Mikultschütz = Klausberg 113 F 5
Miłakowo = Liebstadt 112 D 3
Milano = Mailand [Ort, Verwaltungseinheit] 116-117 H 6
Milano-Affori = Mailand-Affori 116-117 H 5
Milano-Bàggio = Mailand-Bàggio 116-117 H 6
Milano-Chiaravalle = Mailand-Chiaravalle 116-117 H 6
Milano-Crescenzago = Mailand-Crescenzago 116-117 H 5
Milano-Lambrate = Mailand-Lambrate 116-117 H 6
Milano-Niguarda = Mailand-Niguarda
Milano-Precotto = Mailand-Precotto 116-117 H 5
Milano-Rogoredo = Mailand-Rogoredo 116-117 H 6
Milano-Vigentino = Mailand-Vigentino 116-117 H 6
Milavče 114-115 MN 2
Milawetsch = Milavče 114-115 MN 2
Milcz = Milsch 104-105 J 4
Milda 110-111 D 4
Milde 102-103 K 5
Milden = Moudon 116-117 C 3
Mildenau 110-111 H 4
Mildenberg 104-105 B 4
Mildenitz 104-105 C 4
Mildstedt 102-103 F 2
Milejewo = Trunz 112 C 3
Milešovka = Donnersberg 110-111 JK 4
Miletin 110-111 N 5
Milewo 112 H 4
Milewo = Millau 112 J 4
Milheeze, Bakel en - 106-107 F 5
Milicz = Militsch 113 C 3
Milin = Fürstenau 113 B 4
Milíře = Brand 114-115 M 1
Militsch [= Milicz] 113 C 2
Milkel 110-111 K 3
Milken [= Miłki] 112 G 4
Miłki = Milken 112 G 4
Miłkowice 113 F 2
Miłkowice = Arnsdorf 110-111 O 3
Millau [= Milewo] 112 J 4
Mille, Hamme- 106-107 D 7
Mill en Sint Hubert 106-107 F 5
Millewen = Millau 112 J 4
Millingen 120 B 1
Millingen aan de Rijn 106-107 FG 5
Millinger Meer 120 B 1
Millstatt 118-119 F 5
Millstätter See 118-119 F 5
Milluhnen = Mühlengarten 112 J 2
Milmersdorf 104-105 C 4
Miłocice = Falkenhagen 104-105 J 3
Miłogostowice = Schönborn
Miłogoszcz = Hohenfelde 104-105 G 2
Miłomłyn = Liebemühl 112 C 4
Miłoradzice = Mühlrädlitz
Miłosław [= Liebenau] 113 CD 1
Miloslawer Fließ 113 C 1
Miłostowo 104-105 H 5
Miłoszów = Hartmannsdorf 110-111 M 3
Miłoszyce = Fünfteichen 113 C 3
Milovice = Milowitz 110-111 L 5
Milow [Brandenburg, Havelland] 102-103 M 5
Milow [Brandenburg, Uckermark] 104-105 C 4
Milowitz [= Milovice] 110-111 L 5
Mils bei Imst 116-117 L 2
Milsch [= Milcz] 104-105 J 4
Milse [2 km ↓ Brake 108-109 G 2]
Milseburg 108-109 J 5
Miltach 114-115 M 2
Milte 108-109 E 2
Miltenberg 114-115 E 1
Miltitz 110-111 H 3
Miltzow 104-105 B 2
Milz [Fluß] 110-111 B 5
Milz [Ort] 110-111 C 5
Mimmenhausen [2 km ↓ Salem 114-115 E 5]
Mimoň = Niemes 110-111 L 4
Mindel 114-115 G 4
Mindelheim 114-115 G 4
Minden 108-109 G 2
Minderhout 106-107 D 6
Mingajny = Migehnen 112 D 3
Mingfen [= Miętkie, 2 km → Erben 112 F 4]
Mingolsheim 114-115 D 2
Minken [= Minkowice Oławskie] 113 C 3
Minkowice Oławskie = Minken 113 C 3
Minschun, Piz - 116-117 K 3
Minsen 102-103 C 3
Minzow 102-103 MN 4
Miodnica = Mednitz 110-111 M 2
Mirachowo = Mirchau 104-105 LM 2
Miradz = Grüneberg 104-105 H 4
Mirchau [= Mirachowo] 104-105 LM 2
Mirikau [= Miřkov] 114-115 M 1
Miřkov = Mirikau 114-115 M 1
Mirnock 118-119 F 5
Mirocin Dolny = Nieder Herzogswaldau 110-111 MN 2
Mirocin Górny = Ober Herzogswaldau 110-111 N 2
Mironice = Himmelstädt 104-105 F 5
Miroslav = Mißlitz 118-119 L 1
Mirosławiec = Märkisch Friedland 104-105 H 4
Mirostowice Dolne = Nieder Ullersdorf 110-111 M 2
Mirow 102-103 N 4
Mirsk = Friedeberg (Isergebirge) 110-111 M 4
Mirskofen 114-115 L 3
Mirwart 106-107 E 8
Misburg 108-109 J 2
Mischabelhörner 116-117 E 4
Mischischewitz = Mściszewice 104-105 L 2
Mischline = Bachheiden 113 E 4
Misdroy [= Międzyzdroje] 104-105 DE3
Miserey-Salines 116-117 AB 2
Miskolc 101 K 4
Misox [= Mesocco] 116-117 H 4
Missàglia 116-117 H 5
Mißlitz [= Miroslav] 118-119 L 1
Mistelbach 114-115 JK 1
Mistelbach an der Zaya 118-119 M 1
Mistelgau [4 km ← Mistelbach 114-115 JK 1]
Mistitz = Schönblick 113 E 5
Mistorf 102-103 M 3
Misurina, Lago di - = Misurinasee 118-119 C 5
Misurinasee 118-119 C 5
Miswalde [= Myślice] 112 C 4
Miszkowice = Michelsdorf 110-111 N 4
Mittagsberg 114-115 N 2
Mittagskogel 118-119 F 5
Mittagspitze 116-117 J 2
Mittegroßefehn 102-103 C 4
Mittelberg [Deutschland] 114-115 G 5
Mittelberg [Österreich, Tirol] 116-117 L 3
Mittelberg [Österreich, Vorarlberg] 116-117 K 2
Mittelbiberach 114-115 F 4
Mitteldeutschland 110-111
Mitteleschenbach [4 km ↙ Windsbach 114-115 H 2]
Mittel Faulbrück = Faulbrück 113 B 4
Mittelfelde [= Żołędowo] 104-105 K 4
Mittelfranken 114-115 G 1-J 3
Mittelgebirge 110-111 JK 4
Mittel Grund [= Prostřední Žleb] 110-111 K 4
Mittelhausen 110-111 D 3
Mittelland 116-117 DE 3
Mittellandkanal 101 CD 2
Mittelland, Schweizer- 116-117 C 3-F 2
Mittel Langenöls = Langenöls 110-111 M 3
Mittel Lazisk [= Łaziska Średnie] 113 F 5
Mittelmark 110-111 G-K 1
Mittelneufnach 114-115 H 4
Mittelnkirchen [2 km ↘ Steinkirchen 102-103 G 3]
Mittelpogauen [= Pogubie Średnie] 112 G 4
Mittel Pogobien = Mittelpogauen 112 G 4
Mittelradde 102-103 C 5
Mittelrhein = Rhein 108-109 C 4, D 5
Mittelsinn 108-109 J 6
Mittelsteine [= Ścinawka Średnia] 113 AB 4
Mittel Thiemendorf [= Radostów Średni] 110-111 M 3
Mittelwalde (Schlesien) [= Międzylesie] 113 B 5
Mittenheide [= Turośl] 112 G 4
Mittenwald 114-115 J 6
Mittenwalde [Brandenburg, Mittelmark] 110-111 HJ 1
Mittenwalde [Brandenburg, Uckermark] 104-105 C 4
Mitterbach 118-119 J 3
Mitterberg [3 km ↑ Mühlbach am Hochkönig 118-119 E 4]
Mitterding [5 km ↗ Sankt Marienkirchen bei Schärding 118-119 EF 2]
Mitterdorf 114-115 L 2
Mitterdorf im Mürztal 118-119 K 3
Mitterfels 114-115 M 3
Mittergars 114-115 L 4
Mitterkirchen 118-119 H 2
Mitterkleinarl >→
Mitterndorf im Steirischen Salzkammergut 118-119 F 3
Mittersheim 108-109 C 9
Mittersill 118-119 CD 4
Mitterskirchen 114-115 M 4
Mitterteich 110-111 F 6
Mitterweißenbach 118-119 F 3
Mittewald [= Mezzaselva] 116-117 MN 3
Mittlere Emscher 120 CD 2
Mittlere-Isar-Kanal 114-115 K 4
Mittweida 110-111 G 4
Mituva = Mitwa 112 J 1
Mitwa 112 J 1
Mixdorf 110-111 K 1
Mixnitz 118-119 J 4
Mixstadt 113 D 2

Mladá Boleslav = Jungbunzlau 110-111 LM 5
Mlada Wełna = Kleine Welna 104-105 K 5
Mladé Buky = Jungbuch
Mladecko = Mladetzko 113 D 6
Mladějov [4 km ↗ Sobotka 110-111 M 5]
Mladejow = Mladějov
Mladetzko [= Mladecko] 113 D 6
Mladkov = Wichstadtl 113 B 5
Mladoschowitz = Mladošovice 118-119 H 1
Mladošovice 118-119 H 1
Mladotice = Mlatz 110-111 H 6
Mlasowitz [= Mlázovice] 110-111 M 5
Mlatz [= Mladotice] 110-111 H 6
Mława 101 K 2
Mlázovice = Mlasowitz 110-111 MN 5
Mleczewo = Heinrode 112 B 4
Mleczno = Mlitsch 113 A 3
Mlékosrby = Mikosrb
Mikosrb [= Mlékosrby, 3 km → Nepolis 110-111 M 5]
Mlitsch [= Mleczno] 113 A 3
Młodojewo 104-105 LM 6
Młodoszowice = Zindel 113 C 4

Młynary 29 Mže

Młynary = Mühlhausen in Ostpreußen 112 C 3
Młyniec 104-105 N 4
Młynietz = Młyniec 104-105 N 4
Młynów = Lauterbach
Młyny 104-105 M 5
Mlyrny = Młyny 104-105 M 5

Mnichov = Einsiedel 113 C 5
Mnichov = Einsiedl 110-111 G 5
Mnichovice 110-111 L 6
Mnichovo Hradiště = Münchengrätz 110-111 LM 4
Mnichowitz = Mnichovice 110-111 L 6
Mníšek = Einsiedel 110-111 M 4

Möbiskruge 110-111 KL 1
Mochov 110-111 L 5
Mochow = Mochov 110-111 L 5
Močidlec = Modschiedl 110-111 H 5
Mocker [= Mokre] 113 D 5
Möckern (Bezirk Magdeburg) 110-111 EF 1
Möckmühl 114-115 E 2
Mockrau [= Mokre] [Polen, Pomesanien] 104-105 N 3
Mockrau [= Mokre] [Polen, Pommerellen] 104-105 LM 3
Mockrehna 110-111 G 2
Moczydlnica Dworska = Herrnmotschelnitz 113 B 3
Moczydło = Mückeburg 104-105 F 5
Modderwiese [= Grotów] 104-105 G 5
Moder 108-109 E 9
Möderbrugg, Sankt Oswald- 118-119 GH 4
Moderschan = Modřany 110-111 K 5
Modła = Modlau 110-111 N 3
Modlau [= Modła] 110-111 N 3
Mödlich 102-103 K 4
Modlin [= Modliszewko] 104-105 L 5
Mödling 118-119 L 2
Modliszewko = Modlin 104-105 L 5
Modliszewko = Modlin 104-105 L 5
Modran = Modřany 110-111 K 5
Modřany 110-111 K 5
Mödrath 108-109 C 5
Modrava = Mader 114-115 NO 2
Mödring 118-119 G 5
Modrze 113 B 1
Modschiedl [= Močidlec] 110-111 H 5
Modzerowo 104-105 N 6
Moen 106-107 A 7
Moena 116-117 N 4
Moerbeke 106-107 BC 6
Moerdijk 106-107 D 5
Moergestel 106-107 E 5
Moerkapelle [6 km ← Waddinxveen 106-107 D 4]
Moerkerke 106-107 A 6
Moers 120 C 3
Moersbach 120 C 2-3
Moesa 116-117 H 4
Moeskroen = Mouscron 106-107 A 7
Moffans-et-Vacheresse [7 km ↘ Lure 116-117 BC 1]
Mögelin 102-103 M 5
Mogelsberg [5 km → Bütschwil 116-117 GH 2]
Mogersdorf 118-119 L 5
Mögglingen 114-115 FG 3
Mogilica = Müglitzbach 104-105 G 3
Mogilnica = Mogilnitza 104-105 H 6
Mogilnica Górna = Große Mogilnitza 104-105 H 6
Mogilnitza 104-105 H 6
Mogilno 104-105 LM 5
Möglingen [2 km ↙ Asperg 114-115 E 3]
Moha 106-107 E 7
Mohács 101 J 6
Mohelka 110-111 LM 4
Mohelnice nad Jizerou = Mohelnitz 110-111 L 4
Mohelnitz [= Mohelnice nad Jizerou] 110-111 L 4
Möhlau 110-111 F 2
Möhlin 116-117 E 1
Mohlsdorf [5 km ↗ Greiz 110-111 F 4]
Möhne 108-109 F 3-4
Möhne-Stausee 108-109 F 4
Mohon 106-107 D 9
Mohorn 110-111 HJ 3
Mohra 113 D 6
Mohrberg 102-103 N 4
Möhrenbach [3 km ↓ Gehren 110-111 CD 4]
Möhrendorf [3 km ↙ Baiersdorf 114-115 HJ 1]
Mohrin [= Moryń] 104-105 D 5
Mohriner See 104-105 DE 5
Möhringen 114-115 D 5
Möhringen [= Mierzyn] 104-105 DE 4
Mohrungen [= Morąg] 112 C 4
Moisburg 102-103 G 4
Mojęcice = Mondschütz 113 B 3
Mokre = Mocker 113 D 5
Mokre = Mockrau [Polen, Pomesanien] 104-105 N 3
Mokre = Mokrau [Polen, Pommerellen] 104-105 LM 3
Mokre = Schönwalde 104-105 F 3
Mokre = Wilhelmssee 104-105 LM 5
Mokre Jezioro = Muckersee 112 FG 4
Mokronos 113 C 2
Mol 106-107 E 6
Molare, Pizzo di – 116-117 G 3
Molau 110-111 E 3
Molbergen 102-103 C 5
Moldau 101 G 4
Moldau [= Moldava] 110-111 J 4
Moldau [= Vltava] 110-111 K 5
Moldau, Kalte – 118-119 F 1
Moldau, Warme – 118-119 F 1
Moldava = Moldau 110-111 J 4
Mołdawin = Maldewin 104-105 F 3
Môle, le – 116-117 B 4
Molenbeek-Saint-Jean [= Sint-Jans-Molenbeek] 106-107 C 7
Moléson 116-117 CD 3
Molfsee 102-103 GH 2
Molina di Ledro 116-117 L 5
Möll 118-119 E 5
Mollans 116-117 B 1
Mollaro 116-117 M 4
Möllbrücke 118-119 E 5
Mollehnen [= Kaštanovka] 112 E 2
Möllenbeck 104-105 B 4
Möllenhagen 102-103 NO 3
Mòllia 116-117 EF 5
Mollis 116-117 H 2
Molln 118-119 G 3
Mölln [Mecklenburg] 104-105 B 3
Mölln [Schleswig-Holstein] 102-103 J 3
Mollwitz [= Małujowice] 113 C 4
Mölnsee 104-105 LM 5
Molschleben 110-111 C 3
Molsheim 114-115 AB 3
Molstow 104-105 F 3
Mołstowa = Molstow 104-105 F 3
Mołtajny = Molteinen 112 F 3
Molteinen [= Mołtajny] 112 F 3
Molteno 116-117 H 5
Möltenort [1 km ↖ Heikendorf 102-103 H 2]
Molthainen = Molteiner 112 F 3
Moltkesruhm [= Kucharki] 113 DE 2
Molveno 116-117 L 4
Molveno, Lago di – 116-117 L 4
Molzahn >→
Molzen 102-103 J 4
Mombello 116-117 H 5
Mombello-Laveno 116-117 G 5
Momberg 108-109 H 5
Mömbris 108-109 H 6
Momignies 106-107 C 8
Mömling = Mümling 108-109 H 7
Mömlingen 114-115 E 1
Mommark = Mummark 102-103 H 1
Mommenheim 108-109 E 9
Momo 116-117 G 5
Møn 101 F 1
Monate, Lago di – 116-117 G 5
Monbiel 116-117 J 3
Monceau-sur-Sambre 106-107 C 8
Moncel-sur-Seille 108-109 BC 9
Moncey 116-117 B 2
Mönch 116-117 E 3
Mönchengladbach 120 B 4
Mönchengladbach-Hardt 120 B 4
Mönchengladbach-Koch 120 B 4
Mönchengladbach-Neuwerk 120 B 4
Mönchengladbach-Rheindahlen 120 B 4
Mönchgut 104-105 C 2
Mönchhof 118-119 MN 3
Mönchröden 110-111 D 5
Mönchweiler 114-115 CD 4
Moncucco 116-117 F 4
Mondorf-les-Bains 106-107 G 9
Mondschütz [= Mojęcice] 113 B 3
Mondsee [Ort] 118-119 E 3
Mondsee [See] 118-119 E 3
Mongrando 116-117 EF 5
Monguelfo = Welsburg 118-119 C 5
Monheim [Bayern] 114-115 H 3
Monheim [Nordrhein-Westfalen] 120 D 4
Monice [3 km ↖ Sieradz 113 F 2]
Mönichkirchen 118-119 KL 3
Mönichkirchen, Sattel von – 118-119 KL 3-4
Mönichwald 118-119 K 4
Mönkeberg [3 km ↓ Heikendorf 102-103 H 2]
Mönkebude 104-105 CD 3
Monkolno = Mąkolno 104-105 N 6
Monkoszyn = Mąkoszyn 104-105 N 6
Monkowarsk = Mąkowarsko 104-105 L 4
Monneren = Monnern 108-109 B 8
Monnern [= Monneren] 108-109 B 8
Monnikendam 106-107 E 4
Monno 116-117 K 4
Monreal 108-109 D 6
Monreberg 120 B 2
Mons [= Bergen] 106-107 BC 8
Monschau 108-109 B 5
Monsheim 108-109 F 1
Monstein 116-117 J 3
Monster 106-107 C 4
Mont 106-107 F 8
Montabaur [Ort, Verwaltungseinheit] 108-109 E 6
Montafon 116-117 J 2-3
Montaigle 106-107 D 8
Montaigu = Scherpenheuvel 106-107 D 7
Montalto 116-117 F 4
Montalto Dora [3 km ↑ Ivrea 116-117 E 6]
Montana-Vermala 116-117 D 4
Montau 104-105 N 3
Montbéliard 116-117 C 1
Montbenoit 116-117 B 3
Mont Blanc 116-117 C 5
Mont-Blanc, Chamonix- 116-117 C 5
Montbozon 116-117 B 2
Montcornet 106-107 C 9
Monte Alto 116-117 L 3
Montebello Vicentino 116-117 M 6
Montécchio Maggiore 116-117 M 5-6
Monte Corte 116-117 J 5
Montecroce = Hohe Kreuzspitze 116-117 M 3
Monte Croce Càrnico, Passo – = Plöckenpaß 118-119 D 5
Monte di Comèlico, Passo – = Kreuzbergsattel 118-119 CD 5
Monteforte d'Alpone 116-117 M 6
Monte Generoso 116-117 GH 5
Monte Giovo, Passo di – = Jaufen 116-117 M 3
Montegnée 106-107 EF 7
Monte Isola 116-117 K 5
Monte Maggiore 116-117 L 5
Monte-Moro-Pass 116-117 E 4
Monte Nudo 116-117 G 5
Monte Rosa 116-117 E 5
Montfoort 106-107 D 4
Montfort 106-107 FG 6
Mont Fort 116-117 D 4
Montfort, Schloß – [1 km ↘ Langenargen 114-115 EF 5]
Mont-Gauthier 106-107 E 8
Montgesoye 116-117 B 2
Monthermé 106-107 D 9
Monthey 116-117 C 4
Montignies-sur-Sambre 106-107 CD 8
Monti Lessini 116-117 LM 5
Monti Sarentini = Sarntaler Alpen 116-117 M 3
Montjoie, Val de – 116-117 C 5
Montjovet 116-117 E 5
Montleban 106-107 F 8
Montmélian 116-117 B 5-6
Montmirey 116-117 C 4
Mont Noir 116-117 B 3
Montòrio Veronese 116-117 M 6
Montreux 116-117 C 4
Montreux-Château [11 km → Belfort 116-117 C 1]
Montreux-Vieux = Alt-Münsterol 116-117 D 1
Montricher [3 km ↙ L'Isle 116-117 B 3]
Mont-Saint-Martin 106-107 F 9
Mont-sur-Marchienne 106-107 CD 8
Mont Toulon 108-109 B 9
Monza 116-117 H 5
Monzingen [3 km ↘ Merxheim 108-109 DE 7]
Mook 106-107 F 5
Moordorf 102-103 B 4
Moordrecht 106-107 D 5
Moorenweis 114-115 J 4
Moorrege 102-103 G 3
Moorriem [Landschaft] 102-103 D 4
Moorriem [Ort] 102-103 D 4
Moorsele 106-107 A 7
Moorslede 106-107 ab 2
Moorweg
Moos [2 km ↖ Bleiburg 118-119 H 5]
Moosach [Fluß] 114-115 K 4-5
Moosach [Ort] 114-115 K 4
Moosach, München – 114-115 JK 4
Moosbach 114-115 L 1
Moosbach [3 km ↗ Mauerkirchen 101 H 5]
Moosberg = Przedecz 104-105 N 6
Moosbierbaum 118-119 K 2
Moosburg 114-115 K 4
Moosburg in Kärnten [4 km ↗ Pörtschach am Wörther See 118-119 G 5]
Moosdorf 118-119 DE 2
Moosen (Vils) 114-115 L 4
Moos im Passeier [= Moso in Passiria] 116-117 M 3
Moosinning 114-115 K 4
Mooskopf 114-115 C 4
Moracz = Moratz 104-105 E 3
Morąg = Mohrungen 112 C 4
Morat = Murten 116-117 D 3
Moratz [= Moracz] 104-105 E 3
Morava = Mähren 101 G-J 4
Morava = March 101 H 4
Moravany 110-111 N 5-6
Moravice = Mohra 113 D 6
Moravská Nová Ves = Mährisch Neudorf 118-119 MN 1
Moravská Sázava = Zohsee 113 B 6
Moravský Svätý Ján = Sankt Johann an der March 118-119 N 1
Morawan = Moravany 110-111 N 5-6
Morbach 108-109 D 7
Morbecque 106-107 a 2
Morbegno 116-117 J 4
Morbio [4 km → Balerna 116-117 GH 5]
Morbier 116-117 AB 3
Mörbisch am See 118-119 M 3
Morchenstern [= Smržovka] 110-111 M 4
Mörchingen [= Morhange] 108-109 C 9
Morcles, Dent de – 116-117 D 4
Morcote 116-117 G 5
Mordovskoje = Groß Legitten 112 F 2
Mörel 116-117 F 4
Moresnet 106-107 FG 7
Morez 116-117 B 3
Mörfelden 108-109 G 7
Morge 116-117 D 4
Morgen [= Kumielsk] 112 GH 4
Morgenitz 104-105 CD 3
Morgenröthe-Rautenkranz 110-111 FG 5
Morgenstern [= Jutrzenka, 3 km ← Borntuchen 104-105 K 2]
Morges 116-117 B 3
Morgex 116-117 D 5
Morgins [5 km ↘ Troistorrents 116-117 C 4]
Morhange = Mörchingen 108-109 C 9
Morhet 106-107 F 9
Mori 116-117 L 5
Morialmé 106-107 D 8
Moringen 108-109 J 3
Möringen 102-103 L 5
Moritzberg 114-115 J 2
Moritzburg 110-111 J 3
Mórka = Murka 113 BC 1
Morlanwelz 106-107 C 8
Morlautern [3 km ↑ Kaiserslautern 108-109 E 8]
Mörlenbach 108-109 G 7
Mormont 106-107 F 8
Mornago [4 km ↗ Vergiate 116-117 G 5]
Mörnsheim 114-115 HJ 3
Moron 116-117 D 2
Moro-Pass, Monte – 116-117 EF 4-5
Morrn [= Murzynowo] 104-105 FG 5
Morroschin [= Morzeszczyn] 104-105 N 3
Morsbach 108-109 E 5
Morsbroich, Schloß – 120 E 4
Mörsch 114-115 C 3
Morsum 102-103 D 1
Mortagne-du-Nord 106-107 A 8
Mortantsch 118-119 K 4
Morteau 116-117 C 2
Morteratsch, Piz – 116-117 J 4
Mörtschach [6 km ↓ Döllach-Sagritz 118-119 DE 5]
Mortsel 106-107 CD 6
Morvan 101 B 5
Morvillars 116-117 CD 1
Moryń = Mohrin 104-105 D 5
Morze Bałtyckie = Ostsee 101 F-J 1
Moreszczyn = Morroschin 104-105 N 3
Morzine 116-117 C 4
Morzycko, Jezioro – = Mohriner See 104-105 DE 5
Morzysław 113 E 1
Mosau [= Mozów] 110-111 MN 1
Mosbach 114-115 E 2
Mosbach [3 km ↙ Wutha (Thüringen) 110-111 B 4]
Moschendorf 118-119 L 4
Moschin [= Mosina] 113 B 1
Mościce = Blumberg 104-105 E 5
Mościsko = Faulbrück 113 B 4
Mosel [Fluß] 101 C 4
Mosel [Ort] 110-111 F 4
Mosel [= Moselle] 108-109 B 8-9
Mösel 118-119 H 5
Moselberge 108-109 CD 7
Moselle 108-109 B 8-C 9
Moselle = Mosel 108-109 B 8-9
Mosenberg 108-109 C 6
Möser 110-111 E 1
Moser Mandl 118-119 E 4
Mosigkau, Dessau- 110-111 F 2
Mosina = Massin 104-105 E 5
Mosina = Moschin 113 B 1
Mosiny = Mosinn
Moskawa 113 C 1
Moskowitz [= Mackovice] 118-119 L 1
Moso in Passiria = Moos im Passeier 116-117 M 3
Mosonmagyaróvár = Wieselburg 101 H 5
Mosonszentjános = Sankt Johann 118-119 N 3
Mosonszolnok = Zanegg 118-119 N 3
Mossin [= Mosiny, 3 km ↖ Buchholz 104-105 K 3]
Mössingen 114-115 E 4
Mosso Santa Maria 116-117 F 5
Most = Brüx 110-111 J 4
Möstchen [= Mostki] 110-111 M 1
Mostek = Mastig 110-111 N 5
Mostki = Möstchen 110-111 M 1
Mostkowo = Brückendorf 112 D 4
Mostkowo = Chursdorf 104-105 F 5
Mostovoje = Sköpen 112 G 1
Mostowo = Brückenkrug 104-105 HJ 2
Mosty = Speck 104-105 E 3
Moszczanka 113 D 2
Motarzyno = Muttrin
Mothern 108-109 F 9
Motława = Mottlau 104-105 N 2
Mottalciata 116-117 F 5
Mottarone, Monte – 116-117 FG 5
Motte, La – 116-117 D 4
Motten 108-109 J 6
Möttingen 114-115 H 3
Mottlau 104-105 N 2
Motzen 110-111 J 1
Motzingen 114-115 D 3
Mouchon 116-117 C 3
Moulbaix 106-107 B 7
Mouscron [= Moeskroen] 106-107 A 7
Mouterhouse = Mutterhausen 108-109 DE 9
Mouthe 116-117 B 3
Moutier = Münster 116-117 D 2
Moûtiers 116-117 C 6
Mouvaux 106-107 A 7
Mouzon 106-107 E 9
Mövenort 104-105 B 1
Movenic 108-109 C 9
Moyeuvre-Grande 108-109 B 8
Moyland, Till – 120 A 1
Mozet 106-107 D 8
Mozów = Mosau 110-111 MN 1
Mozyr' = Kleinnaujock 112 F 3
Mozzánica 116-117 J 6

Mrągowo = Sensburg 112 F 4
Mrdlina 110-111 M 5
Mrlina = Mrdlina 110-111 M 5
Mrocza 104-105 L 4
Mroczeń 113 DE 3
Mroczki 112 J 5
Mroczno 112 C 5
Mrotschen = Mrocza 104-105 L 4
Mrowiny = Konradswaldau
Mrozów = Nippern
Mrzezino = Eresin 104-105 M 1
Mrzeżyno = Deep 104-105 F 2

Msczanna = Mszana 113 EF 6
Mscheno = Mšeno 110-111 L 5
Mścice = Güdenhagen 104-105 H 2
Mścięcino, Szczecin- = Stettin-Messenthin 104-105 DE 3
Mściszewice 104-105 L 2
Mšec = Kornhaus 110-111 JK 5
Mšeno 110-111 L 5
Mszana 113 EF 6

Much 108-109 D 5
Mücheln (Geiseltal) 110-111 E 3
Muchobór Wielki = Lohbrück
Muchow 102-103 L 4
Mücka (Oberlausitz) 110-111 L 3
Mückeburg [= Moczydło] 104-105 F 5
Mückenburg = Mückeburg 104-105 F 5
Muckersee 112 FG 4
Mudau 114-115 E 1
Müden 102-103 H 5
Müden (Örtze) 102-103 H 5
Mudersbach 108-109 E 5
Mügeln (Sachsen) 110-111 GH 3
Mügeln (Sachsen-Anhalt) 110-111 GH 2
Muggendorf [Deutschland] 114-115 J 1
Muggendorf [Österreich] 118-119 K 3
Muggenstrum 114-115 C 3
Muggio 116-117 H 5
Muglfing 114-115 J 5
Muglinov = Ostrava-Muglinov
Müglitz 110-111 J 4
Müglitzbach 104-105 G 3
Mühberg = Gorzyce 104-105 L 5
Mühlacker 114-115 D 3
Mühlanger (Kreis Wittenberg) 110-111 G 2
Mühlau [3 km ↖ Hartmannsdorf bei Chemnitz 110-111 G 4]
Mühlbach [Pommern] 104-105 L 2
Mühlbach [Rheinland-Pfalz] 108-109 E 6
Mühlbach am Glan [1 km ↓ Altenglan 108-109 DE 7]
Mühlbach am Hochkönig 118-119 E 4
Mühlberg 110-111 C 4
Mühlberg (Elbe) 110-111 H 3
Mühlbock (= Ołobok) 110-111 M 1
Mühldorf [Deutschland] 114-115 M 4
Mühldorf [Niederösterreich] 118-119 J 2
Mühldorf [Österreich, Kärnten] 118-119 E 5
Mühleberg 116-117 D 3
Mühlen [= Mielno] 112 D 4
Mühlen [= Mulegns] 116-117 J 3
Mühlenbach [Baden-Württemberg] 114-115 C 4
Mühlenbach [Nordrhein-Westfalen, Fluß ▷ Ems] 108-109 E 2
Mühlenbach [Nordrhein-Westfalen, Fluß ▷ Halterner Stausee] 120 EF 1
Mühlenbach [Nordrhein-Westfalen, Fluß ▷ Wienbach] 120 E 1-2
Mühlenbach [Pommern] 104-105 H 2
Mühlenbeck 104-105 B 5
Mühlenbeck [= Smierdnica] 104-105 E 4
Mühlendorf (Oberschlesien) [= Leśna] 113 E 4
Mühlen-Eichsen 102-103 K 3
Mühlenfließ = Miała 104-105 H 5
Mühlengarten 112 J 2
Mühlenhöh 112 J 2
Mühlental [= Rzędowice] 113 EF 4
Mühlfeld 110-111 B 5
Mühlhausen [Baden-Württemberg] 114-115 D 2
Mühlhausen [Bayern] 114-115 H 1
Mühlhausen [Nordrhein-Westfalen] 120 G 2
Mühlhausen [= Gvardejskoje] 112 E 3
Mühlhausen [= Nelahozeves, 3 km ↑ Kralupy nad Vltavou 110-111 K 5]
Mühlhausen in Ostpreußen [= Młynary] 112 C 3
Mühlhausen (Thüringen) 110-111 B 3
Mühlheim am Inn 118-119 E 2
Mühlheim an der Donau 114-115 D 4
Mühlrädlitz [= Mlrcadzice, 4 km ↓ Herzogswaldau 113 A 3]
Mühl Rosin 102-103 M 3
Mühltroff 110-111 E 4
Mühlviertel 118-119 F 1-H 2
Mühlwald [= Se va dei Molini] 118-119 B 5
Muhr 118-119 EF 4
Muiden 106-107 E 4
Mukačevo = Mukatschewo 101 L 4
Mukařov = Mukarow
Mukarow [= Mukařov, 4 km ↖ Mohelnitz 110-111 L 4]
Mukatschewo 101 L 4
Mulda 110-111 H 4
Mulde 110-111 F 2
Mulde, Freiberger 110-111 GH 3
Mulden [= Perevalovo] 112 FG 2
Muldenstein 110-111 F 2
Mulde, Zwickauer – 110-111 G 4
Muldschen = Mulden 112 FG 2
Muldzen = Mulden 112 FG 2
Mulegns = Mühlen 116-117 J 3
Mules = Mauls 116-117 N 3
Mulfingen 114-115 F 2
Mülhausen [= Mulhouse] 116-117 D 1
Mülheim [Nordrhein-Westfalen] 108-109 C 6
Mülheim [Rheinland-Pfalz] 108-109 DE 6
Mülheim = Köln-Mülheim
Mülheim am Main 108-109 G 6
Mülheim an der Ruhr 120 D 3
Mülheim an der Ruhr-Saarn 120 D 3
Mülheim an der Ruhr-Selbeck 120 D 3
Mülheim an der Ruhr-Styrum 120 D 3
Mülheim, Köln- 120 E 5
Mulhouse = Mülhausen 116-117 D 1
Müllrdorf, Siegberg- [2 km ↖ Menden (Rheinland) 108-109 D 5]
Müllenborn 108-109 C 6
Müllheim [Deutschland] 114-115 B 5
Müllheim [Schweiz] 116-117 GH 1
Müllingsen 120 J 2
Müllrose 110-111 K 1
Mulmshorn 102-103 F 4
Mülsen-Sankt Jacob [4 km ↙ Lichtenstein (Sachsen) 110-111 G 4]
Mülsen-Sankt Niclas [4 km ↗ Reinsdorf 110-111 G 4]
Mulsum 102-103 F 3
Mümling 108-109 H 7
Mümliswil-Ramiswil 116-117 E 2
Mummark [= Mommark] 102-103 H 1
Münchberg 110-111 E 5
Müncheberg 104-105 D 5
Münchehagen 102-103 F 6
Münchehofe 110-111 J 1
München 114-115 K 4
München-Berg am Leim [→ München 114-115 K 4]
Münchenbernsdorf 110-111 E 4
München-Bogenhausen [→ München 114-115 K 4]
Münchenbuchsee 116-117 D 2
Münchendorf [= Miękowo] 104-105 E 3
München-Feldmoching 114-115 JK 4
München-Giesing [↓ München 114-115 K 4]
Münchengrätz [= Mnichovo Hradiště] 110-111 LM 4
München-Laim [← München 114-115 K 4]
München-Moosach 114-115 JK 4
München-Nymphenburg [↖ München 114-115 K 4]
München-Oberföhring [↗ München 114-115 K 4]
München-Obermenzing [↖ München 114-115 K 4]
München-Pasing 114-115 J 4
München-Perlach [↘ München 114-115 K 4]
München-Riem 114-115 K 4
München-Schwabing 114-115 K 4
München-Solln 114-115 K 4
München-Thalkirchen [↙ München 114-115 K 4]
Münchenwiler [3 km ↓ Murten 116-117 D 3]
Münchhausen [Brandenburg] 110-111 J 2
Münchhausen [Hessen] 108-109 G 5
Münchhausen [= Munchhouse] 116-117 DE 1
Munchhouse = Münchhausen 116-117 DE 1
Münchingen [3 km ↖ Korntal 114-115 E 3]
Münchsmünster 114-115 K 3
Münchweiler an der Rodalbe 108-109 E 8
Münchweiler, Glan- 108-109 D 8
Mund [3 km ↙ Naters 116-117 E 4]
Mundaun, Piz – 116-117 H 3
Münden 108-109 J 4
Mundenheim = Ludwigshafen am Rhein-Mundenheim
Münder am Deister, Bad – 108-109 HJ 2
Munderfing 118-119 E 2
Munderkingen 114-115 F 4
Mundolsheim 114-115 B 3
Müngstener Eisenbahnbrücke [2 km → Solingen 120 E 4]
Munkatsch = Mukatschewo 101 L 4
Münnerstadt 110-111 B 5
Muno 106-107 E 9
Munsing 114-115 J 5
Münsingen [Deutschland] 114-115 E 4
Münsingen [Schweiz] 116-117 E 3
Munster 102-103 H 5
Munster [Deutschland, Bayern] 114-115 H 3
Münster [Deutschland, Hessen] 108-109 G 7
Münster [Schweiz] 116-117 F 3-4
Münster [= Moutier] 116-117 D 2
Münster [= Müstair] 116-117 K 3
Münster am Stein, Bad – 108-109 E 7
Münsterappel 108-109 EF 7
Münsterberg [= Cerkiewnik] 112 D 4
Münsterberg in Schlesien [= Ziębice] 113 C 4
Münsterbilzen 106-107 EF 7
Münsterdorf 102-103 G 3
Münstereifel 108-109 C 5
Münsterland [Niedersachsen] 102-103 CD 5
Münsterland [Nordrhein-Westfalen] 108-109 D-F 3
Münsterlingen 116-117 H 1
Münstermaifeld 108-109 D 6
Münster-Sarmsheim 108-109 E 7
Münsterschwarzach [1 km ↑ Stadtschwarzach 114-115 G 1]
Münsterwalde [= Opalenie] 104-105 N 3
Münster (Westfalen) [Ort, Verwaltungseinheit] 108-109 E 3
Muntanitz 118-119 D 4
Munt Cotschen 116-117 JK 3
Müntz 120 B 5
Münzbach 118-119 H 2
Münzenberg 108-109 G 6
Münzkirchen 118-119 F 2
Münzthal [= Saint-Louis-lès-Bitche] 108-109 D 8-9
Muota 116-117 G 2-3
Muotathal 116-117 G 3
Mupiau 112 G 2
Mur 101 H 5
Mura = Mur 101 H 5
Mura Olsnitz = Murska Sobota 118-119 L 5
Murau 118-119 G 4
Muraz, la – 116-117 B 4
Murchin 104-105 C 3
Murcki = Emanuelssegen 113 FG 5
Mureck 118-119 K 5
Mureș 101 K 5
Muretto, Piz – 116-117 J 4
Murg [Deutschland] 114-115 C 3
Murg [Schweiz] 116-117 H 2
Murg [3 km ↙ Laufenburg (Baden) 114-115 C 5]
Muri 116-117 F 2
Müritz 102-103 N 4
Müritz, Ostseebad Graal- 102-103 M 2
Murka [= Mórka] 113 BC 1
Mürlenbach 108-109 C 6
Murmerwoude, Dantumadeel- 106-107 FG 2
Murnau 114-115 J 5
Muromskoje = Laptau 112 DE 2
Murów = Hermannsthal (Oberschlesien) 113 DE 4
Mürow 104-105 CD 4
Murowana-Goslin = Murowana Goślina 104-105 K 5
Murowana Goślina 104-105 K 5
Murr 114-115 E 3
Murr [1 km ↙ Steinheim an der Murr 114-115 E 3]
Mürren 116-117 E 3
Murrhardt 114-115 EF 3
Murrhardter Wald 114-115 F 3
Murska Sobota 118-119 L 5
Mursko Središće 118-119 L 5-6
Murtaröl, Piz – 116-117 K 3
Murten [= Morat] 116-117 D 3
Murtensee 116-117 D 3
Murtörl 118-119 E 4
Mürtschenstock 116-117 H 2
Mürwik, Flensburg- 102-103 FG 1
Murwinkel 118-119 EF 4
Mürz 118-119 J 3
Mürzsteg 118-119 JK 3
Mürztal 118-119 JK 3
Murzynko = Klein Morin
Murzynno = Groß Morin 104-105 MN 5
Murzynowo = Morrn 104-105 FG 5
Mürzzuschlag 118-119 K 3
Muschaken [= Muszaki] 112 E 5
Müschede 120 J 3
Muschten [= Myszęcin] 110-111 N 1
Muscoline 116-117 KL 5
Müsen 120 J 5
Muskau, Bad – 110-111 L 2
Muskauer Forst 110-111 L 3
Müskendorfer See 104-105 KL 3
Mußbach an der Weinstraße 108-109 F 8
Musselkanaal, Onstwedde- 106-107 H 3
Musson 106-107 F 9
Mussum 120 C 1
Müstair = Münster 116-117 K 3
Mustér = Disentis 116-117 G 3
Mustin 102-103 J 3
Muszaki = Muschaken 112 E 5
Muszkowo = Mauskow 104-105 EF 5
Mutějovice = Mutowitz 110-111 J 5
Mutěnice = Mutienitz 118-119 MN 1
Mutěnín = Muttersdorf 114-115 M 1
Mutienitz [= Mutěnice] 118-119 MN 1
Mutowitz [= Mutějovice] 110-111 J 5
Mutscheid 108-109 C 5-6
Muttekopf 116-117 L 2
Muttenz 116-117 E 1
Mutterhausen [= Mouterhouse] 108-109 DE 9
Mutters 116-117 M 2
Muttersdorf [= Mutěnín] 114-115 M 1
Muttersholtz = Müttersholz 114-115 B 4
Müttersholz [= Muttersholtz] 114-115 B 4
Mutterstadt 108-109 F 8
Muttler 116-117 K 3
Muttrin [= Motarzyno, 4 km ← Budow 104-105 K 2]
Mützenich 108-109 B 5
Mutzschen 110-111 G 3
Mužakow = Bad Muskau 110-111 L 2
Muzzano [3 km ← Lugano 116-117 G 4]

My 106-107 F 8
Mycielin = Metschlau 110-111 N 2
Mycielin Kaliski 113 E 2
Myhl 120 A 4
Myjava = Miava 118-119 N 1
Mylau 110-111 F 4
Myllendonk, Schloß – 120 BC 4
Myon 116-117 A 2
Myśla = Mietzel 104-105 E 5
Mysłakowice = Zillerthal-Erdmannsdorf 110-111 N 4
Myślenice 101 JK 4
Myslenitz = Myślenice 101 JK 4
Myśliborskie, Jezioro – = Soldiner See 104-105 E 5
Myślibórz 113 E 1
Myślibórz = Soldin 104-105 E 5
Myślibórz Wielki = Groß Mützelburg 104-105 D 3
Myślice = Miswalde 112 C 4
Myślina = Bachheiden 113 E 4
Myśliniew = Myślniew 113 D 3
Myślniew 113 D 3
Myslowice 113 G 5
Myslowitz = Mysłowice 113 G 5
Mysovka = Karkeln 112 F 1
Myszęcin = Muschten 110-111 N 1
Myszewo = Groß Mausdorf 104-105 O 2
Myszyniec 112 F 5
Mythen 116-117 G 2

Mže = Mies 114-115 N 1

Naab 30 Neu Toggenburg

N

Naab 114-115 K 2
Naafkopf 116-117 J 2
Naaldwijk 106-107 C 4-5
Naarden 106-107 E 4
Naarn 118-119 H 2
Naarn im Machland 118-119 H 2
Naas 118-119 K 4
Nabburg 114-115 L 2
Nabern [= Oborzany] 104-105 E 5
Načetín = Natschung
Náchod 110-111 O 5
Nachrodt-Wiblingwerde 120 G 3
Nachterstedt 110-111 D 2
Nackel 102-103 N 5
Nackenheim 108-109 F 7
Naczęsławice = Groß Nimsdorf
Nadarzyce = Rederitz 104-105 HJ 4
Nádasd 118-119 M 5
Nadrensee 104-105 D 4
Nadrózna Hrabowka = Straßgräbchen 110-111 K 3
Nadziejewo = Hansfelde 104-105 K 3
Naensen 108-109 J 3
Näfels 116-117 GH 2
Nafraiture 106-107 DE 9
Nagel 110-111 E 6
Nago →
Nagodowice = Ludwigsdorf 113 E 3
Nagold [Fluß] 114-115 D 3
Nagold [Ort] 114-115 D 3
Nagybakónak 118-119 N 5
Nagycenk = Zinkendorf 118-119 M 3
Nagykanizsa 118-119 MN 6
Nagykapornak 118-119 MN 5
Nagykaroly = Carei 101 L 5
Nagykőrös 101 J 5
Nagylengyel 118-119 M 5
Nagyrákos 118-119 LM 5
Nagysimonyi 118-119 N 4
Nagyvárad = Großwardein 101 KL 5
Nahausen [= Nawodna, 2 km ↙ Uchtdorf 104-105 DE 4]
Nahbollenbach 108-109 D 7
Nahe [Rheinland-Pfalz] 108-109 E 7
Nahe [Schleswig-Holstein] 102-103 H 3
Nahmitz 110-111 G 1
Naila 110-111 E 5
Naisey 116-117 B 2
Najdymowo = Neudims
Nakel [= Nakło] 104-105 L 2
Nakel [= Nakło nad Notecią] 104-105 L 4
Nakielno = Klein Nakel 104-105 H 4
Nakléřov = Nollendorf 110-111 J 4
Nakło = Nakel 104-105 L 2
Nakło nad Notecią = Nakel 104-105 L 4
Nakomiady = Eichmedien 112 F 3-4
Nakskov 102-103 K 1
Nalbach [2 km ↗ Dieffen 108-109 C 8]
Nalinnes 106-107 CD 8
Nålles = Nals 116-117 M 3
Nals [= Nålles] 116-117 M 3
Nambino, Monte – 116-117 L 4
Namborn 108-109 D 7
Nambsheim 114-115 B 5
Namen = Namur [Ort] 106-107 D 8
Namen = Namur [Verwaltungseinheit] 106-107 DE 8
Namlos 116-117 L 2
Nammen [4 km → Hausberge an der Porta 108-109 G 2]
Namslau [= Namysłow] 113 D 3
Namur [= Namen] [Ort] 106-107 D 8
Namur [= Namen] [Verwaltungseinheit] 106-107 DE 8
Namysłaki = Deutschhof 113 E 2
Namyślin = Neumühl 104-105 DE 5
Namysłow = Namslau 113 D 3
Nancray 116-117 B 2
Nancroy, Peisey- 116-117 C 5
Nancy 108-109 B 9
Nandlstadt 114-115 K 3
Nandrin 106-107 E 7
Nans-sous-Sainte-Anne 116-117 B 3
Nàole, Punta di – 116-117 L 5
Napf 116-117 E 3
Napierki = Wetzhausen (Ostpreußen) 112 D 5
Napiwoda = Grünfließ 112 DE 5
Nárai 118-119 M 4
Naramice [3 km → Walichnowy 113 EF 3]
Narew 101 K 2
Narie, Jezioro – = Nariensee 112 CD 4
Nariensee 112 CD 4
Narpierken = Wetzhausen (Ostpreußen) 112 D 5
Narsdorf 110-111 G 3
Naseband [= Nosibądy] 104-105 H 3
Nasiedle = Nassiedel 113 D 5
Naskovfjord 102-103 JK 1
Nassach [Fluß] 110-111 BC 5
Nassach [Ort] 110-111 B 5
Nassacher Höhe 110-111 C 5
Nassadel [= Jastrzębie] 113 D 3
Nassau [Rheinland-Pfalz] 108-109 E 6
Nassau [Sachsen] 110-111 J 4
Nassau [← Sauerland 108-109 EF 4]
Nassenbeuren 114-115 H 4
Nassenheide 104-105 B 5
Nassereith 116-117 L 2
Nassiedel [= Nasiedle] 113 D 5
Nassig 114-115 E 1
Naßlettelsee 104-105 G 6
Nassogne 106-107 E 8
Nastätten 108-109 E 6
Nastazin = Hermelsdorf
Natangen 112 D 2-F 3
Natendorf 102-103 H 4
Naters 116-117 E 4
Natoye 106-107 DE 8
Natrup-Hagen [3 km ↙ Hasbergen 108-109 EF 2]
Natschung [= Načetín, 3 km ← Kallich 110-111 H 4]
Natternbach [2 km ↙ Neukirchen am Walde 118-119 F 2]
Natternberg 114-115 M 3
Natters 116-117 M 2
Nattheim 114-115 G 3
Naturno = Naturns 116-117 LM 3
Naturns [= Naturno] 116-117 LM 3
Nauders 116-117 L 3
Nauen 102-103 N 5
Nauendorf [= Piaseczno] 104-105 E 4
Naugard [= Nowogard] 104-105 F 3
Naugard [= Nowogardek] 104-105 F 2
Nauheim 108-109 F 7
Nauheim, Bad – 108-109 G 6
Naujeningken = Neusiedel (Ostpreußen) 112 H 2
Naulin [= Nowielin] 104-105 E 4
Naumarkt im Hausruckkreis 118-119 F 2
Naumburg 108-109 H 4
Naumburg am Bober [= Nowogród Bobrzyński] 110-111 M 2
Naumburg am Queis [= Nowogrodziec] 110-111 MN 3
Naumburg (Saale) 110-111 E 3
Naumestis = Naumiestis 112 J 2
Naumiestis 112 J 2
Naundorf [Sachsen] 110-111 HJ 4
Naundorf [Sachsen-Anhalt] 110-111 GH 2
Naundorf bei Schlieben 110-111 HJ 2
Naunheim [3 km ↗ Wetzlar 108-109 G 5]
Naunhof 110-111 G 3
Nautzken [= Dobrino] 112 E 2
Nave 116-117 K 5
Naviglio Grande 116-117 G 5-6
Navis 116-117 N 2
Navisence 116-117 E 4
Nawiady = Aweyden 112 F 4
Nawodna = Nahausen
Nawra 104-105 MN 4
Naye, Rochers de – 116-117 CD 4
Nazareth 106-107 B 7
Nazza 110-111 B 3

Neandertal 120 D 4
Nebel [Mecklenburg] 102-103 M 3
Nebel [Schleswig-Holstein] 102-103 D 1
Nebelhorn 114-115 G 6
Nebelstein 118-119 H 1
Nebikon [2 km ↑ Schötze 116-117 EF 2]
Nebočady = Neschwitz 110-111 K 4
Nebra 110-111 E 3
Nebrowo Wielkie = Groß Nebrau 112 A 4
Nebuschel [= Nebužely] 110-111 KL 5
Nebuschitz [= Nebušice, 6 km ↗ Hostivice 110-111 K 5]
Nebušice = Nebuschitz
Nebužely = Nebuschel 110-111 KL 5
Nechanice 110-111 N 5
Nechanitz = Nechanice 110-111 N 5
Nechlin 104-105 C 4
Neckar 114-115 E 3
Neckarau = Mannheim-Neckarau
Neckarbischofsheim 114-115 DE 2
Neckarelz 114-115 E 2
Neckargartach, Heilbronn- 114-115 E 2
Neckargemünd 114-115 D 2
Neckargerach 114-115 E 2
Neckar-Steinach 108-109 G 8
Neckarsulm 114-115 E 2
Neckartailfingen 114-115 E 3
Neckartenzlingen 114-115 E 3
Neckarwestheim [3 km ↗ Kirchheim am Neckar 114-115 E 2]
Neckenmarkt 118-119 M 3
Necker 116-117 H 2
Neckwarz 104-105 L 3
Nečtiny = Netschetin 110-111 H 6
Neddemin 104-105 B 3
Neddenaverbergen 102-103 FG 5
Nederbrakel 106-107 B 7
Nederland = Niederlande 106-107 B 6-H 2
Nederrijn = Niederrhein 106-107 EF 5
Nederweert 106-107 F 6
Nedlin [= Niedalino] 104-105 H 2
Nedlitz [Sachsen-Anhalt, → Magdeburg] 110-111 E 1
Nedlitz [Sachsen-Anhalt, ↗ Zerbst] 110-111 F 1
Nędza = Buchenau 113 E 5
Neede 106-107 H 4
Neer 106-107 F 6
Neermoor 102-103 B 4
Neeroeteren 106-107 F 6
Neerpelt 106-107 E 6
Neersen 120 B 3
Neesen 108-109 GH 2
Neetze [Fluß] 102-103 J 4
Neetze [Ort] 102-103 J 4
Neetze-Ilmenau-Kanal 102-103 H 4
Neffelbach 108-109 C 5
Negast 102-103 NO 2
Neheim-Hüsten 120 HJ 3
Nehmsberg 102-103 H 2
Nehne 112 F 2
Neide 112 D 5
Neidenburg [= Nidzica] 112 DE 5
Neidenfels [3 km ↘ Lambrecht 108-109 EF 8]
Neidenstein [3 km ↘ Waibstadt 114-115 D 2]
Neinstedt 110-111 D 2
Neipe = Niepart 113 B 2
Neiße [= Nysa] 113 C 5
Neiße, Glatzer – 113 CD 4
Neiße, Görlitzer = Lausitzer Neiße 110-111 L 2
Neiße, Lausitzer – [= Görlitzer Neiße] 110-111 L 2
Neiße, Wütende – 110-111 O 3, 113 A 3-4
Nejdek = Neudek 110-111 G 5
Nekielka = Nekla-Hauland
Nekla 104-105 K 6
Nekla-Hauland [= Nekielka, 4 km ↖ Nekla 104-105 K 6]
Nekoř 113 B 5
Nekrasovo = Karpauen 112 G 3
Nekrasovo = Liska-Schaaken 112 E 2
Nelahozeves = Mühlhausen
Nelep [= Nielep] 104-105 G 3
Nellingen 114-115 F 3
Nellingen auf den Fildern [3 km ↙ Eßlingen am Neckar 114-115 E 3]
Neman = Memel 101 K 1
Neman = Ragnit 112 GH 1
Nemanskoje = Trappen 112 H 1
Nembro 116-117 J 5
Němčice [Tschechoslowakei, ↗ Klattau] 114-115 N 2
Němčice [Tschechoslowakei, ↖ Klattau] 114-115 MN 2
Němčice = Nemschitz
Nemcitz = Němčice 114-115 N 2
Nemescsó 118-119 M 4
Nemitschowes = Nemyčeves
Nemitz [= Niemica] [Pommern, ↗ Köslin] 104-105 HJ 2
Nemitz [= Niemica] [Pommern, ↙ Greifenberg in Pommern] 104-105 E 3
Nemitzbach 104-105 E 3
Nemmersdorf [= Majakovskoje] 112 H 2
Nemonien = Elchwerder 112 F 2
Nemschitz [= Němčice, 3 km ↗ Leitomischl 113 A 6]
Nemtschitz = Němčice 114-115 MN 2
Nemyčeves [3 km ↗ Jičíněves 110-111 M 5]
Nendaz 116-117 D 4
Nendaz, Val de – 116-117 D 4
Nendeln 116-117 J 2
Nendorf 102-103 E 5-6
Nendza = Buchenau 113 E 5
Nenndorf 102-103 G 4
Nenndorf, Bad – 108-109 HJ 2
Nennhausen 102-103 MN 5
Nennig 108-109 B 7
Nennslingen 114-115 J 2
Nentershausen 108-109 JK 4
Nenzing 116-117 J 2
Nenzingen 114-115 D 5
Nenzinger Himmel 116-117 J 2
Nepolis [= Nepolisy] 110-111 M 5
Nepolisy = Nepolis 110-111 M 5
Nepomyšl = Pomeisl 110-111 H 5
Ner 113 F 1
Neratovice = Neratowitz 110-111 KL 5
Neratowitz [= Neratovice] 110-111 KL 5
Nerchau 110-111 G 3
Neresheim 114-115 G 3
Neroberg 108-109 F 6
Nersingen 114-115 G 4
Nerviano 116-117 GH 5
Nery, Mont – 116-117 E 5
Nes 106-107 F 2
Neschwitz 110-111 K 3
Neschwitz [= Nebočady] 110-111 K 4
Nesigode = Jagdhausen 113 C 2
Nesse [Niedersachsen] 102-103 B 3
Nesse [Thüringen] 110-111 C 4
Nesselgrund [= Gajewo] 104-105 E 5
Nesselröden 110-111 B 2-3
Nesselwang 114-115 H 5
Nessin [= Nieżyn] 104-105 G 2
Nesslau 116-117 H 2
Neßmersiel 102-103 B 3
Nesso 116-117 H 5
Nest 104-105 H 2
Nest [= Unieście] 104-105 H 2
Nesterov = Ebenrode 112 HJ 2
Nesthorn 116-117 E 4
Nete 106-107 D 6
Netersel, Bladel en – 106-107 E 6
Nethe 108-109 H 3
Nethe = Nete 106-107 D 6
Nethen 106-107 D 7
Netra 110-111 B 3
Netro 116-117 E 5
Netschetin [= Nečtiny] 110-111 H 6
Netstal 116-117 GH 2
Nett 120 B 3
Nettebach 108-109 D 6
Nettersheim 108-109 C 6
Nettesheim-Butzheim 120 CD 4
Nettingsdorf 118-119 G 2
Nettlingen 110-111 B 1
Netze [= Noteć] [Deutschland] 101 H 2
Netze [= Noteć] [Polen, östliche –] 104-105 MN 6
Netze [= Noteć] [Polen, westliche –] 104-105 L 5-6
Netzeband 102-103 N 5
Netzebruch 104-105 FG 5
Netzekanal 104-105 L 4
Netzingen 114-115 E 3
Netzschkau 110-111 F 4
Netzthal [= Osiek nad Notecią] 104-105 K 4
Netzwalde [= Rynarzewo] 104-105 L 4
Neualbenreuth 110-111 F 6
Neu Altmannsdorf [= Starczówek] 113 C 4
Neu Anspach [= Niegosław] 104-105 G 5
Neu Argeningken = Argenbrück 112 G 1
Neu Barkoschin [= Nowy Barkoczyn] 104-105 M 2
Neubarnim [3 km ↘ Neulewin 104-105 D 5]
Neubeckum 120 J 1
Neu Benatek [= Nové Benátky nad Jizerou] 110-111 L 5
Neu Bentschen [= Zbąszynek] 110-111 N 1
Neuberg [= Podhradí] 110-111 F 5
Neuberg an der Mürz 118-119 K 3
Neuberg im Burgenland 118-119 L 4
Neu Berun [= Bieruń Nowy] 113 G 5
Neubeuern 114-115 L 5
Neu Bidschow = Nový Bydžov 110-111 M 5
Neubistritz [= Nová Bystřice] 118-119 J 1
Neu Boltenhagen 104-105 BC 2
Neubörger 102-103 B 5
Neubraa [= Nowa Brda] 104-105 K 3
Neubrandenburg [Ort, Verwaltungseinheit] 104-105 B 3
Neu-Breisach [= Neuf-Brisach] 114-115 B 4-5
Neu Bronischewitz [= Broniszewice] 113 D 2
Neubruchhausen 102-103 E 5
Neubrück 110-111 K 1
Neubrück [= Wartosław] 104-105 H 5
Neubrunn 114-115 F 1
Neu Buckow [= Bukówko] 104-105 H 3
Neu Büddenstedt 110-111 CD 1
Neubukow 102-103 L 2
Neubulach 114-115 D 3
Neuburg 102-103 L 3
Neuburg an der Donau 114-115 J 3
Neuburg an der Kammel 114-115 G 4
Neuburxdorf 110-111 H 3
Neuchâtel = Neuenburg [Ort] 116-117 CD 3
Neuchâtel = Neuenburg [Verwaltungseinheit] 116-117 C 2-3
Neuchâtel, Lac de – = Neuenburgersee 116-117 C 3
Neudamm [= Dębno] 104-105 E 5
Neu Darchau 102-103 J 4
Neudau 118-119 L 4
Neudeck [= Ogrodzieniec] 112 B 4
Neudek [= Nejdek] 110-111 G 5
Neudenau 114-115 E 2
Neudietendorf 110-111 CD 4
Neudims [= Najdymowo, 4 km ↖ Bischofsburg 112 EF 4]
Neu Dombie [= Nowe Dąbie] 104-105 L 5
Neudorf [Deutschland] 114-115 CD 2
Neudorf [Österreich] 118-119 LM 1
Neudorf [= Nová Ves] [Tschechoslowakei, Erzgebirge] 110-111 H 4-5
Neudorf [= Nová Ves] [Tschechoslowakei, Oberpfälzer Wald] 114-115 M 1
Neudorf [= Nowa Wieś] 113 D 2
Neudorf [= Nowa Wieś Legnicka] 110-111 O 3
Neudorf [= Nowa Wieś (Pilska)] 104-105 HJ 4
Neudorf [4 km ↘ Crottendorf 110-111 G 4]
Neudorf [= Nová Ves, 5 km ↙ Kolín 110-111 M 5]
Neudorf [= Nová Ves, 5 km ← Petschau 110-111 G 5]
Neudorf am Gröditzberge [= Nowa Wieś Grodziska] 110-111 N 3
Neudorf bei Landsee 118-119 L 3
Neudorf bei Parndorf 118-119 M 2
Neudorf, Duisburg- 120 D 3
Neudorf, Fürstlich – [= Nowa Wieś Książęca] 113 D 3
Neudorf (Königlich) [= Nowa Wieś Królewska] 113 D 1
Neudörfl 118-119 L 3
Neudorf-Platendorf 102-103 J 5
Neudorf, Schloß – [= Nowa Wieś] 110-111 N 1
Neudorf, Theben- [= Devínska Nová Ves] 118-119 MN 2
Neue Elde 102-103 K 4
Neue Jäglitz 102-103 M 5
Neu Elmenhorst = Elmenhorst 102-103 O 3
Neue Maas 106-107 C 5
Neuenahr, Bad – 108-109 D 5
Neuenburg [Baden-Württemberg] 114-115 B 5
Neuenburg [Niedersachsen] 102-103 C 4
Neuenburg [= Neuchâtel] [Ort] 116-117 CD 3
Neuenburg [= Neuchâtel] [Verwaltungseinheit] 116-117 C 2-3
Neuenburg [= Nowogródek Pomorski] 104-105 EF 5
Neuenburg = Nimburg 110-111 M 5
Neuenbürg 114-115 CD 3
Neuenburgersee 116-117 C 3
Neuenburg in Westpreußen [=Nowe] 104-105 N 3
Neuendettelsau 114-115 H 2
Neuendorf 104-105 AB 1
Neuendorf [= Czarnowo] 110-111 LM 1
Neuendorf [= Nowa Wieś Ełcka] 112 H 4
Neuendorf [= Nowa Wieś Lęborska] 104-105 L 1
Neuendorf [3 km ↑ Oderberg (Mark) 104-105 D 5]
Neuendorf am Damm 102-103 KL 5
Neuendorf bei Wilster 102-103 F 3
Neuendorfer See 104-105 D 3
Neuendorf in Holstein 102-103 G 3
Neuenegg 116-117 D 3
Neuenhagen bei Berlin 104-105 C 5
Neuenhain [2 km ↖ Bad Soden am Taunus 108-109 FG 6]
Neuenhaus 102-103 A 5-6
Neuenheerse 108-109 GH 3
Neuenheim = Heidelberg-Neuenheim
Neuenhof, Schloß – 120 G 4
Neuenkirch 116-117 F 2
Neuenkirchen [Mecklenburg] 104-105 BC 3
Neuenkirchen [Niedersachsen, Dammer Berge] 102-103 CD 5
Neuenkirchen [Niedersachsen, Hadeln] 102-103 E 3
Neuenkirchen [Niedersachsen, Lüneburger Heide] 102-103 G 4
Neuenkirchen [Niedersachsen, Osterstade] 102-103 DE 4
Neuenkirchen [Nordrhein-Westfalen, ↘ Gütersloh] 108-109 FG 3
Neuenkirchen [Nordrhein-Westfalen, ↙ Rheine] 108-109 D 2
Neuenkirchen [Pommern, Rügen] 104-105 B 1
Neuenkirchen [Pommern, Vorpommern] 104-105 B 2
Neuenkirchen [Schleswig-Holstein] 102-103 EF 2
Neuenkirchen [= Doluje] 104-105 D 4
Neuenknick 102-103 F 6
Neuenmarkt 110-111 DE 5
Neuenrade 120 H 3
Neuenstadt [= La Neuveville] 116-117 CD 2
Neuenstadt am Kocher 114-115 E 2
Neuenstein 114-115 F 2
Neuenwalde 102-103 E 3
Neue Pulsnitz 110-111 J 3
Neu Erbersdorf [= Nové Heřminovy] 113 CD 5
Neuerburg 108-109 B 6
Neuern [= Nýrsko] 114-115 N 2
Neue Welt 118-119 L 3
Neufahrdorf = Neu Zattum 104-105 G 5
Neufahrn bei Freising 114-115 K 4
Neufahrn in Niederbayern 114-115 L 3
Neufahrwasser, Danzig- [= Gdańsk-Nowy Port] 104-105 N 2
Neufall
Neu Fanger = Fanger 104-105 EF 3
Neuf-Brisach = Neu-Breisach 114-115 B 4-5
Neufchâteau 106-107 EF 9
Neufeld an der Leitha 118-119 L 3
Neufelden 118-119 G 2
Neufelderkoog 102-103 EF 3
Neuffen 114-115 E 3
Neufließ [= Baranowo] 112 E 5
Neu Flinkow [= Włynkówko] 104-105 JK 1
Neufmanil 106-107 D 9
Neufra 114-115 E 4
Neufvilles 106-107 BC 7
Neugabel [= Nowa Jabłona] 110-111 N 2
Neugablonz, Kaufbeuren- 114-115 H 5
Neugarten [= Zahrádky] 110-111 L 4
Neugattersleben 110-111 E 2
Neugedein [= Kdyně] 114-115 N 2
Neugersdorf 110-111 L 3-4
Neuglobsow 104-105 B 4
Neugolz [= Golce] 104-105 H 4
Neugraben 110-111 H 2
Neuguth [= Nowa Wieś (Człuchowska)] 104-105 K 3
Neuguth bei Fraustadt [= Nowa Wieś] 113 A 2
Neuhammer [= Jagodzin] 110-111 M 3
Neuhammer [= Świętoszów] 110-111 MN 3
Neuhammer [= Nové Hamry, 5 km ↑ Neudek 110-111 G 5]
Neu Hannsdorf = Hannsdorf 113 BC 5
Neuhardenberg = Marxwalde 104-105 D 5
Neuharlingersiel 102-103 C 3
Neuhaus [Deutschland] 108-109 J 3
Neuhaus [Österreich] 118-119 J 3
Neuhaus am Inn 114-115 N 4
Neuhaus am Klausenbach [5 km ↙ Windisch Minihof 118-119 L 5]
Neuhaus am Rennweg 110-111 D 4
Neuhaus an der Pegnitz 114-115 K 1
Neuhaus, Bad – 110-111 B 5
Neuhäusel [= Nové Zámky] 101 J 4
Neuhaus (Elbe) 102-103 J 4
Neuhäusel, Kirkel- 108-109 D 8
Neuhausen [Brandenburg] 110-111 KL 2
Neuhausen [Sachsen] 110-111 HJ 4
Neuhausen [= Gurjevsk] 112 E 2
Neuhausen am Rheinfall 116-117 G 1
Neuhausen auf den Fildern 114-115 E 3
Neuhausen ob Eck 114-115 D 5
Neuhäuser 112 C 2
Neuhaus (Oste) 102-103 F 3
Neuhaus-Schierschnitz 110-111 D 5
Neuhaus, Schloß – 108-109 G 3
Neuhodis 118-119 L 4
Neuhof [Brandenburg] 110-111 H 1
Neuhof [Hessen] 108-109 J 6
Neuhof [= Nové Dvory] 110-111 M 6
Neuhof [= Nový Dvůr] 114-115 N 1
Neuhof = Heilsberg-Neuhof
Neuhof an der Zenn 114-115 H 2
Neuhofen [3 km → Limburgerhof 108-109 FG 8]
Neuhöfen [= Nowe Dwory] 104-105 H 5
Neuhofen an der Krems 118-119 G 2
Neuhofen an der Ybbs 118-119 H 2
Neuhoff [= Zelki] 112 H 4
Neuholland [5 km ↙ Liebenwalde 104-105 B 5]
Neuhöwen 114-115 D 5
Neuhradek [= Nový Hrádek] 113 A 5
Neuhütten 108-109 D 7
Neuhütten [= Nová Huť pod Nižborem] 110-111 JK 6
Neu-Isenburg 108-109 G 6
Neu Jugelow [= Gogolewko] 104-105 K 2
Neukalen 102-103 N 3
Neu Kaliß 102-103 K 4
Neukieritzsch 110-111 F 3
Neukirch [Deutschland] 114-115 F 5
Neukirch [Schweiz] 116-117 H 3
Neukirch [= Nowa Cerkiew] [Danzig] 104-105 NO 2
Neukirch [= Nowa Cerkiew] [Polen] 104-105 L 3
Neukirch [= Nowy Kościół] 110-111 N 3
Neukirch [= Timir'azevo] 112 G 1
Neukirch, Breslau- [= Wrocław-Żerniki] 113 B 3
Neukirchen [Bayern] 114-115 M 3
Neukirchen [Hessen, ← Bad Hersfeld] 108-109 H 5
Neukirchen [Hessen, ↓ Bad Hersfeld] 108-109 J 5
Neukirchen [Nordrhein-Westfalen] 120 C 4
Neukirchen [Sachsen, ↓ Chemnitz] 110-111 G 4
Neukirchen [Sachsen, ↖ Zwickau] 110-111 F 4
Neukirchen [Schleswig-Holstein, Angeln] 102-103 G 1
Neukirchen [Schleswig-Holstein, Nordfriesland] 102-103 E 1
Neukirchen [Schleswig-Holstein, Wagrien] 102-103 K 2
Neukirchen [Thüringen] 110-111 B 3
Neukirchen [= Bełczna] 104-105 FG 3
Neukirchen [= Nový Kostel] 110-111 F 5
Neukirchen [5 km ↙ Altmünster 118-119 F 3]
Neukirchen am Großvenediger 118-119 C 4
Neukirchen am Inn 114-115 N 3
Neukirchen am Walde 118-119 F 2
Neukirchen an der Enknach 118-119 D 2
Neukirchen an der Vöckla 118-119 EF 2
Neukirchen-Balbini 114-115 LM 2
Neukirchen bei Heilig Blut 114-115 M 2
Neukirchen bei Sulzbach-Rosenberg 114-115 K 1
Neukirchen-Vluyn 120 C 3
Neukirchen vorm Wald 114-115 N 3
Neukirch Höhe [= Pogrodzie] 112 C 3
Neukirch (Lausitz) 110-111 K 3
Neukloster [Mecklenburg] 102-103 L 3
Neukloster [Niedersachsen] 102-103 G 4
Neuklostersee 102-103 L 3
Neu Kockendorf [= Nowe Kawkowo, 6 km → Brückendorf 112 D 4]
Neukölln, Berlin- 104-105 B 6
Neu Königgrätz [= Nový Hradec Králové] 110-111 N 5
Neu Kortschin = Nowy Korczyn 101 K 3
Neu Kosonow 104-105 C 3
Neu Kramzig = Kleistdorf 110-111 N 1
Neukrug [= Nowa Karczma] [Deutschland] 112 C 3
Neukrug [= Nowa Karczma] [Polen] 104-105 M 2
Neukuhren [= Pionerskij] 112 D 2
Neukünkendorf 104-105 CD 5
Neu Lawau = Sławoszew 113 D 2
Neulengbach 118-119 KL 2
Neuler 114-115 G 3
Neulewin 104-105 D 5
Neu Lipke = Lipke 104-105 G 5
Neu Lübbenau 110-111 JK 1
Neulußheim [3 km ↙ Hockenheim 114-115 CD 2]
Neumagen 108-109 CD 7
Neumalken [= Woszczele] 112 H 4
Neumark [Brandenburg, Pommern] 104-105 E 6-G 4
Neumark [Sachsen] 110-111 F 4
Neumark [Thüringen] 110-111 D 3
Neumark [= Nowe Miasto Lubawskie] 112 BC 5
Neumark [= Nowica] 112 C 3
Neumark [= Stare Czarnowo] 104-105 E 4
Neumark [= Všeruby] 114-115 MN 2
Neumark (Geiseltal) 110-111 E 3
Neumarkt [= Egna] 116-117 M 4
Neumarkt [= Nowy Targ] 101 K 4
Neumarkt [= Środa Śląska] 113 B 3
Neumarkt [= Úterý] 110-111 GH 6
Neumarkt am Wallersee 118-119 E 3
Neumarkt an der Raab [3 km ↘ Jennersdorf 118-119 L 5]
Neumarkt an der Ybbs 118-119 J 2
Neumarkter Sattel 118-119 G 4
Neumarkt im Mühlkreis 118-119 GH 2
Neumarkt in der Oberpfalz 114-115 JK 2
Neumarkt in Steiermark 118-119 GH 4
Neumarktl [= Tržič] 118-119 G 6
Neumarkt Sankt Veit 114-115 M 4
Neu Mecklenburg [= Zwierzyn] 104-105 G 5
Neumittelwalde [= Międzybórz] 113 D 3
Neumühl [= Kostromino] 112 F 3
Neumühl [= Namyślin] 104-105 DE 5
Neumünster 102-103 GH 2
Neunagelberg 118-119 HJ 1
Neunassau 112 G 2
Neunburg vorm Wald 114-115 L 2
Neundorf 110-111 E 2
Neundorf [= Nowa Wieś] 110-111 N 3
Neunischken = Neunassau 112 G 2
Neunkirch 116-117 FG 1
Neunkirchen [Deutschland, Nordrhein-Westfalen, Bergisches Land] 108-109 D 5
Neunkirchen [Deutschland, Nordrhein-Westfalen, Siegerland] 108-109 EF 5
Neunkirchen [Österreich] 118-119 L 3
Neunkirchen am Brand 114-115 J 1
Neunkirchen am Sand 114-115 J 1
Neunkirchen/Saar 108-109 D 8
Neunkircher Höhe 108-109 G 7
Neuötting 114-115 M 4
Neu Paka [= Nová Paka] 110-111 N 4-5
Neu Paleschken [= Nowe Polaszki] 104-105 M 2
Neu Petershain 110-111 K 2
Neupölla 118-119 J 1
Neu Poserin
Neurath 120 C 4
Neuraz [= Neurazy] 114-115 NO 2
Neurazy = Neuraz 114-115 NO 2
Neureichenau 118-119 F 1
Neureut (Baden) 114-115 C 2
Neurey-lès-la-Demie 116-117 B 1
Neuried [3 km ↘ Planegg 114-115 JK 4]
Neurode [= Karczowiska] 110-111 O 3
Neurode [= Nowa Ruda] 113 AB 4
Neu Rohlau [= Nová Role] 110-111 G 5
Neu Rosenthal [= Nowa Różanka, 6 km ↗ Rastenburg 112 F 3]
Neurüdnitz 104-105 D 5
Neuruppin 102-103 N 5
Neusalza-Spremberg 110-111 L 3
Neusalz (Oder) [= Nowa Sól] 110-111 N 2
Neu Sandez [= Nowy Sącz] 101 K 4
Neu Sankt Jürgen 102-103 EF 4
Neusarben [= Sarbia] 104-105 J 5
Neusäß [2 km ↗ Westheim bei Augsburg 114-115 H 4]
Neu Sattl [= Nové Sedlo] 110-111 G 5
Neusatz [2 km ↗ Lauf 114-115 C 3]
Neuschanz = Nieuwe-Schans 106-107 J 2
Neuschloß, Lampertheim- 108-109 FG 7
Neuschoo [3 km ↖ Blomberg 102-103 C 3]
Neuschwanstein [1 km → Hohenschwangau 114-115 H 5]
Neuseußlitz [5 km ↑ Zadel 110-111 H 3]
Neu Siedel = Siedlemin
Neusiedel (Ostpreußen) [= Malomožajskoje] 112 H 2
Neusiedl am See 118-119 M 3
Neusiedl an der Zaya 118-119 M 1
Neusiedler See 118-119 M 3
Neu Skardupönen = Grenzwald 112 HJ 1
Neusohl [= Banská Bystrica] 101 J 4
Neusorg 114-115 K 1
Neuß 120 C 4
Neuss = Nyon 116-117 B 4
Neustadt [Baden-Württemberg] 114-115 C 5
Neustadt [Hessen, ↘ Darmstadt] 108-109 GH 7
Neustadt [Hessen, ↗ Marburg an der Lahn] 108-109 H 5
Neustadt [Schlesien] 110-111 KL 3
Neustadt [Thüringen] 110-111 C 2
Neustadt = Villeneuve 117 CD 4
Neustadt am Kulm 114-115 K 1
Neustadt am Main 114-115 EF 1
Neustadt am Rennsteig 110-111 C 4
Neustadt am Rübenberge 102-103 FG 5-6
Neustadt an der Aisch 114-115 H 1
Neustadt an der Donau 114-115 K 3
Neustadt an der Mettau [= Nové Město nad Metují] 110-111 O 5
Neustadt an der Rheda [= Wejherowo] 104-105 M 1
Neustadt an der Saale, Bad – 110-111 B 5
Neustadt an der Tafelfichte [= Nové Město pod Smrkem] 110-111 M 4
Neustadt an der Waldnaab 114-115 L 1
Neustadt an der Warthe [= Nowe Miasto nad Wartą] 113 CD 1
Neustadt an der Weinstraße 108-109 F 8
Neustadt bei Coburg 110-111 CD 5
Neustadt bei Pinne [= Lwówek] 104-105 H 6
Neustadt (Dosse) 102-103 M 5
Neustädtel [= Nowe Miasteczko] 110-111 N 2
Neustädtel = Schneeberg-Neustädtel
Neustadt-Glewe 102-103 KL 4
Neustadt (Holstein) 102-103 J 2
Neustadtl 118-119 HJ 2
Neustadtl [= Stráž] 114-115 M 1
Neustadt (Oberschlesien) [= Prudnik] 113 D 5
Neustadt (Orla) 110-111 E 4
Neustadt (Sachsen) 110-111 K 3
Neustadt (Wied) 108-109 DE 5
Neustettin [= Szczecinek] 104-105 J 3
Neustift, Freising- 114-115 K 4
Neustift im Stubaital 116-117 M 2
Neustraschitz [= Nové Strašecí] 110-111 J 5
Neustrelitz 104-105 B 4
Neustrelitz-Strelitz 104-105 B 4
Neustrelitz-Zierke 104-105 AB 4
Neutal = Neuthal 104-105 H 5
Neutal [3 km ↖ Stoob 118-119 LM 3]
Neuteich [= Chełst] 104-105 G 5
Neuteich [= Nowy Staw] 104-105 NO 2
Neuthal [= Nojewo] 104-105 H 5
Neuthal [= Nové Údolí] 118-119 F 1
Neu Toggenburg 116-117 GH 2

Neutomischel 31 **Nürtingen**

Neutomischel [= Nowy Tomyśl] 110-111 O 1
Neutra [= Nitra] 101 J 4
Neutrabling 114-115 L 3
Neutrebbin 104-105 D 5
Neu-Ulm 114-115 FG 4
Neu-Ulm-Ludwigsfeld [↓ Neu-Ulm 114-115 EF 4]
Neu-Ulm-Offenhausen [↗ Neu-Ulm 114-115 EF 4]
Neu-Ulm-Schwaighofen [↘ Neu-Ulm 114-115 EF 4]
Neuveville, La – = Neuenstadt 116-117 CD 2
Neuville-aux-Joûtes, la – 106-107 C 9
Neuville-en-Condroz 106-107 E 7
Neuwaldau [= Drągowina] 110-111 M 2
Neu Waltersdorf [= Nowy Waliszów] 113 B 5
Neuwarp [= Nowe Warpno] 104-105 D 3
Neuwarper See 104-105 D 3
Neuwasser [= Dąbki] 104-105 H 2
Neuwedell [= Drawno] 104-105 G 4
Neuweiler [= Neuwiller] 116-117 DE 1
Neuweiler [= Neuwiller-lès-Saverne] 108-109 D 9
Neu Weistritz [= Nowa Bystrzyca] 113 B 5
Neuwerk 102-103 D 3
Neuwerk, Mönchengladbach- 120 B 4
Neuwied 108-109 D 6
Neuwildflecken 108-109 J 6
Neuwiller = Neuweiler 116-117 DE 1
Neuwiller-lès-Saverne = Neuweiler 108-109 D 9
Neu Wuhrow [= Nowe Worowo, 4 km ↗ Klebow 104-105 H 3]
Neuwürschnitz 110-111 G 4
Neu Zattum [= Zatom Nowy] 104-105 G 5
Neuzauche 110-111 K 2
Neuzelle 110-111 L 1
Neu Zittau 104-105 C 6
Nevele 106-107 AB 6
Neviges 120 E 3
Nevskoje = Schloßbach 112 J 2
Neydharting, Bad Wimsbach- 118-119 F 2
Neye-Stausee 120 F 4
Nezvěstice 114-115 NO 1
Nezwiestitz = Nezvěstice 114-115 NO 1

Niardo 116-117 K 5
Nibelungenstraße 114-115 D 1, E 1
Nichel 110-111 G 1
Nickelsdorf 118-119 MN 3
Nickelshagen [= Liksajny] 112 C 4
Nickelswalde [= Mikoszewo] 104-105 NO 2
Nickrisch = Hagenwerder 110-111 L 3
Nida 101 K 3
Nida = Neide 112 D 5
Nida = Nidden 112 F 1
Nidau 116-117 D 2
Nidda [Fluß] 108-109 G 6
Nidda [Ort] 108-109 H 6
Nidden [= Nida] 112 F 1
Nidder 108-109 G 6
Nideggen 108-109 B 5
Nidwalden 116-117 F 3
Nidzica = Neidenburg 112 DE 5
Nidzkie Jezioro = Niedersee 112 G 4
Niebędzińska Góra = Schlüsselberg 104-105 L 1
Niebendorf-Heinsdorf 110-111 H 2
Nieblum 102-103 DE 1
Nieborowo = Isinger 104-105 E 4
Niebrzydowo Wielkie = Groß Hermenau 112 C 4
Niebudis = Bärengraben 112 H 2
Niebudschen = Herzogskirch 112 H 2
Niebudszen = Herzogskirch 112 H 2
Niebüll 102-103 E 1
Niebusch = Bergenwald 110-111 MN 2
Niechanowo 104-105 L 6
Niechmirów 113 F 3
Niechorze = Horst (Seebad) 104-105 F 2
Niechwaszcz = Neckwarz 104-105 L 3
Nied 108-109 B 8
Niedalino = Nedlin 104-105 H 2
Niedaltdorf 108-109 C 8
Niedamowo [4 km ↖ Neu Paleschken 104-105 M 2]
Niedenstein 108-109 H 4
Nieder [3 km → Dreis-Tiefenbach 108-109 F 5]
Niederaden 120 G 2
Niederaichachbach 114-115 L 3
Niederalplpaß 118-119 J 3
Niederalteich 114-115 MN 3
Niederaschau im Chiemgau 114-115 L 5
Niederasphe 108-109 G 5
Niederaudorf 114-115 L 5
Niederaula 108-109 J 5
Niederaußem 120 C 5
Nieder Baumgarten (= Sady Dolne) 110-111 O 4
Niederbayern 114-115 K-N 3
Niederbeisheim 108-109 J 4
Niederberg 108-109 C 5
Niederbieber-Segendorf 108-109 DE 6
Nieder Bielau [= Bielawa Dolna] 110-111 M 3
Niederbipp 116-117 E 2
Niederbobritzsch 110-111 HJ 4
Nieder Bögendorf [= Witoszów Dolny] 113 A 4
Niederbrechen 108-109 F 6
Niederbreising 108-109 D 5
Niederbrombach 108-109 D 7
Niederbronn [= Niederbronn-les-Bains] 108-109 E 9
Niederbronn-les-Bains = Niederbronn 108-109 E 9
Niederbüren 116-117 H 2
Niederdollendorf [3 km ↖ Königswinter 108-109 D 5]
Niederdorf [= Villabassa] 118-119 C 5
Niedereimer 120 J 3
Nieder Einsiedel [= Dolní Poustevna] 110-111 K 3-4
Niederemmel 108-109 CD 7
Niederempt 120 C 5
Niederense 120 H 3
Niederer Fläming 110-111 HJ 2
Niederer Tauern 118-119 E 4
Niedereschach 114-115 CD 4
Nieder-Eschbach 108-109 G 6
Niedere Tatra 101 JK 4
Niedere Tauern 118-119 F-H 4
Niederfellabrunn 118-119 L 2
Niederfinow 104-105 CD 5
Niederfischbach 108-109 E 5
Nieder-Florstadt 108-109 G 6
Niederfüllbach 110-111 CD 5
Nieder-Gemünden 108-109 GH 5
Nieder Georgenthal [= Dolní Jiřetín] 110-111 HJ 4
Niedergörsdorf 110-111 G 2
Niedergössen [4 km ↙ Aarau 116-117 F 2]
Niedergruppai = Nieder Krupai 110-111 L 4
Nieder Gruppe [= Grupa Dolna] 104-105 N 3
Niedergurig [3 km ↓ Großdubrau 110-111 KL 3]
Niederhain, Langenleuba- 110-111 G 4
Niederhannsdorf [= Jaszkowa Dolna] 113 B 5
Niederheimbach 108-109 E 6
Nieder Hermsdorf [= Jasienica Dolna] 113 CD 4
Nieder Herzogswaldau [= Mirocin Dolny] 110-111 MN 2
Nieder Hillersdorf [= Hejnov] 113 C 5
Niederjoch 116-117 L 3
Niederjossa 108-109 HJ 5
Niederkassel, Düsseldorf- 120 CD 4
Niederkaufungen 108-109 J 4
Niederklein 108-109 GH 5
Nieder Kleinaupa [= Dolní Malá Úpa] 110-111 N 4
Nieder Kränig [= Krajnik Dolny] 104-105 D 4
Niederkreuzstetten 118-119 LM 2
Niederkrüchten 120 AB 4
Nieder Krupai [= Dolní Krupá] 110-111 L 4
Niederlahnstein 108-109 E 6
Niederlande 106-107 B 6-H 2
Niederlandin 104-105 D 4
Nieder Langenau [= Długopole Dolne] 113 B 5
Nieder Langenau [= Dolní Lánov] 110-111 N 4
Niederlausitz 110-111 J-M 2
Niederleis 118-119 LM 1
Nieder Leschen [= Leszno Dolne] 110-111 M 2-3
Nieder Linda = Nieder Linde 110-111 M 3
Nieder Linde [= Zalipie Dolne] 110-111 M 3
Nieder Lindewiese [= Dolní Lipová] 113 C 5
Niederlinxweiler [3 km ↑ Ottweiler 108-109 D 8]
Niederlungwitz 110-111 FG 4
Nieder Marklowitz [= Marklowice] 113 F 5
Niedermarsberg 108-109 G 4
Niedermarschacht 102-103 H 4
Niedermendig 108-109 D 6
Nieder Mois [= Ujazd Dolny] 113 AB 3
Nieder-Mörlen 108-109 G 6
Niedermörmter 120 B 1-2
Niedernberg [1 km ↖ Sulzbach am Main 114-115 E 1]
Niederndodeleben 110-111 DE 1
Niederneuendorf, Hennigsdorf- 104-105 B 5
Niedernhall 114-115 F 2
Niedernhausen 108-109 F 6
Nieder Ochtenhausen 102-103 F 3
Niederoderwitz [3 km ↘ Oberoderwitz 110-111 L 4]
Nieder Oels [= Dolní Olešnice] 110-111 N 4
Nieder-Ohmen 108-109 H 5
Nieder-Olm 108-109 F 7
Niederorschel 110-111 BC 3
Niederösterreich 118-119 H-L 1-2
Niederpöllnitz 110-111 EF 4
Nieder-Ramstadt 108-109 G 7
Niederrhein 106-107 EF 5
Niederrhein = Rhein 108-109 B 3
Niederrodenbach 108-109 GH 6
Niedersachsen 101 C-E 2
Niedersachswerfen 110-111 C 2
Nieder Salzbrunn [= Szczawienko] 113 A 4
Nieder Sartowitz [= Sartowice] 104-105 N 4
Nieder-Saulheim 108-109 F 7
Niederscheld 108-109 F 5
Niederscholden 108-109 EF 5
Niederschlema, Schneeberg- 110-111 G 4
Niederschlesien 110-111 L-O 3, 113 A 3-C 4
Niederschöna 110-111 HJ 4
Nieder Schönfeld [= Kraśnik Dolny] 110-111 N 3
Niederschopfheim 114-115 B 4
Niedersedlitz, Dresden- 110-111 J 3-4
Niedersee 112 G 4
Niedersee [= Ruciane] 112 G 4
Nieder Seifersdorf 110-111 L 3
Niederselters 108-109 F 6
Niedersept [= Seppois-le-Bas] 116-117 D 1
Niedersfeld 108-109 G 4
Niedersill [6 km ↘ Uttendorf 118-119 D 4]
Niedersimmental 116-117 DE 3
Nieder Soor [= Dolní Zd'ár, 2 km ↗ Deutsch Prausnitz 110-111 NO 5]
Niedersprockhövel 120 EF 3
Niederstetten 114-115 FG 2
Niederstotzingen 114-115 G 3
Niedert 108-109 DE 6
Niederthalhausen 108-109 J 5
Nieder Thiemendorf [= Radostów Dolny] 110-111 M 3
Niedertrumer See 118-119 E 3
Nieder Ullersdorf [= Mirostowice Dolne] 110-111 M 2
Niederung 112 FG 1
Niederurner 116-117 GH 2
Niederuzwil 116-117 H 2
Niedervellmar 108-109 HJ 4
Niederviehbach 114-115 L 3
Nieder Vintl [= Vandòies] 118-119 B 5
Niederwald 116-117 F 4
Niederwalddenkmal 108-109 E 6-7
Niederwaldkirchen 118-119 G 2
Niederwalgern 108-109 G 5
Niederwalluf 108-109 F 6
Niederwangen [3 km ↙ Wangen im Allgäu 114-115 F 5]
Niederwasser 114-115 C 4
Niederweimar 108-109 C 5
Nieder-Weisel 108-109 G 6
Niederweningen 116-117 F 1
Niederwerrn 110-111 B 5
Nieder Wildgrub [= Dolní Václavov] 113 C 6
Niederwöhren 108-109 H 2
Nieder-Wöllstadt 108-109 G 6
Niederwölz 118-119 G 4
Niederwörresbach 108-109 D 7
Niederwürschnitz 110-111 G 4
Niederwürzbach 108-109 D 8
Niederzehren [= Czarne Dolne] 112 AB 4
Niederzier 108-109 BC 5
Niederzimmern [3 km ↗ Vieselbach 110-111 D 3]
Niederzissen 108-109 D 6
Niedobczyce = Niedobschütz 113 EF 5
Niedobschütz [= Niedobczyce] 113 EF 5
Niedoradz = Nittritz 110-111 N 2
Niedzięgiel, Jezioro – = Skorzenciner See 104-105 L 6
Niedźwiadna 112 H 4
Niedźwiedź = Bahrendorf 104-105 O 4
Niedźwiedź = Bardorf 113 B 4
Niedźwiedzianka = Barenberg 104-105 J 2
Niefern 114-115 D 3
Niegłosławice = Waltersdorf 110-111 N 2
Niegocin, Jezioro – = Löwentinsee 112 G 3-4
Niegosław = Neu Anspach 104-105 G 5
Niegripp 110-111 E 1
Nieheim 108-109 H 3
Niehof [= Niemczyn] 104-105 K 5
Niekłończyca = Königsfelde 104-105 DE 3
Niekosken [= Niekursko] 104-105 H 4
Niekursko = Niekosken 104-105 H 4
Niel 106-107 C 6
Nuelep = Nelep 104-105 G 3
Nielubia = Nilbau 110-111 NO 2
Niemaschkleba = Lindenhain 110-111 L 1
Niemaszchleba = Lindenhain 110-111 L 1
Niemberg 110-111 EF 2
Niemcza = Nimptsch 113 B 4
Niemczyn = Niehof 104-105 K 5
Niemegk [Brandenburg] 110-111 G 1
Niemegk [Sachsen-Anhalt] 110-111 F 2
Niemes [= Mimoň] 110-111 L 4
Niemica = Nemitz [Greifenberg in Pommern] 104-105 E 3
Niemica [Pommern, ↗ Köslin] 104-105 HJ 2
Niemica = Nemitzbach 104-105 E 3
Niemodlin = Falkenberg (Oberschlesien) 113 CD 4
Niemojew 113 E 3
Niemstów = Herzogswaldau 113 A 3
Niemtschitz = Němčice 114-115 N 2
Niemysłów 113 F 2
Nienberge 108-109 DE 2-3
Nienbergen 102-103 J 5
Nienborg 108-109 D 2
Nienburg 110-111 E 2
Nienburg (Weser) 102-103 F 5
Niendorf 102-103 J 3
Niendorf, Lübeck- 102-103 J 3
Nienhagen 102-103 H 5
Nienhagen, Ostseebad – 102-103 L 2
Nienstädt-Wackerfeld 108-109 H 2
Niepars 102-103 N 2
Niepart 113 B 2
Nieplitz 110-111 G 1
Niepruschewo = Niepruszewo 104-105 J 6
Niepruschewoer See = Jezioro Niepruszewskie 104-105 J 6
Niepruszewo 104-105 J 6
Niepruszewskie, Jezioro – 104-105 J 6
Nierada 113 FG 4
Nierower See = Schollener See 102-103 M 5
Niers 108-109 B 3
Nierskanal 120 A 2
Nierst 120 C 3
Nierstein 108-109 F 7
Nieschawa = Nieszawa 104-105 N 5
Niesen 116-117 E 3
Niesewanz [= Nieżywięć] 104-105 KL 3
Niesky 110-111 L 3
Niesulickie, Jezioro – = Großer Nischlitzsee 110-111 M 1
Nieszawa 104-105 N 5
Nieszywienc = Nieżywięć
Nietków = Schlesisch Nettkow 110-111 M 1
Nietkowice = Straßburg (Oder) 110-111 M 1
Nietleben = Halle (Saale)-Nietleben
Nietoperek = Nipter 104-105 FG 6
Nieukerk 120 B 3
Nieuport = Nieuwpoort 106-107 a 1
Nieuve-Église = Nieuwkerke 106-107 a 2
Nieuw-Amsterdam, Emmen- 106-107 H 3
Nieuw-Beijerland 106-107 C 5
Nieuwe Maas = Neue Maas 106-107 C 5
Nieuwe Merwede 106-107 D 5
Nieuwenhove 106-107 BC 7
Nieuwe-Pekela 106-107 HJ 2
Nieuwerkerk 106-107 BC 5
Nieuwerkerk aan de IJssel 106-107 D 5
Nieuwkerken 106-107 E 7
Nieuwe-Schans 106-107 J 2
Nieuwe-Tonge 106-107 C 5
Nieuwe Waterweg 106-107 BC 5
Nieuw-Ginneken 106-107 D 5
Nieuw-Helvoet [2 km ↑ Hellevoetsluis 106-107 C 5]
Nieuwkerke [= Nieuve-Église] 106-107 a 2
Nieuwkoop 106-107 D 4
Nieuw-Lekkerland [1 km ↓ Lekkerkerk 106-107 D 5]
Nieuwleusen 106-107 G 3
Nieuwolda 106-107 HJ 2
Nieuwpoort [= Nieuport] 106-107 a 1
Nieuwpoort-Bad 106-107 a 1
Nieuwstadt 106-107 F 6
Nieuwveen 106-107 D 4
Nievenheim 120 CD 4
Niewerle [= Nowa Rola] 110-111 L 2
Niewieścin = Rasmushausen 104-105 M 4
Niewiesz 113 F 2
Niezabyszewo = Damsdorf 104-105 K 2
Niezgoda = Jagdhausen 113 C 2
Nieżyn = Nessin 104-105 G 2
Nieżywięć = Niesewanz 104-105 KL 3
Nieżywięć [4 km ↖ Hermannsruhe 104-105 O 4]
Niguarda = Mailand-Niguarda
Nijkerk 106-107 E 4
Nijlen 106-107 D 6
Nijmegen = Nimwegen 106-107 F 5
Nijvel = Nivelles 106-107 C 7
Nijverdal, Hellendorn- 106-107 GH 4
Nikitsch [Fluß] 118-119 M 4
Nikitsch [Ort] 118-119 M 3
Niklasberg [= Mikulov] 110-111 J 4
Niklasdorf 118-119 J 4
Niklasdorf [= Mikulovice] 113 C 5
Niklaskirchen [= Mikołajki Pomorskie] 112 B 4
Nikolai [= Mikołów] 113 F 5
Nikolaiken [= Mikołajki] 112 G 4
Nikolaiken = Niklaskirchen 112 B 4
Nikolaital 116-117 E 4
Nikolausdorf [= Mikułowa] 110-111 M 3
Nikolsburg [= Mikulov] 118-119 M 1
Nikolsdorf 118-119 D 5
Nikolstadt [= Mikołajowice] 113 A 3
Nilbau [= Nielubia] 110-111 NO 2
Nilvange = Nilvingen 108-109 B 8
Nilvingen [= Nilvange] 108-109 B 8
Nimbschen, Grimma-Kloster – 110-111 G 3
Nimburg [= Nymburk] 110-111 M 5
Nimkau [= Miękinia] 113 B 3
Nimptsch [= Niemcza] 113 B 4
Nimwegen 106-107 F 5
Niny 106-107 BC 8
Niniew 113 D 1
Ninove 106-107 BC 7
Nippern [= Mrozów, 3 km → Nimkau 113 B 3]
Nipperwiese [= Ognica] 104-105 D 4
Nippes, Köln- 120 D 5
Nipter [= Nietoperek] 104-105 FG 6
Nisa, Lužická – = Lausitzer Neiße 110-111 L 2
Nischwitz 110-111 G 3
Nisko 101 KL 3
Nismes 106-107 D 8
Nispen, Roosendaal en – 106-107 C 5
Nispen, Roosendaal en Nispen- 106-107 CD 6
Nistelrode 106-107 F 5
Nister 108-109 E 5
Nitra = Neutra 101 J 4
Nittel 108-109 BC 7
Nittenau 114-115 L 2
Nittendorf 114-115 KL 2
Nittritz [= Niedoradz] 110-111 N 2
Nivelles [= Nijvel] 106-107 C 7
Nivenskoje = Wittenberg 112 E 2
Nives 106-107 F 9
Niwica = Zibelle 110-111 L 2
Niwiska = Bergenwald 110-111 MN 2
Nixdorf [= Mikulášovice] 110-111 K 4
Nizka = Niesky 110-111 L 3
Nízke Tatry = Niedere Tatra 101 JK 4
Nizovje = Waldau 112 E 2

Njedźichow = Bernsdorf 110-111 K 3
Njemen 101 M 1
Njeswaćidło = Neschwitz 110-111 K 3

Noasca 116-117 D 6
Nobitz 110-111 FG 4
Noble, Mont – 116-117 DE 4
Noce 116-117 M 4
Nöchling 118-119 HJ 2
Nochten 110-111 L 3
Nockberge = Nockgebiet 118-119 F 5
Nockgebiet 118-119 F 5
Nods 116-117 B 2
Nods [= Nos] 116-117 D 2
Nogat 104-105 O 2
Nohfelden 108-109 D 7
Nohra 110-111 D 4
Noidans-le-Ferroux 116-117 AB 1
Noirmont 116-117 B 4
Noirmont, Le – [= Schwarzenberg] 116-117 C 2
Noiseux 106-107 E 8
Nojewo = Neuthal 104-105 H 5
Noldau [= Doma] 113 D 3
Nollendorf [= Nakléřov] 110-111 J 4
Nom 116-117 B 5
Nomain 106-107 A 7-8
Nomeny 108-109 B 9
Nonnenhorn [2 km ↖ Wasserburg am Bodensee 114-115 F 5]
Nonnenweier 114-115 B 4
Nonnewitz [5 km ↗ Theißen 110-111 F 3]
Noordbeveland = Nordbeveland 106-107 E 5-6
Noordbrabant = Nordbrabant 106-107 D-F 5
Noordeloos 106-107 D 5
Noorderhaaks 106-107 D 3
Noordervaart 106-107 F 6
Noordgouwe 106-107 B 5
Noordholland = Nordholland 106-107 D 3-4
Noordoostelijke Polder 106-107 F 3
Noordoostelijke Polder-Creil 106-107 F 3
Noordoostelijke Polder-Emmeloord 106-107 F 3
Noordoostelijke Polder-Ens 106-107 F 3
Noordoostelijke Polder-Marknesse 106-107 F 3
Noordoostelijke Polder-Rutten 106-107 F 3
Noordoostpolder = Nordostpolder 106-107 F 3
Noordwijk 106-107 C 4
Noordwijk aan Zee, Noordwijk- 106-107 C 4
Noordwijk-Binnen 106-107 C 4
Noordwijkerhout 106-107 C 4
Noordwijk-Noordwijk aan Zee 106-107 C 4
Noord-Willemskanaal 106-107 H 2
Noordwolde, Weststellingwerf- 106-107 G 3
Nootdorp [5 km ↘ Rijswijk 106-107 C 4]
Nord 106-107 AB 8, a 2
Nordbaden 114-115 D 2-F 1
Nordbeveland 106-107 B 5-6
Nordbögge 120 G 2
Nordborchen 108-109 G 3
Nordbrabant 106-107 D-F 5
Nordbrockmerland 102-103 B 3
Norddeich 102-103 B 3
Norddeutsches Tiefland [101]
Norddinker 120 [illegible] 2
Norddorf 102-103 D 1
Nörde 108-109 H 3
Norden 102-103 B 3
Nordenburg [= Krylovo] 112 G 3
Nordenburger See 112 G 3
Nordendorf 114-115 H 3
Nordenham 102-103 DE 3-4
Norderaue 102-103 DE 1
Norderhever 102-103 E 2
Norderney [Insel] 102-103 B 3
Norderney [Ort] 102-103 B 3
Norderoog 102-103 E 1-2
Norderoogsand 102-103 D 1
Norderstapel 102-103 F 2
Nordfriesische Inseln 102-103 D 1-2
Nordfriesland 102-103 E 1-F 2
Nordgeorgsfehn-Kanal 102-103 C 4
Nordgermersleben 110-111 D 1
Nordhalben 110-111 DE 5
Nordhastedt 102-103 F 2
Nordhausen 110-111 C 2
Nordhausen-Salza 110-111 C 2
Nordheim [3 km ↙ Volkach 114-115 G 1]
Nordheim vor der Rhön 110-111 B 5
Nordhelle 120 GH 4
Nordhöhe 102-103 FG 1
Nordholland 106-107 D 3-4
Nordhollandsch Kanaal 106-107 D 3
Nordhorn 102-103 B 6
Nordhorn-Almelo, Kanaal – 106-107 H 4
Nordkanal 120 C 4
Nordkirchen 120 G 2
Nordkirchen, Schloß – 120 G 2
Nordleda 102-103 E 3
Nördliche Zinsel 108-109 E 9
Nördlingen 114-115 GH 3
Nordmarsch-Langeneß 102-103 E 1
Nordöstliches Deutschland 104-105
Nordostpolder 106-107 F 3
Nord-Ostsee-Kanal 102-103 FG 2
Nordperd 104-105 C 2
Nordrach 114-115 C 4
Nordradde 102-103 B 5
Nordrätische Alpen 116-117 JK 3
Nordrhein-Westfalen 101 CD 3
Nordschleswig [Dänemark, ↑ Schleswig-Holstein 101 E 1]
Nordsee 101 A 2-C 1
Nordseekanal 106-107 D 4
Nordstemmen 108-109 J 2
Nordstrand 102-103 E 2
Nordstrandischmoor 102-103 E 1
Nord-Süd-Kanal 102-103 B 5
Nordtiroler Kalkalpen 118-119 A 4-C 3
Nordwalde 108-109 DE 2
Nordwestdeutschland 102-103
Nordwohlde 102-103 E 5
Nordwürttemberg 114-115 E-G 2-3
Noreia 118-119 H 4
Nörenberg [= Ińsko] 104-105 G 4
Norf [Fluß] 120 D 4
Norf [Ort] 120 C 4
Norg 106-107 G 2
Norgallen = Wiekmünde 112 H 2
Norheim 108-109 E 7
Norkitten [= Meždurečje] 112 G 2
Noroni, Monte – 116-117 L 5
Noroy-le-Bourg 116-117 B 1
Nørre Alslev 102-103 L 1
Nørre Ørslev 102-103 L 1
Nörten-Hardenberg 108-109 JK 3
Northeim 108-109 JK 3
Nortmoor 102-103 C 4
Nortorf 102-103 G 2
Nortrup 102-103 C 5
Nörvenich 108-109 C 5
Nos = Nods 116-117 D 2
Nosibądy = Naseband 104-105 H 3
Nosków [4 km ↗ Rusko 113 C 2]
Nosowo = Güntersberg
Noßberg [= Orzechowo] 112 E 4
Nossen 110-111 H 3
Nossendorf 102-103 N 3
Nossentin 102-103 MN 3
Nossentiner Hütte 102-103 MN 3
Noteć = Netze [Deutschland] 101 H 2
Noteć = Netze [Polen, östliche –] 104-105 MN 6
Noteć = Netze [Polen, westliche –] 104-105 L 5-6
Notecki, Kanał – = Netzekanal 104-105 L 4
Nötsch ⤚
Nottleben 110-111 C 4
Nottuln 108-109 D 3
Notzing 114-115 K 4
Nouvion-en-Thiérache, le – 106-107 B 8
Nouzonville 106-107 D 9
Nova 118-119 M 5
Nová Bystřice = Neubistritz 118-119 J 1
Novaggio [7 km ← Lugano 116-117 G 4]
Novagnas = Nufenen 116-117 H 3
Nová Hut' pod Nižborem = Neuhütten 110-111 JK 6
Novaledo 116-117 M 4
Nova Levante = Welschnofen 116-117 MN 4
Nova Milanese 116-117 H 5
Nová Paka = Neu-Paka 110-111 N 4-5
Nova Ponente = Deutschnofen 116-117 MN 4
Novara [Ort, Verwaltungseinheit] 116-117 G 6
Novara-Olengo 116-117 G 6
Nová Role = Neu Rohlau 110-111 G 5
Novata-Olengo 116-117 G 6
Novate 116-117 H 5
Novate Mezzola 116-117 HJ 4
Nová Ves = Neudorf [Tschechoslowakei, Erzgebirge] 110-111 H 4-5
Nová Ves = Neudorf [Tschechoslowakei, Oberpfälzer Wald] 114-115 M 1
Nová Ves [= Neudorf, 5 km ↖ Kolín 110-111 M 5]
Nová Ves [= Neudorf, 5 km ← Petschau 110-111 G 5]
Nová Ves v Horách = Gebirgsneudorf 110-111 HJ 4
Novazzano [4 km ↓ Mendrisio 116-117 GH 5]
Nové Benátky nad Jizerou = Neu Benatek 110-111 L 5
Nové Dvory = Neuhof 110-111 M 6
Nové Hamry = Neuhammer
Nové Heřminovy = Neu Erbersdorf 113 CD 5
Nové Hrady = Gratzen 118-119 H 1
Nové Město nad Metují = Neustadt an der Mettau 110-111 O 5
Nové Město pod Smrkem = Neustadt an der Tafelfichte 110-111 M 4
Nové Sedlo = Neu Sattl 110-111 G 5
Nové Strašecí = Neustraschitz 110-111 J 5
Nové Údolí = Neuthal 118-119 F 1
Nové Zámky = Neuhäusel 101 J 4
Novgorodskoje = Mettkeim 112 E 2
Noville 106-107 F 8
Novion-Porcien 106-107 CD 9
Novobobrujsk = Ilmsdorf 112 F 2
Novostrojevo = Trempen 112 G 3
Nový Bor = Haida 110-111 L 4
Nový Bydžov 110-111 M 5
Nový Dvůr = Neuhof 114-115 N 1
Nový Hradec Králové = Neu Königgrätz 110-111 N 5
Nový Hrádek = Neuhradek 113 A 5
Nový Kostel = Neukirchen 110-111 F 5
Nový Malín = Frankstadt 113 C 6
Nowa Brda = Neubraa 104-105 K 3
Nowa Bystrzyca = Neu Weistritz 113 B 5
Nowa Cerekwia = Altstett 113.D 5
Nowa Cerkiew = Neukirch [Danzig] 104-105 NO 2
Nowa Cerkiew = Neukirch [Polen] 104-105 L 3
Nowa Jabłona = Neugabel 110-111 N 2
Nowa Karczma = Neukrug [Deutschland] 112 C 3
Nowa Karczma = Neukrug [Polen] 104-105 M 2
Nowa Niwa = Neuzauche 110-111 K 2
Nowo Radomsk = Radomsko 101 JK 3
Nowa Rola = Niewerle 110-111 L 2
Nowa Różanka = Neu Rosenthal
Nowa Ruda 112 G 5
Nowa Ruda = Neurode 113 AB 4
Nowa Sól = Neusalz (Oder) 110-111 N 2
Nowa Wieś = Neuguth bei Fraustadt 113 A 2
Nowa Wieś = Neundorf [Deutschland] 110-111 N 3
Nowa Wieś = Neudorf [Polen] 113 D 2
Nowa Wieś = Schloß Neudorf 110-111 N 1
Nowa Wieś (Człuchowska) = Neuguth 104-105 K 3
Nowa Wieś Ełcka = Neuendorf 112 H 4
Nowa Wieś Grodziska = Neudorf am Gröditzberge 110-111 N 3
Nowa Wieś Królewska = Bolko 113 DE 4
Nowa Wieś Królewska = Neudorf (Königlich) 113 D 1
Nowa Wieś Książęca = Fürstlich Neudorf 113 D 3
Nowa Wieś Lęborska = Neuendorf 104-105 L 1
Nowa Wieś Legnicka = Neudorf 110-111 O 3
Nowa Wieś (Pilska) = Neudorf 104-105 HJ 4
Nowa Wieś Wielka = Groß Neudorf 104-105 M 5
Nowe = Neuenburg in Westpreußen 104-105 N 3
Nowe Dąbie = Neu Dombie 104-105 L 5
Nowe Drezenko = Vordamm 104-105 G 5
Nowe Dwory = Heuhöfen 104-105 H 5
Nowe Guty = Seegutten 112 G 4
Nowe Kawkowo = Neu Kockendorf
Nowe Kramsko = Kleistdorf 110-111 N 1
Nowe Miasteczko = Neustädtel 110-111 N 2
Nowe Miasto-Lubawskie = Neumark 112 BC 5
Nowe Miasto nad Wartą = Neustadt an der Warthe 113 CD 1
Nowe Polaszki = Neu Paleschken 104-105 M 2
Nowe Polichno = Pollychener Holländer 104-105 FG 5
Nowe Warpno = Neuwarp 104-105 D 3
Nowe Wiki = Neu Petershain 110-111 K 2
Nowe Worowo = Neu Wuhrow
Nowica = Neumark 112 C 3
Nowielin = Naulin 104-105 E 4
Nowiny Wielkie = Döllensradung 104-105 F 5
Nowogard = Naugard 104-105 F 3
Nowogardek = Naugard 104-105 F 2
Nowogród Bobrzyński = Naumburg am Bober 110-111 M 2
Nowogródek Pomorski = Neuenburg 104-105 EF 5
Nowogrodziec = Naumburg am Queis 110-111 MN 3
Nowy Barkoczyn = Neu Barkoschin 104-105 M 2
Nowy Bytom = Antonienhütte 113 F 5
Nowy Dwór Gdański = Tiegenhof 104-105 O 2
Nowy Korczyn 101 K 3
Nowy Kościół = Neukirch 110-111 N 3
Nowy Port, Gdańsk- = Danzig-Neufahrwasser 104-105 N 2
Nowy Sącz = Neu Sandez 101 K 4
Nowy Staw = Neuteich 104-105 NO 2
Nowy Świętów = Deutsch Wette 113 C 5
Nowy Targ = Neumarkt 101 K 4
Nowy Tomyśl = Neutomischel 110-111 O 1
Nowy Waliszów = Neu Waltersdorf 113 B 5
Nowy Zagór = Boberhöh 110-111 M 1
Noyers-Pont-Maugis [3 km ↙ Balan 106-107 D 9]
Nozeroy 116-117 B 3
Nożyno = Groß Nossin 104-105 KL 2

Nübel [= Nybøl] 102-103 G 1
Nudersdorf [3 km ↓ Straach 110-111 G 2]
Nüdlingen 110-111 B 5
Nudvojovice = Nudwojowitz
Nudwojowitz [= Nudvojovice, 2 km ↙ Turnau 110-111 M 4]
Nuenen 106-107 F 6
Nufenen [= Novagnas] 116-117 H 3
Nufenenpass 116-117 F 4
Nufringen 114-115 D 3
Nuhne 108-109 G 4
Nuland 106-107 EF 5
Numansdorp 106-107 CD 5
Nümmert, Die – 120 GH 4
Nünchritz 110-111 H 3
Nunkirchen 108-109 C 8
Nunningen 116-117 E 2
Nunspeet, Harderwijk- 106-107 E 4
Nürburg 108-109 CD 6
Nürburgring 108-109 C 6
Nürnberg 114-115 J 2
Nürnberg-Buch 114-115 J 1
Nürnberg-Buchenbühl [↗ Nürnberg 114-115 J 2]
Nürnberg-Dutzendteich [↘ Nürnberg 114-115 J 2]
Nürnberg-Eibach 114-115 J 2
Nürnberg-Hammer [↗ Nürnberg 114-115 J 2]
Nürnberg-Kraftshof [↖ Nürnberg 114-115 J 2]
Nürnberg-Laufamholz [↗ Nürnberg 114-115 J 2]
Nürnberg-Reichelsdorf [↙ Nürnberg 114-115 J 2]
Nürschan [= Nýřany] 114-115 N 1
Nürtingen 114-115 E 3

Nus 32 Oosterbank

Nus 116-117 D 5
Nusplingen 114-115 D 4
Nußbach [Deutschland] 114-115 C 4
Nußbach [Österreich] 118-119 G 3
Nussbaumen [4 km ↖ Hüttwilen 116-117 G 1]
Nußdorf 114-115 M 5
Nußdorf = Orzechowo 113 C 1
Nußdorf am Attersee 118-119 EF 3
Nußdorf am Haunsberg [5 km ↙ Seeham 118-119 E 3]
Nußdorf am Inn 114-115 L 5
Nusse 102-103 J 3
Nußloch 114-115 D 2
Nuth 106-107 F 7
Nuthe 110-111 H 1
Nutscheid 108-109 DE 5
Nuttlar 108-109 FG 4
Nützen 102-103 GH 3
Nuvilly 116-117 C 3
Nüziders 116-117 J 2

Nybøl = Nübel 102-103 G 1
Nýiregyháza 101 K 5
Nyköbing ⤚→
Nymburk = Nimburg 110-111 M 5
Nymphenburg 114-115 JK 4
Nymphenburg = München-Nymphenburg
Nymwegen = Nimwegen 106-107 F 5
Nyon 116-117 B 4
Nýřany = Nürschan 114-115 N 1
Nýrsko = Neuern 114-115 N 2
Nysa = Neisse 113 C 5
Nysa Kłodzka = Glatzer Neiße 113 CD 4
Nysa Łużycka = Lausitzer Neiße 110-111 L 2
Nysa Szalona = Wütende Neiße 110-111 O 3, 113 A 3-4
Nysted 102-103 L 1

O

Obdach 118-119 H 4
Obdacher Sattel 118-119 H 4
Obdam 106-107 D 3
Obendorf [= Obodowo] 104-105 L 4
Oberaargau 116-117 E 2
Oberaargletscher 116-117 F 3
Oberachern 114-115 C 3
Oberaden 120 G 2
Oberägeri 116-117 G 2
Oberalm [2 km ↓ Puch bei Hallein 118-119 E 3]
Oberalppass 116-117 G 3
Oberalpstock 116-117 G 3
Oberaltaich 114-115 M 3
Oberalting-Seefeld 114-115 J 4
Oberammergau 114-115 J 5
Oberampfrach 114-115 G 2
Oberasbach 114-115 H 2
Oberau 114-115 J 5
Oberau [= Obora] 110-111 O 3
Oberaudorf 114-115 L 5
Oberaula 108-109 HJ 5
Oberaußem-Fortuna 120 C 5
Oberbalm 116-117 D 3
Ober Baumgarten [= Sady Górne] 110-111 O 4
Ober Bautzen [= Horní Bousov] 110-111 M 5
Oberbayern 114-115 H-M 4
Oberbeisheim 108-109 J 4
Ober Berzdorf [= Ostašov, 3 km ← Reichenberg 110-111 M 4]
Oberbetschdorf 108-109 E 9
Oberbeuren 114-115 H 5
Oberbieber [3 km ↗ Niederbieber-Segendorf 108-109 DE 6]
Oberbobritzsch 110-111 HJ 4
Oberboihingen [3 km ↗ Nürtingen 114-115 E 3]
Ober Bris = Horní Bříza 114-115 N 1
Oberbruch 120 A 4
Oberburg 116-117 E 2
Ober-Burnhaupt [= Burnhaupt-le-Haut, 11 km ← Mülhausen 116-117 D 1]
Obercunnersdorf 110-111 L 3
Oberdachstetten 114-115 G 2
Oberdissbach 116-117 E 3
Oberding 114-115 K 4
Oberdischingen 114-115 F 4
Oberdollendorf [4 km ↖ Königswinter 108-109 D 5]
Oberdorf [= Horná Ves] 110-111 H 5
Oberdorf [4 km ↖ Solothurn 116-117 DE 2]
Oberdorf im Burgenland [4 km ↗ Litzelsdorf 118-119 L 4]
Oberdorla 110-111 B 3
Oberdrauburg 118-119 DE 5
Oberdrautal 118-119 DE 5
Obere Argen 114-115 FG 5
Oberegg [5 km ↑ Altstätten 116-117 J 2]
Obereisenbach, Sankt Julian- 108-109 E 7
Obereisesheim [2 km ↖ Neckarsulm 114-115 E 2]
Oberellen [4 km ↖ Fortha 110-111 B 4]
Oberelsaß = Haut-Rhin 116-117 D 1
Oberelsbach 110-111 B 5
Oberempt 120 C 5
Oberengadin 116-117 J 4-K 3
Oberennstal 118-119 F 4-G 3
Oberentfelden 116-117 EF 2
Oberer Aletschgletscher 116-117 EF 4
Oberes Gäu 114-115 D 3
Oberessendorf 114-115 F 5
Oberfellabrunn 118-119 KL 1
Oberferrieden 114-115 J 2
Oberföhring = München-Oberföhring
Oberfranken 110-111 DE 5, 114-115 H-K 1
Oberfrohna, Limbach- 110-111 G 4
Obergeis 108-109 J 5
Ober Georgenthal [= Horní Jiřetín] 110-111 HJ 4
Obergermaringen 114-115 H 5
Obergimpern [5 km ↙ Hüffenhardt 114-115 DE 2]
Ober Gläsersdorf [= Szklary Górne] 110-111 O 3
Oberglogau [= Głogówek] 113 D 5
Oberglottertal 114-115 BC 4
Ober Görisseiffen [= Płóczki Górne] 110-111 MN 3
Obergrafendorf 118-119 JK 2
Obergräfenhain [5 km ↖ Lunzenau 110-111 G 4]
Obergriesbach 114-115 HJ 4
Obergünzburg 114-115 G 5
Obergurgl 116-117 LM 3
Oberhaag 118-119 J 5
Oberhaching 114-115 K 4
Oberhaid 114-115 H 1
Oberhaid [= Zbytiny] 118-119 FG 1
Ober Haid [= Horní Dvořiště] 118-119 G 1
Oberhain, Langenleuba- 110-111 G 4
Oberhalbstein 116-117 J 3-4
Oberharmersbach 114-115 C 4
Oberharz 110-111 BC 2
Oberhaunstadt 114-115 JK 3
Oberhausen [Baden-Württemberg, ↖ Freiburg] 114-115 B 4
Oberhausen [Baden-Württemberg, ↙ Heidelberg] 114-115 CD 2
Oberhausen [Bayern, Oberbayern] 114-115 J 5
Oberhausen [Bayern, Schwaben] 114-115 HJ 3
Oberhausen [Nordrhein-Westfalen] 120 D 2-3
Oberhausen, Augsburg- 114-115 H 4
Oberhausen-Sterkrade 120 D 2
Oberhausen-Walsumer Mark 120 D 2
Oberheinsdorf 110-111 FG 4
Oberhergheim 116-117 DE 1
Ober Herzogswaldau [= Mirocin Górny] 110-111 N 2
Oberhochstatt 114-115 J 2
Ober-Höchstadt/Taunus [2 km → Kronberg (Taunus) 108-109 G 6]
Oberhof 110-111 C 4
Oberhofen [= Oberhoffen-sur-Moder] 108-109 E 9
Oberhofen am Thunersee 116-117 E 3
Oberhoffen-sur-Moder = Oberhofen 108-109 E 9
Oberholzklau 120 H 5
Oberhomburg [= Hombourg-Haut] 108-109 C 8
Oberhone 108-109 JK 4
Oberhundem 108-109 F 4
Oberinntal 116-117 L 3-M 2
Ober Jastrzemb = Zdrój Jastrzębie 113 F 6
Ober Jellen = Horní Jelení 110-111 O 5
Oberjettingen 114-115 D 3
Oberjochpaß 114-115 G 5
Ober Johnsdorf [= Horní Třešňovec] 113 B 6
Oberkail 108-109 C 6
Oberkappel [6 km ↗ Engelhartszell 118-119 F 1-2]
Oberkassel, Düsseldorf- 120 CD 4
Oberkassel (Siegkreis) 108-109 D 5
Oberkaufungen 108-109 J 4
Oberkessach 114-115 EF 2
Oberkirch 114-115 C 3
Oberkirchberg 114-115 FG 4
Oberkirchen [Nordrhein-Westfalen] 108-109 F 4
Oberkirchen [Saarland] 108-109 D 7
Oberkirch, Zewen- 108-109 C 7
Oberkochen 114-115 G 3
Oberkotzau 110-111 EF 5
Oberkreuzberg 114-115 N 3
Oberlahnstein 108-109 E 6
Oberland [Deutschland] 112 C 4
Oberland [Schweiz, Bern] 116-117 D 4-F 3
Oberland [Schweiz, Graubünden] 116-117 GH 3
Oberländer Kanal = Oberländischer Kanal 112 C 3-4
Oberländischer Kanal 112 C 3-4
Ober Langenau [= Długopole Górne] 113 B 5
Oberlauchringen 114-115 C 5
Oberlauringen 110-111 B 5
Oberlausitz 110-111 K-M 2-3
Ober Lazisk [= Łaziska Górne, 2 km ← Mittel Lazisk 113 F 5]
Oberledinger Land 102-103 BC 4
Oberlenningen 114-115 EF 3
Ober Leschen [= Leszno Górno] 110-111 N 3
Oberleutensdorf [= Litvínov] 110-111 J 4
Oberlichtenau 110-111 GH 4
Ober Lichtenau [= Zaręba Górna] 110-111 M 3
Oberlienz 118-119 D 5
Oberlind, Sonneberg- 110-111 D 5
Oberloisdorf 118-119 LM 4
Oberlungwitz 110-111 G 4
Obermaiselstein 114-115 G 6
Obermarchtal 114-115 EF 4
Obermarkersdorf 118-119 K 1
Obermarsberg 108-109 G 4
Obermaßfeld-Grimmenthal 110-111 BC 4
Obermehler 110-111 C 3
Obermendig 108-109 D 6
Obermenzing = München-Obermenzing
Ober Mittlau [= Iwiny] 110-111 N 3
Obermodern 108-109 DE 9
Ober Mois [= Ujazd Górny] 113 AB 3
Obermoldau [= Horní Vltavice] 118-119 F 1
Ober-Moos 108-109 H 6
Ober-Mörlen 108-109 G 6
Obermoschel 108-109 E 7
Obermühl 118-119 FG 2
Obermünstertal 114-115 B 5
Obernau 114-115 E 1
Obernbeck 108-109 G 2
Obernberg am Brenner 116-117 M 2-3
Obernberg am Inn 118-119 E 2
Obernbreit 114-115 G 1
Obernburg 114-115 E 1
Oberndorf [Bayern] 114-115 H 3
Oberndorf [Hessen] 108-109 H 6
Oberndorf [Niedersachsen] 102-103 F 3
Oberndorf am Neckar 114-115 D 4
Oberndorf an der Melk 118-119 J 2
Oberndorf bei Salzburg 118-119 DE 3
Oberndorf in Tirol [6 km ↑ Kitzbühel 118-119 C 4]
Oberndorf, Schweinfurt- 110-111 B 5
Oberneukirchen [7 km ↖ Hellmonsödt 118-119 G 2]
Obernfeld 110-111 B 2
Obernigk [= Oborniki Śląskie] 113 B 3
Obernik = Oborniki 104-105 J 5
Obernitz [= Obrnice] 110-111 J 4
Obernkirchen 108-109 H 2
Obernsee 114-115 J 1
Obernzell 118-119 F 1
Obernzenn 114-115 G 2
Oberoderwitz 110-111 L 4
Oberösterreich 118-119 E-H 2-3
Oberotterbach 108-109 E 8
Oberperfuß [2 km ↙ Kematen 116-117 M 2]
Oberpfalz 110-111 F 6, 114-115 KM 2
Oberpfälzer Wald 101 F 4
Ober Plan [= Horní Planá] 118-119 G 1
Oberpleis 108-109 D 5
Ober Pocernitz = Horní Počernice 110-111 L 5
Ober Potschernitz = Horní Počernice 110-111 L 5
Ober Pritschen [= Przyczyna Górna, 2 km ← Fraustadt 113 A 2]
Oberpullendorf 118-119 M 3-4
Oberquell [= Gaworzyce] 110-111 N 2
Oberrabnitz 118-119 L 4
Oberradkersburg [= Gornja Radgona] 118-119 KL 5
Ober-Ramstadt 108-109 G 7
Oberreidenbach 108-109 DE 7
Oberreitnau [5 km ↑ Lindau (Bodensee) 114-115 F 5]
Oberrheinische Tiefebene [101 CD 4-5]
Oberried 116-117 DE 4
Oberried [3 km ↓ Kirchzarten 114-115 BC 5]
Oberried am Brienzersee 116-117 E 3
Oberrieden 108-109 J 4
Oberriet 116-117 HJ 2
Oberriexingen 114-115 E 3
Oberrimsingen 114-115 B 5
Oberröblingen 110-111 D 3
Ober-Roden 108-109 G 7
Ober-Rosbach 108-109 G 6
Oberröslau 110-111 E 5
Oberrot 114-115 F 2
Ober Rotschau [= Horní Ročov] 110-111 J 5
Oberrotschow = Ober Rotschau 110-111 J 5
Oberrotweil [3 km ↘ Burkheim 114-115 B 4]
Ober Rydultau 113 E 5 [= Rydułtowy]
Ober Salzbrunn = Bad Salzbrunn 113 A 4
Obersaxen [= Sursaissa] 116-117 H 3
Oberscheden 108-109 J 4
Oberschefflenz 114-115 E 2
Oberscheld 108-109 F 5
Ober Schlaupnitz = Horní Sloupnice 113 A 6
Oberschließheim 114-115 K 4
Oberschlema, Schneeberg- 110-111 G 4
Oberschlesien 113 C 4-E 5
Oberschneiding 114-115 M 3
Ober Schönbrunn [= Studniska Górne] 110-111 M 3
Ober Schönfeld [= Kraśnik Górny] 110-111 N 3
Oberschopfheim [2 km ↘ Niederschopfheim 114-115 B 4]
Oberschützen 118-119 L 4
Oberschwaben [← Schwaben 114-115 G 5-H 3]
Oberschwarzach 114-115 G 1
Oberschwedeldorf [= Szalejów Górny] 113 AB 5
Obersdorf 110-111 D 2
Obersee [Bayern] 114-115 M 5
Obersee [Brandenburg] 102-103 MN 5
Oberseebach 108-109 E 9
Oberseeland = Seeland 118-119 GH 6
Ober Sekeran [= Horní Sekyřany] 114-115 N 1
Obersept [= Seppois-le-Haut] 116-117 D 1
Obersetzen 120 J 5
Obersickte 110-111 C 1
Obersiebenbrunn 118-119 M 2
Obersimmental 116-117 D 3-4
Obersitz = Obersitzko 104-105 HJ 5
Obersitzko [= Obrzycko] 104-105 HJ 5
Obersontheim 114-115 F 2
Obersprockhövel 120 EF 3
Oberstaufen 114-115 G 5
Oberstdorf 114-115 G 6
Oberstedten [3 km ↑ Oberursel (Taunus) 108-109 FG 6]
Obersteinbach 108-109 E 8
Oberstein, Idar- 108-109 D 7
Oberstenfeld 114-115 E 2
Oberstepanitz [= Horní Štěpanice, 5 km ↗ Starkenbach 110-111 MN 4]
Oberstinkenbrunn 118-119 L 1
Obersuhl 110-111 AB 4
Obersulz 118-119 M 1-2
Obersüßbach 114-115 K 3
Obertauern 118-119 F 4
Obertaufkirchen 114-115 L 4
Oberteuringen 114-115 EF 5
Oberthal 108-109 D 7
Ober Thiemendorf [= Radostów Górny] 110-111 M 3
Ober Thomaswaldau [= Tomaszów Górny] 110-111 N 3
Oberthulba 108-109 J 6
Obertiefenbach 108-109 F 6
Obertillisch 118-119 D 5
Obertraubling 114-115 L 3
Obertraun 118-119 F 3
Obertrumer See 118-119 E 3
Oberueckersee 104-105 C 4
Oberuhldingen 114-115 E 5
Oberungarische Tiefebene [Ungarn, ↖ Bakonywald 101 H 5]
Oberurbach 114-115 F 3
Oberursel (Taunus) 108-109 FG 6
Oberuzwil 116-117 H 2
Obervellach 118-119 E 5
Obervellmar 108-109 HJ 4
Oberviechtach 114-115 L 2
Ober Vollmau [= Horní Folmava] 114-115 M 2
Oberwald 116-117 F 3
Oberwaltersdorf 118-119 L 3
Oberwang 118-119 E 3
Oberwart 118-119 L 4
Oberweiden 118-119 M 2
Oberweiden (Oberschlesien) [= Wierzbica Górna] 113 DE 3
Oberweimar, Weimar- 110-111 DE 4
Oberweis 108-109 B 7
Oberweißbach 110-111 D 4
Ober Weistritz [= Bystrzyca Górna] 113 AB 4
Oberwesel 108-109 E 6
Oberwiesenacker 114-115 K 2
Oberwiesenthal, Kurort – 110-111 G 5
Oberwil im Simmental 116-117 D 3
Oberwinden 114-115 BC 4
Oberwinter 108-109 D 5
Ober Wittig [= Horní Vítkov, 4 km ↑ Kratzau 110-111 LM 4]
Oberwölbling 118-119 K 2
Oberwolfach 114-115 C 4
Oberwölling [= Zgornja Velka] 118-119 K 5
Oberwölz 118-119 G 4
Oberwössen 114-115 LM 5
Oberzeiring 118-119 G 4
Oberzell 108-109 J 6
Oberzeming [= Felsőszölnök] 118-119 L 5
Obhausen 110-111 E 3
Obidowa = Hoher Berg 104-105 H 3
Obing 114-115 L 4
Objazda (Wieś) = Wobesde 104-105 JK 1
Objezierze = Hitzdorf 104-105 G 4
Objezierze = Wobeser 104-105 K 2
Obladis, Bad – 116-117 L 2
Öblarn 118-119 G 4
Oblas [= Oblekovice] 118-119 L 1
Oblekovice = Oblas 118-119 L 1
Obłęże = Woblanse 104-105 JK 2
Obodowo = Obendorf 104-105 L 4
Obora 104-105 L 5
Obora = Oberau 110-111 O 3
Oborniki 104-105 J 5
Oborniki Śląskie = Obernigk 113 B 3
Obory 104-105 O 5
Oborzany = Nabern 104-105 E 5
Obra [Fluß] 110-111 O 1, 113 C 2
Obra [Ort] 110-111 O 1
Obraberg [= Podlegórz] 110-111 N 1
Obrabruch 113 A 1
Obra, Faule – 110-111 N 1
Obra-Mittelkanal 113 A 1
Obra-Nordkanal 110-111 O 1, 113 A 1
Obra-Südkanal 110-111 O 1, 113 A 1
Obrigheim 114-115 E 2
Obrighoven-Lackhausen 120 C 2
Obříství 110-111 K 5
Obristwi = Obříství 110-111 K 5
Obrnice = Obernitz 110-111 J 4
Obryta = Groß Schönfeld 104-105 EF 4
Obrzyckie, Łęgi – = Obrabruch 113 A 1
Obrzycko = Obersitzko 104-105 HJ 5
Obrzynowo = Riesenkirch 112 B 4
Obwalden 116-117 F 3

Occhieppo 116-117 F 5
Occipel = Ocypel 104-105 M 3
Ochab = Ochaby 113 F 6
Ochaby 113 F 6
Oche, Dent d' 116-117 C 4
Ochędzyn [4 km ← Sokolniki 113 E 3]
Ochel 110-111 N 2
Ochelhermsdorf [= Ochla] 110-111 MN 2
Ochla = Ochelhermsdorf 110-111 MN 2
Ocholt 102-103 C 4
Ochsen 116-117 D 3
Ochsenfurt 114-115 G 1
Ochsenhausen 114-115 FG 4
Ochsenhorn 118-119 D 3
Ochsenkopf [Deutschland] 110-111 E 5
Ochsenkopf [Österreich] 116-117 J 2
Ochtendung 108-109 D 6
Ochtrup 108-109 D 2
Ociąż 113 D 2
Ocionz = Ociaż 113 D 2
Ockholm 102-103 E 1
Ocypel 104-105 M 3

Odelzhausen 114-115 J 4
Odenbach 108-109 E 7
Ödenburg [= Sopron] 118-119 M 3
Ödenburg, Raab- = Győr-Sopron 118-119 M 4-N 3
Odendorf 108-109 C 5
Odenheim 114-115 D 2
Odenkirchen, Rheydt- 120 BC 4
Odenthal 120 E 4
Ödenthal, Schloß – 120 G 4
Odenwald 114-115 DE 1
Oder 101 H 3
Oderbank 104-105 DE 2
Oderberg [= Starý Bohumín] 113 E 6
Oderberg (Mark) 104-105 D 5
Oderbruch 104-105 D 5
Oderbrück [6 km ↘ Altenau 110-111 BC 2]
Odereck [= Cigacice] 110-111 N 1
Oderen = Odern 116-117 CD 1
Oderfest [= Przywory] 113 DE 4
Oderhaff = Stettiner Haff 104-105 DE 3
Oder-Havel-Kanal 104-105 BC 5
Oderin 110-111 J 1
Odermünde, Stettin- [= Szczecin-Skolwin] 104-105 E 3
Odern [= Oderen] 116-117 CD 1
Odernheim am Clan 108-109 E 7
Odernheim, Gau- 108-109 F 7
Odersch [= Oldřišov] 113 D 6
Oder-Spree-Kanal 104-105 C 6
Odertal (Oberschlesien) = Oderfest 113 DE 4
Odertalsperre 110-111 BC 2
Oderwalde [= Dziergowice] 113 E 5
Odiliapeel, Uden- 106-107 F 5
Odolanów = Adelnau 113 D 2
Odolena Voda = Wodolka 110-111 K 5
Odoorn 106-107 H 3
Odoorn-Exloo 106-107 H 3
Odra = Oder 101 H 3
Odrański, Zalew – = Großes Haff 104-105 DE 3
Odrava = Wondreb 110-111 F 5

Oebisfelde 110-111 D 1
Oed 118-119 H 2
Oedelem 106-107 A 6
Oedelsheim 108-109 J 5
Oederan 110-111 H 4
Oederquart 102-103 F 3
Oedheim 114-115 E 2
Oeding 108-109 C 3
Oedingen 120 J 4
Oedt 120 B 3
Oegstgeest 106-107 CD 4
Oehna 110-111 GH 2
Oekoven 120 C 4
Oelber am weißen Wege 110-111 B 1
Oelde 120 J 1
Oelerbeek 106-107 H 4
Oelixdorf 102-103 G 3
Oels [= Oleśnica] 113 C 3
Oelsnitz 110-111 F 5
Oelsnitz (Erzgebirge) 110-111 G 4
Oepfershausen 110-111 B 4
Oerel 102-103 F 4
Oer-Erkenschwick 120 EF 2
Oerle = Oreye 106-107 E 7
Oerlinghausen 108-109 G 3
Oerrel 102-103 H 5
Oertzenhof 104-105 C 3
Oesbern 120 H 3
Oestinghausen 120 J 2
Oestrich 108-109 EF 6
Oestrich, Lemathe- 120 G 3
Œtrange = Ötringen 108-109 B 8
Oettersdorf 110-111 E 4
Oettingen in Bayern 114-115 H 3
Oevel 106-107 D 6
Oeventrop 120 J 3
Oever, Den – 106-107 E 3
Oeversee 102-103 F 1
Oeynhausen, Bad – 108-109 G 2

Ofen 118-119 F 5
Ofen [= Piece] 104-105 M 3
Ofenburg [= Il Fuorn] 116-117 K 3
Ofenpass 116-117 K 3
Ofen-Pest = Budapest 101 J 5
Offagne 106-107 E 9
Offen 102-103 GH 5
Offenau [2 km ↑ Bad Wimpfen 114-115 E 2]
Offenbach am Glan 108-109 DE 7
Offenbach am Main 108-109 G 6
Offenbach an der Queich 108-109 F 8
Offenberg 114-115 M 3
Offenburg 114-115 B 4
Offenhausen [Deutschland] 114-115 JK 2
Offenhausen [Österreich] 118-119 F 2
Offenhausen = Neu-Ulm-Offenhausen
Offensee 118-119 F 3
Offingen 114-115 G 4
Öffingen [4 km ↖ Waiblingen 114-115 E 3]
Offleben 110-111 D 1
Offus, Ramillies- 106-107 DE 7
Öflingen 114-115 B 5
Ofterdingen 114-115 DE 4
Oftering [3 km ↖ Hörsching 118-119 G 2]
Ofterschwang [4 km ↙ Sonthofen 114-115 G 5]
Oftersheim [2 km ↘ Schwetzingen 114-115 D 2]
Oftringen [2 km → Aarburg 116-117 E 2]
Ogardy = Wugarten 104-105 G 5
Oggau [4 km ↑ Rust 118-119 M 3]
Oggersheim = Ludwigshafen am Rhein- Oggersheim
Oggiono 116-117 H 5
Òglio 116-117 K 5
Ognica = Nipperwiese 104-105 D 4
Ögnitz [= Ownice] 104-105 E 5
Ognon 116-117 B 2
Ogonken = Schwenten 112 G 3
Ogonki = Schwenten 112 G 3
Ogorzelec = Städtisch Dittersbach 110-111 N 4
Ogorzeliny = Görsdorf 104-105 KL 3
Ogrodzieniec = Neudeck 112 B 4

Ohe 102-103 C 5
Öhe 104-105 B 1
Ohe, Große – 114-115 N 3
Ohe, Kleine – 114-115 N 3
Ohey 106-107 E 8
Ohlau [= Oława] 113 C 4
Ohldorf (Ostpreußen) [= 1 km ↘ Gumbinnen 112 H 2]
Ohle 113 C 4
Ohlenborgs Huk 102-103 K 1
Ohlendorf = Salzgitter-Ohlendorf
Ohligs, Solingen- 120 DE 4
Ohlsdorf [4 km ↑ Gmunden 118-119 F 3]
Ohlstadt 114-115 J 5
Ohm 108-109 G 5
Ohmgebirge 110-111 B 3
Öhningen 114-115 D 5
Ohništ'any 110-111 N 5
Ohra [= Orunia] 104-105 N 2
Ohrdorf 102-103 J 5
Ohrdruf 110-111 C 4
Ohre 102-103 J 5, 110-111 E 1
Ohře = Eger 110-111 JK 5
Öhringen 114-115 EF 2
Ohrn 114-115 E 2
Ohrnberg 114-115 EF 2

Oignies 106-107 D 8
Oirschot 106-107 E 5
Ois 118-119 J 3
Oise 106-107 B 9
Oiselay-et-Grachaux 116-117 A 2
Oisterwijk 106-107 E 5

Okartowo = Eckersberg 112 G 4
Okel 102-103 E 5
Oker [Fluß] 102-103 H 6, 110-111 C 1-2
Oker [Ort] 110-111 B 2
Okertalsperre 110-111 BC 2
Okmiany = Kaiserswaldau 110-111 N 3
Okna = Woken 110-111 L 4
Okonek = Ratzebuhr 104-105 J 3
Okonin 104-105 N 4
Okonin = Grünthal 104-105 M 3
Okriftel [2 km ↘ Hattersheim 108-109 F 6]
Okrilla, Ottendorf- 110-111 J 5
Okrzeszyn = Albendorf 110-111 O 4
Oksywie, Gdynia- = Gdingen-Oxhöft 104-105 N 1
Okullsee 112 D 4

Oland 102-103 E 1
Oława = Ohlau 113 C 4
Oława = Ohle 113 C 4
Ölbach 120 F 3
Olbendorf 118-119 L 4
Olbernhau 110-111 H 4
Olbersdorf 110-111 L 4
Olbersdorf [= Město Albrechtice] 113 D 5
Olbersdorf bei Frankenstein in Schlesien = Groß Olbersdorf 113 B 4
Olbersleben 110-111 D 3
Ölbő 118-119 M 4
Olbrachcice Wielkie = Groß Olbersdorf 113 B 4
Olbrachtów = Albrechtsdorf 110-111 LM 2
Olbramkostel = Wilframskirchen 118-119 KL 1
Olching 114-115 J 4
Ol'chovatka = Großwaltersdorf 112 H 2
Oldambt 106-107 HJ 2
Oldau 102-103 GH 5
Oldeberkoop, Ooststellingwerf- 106-107 G 3
Oldeboorn 106-107 F 2
Oldeborg [2 km ↖ Victorbur 102-103 B 4]
Oldebroek 106-107 F 4
Oldebroek-Wezep 106-107 FG 4
Oldehove 106-107 G 2
Oldemarkt 106-107 FG 3
Oldenbrok 102-103 D 4
Oldenburg 102-103 CD 4
Oldenburger Graben 102-103 JK 2
Oldenburg (Holstein) 102-103 J 2
Oldenburg (Oldenburg) [Ort, Verwaltungseinheit] 102-103 D 4
Oldenburg (Oldenburg)-Bürgerfeld 102-103 D 4
Oldenburg (Oldenburg)-Eversten 102-103 D 4
Oldenburg (Oldenburg)-Osternburg 102-103 D 4
Oldendorf 102-103 F 3
Oldendorf [4 km ↗ Salzhemmendorf 108-109 J 2]
Oldenstadt 102-103 J 5
Oldenswort 102-103 EF 2
Oldenzaal 106-107 H 4
Oldersum 102-103 B 4
Oldesloe, Bad – 102-103 H 3
Oldisleben 110-111 D 3
Oldřichov v Hájích = Philippsgrund
Oldřišov = Odersch 113 D 6
Ołdrzychowice Klodzkie = Ullersdorf 113 B 5
Oldsum-Klintum 102-103 DE 1
Olecko = Treuburg 112 J 3
Olef-Stausee 108-109 B 5
Oleggio 116-117 G 5
Olen 106-107 D 6
Òlen, Col d' 116-117 E 5
Olengo, Novara- 116-117 G 6
Oleška = Woleschetz 110-111 L 6
Oleśnica 113 F 3
Oleśnica = Oels 113 C 3
Olesnica, Góra – = Tempelberg 104-105 J 5
Olešnice = Gießhübel 113 A 5
Olešnice = Voleska 110-111 MN 4
Olesno = Rosenberg (Oberschlesien) 113 EF 4
Oletzko = Treuburg 112 J 3
Olewin 113 F 3
Olfen 120 F 2
Olgiate Comasco 116-117 GH 5
Olgiate Molgora 116-117 H 5
Olgiate Olona 116-117 G 5
Olinghausen 120 H 3
Oliva, Danzig- [= Gdańsk-Oliwa] 104-105 MN 2
Olivone 116-117 G 3
Oliwa, Gdańsk- = Danzig-Oliva 104-105 MN 2
Olkusz 101 J 3
Ollignies [= Woelingen] 106-107 B 7
Ollomont 116-117 CD 5
Ollon 116-117 CD 4
Olloy-sur-Viroin 106-107 D 8
Olmen 106-107 E 6
Olmütz [= Olomouc] 101 H 4
Ołobok [Fluß] 113 D 2
Ołobok [Ort] 113 E 2
Ołobok = Mühlbock 110-111 M 1
Olomouc = Olmütz 101 H 4
Olona 116-117 GH 5
Oloví = Bleistadt 110-111 FG 5
Ołownik = Sanden 112 G 3
Olpe [Nordrhein-Westfalen, Bergisches Land] 120 F 4
Olpe [Nordrhein-Westfalen, Sauerland, Fluß] 120 J 4
Olpe [Nordrhein-Westfalen, Sauerland, Ort] 120 H 4
Olperer 116-117 N 2
Olsa 113 E 6
Olsau [= Olza] 113 E 6
Olsberg 108-109 FG 4
Olsbrücken 108-109 E 7
Olschau = Struben 112 D 5
Olschewen = Erlenau
Olschienen = Ebendorf (Ostpreußen)
Olschowa = Olszowa 113 E 3
Olschöwen = Kanitz
Ölse [= Olszany] 113 A 4
Olsene 106-107 AB 7
Olšová Vrata = Espenthor 110-111 GH 5
Olst 106-107 G 4
Olszanowo = Elsenau 104-105 K 3
Olszany = Ölse 113 A 4
Olszewo = Erlenau
Olszewo = Struben 112 D 5
Olszewo Węgovzewskih = Kanitz
Olszowa 113 E 3
Olsztyn = Allenstein 112 DE 4
Olsztynek = Hohenstein in Ostpreußen 112 D 4
Olszyna = Langenöls 110-111 M 3
Olszyniec = Wellersdorf 110-111 M 2
Olszyny = Ebendorf (Ostpreußen)
Olten 116-117 E 2
Oltingen [= Oltingue, 6 km → Pfirt 116-117 D 2]
Oltingue = Oltingen
Oltre il Colle 116-117 J 5
Olvenstedt 110-111 E 1
Olza = Olsa 113 E 6
Olza = Olsau 113 E 6
Olzheim 108-109 BC 6

Ombrettapaß 116-117 N 4
Omegna 116-117 F 5
Omet 112 F 3
Ommen 106-107 G 3
Omont 106-107 D 9
Omulef 112 E 5
Omulefofen [= Kot] 112 E 5
Omulefsee 112 E 4
Omulew = Omulef 112 E 5
Omulew, Jezioro – = Omulefsee 112 E 4

On 106-107 E 8
Onno 116-117 H 5
Önsingen 116-117 E 2
Ønslev 102-103 L 1
Onstmettingen 114-115 DE 4
Onstwedde 106-107 HJ 2
Onstwedde-Musselkanaal 106-107 H 3
Onstwedde-Stadskanaal 106-107 HJ 2
Onze-Lieve-Vrouwe-Waver 106-107 D 6

Ooidonck 106-107 AB 6
Ooltgensplaat 106-107 C 5
Oos, Baden-Baden- 114-115 C 3
Oostakker 106-107 B 6
Oostburg 106-107 A 6
Oost-Cappel 106-107 a 2
Oostdongeradeel 106-107 FG 2
Oostduinkerke 106-107 a 1
Oostelijk Flevoland = Östliches Flevoland 106-107 EF 4
Oostende = Ostende 106-107 a 1
Oostende-Mariakerke = Ostende-Mariakerke 106-107 a 1
Oosterbank 106-107 B 5

Oosterbeek, Renkum- 106-107 F 5
Oostereind 106-107 E 2
Oostergo 106-107 FG 2
Oosterhesselen 106-107 H 3
Oosterhout 106-107 D 5
Oosterleek 106-107 E 3
Oostermoer 106-107 H 2-3
Oostermoersche Vaart = Hunze
106-107 H 2-3
Oosterschelde 106-107 BC 5-6
Oosterwolde, Ooststellingwerf-
106-107 G 2-3
Oosterzele 106-107 B 7
Oostgat 106-107 A 5-6
Oostham [4 km ← Heppen 106-107 E 6]
Oosthuizen 106-107 DE 3
Oostkamp 106-107 A 6
Oostkapelle 106-107 AB 5
Oostmahorn 106-107 G 2
Oostmalle 106-107 D 6
Oostrozebeke 106-107 A 7
Oost-Souburg 106-107 B 6
Ooststellingwerf 106-107 G 2-3
Ooststellingwerf-Appelscha
106-107 G 3
Ooststellingwerf-Donkerbroek
106-107 G 2
Ooststellingwerf-Gorredijk
106-107 G 2-3
Ooststellingwerf-Haulerwijk
106-107 G 2
Ooststellingwerf-Makkinga
106-107 G 2-3
Ooststellingwerf-Oldeberkoop
106-107 G 3
Ooststellingwerf-Oosterwolde
106-107 G 3
Oost-Vlaanderen = Ostflandern
106-107 B 7-C 6
Oostvleteren 106-107 a 2
Oost-Vlieland 106-107 DE 2
Oostzaan [4 km → Zaandam
106-107 D 4]
Ootmarsum 106-107 H 4

Opalenica 113 AB 1
Opalenie = Münsterwalde
104-105 N 3
Opaleniec = Flammberg 112 E 5
Opalenitza = Opalenica 113 AB 1
Opatov = Absroth 110-111 F 5
Opatov = Abtsdorf 113 AB 6
Opatovice nad Labem 110-111 N 5
Opatovicer Kanal = Opatovický kanál
110-111 N 5
Opatovický kanál 110-111 N 5
Opatów [Polen, ↘ Tschenstochau]
113 F 4
Opatów [Polen, ← Wieluń] 113 E 3
Opatówek 113 E 2
Opatowitz = Opatovice nad Labem
110-111 N 5
Opatówko 104-105 K 6
Opava = Oppa 113 E 6
Opava = Troppau 113 D 6
Opawa = Oppau 110-111 N 4
Opawica = Oppa 113 D 5
Opawica = Troplowitz 113 D 5
Open [= Opin] 112 D 3
Opfenbach [5 km ← Heimenkirch
114-115 F 5]
Opglabbeek 106-107 EF 6
Opherdicke 120 G 3
Opin = Open 112 D 3
Opitter 106-107 F 6
Opladen 120 E 4
Oploo 106-107 F 5
Opočenskoje = Groß Skirlack 112 G 3
Opočno 110-111 O 5
Opoeteren 106-107 F 6
Opole = Oppeln 113 D 4
Opolno Zdrój = Bad Oppelsdorf
110-111 L 4
Opont 106-107 E 9
Oporowo 113 B 2
Opotschno = Opočno 110-111 O 5
Oppa 113 D 5
Oppau [= Opawa] 110-111 N 4
Oppau, Ludwigshafen am Rhein-
108-109 F 7
Oppelhain 110-111 J 2
Oppeln [= Opole] 113 D 4
Oppelsdorf, Bad - [= Opolno Zdrój]
110-111 L 4
Oppenau 114-115 C 3-4
Oppenheim 108-109 F 7
Oppenwehe 102-103 E 6
Oppenweiler 114-115 E 3
Opperhausen 108-109 JK 3
Oppersdorf 114-115 KL 2
Oppersdorf [= Wierzbięcice] 113 C 5
Oppertshofen 114-115 H 3
Oppin [4 km ← Niemberg 110-111 EF 2]
Opponitz 118-119 H 3
Oppurg 110-111 F 4
Opsterland 106-107 FG 2
Opsterland-Beetsterzwaag 106-107 G 2
Opsterlandsche Compagnonsvaart
106-107 G 2-3
Opwijk 106-107 C 7

Ora = Auer 116-117 M 4
Oradea = Großwardein 101 KL 5
Oranienbaum 110-111 F 2
Oranienburg 104-105 B 5
Oranjekanaal 106-107 H 3
Orbach = Orbe 116-117 C 3
Orb, Bad - 108-109 H 6
Orbe [Fluß] 116-117 B 3
Orbe [Ort] 116-117 B 3
Orchamps-Vennes 116-117 BC 2
Orchies 106-107 DE 9
Orchimont 106-107 DE 9
Orchowo 104-105 LM 6
Or, Côte d' 101 B 5

Ording 102-103 E 2
Ording, Bad Sankt Peter-
102-103 DE 1
Orècchia = Hasenohr 116-117 L 3
Orècchia, l' = Hasenohr 116-117 L 3
Orensberg 108-109 EF 8
Oreye [= Oerle] 106-106 E 7
Orgeo 106-107 E 9
Origny-en-Thiérache 106-107 C9
Óriszentpéter 118-119 L 5
Orke 108-109 G 4
Orla [Deutschland] 110-111 E 4
Orla [Polen, Fluß ▷ Bartsch] 113 C 2
Orla [Polen, Fluß ▷ Lobsonka]
104-105 K 4
Orla = Horle 113 B 2
Orla = Orle 104-105 N 6
Orlahöh = Jutrosin 113 C 2
Orla Lawica = Adlergrund 104-105 J 1
Orlamünde 110-111 DE 4
Orlau [= Orlová] 113 E 6
Orle 104-105 N 6
Orle = Karlstal 110-111 M 4
Orle = Worle 104-105 M 1
Orlen = Arlen 112 G 4
Orlice = Adler 110-111 N 5
Orlické hory = Adlergebirge 113 AB 5
Orlina Duża 113 D 1
Orliny-Duze = Orlina Duża 113 D 1
Orlishausen [5 km → Sömmerda
110-111 D 3]
Orło = Arlen 112 G 4
Orlová = Orlau 113 E 6
Orlowen = Adlersdorf 112 H 3
Orłowo 104-105 N 6
Ortowo = Adlersdorf 112 H 3
Ormulune, Pic d' 116-117 CD 5
Or, Mont d' 116-117 B 3
Ormont-Dessous 116-117 D 4
Ormont-Dessus 116-117 D 4
Ormoy 116-117 AB 1
Ornans 116-117 B 2
Ornavasso 116-117 F 5
Ornbau 114-115 H 2
Orneau 106-107 D 7
Orneta = Wormditt 112 D 3
Ornontowice = Ornontowitz 113 F 5
Ornontowitz [= Ornontowice] 113 F 5
Oron-la-Ville 116-117 C 3
Orosztony 118-119 N 5
Orp-le-Grand 106-107 DE 7
Orsbeck 120 A 4
Orscholz 108-109 BC 7
Orschütz [= Orzyc] 112 E 5
Orsières 116-117 D 4
Orsk = Urschkau 113 A 2
Orsoy 120 C 2
Ort, Der – 104-105 B 2
Orta, Lago d' 116-117 F 5
Orta San Giùlio 116-117 F 5
Ortelsburg [= Szczytno] 112 E 4
Ortenau 114-115 B 4-C 3
Ortenberg [Baden-Württemberg]
114-115 BC 4
Ortenberg [Hessen] 108-109 H 6
Ortenburg 114-115 N 3
Orth [Deutschland] 102-103 K 2
Orth >—→
Ortho 106-107 F 8
Ortisèi in Gardena = Sankt Ulrich
Ortler [Berg] 116-117 KL 3
Ortler [Gebirge] 116-117 KL 4
Örtles = Ortler [Berg] 116-117 KL 3
Örtles = Ortler [Gebirge]
116-117 KL 4
Ortrand 110-111 J 3
Ort, Schloß – 118-119 F 3
Örtze 102-103 GH 5
Orunia = Ohra 104-105 N 2
Orzechów = Wrechow 104-105 D 5
Orzechowo 113 C 1
Orzechowo = Noßberg 112 E 4
Orzesche = Orzesze 113 F 5
Orzesze 113 F 5
Orzyc = Orschütz 112 E 5
Orzyny = Erben 112 E 4
Orzysz = Arys 112 G 4
Orzysz, Jezioro – = Aryssee 112 H 4

Osa = Ossa 104-105 N 5
Osburg 108-109 C 7
Osburger Hochwald 108-109 C 7
Oschatz 110-111 H 3
Osche [= Osie] 104-105 M 3
Öschelbronn [3 km ↘ kiefern
114-115 D 3]
Oschersleben (Bode) 110-111 D 1
Öschinensee 116-117 E 3
Oschitz [= Osečná] 110-111 L 4
Oscht [= Osiecko] 104-105 F 5
Osdorf 102-103 GH 2
Osečná = Oschitz 110-111 L 4
Osede 108-109 F 2
Ösede, Kloster – 108-109 F 2
Osek = Osseg 110-111 J 4
Oseka = Osieck 104-105 M 4
Osen = Osten 113 A 2
Osenbach 102-103 D 4
Osenberge 102-103 D 4
Osetnik = Wusen 112 C 3
Osetno = Osten 113 A 2
Osiakow = Osjaków 113 F 3
Osiecko = Oscht [see] 104-105 O 4
Osieczek = Seeheim 104-105 O 4
Osieczna = Storchnest 113 B 2
Osieczna = Güntersberg 110-111 M 1
Osiecznica = Wehrau 110-111 M 3
Osieczno = Hagenort 104-105 HK 1
Osiek = Hermsdorf 112 C 3
Osiek = Ossig 104-105 MN 3
Osiek = Ossig 110-111 O 3
Osieki [Lęborskie] = Ossecken
104-105 L 1
Osieki [Sławieńskie] = Wusseken
104-105 H 2

Osiek, Jezioro – = Hermsdorfer See
104-105 G 5
Osiek nad Notecią = Netzthal
104-105 K 4
Osiek nad Wisłą 104-105 N 5
Osiek Wielki 113 E 1
Osielsko = Osielsko 104-105 M 4
Osielsko 104-105 M 4
Osienciny = Osięciny 104-105 N 5
Osik 113 A 6
Osina = Schönhagen 104-105 F 3
Ósio sotto 116-117 J 5
Osjaków 113 F 3
Oskořínek = Woskorinek
Oskowo = Wutzkow 104-105 L 2
Osła = Asłau 110-111 N 3
Osli 118-119 N 3
Ösling 106-107 FG 9
Osnabrück [Ort, Verwaltungseinheit]
108-109 EF 2
Osnago 116-117 H 5
Osning [Teutoburger Wald,
↓ Bielefe d] 108-109 G 2-3
Osning [Teutoburger Wald,
✓ Osnabrück] 108-109 EF 2
Ośno (Lubuskie) = Drossen 104-105 E 6
Osoblaha = Hotzenplotz 113 D 5
Osobłoga = Hotzenplotz 113 D 5
Osogna 106-117 GH 4
Osowa Góra = Ludwigshöhe 113 B 1
Osowiec 112 J 5
Osowiez = Osowiec 112 J 5
Osowo = Ossowo 104-105 M 3
Osowo = Wussow 104-105 J 2
Ospedalette [4 km ↘ Strigno
116-117 N 4]
Ospitaletto 116-117 K 5
Oss 106-107 F 5
Ossa [Deutschland] 112 G 2
Ossa [Polen] 104-105 N 3
Ossa [Tschechoslowakai] 113 D 5
Ossasco 116-117 G 3
Ossecken = Osieki [Lęborskie]
104-105 L 1
Osseg = Osek 110-111 J 4
Ossendorf, Köln- 120 J 5
Ossendrecht 106-107 C 6
Osser 118-119 K 4
Ossiach 118-119 FG 5
Ossiek [= Osiek] 104-105 MN 3
Ossig = Osiek] 110-111 O 3
Ossinger 114-115 K 1
Oßmannstedt 110-111 D 3
Ossona [3 km ← Arluno 116-117 G 5]
Ossowo [= Osowo] 104-105 M 3
Ossum-Bösinghoven 120 C 3
Ostalpen [Österreich, Italien,
Schweiz → Bodensee – Ccmosee 101]
Ostašov = Ober Berzdorf
Ostaszewo 104-105 N 4
Ostaszewo = Schöneberg 104-105 NO 2
Ostbevern 108-109 E 2
Ostbüderich 120 H 2
Ostbüren 120 H 2
Oste 102-103 F 3
Osteel 102-103 B 5
Osten 102-103 F 3
Osten = Osetno] 113 A 2
Ostenburg = Pułtusk 101 K 2
Ostende = Oostende] 106-107 a 1
Ostende-Mariakerke = Oostende-
Mariakerke] 106-107 a 1
Ostenfeld 102-103 F 2
Ostenfelde 108-109 F 3
Ostenholzer Moor 102-103 G 5
Ostenland 108-109 G 3
Ösleno 116-117 H 4
Ostenwalde [= Zborowskie] 113 F 4
Osterach 114-115 J 5-6
Osterath 120 C 3
Osterbach 118-119 F 1
Osterbitz [= Ostrowite] 104-105 N 4
Osterburg 102-103 J 5
Osterburken 114-115 EF 2
Ostercappeln 108-109 F 2
Ostereiden 108-109 F 3
Osterems 102-103 A 3
Osterfeld 110-111 E 3
Osterfelde [= Ostropole] 104-105 H 3
Osterflierich 120 H 2
Osterhagen 110-111 3 2
Osterhagen-Ihlpohl 102-103 E 4
Osterhever 102-103 E 2
Osterhofen 114-115 N 3
Osterholz-Scharmbeck 102-103 E 4
Osterlinde = Salzgitter-Osterlinde
Ostermiething 118-119 D 2
Osternburg, Oldenburg (Oldenburg)-
102-103 D 4
Osternienburg 110-111 EF 2
Osternothhafen [= Chorzelin]
104-105 D 3
Osterode am Harz 110-111 B 2
Osterode in Ostpreußen
[= Ostróda] 112 CD 4
Österreich 101 E-C 5
Österreich ob der Enns
= Oberösterreich 118-119 E-H 2-3
Österreich unter der Enns
= Niederösterreich 118-119 H-L 1-2
Österrönfeld 102-103 G 2
Ostersche de = Oosterschelde
106-107 BC 5-6
Osterstedt 102-103 G 1
Osterstade 102-103 E 4
Öster-Stausee 120 H 4
Osterwald 108-109 J 2
Osterwald [3 km ↘ Berenbostel
102-103 G 6]
Osterweddingen 110-111 E 1
Osterwein [= Ostrowin] 112 D 4
Osterwick 108-109 D 2
Osterwieck 110-111 C 2

Osterwik [= Ostrowite] 104-105 L 3
Ostfelde (Ostpreußen) 112 GH 2
Ostffyasszonyfa 118-119 N 4
Ostflandern 106-107 B 7-C 6
Ostfluß 112 H 2
Ostfriesische Inseln 102-103 A-C 3
Ostfriesland 102-103 B 4
Ostgbiete des Deutschen Reiches,
zur Zeit unter fremder Verwaltung
[101]
Ostgebiete des Deutschen Reiches,
zur Zeit unter polnischer Ver-
waltung 101 K 1-2, 101 GH 2-3
Ostgebiete des Deutschen Reiches,
zur Zeit unter sowjetischer Ver-
waltung 101 KL 1
Ostgroßefehn 102-103 C 4
Osthausen 110-111 D 4
Ostheim vor der Rhön 110-111 B 5
Ostholstein 120 H 5
Osthofen 108-109 F 7
Ostichau = Ostaszewo 104-105 N 4
Östliche Günz 114-115 G 5
Östliche Karwendelspitze 114-115 J 6
Östliches Flevoland 106-107 EF 4
Östlich Neufähr [= Górki Wschodnie]
104-105 N 2
Ostlinde [= Ciosaniec] 110-111 O 2
Ostcder 104-105 DE 4
Østcfte 102-103 K 1
Östcnnen 120 J 2
Ostpeene 102-103 N 3
Osterwalde [= Zborowskie] 113 F 4
Ostpreußen [Landschaft] 112 C-G 3
Ostpreußen [Verwaltungseinheit]
1C1 J 2-K 1
Ostrach [Fluß] 114-115 E 5
Ostrach [Ort] 114-115 E 5
Ostra Gura 104-105 N 5
Ostramondra 110-111 D 3
Ostrau = Ostrava] 113 E 6
Ostrau = Ostrov] 114-115 M 1
Ostrau-Hruschau [= Ostrava-Hrušov]
113 E 6
Ostrau-Maglinau [= Cstrava-Muglinov,
↑ Ostrau 113 E 6]
Ostrau (Sachsen) 110-111 H 3
Ostrau-Schlesisch Ostrau
[= Ostrava-Slezská Ostrava] 113 E 6
Ostrava = Ostrau 113 E 6
Ostrava-Hrušov = Ost-au-Hruschau
113 E 6
Ostrava-Muglinov = Ostrau-Maglirau
Ostrava-Slezská Ostrava = Ostrau-
Schlesisch Ostrau 113 E 6
Ostre Bardo = Wusterbarth
104-105 H 3
Ostritz 110-111 L 4
Ostróda = Osterode in Ostpreußen
112 CD 4
Ostrog [= Bollwerk 112 B 3
Ostrokollen = Scharfanrade 112 HJ 4
Ostrołęka 101 KL 2
Ostrołęka = Ostrołęka 101 KL 2
Ostromecko 104-105 M 4
Ostrometz = Ostrome:ko 104-105 M 4
Ostrometzko = Ostromecko 104-105M4
Ostrong 118-119 J 2
Ostropole = Osterfelde 104-105 H 3
Ostrorog = Scharfenort 104-105 H 5
Ostroszowice = Weigelsdorf
(Eulengebirge) 113 B 4
Ostrov = Große Schüttinsel 101 HJ 4-5
Ostrov = Michelsdorf
Ostrov = Ostrau 114-115 M 1
Ostrov = Schlackenwerth 110-111 G 5
Ostrów [3 km ← Brzezno 113 F 2-3]
Ostrowąs [5 km ↓ Aleksandrów
Kujawski 104-105 N 5]
Ostrowąsy = Wusterhause
Ostrowąż 104-105 M 6
Ostrowice = Wusterwitz 104-105 G 3
Ostrowiec = Sagemühl 104-105 J 4
Ostrowiec = Wusterwitz 104-105 E 5
Ostrowiec [Sławieńskie] = Wusterwitz
104-105 J 2
Ostrowiec Świętokrzyski 101 K 3
Ostrowin = Osterwein 112 D 4
Ostrowite [Polen, ↘ Gnesen]
104-105 LM 6
Ostrowite [Polen, ✓ Włocławek]
104-105 O 5
Ostrowite = Osterbitz 104-105 N 4
Ostrowite = Osterwik 104-105 L 3
Ostrowitter See 104-105 L 5
Ostrowitz = Ostrowiec Świętokrzyski
101 K 3
Ostrów Mazowien = Ostrów Mazo-
wiecka 101 KL 2
Ostrów Mazowiecka 101 KL 2
Ostrowo 104-105 M 5
Ostrowo = Ostrów Wielkopolski
113 D 2
Ostrower See 104-105 M 5
Ostrowo (Geistlich) [= Ostrowo
Kościelne, 6 km ↘ Mieltschin
104-105 L 6]
Ostrowo, Jezioro – = Martenthiner
104-105 H 3
Ostrówka 113 E 3
Ostrowo Kościelne = Ostrowo
(Geistlich)
Ostrowons = Ostrowąs
Ostrowons [= Ostrowąż] 104-105 M 6
Ostrowskie, Jezioro – = Ostrower
See 104-105 M 5
Ostrów Wielkopolski 113 D 2
Ostrowy 113 G 4
Ostrožná = Spornhau 113 BC 5
Ostryków = Scharfenrade 112 H 3
Ostrzeszów = Schildberg 113 DE 3
Ostrzyckie, Jezioro – = Ostritzsee
104-105 M 2

Ostsee 101 F-J 1
Ostseebad Boltenhagen
Ostseebad Dierhagen
Ostseebad Graal-Müritz 102-103 M 2
Ostseebad Kühlungsborn 102-103 L 2
Ostseebad Nienhagen 102-103 L 2
Ostseebad Wustrow 102-103 M 2
Ostseinbek [3 km ← Glince
102-103 H 3]
Ostswine [= Warszów] 104-105 D 3
Osttircl 118-119 CB 5
Osttünnen 120 H 2
Ostwennemaar, Braam- 120 H 2
Ostwethen = Ostfelde (Ostpreußen)
112 GH 2
Ostzone [101]
Osvračín 114-115 M 1
Oświęcim = Auschwitz 101 J 3-4
Oświn, Jezioro – = Nordenburger See
112 G 3
Osyakow = Osjaków 113 F 3
Oszczywilki = Wolfsheide 112 GH 4
Oszczwilken = Wo fsheide 112 GH 4

Otaľava = Wottawa 114-115 O 2
Othfresen 110-111 B 1-2
Othmarsingen [3 km ✓ Lenzburg
116-117 F 2]
Ötigheim 114-115 C 3
Ötinghausen [5 km ↘ Herford
108-109 G 2]
Otisheim 114-115 D 3
Otkrytoje = Rinderort 112 EF 2
Otloczyn 104-105 N 5
Otłowo = Ottlau 112 A 4
Otmęt = Ottmuth 113 DE 4-E
Otmuchów = Ottmachau 113 C 5
Otmuchowskie, Jezioro –
= Ottmachauer Stausee 113 BC 5
Otoczna 104-105 L 6
Otorowo 104-105 H 5
Otovice = Ottencdorf 113 A 4
Otradnoje = Strcpnau
Otringen [= Etranze] 106-109 B 8
Otroč n = Lande < 10-111 G 5
Ötscher 116-117 J 3
Ottau = Ottlau 112 A 4
Ottbergen [2 km ↘ Dinklar
110-111 B 1]
Ottenberg 116-117 H 1
Ottendorf 110-111 GH 4
Ottendorf = Otevize] 113 A 4
Ottendorf [= Przedków] 110-111 N 2
Ottendorf-Okrilla 110-111 J 3
Ottenheim 114-115 B 4
Ottenöfen im Schwarzwald
114-115 C 3
Ottenleue-Bad 1 16-117 DE 3
Ottensbüttel 118-119 J 2
Ottenschlag im Mühlkreis 118-119 GH2
Ottensen = Hamburg-Ottensen
Ottensheim 118-119 H 3
Ottensoos 114-115 J 1-2
Ottenstein [Niedersachsen]
108-109 H 3
Ottenstein [Nord-hein-Westfalen]
108-109 C 2
Otterbach [Fluß] 108-109 F 8
Otterbach [Ort] 08-109 E 8
Otterberg 108-109 E 7
Otterfing 114-115 K 5
Otterlo, Ede- 106-107 F 4
Otterndorf 102-103 E 3
Ottersberg 102-103 F 4
Otterskirchen 114-115 N 3
Ottersum 106-107 FG 5
Otterweier 114-115 C 3
Otterhal [3 km ↘ Kirchberg am
Wechsel 118-119 KL 3]
Otterwisch 110-111 G 3
Ottignies 106-107 D 7
Ottlau [= Ottlau] 112 A 4
Ottlotschin = Otłoczyn 104-105 N 5
Ottmachau [= Otmuchów] 113 C 5
Ottmachauer Stausee 113 BC 5
Ottmarsbocholt 120 G 1
Ottmuth [= Otmęt] 113 DE 4-5
Ottnang 118-119 F 2
Ottobeuren 114-115 G 5
Ottobrunn 114-115 K 4
Ottorowo = Otorowo 104-105 H 5
Ottrau 108-109 H 5
Ottstedt 108-109 D 8
Otusch = Otusz, 4 km → Buk
104-105 J 6]
Otusz = Otusch
Otyń = Deutsch Wartenberg 110-111N2
Otze 102-103 H 6
Ötztal 116-117 L 4
Ötztaler Alpen 116-117 LM 3

Oud-Beijerland 106-107 C 5
Oudedorp 106-107 B 5
Oudega, Wymbritseradeel-
106-107 G 2
Oudega 106-107 BC 6-7
Oudegem 106-107 C 7
Oude Maas = Alte Maas 106-107 CD 5
Oudemirdum 106-107 F 3
Oudenaarde = Fudenarde] 106-107 B 7
Oudenbosch 106-107 CD 5
Oude Rijn = Altar Rhein 106-107 D 4
Oudenkerk aan de Amstel 106-107 D 4
Oudeschild, Texel 106-107 CD 4
Oude-Tonge 106-107 C 5
Oudewater 106-107 D 4
Oud-Turnhout 106-107 DE 6

Ougrée 106-107 EF 7
Oulens [5 km ↘ La Sarraz
116-117 BC 3]
Our 106-107 G 8
Ourthe 106-107 F 8
Ourthe Occidentale 106-107 F 8
Ourthe Orientale 106-107 F 8

Ovaro 118-119 D 6
Cvelgönne 102-103 D 4
Cvenstädt 102-103 E 6
Cverath 120 F 5
Cverberge 120 G 2
Overflakkee 106-107 C 5
Overijse 106-107 D 7
Overijssel 106-107 G 3-H 4
Overijsselsch Kanaal 106-107 G 4, H 4
Overledinger Land = Oberledinger
Land 102-103 BC 4
Overloon 106-107 F 5
Overpelt 106-107 E 6

Owen 114-115 EF 3
Owinsk = Owińska 104-105 J 5
Owińska 104-105 J 5
Ownice = Ögnitz 104-105 E 5
Owschlag 102-103 G 2

Oxhöft, Gdingen- [= Gdynia-Oksywie]
104-105 N 1

Oy [2 km ✓ Mittelberg 114-115 G 5]
Oyace 116-117 D 5
Oyas [= Gniewomierz] 113 A 3
Oybin, Kurort – 110-111 L 4
Oye-et-Pallet 116-117 B 3
Oyten 102-103 EF 4

Ożegów [4 km ↓ Siemkowice
113 F 3]
Ozerki = Groß Lindenau 112 E 2
Ozersk = Angerapp 112 H 3
Ozimek = Malapane 113 E 4

P

Paal 106-107 E 6
Paar 114-115 J 3
Paaren im Glien 104-105 AB 5
Paaris [= Parys] 112 F 3
Pabianice 101 JK 3
Pabianitz = Pabianice 101 JK 3
Pabjanitz = Pabianice 101 JK 3
Pabneukirchen 118-119 H 2
Packalpe 118-119 H 4-5
Packhausen [= Pakosze] 112 CD 3
Packlitz 104-105 G 6
Pasca 118-119 N 5
Paczków = Patschkau 113 B 5
Paczyna = Hartlingen 113 EF 5
Padborg 102-103 F 1
Paderborn 108-109 G 3
Paderno Dugnano 116-117 H 5
Padligar = Obraberg 110-111 N 1
Padge'aj = Pogegen 112 G 1
Pagenkopf [= Bagna] 104-105 F 3
Paglia, Sasso della – 116-117 H 4
Pagny-sur-Moselle 108-109 B 9
Pagów = Pangau 113 D 3
Pähl 114-115 J 5
Pahlen 102-103 F 2
Painten 114-115 K 3
Pajęczno 113 FG 3
Pajégiai = Pogegen 112 G 1
Pajenczno = Pajęczno 113 FG 3
Páka 118-119 M 5
Paklica = Pakel 104-105 F 6
Pakość = Pakosch 104-105 M 5
Pakosch [= Pakość] 104-105 M 5
Pakoschsee 104-105 M 5
Pakoskie, Jezioro – = Pakoschsee
104-105 M 5
Pakosław 113 C 2
Pakoslawice = Bösdorf 113 C 4
Pakoswalde = Pakosław 113 C 2
Pakosze = Packhausen 112 CD 3
Pakoszów = Wernersdorf 110-111 O 4
Paks 101 J 5
Pakswalde = Pakosław 113 C 2
Paladina 116-117 J 5
Palazzolo sull'Òglio 116-117 J 5
Pałck = Palzig 110-111 MN 1
Paldau 118-119 K 5
Pale 116-117 N 4
Palenberg, Übach- 108-109 B 5
Pálffy, Schloß – 118-119 J 4
Paliseul 106-107 E 9
Pallanza = Verbània 116-117 G 5
Pallanzeno 116-117 F 4
Pallet, Oye-et- 116-117 B 3
Palling 114-115 M 4-5
Pallowitz [= Palowice] 113 F 5
Pallud 116-117 B 5
Palmer Ort 104-105 B 2
Palmnicken [= Jantarnyj] 112 C 2
Palón della Mare 116-117 L 4
Palo = Pallo 110-111 LM 4
Palowice = Pallowitz 113 F 5
Palting   118-119 E 2
Paluzza 118-119 DE 7
Palzig = Pałck] 110-111 MN 1
Pama [5 km ✓ Kittsee 118-119 N 2]
Pamel 106-107 C 7
Pamhagen 118-119 M 3
Pamiatkowo 104-105 J 5
Pamięcin = Frauendorf 104-105 E 6
Pamiętowo = Pantau 104-105 L 3

Pamiontkowo = Pamiątkowo
104-105 J 5
Pammin [= Pomierzyn] 104-105 G 4
Pammin A = Pammin 104-105 G 4
Pampigny 116-117 B 3
Pampow 102-103 K 3
Panenský Týnec = Jungfernteinitz
110-111 J 5
Panevěggio 116-117 N 4
Pangau [= Pagów] 113 D 3
Pange = Spangen 108-109 B 8
Panheel, Heel en – 106-107 F 6
Panix [= Pigniu] 116-117 H 3
Panixerpass 116-117 H 3
Panke 104-105 B 5
Pankendorf [= Bądki] 112 A 4
Panker 102-103 J 2
Pankin 113 F 4
Pannin [= Pękanino,
4 km ✓ Nemitz 104-105 HJ 2]
Pankofen 114-115 M 3
Pankow, Berlin- 104-105 BC 5
Panne, De – [= La Panne] 106-107 a 1
Panne, la – = De Panne 106-107 a 1
Pannerden 106-107 G 5
Panschwitz-Kuckau 110-111 K 3
Pansdorf 102-103 J 2-3
Pansfelde 110-111 D 2
Pansin [= Pężino] 104-105 F 4
Pantau [= Pamiętowo] 104-105 L 3
Panten [= Pątnów Legnicki]
110-111 O 3
Pápa 101 H 5
Paparczyn   104-105 N 4
Paparzyn = Paparczyn 104-105 N 4
Papau (Bischöflich) [= Papowo
Biskupie] 104-105 MN 4
Papau (Thorn) [= Papowo Toruńskie]
104-105 N 4
Papenburg 102-103 BC 4
Papendorf 104-105 C 3-4
Papenwasser 104-105 E 3
Papitz 110-111 K 2
Paplitz [Brandenburg] 110-111 H 1
Paplitz [Sachsen-Anhalt] 110-111 F 1
Papowo Biskupie = Papau
(Bischöflich) 104-105 MN 4
Papowo Toruńskie = Papau (Thorn)
104-105 N 4
Pappenheim [Bayern] 114-115 HJ 3
Pappenheim [Thüringen] 110-111 BC 4
Paprodtker Berge 112 G 4
Parabiago 116-117 GH 5
Paradies [= Gościkowo] 104-105 G 6
Paradisino, Piz – 116-117 K 4
Paradiso = Lugano-Paradiso
Paramont, Mont – 116-117 CD 5
Parático 116-117 J 5
Parchanie 104-105 M 5
Parchaniekanal 104-105 M 5
Parchau 110-111 E 1
Parchau [= Parchów] 110-111 NO 3
Parchau [= Parchowo] 104-105 L 2
Parchen 110-111 F 1
Parchim 102-103 L 4
Parchów = Parchau 110-111 NO 3
Parchowo = Parchau 104-105 L 2
Parchwitz [= Prochowice] 113 A 3
Parcines = Partschins 116-117 M 3
Pardubic = Pardubitz 110-111 N 5
Pardubitz [= Pardubice] 110-111 N 5
Paretz 102-103 N 6
Parey 110-111 E 1
Parkentin 102-103 LM 2
Parkowo 104-105 JK 5
Parkstein 114-115 L 1
Parkstetten 114-115 M 3
Parmelan, le – 116-117 B 5
Parndorf 118-119 M 3
Parndorfer Heide 118-119 MN 3
Parnow [= Parnowo] 104-105 H 2
Parnowo = Parnow 104-105 H 2
Parowa = Tiefenfurt 110-111 M 3
Parsau 102-103 J 5
Parsberg [Bayern, Oberpfalz]
114-115 K 2
Parsberg [Oberbayern] 114-115 K 5
Parschnitz [= Poříčí] 110-111 NO 4
Parsdorf 114-115 K 4
Parsęcko = Persantzig 104-105 J 3
Parseier Spitze 116-117 KL 2
Parsęta = Persante 104-105 G 2
Parsów = Wartenberg 104-105 E 4
Parstein 104-105 D 5
Parsteiner See 104-105 CD 5
Partenheim 108-109 F 7
Partenkirchen, Garmisch-
114-115 J 5-6
Partenstein 108-109 J 6
Parthe 110-111 G 3
Parthenen 116-117 K 3
Partnachklamm 114-115 J 6
Partschins [= Parcines] 116-117 M 3
Parusnoje = Gaffken 112 CD 2
Parwe 112 G 2
Parys = Paaris 112 F 3
Parzęczewo [3 km ✓ Kamieniec
113 A 1]
Parzenczewo = Parzęczewo
Parzymiechy 113 F 3
Parzynów 113 D 3
Pasching 118-119 G 2
Paschkerwitz [= Pasikurowice] 113 C 3
Paschwitz 110-111 O 3
Pasewalk 104-105 D 5
Pasewark [= Jantar] 104-105 O 2
Pasiecznik = Spiller 110-111 N 4
Pasikurowice = Paschkerwitz 113 C 3
Pasing, München- 114-115 J 4
Pasłęk = Preußisch Holland 112 C 3
Pasłęka = Passarge 112 D 4
Pasmar 112 E 3
Passader See 102-103 H 2
Passail 118-119 K 4
Passarge 112 D 4

Passarge-Stausee 34 Pluwig

Passarge-Stausee 112 C 3
Passau 114-115 N 3
Passavant 116-117 B 2
Passee 102-103 L 3
Passeiertal 116-117 M 3
Passendale 106-107 ab 2
Passenheim [= Pasym] 112 E 4
Paß Gschütt 118-119 F 3
Passiria, Val – = Passeiertal 116-117 M 3
Paß Lueg 118-119 E 3
Passow [Brandenburg] 104-105 D 4
Passow [Mecklenburg] 102-103 M 3
Paß Strub 118-119 D 3
Paß Thurn 118-119 C 4
Passwang 116-117 E 2
Passy 116-117 C 5
Pasterze 118-119 D 4
Pastetten 114-115 K 4
Pasturo [2 km ← Bàrzio 116-117 HJ 5]
Pastwa = Groß Weide 112 AB 4
Pasùbio, Monte – 116-117 M 5
Pasym = Passenheim 112 E 4
Paszowice = Poischwitz 110-111 O 3
Paterek = Steinburg 104-105 L 4
Patergassen →
Paternion 118-119 F 5
Paterschobensee = Kleiner Schobensee 112 E 4
Patersdorf 114-115 MN 2
Paterswalde [= Bol'šaja Pol'ana] 112 F 2
P'atidorožnoje = Bladiau 112 D 2
Pątnów 104-105 M 6
Pątnów Legnicki = Panten 110-111 O 3
Pątnowskie, Jezioro – 104-105 M 6
Patsch 116-117 M 2
Patscher Kofel 116-117 MN 2
Patschkau [= Paczków] 113 B 5
Pattendorf 114-115 L 3
Pattensen [Niedersachsen, ↓ Hannover] 108-109 J 2
Pattensen [Niedersachsen, ↖ Lüneburg] 102-103 H 4
Patteriol 116-117 K 2
Pâturages 106-107 B 8
Patzig 104-105 B 2
Patzig [= Piaski (Pomorskie)] 104-105 H 3
Pätzig bei Bad Schönfließ Neumark [= Piaseczno] 104-105 E 5
Paularo 118-119 E 5
Paulinenaue 102-103 N 5
Paulinzella 110-111 D 4
Paulsdorf [= Skoszewo] 104-105 E 3
Paulskirch [= Pawłów Trzebnicki, 6 km ↖ Trebnitz 113 C 3]
Paulusbrunn [= Pavlův Studenec] 114-115 LM 1
Pausa 110-111 EF 4
Pausitz 110-111 G 3
Paußnitz 110-111 H 3
Pavione, Monte – 116-117 N 4
Pavlov = Pollau 118-119 M 1
Pavlovské vrchy = Pollauer Berge 118-119 M 1
Pavlův Studenec = Paulusbrunn 114-115 LM 1
Pawellau = Paulskirch
Päwesin 102-103 N 5-6
Pawłowice [Polen, → Lissa] 113 B 2
Pawłowice [Polen, ← Pleß] 113 F 6
Pawłowiczki = Gnadenfeld 113 DE 5
Pawlowitz = Pawłowice [Polen, → Lissa] 113 B 2
Pawlowitz = Pawłowice [Polen, ← Pleß] 113 F 6
Pawłowo 104-105 L 6
Pawłów Trzebnicki = Paulskirch
Pawonkau [= Pawonków] 113 F 4
Pawonków = Pawonkau 113 F 4
Payerbach 118-119 K 3
Payerne 116-117 CD 3
Pays d'Enhaut 116-117 D 4
Paznauntal 116-117 K 2-3

Peccia [Fluß] 116-117 G 4
Peccia [Ort] 116-117 G 4
Pechau 110-111 E 1
Pechelbronn 108-109 E 9
Pechern 110-111 L 3
Pęchowo 104-105 M 5
Pecka 110-111 N 5
Peckatel 104-105 AB 4
Peckelch 108-109 F 2
Peckelsheim 108-109 H 3
Pečky 110-111 M 5
Pecnej = Pecný 110-111 L 6
Pecno = Petzen 113 B 1
Pecný 110-111 L 6
Pecq 106-107 A 7
Pécs = Fünfkirchen 101 HJ 5
Pęczniew 113 F 2
Pedràces = Pedratsches 118-119 B 5
Pedratsches [= Pedràces] 118-119 B 5
Pędzewo = Pensau 104-105 M 4
Peel 106-107 F 5-6
Peene 104-105 C 3
Peene, Kleine – 102-103 N 3
Peenemünde 104-105 C 2
Peene, Ost- 102-103 N 3
Peer 106-107 E 6
Peest [= Pieszcz] 104-105 J 2
Peetzig (Oder) [= Piasek] 104-105 D 5
Pegau 110-111 F 3
Pegelow [= Gogolewo] 104-105 F 4
Peggau 118-119 J 4
Pegnitz [Fluß] 114-115 K 1
Pegnitz [Ort] 114-115 JK 1
Peheim 102-103 C 5
Pehsken [= Piaseczno] 104-105 N 3
Peilau [= Piława] 113 B 4
Peile 113 B 4
Peilstein im Mühlviertel 118-119 F 1
Peine 110-111 B 1
Pèio 116-117 L 4
Peisern [= Pyzdry] 113 D 1
Peisey-Nancroy 116-117 C 5
Peiskretscham [= Pyskowice] 113 F 5
Peiß 114-115 K 5
Peißen [Sachsen-Anhalt, ↓ Bernburg]
Peißen [Sachsen-Anhalt, → Halle (Saale)] 110-111 F 2-3
Peißenberg 114-115 J 5
Peisterwitz [= Bystrzyca] 113 C 4
Peiting 114-115 H 5
Peitschendorf [= Piecki] 112 F 4
Peitz 110-111 K 2
Peize 106-107 GH 2
Peizerdiep 106-107 G 2
Pękanino = Panknin
Pełcznica = Polsnitz 113 A 4
Pełczyce = Bernstein 104-105 F 4
Pełczyn = Polgsen 113 B 3
Pelkum 108-109 F 3
Pelleningken = Strigengrund 112 GH 2
Pellworm 102-103 E 1
Pelouse, Tête - 116-117 C 4
Pelplin 104-105 N 3
Pelsdorf [= Kunčice] 110-111 N 4
Pelsin 104-105 C 3
Peltre 108-109 B 8
Pełty 112 F 5
Pelugo 116-117 L 4
Pempersin [= Pępersin, 2 km ↗ Zabartowo 104-105 L 4]
Pempowo = Pępowo 113 C 2
Penchowo = Pęchowo 104-105 M 5
Penig 110-111 G 4
Penk 118-119 E 5
Penkuhl [= Pieniężnica] 104-105 J 3
Penkun 104-105 D 4
Pennekow [= Pieńkowo] 104-105 J 2
Penninische Alpen = Walliser Alpen 116-117 DE 4
Pensau [= Pędzewo] 104-105 M 4
Penter Egge 108-109 EF 2
Penthaz 116-117 C 3
Penting 114-115 L 2
Penzberg 114-115 J 5
Penzig [= Pieńsk] 110-111 M 3
Penzlin 104-105 B 3
Pępersin = Pempersin
Pepinster 106-106 F 7
Pępowo 113 C 2
Perach 114-115 M 4
Peralba, Monte – = Hochweißstein 118-119 D 5
Percha [2 km → Starnberg 114-115 J 4-5]
Perchauer Sattel 118-119 GH 4
Perchtoldsdorf 118-119 L 2
Peredovoje = Postehnen 112 EF 3
Peřejov = Purschau 114-115 M 1
Perevalovo = Mulden 112 FG 2
Perg 118-119 H 2
Pèrgine Valsugana 116-117 M 4
Peri 116-117 L 5
Perkam 114-115 LM 3
Perkuiken, Roddau- [= Solncevo] 112 EF 2
Perl 108-109 B 8
Perl [= Perlé] 106-107 F 9
Perlach = München-Perlach
Perlé = Perl 106-107 F 9
Perleberg 102-103 L 4
Perlswalde [= Perły] 112 G 3
Perły = Perlswalde 112 G 3
Pernartitz [= Bernartice] 114-115 M 1
Pernau [= Pornóapáti] 118-119 LM 4
Pernegg 118-119 K 1
Pernegg an der Mur 118-119 J 4
Pernek [Tschechoslowakei, ↙ Budweis] 118-119 FG 1
Pernek [Tschechoslowakei, ↑ Preßburg] 118-119 N 2
Pernink = Bärringen 110-111 G 5
Pernitz 118-119 K 3
Péronnes 106-107 C 8
Perrignier 116-117 BC 4
Persante 104-105 G 2
Persanzig [= Parsęcko] 104-105 J 3
Perschnitz = Zeidel 113 C 3
Persenbeug 118-119 J 2
Perštejn = Pürstein 110-111 H 5
Pertelnicken [3 km ↙ Pobethen 112 D 2]
Pertisau 116-117 N 2
Peruc = Perutz 110-111 J 5
Perutz [= Peruc] 110-111 J 5
Péruwelz 106-107 B 7
Pervijze 106-107 a 1
Perwang 118-119 E 2
Perwez [= Perwijs] 106-107 D 7
Perwijs = Perwez 106-107 D 7
Perwilten 112 D 2
Perznica = Pirnitz 104-105 HJ 3
Pescantina 116-117 L 6
Pesch 120 C 4
Peschiera del Garda 116-117 L 6
Pesch, Schloß – 120 C 3
Peseux 116-117 C 3
Peskovo = Groß Schönau 112 F 3
Pesnica = Pößnitz 118-119 K 5
Pessans 116-117 A 2
Pessin 102-103 N 5
Pesterwitz [2 km ↑ Freital 110-111 J 3]
Pestlin [= Postolin] 112 B 4
Pétange = Petingen 106-107 F 9
Petegem 106-107 B 7
Peterawe = Piotrowo 104-105 H 5
Peterfitz [= Piotrowice (Kołobrzeskie)] 104-105 G 2
Peterlingen = Payerne 116-117 CD 3
Petersaurach 114-115 H 2
Petersberg [Hessen] 108-109 J 5
Petersberg [Sachsen-Anhalt] 110-111 E 2
Petersberg [2 km ↗ Königswinter 108-109 D 5]
Petersburg [= Petrohrad, 4 km ↘ Jechnitz 110-111 HJ 5]
Petersdorf [= Jemiołów] 104-105 F 6
Petersdorf [= Kujbyševskoje] 112 F 2
Petersdorf [= Piechowice, 3 km ← Hermsdorf (Kynast) 110-111 N 4]
Petersdorf (Fehmarn) 102-103 JK 2
Petersgrat 116-117 E 4
Petersgrätz [= Piotrówka] 113 E 4
Petersgrund (Ostpreußen) [= Pietrasze] 112 H 3-4
Petershagen [Brandenburg] 104-105 C 5
Petershagen [Pommern] 104-105 D 4
Petershagen [= Pieszkowo] 112 E 3
Petershagen (Weser) 108-109 G 2
Petershain 110-111 L 3
Petershausen 114-115 J 4
Petershausen, Konstanz- 114-115 E
Petersheide [= Czarnolas] 113 C 4 5
Petershofen [= Petřkovice] 113 E 6
Peterstal (Renchtal), Bad – 114-115 C 4
Peterswald [= Petrovice] 110-111 JK 4
Peterswald [= Petřvald] 113 E 6
Peterswald [= Pietrzwałd, 4 km ↗ Stuhm 112 B 4]
Peterswaldau (Eulengebirge) [= Pieszyce] 113 AB 4
Peterswalde [= Cierznie] 104-105 JK 3
Peterswalde [= Pietrzwałd] 112 C 4
Peterswalde [= Piotraszewo] 112 D 3
Peterswalde [= Piotrowiec] 112 D 3
Peterwitz [= Piotrowice] 110-111 O 3
Peterwitz = Zietenbusch 113 D 5
Petingen [= Pétange] 106-107 F 9
Pětipsy = Fünfhunden 110-111 H 5
Petit-Bornand-lès-Glières, le – 116-117 B 4-5
Petite Helpe 106-107 B 8
Petite-Pierre, la – = Lützelstein 108-109 D 9
Petit-Lucelle = Kleinlützel 116-117 D 2
Petit Saint Bernard, Col de – = Kleiner Sankt Bernhard 116-117 C 5
Petkum 102-103 B 4
Petkus 110-111 H 2
Petrikau [= Piotrków Trybunalski] 101 J 3
Petřkovice = Petershofen 113 E 6
Petrohrad = Petersburg
Petronell 118-119 M 2
Petrova Ves 118-119 N 1
Petrovice = Groß Petrowitz 110-111 N 5
Petrovice = Peterswald 110-111 JK 4
Petrovice = Petrowitz [Tschechoslowakei, ↙ Kladno] 110-111 J 5
Petrovice = Petrowitz [Tschechoslowakei, ↘ Klattau] 114-115 N 2
Petrovice u Karvine = Petrowitz 113 F 6
Petrowitz [= Petrovice] Tschechoslowakei, ↙ Kladno] 110-111 J 5
Petrowitz [= Petrovice] Tschechoslowakei, ↘ Klattau] 114-115 N 2
Petrowitz [= Petrovice u Karvine] 113 F 6
Petrowitz [= Piotrowice, 4 km ← Emanuelssegen 113 FG 5]
Petřvald = Peterswald 113 E 6
Petschau [= Bečov nad Teplou] 110-111 G 5
Petschek = Pečky 110-111 M 5
Petschow 102-103 M 2
Pettau [= Ptuj] 101 GH 5
Pettelkau [= Pierzchały] 112 C 3
Petten 106-107 D 3
Pettenasco 116-117 FG 5
Pettenbach 118-119 G 3
Pettenreuth 114-115 L 2
Petting 114-115 M 5
Pettini, Monte – 116-117 K 3
Pettneu am Arlberg 116-117 K 2
Petzeck 118-119 D 5
Petzen 118-119 H 5
Petzen [= Pecno] 113 B 1
Petzewo = Deutsch Fier 104-105 JK 4
Petziner See 104-105 JK 4
Petzka = Pecka 110-111 N 5
Petznick [= Piasecznik] 104-105 F 4
Petznick [= Piecnik] 104-105 H 4
Peuerbach 118-119 F 2
Pewsum 102-103 B 4
Peyse 112 D 2
Pęzinka = Gestohlene Ihna 104-105 F 4
Pęzino = Pansin 104-105 F 4

Pfäfers 116-117 HJ 3
Pfaffenberg [Bayern, Oberpfalz] 114-115 L 2
Pfaffenberg [Niederbayern] 114-115 L 3
Pfaffendorf [Brandenburg] 110-111 K 1
Pfaffendorf [Nordrhein-Westfalen] 120 C 5
Pfaffendorf [= Popowo Sałęckie, 4 km ↗ Sensburg 112 F 4]
Pfaffenhausen 114-115 G 4
Pfaffenhofen [= Pfaffenhoffen] 108-109 E 9
Pfaffenhofen an der Ilm 114-115 JK 3
Pfaffenhofen an der Roth 114-115 G 4
Pfaffenhoffen = Pfaffenhofen 108-109 E 9
Pfaffensattel 118-119 K 3
Pfaffenschlag, Sattel von – 118-119 HJ 3
Pfaffenweiler [2 km ↗ Kirchhofen 114-115 B 5]
Pfäffikon 116-117 G 2
Pfaffnau 116-117 E 2
Pfaffstätt 118-119 E 2
Pfaffstätten 118-119 L 2
Pfahl 114-115 M 2
Pfahlbronn [3 km ← Alfdorf 114-115 F 3]
Pfahlheim 114-115 G 3
Pfalz 108-109 EF 8
Pfalzburg [= Phalsbourg] 108-109 D 9
Pfalzdorf 120 A 2
Pfalzel 108-109 C 7
Pfälzer Bergland 108-109 D 8-E 7
Pfälzer Wald 108-109 EF 8
Pfalzgrafenweiler 114-115 D 3
Pfalzgrafschaft Burgund = Franche-Comté 101 BC 5
Pfalz, Rheinland- 101 CD 3-4
Pfänder 116-117 J 1
Pfandlscharte 118-119 D 4
Pfannberg 118-119 J 4
Pfannhorn 118-119 C 5
Pfannspitze 118-119 CD 5
Pfarrkirchen 114-115 M 4
Pfarrkirchen bei Bad Hall [1 km ↙ Bad Hall 118-119 G 2]
Pfarrkirchen im Mühlkreis [3 km ↗ Hofkirchen im Mühlkreis 118-119 F 2]
Pfarrwerfen [3 km ↘ Werfen 118-119 E 4]
Pfatter 114-115 L 3
Pfeddersheim 108-109 F 7
Pfedelbach 114-115 EF 2
Pfeffenhausen 114-115 K 3
Pfeilsdorf [= Płużnica] 104-105 N 4
Pfelders [= Plan] 116-117 M 3
Pfersee, Augsburg- 114-115 H 4
Pfetterhausen [= Pfetterhouse, 3 km → Réchésy 116-117 D 1]
Pfetterhouse = Pfetterhausen
Pfinz 114-115 CD 2
Pfinzgau 114-115 D 3
Pfirt [= Ferrette] 116-117 D 2
Pfitscher Joch 118-119 B 4-5
Pflach 116-117 L 1
Pflaumheim [2 km ↙ Großostheim 108-109 GH 7]
Pflugfelde = Brody 104-105 H 6
Pfofeld 114-115 H 2
Pfohren [4 km ↘ Donaueschingen 114-115 CD 5]
Pförring 114-115 K 3
Pförten [= Brody] 110-111 L 2
Pforzen 114-115 H 5
Pforzheim 114-115 D 5
Pfraumberg [= Přimda] 114-115 M 1
Pfreimd [Fluß] 114-115 L 1
Pfreimd [Ort] 114-115 L 2
Pfrimm 108-109 F 7
Pfronten 114-115 H 5
Pfroslkopf 116-117 L 3
Pfuhl 114-115 G 4
Pfullendorf 114-115 E 5
Pfullingen 114-115 E 4
Pfunders [= Fùndres] 118-119 B 5
Pfunds 116-117 L 3
Pfungstadt 108-109 FG 7
Pfünz 114-115 J 3
Pfyn 116-117 G 1

Phalsbourg = Pfalzburg 108-109 D 9
Philippeville 106-107 CD 8
Philippine 106-107 B 6
Philippsburg 114-115 C 2
Philippsgrund [= Oldřichov v Hájích, 4 km ↗ Einsiedel 110-111 M 4]
Philippsreut 118-119 F 1
Philippsruhe, Schloß – [2 km ↙ Hanau am Main 108-109 G 6]
Philippsthal 110-111 AB 4

Piamprato 116-117 E 5
Pianken = Altwolfsdorf
Pianki = Altwolfsdorf
Piano delle Fugazze 116-117 M 5
Piano, Lago di – 116-117 H 4
Pians 116-117 KL 2
Piaseczna 113 F 5
Piasecznik = Petznick 104-105 F 4
Piaseczno = Neuendorf 104-105 E 4
Piaseczno = Pätzig bei Bad Schönfließ Neumark 104-105 E 5
Piaseczno = Pehsken 104-105 N 3
Piasek = Peetzig (Oder) 104-105 D 5
Piaski = Sandberg 113 C 2
Piaski (Pomorskie) = Patzig 104-105 H 3
Piaśnica = Piasnitz [Fluß] 104-105 M 1
Piaśnica = Piasnitz [Ort] 104-105 LM 1
Piasnitz [= Piaśnica] [Fluß] 104-105 M 1
Piasnitz [= Piaśnica] [Ort] 104-105 LM 1
Piassetzna = Piaseczna 113 F 5
Piasty Wielkie = Groß Peisten
Piasutno = Seenwalde 112 F 4
Piasutten = Seenwalde 112 F 4
Piaszczyna = Reinwasser
Piateda 116-117 JK 4
Piave 101 F 5
Piazzi, Cima de' 116-117 K 4
Piber 118-119 J 4
Pibrans = Příbram 101 G 4
Piccardie-Coevorden-Kanal 102-103 AB 5
Piccolo San Bernardo, Colle de – 116-117 C 5
Picher 102-103 K 4
Pichl = Roßleithen 118-119 G 3
Pichl [4 km ↘ Windischgarsten 118-119 G 3]
Pichl bei Aussee [6 km ↖ Mitterndorf im Steirischen Salzkammergut 118-119 F 3]
Pichl bei Wels [3 km ↗ Kematen am Innbach 118-119 F 2]
Pichlberg 118-119 J 2
Pichlern [2 km ↘ Sierning 118-119 G 2]
Pichlern [3 km ↘ Thomatal 118-119 F 4]
Pichlice 113 E 3
Pichl-Preunegg [4 km ↖ Rohrmoos 118-119 F 4]
Picno = Peitz 110-111 K 2
Pico della Croce = Wilde Kreuzspitze 116-117 N 3
Piding 114-115 M 5
Piece = Ofen 104-105 M 3
Piecewo = Deutsch Fier 104-105 JK 4
Piechowice = Petersdorf
Pieckel [= Piekło] 104-105 N 3
Piecki = Peitschendorf 112 F 4
Piecnik = Petznick 104-105 H 4
Pieczew 112 F 1
Piedicavallo 116-117 EF 5
Piedimulera 116-117 F 4
Piègora, Monte – 116-117 M 5
Piekary Śląskie = Deutsch Piekar 113 FG 5
Piekberg 104-105 C 1
Piekło = Pieckel 104-105 N 3
Pielach 118-119 K 2
Pielburg [= Piele] 104-105 HJ 3
Piele = Pielburg 104-105 HJ 3
Pielenhofen 114-115 KL 2
Pielgrzymka = Pilgramsdorf 110-111 N 3
Piemont 116-117 EF 5
Piemonte = Piemont 116-117 EF 5
Pienążkowo = Pienonskowo 104-105 N 3
Pienczniew = Pęczniew 113 F 2
Pieniężnica = Penkuhl 104-105 J 3
Pieniężno = Mehlsack 112 D 3
Pieńkowo = Pennekow 104-105 J 2
Pienonskowo [= Pienążkowo] 104-105 N 3
Pieńsk = Penzig 110-111 M 3
Piepenburg [= Wyszogóra] 104-105 F 3
Pieranie = Freitagsheim 104-105 MN 5
Pierbach [4 km ↑ Sankt Thomas am Blasenstein 118-119 H 2]
Pierre à Voir 116-117 D 4
Pierrefontaine 116-117 C 2
Pierrepont 106-107 B 9
Pierschno = Pierzchno 113 C 1
Pierstnica = Zeidel 113 C 3
Pierzchały = Pettelkau 112 C 3
Pierzchno 113 C 1
Piesendorf 118-119 D 4
Pieske [= Pieski] 104-105 FG 6
Pieski = Pieske 104-105 FG 6
Pieskow, Bad Saarow- 110-111 K 1
Piesling [= Písečné] 118-119 JK 1
Piešt'any = Pistyan 101 HJ 4
Piesteritz, Wittenberg- 110-111 FG 2
Piesting 118-119 L 2-3
Piesting, Markt – 118-119 L 3
Pieszcz = Peest 104-105 J 2
Pieszkowo = Petershagen 112 E 3
Pieszyce = Peterswaldau (Eulengebirge) 113 AB 4
Pieterlen [2 km ↙ Lengnau 116-117 D 2]
Pietraschen = Petersgrund (Ostpreußen) 112 H 3-4
Pietrasze = Petersgrund (Ostpreußen) 112 H 3-4
Pietrowice = Zietenbusch 113 D 5
Pietrowice Wielkie = Groß Peterwitz 113 E 5
Pietrzwałd = Peterswalde 112 C 4
Pietrzyków = Pitschkau 110-111 L 2
Pietrzykowo = Groß Peterkau 104-105 K 3
Pieve di Bono 116-117 L 5
Pigniu = Panix 116-117 H 3
Pijnacker 106-107 C 4
Piktupėnai = Piktupönen 112 GH 1
Piktupönen [= Piktupėnai] 112 GH 1
Piła = Schneidemühl 104-105 J 4
Pilatus 116-117 F 3
Piława = Peilau 113 B 4
Piława = Peile 113 B 4
Piława = Pilow 104-105 J 4
Piława Górna = Gnadenfrei 113 B 4
Piławka = Pilowfließ 104-105 H 4
Pilchowice = Bilchengrund 113 EF 5
Pilchowice = Mauer 110-111 N 4
Pilchowitz = Bilchengrund 113 EF 5
Pilec = Pülz 112 F 4
Pile, Jezioro – = Großer Pielburgsee 104-105 HJ 3
Pilgersdorf 118-119 L 4
Pilgramsdorf [= Pielgrzymka] 110-111 N 3
Pilica 101 K 3
Piliza = Pilica 101 K 3
Piłka = Schneidemühlchen 104-105 H 5
Pillau [= Baltijsk] 112 C 2
Pillersee 118-119 D 3
Pillichsdorf [3 km ↘ Wolkersdorf 118-119 M 2]
Pillkallen = Schloßberg (Ostpreußen) 112 J 2
Pillkoppen 112 EF 1
Pillnitz, Dresden- 110-111 J 3
Pillonpass 116-117 D 4
Pillupönen = Schloßbach 112 J 2
Pilnik = Lidzbark Warmiński - Pilnik
Pilnikau [= Pilníkov] 110-111 N 4
Pilníkov = Pilnikau 110-111 N 4
Pilow 104-105 J 4
Pilowfließ 104-105 H 4
Pilsberg 102-103 HJ 2
Pilsen [= Plzeň] 114-115 N 1
Pilsensee 114-115 J 4
Pilsting 114-115 M 3
Pilszcz = Piltsch 113 D 5-6
Piltsch [= Pilszcz] 113 D 5-6
Pinczyn = Pinschin 104-105 M 3
Pinggau 118-119 L 4
Pinka 118-119 L 4
Pinkafeld 118-119 L 4
Pinkamindszent = Allerheiligen 118-119 LM 4
Pinnau 102-103 G 3
Pinne [= Pniewy] 104-105 H 5
Pinneberg 102-103 G 3
Pinnow [Brandenburg, Niederlausitz] 110-111 L 2
Pinnow [Brandenburg, Uckermark] 104-105 D 4
Pinnow [Pommern] 104-105 C 3
Pinnow [= Pniewo] 104-105 F 3
Pinnow [= Pniów] 104-105 EF 6
Pinnow [3 km ↓ Hohenselchow 104-105 D 4]
Pinschin [= Pinczyn] 104-105 M 3
Pinsdorf [3 km ↖ Gmunden 118-119 F 3]
Pinzgau 118-119 C-E 4
Pinzolo 116-117 L 4
Piode 116-117 F 5
Pioltello [8 km ↗ Mailand 116-117 H 6]
Pionerskij = Neukuhren 112 D 2
Piotraszewo = Peterswalde 112 D 3
Piotrków Kujawski 104-105 MN 5
Piotrkowo = Piotrków Kujawski 104-105 MN 5
Piotrków Trybunalski = Petrikau 101 J 3
Piotrowice = Groß Peterwitz [Ostpreußen] 112 B 4
Piotrowice = Groß Peterwitz [Schlesien] 113 B 3
Piotrowice = Peterwitz 110-111 O 3
Piotrowice = Petrowitz [4 km ← Emanuelssegen 113 FG 5]
Piotrowice (Kołobrzeskie) = Peterwitz 104-105 G 2
Piotrowiec = Peterswalde 112 D 3
Piotrówka = Petersgrätz 113 E 4
Piotrowo 104-105 H 5
Piotta, Ambri – [6 km ↘ Airolo 116-117 G 3]
Piovene Rocchette 116-117 M 5
Piplin = Timberhafen 112 FG 2
Pirawarth, Markt – 118-119 LM 2
Piringsdorf [5 km ↑ Lockenhaus 118-119 L 4]
Pirkenhammer [= Březová] 110-111 GH 5
Pirkensee 114-115 KL 2
Pirmasens 108-109 DE 8
Pirna 110-111 J 4
Pirnig [= Pyrnik] 110-111 N 2
Pirnitz 104-105 HJ 3
Pirten [= Brt'] 110-111 G 5
Pisa 112 G 5
Pisa = Dost 112 E 3
Pisa = Galinde 112 G 4
Pisanica = Ebenfelde 112 J 4
Písařov = Schreibendorf 113 B 5
Pischahorn 116-117 J 3
Pischeldorf 118-119 GH 5
Pischelsdorf [4 km ↙ Helpfau-Uttendorf 118-119 E 2]
Pischelsdorf in Steiermark 118-119 K 4
Pischnitza 104-105 M 3
Písečná = Sandhübel 113 C 5
Písečné = Piesling 118-119 JK 1
Písek 101 FG 4
Piska, Puszcza – = Johannisburger Heide 112 FG 4
Piskorsine = Kirchlinden 113 B 2
Piskorzyna = Kirchlinden 113 B 2
Pisoc, Piz – 116-117 K 3
Pisogne 116-117 K 5
Pissa = Pisa 112 G 5
Pissa = Roßbach 112 HJ 2
Pissanitzen = Ebenfelde 112 J 4
Pissek = Galinde 112 G 4
Pissevache 116-117 D 4
Píšť = Sandau 113 E 6
Pistyan [= Piešt'any] 101 HJ 4
Pisz = Johannisburg 112 G 4
Pitschen [= Byczyna] 113 E 3
Pitschkau [= Pietrzyków] 110-111 L 2
Pitten 106-107 A 6-7
Pitten [Fluß] 118-119 L 3
Pitten [Ort] 118-119 L 3
Pittersberg 114-115 KL 2
Pitztal 116-117 L 2
Pitztaler Jöchl 116-117 L 3
Pivitsheide Vogtei Heiden [4 km ↘ Lage 108-109 G 3]
Pivitsheide Vogtei Lage [7 km ↖ Detmold 108-109 G 3]
Piwnice Wielkie = Großalbrechtsort 112 EF 5
Pizzo Centrale 116-117 G 3
Pizzòcolo, Monte – 116-117 L 5
Pizzo Quadro 116-117 H 4
Pizzo Rosso di Predoi = Rötspitze 118-119 C 4

Pladen [= Blatno] 110-111 H 5
Plaffeien 116-117 D 3
Plaggenburg 102-103 BC 3
Plaidt [4 km → Kruft 108-109 D 6]
Plan 116-117 N 3
Plan [= Planá] 114-115 M 1
Plan = Pfelders 116-117 M 3
Planá = Plan 114-115 M 1
Plaňany 110-111 M 5
Plancenoit 106-107 C 7
Plancher-Bas 116-117 C 1
Plancher-les-Mines 116-117 C 1
Planches-en-Montagne, les – 116-117 AB 3
Plan-du-Lac 116-117 C 4
Plane 110-111 G 1
Planegg 114-115 JK 4
Planeil [= Planol] 116-117 L 3
Plangeroß 116-117 L 3
Planien = Plaňany 110-111 M 5
Plánice = Planitz 114-115 N 2
Planig [5 km ↗ Bad Kreuznach 108-109 EF 7]
Planitz [= Plánice] 114-115 N 2
Planitz, Zwickau- 110-111 FG 4
Plank am Kamp 118-119 K 1
Plankenfels 114-115 J 1
Plankstetten 114-115 JK 2
Planol = Planeil 116-117 L 3
Plansee 116-117 L 2
Plansker Wald 118-119 G 1
Plantlünne 102-103 B 6
Plaß [= Plasy] 110-111 H 6
Plassenburg 110-111 DE 5
Plaßwich [= Płoskinie] 112 CD 3
Plasy = Plaß 110-111 H 6
Plata = Platt 116-117 M 3
Plate 102-103 KL 3
Platendorf, Neudorf- 102-103 J 5
Plathe [= Płoty] 104-105 F 3
Platjenwerbe [2 km ↘ Osterholz-Ihlpohl 102-103 E 4]
Platkow 104-105 D 5
Platt [= Plata] 116-117 M 3
Platta 116-117 G 3
Platta, Piz – 116-117 J 3-4
Platte [Bayern, Fränkische Schweiz] 114-115 J 1
Platte [Bayern, Steinwald] 114-115 L 1
Platten, Bergstadt – [= Horní Blatná] 110-111 G 5
Plattenhardt [5 km ↗ Waldenbuch 114-115 E 3]
Plattensee 101 HJ 5
Platterberg 114-115 M 1
Plattling 114-115 M 3
Plau 102-103 M 4
Plaue 110-111 C 4
Plaue, Brandenburg (Havel)- 110-111 F 1
Plaue (Kreis Flöha) 110-111 H 4
Plauen 110-111 F 4
Plauen, Dresden- 110-111 J 3
Plauer See [Brandenburg] 110-111 F 1
Plauer See [Mecklenburg] 102-103 M 4
Pławna = Schmottseiffen 110-111 N 3
Plech 114-115 JK 1
Plechý = Plöckenstein 118-119 F 1
Pleckenstein = Plöckenstein 118-119 F 1
Pleetz 104-105 BC 3
Pleinfeld 114-115 H 2
Pleinting 114-115 N 3
Pleiske 110-111 L 1
Pleiskehammer [= Pliszka] 110-111 M 1
Pleiße 110-111 G 4
Pleiße 110-111 F 3
Pleschen [= Pleszew] 113 D 2
Plesná = Fleißen 110-111 F 5
Pleß [= Pszczyna] 113 F 6
Plessa 110-111 J 3
Plessur 116-117 J 3
Pleszew = Pleschen 113 D 2
Plettenberg [Baden-Württemberg] 114-115 D 4
Plettenberg [Nordrhein-Westfalen] 120 H 4
Pleureur, Mont – 116-117 D 4
Plewki = Plöwken 112 J 3
Plewno = Heinrichsdorf 104-105 M 4
Pleystein 114-115 L 1
Plibischken 112 F 2
Pliening [5 km ← Markt Schwaben 114-115 KL 4]
Plieningen, Stuttgart- 114-115 E 3
Plietnitz [= Plitnica] 104-105 J 3
Plietnitz [= Płytnica] [Fluß] 104-105 J 4
Plietnitz [= Płytnica] [Ort] 104-105 J 4
Pliezhausen 114-115 E 3
Plima 116-117 L 3
Plimballen = Ostfelde (Ostpreußen) 112 GH 2
Pliszka = Pleiske 110-111 L 1
Pliszka = Pleiskehammer 110-111 M 1
Plitnica = Plietnitz 104-105 J 3
Plobsheim 114-115 B 4
Plochingen 114-115 E 3
Płociczno = Bunhausen 112 H 4
Płock 101 JK 2
Plöckenpaß 118-119 D 5
Plöckenstein 118-119 F 1
Plockhorst 102-103 H 6
Płóczki Górne = Ober Görisseiffen 110-111 MN 3
Ploegsteert 106-107 a 2
Plomion 106-107 C 9
Plön 102-103 H 2
Plöne 104-105 E 4
Plöner See, Großer – 102-103 H 2
Plönesee 104-105 F 4
Płonia = Plöne 104-105 E 4
Płoń, Jezioro – = Plönesee 104-105 F 4
Płonne 104-105 O 4
Płonno = Klausdorf
Płońsko = Plönzig 104-105 F 4
Plönzig [= Płońsko] 104-105 F 4
Płoski = Pluskau 113 B 2
Płoskinie = Plaßwich 112 CD 3
Plößberg 114-115 L 1
Płotno = Blankensee 104-105 F 4
Płoty = Plathe 104-105 F 3
Plotzitznen = Bunhausen 112 H 4
Plötzkau 110-111 E 2
Plötzky 110-111 E 1
Ploučnice = Polzen 110-111 L 4
Plöwen 104-105 D 4
Płowęż = Groß Plowenz 104-105 O 4
Plöwken = Plewki 112 J 3
Plozk = Płock 101 JK 2
Plüderhausen 114-115 F 3
Plümkenau [= Radomierowice] 113 E 4
Plüschow 102-103 K 3
Pluskau [= Płoski] 113 B 2
Pluszne, Jezioro – = Großer Plautziger See 112 D 4
Pluwig 108-109 C 7

Płuźnica 35 Przedkowice

Płuźnica = Pfeilsdorf 104-105 N 4
Płytnica = Plietnitz [Fluß] 104-105 J 4
Płytnica = Plietnitz [Ort] 104-105 J 4
Plzeň = Pilsen 114-115 N 1

Pniewo = Pinnow 104-105 F 3
Pniewy = Pinne 104-105 H 5
Pniów = Pinnow 104-105 EF 6

Pobedino = Schillfelde 112 J 2
Pobershau 110-111 H 4
Pobethen [= Romanovo] 112 D 2
Poběžovice = Ronsperg 114-115 M 1-2
Pobiedna = Wigandsthal 110-111 M 4
Pobiedziska = Pudewitz 104-105 K 6
Pobłocie Wielkie = Pobloth 104-105 G 2
Pobloth [= Pobłocie Wielkie] 104-105 G 2
Počeradý = Potschehrad 110-111 J 5
Pöchlarn 118-119 J 2
Pocinovice = Putzerried 114-115 N 2
Pockau (Flöhatal) 110-111 H 4
Pocking 114-115 N 4
Pöcking 114-115 J 5
Poczernin = Pützerlin 104-105 EF 4
Podanin 104-105 JK 5
Podbořany = Podersam 110-111 HJ 5
Poddębice 113 FG 2
Poděbrady 110-111 M 5
Podejuch >→
Pödelwitz 110-111 F 3
Podelzig 104-105 DE 6
Podersam [= Podbořany] 110-111 HJ 5
Podersdorf am See 118-119 M 3
Podewils [= Białogard] 104-105 G 3
Podgaje = Flederborn 104-105 J 4
Podgórki = Tiefhartmannsdorf 110-111 N 4
Podgorovka = Amtshagen 112 H 2
Podgorz, Thorn- [= Toruń-Podgórz] 104-105 N 5
Podgórz, Toruń- = Thorn-Podgorz 104-105 N 5
Podgórzyn = Giersdorf
Podhradí = Neuberg 110-111 F 5
Podiebrad = Poděbrady 110-111 M 5
Podivín = Kostel 118-119 M 1
Podjuchy >→
Podlegórz = Obraberg 110-111 N 1
Podleschin = Podlešin 110-111 K 5
Podlesí = Grumberg 113 B 5
Podlesie = Unterwalden (Oberschlesien)
Podlesie = Friedrichswalde 104-105 E 4
Podlešin 110-111 K 5
Podleski, Kanał – = Kanal 104-105 J 5
Podmokl = Podmokly 110-111 J 6
Podmokly 110-111 J 6
Podmokly, Děčín- = Tetschen-Bodenbach 110-111 K 4
Podolí = Podoly 113 D 6
Podoly [= Podolí] 113 D 6
Podrożna = Preußenfeld 104-105 K 4
Podrusen = Preußenfeld 104-105 K 4
Podschohnen = Buschfelde (Ostpreußen) 112 J 2
Podstolice = Tischdorf
Podszohnen = Buschfelde (Ostpreußen)
Podszohnen = Buschfelde (Ostpreußen)
Podturen 118-119 M 6
Podzamcze = Wilhelmsbrück 113 E 3
Poel 102-103 K 2
Poelkapelle 106-107 ab 2
Pogegen [= Pajėgiai] 112 G 1
Poggelow 102-103 N 3
Poggendorf 104-105 B 2
Poggenhagen [2 km ↖ Bordenau 102-103 FG 6]
Pöggstall 118-119 J 2
Pogno 116-117 F 5
Pogobier See = Vorderpogauer See 112 G 4
Pogódki = Pogutken 104-105 M 2
Pogorschella = Pogorzela 113 C 2
Pogorzała Wieś = Wernersdorf 104-105 NO 3
Pogorzela 113 C 2
Pogorzelice = Langeböse 104-105 L 2
Pogorzelletz, Kandrzin- = Heydebreck (Oberschlesien) 113 E 5
Pograničnyj = Hermsdorf 112 D 3
Pograničnyj = Waldheide (Ostpreußen) 112 J 1
Pogrodzie = Neukirch Höhe 112 C 3
Pogubie Średnie = Mittelpogauen 112 G 4
Pogubie Wielkie, Jezioro – = Vorderpogauer See 112 G 4
Pogutken [= Pogódki] 104-105 M 2
Pogwizdów = Langhelwigsdorf 110-111 O 4
Pöhlde 110-111 B 2
Pöhlen [= Polne] 104-105 H 3
Pohlo [= Pole] 110-111 L 2
Pohlom [= Połomia] 113 F 5-6
Pohoří na Šumavě = Buchers 118-119 H 1
Pohorje = Bacher Gebirge 118-119 JK 6
Poikam 114-115 L 3
Poing 114-115 K 4
Pointe Percée 116-117 BC 5
Poischwitz [= Paszowice] 110-111 O 3
Poix-Terron 106-107 D 9
Pokau [= Bukov, 3 km ↖ Aussig 110-111 JK 4]
Pokój = Carlsruhe (Oberschlesien) 113 D 4
Pokrzydowo 112 B 5
Pokrzywna = Wildgrund 113 C 5
Pokrzywnica 113 E 2
Pokrzywnica = Krummes Wasser
Pokrzywno 104-105 G 3
Polabí 110-111 LM 5
Połajewo [Polen, ↘ Hohensalza] 104-105 M 5
Połajewo [Polen, ← Wongrowitz] 104-105 J 5
Polanica Zdrój = Bad Altheide 113 AB 5
Polanów = Pollnow 104-105 J 2
Polaun [= Polubný] 110-111 M 4
Polch 108-109 D 6
Półczno = Kniprode 104-105 L 2
Połczyn = Polzin 104-105 M 1
Połczyn Zdrój = Bad Polzin 104-105 H 3
Pole = Pohlo 110-111 L 2
Połęcko = Polenzig 104-105 E 6
Połęcko = Pollenzig 110-111 L 1
Poledník = Mittagsberg 114-115 N 2
Polen 101 H-L 3
Poleń = Polin 114-115 N 2
Polenzig [= Połęcko] 104-105 E 6
Polenzko 110-111 F 1
Polep [= Polepy] 110-111 K 4
Polepp = Polep 110-111 K 4
Polepy = Polep 110-111 K 4
Polessk = Labiau 112 F 2
Poležajevo = Georgenswalde 112 D 2
Pölfing-Brunn 118-119 J 5
Polgsen [= Pełczyn] 113 B 3
Police = Pölitz 104-105 DE 3
Police nad Metují = Politz 113 A 4
Policko = Politzig 104-105 G 6
Polin [= Poleń] 114-115 N 2
Polinik 118-119 E 5
Politz [= Police nad Metují] 113 A 4
Pölitz [= Police] 104-105 DE 3
Politzig [= Policko] 104-105 G 6
Polka = Puls 104-105 F 5
Półko 104-105 HJ 5
Polkowice = Heerwegen 110-111 NO 2
Polkwitz = Heerwegen 110-111 NO 2
Pollackberg 104-105 J 3
Pollau [= Pavlov] 118-119 M 1
Pöllau 118-119 K 4
Pöllau bei Gleisdorf 118-119 K 4
Pollauer Berge 118-119 M 1
Polle 108-109 H 3
Polleben 110-111 E 2
Pollègio [3 km ↖ Biasca 116-117 GH 4]
Pollenfeld 114-115 J 3
Pollenschin [7 km ↗ Alt Grabau 104-105 M 2]
Pollenzig [= Połęcko] 110-111 L 1
Polleur 106-107 F 7
Pollin = Polin 114-115 N 2
Polling 114-115 J 5
Pölling 114-115 J 2
Pollinkenberg 110-111 GH 6
Pollitz 102-103 L 5
Pollnitz [= Polnica] 104-105 K 3
Pollnow [= Polanów] 104-105 J 2
Pollwitten [= Połowite, 7 km → Miswalde 112 C 4]
Pöllwitz 110-111 F 4
Pollychen [= Stare Polichno]
Pollychener Holländer [= Nowe Polichno] 104-105 FG 5
Polne = Pöhlen 104-105 H 3
Polnica = Pollnitz 104-105 K 3
Polnische Bache 113 D 3
Polnischer Landgraben 113 A 2
Polnische Volksrepublik = Polen 101 H-L 3
Polnisch Kessel = Altkessel 110-111 MN 2
Polnisch Nettkow = Schlesisch Nettkow 110-111 M 1
Polnisch Neukirch = Groß Neukirch 113 E 5
Polnisch Wilke [= Wilkowo Polskie] 113 A 1
Polnisch Wisniewke = Lugetal 104-105 K 4
Północny Obry Kanał = Obra-Nordkanal 113 A 1
Połom = Herzogsmühle 112 H 4
Połomia = Pohlom 113 F 5-6
Polomnen = Herzogsmühle 112 H 4
Pölöske 118-119 M 5
Połowite = Pollwitten
Pöls 118-119 G 4
Polschen = Kniprode 104-105 L 2
Pøls Huk 102-103 H 1
Polsingen 114-115 H 3
Polska = Polen 101 H-L 3
Polska Cerekiew = Groß Neukirch 113 E 5
Polska Woda = Polnische Bache 113 D 3
Polsnitz 113 A 4
Polsnitz [= Pełcznica] 113 A 4
Pöls ob Judenburg 118-119 H 4
Polßen 104-105 C 4
Polsum 120 E 2
Polubný = Polaun 110-111 M 4
Południowy Obry Kanał = Obra-Südkanal 113 A 1
Polz 102-103 K 4
Polzen 110-111 L 4
Pölzig 110-111 F 4
Polzin [= Połczyn] 104-105 M 1
Polzin, Bad – [= Połczyn Zdrój] 104-105 H 3
Pombsen [= Pomocne] 110-111 NO 3
Pomehrendorf [= Pomorska Wieś] 112 C 3
Pomeisl [= Nepomyšl] 110-111 H 5
Pomerellen = Pommerellen 104-105 L 4 – M 1
Pomesanien 112 AB 4
Pomianowo = Pumlow 104-105 H 2
Pomieczyno = Pomietschin 104-105 M 2
Pomierzyn = Pammin 104-105 G 4
Pomietschin [= Pomieczyno] 104-105 M 2
Pommelsbrunn 114-115 K 1-2
Pommerellen 104-105 L 4-M 1
Pommerensdorf, Stettin- [= Szczecin-Pomorzany] 104-105 D 4
Pommern [Landschaft] 104-105 D-H 3
Pommern [Verwaltungseinheit] 101 F 2-H 1
Pommersche Bucht 104-105 DE 2
Pommersche Schweiz 104-105 H 3
Pommersfelden 114-115 H 1
Pommerzig [= Pomorsko] 110-111 MN 1
Pommritz 110-111 L 3
Pomocne = Pombsen 110-111 NO 3
Pomorcy = Pommritz 110-111 L 3
Pomorska Wieś = Pomehrendorf 112 C 3
Pomorska, Zatoka – = Pommersche Bucht 104-105 DE 2
Pomorsko = Pommerzig 110-111 MN 1
Pomorzany, Szczecin- = Stettin-Pommerensdorf 104-105 D 4
Pomorze = Pommern [Landschaft] 104-105 D-H 3
Pomysk Mały = Klein Pomeiske
Pomysk Wielki = Groß Pomeiske 104-105 L 2
Ponarth, Königsberg (Preußen)- 112 DE 2
Poncarale Flero 116-117 K 6
Pöndorf [5 km ↖ Frankenmarkt 118-119 E 2-3]
Pongau 118-119 E 4
Poniatowice = Pontwitz 113 D 3
Ponickau 110-111 J 3
Poniec = Punitz 113 B 2
Ponikla [= Poniklá] 110-111 MN 4
Ponitz 110-111 F 4
Pont 120 B 3
Pont-à-Celles 106-107 C 7
Pont-à-Marq 106-107 A 7
Pont-à-Mousson 108-109 B 9
Pontarlier 116-117 E 3
Pontcey 116-117 AB 1
Pontcharra 116-117 B 6
Pont-de-Planches, le – 116-117 A 1
Pont-de-Roide 116-117 C 2
Pont-d'Héry 116-117 A 3
Pontebba 118-119 E 5
Ponte Càffaro 116-117 L 5
Ponte di Legno 116-117 KL 4
Ponte in Valtellina 116-117 JK 4
Ponte San Pietro 116-117 J 5
Ponte Selva 116-117 J 5
Ponte Tresa 116-117 G 5
Pontirone 116-117 H 4
Pont, le – 116-117 B 3
Pontnow = Piątnów 104-105 M 6
Pontnower See = Jezioro Piątnowskie 104-105 M 6
Pontòglio 116-117 J 5
Pontresina 116-117 J 3-4
Pont-Saint-Martin 116-117 E 5
Ponts-de-Martel, Les – 116-117 C 3
Pontséricourt, Tavaux-et- 106-107 B 9
Pont-sur-Sambre 106-107 B 8
Pontwitz [= Poniatowice] 113 D 3
Poortugaal [6 km ↓ Schiedam 106-107 C 5]
Popelken = Markthausen 112 G 2
Popelken = Bruchfelde
Poperinge 106-107 a 2
Popęszyce = Poppschütz 110-111 N 2
Popielewo 104-105 L 5
Popielewo = Groß Poplow 104-105 H 3
Popielewoer See 104-105 L 5
Popielewskie, Jezioro – = Popielewoer See 104-105 L 5
Popojec = Papitz 110-111 K 2
Popovice = Popowitz
Popów 113 FG 3
Popowitz [= Popovice, 3 km ↘ Jičín 110-111 M 5]
Popowo Kościelne 104-105 K 5
Popowo Pruskie, Stany – [5 km ↙ Grajewo 112 H 4]
Popowo Salęckie = Pfaffendorf
Popowo (Skwierzyńskie) = Poppe 104-105 G 5
Poppberg 114-115 K 2
Poppe [= Popowo (Skwierzyńskie)] 104-105 G 5
Poppel 106-107 E 6
Poppenbüttel = Hamburg-Poppenbüttel
Poppendorf [3 km ↘ Gnas 118-119 K 5]
Poppenhausen 110-111 B 5
Poppenhausen an der Wasserkuppe 108-109 J 6
Poppenlauer 110-111 B 5
Poppschütz [= Popęszyce] 110-111 N 2
Poprad 101 K 4
Poprad = Deutschendorf 101 K 4
Porażyn = Eichenhorst 113 A 1
Porchow = Burkau 110-111 K 3
Porcien 106-107 C 9
Porcien, Chaumont- 106-107 C 9
Porcien, Novion- 106-107 CD 9
Pordoi [2 km ← Arabba 116-117 N 4]
Pordoijoch 116-117 N 4
Pordoi, Passo – = Pordoijoch 116-117 N 4
Porečje = Allenau 112 F 3
Poremba [= Poruba, 2 km ↘ Orlau 113 E 6]
Poříčany 110-111 L 5
Poříčí = Parschnitz 110-111 NO 4
Porlezza 116-117 H 4
Pörnbach 114-115 J 3
Pornóapáti = Pernau 118-119 LM 4
Porost = Porst 104-105 J 3
Porrentruy = Pruntrut 116-117 D 2
Porschitschan = Poříčany 110-111 L 5
Pörschken [= Sidorovo] 112 D 2
Porselen 120 A 4
Porst [= Porost] 104-105 J 3
Porta Claudia = Scharnitzer Klause 116-117 M 2
Porta Hungarica 118-119 MN 2
Portalban 116-117 CD 3
Porta Westfalica 108-109 G 2
Port-d'Atelier 116-117 AB 1
Portjengrat 116-117 EF 4
Portlesspitze 116-117 L 3
Porto Cerèsio 116-117 G 5
Pörtschach am Wörther See 118-119 G 5
Port-sur-Saône 116-117 AB 1
Port-Valais 116-117 C 4
Poruba = Poremba
Poryte 112 H 5
Porz am Rhein 108-109 D 5
Porz am Rhein-Wahn 108-109 D 5
Posadowice = Postelwitz 113 CD 3
Poschiavo, Lago – 116-117 K 4
Poschiavo = Puschlav 116-117 K 4
Posen [= Poznań] 104-105 J 6
Posen-Glowno [= Poznań-Głowna] 104-105 JK 6
Posen-Kreising [= Poznań-Krzesiny] 104-105 K 6
Posen-Sankt Lazarus [← Posen 104-105 J 6]
Poseritz 104-105 B 2
Posilge [= Żuławka Sztumska] 112 B 3
Pòsina 116-117 M 5
Pösing 114-115 LM 2
Posmahlen [= Puškiro] 112 DE 3
Posseck 110-111 F 5
Possendorf 110-111 J 4
Possessen = Großgarten 112 G 3
Possigkau [= Postřekov] 114-115 M 2
Possindern [= Roščino] 112 E 2
Pößneck 110-111 E 4
Pössnitz 118-119 K 5
Posta, Cima – 116-117 M 5
Postal = Burgstall 116-117 M 3
Postehnen [= Peredovoje] 112 EF 3
Postelberg [= Postoloprty] 110-111 J 5
Postelwitz [= Posadowice] 113 CD 3
Posterholt 106-107 G 6
Pöstlingberg 118-119 G 2
Postnicken [= Zalivnoje] 112 E 2
Postolin = Pestlin 112 B 4
Postoloprty = Postelberg 110-111 J 5
Postomia = Postum 104-105 F 5-6
Postomino = Pustamin 104-105 J 2
Poštorná = Unterthemenau 118-119 M 1
Postřekov = Possigkau 114-115 M 2
Postrum [= Szentpéterfa] 118-119 LM 4
Postsee 102-103 H 2
Postum 104-105 F 5-6
Potarzyca [5 km ← Golina 113 CD 2]
Potarzyce = Potarzyca
Potęgowo = Pottangow 104-105 K 2
Potenitz 102-103 JK 3
Poteries, Sars- 106-107 BC 8
Potfuhre [= Potvorov] 110-111 H 5
Pötrau 102-103 J 4
Pötréte 118-119 MN 5
Potschehrad [= Počeradý] 110-111 J 5
Pötschenhöhe 118-119 F 3
Potscherad = Potschehrad 110-111 J 5
Potsdam [Ort, Verwaltungseinheit] 104-105 AB 6
Potsdam-Babelsberg 104-105 B 6
Potštejn = Pottenstein 113 A 5
Pottangow [= Potęgowo] 104-105 K 2
Pottelberg 106-107 B 7
Pottenbrunn 118-119 K 2
Pottendorf 118-119 L 3
Pottenstein [Deutschland] 114-115 JK 1
Pottenstein [Österreich] 118-119 KL 3
Pottenstein [= Potštejn] 113 A 5
Pöttmes 114-115 J 3
Pottschach 118-119 KL 3
Pöttsching [7 km → Neudörfl 118-119 L 3]
Potůčky = Breitenbach 110-111 G 5
Potvorov = Potfuhre 110-111 H 5
Potzlow 104-105 C 4
Potzneusiedl 118-119 M 2
Pouch 110-111 F 2
Pouchov [3 km ↗ Königgrätz 110-111 N 5]
Pouchow = Pouchov
Pouilly, Saint Genis – [10 km ↖ Genf 116-117 B 4]
Poulseur 106-107 EF 7
Pourri, Mont – 116-117 C 5
Pouru-Saint-Rémy 106-107 E 9
Powa 113 E 1
Powidz 104-105 L 6
Powidzer See = Jezioro Powidzkie 104-105 LM 6
Powidzkie, Jezioro – 104-105 LM 6
Powidzko = Urdorf 113 B 3
Powitzko = Urdorf 113 B 3
Powunden [= Chrabrovo] 112 E 2
Poysdorf 118-119 M 1
Pozedrze = Großgarten 112 G 3
Poznań = Posen 104-105 J 6
Poznań-Głowna = Posen-Glowno 104-105 JK 6
Poznań-Krzesiny = Posen-Kreising 104-105 K 6
Poźrzadło = Klein Spiegel 104-105 G 4
Poźrzadło = Spiegelberg 110-111 M 1
Poźrzadło Wielkie = Groß Spiegel 104-105 G 4

Präbichl [Ort] 118-119 HJ 3
Präbichl [Paß] 118-119 H 3
Prabuty = Riesenburg 112 B 4
Prachovice = Prachowitz 110-111 N 6
Prachowitz [= Prachovice] 110-111 N 6
Prackenbach 114-115 M 2
Pracze Odrzańskie, Wrocław- = Breslau-Herrnprotsch 113 BC 3
Prada 116-117 K 4
Pradalunga 116-117 J 5
Pradazzo, Monte – 116-117 N 4
Praděd = Altvater 113 C 5
Pradówka = Deutschhöhe 104-105 G 6
Prądy = Brande 113 D 4
Prądzonna [5 km ← Liepnitz 104-105 K 3]
Praest 120 B 1
Prag [= Praha] 110-111 K 5
Prägarten = Pregarten 118-119 H 2
Prag-Breunau = Prag-Břevnov 110-111 K 5
Prag-Břevnov [= Praha-Břevnov] 110-111 K 5
Prag-Brewnow = Prag-Břevnov 110-111 K 5
Prag-Dejvice [= Praha-Dejvice] 110-111 K 5
Prag-Dejwitz = Prag-Dejvice 110-111 K 5
Prag-Hostivař [= Praha-Hostivař] 110-111 L 5
Prag-Hostiwar = Prag-Hostivař 110-111 L 5
Prag-Michl = Prag-Michle 110-111 KL 5
Prag-Michle [= Praha-Michle] 110-111 KL 5
Prägraten 118-119 C 4
Prag-Smichov [= Praha-Smíchov] 110-111 K 5
Prag-Smichow = Prag-Smichov 110-111 K 5
Prag-Veitsberg = Prag-Žižkov 110-111 KL 5
Prag-Žižkov [= Praha-Žižkov] 110-111 KL 5
Prag-Zizkow = Prag-Žižkov 110-111 KL 5
Praha = Prag 110-111 K 5
Praha-Břevnov = Prag-Břevnov 110-111 K 5
Praha-Dejvice = Prag-Dejvice 110-111 K 5
Praha-Hostivař = Prag-Hostivař 110-111 L 5
Praha-Michle = Prag-Michle 110-111 KL 5
Praha-Smíchov = Prag-Smichov 110-111 K 5
Praha-Žižkov = Prag-Žižkov 110-111 KL 5
Prahmkanal 102-103 N 2
Pram [Fluß] 118-119 F 2
Pram [Ort] 118-119 F 2
Prambachkirchen 118-119 F 2
Prameny = Sangerberg 110-111 G 5
Pr'amija = Ossa 112 G 2
Pramort 102-103 N 2
Prankerhöhe 118-119 G 4
Praschka = Praszka 113 EF 3
Praschkau = Praszka 113 EF 3
Prášily = Stubenbach 114-115 N 2
Prassen [= Prosna] 112 F 3
Praszka 113 EF 3
Prata Camportàccio 116-117 H 4
Prata, Pizzo di – 116-117 H 4
Pratau 110-111 G 2
Prätigau 116-117 J 3
Prątnica = Pronikau 112 C 5
Prato Càrnico 118-119 D 5
Pratteln 116-117 E 1
Prausitz 110-111 H 3
Prausnitz [= Prusice] 113 B 3
Prausnitz [= Prusice, 5 km ↘ Goldberg 110-111 NO 3]
Praust [= Pruszcz Gdański] 104-105 N 2
Prävali [= Prevalje] 118-119 H 5
Pravdinsk = Friedland (Ostpreußen) 112 EF 3
Praxmar 116-117 M 2
Praz-de-Lys, le – 116-117 C 4
Praz >→
Prazuchy = Stary Prażuchy 113 E 2
Preber 118-119 F 4
Prebl, Gräbern- 118-119 H 5
Přebuz = Frühbuß 110-111 G 5
Prechlau [= Przechlewo] 104-105 K 3
Prechtal 114-115 C 4
Precotto Mailand- [= Milano-Precotto] 116-117 H 5
Precotto Milano- = Mailand-Precotto 116-117 H 5
Preda >→
Prédame 116-117 D 2
Predazzo 116-117 N 4
Predigtstuhl 118-119 J 1
Predigtstuhl [Bayern, Lattengebirge] 114-115 M 5
Predigtstuhl [Bayern, Bayerischer Wald] 114-115 M 2
Preding 118-119 J 5
Předlanc = Priedlanz 110-111 M 4
Predlitz 118-119 F 4
Předměřice nad Jizerou 110-111 L 5
Přední Výtoň = Vorder Heuraff 118-119 G 1
Preetz 102-103 H 2
Pregarten 118-119 H 2
Pregel 112 E 2
Pregelswalde [= Zarečje] 112 EF 2
Pregol'a = Pregel 112 E 2
Prein [6 km ↗ Feichenau 118-119 K 3]
Preiner Gscheid 118-119 K 3
Preiswitz [= Przyszowice] 113 F 5
Preitenegg 118-119 H 5
Prekomurje 118-119 L 5
Přelouč 110-111 N 5
Premana 116-117 H 4
Premeno 116-117 G 5
Premnitz 102-103 M 6
Premosello 116-117 F 4
Premslin 102-103 L 4
Prenden 104-105 BC 5
Prenzlau 104-105 C 4
Preonzo [3 km ← Claro 116-117 H 4]
Prerau [= Přerov] 101 H 4
Přerov = Prerau 101 H 4
Prerow 102-103 MN 2
Prerowbank 102-103 N 1-2
Pré-Saint-Didier 116-117 C 5
Presanella 116-117 L 4
Presanella, Cima – 116-117 L 4
Preschau [= Prešov] 101 K 4
Preschen [= Břešťany, 4 km ↙ Ladowitz 110-111 J 4]
Presolana, Pizzo della – 116-117 JK 5
Prešov = Preschau 101 K 4
Přešpurk = Preßburg 118-119 N 2
Pressath 114-115 KL 1
Preßbaum 118-119 L 2
Preßburg [= Bratislava] 118-119 N 2
Preßburg-Theben [= Bratislava-Devín] 118-119 MN 2
Presseck 110-111 E 5
Pressel 110-111 G 2
Preßnitz [= Přísečnice] 110-111 H 5
Přeštice 114-115 N 1
Prestitz = Přeštice 114-115 N 1
Pretoschin [= Przetoczyno] 104-105 M 1
Prettin 110-111 G 2
Pretzfeld 114-115 J 1
Pretzien 110-111 E 1
Pretzier 102-103 K 5
Pretzsch 110-111 G 2
Preunegg, Pichl- [4 km ↖ Rohrmoos 118-119 F 4]
Preußen [101]
Preußenau [= Prusków, 4 km ↑ Föhrendorf 113 E 4]
Preußendorf (Ostpreußen) [1 km → Gumbinnen 112 H 2]
Preußenfeld [= Podrożna] 104-105 K 4
Preußisch Eylau [= Bagrationovsk] 112 E 3
Preußisch Friedland [= Debrzno] 104-105 K 3
Preußisch Herby = Herby Śląskie 113 F 4
Preußisch Holland [= Pasłęk] 112 C 3
Preußisch Mark [= Przezmark] 112 BC 4
Preußisch Oldendorf 108-109 F 2
Preußisch Stargard [= Starogard Gdański] 104-105 N 3
Preußisch Ströhen 102-103 E 6
Preuten = Sorok 118-119 M 4
Prevalje = Prävali 118-119 H 5
Prezelle 102-103 K 5
Pribbernow [= Przybiernów] 104-105 E 3
Příbram 101 FG 4
Pribstow [= Przystawy, 4 km ↖ Nemitz 104-105 HJ 2]
Prichsenstadt 114-115 G 1
Přídolí = Priethal 118-119 G 1
Pridorožnoje = Seßlacken 112 G 2
Prieborn [= Przeworno] 113 C 4
Priebus (Schlesien) [= Przewóz] 110-111 LM 3
Priedlanz [= Předlanc] 110-111 M 4
Priemhausen [= Przemocze] 104-105 EF 4
Prien = Exin 104-105 K 5
Prien am Chiemsee 114-115 L 5
Priepert 104-105 B 4
Prieros 110-111 J 1
Priesen [= Březno] 110-111 HJ 5
Priesendorf 114-115 H 1
Prießnitz 110-111 G 3
Priestewitz 110-111 HJ 3
Priethal [= Přídolí] 118-119 G 1
Prietzen [= Przeczów] 113 D 3
Prignitz 102-103 LM 4
Prillwitz [= Przelewice (Pyrzyckie)] 104-105 F 4
Primaluna 116-117 HJ 5
Přimda = Pfraumberg 114-115 M 1
Priment [= Przemęt] 113 A 1
Primentdorf [= Przedmieście] 113 A 1
Primenter See 110-111 O 2
Primkenau [= Przemków] 110-111 N 2
Primolano 116-117 N 5
Primorje = Groß Kuhren 112 D 1-2
Primorsk = Fischhausen 112 CD 2
Primorskoje = Steinort 112 F 2
Primorskoje = Wolittnick 112 D 2
Prims 108-109 C 8
Primsdorf [= Prynowo, 5 km ↖ Angerburg 112 G 3]
Primstal 108-109 CD 7
Primsweiler [2 km ↖ Hüttersdorf 108-109 C 8]
Principalis csatorna 118-119 M 5
Principaliskanal = Principalis csatorna 118-119 M 5
Prinowen = Primsdorf
Prinsenbeek 106-107 D 5
Prinses Margrietkanaal 106-107 F 2
Prinsland, Dinteloord en - 106-107 C 5
Prinzenthal [2 km ← Bromberg 104-105 LM 4]
Prinzersdorf 118-119 K 2
Priort-Dorf 102-103 NO 5
Priozerskoje = Gerwen 112 H 2
Prisches 106-107 B 8
Prischwitz 110-111 K 3
Přísečnice = Preßnitz 110-111 H 5
Prittag [= Przytok] 110-111 M 2
Pritten [= Przytoń] 104-105 G 3
Pritter [= Prytór, 7 km ↙ Liebeseele 104-105 D 3]
Prittisch [= Przytoczna] 104-105 G 5
Prittitz 110-111 E 3
Prittriching 114-115 H 4
Pritzerbe 102-103 M 6
Pritzier 102-103 K 4
Pritzig [= Przytocko] 104-105 J 2
Pritzwalk 102-103 M 4
Pröbbernau [= Przebrno] 112 B 3
Problus = Probluz 110-111 N 5
Probluz 110-111 N 5
Proboszczów = Probsthain 110-111 N 3
Probstei 102-103 HJ 2
Probsteierhagen [6 km → Heikendorf 102-103 H 2]
Probsthain [= Proboszczów] 110-111 N 3
Pröbsting, Tungerloh- 108-109 D 3
Probstzella 110-111 D 4
Prochladnaja = Frisching [Fluß] 112 E 2
Prochladnaja = Frisching [Landschaft] 112 EF 2
Prochladnoje = Herdenau 112 F 1
Próchnik = Dörbeck 112 B 3
Prochowice = Parchwitz 113 A 3
Prödel 110-111 E 1
Profondeville 106-107 D 8
Prohn 102-103 NO 2
Prohner Wiek 104-105 B 2
Prölsdorf 114-115 H 1
Promoisel [4 km ↖ Saßnitz 104-105 C 1]
Prondzonna = Prądzonna
Pronikau [= Prątnica] 112 C 5
Pronitten [= Slav'anskoje] 112 E 2
Pronsfeld 108-109 B 6
Pronstorf 102-103 HJ 3
Prorer Wiek 104-105 C 2
Proschim 110-111 K 2
Proschlitz = Angersdorf 113 E 3
Proseken 102-103 K 3
Prösen 110-111 J 3
Prosiměřice = Proßmeritz 118-119 L 1
Prosity = Prossitten 112 E 3
Proskau, Ellguth- [= Ligota Prószkowska] 113 D 4
Prószków = Proskau 113 D 4
Prośnice = Angersdorf 113 E 3
Prosna 113 E 2
Prosna = Prassen 112 F 3
Prosselsheim 114-115 G 1
Prossitten [= Prosity] 112 E 3
Proßmeritz [= Prosiměřice] 118-119 L 1
Proßnitz [= Prostějov] 101 H 4
Prostějov = Proßnitz 101 H 4
Prostibor [= Prostiboř] 114-115 M 1
Prostken [= Prostki] 112 H 4
Prostki = Prostken 112 H 4
Prostřední Žleb = Mittel Grund 110-111 K 4
Proszków = Schöneiche
Prószków = Proskau 113 D 4
Protsch-Weide = Weide
Prötzel 104-105 C 5
Provàglio d'Iseo 116-117 K 5
Proven 106-107 a 2
Prožym = Proschim 110-111 K 2
Prshedetsch = Przedecz 104-105 N 6
Pruchna 113 F 6
Prudnik = Neustadt (Oberschlesien) 113 D 5
Prüfening, Regensburg- 114-115 KL 3
Pruggern [3 km ↙ Gröbming 118-119 F 4]
Prüm [Fluß] 108-109 B 6
Prüm [Ort] 108-109 B 6
Prunéřov = Brunnersdorf 110-111 H 5
Prunn 114-115 K 3
Pruntrut [= Porrentruy] 116-117 D 2
Prušce 104-105 K 5
Pruschkow = Pruszków 101 K 2
Prusice = Prausnitz 113 B 3
Prusice [= Prausnitz, 5 km ↘ Goldberg 110-111 NO 3]
Prusiec = Prušce 104-105 K 5
Prusietz = Prušce 104-105 K 5
Prusinowice = Waltdorf 113 C 4
Prusinowo = Prützenwalde 104-105 K 3
Pruskau = Preußenau
Prusków = Preußenau
Prußhöfen [= Burszewo] 112 F 4
Prust [= Pruszcz] [Polen, ↗ Bromberg] 104-105 M 4
Prust [= Pruszcz] [Polen, ↖ Bromberg] 104-105 L 4
Pruszcz = Prust [Polen, ↗ Bromberg] 104-105 M 4
Pruszcz = Prust [Polen, ↖ Bromberg] 104-105 L 4
Pruszcz Gdański = Praust 104-105 N 2
Pruszischken = Preußendorf (Ostpreußen)
Pruszków [Polen, ↙ Warschau] 101 K 2
Pruszków [Polen, ↘ Zduńska Wola] 113 G 2
Prutting 114-115 L 5
Prutz 116-117 L 2
Prützenwalde [= Prusinowo] 104-105 K 3
Prütze 110-111 G 1
Prynowo = Primsdorf
Przeborowo = Friedrichsdorf 104-105 G 5
Przebrno = Pröbbernau 112 B 3
Przechlewo = Prechlau 104-105 K 3
Przechód = Waldfurt 113 D 4
Przechody 112 J 4
Przechowo = Schönau 104-105 M 4
Przecław = Ottendorf 110-111 N 2
Przeczów = Prietzen 113 D 3
Przedecz 104-105 N 5
Przedkowice = Gutweide

Przedmieście 36 Reichenau

Przedmieście = Primentdorf 113 A 1
Przedmość 113 EF 3
Przejazdowo = Quadendorf 104-105 N 2
Przelewice (Pyrzyckie) = Prillwitz 104-105 F 4
Przemęt = Priment 113 A 1
Przemków = Primkenau 110-111 N 2
Przemocze = Priemhausen 104-105 EF 4
Przemyśl 101 L 4
Przeradz = Eschenriege 104-105 J 3
Przerośl 112 J 3
Przerośl = Walldorf
Przerzeczyn Zdrój = Bad Dirsdorf 113 B 4
Przesieki = Wiesental 104-105 G 4
Przespolew Kościelny 113 E 2
Przetoczyno = Pretoschin 104-105 M 1
Przeworno = Prieborn 113 C 4
Przewóz = Priebus (Schlesien) 110-111 LM 3
Przezdzięk Wielki = Groß Dankheim 112 EF 5
Przezmark = Preußisch Mark 112 BC 4
Przittkowitz = Gutdorf
Przodkowo = Seefeld 104-105 M 2
Przybiernów = Pribbernow 104-105 E3
Przyborów = Zollbrücken 110-111 N 2
Przyczyna Górna = Ober Pritschen
Przygodzice 113 D 2
Przyłęk = Altenfließ 104-105 FG 5
Przylep = Schertendorf 110-111 MN 2
Przyłubie = Weichselthal 104-105 M 4
Przypust [1 km ↓ Nieszawa 104-105 N 5]
Przyroscheln = Walldorf
Przysieka Stara II = Deutsch Presse 113 B 1
Przystajń 113 F 4
Przystawy = Pribstow
Przyszowice = Preiswitz 113 F 5
Przystocko = Pritzig 104-105 J 2
Przytoczna = Prittisch 104-105 G 5
Przytok = Prittag 110-111 N 2
Przytoń = Pritten 104-105 G 3
Przytór = Pritter
Przytiły 112 H 5
Przywidz = Mariensee 104-105 M 2
Przywor = Oderfest 113 DE 4
Przywory = Oderfest 113 DE 4

Psarskie 104-105 H 5
Psarski Potok = Hünernbach 113 C 4
Psary 113 F 2
Pschedmierschitz = Předměřice nad Jizerou 110-111 L 5
Pschelautsch = Přelouč 110-111 N 5
Pschemysl = Przemyśl 101 L 4
Pschestitz = Přeštice 114-115 N 1
Pschow = Pszów 113 E 5
Psie Pole, Wrocław- = Breslau-Hundsfeld 113 C 3
Psinice = Psinitz
Psinitz [= Psinice, 3 km ↓ Libáň 110-111 M 5]
Pšovka = Schopka 110-111 K 5
Pstrokonie 113 F 2
Psychod = Waldfurt 113 D 4
Pszczew = Betsche 104-105 G 6
Pszczółki = Hohenstein 104-105 N 2
Pszczyna = Pleß 113 F 6
Pszenno = Weizenrodau 113 B 4
Pszów 113 E 5

Ptaszkowo 113 A 1
Ptuj = Pettau 101 GH 5

Puch [5 km ↗ Speisendorf 118-119 J 1]
Puch bei Hallein 118-119 E 3
Puch bei Weitz 118-119 K 4
Puchberg am Schneeberg 118-119 KL3
Puchenstuben 118-119 J 3
Puchhausen 114-115 L 3
Puchheim [2 km ↖ Germering 114-115 J 4]
Puchheim, Attnang- 118-119 F 2
Puchkirchen 118-119 F 2
Puck = Putzig 104-105 M 1
Pucka, Zatoka - = Putziger Wiek 104-105 MN 1
Pucking 118-119 G 2
Puderbach 108-109 E 5
Pudewitz [= Pobiedziska] 104-105 K 6
Puffendorf 120 A 5
Pugačevo = Grenzwald 112 HJ 1
Puławy 101 KL 3
Pulheim 120 D 5
Pulkau [Fluß] 118-119 L 1
Pulkau [Ort] 118-119 K 1
Pullach im Isertal 114-115 JK 4
Puls 104-105 F 5
Pulsnitz [Fluß] 110-111 JK 3
Pulsnitz [Ort] 110-111 JK 3
Pułtusk 101 K 2
Pulverkrug [= Rosiejewo] 110-111 L 1
Pulvermaar 108-109 C 6
Pülz [= Pilec] 112 F 4
Pumlow [= Pomienowo] 104-105 H 2
Pumphel = Bonfol 116-117 D 2
Pünderich 108-109 D 6
Punitz [= Poniec] 113 B 2
Punkersdorf 118-119 L 2
Puppen [= Pupy] 112 F 4
Pupy = Puppen 112 F 4
Pürbach 118-119 J 1
Purbach am Neusiedler See 118-119 M 3
Purda = Groß Purden 112 E 4
Purgstall 118-119 J 2
Purmer 106-107 DE 4
Purmerend 106-107 D 3
Purnitz 102-103 K 5
Purschau [= Peřejov] 114-115 M 1
Pürstein [= Perštejn] 110-111 H 5
Pusarnitz 118-119 E 5
Puschdorf [= Puškarevo] 112 F 2
Puschlav [= Poschiavo] 116-117 K 4
Puschwitz [= Buškovice] 110-111 H 5
Pusiano, Lago di - 116-117 H 5
Puškarevo = Puschdorf 112 F 2
Puškino = Göritten 112 J 2
Puškino = Posmahlen 112 DE 3
Puspern 112 H 2
Pustamin [= Postomino] 104-105 J 2
Pustá Polom = Wüst Pohlom 113 E 6
Pustchow [= Pustkowo, 4 km ↙ Bulgrin 104-105 H 2]
Pusteria = Pustertal 118-119 CD 5
Pusterort 112 E 2
Pustertal 118-119 CD 5
Pusterwald 118-119 G 4
Pustkowo = Pustchow
Pustritz 118-119 H 5
Puszczykowo [2 km ↖ Unterberg 113 B 1]
Pusztacsalád 118-119 M 4
Pusztamagyaród 118-119 M 5
Putbus 104-105 B 2
Putbus-Lauterbach 104-105 BC 2
Putgarten 104-105 BC 1
Putilovka = Swine 112 G 3
Putlitz 102-103 LM 4
Putte [Belgien] 106-107 D 6
Putte [Niederlande] 106-107 C 6
Pütte 102-103 NO 2
Puttelange-lès-Farschwiller = Püttlingen 108-109 C 8
Putten [Niederlande, Gelderland] 106-107 F 4
Putten [Niederlande, Südholland] 106-107 C 5
Puttgarden 102-103 K 1
Püttlingen 108-109 C 8
Püttlingen [= Puttelange-lès-Farschwiller] 108-109 C 8
Pütz 120 C 4-5
Putzar 104-105 C 3
Pützerlin [= Poczernin] 104-105 EF 4
Putzerried [= Pocinovice] 114-115 N 2
Putzig [= Jędrzejewo] 104-105 H 5
Putzig [= Puck] 104-105 M 1
Putziger Berg 104-105 M 1
Putziger Nehrung = Halbinsel Hela 104-105 MN 1
Putziger Wiek 104-105 MN 1
Putzkau 110-111 K 3
Putzleinsdorf 118-119 F 1
Puurs 106-107 C 6

Pyhra 118-119 K 2
Pyhrn 118-119 G 3
Pyhrnpaß 118-119 G 3
Pyramidenspitze 118-119 C 3
Pyramide von Austerlitz 106-107 E 4
Pyrawang 118-119 F 1
Pyrbaum 114-115 J 2
Pyrehne [= Pyrzany] 104-105 E 5
Pyritz [= Pyrzyce] 104-105 E 4
Pyrmont, Bad - 108-109 H 3
Pyrnik = Pirnig 110-111 N 2
Pyrzany = Pyrehne 104-105 E 5
Pyrzyce = Pyritz 104-105 E 4
Pysdry = Peisern 113 D 1
Pyskowice = Peiskretscham 113 F 5
Pyzdry = Peisern 113 D 1

Q

Quabbe 120 J 2
Quackenburg [= Kwakowo] 104-105 JK2
Quadendorf [= Przejazdowo] 104-105 N 2
Quadrath-Ichendorf 120 C 5
Quakenbrück 102-103 CD 5
Quaregnon 106-107 B 8
Quaritz = Oberquell 110-111 N 2
Quarona 116-117 F 5
Quartschen [= Chwarszczany] 104-105 E 5
Quaschin [= Chwaszczyno] 104-105 M 2
Quassendorf = Quaschin 104-105 M 2
Quatre Bras 106-107 C 7
Quattervals, Piz - 116-117 K 3
Quedlinburg 110-111 D 2
Quednau [= Kvednau] 112 DE 2
Queetz [= Kwiecewo] 112 D 4
Queich 108-109 E 8
Queidersbach 108-109 E 8
Queienfeld 110-111 BC 5
Queige 116-117 B 5
Queis 110-111 M 3
Queißen [Gwizdanów, 3 km ↗ Raudten 113 A 2]
Quelle 108-109 F 3
Quellendorf 110-111 F 2
Quellengrund [= Błotnica Strzelecka] 113 E 5
Quenast 106-107 C 7
Quenoche 116-117 B 2
Quenstedt 110-111 DE 2
Querenhorst 110-111 C 1
Querfurt 110-111 E 3
Quesnoy 106-107 ab 2
Quetzin [= Kukinia] 104-105 G 2
Quicka [= Kwik] 112 G 4
Quickborn [Niedersachsen] 102-103 K4
Quickborn [Schleswig-Holstein] 102-103 G 3
Quierschied 108-109 CD 8
Quiévrain 106-107 B 8
Quillow 104-105 C 4
Quilow 104-105 C 3
Quincinetto 116-117 E 5
Quingey 116-117 A 2
Quinto 116-117 G 3
Quinto Vicentino 116-117 N 5
Quiram [= Chwiram, 5 km ↓ Deutsch Krone 104-105 HJ 4]

R

Raab [Oberösterreich] 118-119 F 2
Raab [Österreich, Steiermark] 118-119 M 4
Raab [Ungarn] 101 H 5
Raab [= Győr] 101 H 5
Raabe [2 km ↖ Hart bei Sankt Peter 118-119 JK 4]
Raab-Ödenburg = Győr-Sopron 118-119 M 4-N 3
Raabs an der Thaya 118-119 K 1
Raalte 106-107 G 4
Raamsdonk 106-107 D 5
Raan 106-107 A 6
Raase [= Razová] 113 D 6
Rába = Raab 101 H 5
Rábafüzes 118-119 L 5
Rábahidvég 118-119 M 4
Rąbalin, Jezioro - 112 J 3
Rąbczyn 104-105 K 5
Raben 110-111 G 1
Rabenau 110-111 J 4
Rabenau [= Hrabenov 113 B 6
Rabenburg = Kościelec 104-105 M 5
Rabengebirge 110-111 NO 4
Rabensburg 118-119 M 1
Rabenstein [Deutschland, Bayern, Oberfranken] 114-115 J 1
Rabenstein [Deutschland, Niederbayern] 114-115 N 2
Rabenstein [Österreich] 118-119 JK 2
Rabenstein [= Corvara] 116-117 M 3
Rabenstein [= Rabštejn nad Střelou, 3 km ↗ Zwollen 110-111 H 5]
Rabensteinfeld 102-103 KL 3
Rabenstein, Schloß - 118-119 J 4
Rabersdorf [= Hrabišín] 113 C 6
Rąbin 113 B 1
Rąbinek = Rombino 104-105 M 5
Rąbino = Groß Rambin 104-105 G 3
R'abinovka = Schmoditten 112 E 3
Rabishau [= Rębiszów, 5 km ↖ Friedeberg (Isergebirge)] 110-111 M 4]
Räbke 110-111 C 1
Rabnitz 118-119 L 3
Rabštejn nad Střelou = Rabenstein
Rabuhn [= Robuń] 104-105 G 2
Rachau [4 km ↖ Sankt Lorenzen bei Knittelfeld 118-119 HJ 4]
Raches 106-107 A 8
Rachtig, Zeltingen- 108-109 D 7
Raciąż = Reetz 104-105 L 3
Raciborowice = Groß Hartmannsdorf 110-111 N 3
Racibórz = Ratibor 113 E 5
Racibórz-Studzienna = Ratibor-Süd 113 E 5
Racięcice 104-105 MN 6
Rackau [= Raków, 5 km ↑ Kalzig 110-111 N 1]
Rackith 110-111 G 2
Rackitt [= Rokita] 104-105 E 3
Rackow [= Rakowo, 4 km ↖ Lubow 104-105 H 3]
Rackschütz [= Rakoszyce] 113 B 3
Rackwitz 110-111 F 3
Racławice Śląskie = Deutsch Rasselwitz 113 D 5
Racot 113 B 1
Racula = Lawaldau 110-111 N 2
Racza = Hochratzenberg 104-105 H 4
Raczki 112 J 4
Rączki = Hornheim 112 D 5
Raczkowo 104-105 K 5
Raczyn [2 km ↙ Wydrzyn 113 F 3]
Radau [= Rodawie] 113 E 4
Radaun [= Radouň] 110-111 K 5
Radaune 104-105 N 2
Radaunensee 104-105 LM 2
Radawnica = Radawnitz 104-105 JK 4
Radawnitz [= Radawnica] 104-105 JK4
Radbruch 102-103 H 4
Radbusa 114-115 N 1
Radbuza = Radbusa 114-115 N 1
Raddon-et-Chapendu 116-117 B 1
Raddusch 110-111 K 2
Radeberg 110-111 JK 3
Radebeul 110-111 J 3
Radeburg 110-111 J 3
Radęcin = Regenthin 104-105 G 4
Radefeld 110-111 F 3
Radegast 110-111 F 2
Radein 118-119 L 5
Rädel 110-111 G 1
Radelberg 118-119 J 4
Radenbeck 102-103 J 5
Radenci = Radein 118-119 L 5
Radenickel [= Radomicko] 110-111 LM 1
Radensdorf 110-111 JK 2
Radensfelde [= Trzebiatkowa] 104-105 K 2
Radenthein 118-119 F 5
Radenz [= Borzęciczki] 113 C 2
Radevormwald 120 F 4
Radew = Radüe 104-105 G 2
Radibor 110-111 K 3
Radis 110-111 G 2
Radiumbad Brambach 110-111 F 5
Radiumbad Sankt Joachimsthal [= Jáchymov] 110-111 GH 5
Radjiejew = Radziejów 104-105 N 5
Radkersburg 118-119 KL 5
Radkersburger Feld 118-119 KL 5
Radkov = Ratkau 113 D 6
Radków = Wünschelburg 113 A 4
Radlbrunn [2 km ↙ Ziersdorf 118-119 K 1]
Radlin [Polen, ↑ Jarotschin] 113 CD 1
Radlin [Polen, ↙ Rybnik] 113 E 5
Radlitzdorf = Lewitz 104-105 G 6
Radmer [7 km ↖ Hieflau 118-119 H 3]
Radmeritz [= Radomierzyce] 110-111 LM 3
Radnica = Rädnitz 110-111 M 1
Rädnitz [= Radnica] 110-111 M 1
Radolfzell 114-115 DE 5
Radom 101 K 3
Radomicko = Radenickel 110-111 LM 1
Radomicko = Radomitz 113 B 2
Radomierowice = Plümkenau 113 E 4
Radomierzyce = Radmeritz 110-111 LM 3
Radomin 104-105 O 4
Radomitz [= Radomicko] 113 B 2
Radomno 112 C 4
Radomsko 101 JK 3
Radonice = Radonitz 110-111 H 5
Radonitz [= Radonice] 110-111 H 5
Radostów Dolny = Nieder Thiemendorf 110-111 M 3
Radostów Górny = Ober Thiemendorf 110-111 M 3
Radostowo = Freudenberg 112 E 4
Radostów Średni = Mittel Thiemendorf 110-111 M 3
Radotín 110-111 K 6
Radouň = Radaun 110-111 K 5
Radovesice = Radowesitz 110-111 J 4
Radowašojce = Radensdorf 110-111 JK 2
Radowesitz [= Radovesice] 110-111 J 4
Radowiska Wielkie = Groß Radowisk 104-105 O 4
Radowo Wielkie = Groß Raddow 104-105 F 3
Radstadt 118-119 EF 4
Radstädter Tauern [Gebirge] 118-119 E 4
Radstädter Tauern [Paß] 118-119 F 4
Radüe 104-105 G 2
Raduhn 102-103 L 4
Radun [= Raduń] 104-105 G 4
Radungen [= Radziądz] 113 B 2
Radunia = Radaune 104-105 N 2
Radunsee 104-105 FG 4
Raduńskie, Jezioro - = Radaunensee 104-105 LM 2
Radus = Raddusch 110-111 K 2
Radwor = Radibor 110-111 K 3
Radzewice = Hohensee 113 BC 1
Radziądz = Radungen 113 B 2
Radzicz = Hermannsdorf 104-105 KL 4
Radziejów = Rosengarten 112 G 3
Radziejewo = Sonnwalde 112 D 3
Radziejów 104-105 N 5
Radzikowice = Stephansdorf 113 C 4
Radziłów 112 H 5
Radzionkau [= Radzionków] 113 FG 5
Radzionków = Radzionkau 113 FG 5
Radziunz = Radungen 113 B 2
Radzyń Chełmiński = Rehden 104-105 N 4
Radzyń Chełmińskie = Rheden 104-105 N 4
Raeren 106-107 G 7
Raesfeld 120 D 1
Rafz 116-117 G 1
Ragaz, Bad - 116-117 H 2
Rägelin 102-103 N 4
Ragendorf [= Rajka] 118-119 N 3
Raggendorf [3 km ↖ Groß-schweinbarth 118-119 M 2]
Ragnit [= Neman] 112 GH 1
Ragno, Pizzo - 116-117 F 4
Ragösen 110-111 G 1
Ragow 110-111 J 2
Raguhn 110-111 F 2
Rahden 102-103 E 6
Rahlstedt = Hamburg-Rahlstedt
Rahmel [= Rumia] 104-105 M 1
Rahrbach 120 H 4
Raiding [3 km ↖ Großwarasdorf 118-119 M 3]
Raikau [= Rajkowy] 104-105 N 3
Raimeux, Les - 116-117 DE 2
Rain 114-115 H 3
Rain [= Riva di Tures] 118-119 C 5
Rainbach im Innkreis [4 km ↙ Münzkirchen 118-119 F 2]
Rainbach im Mühlkreis 118-119 GH 1
Raisdorf 102-103 H 2
Raisko = Rajsko 113 E 2
Raismes 106-107 A 8
Raisting 114-115 J 5
Raitenhaslach 114-115 M 4
Rajgród 112 J 4
Rajka = Ragendorf 118-119 N 3
Rajkowy = Raikau 104-105 N 3
Rájov = Rojau 118-119 G 1
Rajsko 113 E 2
Rakecy = Königswartha 110-111 K 3
Rakoniewice = Rakwitz 110-111 O 1
Rakonitz 110-111 HJ 5
Rakonitz [= Rakovník] 110-111 J 5
Rakoszyce = Rackschütz 113 B 3
Rakovnický potok = Rakonitz 110-111 HJ 5
Rakovník = Rakonitz 110-111 J 5
Rakow 104-105 B 2
Raków = Rackau
Rakowiec = Groß Krebs 112 AB 4
Rakowo = Rackow
Rakutówskie, Jezioro - 104-105 O 5
Rakutowskiee = Jezioro Rakutówskie 104-105 O 5
Rakuwka 104-105 LM 3
Rakwitz [= Rakoniewice] 110-111 O 1
Ralsko = Rollberg 110-111 L 4
Ramberg [Rheinland-Pfalz] 108-109 EF 8
Ramberg [Sachsen-Anhalt] 110-111 D 2
Rambin 104-105 B 2
Ramecroix, Gaurain- 106-107 AB 7
Ramelow [= Ramlewo] 104-105 G 3
Ramet 106-107 E 7
Ramillies-Offus 106-107 DE 7
Ramingstein 118-119 F 4
Ramiswil, Mümliswil - 116-117 E 2
Ramlewo = Ramelow 104-105 G 3
Ramlingen mit Ehlershausen 102-103 GH 5
Ramme 102-103 FG 4
Rammelsbach [2 km ↙ Altenglan 108-109 DE 7]
Rammelsberg 110-111 B 2
Rammenau 110-111 K 3
Ramolkogl 116-117 L 3
Ramonchamp 116-117 C 1
Ramosch 116-117 K 3
Ramoty = Ramten 112 B 4
Rampitz [= Rąpice] 110-111 L 1
Rampoldstetten 114-115 M 3
Ramsau [Oberösterreich, Steiermark] 118-119 F 3
Ramsau [Österreich, Steiermark] 118-119 F 4
Ramsau [Österreich, Tirol] 118-119 B4
Ramsau [= Ramsowo] 112 E 4
Ramsau am Dachstein 118-119 F 4
Ramsau bei Berchtesgaden 114-115 M 5
Ramsbeck 108-109 F 4
Ramsdorf 108-109 C 3
Ramsel 106-107 D 6
Ramsen 116-117 G 1
Ramsloh 102-103 C 4
Ramsowo = Ramsau 112 E 4
Ramstein 108-109 DE 8
Ramten [= Ramoty] 112 B 4
Rań = Großräschen 110-111 K 2
Ranalt 116-117 M 2
Rance 106-107 C 8
Rančířov = Ranzern 118-119 K 1
Randa 116-117 E 4
Randegg 118-119 H 2
Randen 116-117 G 1
Randerath 120 A 4
Randersacker 114-115 FG 1
Randow 104-105 D 3
Randowbruch 104-105 D 4
Randow, Demmin- 104-105 B 3
Randsdorf [= Wieszowa] 113 F 5
Randzel [Meeresbank] 106-107 H 1
Randzel [Ort] 102-103 A 3
Rangendingen 114-115 DE 4
Rangersdorf 118-119 DE 5
Rangsdorf 110-111 HJ 1
Ranis 110-111 E 4
Rankelberge 104-105 G 4
Rankweil 116-117 J 2
Rannariedl 118-119 F 2
Rannungen 110-111 B 5
Ranoldsberg 114-115 L 4
Ransart 106-107 CD 8
Ransbach 108-109 J 5
Ransbach (Westerwald) 108-109 E 6
Ranshofen 118-119 DE 2
Rańsk = Rheinswein 112 EF 4
Ranstadt 108-109 GH 6
Rantau [= Zaostrovje] 112 D 2
Ranten 118-119 G 4
Rantum 102-103 D 1
Rantzauhöhe 102-103 EF 1
Ranzern [= Rančířov] 118-119 K 1
Ranzin 104-105 BC 3
Ranzo 116-117 L 4
Rąpice = Rampitz 110-111 L 1
Rappbode 110-111 C 2
Rappelsdorf 110-111 C 4
Rappenau, Bad - 114-115 E 2
Rapperswil 116-117 G 2
Rapperszell 114-115 J 3
Rappin 104-105 B 1-2
Rappottenstein 118-119 J 1
Rapšach = Rottenschachen 118-119 HJ 1
Rarbok = Rohrbach 118-119 N 2
Rarfin [= Rarwino] 104-105 G 3
Raron 116-117 E 4
Rarwino = Rarfin 104-105 G 3
Raschau 110-111 G 4
Raschewitz [= Raszowice] 113 B 3
Raschkow = Raszków 113 D 2
Rasdorf 108-109 J 5
Rasmushausen [= Niewieścin] 104-105 M 4
Raspenau [= Raspenava] 110-111 M 4
Raspenava = Raspenau 110-111 M 4
Rastatt 114-115 C 3
Rastdorf 102-103 C 5
Rastede 102-103 D 4
Rastenberg 110-111 D 3
Rastenburg [= Kętrzyn] 112 F 3
Rastenfeld 118-119 J 1
Rastkogel 118-119 B 4
Rastow 102-103 KL 4
Raszków 113 D 2
Raszowice = Raschewitz 113 B 3
Ratekau 102-103 J 3
Rathebur 104-105 C 3
Ratheim, Hückelhoven- 120 AB 4
Rathen, Kurort - 110-111 K 4
Rathenow 102-103 M 5
Rath, Köln- 108-109 D 5
Rathsdaknitz [= Dębnica Kaszubska] 104-105 K 2
Ratibor [= Racibórz] 113 E 5
Ratiborhammer [= Kuźnia Raciborska] 113 E 5
Ratibor-Süd [= Racibórz-Studzienna] 113 E 5
Rätikon 116-117 J 2-3
Ratingen 120 D 3
Ratkau [= Radkov] 113 D 6
Ratschendorf 118-119 K 5
Ratschitz = Raczki 112 J 4
Ratschkowo = Raczkowo 104-105 K 5
Rattelsdorf 110-111 C 5
Ratten 118-119 K 4
Rattenberg [Deutschland] 114-115 M 2
Rattenberg [Österreich] 118-119 BC 4
Rattendorf [9 km ↖ Reisach 118-119 E 5]
Rattersdorf 118-119 LM 4
Rattisio Nuovo = Ratteis 116-117 L 3
Ratzebuhr [= Okonek] 104-105 J 3
Ratzeburg [Landschaft] 102-103 J 3
Ratzeburg [Ort] 102-103 J 3
Ratzeburger See 102-103 J 3
Ratzenried 114-115 FG 5
Ratzes, Bad - [= Bagni di Ràzzes] 116-117 N 3
Rätzlingen 110-111 D 1
Raubling 114-115 L 5
Raucheck 118-119 E 4
Rauchkofl 118-119 C 4
Raucourt 108-109 B 9
Raucourt-et-Flaba 106-107 DE 9
Raude 113 F 5
Rauden [= Rudno] [Deutschland, Brandenburg] 104-105 F 5
Rauden [= Rudno] [Deutschland, Schlesien] 110-111 N 2
Rauden [= Rudno] [Polen] 104-105 N 3
Raudenburg (Niederlausitz) [= Zabłocie, 7 km ← Christianstadt (Bober) 110-111 M 2]
Raudnitz [= Roudnice nad Labem] 110-111 K 5
Raudnitz [= Rudzienice] 112 C 4
Raudonatschen = Kattenhof (Ostpreußen) 112 H 2
Raudten [= Rudna Miasto] 113 A 2
Rauen 104-105 D 6
Rauensche Berge 104-105 CD 6
Rauenstein 110-111 CD 5
Rauhe Ebrach 114-115 H 1
Rauher Kulm 114-115 K 1
Raunau [= Runowo] 112 D 3
Raunheim [2 km → Flörsheim 108-109 FG 6]
Rauris 118-119 E 4
Rauristal 118-119 D 4
Rauscha [= Ruszów] 110-111 M 3
Rauschberg 114-115 M 5
Rauschen [= Svetlogorsk] 112 D 2
Rauschenberg 108-109 GH 5
Rauschenburg 120 F 2
Rauschken [= Ruszkowo] 112 D 5
Rauschwe 112 J 2
Rausenbruck [= Strachotice] 118-119 L 1
Raußlitz 110-111 H 3
Rautenberg [= Uzlovoje] 112 H 2
Rautenburg [= Malinocka] 112 F 1
Rautenkranz, Morgenröthe- 110-111 FG 5
Rauterskirch [= Bol'šije Berežki] 112 FG 1
Rauxel, Castrop- 120 F 2
Rava, Cimon - 116-117 N 4
Rava-Russkaja = Rawa-Russkaja 101 L 3
Ravels 106-107 DE 6
Ravelsbach 118-119 K 1
Ravensberg 104-105 BC 4
Ravensbrück 104-105 B 4
Ravensburg 114-115 F 5
Ravenstein 106-107 F 5
Ravenstein [= Wapnica] 104-105 F 4
Ravina, Trento- = Trient-Ravina 116-117 M 4
Ravina, Trient- [= Trento-Ravina] 116-117 M 4
Rawa (Masowien) = Rawa Mazowiecka 101 K 3
Rawa Mazowiecka 101 K 3
Rawa-Russkaja 101 L 3
Rawicz = Rawitsch 113 B 2
Rawilpass 116-117 D 4
Rawitsch [= Rawicz] 113 B 2
Raxalpe 118-119 K 3
Raxendorf [7 km → Pöggstall 118-119 J 2]
Razino = Doristhal 112 J 2
Razová = Raase 113 D 6

Realp 116-117 FG 3
Rebecq-Rognon [= Roosbeek] 106-107 C 7
Rebesgrün [8 km ↗ Rodewisch 110-111 F 4]
Rebetz [= Hřebeč, 4 km → Kladno 110-111 K 5]
Rębiszów = Rabishau
Reblin [= Reblino] 104-105 J 2
Reblino = Reblin 104-105 J 2
Rebstein [4 km ↗ Altstätten 116-117 J 2]
Rębusz = Augustwalde 104-105 G 4
Rečany nad Labem [3 km ↗ Chvaletice 110-111 MN 5]
Recetto 116-117 FG 6
Rechberg 114-115 F 3
Rechberghausen [3 km ↖ Göppingen 114-115 F 3]
Rechenberg-Bienenmühle 110-111 J 4
Rechenberg (Ostpreußen) [= Kosevo, 8 km ↖ Sensburg 112 F 4]
Réchésy 116-117 D 1
Rechlin 102-103 N 4
Rechnitz 118-119 L 4
Rechtenbach 108-109 HJ 7
Rechteren 106-107 G 3-4
Rechthalten 116-117 D 3
Rechtsupweg [4 km → Marienhafe 102-103 B 3]
Rěčicy = Rietschen 110-111 L 3
Reckahn 110-111 FG 1
Recke 108-109 E 2
Reckendorf 110-111 C 5
Reckingen 116-117 F 4
Recklinghausen 120 EF 2
Recknitz 102-103 N 2
Recknitz [= Rekownica] 104-105 M 2
Reckow [= Rekowo] [Pommern, ↙ Bütow] 104-105 KL 2
Reckow [= Rekowo] [Pommern, ↓ Cammin in Pommern 104-105 E 3
Recoaro Terme 116-117 M 5
Recogne 106-107 E 9
Recogne, Plateau de - 106-107 E 9
Recz = Reetz Neumark 104-105 G 4
Reda = Rheda [Fluß] 104-105 M 1
Reda = Rheda [Ort] 104-105 M 1
Rédange 106-107 F 10
Redange-sur-Attert = Redingen 106-107 F 9
Reddelich 102-103 L 2
Reddenau [= Rodnowo] 112 E 3
Redebars 102-103 N 2
Redefin 102-103 K 4
Redekin 102-103 M 6
Redel [= Redło] 104-105 G 3
Reden, Landsweiler- [1 km ↓ Schiffweiler 108-109 D 8]
Rederitz [= Nadarzyce] 104-105 HJ 4
Redhoscht = Redhošť 110-111 K 5
Redhošť 110-111 K 5
Rédics 118-119 LM 5
Réding = Rieding 108-109 D 9
Redingen [= Redange-sur-Attert] 106-107 F 9
Redl 118-119 EF 2
Redło = Redel 104-105 G 3
Rednitz 114-115 HJ 1
Rednitzhembach 114-115 J 2
Redu 106-107 E 8
Redwitz an der Rodach 110-111 D 5
Reepsholt 102-103 C 4
Rees 120 B 1
Reest 106-107 G 3
Reetz [Brandenburg, Hoher Fläming] 110-111 F 1
Reetz [Brandenburg, Prignitz] 102-103 L 4
Reetz [= Raciąż] 104-105 L 3
Reetz Neumark [= Recz] 104-105 G 4
Reeuwijk [4 km ↗ Waddinxveen 106-107 D 4]
Rega 104-105 F 2
Rega-Stausee 104-105 F 3
Regau 118-119 F 3
Regehnen [= Dubrovka] 112 D 2
Regen [Fluß] 114-115 L 2
Regen [Ort] 114-115 N 3
Regensburg 114-115 KL 2
Regensburg-Prüfening 114-115 KL 3
Regensburg-Sallern 114-115 L 2
Regensburg-Schwabelweis [↗ Regensburg 114-115 KL 2]
Regensburg-Wutzlhofen [↗ Regensburg 114-115 KL 2]
Regen, Schwarzer - 114-115 M 2
Regensdorf 116-117 F 2
Regenstauf 114-115 L 2
Regenthin [= Radęcin] 104-105 G 4
Regenwalde [= Resko] 104-105 FG 3
Regen, Weißer - 114-115 M 2
Regerteln [= Rogiedle] 112 D 3
Regge 106-107 G 3-4
Regis-Breitingen 110-111 FG 3
Regnitz = Rednitz 114-115 HJ 1
Regnitzlosau 110-111 EF 5
Rehagen-Klausdorf [4 km ↙ Mellensee 110-111 H 1]
Rehau 110-111 EF 5
Rehberg [Deutschland] 108-109 EF 8
Rehberg [Tschechoslowakei] 114-115 N 1
Rehberg [= Ładzin] 104-105 E 3
Rehberg [= Srní] 114-115 NO 2
Rehborn 108-109 E 7
Rehburg 102-103 F 6
Rehburg, Bad - 102-103 F 6
Rehden 102-103 DE 5
Rehden [= Radzyn Chełmiński] 104-105 N 4
Rehdörfel [= Srní u Český Lípy, 4 km ↑ Habstein 110-111 L 4]
Rehefeld 110-111 J 4
Reher 102-103 G 2
Rehfeld 102-103 M 5
Rehfelde [4 km → Hennickendorf 104-105 CD 5]
Rehhof [= Ryjewo] 112 AB 4
Rehling 114-115 HJ 4
Rehlingen 108-109 C 8
Rehme 108-109 G 2
Rehna 102-103 K 3
Rehon 106-107 F 10
Rehsauer See 112 G 3
Rehwalde [= Rywałd] 104-105 O 4
Rehwinkel [= Lutkowo, 5 km ↖ Kashagen 104-105 FG 4]
Reichardtswerben 110-111 E 3
Reichau [= Boguchwały] 112 D 4
Reichau [= Zarzyca] 113 BC 4
Reiche Ebrach 114-115 H 1
Reichelsdorf = Nürnberg-Reichelsdorf
Reichelsheim im Odenwald 108-109 G7
Reichelsheim in der Wetterau 108-109 G 6
Reichen [= Rychlik] 104-105 F 6
Reichen [= Rychnov] 110-111 K 4
Reichenau [Deutschland] 114-115 DE 5
Reichenau
→→
Reichenau [Österreich, Niederösterreich] 118-119 K 3
Reichenau [= Bogatynia] 110-111 L 4
Reichenau [= Rychnov] [Tschechoslowakei, ↖ Mährisch Schönberg] 113 B 6
Reichenau [= Rychnov] [Tschechoslowakei, ↖ Reichenberg] 110-111 M 4
Reichenau [= Rychnov nad Kněžnou] 113 A 5

Reichenau 37 Role

Reichenau [= Rychnowo] 112 CD 4
Reichenau an der Maltsch [= Rychnov nad Malši] 118-119 GH 1
Reichenau bei Naumburg am Bober [= Bogaczów] 110-111 M 2
Reichenau bei Priebus (Schlesien) [= Bogumiłów] 110-111 LM 2
Reichenau im Mühlkreis 118-119 G 2
Reichenbach [Baden-Württemberg] 114-115 B 4
Reichenbach [Bayern] 114-115 L 2
Reichenbach [Rheinland-Pfalz] 108-109 E 7
Reichenbach [Sachsen] 110-111 F 4
Reichenbach [= Rychliki] 112 C 4
Reichenbach am Heuberg 114-115 D 4
Reichenbach bei Frutingen 116-117 E3
Reichenbach (Eulengebirge) [=Dzierżoniów] 113 B 4
Reichenbachfall 116-117 F 3
Reichenbach (Oberlausitz) 110-111 L 3
Reichenberg [Bayern, Unterfranken] 114-115 F 1
Reichenberg [Niederbayern] 114-115 M 4
Reichenberg [Sachsen] 110-111 J 3
Reichenberg [= Kraszewo] 112 DE 3
Reichenberg [= Liberec] 110-111 M 4
Reichenberg-Johannesthal [= Liberec-Janův Důl, ↙ Reichenberg 110-111 M 4]
Reichenberg-Röchlitz [= Liberec-Rochlice] 110-111 LM 4
Reichenburg 116-117 G 2
Reichenfels 118-119 H 4-5
Reichenhall, Bad – 114-115 M 5
Reichenhofen 114-115 F 5
Reichensachsen 108-109 JK 4
Reichenspitze 118-119 BC 4
Reichenstein [Österreich, ↘ Admont] 118-119 H 3
Reichenstein [Österreich, ↖ Leoben] 118-119 H 3-4
Reichenstein [= Złoty Stok] 113 B 5
Reichensteiner Gebirge 113 BC 5
Reichenstein (Ostpreußen) [= Skop] 112 FG 4
Reichenthal 118-119 G 1
Reichenwalde 110-111 JK 1
Reichersberg [3 km ↗ Obernberg am Inn 118-119 E 2]
Reichersbeuren [3 km ↙ Waakirchen 114-115 K 5]
Reichertshausen 114-115 JK 4
Reichertsheim 114-115 L 4
Reichertshofen 114-115 JK 3
Reichmannsdorf [Bayern] 114-115 H 1
Reichmannsdorf [Thüringen] 110-111 D 4
Reicholzheim 114-115 F 1
Reichraming 118-119 G 3
Reichshof = Rzeszów 101 KL 3
Reichshofen [= Reichshoffen] 108-109 E 9
Reichshoffen = Reichshofen 108-109 E 9
Reichstadt [= Zákupy] 110-111 L 4
Reichstädt 110-111 J 4
Reichstett 114-115 B 3
Reichswalde 108-109 B 3
Reichthal [= Rychtal] 113 D 3
Reichwaldau [= Rychvald] 113 EF 6
Reichwalde 110-111 L 3
Reichwalde (Ostpreußen) [= Lesiska] 112 CD 3
Reiden 116-117 EF 2
Reifferscheid [4 km ↖ Adenau 108-109 C 6]
Reifnig [= Ribnica na Pohorju] 118-119 J 5
Reifträger 110-111 MN 4
Reigersfeld [= Bierawa] 113 E 5
Reignier 116-117 B 4
Reigoldswil 116-117 E 2
Reiherberg 104-105 B 4
Reijen, Gilze en – 106-107 D 5
Reil 108-109 D 6
Reilingen 114-115 D 2
Reimannswalde [= Kowale Oleckie] 112 HJ 3
Reimerswalde [= Ignalin] 112 D 3
Reims 101 AB 4
Reimsbach [5 km → Brotdorf 108-109 C 8]
Reinach 116-117 F 2
Reinbek 102-103 H 3
Reinberg [Pommern, ↘ Demmin] 104-105 B 3
Reinberg [Pommern, ↘ Stralsund] 104-105 B 2
Reinersdorf 110-111 J 3
Reinersdorf [= Komorzno] 113 E 3
Reinerz, Bad – [= Duszniki Zdrój] 113 A 5
Reinfeld 102-103 H 3
Reinfeld [= Bierzwnica] 104-105 G 3
Reinfeld-Hammer [= Słosinko] 104-105 JK 3
Reingers [7 km ↘ Haugschlag 118-119 J 1]
Reinhardswald 108-109 H 3-J 4
Reinharz 110-111 G 2
Reinhausen 108-109 JK 4
Reinheim 108-109 G 7
Reinickendorf, Berlin- 104-105 B 5
Reinischkogel 118-119 J 5
Reinkenhagen [2 km ↙ Miltzow 104-105 B 2]
Reinsberg 110-111 C 4
Reinsberg [3 km ↖ Dittmannsdorf 110-111 H 3-4]
Reinsbüttel 102-103 EF 2
Reinschdorf [= Reńska Wieś] 113 E 5
Reinsdorf [Sachsen] 110-111 G 4
Reinsdorf [Sachsen-Anhalt, ↓ Sangerhausen] 110-111 D 3
Reinsdorf [Sachsen-Anhalt, ↖ Wittenberg] 110-111 G 2
Reinsfeld 108-109 C 7
Reinshagen, Remscheid- 120 E 4
Reinstädt 110-111 DE 4
Reinstedt 110-111 D 2
Reinstetten 114-115 F 4
Rein, Stift – 118-119 J 4
Reinswalde [= Złotnik] 110-111 M 2
Reinwasser [= Piaszczyna, 5 km ↓ Waldow 104-105 K 2]
Reipzig [= Rybocice] 110-111 L 1
Reisach 118-119 E 5
Reisach-Stausee 114-115 L 1
Reisalpe 118-119 K 3
Reisbach 114-115 M 3
Reischach 114-115 M 4
Reischdorf [= Rusová] 110-111 H 5
Reisen [= Rydzyna] 113 B 2
Reisenberg 118-119 LM 3
Reisholz, Düsseldorf- 120 D 4
Reisicht [= Rokitki] 110-111 N 3
Reisinger Höhe 118-119 JK 1
Reißeck 118-119 E 5
Reißinger Bach 114-115 M 3
Reißkofel 118-119 E 5
Reiste 108-109 F 4
Reitdiep 106-107 G 2
Reiter Alpe 114-115 M 5
Reith bei Seefeld 116-117 M 2
Reit im Winkl 114-115 LM 5
Reitwein 104-105 E 5-6
Reitzenhain 110-111 H 4
Rejhotice = Reutenhau 113 C 5
Rejowiec = Revier 104-105 K 5
Rejštejn = Unterreichenstein 114-115 NO 2
Rekawinkel [4 km ← Preßbaum 118-119 L 2]
Rekawinkel, Sattel von – 118-119 K 2
Rekem 106-107 F 7
Rekownica = Großwalde
Rekownica = Recknitz 104-105 M 2
Rekownitza = Großwalde
Rekowo [Pommern, ↙ Bütow] 104-105 KL 2
Rekowo = Reckow [Pommern, ↓ Cammin in Pommern] 104-105 E 3
Rellingen 102-103 G 3
Remagen 108-109 D 5
Remagne 106-107 EF 9
Remblinghausen 108-109 F 4
Remda 110-111 D 4
Remelach [= Rémilly] 108-109 B 8
Remels 102-103 C 4
Réméréville 108-109 BC 9
Remich 106-107 G 9
Remicourt 106-107 E.7
Rémilly = Remelach 108-109 B 8
Remilly-Allicourt 106-107 DE 9
Remlingen [Bayern] 114-115 F 1
Remlingen [Niedersachsen] 110-111 C 1
Remouchamps, Sougné- 106-107 F 8
Remplin 102-103 N 3
Remptendorf 110-111 E 4
Remscheid 120 EF 4
Remscheid-Hasten 120 E 4
Remscheid-Lennep 120 F 4
Remscheid-Lüttringhausen 120 EF 4
Remscheid-Reinshagen 120 E 4
Remsfeld 108-109 HJ 4
Remund [= Romont] 116-117 CD 3
Renaix = Ronse 106-107 B 7
Renan [6 km ↙ Sankt Immer 116-117 C 2]
Renate Vedùggio [7 km ↗ Giussano 116-117 H 5]
Renč = Řevničov 110-111 J 5
Rench 114-115 BC 3
Renchen 114-115 C 3
Rendeux 106-107 F 8
Rendole 116-117 N 5
Rends = Renz 102-103 F 1
Rendsburg 102-103 G 2
Renens 116-117 C 3
Renesse 106-107 B 5
Rengersdorf [= Krosnowice] 113 B 5
Rengsdorf 108-109 DE 5
Renkum 106-107 F 5
Renkum-Oosterbeek 106-107 F 5
Rennberg 120 E 2
Rennendorf = Courrendlin 116-117 D 2
Rennerod 108-109 EF 5
Rennertshofen 114-115 J 3
Rennfeld 118-119 J 4
Renningen 114-115 DE 3
Renon = Ritten 116-117 M 3
Renon, Corno di – = Rittner Horn 116-117 M 3
Reńska Wieś = Reinschdorf 113 E 5
Renswoude 106-107 F 4
Rentsch = Revničov 110-111 J 5
Renwez 106-107 D 9
Renz [= Rends] 102-103 F 1
Répce = Rabnitz 118-119 M 4
Répceszemere 118-119 MN 4
Répcevis = Edelheils 118-119 M 4
Repentir, Mont – 116-117 C 2
Reper Höhe 120 H 4
Repora = Řeporyje 110-111 K 5
Řeporyje 110-111 K 5
Reposoir, Chaîne du – 116-117 B 5-C 4
Reposoir, le – 116-117 BC 5
Reppen [= Rzepin] 104-105 E 6
Reppinichen 110-111 F 1
Repplin [= Rzeplino] 104-105 F 4
Reptowo = Karolinenhorst 104-105 E 4
Republik Österreich = Österreich 101 E-G 5
Rerik 102-103 L 2
Reschen [= Rèsia, 4 km ↖ Graun 116-117 L 3]
Reschenscheideck 116-117 L 3
Reselkow [= Rzesznikowo] 104-105 FG 3
Rèsia = Reschen
Rèsia, Lago di – 116-117 KL 3
Resko = Regenwalde 104-105 FG 3
Resko Przymorskie, Jezioro – = Kamper See 104-105 F 2
Ressaix [4 km ↘ Péronnes 106-107 C 8]
Restarzew II 113 FG 3
Reszel = Rößel 113 F 3
Resznek 118-119 LM 5
Rethel 101 B 4
Rethem (Aller) 102-103 F 5
Rethen (Leine) 108-109 J 2
Retie 106-107 E 6
Řetová = Groß Ritte 113 A 6
Retranchement 106-107 AB 6
Retschan = Řečany nad Labem
Retschin = Rzecin 104-105 H 5
Retschke [= Drzeczkowo] 113 B 2
Retschow 102-103 L 2
Rettenbach [6 km ← Aschau 118-119 C 4]
Rettenbach am Auerberg 114-115 H 5
Rettenbach, Markt – 114-115 G 5
Rettenberg 114-115 G 5
Rettenegg 118-119 K 3
Retz 118-119 K 1
Retzbach 114-115 F 1
Retzin [= Rzecino, 4 km ↖ Lutzig 104-105 H 3]
Retzow [Brandenburg] 102-103 N 5
Retzow [Mecklenburg] 102-103 M 4
Reuden [Brandenburg] 110-111 F 1
Reuden [Sachsen-Anhalt] 110-111 F 3
Reuland 106-107 G 8
Reuschenfeld [= Ruskie Pole, 5 km → Nordenburg 112 G 3]
Reuschhagen [= Ruszajmy, 1 km ↗ Wartenburg in Ostpreußen 112 E 4]
Reusel [Fluß] 106-107 E 6
Reusel [Ort] 106-107 E 6
Reuss 116-117 F 2, G 3
Reuß [= Cimochy] 112 J 4
Reußen [= Ruś] 112 DE 4
Reussenau [= Rusinowo] 112 A 4
Reute 114-115 F 5
Reutenhau [= Rejhotice] 113 C 5
Reuterstadt Stavenhagen = Stavenhagen 102-103 N 3
Reuth bei Erbendorf 114-115 L 1
Reutlingen 114-115 E 3-4
Reutte 116-117 L 2
Reutti [5 km ↗ Senden 114-115 G 4]
Revard, Mont – 116-117 AB 5
Revekol 104-105 K 1
Revenow [= Rzewnowo, 4 km ↘ Cammin in Pommern 104-105 E 3]
Revier [= Rejowiec] 104-105 K 5
Revin 106-107 D 9
Řevnice 110-111 K 6
Řevničov 110-111 J 5
Rewa 104-105 N 1
Rewahl [= Rewal] 104-105 EF 2
Rewal = Rewahl 104-105 EF 2
Rewnitz = Revnice 110-111 K 6
Rexingen [3 km ↙ Horb am Neckar 114-115 D 4]
Rexpoëde 106-107 a 2
Rey, Crêt du – 116-117 C 5
Rezzato 116-117 K 5
Rezzònico ≻→

Rgilewka = Rgiłówka 113 FG 1
Rgiłówka 113 FG 1

Rhade [Niedersachsen] 102-103 F 4
Rhade [Nordrhein-Westfalen] 120 D 1-2
Rhaunen 108-109 D 7
Rheda 108-109 F 3
Rheda [= Reda] [Fluß] 104-105 M 1
Rheda [= Reda] [Ort] 104-105 M 1
Rhede [Niedersachsen] 102-103 B 4
Rhede [Nordrhein-Westfalen] 120 CD 1
Rhedebrügge 120 D 1
Rheden 106-107 G 4-5
Rheden [= Radzyń Chełmiński] 104-105 N 4
Rheden-De Steeg 106-107 G 4
Rheden-Dieren 106-107 G 4
Rheden-Velp 106-107 FG 5
Rheider Land 102-103 B 4
Rhein 101 C 3
Rhein [= Ryn] 112 FG 4
Rhein, Alter – 106-107 D 4
Rhein-Amsterdam-Kanal 106-107 E 4-5
Rheinau 116-117 G 1
Rheinau [= Rhinau] 114-115 B 4
Rheinau, Mannheim 114-115 CD 2
Rheinbach 108-109 CD 5
Rheinberg 120 C 2
Rheinbischofsheim 114-115 BC 3
Rheinböllen 108-109 E 6
Rheinbrohl 108-109 D 5-6
Rheindahlen, Mönchengladbach- 120 B 4
Rheindorf, Leverkusen- 120 D 4
Rhein-Dürkheim [3 km → Osthofen 108-109 F 7]
Rheine 108-109 D 2
Rheineck 116-117 J 2
Rheiner See = Rheinscher See 112 G 4
Rheinfall 116-117 G 1
Rheinfelden [Deutschland] 114-115 B 5
Rheinfelden [Schweiz] 116-117 E 1
Rheinfels 108-109 E 6
Rheingaugebirge 108-109 EF 6
Rheinhausen 120 C 3
Rhein-Herne-Kanal 120 DE 2
Rheinhessen 108-109 EF 7
Rheinisches Schiefergebirge 108-109 B 6-F 4
Rheinisch-Westfälisches Industriegebiet 120
Rheinkamp 120 C 3
Rheinland-Pfalz 101 CD 3-4
Rhein-Main-Flughafen 108-109 G 6
Rheinsberg [= Ryńsk] 104-105 N 4
Rheinsberger See 102-103 N 4
Rheinsberg (Mark) 102-103 N 4
Rheinscher See 112 G 4
Rhein-Seitenkanal 114-115 B 5, 116-117 DE 1
Rheinsheim [3 km ← Philippsburg 114-115 C 2]
Rheinstein 108-109 E 6-7
Rheinswein [= Rańsk] 112 EF 4
Rheinwald 116-117 H 3
Rheinwaldhorn 116-117 GH 4
Rheinzabern 108-109 F 8
Rhêmes-Notre-Dame 116-117 D 5
Rhêmes-Saint-Georges 116-117 D 5
Rhême, Val di – 116-117 D 5
Rhenen 106-107 F 5
Rhens 108-109 E 6
Rheurdt 120 B 3
Rheydt 120 BC 4
Rheydt-Giesenkirchen 120 BC 4
Rheydt-Hockstein 120 B 4
Rheydt-Odenkirchen 120 BC 4
Rheydt, Schloß – 120 BC 4
Rhin 102-103 N 5
Rhinau = Rheinau 114-115 B 4
Rhinkanal 102-103 MN 5
Rhinluch 102-103 N 5
Rhinow 102-103 M 5
Rhinow, Ländchen – 102-103 M 5
Rhinsee = Ruppiner See 102-103 N 5
Rhisnes 106-107 D 7
Rho 116-117 H 5
Rhode 120 H 4
Rhoden 108-109 GH 4
Rhode-Saint-Genèse = Sint-Genesius-Rode 106-107 C 7
Rhodt unter Rietburg [3 km ↙ Edenkoben 108-109 F 8]
Rhön 108-109 J 6, 110-111 A 5-B 4
Rhonardberg 120 H 4
Rhone 116-117 D 4
Rhône 101 B 6
Rhône au Rhin, Canal du – = Rhône-Rhein-Kanal 101 C 4-5
Rhonegletscher 116-117 F 3
Rhône-Rhein-Kanal 101 C 4-5
Rhosnes 106-107 B 7
Rhume 110-111 B 2
Rhumspringe 110-111 B 2
Rhynern 120 H 2

Riale 116-117 F 4
Riaz [3 km ↑ Bulle 116-117 D 3]
Ribbeck 102-103 N 5
Ribben [= Rybno] 112 F 4
Ribnica na Pohorju = Reifnig 118-119 J 5
Ribnik [= Rybník] 113 AB 6
Ribnitz-Damgarten 102-103 MN 2
Říčany 110-111 L 6
Richisau 116-117 G 2
Richnau [= Rychnowy, 5 km ↗ Schlochau 104-105 K 3]
Richnow [= Rychnów] 104-105 F 5
Richtenberg 102-103 NO 2
Richterich [4 km ↗ Aachen 108-109 B 5]
Richterstahl, Wittenau- [= Uszyce] 113 E 3
Richterswil [4 km ↘ Wädenswil 116-117 G 2]
Rickling 102-103 H 2
Ricklingen = Hannover-Ricklingen
Říčky = Ritschka 113 A 5
Ridanna = Innerridnaun 116-117 M 3
Ridanna, Val – = Ridnauntal 116-117 M 3
Ridderkerk 106-107 D 5
Riddes 116-117 D 4
Ridnauntal 116-117 M 3
Riebau 102-103 K 5
Rieben 110-111 GH 1
Rieben [= Rybno] 104-105 M 1
Ried 108-109 FG 7
Ried am Riederberg 118-119 L 2
Riedau 118-119 F 2
Riedbad [8 km ↘ Wasen im Emmental 116-117 E 2]
Riede 102-103 E 5
Rieden 114-115 K 2
Rieden am Ammersee 114-115 J 5
Riedenburg 114-115 K 3
Rieder 110-111 D 2
Ried im Innkreis 118-119 EF 2
Ried im Oberinntal 116-117 L 2
Ried im Traunkreis 118-119 FG 2
Ried in der Riedmark [4 km ← Schwertberg 118-119 H 2]
Rieding [= Réding] 108-109 D 9
Riedlingen [Baden-Württemberg] 114-115 EF 4
Riedlingen [Bayern] 114-115 H 3
Riedlingsdorf 118-119 L 4
Riedseltz = Riedselz 108-109 E 9
Riedselz [= Riedseltz] 108-109 E 9
Riegel 114-115 B 4
Riegelsburg 108-109 C 8
Riegersburg 118-119 KL 4
Riegersdorf [= Jegłowa] 113 C 4
Riegersdorf [= Rudziczka] 113 D 5
Riehen 116-117 E 1
Riel 106-107 DE 5
Rielasingen 114-115 D 5
Riemberg [= Rościsławice] 113 B 3
Riem, München- 114-115 K 4
Riems 104-105 B 2
Rieneck 108-109 J 6
Rienz 118-119 B 5
Rienza = Rienz 118-119 B 5
Riepe 102-103 B 4
Ries 114-115 H 3
Riesa 110-111 H 3
Riesa-Weida 110-111 H 3
Rieschweiler 108-109 DE 8
Rieseby 102-103 G 1
Riesenbeck 108-109 E 2
Riesenberg 120 H 4
Riesenburg [= Prabuty] 112 B 4
Riesengebirge 110-111 MN 4
Riesenkirch [= Obrzynowo] 112 E 4
Rieserfernergruppe 118-119 C 5
Rießen 110-111 L 1
Rieste 102-103 B 6
Riestedt 110-111 D 2-3
Rietbad 116-117 H 2
Rietberg 108-109 F 3
Rieth 104-105 D 3
Riethnordhausen [3 km ↓ Haßleben 110-111 D 3]
Rietschen 110-111 L 3
Rietschütz = Roggenfelde 113 A 2
Rietz [Deutschland, Fläming] 110-111 G 1
Rietz [Deutschland, Mittelmark] 110-111 G 1
Rietz [Österreich] 116-117 M 2
Rietzneuendorf 110-111 J 1
Riffian [= Rifiano] 116-117 M 3
Rifflerspitze 116-117 N 2
Rifflkopf 118-119 E 3
Rifiano = Riffian 116-117 M 3
Rigais, Sass – = Geislerspitze 118-119 B 5
Riggisberg [7 km ↗ Rüschegg 116-117 D 3]
Rigi 116-117 FG 2
Rigi-Kaltbad [2 km ↗ Weggis 116-117 F 2]
Rigney 116-117 B 2
Rigolato 118-119 D 5
Rijkevorsel 106-107 D 6
Rijn-Amsterdamkanaal = Amsterdam-Rhein-Kanal 106-107 E 4-5
Rijn, Kromme – 106-107 E 4-5
Rijnland 106-107 CD 4
Rijn, Oude – = Alter Rhein 106-107 D 4
Rijsbergen 106-107 D 5
Rijsenburg, Driebergen- 106-107 E 4
Rijssen 106-107 GH 4
Rijswijk 106-107 C 4
Rilchingen-Hanweiler 108-109 D 8
Rillar 106-107 E 7
Rilland-Bath 106-107 C 6
Rimasco 116-117 F 5
Rimbach [Hessen, ↙ Bad Hersfeld] 108-109 J 5
Rimbach [Hessen, ↘ Bensheim] 108-109 G 7
Rimella 116-117 F 5
Rimmelsberg 102-103 F 1
Rimogne 106-107 CD 9
Rimpar 114-115 F 1
Rimpfischhorn 116-117 E 4
Rimschweiler 108-109 D 8
Rimsting 114-115 L 5
Rinchnach 114-115 N 3
Rindelbach 114-115 G 3
Rinderort [= Otkrytoje] 112 EF 2
Ringelheim, Salzgitter- 110-111 B 1
Ringelsdorf 118-119 M 1
Ringelshain [= Rynoltice] 110-111 L4
Ringelspitz 116-117 H 3
Ringenberg 120 C 1-2
Ringenwalde 104-105 C 4
Ringenwalde [= Dyszno] 104-105 E 5
Ringgau 110-111 B 3
Ringleben 110-111 D 3
Ringsheim [3 km ↙ Ettenheim 114-115 B 4]
Ringstedt 102-103 E 3
Ringvaart 106-107 D 4
Rinkenæs = Rinkenis 102-103 FG 1
Rinkenis [= Rinkenæs] 102-103 FG 1
Rinkerode 120 G 1
Rinnersdorf [= Rusinów] 110-111 MN 1
Rinteln 108-109 H 2
Rioz 116-117 B 2
Ríp = Georgsberg 110-111 K 5
Rippach 110-111 F 3
Rippberg 114-115 E 1
Rippin = Rypin 101 J 2
Rippoldsau, Bad – 114-115 C 4
Rischenau 108-109 H 3
Risoux, Mont du – 116-117 B 3
Riß 114-115 F 4
Rissen = Hamburg-Rissen
Rißtal 116-117 M 2
Rißtissen 114-115 F 4
Ristedt 102-103 E 5
Ristinge 102-103 J 1
Risum 102-103 E 1
Ritom, Lago – 116-117 G 3
Ritschan = Říčany 110-111 L 6
Ritscherwalde [= Ryczywół] 104-105 J 5
Ritschka [= Říčky] 113 A 5
Rittel [= Rytel] 104-105 L 3
Ritten 116-117 M 3
Ritterhude 102-103 E 4
Rittermannshagen 102-103 M 3
Ritterpass 116-117 F 4
Rittersdorf 108-109 BC 6-7
Rittersgrün 110-111 G 5
Rittmarshausen 110-111 B 2
Rittner Horn 116-117 M 3
Ritzerow 102-103 N 3
Ritzhausen, Fehl- [4 km → Marienberg (Westerwald) 108-109 EF 5]
Ritzing 118-119 L 3
Riva 116-117 L 5
Riva di Tures = Rain 118-119 C 5
Riva San Vitale 116-117 G 5
Riviera 116-117 GH 4
Rivière-Drugeon, la – 116-117 B 3
Rivoli Veronese 116-117 L 5
Rivolta d'Adda 116-117 J 6
Rivoltella 116-117 L 6
Riwitz [= Hřivice] 110-111 J 5
Rixensart 106-107 CD 7
Rixheim 116-117 D 1
Rixhöft 104-105 M 1

Rjasnik = Groß Briesnig 110-111 L 2

Roana 116-117 M 5
Robaben [= Robawy] 112 F 3
Robawen = Robaben 112 F 3
Robawy = Robaben 112 F 3
Robbenplate 102-103 D 3
Robe [= Roby] 104-105 F 2
Robecco sul Naviglio 116-117 G 6
Röbel 102-103 N 4
Roben [= Równe] 113 D 5
Robertwille 106-107 G 8
Robianco = Weißenbach 116-117 M 3
Röblingen am See 110-111 E 3
Roborst 106-107 B 7
Robuń = Rabuhn 104-105 G 2
Roby = Robe 104-105 F 2
Rocco, Cima – = Schwarzhorn 116-117 MN 4
Roccafranca 116-117 J 6
Rochau 102-103 L 5
Roche ≻→
Roche-en-Ardenne, la – 106-107 F 8
Rochefort 106-107 E 8
Roche, La – 116-117 D 3
Rocherath 106-107 G 8
Rochère, Grande – 116-117 D 5
Roche-sur-Foron, la – 116-117 B 4
Rochette, la – 116-117 B 6
Rochlice, Liberec- = Reichenberg-Röchlitz 110-111 LM 4
Rochlitz 110-111 G 3
Rochlitz an der Iser [= Rokytnice nad Jizerou] 110-111 MN 4
Röchlitz, Reichenberg- [= Liberec-Rochlice] 110-111 LM 4
Rockanje 106-107 C 5
Rockenberg [5 km → Butzbach 108-109 G 6]
Rockenhausen 108-109 E 7
Rockensüß 108-109 J 4
Röckwitz 104-105 D 3
Rocquigny 106-107 C 9
Rocroi 106-107 D 9
Rodach [Fluß ▷ Itz] 110-111 C 5
Rodach [Fluß ▷ Main] 110-111 D 5
Rodach bei Coburg 110-111 C 5
Rodalben 108-109 E 8
Rodawie = Radau 113 E 4
Rødby 102-103 K 1
Rødby Havn 102-103 K 1
Roddau-Perkuiken [= Solncevo] 112 EF 2
Röddelin 104-105 B 4
Rodemachern [= Rodemack] 108-109 B 8
Rodemack = Rodemachern 108-109 B 8
Roden 106-107 G 2
Rodenäs 102-103 E 1
Rodenau (Oberschlesien) [= Kotulin] 113 E 5
Rodenberg 108-109 H 2
Rodenkirchen 102-103 DE 4
Rodental (Ostpreußen) [= Mazuchówka, 2 km ↗ Widminnen 112 H 4]
Röder 110-111 HJ 3
Röderau 110-111 H 3
Rodewald, Obere Bauernschaft 102-103 FG 5
Rodewald, Untere Bauernschaft 102-103 FG 5
Rodewisch 110-111 F 4
Rodgau 108-109 G 6
Rodheim-Bieber 108-109 G 5
Rodheim vor der Höhe 108-109 G 6
Roding 114-115 LM 2
Rödingen 120 B 5
Rödlin 104-105 B 4
Rodnowo = Reddenau 112 E 3
Rødsand 102-103 L 1
Rodt, Schleidweiler- 108-109 C 7
Rodt, Taben- 108-109 C 7
Roen, Monte – 116-117 M 4
Roer 106-107 G 6
Roermond 106-107 FG 6
Roermond-Maasniel 106-107 G 6
Roesbrugge-Haringe 106-107 a 2
Roeselare [= Roulers] 106-107 A 7
Roetgen 108-109 B 5
Rœulx 106-107 C 7
Rofangruppe = Sonnwendgebirge 118-119 B 4
Róg = Roggen 112 E 5
Rogahlen = Gahlen (Ostpreußen) 112 H 3
Rogajny = Rogehnen 112 C 3
Rogale = Gahlen (Ostpreußen) 112 H 3
Rogale Wielkie = Groß Rogallen 112 H 4
Rogalice = Rogelwitz 113 D 4
Rogalin 113 B 1
Rogalinek 113 B 1
Rogasen [= Rogoźno] 104-105 K 5
Rogäsen 110-111 F 1
Rogätz 110-111 E 1
Rogau [= Rogów Opolski] 113 D 4
Rogau-Rosenau [= Rogów Sobocki] 113 B 4
Rogehnen [= Rogajny] 112 C 3
Rogelwitz [= Rogalice] 113 D 4
Roggel 106-107 F 6
Röggeliner See 102-103 JK 3
Roggen [= Róg] 112 E 5
Roggenburg 114-115 G 4
Roggendorf 102-103 JK 3
Roggenfelde [= Rzeczyca] 113 A 2
Roggenhausen [= Rogóż] 112 E 3
Roggenplaat 106-107 B 5
Roggow 102-103 L 2
Roggow [= Rogowo] 104-105 H 3
Roggow A [= Rogowo] 104-105 F 3
Roggwil [2 km ↙ Arbon 116-117 H 1]
Roggwil [3 km ↗ Langenthal 116-117 E 2]
Rogiedle = Regerteln 112 D 3
Rögnitz 102-103 K 4
Rogno 116-117 K 5
Rognon, Rebecq- [= Roosbeek] 106-107 C 7
Rogoredo, Mailand- [= Milano-Rogoredo] 116-117 H 6
Rogoredo, Milano- = Mailand-Rogoredo 116-117 H 6
Rogow = Ragow 110-111 J 2
Rogowo 104-105 L 5
Rogowo = Roggow 104-105 H 3
Rogowo = Roggow A 104-105 F 3
Rogowoer See 104-105 L 5
Rogów Opolski = Rogau 113 D 4
Rogowskie, Jezioro – = Rogowoer See 104-105 L 5
Rogów Sobocki = Rogau-Rosenau 113 B 4
Rogóż = Roggenhausen 112 E 3
Rogoziniec = Rogsen 110-111 N 1
Rogozna = Willmersdorf 110-111 K 2
Rogoźnica = Groß Rosen 113 A 3
Rogoźnik = Rosenig 113 A 3
Rogoźno = Rogasen 104-105 K 5
Rogóźno [3 km → Widawa 113 F 3]
Rogsen [= Rogoziniec] 110-111 N 1
Rogzow [= Rokosowo] 104-105 G 3
Rogzow (= Rokosowo, 2 km → Köslin 104-105 H 2)
Rohlau 110-111 G 5
Röhlingen 114-115 G 3
Rohnstock [= Roztoka] 113 A 4
Rohovládova Bělá 110-111 MN 5
Rohožník na Zahorí = Rohrbach 118-119 N 2
Rohr [Bayern] 114-115 KL 3
Rohr [Thüringen] 110-111 B 4
Rohr [= Trzcinno] 104-105 K 2
Röhr 120 H 3
Rohra 104-105 J 4
Rohrau 118-119 N 2
Rohrbach [Oberbayern, ↘ Ingelstadt] 114-115 JK 3
Rohrbach [Oberbayern, ↑ Mühldorf] 114-115 LM 4
Rohrbach [Rheinland-Pfalz] 108-109 F 8
Rohrbach [= Rohožník na Zahorí] 118-119 N 2
Rohrbach [= Rohrbach-lès-Bitche] 108-109 D 8
Rohrbach = Heidelberg-Rohrbach
Rohrbach [4 km ↖ Huttwil 116-117 E 2]
Rohrbach [4 km → Sankt Ingbert 108-109 D 8]
Rohrbach bei Mattersburg 118-119 LM 3
Rohrbach in Oberösterreich 118-119 F 1
Rohrbach-lès-Bitche = Rohrbach 108-109 D 8
Rohrbeck [= Kołki] 104-105 G 4
Rohrberg 102-103 JK 5
Rohrbruch = Netzwalde 104-105 L 4
Rohrdorf 114-115 L 5
Röhrenfurth 108-109 J 4
Rohrer Sattel 118-119 K 3
Rohrhardsberg 114-115 C 4
Röhrike 104-105 D 4-5
Rohr im Gebirge 118-119 K 3
Rohr im Kremstal 118-119 G 2
Rohrimoosbad [3 km ↑ Schwarzenegg 116-117 E 3]
Rohrmoos [Deutschland] 114-115 G 6
Rohrmoos ≻→
Röhrnbach 118-119 EF 1
Röhrsdorf 110-111 G 4
Röhrsdorf [= Svor] 110-111 KL 4
Roi Albert, Cairn – 106-107 E 8
Roigheim 114-115 E 2
Roignais, le – 116-117 C 5.
Roisan 116-117 D 5
Roisin 106-107 B 8
Roitham 118-119 F 2
Roitzsch [Sachsen-Anhalt, ↙ Bitterfeld] 110-111 F 2
Roitzsch [Sachsen-Anhalt, ↖ Torgau] 110-111 G 2
Rojau [= Rájov] 118-119 G 1
Rojewice = Grünkirch 104-105 M 5
Rojów 113 D 3
Rokietnica 104-105 J 5
Rokingen [5 km ↘ Sandfelde 112 G 2]
Rokita = Rackitt 104-105 E 3
Rokitka 104-105 KL 4
Rokitki = Reisicht 110-111 N 3
Rokitnica = Schönfeld 110-111 M 1
Rokitnitz [= Rokytnice v Orlických Horách] 113 A 5
Rokitno (Wielkopolskie) = Rokitten 104-105 G 5
Rokitten [= Rokitno (Wielkopolskie)] 104-105 G 5
Rokitzan = Rokycany 114-115 NO 1
Rokosowo = Rogzow 104-105 G 3
Rokosowo [= Rogzow, 2 km → Köslin 104-105 H 2]
Rokstedt = Rokietnica 104-105 J 5
Rokycany 114-115 NO 1
Rokytnice nad Jizerou = Rochlitz an der Iser 110-111 MN 4
Rokytnice v Orlických Horách = Rokitnitz 113 A 5
Rolandsbogen 108-109 D 5
Rólany = Ruhland 110-111 J 3
Rolava = Rohlau 110-111 G 5
Rolava = Sauersack
Rolbik = Rollbick 104-105 L 3
Rolde 106-107 H 3
Role = Grünwalde-Saaben 104-105 K 2

Role, Passo di – = Rollepaß 116-117 N 4
Rollberg 110-111 L 4
Rollbick [= Rolbik] 104-105 L 3
Rolle 116-117 B 4
Rollepaß 116-117 N 4
Röllshausen 108-109 H 5
Rollwitz 104-105 CD 4
Rom 102-103 L 4
Romagnano Sèsia 116-117 F 5
Romainmôtier 116-117 BC 3
Roman [= Rymań] 104-105 G 3
Romano di Lombardía 116-117 J 5
Romanovo = Pobethen 112 D 2
Romanowo = Romanshof 104-105 J 5
Romanshof [= Romanowo] 104-105 J 5
Romanshorn 116-117 HJ 1
Romantische Straße 114-115 F 1, G 2, H 3
Romany 112 H 5
Rombach [= Rombas] 108-109 B 8
Rombas = Rombach 108-109 B 8
Rombin = Rąbin 113 B 1
Rombino = Rąbczyn 104-105 M 4
Rombschin = Rąbczyn 104-105 K 5
Romentino 116-117 G 6
Romerée 106-107 D 8
Römershagen 120 H 5
Römerstadt [= Rýmařov] 113 C 6
Römhild 110-111 BC 5
Romincka, Puszcza – = Naturschutzgebiet Rominter Heide 112 HJ 4
Romînia = Rumänien 101 K 6-L 5
Rominte 112 H 2
Rominten, Jagdhaus – [= Jaszkotle] 112 J 3
Rominter Heide, Naturschutzgebiet – 112 HJ 3
Rommelshausen [2 km ↓ Waiblingen 114-115 E 3]
Rommerskirchen 120 CD 4
Rommersreuth [= Skalka] 110-111 F 5
Romont = Remund 116-117 CD 3
Romoss 116-117 EF 2
Romrod 108-109 H 5
Roncegno 116-117 M 4
Ronchamp 116-117 C 1
Ronchin 106-107 A 7
Ronco Canavese 116-117 E 6
Roncone 116-117 L 5
Ronco sopra Ascona 116-117 G 4
Rondorf 108-109 C 5
Rønne 101 G 1
Ronneburg 110-111 F 4
Ronnenberg 108-109 J 2
Rönsahl 120 G 4
Ronsberg 114-115 G 5
Ronsberg = Ronsperg 114-115 M 1-2
Ronsdorf, Wuppertal- 120 EF 4
Ronse [= Renaix] 106-107 B 7
Ronshausen 108-109 J 5
Ronsperg [= Poběžovice] 114-115 M 1-2
Rontzken = Hornheim 112 D 5
Roobeke = Roubaix 106-107 A 7
Roodeschool 106-107 H 2
Roompot 106-107 B 5
Roosbeek = Rebecq-Rognon 106-107 C 7
Roosendaal en Nispen-Nispen 106-107 CD 6
Roosteren [4 km ↘ Susteren 106-107 F 6]
Root 116-117 F 2
Roppen 116-117 K 2
Rorschach 116-117 HJ 2
Rösa, La – 116-117 K 4
Rosaliengebirge 118-119 L 3
Rosalienkapelle 118-119 L 3
Rosanna 116-117 K 2
Rosbach 108-109 E 5
Roschdialowitz = Rožďalovice 110-111 H 5
Rosche 102-103 J 5
Röschitz 118-119 K 1
Roschki = Roszki 113 D 2
Roschkopow [= Roškopov, 2 km ↖ Alt Paka 110-111 N 4]
Roschkow = Roszków 113 C 2
Roschnowo = Rožnowo 104-105 J 5
Roschsee = Warschausee] 112 GH 4
Rosciano = Rosmin 104-105 L 4
Rościn = Rostin 104-105 E 5
Rościno = Possindern 112 F 2
Rościsławice = Riemberg 113 B 3
Rościszów = Steinseifersdorf 113 B 4
Rosdorf 108-109 J 3
Rose [= Róża Wielka] 104-105 H 4
Roseburg 102-103 J 3
Rosée 106-107 D 8
Rosegg 118-119 G 5
Roseggletscher 116-117 J 4
Roseg, Piz – 116-117 J 4
Rosel = Rossel 108-109 C 8
Roseldorf 118-119 KL 1
Roselend 116-117 C 5
Rosellen 120 CD 4
Rosen [= Rožnów] 113 C 4
Rosenau 110-111 CD 5
Rosenau = Jastrzębowo] 104-105 L 5
Rosenau = Rožňava] 101 K 4
Rosenau am Hengstpaß 118-119 GH 3
Rosenau, Rogau – [= Rogów Sobocki] 113 B 4
Rosenach 118-119 G 5
Rosenberg [Baden-Württemberg, Bauland] 114-115 EF 2
Rosenberg [Baden-Württemberg, Virngrund] 114-115 G 2
Rosenberg [Ostpreußen] 112 C 3
Rosenberg [= Rožmberk nad Vltavou] 118-119 G 1
Rosenberg [= Różomberok] 101 J 4

Rosenberg in Westpreußen [= Susz] 112 B 4
Rosenberg (Oberschlesien) [= Olesno] 113 EF 4
Rosenberg, Sulzbach- 114-115 K 1-2
Rosenburg, Schloß – 118-119 K 1
Rosendorf [= Růžová] 110-111 K 4
Rosenfeld 114-115 D 4
Rosenfelde [= Różewo] 104-105 HJ 4
Rosenfelde [= Rożnowo] 104-105 DE 4
Rosengarten 116-117 N 4
Rosengarten [= Radzieje] 112 G 3
Rosengarth [= Różynka] 112 D 4
Rosengrund [= Zakrzów] 113 E 5
Rosenhain [= Godzikowice] 113 C 4
Rosenhain (Oberschlesien) [= Gajek, 3 km ↑ Lindenhöhe (Oberschlesien) 113 EF 4]
Rosenheide [= Różyńsk] 112 H 4
Rosenheim 114-115 L 5
Rosenig [= Rogoźnik] 113 A 3
Rosenlaui 116-117 F 3
Rosennock 118-119 F 5
Rosental 118-119 G 5
Rosenthal [Hessen] 108-109 G 5
Rosenthal [Niedersachsen] 110-111 B 1
Rosenthal [Sachsen] 110-111 K 4
Rosenthal [= Różańsko] 104-105 E 5
Rosenthal [2 km ↘ Köflach 118-119 J 4]
Rosenthal [7 am ↑ Löbau 112 C 4]
Rosenthal im Böhmerwalde [= Rožmitál na Šumavě]118-119 GH 1
Rosian 110-111 F 1
Rosiejewo = Pulverkrug 110-111 L 1
Rosinsko = Rosenheide 112 H 4
Rositten [= Bogatovo] 112 D 3
Rositz 110-111 F 3
Roś, Jezioro – = Roschsee 112 GH 4
Roskau [= Rosko] 104-105 H 5
Rosko = Roskau 104-105 H 5
Roškopov = Roschkopow
Roskow 102-103 N 6
Roslasin [= Rozłazino] 104-105 L 1
Rosmalen 106-107 E 5
Rosmierka = Groß Maßdorf 113 E 4
Rosmin = Rościmin 104-105 L 4
Rosnochau = Roßwalde 113 D 5
Rosnowo (Koszalińskie) = Roßnow 104-105 H 2
Rosnowskie, Jezioro – = Talsperre Roßnow 104-105 H 2
Rosogga 112 F 4
Rosoggen [= Rozogi] 112 F 4
Rosow 104-105 D 4
Rosport 106-107 G 9
Rospuda, Jezioro – 112 J 3
Rösrath 108-109 D 5
Rossa 116-117 H 4
Rossach 110-111 C 5
Rossatz 118-119 JK 2
Rossau [Sachsen] 110-111 H 3
Rossau [Sachsen-Anhalt] 102-103 L 5
Roßbach [Deutschland, Ostpreußen] 112 HJ 2
Roßbach [Deutschland, Sachsen-Anhalt] 110-111 E 3
Roßbach [Österreich] 118-119 E 2
Roßbach [= Hranice] 110-111 F 5
Roßberg [Deutschland, Baden-Württemberg, Berg] 114-115 E 4
Roßberg [Deutschland, Baden-Württemberg, Ort] 114-115 F 5
Roßberg [Deutschland, Thüringen] 110-111 B 4
Roßberg [Frankreich] 116-117 CD 1
Rossberg [Schweiz] 116-117 G 2
Rossberg, le – = Roßberg 116-117 CD1
Roßbrand 118-119 EF 4
Roßdorf 108-109 G 7
Roßdorf = Roszków 113 C 2
Rossel [Deutschland] 110-111 F 2
Rossel [Frankreich] 108-109 C 8
Rößel = Reszel] 112 F 3
Rosselle = Rossel 108-109 C 8
Roßhaupt [= Rozvadov] 114-115 M 1
Rossignol 106-107 E 9
Rössing 108-109 J 2
Rossinière [2 km ↙ Château- d'Oex 116-117 D 4]
Rossitten [= Rybačij] 112 E 1
Roßkogel 118-119 K 3
Roßla 110-111 D 3
Roßleben 110-111 D 3
Roßleithen 118-119 G 3
Roßlinde 112 H J 2
Rößlingen = Kobierzyce] 113 B 4
Roßnow = Rosnowo (Koszalińskie)] 104-105 H 2
Roßnow, Talsperre – 104-105 H 2
Rossola, Cima – 116-117 F 4
Rossoszyca = Rososzyca 113 E 2
Rossow [Brandenburg] 104-105 D 4
Rossow [Mecklenburg] 104-105 B 3
Rossstock 116-117 G 3
Roßtal 114-115 H 2
Rossum 106-107 E 5
Roßwald [= Slezské Rudoltice] 113 D 5
Roßwand 118-119 B 4
Roßweide = Rozkochów] 113 D 5
Roßwein 110-111 H 3
Roßwiese = Zielenisc] 104-105 F 5
Rostarzewo = Rothenburg an der Obra 110-111 L 1
Rosterschütz = Władysławów 113 E 1
Rostin = Rościn 104-105 E 5
Rostock [Ort, Verwaltungseinheit] 102-103 M 2
Rostock-Gehlsdorf 102-103 M 2
Rostock-Warnemünde 102-103 LM 2
Rostok [= Roztoky] [Tschechoslowakei, ↙ Kladno] 110-111 J 5

Rostok [= Roztoky] [Tschechoslowakei, ↑ Prag] 110-111 K 5
Rostok = Roztoky] [Tschechoslowakei, ← Trautenau] 110-111 MN4
Rostoklaty = Roztoklat
Rostotsche = Roztocze 101 L 3
Roszki 113 D 2
Roszków 113 C 2
Rot [Fluß] 114-115 H 4
Rot [Ort] 114-115 D 2
Rotach 114-115 E 5
Rot am See 114-115 G 2
Rot an der Rot 114-115 FG 4
Rotava = Rothau 110-111 G 5
Rotbach 120 D 2
Rotbühl 114-115 KL 1
Rotbühlspitz 116-117 GH 3
Rotem 106-107 F 6
Rotenberg an der Fulda 108-109 J 5
Rotenfeld [5 am – Laukischken 112 F 2]
Rotenturm an der Pinka [6 am ↘ Großpetersdorf 118-119 L 4]
Roter Main 110-111 D 5
Roter Sand 102-103 D 3
Roter Stein 120 H 4
Rote Traun 114-115 M 5
Rote Wand 116-117 JK 2
Rötgesbüttel 102-103 J 6
Roth [Bayern, Mittelfranken] 114-115 J 2
Roth [Bayern, Schwaben] 114-115 G 4
Roth [Rheinland-Pfalz] 108-109 B 7
Rötha 110-111 F 3
Rothaargebirge 108-109 F 4-5
Rothau = Rotava] 110-111 G 5
Rothbach 108-109 C 5
Rothbach [= Zórawina] 113 C 4
Rothbad 116-117 E 3
Roth bei Nürnberg 114-115 J 2
Rothebude [= Czerwony Dwór] 112 H 3
Röthelstein [3 km ↓ Mixnitz 118-119 J4]
Röthenbach (Allgäu) 114-115 FG 5
Röthenbach an der Pegnitz 114-115 J 2
Röthenbach im Emmental 116-117 E 3
Rothenberg 108-109 G 7-8
Rothenbrunn, Bad – 116-117 JK 2
Rothenbrunnen 116-117 HJ 3
Rothenbuch 108-109 H 7
Rothenburg 110-111 E 2
Rothenburg an der Obra [= Rostarzewo] 110-111 O 1
Rothenburg (Lausitz) 110-111 L 3
Rothenburg ob der Tauber 114-115 G 2
Rothenburg (Oder) [= Czerwieńsk] 110-111 MN 1
Rothenen [5 am ↙ German 112 D 2]
Rothenfelde, Bad – 108-109 F 2
Rothenfier [= Czermnica] 104-105 EF3
Rothenkasten →
Rothenkirchen 110-111 G 4
Rothenklempenow 104-105 D 3
Rothenstadt 114-115 L 1
Rothenstein [Nordrhein-Westfalen] 120 G 4
Rothenstein [Thüringen] 110-111 DE 4
Rothfließ [= Czerwonka] 112 E 3
Rothkirch [= Czerwony Kościół] 110-111 O 3
Roth Kosteletz [= Červený Kostelec] 110-111 NO 5
Röthlingsberg 120 F 4
Röthloffsee 112 C 4
Rothrist 116-117 E 2
Rothschönfeld [3 km ↗ Deutschenbora 110-111 H 3]
Rothsürben = Rothbach 113 C 4
Rothwasser [= Červená Voda] 113 B 5
Rothwasser [= Czerwona Woda] 110-111 M 3
Rothwasser = Dolní Čermná, 2 km ↘ Liebenthal 113 AB 6]
Rothwasser, Alt – = Stará Červená Voda] 113 C 5
Rotondo, Pizzo – 116-117 F 3
Rot-Petschkau [= Červené Pečky, 5 km ↘ Kuttenberg 110-111 M 6]
Rotselaar 106-107 D 7
Rötspitze 118-119 C 4
Rott [Bayern, Fluß] 114-115 MN 4
Rott [Bayern, Ort] 114-115 H 5
Rotta 110-111 G 2
Rottach-Egern 114-115 K 5
Rott am Inn 114-115 L 5
Rottenacker 114-115 F 4
Rottenbach [4 km ↗ Haag am Hausruck 118-119 F 2]
Röttenbach [Bayern, Mittelfranken] 114-115 J 2
Röttenbach [Bayern, Oberfranken] 114-115 H 1
Rottenbuch 114-115 H 5
Rottenburg 114-115 D 4
Rottenburg an der Laaber 114-115 L 3
Rottendorf 114-115 G 1
Rottenmann 118-119 G 3
Rottenmanner Tauern [Gebirge] 118-119 G 4
Rottenmanner Tauern [Paß] 118-119 G 4
Rottenschachen [= Rapšach] 118-119 HJ 1
Rötteln 106-107 CD 5
Rotterdam-Europoort 106-107 BC 5
Rotterdam-Hoek van Holland 106-107 BC 4-5
Rotterdam-IJsselmonde 106-107 D 5
Rottershausen 114-115 H 1
Rotthalmünster 114-115 M 4
Röttingen 114-115 G 2
Röttleberode 110-111 CD 2
Rottumeroog 106-107 H 1
Rottumerplaat 106-107 GH 1

Rottweil 114-115 D 4
Rotwalde [= Rydzewo] 112 G 4
Rotwand 114-115 K 5
Rötz 114-115 LM 2
Rotzo 116-117 M 5
Roubaix 106-107 A 7
Roudnice nad Labem = Raudnitz 110-111 K 5
Rouffach = Rufach 116-117 D 1
Rougemont [Frankreich] 116-117 D 2
Rougemont [Schweiz] 116-117 D 3-4
Rougemont-le-Château 116-117 CD 1
Roulans 116-117 B 2
Roulers = Roeselare 106-107 A 7
Roupov = Ruppau 114-115 N 1
Rousses, les – 116-117 AB 4
Roussy-le-Village = Rüttgen 108-109 B 8
Rouvroy-sur-Audry 106-107 CD 9
Roux 106-107 C 8
Rovasenda 116-117 F 5
Rovato 116-117 JK 5
Rovellasca [5 am ↑ Saronno 116-117 H 5]
Rovello 116-117 H 5
Rovello Porro [3 am ↑ Saronno 116-117 H 5]
Rovensko pod Troskami 110-111 M 4
Roverè della Luna 116-117 M 4
Roveredo →
Rovereto 116-117 M 5
Rövershagen 102-103 M 2
Röw = Rufen 104-105 E 5
Rowe [= Rowy] 104-105 K 1
Rowensko = Rovensko pod Troskami 110-111 M 4
Röwersdorf = Třemešná] 113 D 5
Röwne = Roben 113 D 5
Rowokół = Revekol 104-105 K 1
Rów Polski = Großer Landgraben 113 A 2
Rowy = Rowo 104-105 K 1
Roxel 108-109 DE 3
Roxheim [1 km ↘ Bobenheim am Rhein 108-109 F 7]
Roynau = Rojau 118-119 G 1
Różanki = Stolzenberg 104-105 F 4
Różańsko = Rosenthal 104-105 E 5
Róża Wielka = Rose 104-105 H 4
Rožďalovice 110-111 M 5
Rožd'alovice 110-111 M 5
Roždalowitz = Rožďalovice 110-111 M 5
Rozdrażew 113 D 2
Rozdražew = Rozdrażew 113 D 2
Rozenburg 106-107 C 5
Rozendaal 106-107 FG 4
Rozental = Rosenthal
Rozewie, Przylądek – = Rixhöft 104-105 M 1
Różewo = Rosenfelde 104-105 HJ 4
Rozkochów = Roßweide 113 D 5
Rozłazino = Roslasin 104-105 L 1
Rozmberk nad Vltavou = Rosenberg 118-119 G 1
Rozmierka = Groß Maßdorf 113 E 4
Rufen = Röw] 104-105 E 5
Rožňava = Rosenau 101 K 4
Rożniaty 104-105 M 5
Różniatowo = Strodenitz 118-119 G 1
Rožnów = Rosen 113 C 4
Roźnowo = Rosenfelde 104-105 DE 4
Rozoga 112 F 5
Rozogga = Rosogga 112 F 4
Rozogi = Friedrichshof 112 FG 5
Rozogi = Rosoggen 112 F 4
Rozoy-sur-Serre 106-107 C 9
Roztocze 101 L 3
Roztoka = Rohnstock 113 A 4
Roztoka Odrzańska = Papenwasser 104-105 D 3
Roztoki = Schönfeld 113 B 5
Roztoklat = Rostoklaty, 4 km ← Böhmisch Brod 110-111 L 5]
Roztoky = Rostok [Tschechoslowakei, ↙ Kladno] 110-111 J 5
Roztoky = Rostok [Tschechoslowakei, ↑ Prag] 110-111 K 5
Roztoky = Rostok [Tschechoslowakei, ← Trautenau] 110-111 MN 4
Rotvadov = Roßhaupt 114-115 M 1
Różynka = Rosengarth 112 D 4
Różyńsk = Rosenheide 112 H 4
Różyńsk Wielki = Großrosen 112 H 4

Rudawica = Eisenberg 110-111 M 2
Ruda Woda, Jezioro – = Röthloffsee 112 C 4
Rudczanny = Niedersee 112 G 4
Ruddervoorde 106-107 A 6
Rudelsburg 110-111 E 3
Rudelsdorf [= Drotlowice] 113 D 3
Rudelsdorf [= Rudoltice] 113 AB 6
Rudelstadt [= Ciechanowice] 110-111 NO 4
Rudelstetten 114-115 H 3
Ruden [Deutschland] 104-105 C 2
Ruden [Österreich] 118-119 H 5
Ruden [= Gondo] 116-117 F 4
Ruden [= Rudna] 104-105 K 4
Rüdenhausen [2 km ↗ Abtswind 114-115 G 1]
Ruderatshofen [4 km → Aitrang 114-115 H 5]
Rudersberg 114-115 EF 3
Rudersdorf 118-119 L 4
Rüdersdorf 110-111 EF 4
Rüdersdorf bei Berlin 104-105 C 4
Ruderswald = Chałupki] 113 E 6
Ruderting 114-115 N 3
Rüdesheim am Rhein 108-109 E 6-7
Rudgershagen [= Rudziniec] 113 EF 5
Rudiano 116-117 J 6
Rudig [= Vroutek] 110-111 H 5
Rüdigershagen [2 km ↑ Hüpstedt 110-111 B 3]
Rudisholz
Rudki = Hoffstädt 104-105 H 4
Rudkøbing 102-103 J 1
Rudna = Ruden 104-105 K 4
Rudná 110-111 K 5
Rudna Miasto = Raudten 113 A 2
Rudnica = Hammer 104-105 F 5
Rudnik = Herrenkirch 113 E 5
Rudnik = Rudniki 104-105 H 6
Rudniki [Polen, ↗ Posen] 104-105 H 6
Rudniki [Polen, ↓ Wieluń] 113 F 3
Rudnitz 104-105 C 5
Rudno = Rauden [Deutschland, Brandenburg] 104-105 F 5
Rudno = Rauden [Deutschland, Schlesien] 110-111 N 2
Rudno = Rauden [Polen] 104-105 N 3
Rudolstadt 110-111 D 4
Rudolstadt-Schwarza 110-111 D 4
Rudoltice = Rudelsdorf 113 AB 6
Rudwangen [= Rydwągi] 112 F 4
Rudy = Groß Rauden 113 E 5
Rudziczka = Riegersdorf 113 D 5
Rudzienice = Raudnitz 112 C 4
Rudziniec = Rudgershagen 113 EF 5
Rue 116-117 C 3
Rüeggisberg [7 km → Wahlern 116-117 D 3]
Rüegsauschachen 116-117 E 2
Ruette 106-107 F 9
Ruetzbach 116-117 M 2
Rueun 116-117 H 3
Rufach [= Rouffach] 116-117 D 1
Rufen [= Röw] 104-105 E 5
Rugard 104-105 BC 2
Rügen 104-105 BC 2
Rugendorf 110-111 DE 5
Rügenwalde = Darłowo] 104-105 HJ 2
Rügenwaldermünde [= Darłówko] 104-105 HJ 2
Rügheim 110-111 C 5
Rügischer Bodden 104-105 BC 2
Rügland [2 km ↓ Unternbibert 114-115 H 2]
Ruhbank [= Sędzisław] 110-111 O 4
Ruhden [= Ruda] 112 H 4
Rühen 102-103 J 6
Ruhenwerda = Głuponie 104-105 H 6
Ruhla 110-111 B 4
Ruhland 110-111 J 3
Rühle 102-103 B 5
Rühlermoor 102-103 B 5
Ruhmannsfelden 114-115 M 2-3
Rühn 102-103 L 3
Ruhne 120 H 2
Ruhner Berge 102-103 LM 4
Ruhnow = Runowo 104-105 F 3
Ruhr 120 D 3
Ruhrort, Duisburg- 120 CD 3
Ruhrschnellweg 120 C 3, D 3, EF 3, FG 3, GH 3
Ruhstorf 114-115 N 4
Ruien 106-107 AB 7
Ruinen 106-107 G 3
Ruinerwold 106-107 G 3
Ruinette, La – 116-117 D 4
Ruisbroek 106-107 C 7
Ruiselede 106-107 A 6
Ruit [5 km ↗ Eßlingen am Neckar 114-115 E 3]
Ruiten A-Kanaal 106-107 J 3
Rulle 108-109 F 2
Rulles [Fluß] 106-107 F 9
Rulles [Ort] 106-107 F 9
Rülzheim 108-109 F 7
Rum 118-119 M 4
Rumänien 101 K 6-L 5
Rumänische Volksrepublik = Rumänien 101 K 6-L 5
Rumbeck [4 km ← Oeventrop 120 J 3]
Rumburg [= Rumburk] 110-111 KL 4
Rumburk = Rumburg 110-111 KL 4
Rumelange = Rümelingen 106-107 FG 10
Rumelange = Rümelingen 106-107 FG 10
Rümelingen [= Rumelange] 106-107 FG 10
Rumeln-Kaldenhausen 120 C 3
Rumes 106-107 A 7
Rumia = Rahmel 104-105 M 1
Rumian 112 C 5

Rumigny 106-107 C 9
Rumilly 116-117 AB 5
Rummau West [= Rumy] 112 E 4
Rummelsburg in Pommern [= Miastko] 104-105 JK 2
Rummy B = Rummau West 112 E 4
Rumst 106-107 C 6
Rumy = Rummau West 112 E 4
Runau [= Runowo] 104-105 H 5
Ründeroth 120 FG 4-5
Rundfließ [= Krzywe, 5 km → Kölmersdorf 112 HJ 4]
Rüningen [2 km ↘ Broitzem 110-111 BC 1]
Runkel 108-109 F 6
Runowo = Raunau 112 D 3
Runowo = Ruhnow 104-105 F 3
Runowo = Runau 104-105 H 5
Runowo Krajeńskie 104-105 K 4
Rünthe 120 G 2
Rupel 106-107 C 6
Ruppau [= Roupov] 114-115 N 1
Ruppersdorf [= Ruprechtice] 113 A 4
Ruppersburg 108-109 GH 5
Ruppershofen 114-115 F 3
Ruppiner Kanal 104-105 B 5
Ruppinersee [= Rhinsee] 102-103 N 5
Ruppurr, Karlsruhe- 114-115 CD 3
Ruprechtsburg = Ruppersdorf 113 A 4
Ruprechtsdorf = Ruppersdorf 113 A 4
Ruprechtshofen 118-119 J 2
Rur 108-109 B 5
Rurberg 108-109 B 5
Rurich 120 B 4
Rur-Stausee 108-109 B 5
Rurzyca = Rohra 104-105 J 4
Rurzyca = Röhrike 104-105 D 4-5
Ruś = Reußen 112 D 4
Rüschegg 116-117 D 3
Ruschendorf [= Rusinowo] 104-105 H 4
Ruše = Maria Rast 118-119 K 5
Rusiec 113 FG 3
Rusin = Ruzyně, 4 km → Hostivice 110-111 K 5]
Rusinów = Rinnersdorf 110-111 MN 1
Rusinowo = Reuddenau 112 A 4
Rusinowo = Ruschendorf 104-105 H 4
Rusinowo = Rützenhagen 104-105 G 3
Rusinowo = Rützenhagen 104-105 G 3
Ruskie Pole = Reuschenfeld 104-105 G 3
Rusko 113 C 2
Rüsnè = Ruß 112 F 1
Rusová = Reischdorf 110-111 H 5
Rusovce = Karlburg 118-119 N 2
Rüspe 108-109 F 4
Ruß 112 F 1
Ruß [= Rüsnè] 112 F 1
Rußbach 118-119 M 2
Rußbach [9 km ↗ Abtenau 118-119 E 3]
Russee 102-103 H 2
Rüsselsheim 108-109 FG 7
Russenau = Russnau 112 A 4
Russey, le – 116-117 C 2
Russikon [4 km ↑ Pfäffikon 116-117 G 2]
Russkoje = Germau 112 D 2
Russo 116-117 G 4
Rust [Deutschland] 114-115 B 4
Rust [Österreich] 118-119 M 3
Rustenfelde 110-111 B 3
Rüstorf [2 km ↘ Schwanenstadt 118-119 F 2]
Ruswil 116-117 F 2
Ruszalmy = Reuschhagen
Ruszki 104-105 N 5
Ruszkowo = Rauschken 112 D 5
Ruszów = Rauscha 110-111 M 3
Rutenau = Chróścice] 113 D 4
Rütenbrock 102-103 B 5
Rütesheim 114-115 D 3
Ruth, Dent de – 116-117 D 3
Rüthen 108-109 F 3-4
Ruthenbeck 102-103 L 3
Rüthnick 104-105 AB 5
Rüti 116-117 G 2
Rütihubelbad [2 km ↗ Walkringen 116-117 E 3]
Rüting 102-103 K 3
Rütli 116-117 G 3
Rutten 106-107 E 7
Ruien 106-107 AB 7
Rutten, Noordoostelijke Polder- 106-107 F 3
Rüttgen = Roussy-le-Village
Rutwica = Harmelsdorf 104-105 H 4
Rützen = Ryczeń] 113 B 2
Rützenhagen [= Rusinowo] 104-105 G 3
Rützenhagen = Rusinowo, 2 km ↗ Vitte 104-105 H 1]
Rützow [= Rydzewo] 104-105 G 3
Ruurlo 106-107 G 4
Rüw = Rue 116-117 C 3
Ruwer [Fluß] 108-109 C 7
Ruwer [Ort] 108-109 C 7
Ruże 104-105 O 4
Ruziec 104-105 O 4
Ruzomberok = Rosenberg 101 J 4
Růžová = Rosendorf 110-111 K 4
Ruzyně = Rusin

Rybačij = Rossitten 112 F 1
Rybačje = Loye 112 F 1
Rybackoje = Timber 112 F 2
Rybaki = Schönfeld 110-111 L 1
Rybáře, Karlovy Vary- = Karlsbad-Fischern 110-111 G 5
Rybnik 113 F 5
Rybník = Ribnik 113 AB 6

Rybník = Zartiesdorf 118-119 G 1
Rybniště = Teichstatt 110-111 KL 4
Rybno 112 C 5
Rybno = Ribben 112 D 4
Rybno = Rohben 104-105 M 1
Rybnoje = Steinbeck 112 E 2
Rybocice = Reipzig 110-111 L 1
Rychbach = Reichenbach (Oberlausitz) 110-111 L 3
Rychlik = Reichen 104-105 F 6
Rychliki = Reichenbach 112 C 4
Rychłowice 113 F 3
Rychnov = Reichen 110-111 K 4
Rychnov = Reichenau [Tschechoslowakei, ↗ Mährisch Schönberg] 113 B 6
Rychnov = Reichenau [Tschechoslowakei, ↘ Reichenberg] 110-111 M 4
Rychnov nad Kneznou = Reichenau 113 A 5
Rychnov nad Malši = Reichenau an der Maltsch 118-119 GH 1
Rychnów 113 DE 2
Rychnów = Richnow 104-105 F 5
Rychnowo = Reichenau 112 CD 4
Rychnowy = Richnau
Rychtal = Reichthal 113 D 3
Rychtářov = Römerstadt 113 C 6
Rychvald = Riechwaldau 113 EF 6
Ryck 104-105 B 2
Ryczeń = Rützen 113 B 2
Ryczwół = Ritschenwalde 104-105 J 5
Rydułtowy = Ober Rydultau 113 E 5
Rydwągi = Rudwangen 112 F 4
Rydzewo 112 HJ 4
Rydzewo = Rotwalde 112 G 4
Rydzewo = Rützow 104-105 G 3
Rydzówka, Jezioro – = Rehsauer See 112 FG 3
Rydzyna = Reisen 113 B 2
Ryjewo = Rehhof 112 AB 4
Rymań = Roman 104-105 G 3
Rýmařov = Römerstadt 113 C 6
Ryn = Rhein 112 FG 4
Rynarcice = Groß Rinnersdorf 110-111 O 3
Rynarzewo = Netzwalde 104-105 L 4
Rynoltice = Ringelshain 110-111 L 4
Rysk = Rheinsberg 104-105 N 4
Ryńskie, Jezioro – = Rheinscher See 112 G 4
Rypin 101 J 2
Rysum 102-103 B 4
Ryszewo = Groß Rischow 104-105 E 4
Rytel = Rittel 104-105 L 3
Rywałd = Rehwalde 104-105 O 4
Ryžoviště = Braunseifen 113 C 6

S

Saaben, Grünwalde- [= Role] 104-105 K 2
Saabor = Fürsteneich 110-111 N 2
Saal [Bayern] 114-115 K 3
Saal [Pommern] 102-103 MN 2
Saalach 118-119 D 3
Saal an der Saale 110-111 B 5
Saalau [= Kamensk] 112 G 2
Saalbach 118-119 D 4
Saalburg 110-111 E 4
Saaldorf [Bayern] 114-115 M 5
Saaldorf [Thüringen] 110-111 E 5
Saale [Fluß ▷ Elbe] 110-111 D 2
Saale [Fluß ▷ Leine] 108-109 J 2
Saaleck 110-111 E 3
Saale, Fränkische – 110-111 AB 5
Saaler Bodden 102-103 MN 2
Saalfeld 110-111 D 4
Saalfelden am Steinernen Meer 114-115 M 5
Saalfeld (Ostpreußen) [= Zalewo] 112 C 4
Saalhausen [3 km ↘ Freital 110-111 J 3]
Saalow 110-111 H 1
Saan [= Sány, 3 km ↙ Žehuň 110-111 M 5]
Saane 116-117 D 3
Saane [= Sány] 116-117 D 3
Saanen [= Gessenay] 116-117 D 4
Saar 101 C 4
Saar [= Sarre] 108-109 CD 9
Saar [= Žd'ár] 110-111 H 5
Saaralben [= Sarralbe] 108-109 CD 8-9
Saarau [= Żarów] 113 A 4
Saarbergland 108-109 C 8
Saarbrücken 108-109 CD 8
Saarburg 108-109 C 7
Saarburg [= Sarrebourg] 108-109 CD 9
Saargemünd [= Sarreguemines] 108-109 D 8

Saarhölzbach 39 Sarine

Saarhölzbach 108-109 C 7
Saar-Kohlen-Kanal 108-109 CD 8-9
Saarland 101 C 4
Saarlautern = Saarlouis 108-109 C 8
Saarlouis 108-109 C 8
Saarlouis-Fraulautern 108-109 C 8
Saarmund 104-105 B 6
Saarn, Mühlheim an der Ruhr- 120 D 3
Saarow-Pieskow, Bad – 110-111 K 1
Saarunion [= Sarre-Union] 108-109 D 9
Saarwellingen 108-109 C 8
Saas Almagell [4 km ↘ Saas Fee 116-117 E 4]
Saas Balen 116-117 E 4
Saas Fee 116-117 E 4
Saastal 116-117 E 4
Saathain 110-111 H 3
Saatzig [= Szadzko] 104-105 F 4
Saaz [= Žatec] 110-111 J 5
Sababurg 108-109 J 3
Sàbbia 116-117 F 5
Sàbbio Chiese 116-117 K 5
Saberau [= Zaborowo] 112 D 5
Sabes [= Zaborsko] 104-105 F 4
Sablath = Raudenberg (Niederlausitz)
Saborsch = Záboří 110-111 KL 5
Saborwitz = Waffendorf 113 B 2
Sabschütz [= Zawiszyce] 113 D 5
Sachrang 114-115 L 5
Sachsa, Bad – 110-111 C 2
Sachseln 116-117 F 3
Sachsen [Landschaft] 110-111 F 4-L 3
Sachsen [Verwaltungseinheit] 101 FG 3
Sachsen-Anhalt 101 EF 2-3
Sachsenberg 108-109 G 4
Sachsenbrunn 110-111 C 5
Sachsenburg [Deutschland] 110-111 D 3
Sachsenburg [Österreich] 118-119 E 5
Sachsendorf 104-105 DE 5
Sachsenhagen 108-109 H 2
Sachsenhausen [Brandenburg] 104-105 B 5
Sachsenhausen [Hessen] 108-109 GH 4
Sachsenwald 102-103 H 3
Sächsische Saale = Saale 110-111 D 4
Sächsische Schweiz 110-111 K 4
Sacken [= Lubienia] 113 D 4
Säckingen 114-115 BC 5
Sackpfeife 108-109 FG 5
Sączów 113 G 5
Sadenbeck 102-103 M 4
Sadke [= Sadki] 104-105 K 4
Sadki = Sadke 104-105 K 4
Sadkówka = Brodnia 113 F 2
Sadlno 104-105 M 6
Sadnig 118-119 DE 5
Sadová 110-111 N 5
Sadovoje = Ballethen 112 G 3
Sądów = Sandow [Brandenburg] 110-111 L 1
Sądów = Sandow [Pommern] 104-105 F 4
Sadowa = Sadová 110-111 N 5
Sadská 110-111 L 5
Sady Dolne = Nieder Baumgarten 110-111 O 4
Sady Górne = Ober Baumgarten 110-111 O 4
Sæd = Seth 102-103 E 1
Saelhuyser Berg 120 B 3
Saerbeck 108-109 E 2
Safien 116-117 H 3
Safiertal 116-117 H 3
Šafov = Schaffa 118-119 K 1
Sagan [= Żagań] 110-111 M 2
Sagard 104-105 BC 1
Sagast 102-103 L 4
Sagehorn 102-103 F 4
Sagemühl [= Ostrowiec] 104-105 J 4
Saggaubach 118-119 J 5
Sagliano Micca 116-117 F 5
Sagne, La – [5 km → Le Locle 116-117 C 2]
Sagnity = Sangnitten 112 D 3
Ságod 118-119 M 5
Sagorow = Zagórów 113 D 1
Sagorsch 104-105 M 1
Sagritz
Sahlenburg 102-103 E 3
Sahlis, Kohren- 110-111 G 3
Saiano 116-117 K 5
Saifenbach 118-119 K 4
Saignelégier 116-117 CD 2
Saillon 116-117 D 4
Sains-du-Nord 106-107 C 8
Saint-Albin, Scey-sur-Saône-et- 116-117 A 1
Saint-Amand 106-107 AB 8
Saint-Amarin 116-117 D 1
Saint Aubert, Mont – 106-107 A 7
Saint-Aubin 116-117 CD 3
Saint-Aubin-Sauges 116-117 C 3
Saint-Avold = Sankt Avold 108-109 C 8
Saint-Bernard, Menthon- 116-117 B 5
Saint-Blaise [4 km ↗ Neuenburg 116-117 CD 3]
Saint-Blaise, Mesnil- 106-107 DE 8
Saint-Brais 116-117 D 2
Saint-Bresson 116-117 BC 1
Saint-Cergue 116-117 B 4
Saint-Cristophe ⤚→
Saint-Denis, Châtel- 116-117 C 3
Saint-Dié 101 C 4
Saint-Dizier 101 B 4
Sainte-Anne, Lavaux- 106-107 E 8
Sainte-Cécile 106-107 E 9
Sainte-Croix 116-117 C 3
Sainte-Foy-Tarentaise 116-117 C 5
Sainte-Marie 106-107 F 9
Sainte-Marie, Labergement- 116-117 B 3
Saintes [= Sint-Renelde] 106-107 C 7
Saint-Gall = Sankt Gallen 116-117 H 2
Saint-Genis-Pouilly [10 km ↖ Genf 116-117 B 4]
Saint-Georges 106-107 E 7
Saint-Gérard 106-107 D 8
Saint-Germain 116-117 BC 1
Saint-Gervais-les-Bains 116-117 C 5
Saint-Géry, Solre- 106-107 C 8
Saint-Ghislain 106-107 B 8
Saint-Gilles [= Sint-Gillis] 106-107 C 7
Saint-Gingolph 116-117 C 4
Saint-Gobert 106-107 B 9
Saint-Gorgob-Main 116-117 B 2
Saint-Hippolyte 116-117 C 2
Saint-Hubert 106-107 E 8
Saint-Imier = Sankt Immer 116-117 C 2
Saint-Jacques 116-117 E 5
Saint-Jean-d'Aulph 116-117 C 4
Saint-Jean-de-Sixt 116-117 B 5
Saint-Jean, Molenbeek- [= Sint-Jane-Molenbeek] 106-107 C 7
Saint-Jeoire 116-117 B 4
Saint-Jorioz 116-117 B 5
Saint-Josse-ten-Noode [= Sint-Joost-ten-Node] 106-107 CD 7
Saint-Julien-en-Genevois 116-117 B 4
Saint-Julien-lès-Metz 108-109 B 8
Saint-Laurent-du-Jura 116-117 AB 3
Saint-Léger 106-107 F 9
Saint-Léger, Trith- 106-107 AB 8
Saint-Léonard [5 km ↗ Sitten 116-117 D 4]
Saint-Louis-lès-Bitche = Münzthal 108-109 D 8-9
Saint-Louis = Sankt Ludwig
Saint-Loup-sur-Somouse 116-117 B 1
Saint-Luc [2 km ↗ Vissoie 116-117 E 4]
Saint-Marcel 116-117 D 5
Saint Marcel, Col – 116-117 DE 5
Saint-Mard 106-107 EF 9
Saint-Martin [Schweiz, Freiburg] 116-117 C 3
Saint-Martin [Schweiz, Wallis] 116-117 DE 4
Saint-Martin, Mont- 106-107 F 9
Saint-Maurice 116-117 CD 4
Saint-Maurice, Bourg- 116-117 C 5
Saint-Maurice-sur-Moselle 116-117 C 1
Saint-Médard 106-107 E 9
Saint-Menges 106-107 D 9
Saint-Michel 106-107 C 9
Saint-Nicolas = Sint-Niklaas 106-107 C 6
Saint-Paul, Haine- [3 km ↓ la Louvière 106-107 C 8]
Saint-Paul-sur-Isère 116-117 B 5
Saint-Paul, Walhain- 106-107 D 7
Saint-Pierre, Bourg- 116-117 D 5
Saint-Pierre-d'Albigny 116-117 B 5
Saint-Pierre-de-Rumilly 116-117 B 4
Saint-Pierre, Haine- [3 km ↘ la Louvière 106-107 C 8]
Saint-Prex 116-117 BC 4
Saint-Rhémy 116-117 D 5
Saint-Sauveur [Belgien] 106-107 B 7
Saint-Sauveur [Frankreich] 116-117 B 1
Saint-Servais 106-107 D 8
Saint Sorlin, Mont – 116-117 B 3
Saint-Sulpice 116-117 C 3
Saint-Symphorien 106-107 C 8
Saint-Trond = Sint-Truiden 106-107 E 7
Saint-Ursanne [= Sankt Ursitz] 116-117 D 2
Saint-Vincent 116-117 E 5
Saint-Vith = Sankt Vith 106-107 G 8
Saitz [= Zaječí] 118-119 M 1
Sajetschitz = Zaječice 110-111 N 6
Sajno = Zaine 113 F 3
Sajó 101 K 4
Sajzy = Zeysen 112 H 4
Sakolan = Zákolany 110-111 K 5
Sakollnow [= Sokolna] 104-105 J 4
Sakrau = Rosengrund 113 E 5
Sakskøbing 102-103 L 1
Salach [3 km ↘ Eislingen/Fils 114-115 F 3]
Salchendorf [3 km ↗ Neunkirchen 108-109 EF 5]
Saldenburg 114-115 N 3
Saldenhofen [= Vuzenica] 118-119 J 5
Salder = Salzgitter-Salder
Saldura, Pizzo – = Salurnspitze 116-117 L 3
Salècchio 116-117 F 4
Salem 114-115 E 5
Sale Marasino 116-117 K 5
Salentijn 106-107 EF 4
Salentsee 112 F 4
Salesche = Groß Walden 113 E 5
Salesche = Zalesie 104-105 L 5
Salesel [= Dolní Zálezly] 110-111 K 4
Saleske [= Zaleskie] 104-105 J 1
Salęt, Jezioro – = Salentsee 112 F 4
Salève 116-117 B 4
Salgesch [3 km ↗ Siders 116-117 E 4]
Salgótarján 101 J 4
Salino = Saulin 104-105 L 1
Salins-les-Bains 116-117 AB 3
Salins-les-Thermes 116-117 BC 6
Salisch = Hinterwald (Niederschlesien)
Salla 118-119 HJ 4
Sallanches 116-117 C 5
Salland 106-107 G 3-4
Sallapulka 118-119 K 1
Salle, la – 116-117 D 5
Sallenôves 116-117 AB 4
Sallern, Regensburg- 114-115 L 2
Sallgast 110-111 J 2
Sallmow [= Żelmowo 104-105 F 3
Salm [Belgien] 106-107 F 8
Salm [Deutschland] 108-109 C 7
Salmünster 108-109 H 6
Salnau [= Želnava] 118-119 FG 1
Salò 116-117 L 5
Salomvár 118-119 M 5
Salonta 101 KL 5
Salorno = Salurn 116-117 M 4
Salouf = Salux 116-117 J 3
Salow 104-105 BC 3
Sal'skoje = Friedrichsdorf 112 F 2
Salurn [= Salorno] 116-117 M 4
Salurnspitze 116-117 L 3
Salussola 116-117 F 6
Salux [= Salouf] 116-117 J 3
Salvan 116-117 CD 4
Salza 118-119 H 3
Salza [= Zalec] 112 F 4
Salzach 118-119 D 2
Salzachgeier 118-119 C 4
Salzachjoch 118-119 C 4
Salza, Nordhausen- 110-111 C 2
Salzberg = Bochnia 101 K 4
Salzbergen 108-109 D 2
Salzbrunn, Bad [= Szczawno Zdrój] 113 A 4
Salzburg [Ort] 118-119 E 3
Salzburg [Verwaltungseinheit] 118-119 DE 4
Salzburger Kalkalpen 118-119 DE 3-4
Salzdahlum 110-111 C 1
Salzderhelden 108-109 J 3
Salzdetfurth, Bad – 108-109 JK 2
Salzelmen, Schönebeck- 110-111 E 1
Salzfurtkapelle 110-111 F 2
Salzgitter 110-111 BC 1
Salzgitter-Bad 110-111 B 1
Salzgitter-Barum [↗ Salzgitter 110-111 BC 1]
Salzgitter-Beddingen [↑ Salzgitter 110-111 BC 1]
Salzgitter-Drütte [↗ Salzgitter 110-111 BC 1]
Salzgitter-Gebhardshagen [↑ Salzgitter 110-111 BC 1]
Salzgitter-Gitter [↙ Salzgitter 110-111 BC 1]
Salzgitter-Groß Mahner [→ Salzgitter 110-111 BC 1]
Salzgitter-Hallendorf [↑ Salzgitter 110-111 BC 1]
Salzgitter-Hohenrode [↙ Salzgitter 110-111 BC 1]
Salzgitter-Lebenstedt 110-111 E 1
Salzgitter-Lesse [↖ Salzgitter 110-111 BC 1]
Salzgitter-Lichtenberg [↖ Salzgitter 110-111 BC 1]
Salzgitter-Ohlendorf [↗ Salzgitter 110-111 BC 1]
Salzgitter-Osterlinde [↖ Salzgitter 110-111 BC 1]
Salzgitter-Ringelheim 110-111 B 1
Salzgitter-Salder [↑ Salzgitter 110-111 BC 1]
Salzgitter-Steterburg 110-111 BC 1
Salzgitter-Thiede [↗ Salzgitter 110-111 BC 1]
Salzgitter-Watenstedt 110-111 BC 1
Salzhaff 102-103 L 2
Salzhausen 102-103 H 4
Salzhemmendorf 108-109 J 2
Salzhof = Wapno 104-105 K 5
Salzig, Bad – 108-109 E 6
Salzkammergut 118-119 EF 3
Salzkotten 108-109 G 3
Salzmünde 110-111 E 2
Salzschlirf, Bad – 108-109 J 5
Salzuflen, Bad – 108-109 G 2
Salzungen, Bad – 110-111 B 4
Salzwedel 102-104 K 5
Sama = Zama 104-105 J 5
Samaden [= Samedan] 116-117 J 3
Samarzewo [5 km ↖ Ciążeń 113 D 1]
Sambor 101 L 4
Samborowo = Bergfriede 112 C 4
Sambre 106-107 D 8
Samedan = Samaden 116-117 J 3
Samica 104-105 J 5
Samitz [= Zamienice] 110-111 ND 3
Samland 112 DE 2
Samlino = Zemlin 104-105 EF 3
Sammenthin [= Zamęcin] 104-105 F 4
Samnaun [Landschaft] 116-117 K 3
Samnaun [Ort] 116-117 K 3
Samoëns 116-117 C 4
Samòlaco 116-117 H 4
Samosch = Zamość 101 L 3
Samoschtsch = Zamość 101 L 3
Samotschin [= Szamocin] 104-105 K 4
Samplatten [= Sąpłaty, 6 km ↖ Mensguth 112 E 4]
Samplau [= Sampława] 112 C 4-5
Sampława = Samplau 112 C 4-5
Sampohl [= Sąpólno] 104-105 K 3
Samrée 106-107 F 8
Samrsk = Zámrsk 110-111 O 6
Samson 106-107 DE 8
Samswegen [4 km ← Wolmirstedt 110-111 E 1]
Samtens 104-105 B 2
Samter [= Szamotuły] 104-105 J 5
San 101 L 3
San Bartolomeo Val Cavargua 116-117 H 4
San Bernardino ⤚→
San-Bernardino-Pass 116-117 H 4
San Bernardo di Rabbi 116-117 L 4
San Càndido = Innichen 118-119 C 5
San Carlo ⤚→
San Cassino, Cima – = Kassianspitze 116-117 N 3
Sancey-le-Grand 116-117 C 2
San Cristina 116-117 N 3
Sand [Bayern] 110-111 C 6
Sand [Hessen] 108-109 H 4
Sandalpass 116-117 G 3
Sandau [= Píšť] 113 E 6
Sandau [= Žandov] 110-111 K 4
Sandau (Elbe) 102-103 M 5
Sandbach 114-115 N 3
Sandberg 110-111 B 5
Sandberg [= Piaski] 113 C 2
Sandbochum 120 G 2
Sandby 102-103 K 1
Sande [Niedersachsen] 102-103 CD 3-4
Sande [Nordrhein-Westfalen] 108-109 G 3
Sanden [= Ołownik] 112 G 3
Sandersdorf 110-111 F 2
Sandershausen 108-109 J 4
Sandersleben 110-111 DE 2
Sandesberg 102-103 F 2
Sandesneben 102-103 HJ 3
Sandfelde 112 G 2
Sandhagen 102-103 L 2
Sandhausen 114-115 D 2
Sandhofen = Mannheim-Sandhofen
Sandhorst 102-103 BC 4
Sandhübel [= Písečná] 113 C 5
Sand in Taufers [= Campo Tùres] 118-119 BC 5
Sandl [Niederösterreich] 118-119 J 2
Sandl [Oberösterreich] 118-119 H 1
Sandlauken = Sandfelde 112 G 2
Sandomierz = Sandomir 101 K 3
Sandomir [= Sandomierz] 101 K 3
Sandow [= Sądów] [Brandenburg] 110-111 L 1
Sandow [= Sądów] [Pommern] 104-105 F 4
Sandowitz [= Żędowice] 113 F 4
Sandrigo 116-117 N 5
Sandstedt 102-103 DE 4
Sandweiler [6 km → Luxemburg 106-107 G 9]
Sanetschpass 116-117 D 4
San Eufèmia della Fonte 116-117 K 5
San Felice = Sankt Felix 116-117 M 4
San Felice del Benaco 116-117 KL 5
San Gallo = Sankt Gallen 116-117 H 2
San Genèsio Atesino = Jenesien 116-117 M 3
Sangerberg [= Pramery] 110-111 G 5
Sangerhausen 110-111 D 3
Sängershöh 104-105 N 5
San Gertrude d'Ùltimo ⤚→
San Giacomo, Passo di – 116-117 FG 4
San Giacomo, Valle – 116-117 H 4
San Gion 116-117 G 3
San Giovanni = Sankt Johann in Ahrn 118-119 BC 5
San Giovanni Bianco 116-117 J 5
San Giovanni Ilarione 116-117 M 5
Sangnitten [= Sągnity] 112 D 3
Sanice = Sänitz 110-111 LM 3
Sanitz 102-103 M 2
Sänitz [= Sanice] 110-111 LM 3
Sankt Aegedi [4 km ↓ Engelhartszell 118-119 F 1-2]
Sankt Aegyd am Neuwalde 118-119 K 3
Sankt Agatha [Oberösterreich, Salzkammergut] 118-119 F 3
Sankt Agatha [Oberösterreich, Sauwald] 118-119 F 2
Sankt Andrä 118-119 H 5
Sankt Andrä [= Sant'Andrea in Monte] 118-119 B 5
Sankt Andrä bei Frauenkirchen 118-119 MN 3
Sankt Andrä im Lungau 118-119 F 4
Sankt Andrä vor dem Hagenthale 118-119 L 2
Sankt Andreasberg 110-111 BC 2
Sankt Anna am Aigen 118-119 KL 5
Sankt Anna unter dem Loibl = Sveta Ana] 118-119 G 6
Sankt Anton am Arlberg 116-117 K 2
Sankt Anton an der Jeßnitz 118-119 J 3
Sankt Antönien 116-117 J 3
Sankt Avold [= Saint-Avold] 108-109 C 8
Sankt Bartholomä 118-119 J 4
Sankt Bernhard, Grosser – 116-117 D 5
Sankt Bernhard, Kleiner – 116-117 C 5
Sankt Blasien 114-115 C 5
Sankt Christofen 118-119 K 2
Sankt Corona 118-119 L 3
Sankt Egidien 110-111 G 4
Sankt Egidi in Windischbüheln = Šent Ilj v Slovenskih Goricah] 118-119 K 5
Sankt Egyden am Steinfelde 118-119 L 3
Sankt Erhard 118-119 JK 4
Sankt Felix [= San Felice] 116-117 M 4
Sankt Fiden, Sankt Gallen- 116-117 H 2
Sankt Florian am Inn 118-119 E 2
Sankt Florian, Markt – 118-119 G 2
Sankt Gallen [Österreich] 118-119 H 3
Sankt Gallen [Schweiz, Ort] 116-117 H 2
Sankt Gallen [Schweiz, Verwaltungseinheit] 116-117 H 2-3
Sankt Gallenkirch 116-117 JK 2
Sankt Gallen-Sankt Fiden 116-117 H 2
Sankt Gangloff 110-111 EF 4
Sankt Georgen [Deutschland] 114-115 C 4
Sankt Georgen [Österreich] 118-119 HJ 5
Sankt Georgen [= Svätý Jur] 118-119 N 2
Sankt Georgen am Längsee 118-119 G 5
Sankt Georgen am Reith 118-119 H 3
Sankt Georgen am Steinfelde 118-119 K 2
Sankt Georgen am Walde 118-119 H 2
Sankt Georgen an der Gusen 118-119 GH 2
Sankt Georgen bei Neumarkt [1 km ↘ Neumarkt in Steiermark 118-119 GH 4]
Sankt Georgen bei Salzburg [6 km → Lamprechtshausen 118-119 DE 2]
Sankt Georgen ⤚→
Sankt Georgen im Attergau 118-119 EF 3
Sankt Georgen ob Judenburg 118-119 GH 4
Sankt Georgen ob Murau 118-119 G 4
Sankt Georgenthal [= Jiřetín pod Jedlovou] 110-111 L 4
Sankt Gertraud, Frantschach- 118-119 H 5
Sankt Gertraud [= Santa Gertrude d'Ùltimo] 116-117 L 4
Sankt Gilgen 118-119 E 3
Sankt Goar 108-109 E 6
Sankt Goarshausen 108-109 E 6
Sankt Gotthard 116-117 G 3
Sankt Gotthard [= Szentgotthárd] 118-119 L 5
Sankt-Gotthard-Tunnel 116-117 G 3
Sankt Hubert 120 E 3
Sankt Ilgen [1 km ↘ Sandhausen 114-115 D 2]
Sankt Immer [= Saint-Imier] 116-117 C 2
Sankt Immer, Tal von – 116-117 CD 2
Sankt Ingbert 108-109 D 8
Sankt Jacob in Haus [4 km ↗ Fieberbrunn 118-119 CD 4]
Sankt Jacob, Mülsen- [4 km ↙ Lichtenstein (Sachsen) 110-111 G 4]
Sankt Jakob ⤚→
Sankt Jakob im Walde 118-119 K 4
Sankt Jakob in Defereggen 118-119 C 5
Sankt Joachimsthal, Radiumbad – [= Jáchymov] 110-111 GH 5
Sankt Johann [= Mosonszentjános] 118-119 N 3
Sankt Johann am Draufelde [= Starše] 118-119 K 6
Sankt Johann am Tauern 118-119 GH 4
Sankt Johann am Walde 118-119 E 2
Sankt Johann an der March [= Moravský Svätý Ján] 118-119 N 1
Sankt Johann im Pongau 118-119 E 4
Sankt Johann im Saggautal 118-119 J 5
Sankt Johann in Ahrn [= San Giovanni] 118-119 BC 5
Sankt Johann in der Haide [5 km → Hartberg 118-119 KL 4]
Sankt Johann in Tirol 118-119 CD 3
Sankt Johann-Köppling [1 km → Krottendorf-Gaisfeld 118-119 J 4]
Sankt Julian-Obereisenbach 108-109 E 7
Sankt Jürgen 102-103 E 4
Sankt Jürgen, Lübeck- 102-103 J 3
Sankt Kanzian 118-119 H 5
Sankt Katharein an der Laming 118-119 J 4
Sankt Katharina [= Svatá Kateřina] 114-115 M 1
Sankt Kathrein am Hauenstein [3 km ↖ Ratten 118-119 K 4]
Sankt Kathrein am Offenegg 118-119 K 4
Sankt Koloman [6 km ↘ Vigaun 118-119 E 3]
Sankt Lambrecht 118-119 G 4
Sankt Lazarus = Posen-Sankt Lazarus
Sankt Leonhard 118-119 G 5
Sankt Leonhard [= San Leonardo] 118-119 B 5
Sankt Leonhard [8 km ↗ Kurfar 118-119 B 5]
Sankt Leonhard am Forst 118-119 J 2
Sankt Leonhard bei Freistadt 118-119 H 2
Sankt Leonhard bei Weitersfelden = Sankt Leonard bei Freistadt 118-119 H 2
Sankt Leonhard im Lavanttal, Bad – 118-119 H 5
Sankt Leonhard im Passeier [= San Leonardo in Passiria] 116-117 M 3
Sankt Leonhard im Pitztal 116-117 L 2
Sankt Leonhard in Windischbüheln [= Sveti Lenart v Slovenskih Goricah] 118-119 K 5
Sankt Lorenz [4 km ↗ Fuschl am See 118-119 E 3]
Sankt Lorenz [4 km ↓ Mondsee 118-119 E 3]
Sankt Lorenzen [= San Lorenzo di Sebato] 118-119 B 5
Sankt Lorenzen [2 km ↙ Sankt Georgen ob Murau 118-119 G 4]
Sankt Lorenzen am Wechsel 118-119 KL 4
Sankt Lorenzen bei Knittelfeld 118-119 HJ 4
Sankt Lorenzen im Gitschtal [7 km ↖ Hermagor 118-119 E 5]
Sankt Lorenzen im Lesachtal [4 km → Luggau 118-119 D 5]
Sankt Ludwig [= Saint-Louis, 3 km ↖ Basel 116-117 DE 1]
Sankt Magdalena [= Santa Maddalena di Funes] 118-119 B 5
Sankt Mang 114-115 G 5
Sankt Marein am Pickelbach 118-119 K 4
Sankt Marein bei Knittelfeld 118-119 HJ 4
Sankt Marein im Mürztal 118-119 J 4
Sankt Margareten 102-103 F 3
Sankt Margarethen an der Raab [5 km ↗ Sankt Marein am Pickelbach 118-119 K 4]
Sankt Margarethen bei Knittelfeld 118-119 HJ 4
Sankt Margarethen im Borgenland [5 km ← Rust 118-119 M 3]
Sankt Margarethen im Lavanttal 118-119 H 5
Sankt Margarethen im Rosental 118-119 GH 5
Sankt Margarethen, Lebring- 118-119 K 5
Sankt Märgen 114-115 C 4-5
Sankt Margrethen 116-117 HJ 2
Sankt Marien 118-119 G 2
Sankt Marienkirchen an der Polsenz 118-119 FG 2
Sankt Marienkirchen bei Schärding 118-119 EF 2
Sankt Martin ⤚→
Sankt Martin [Österreich, Salzburg] 118-119 E 4
Sankt Martin [Schweiz] 116-117 H 3
Sankt Martin [4 km ↙ Harmannschlag 118-119 H 1]
Sankt Martin am Grimming [4 km ↖ Öblarn 118-119 G 4]
Sankt Martin bei Lofer [3 km ↘ Lofer 118-119 D 3]
Sankt Martin bei Wurmberg [= Sveti Martin pri Vurbergu] 118-119 K 6
Sankt Martin Enneberg [= San Martino in Badia] 118-119 BC 5
Sankt Martin im Innkreis 118-119 EF 2
Sankt Martin im Mühlkreis 118-119 G 2
Sankt Martin im Passeier [= San Martino in Passiria] 116-117 M 3
Sankt Martin im Sulmtal 118-119 J 5
Sankt Mauritz 108-109 E 2
Sankt Michael im Burgenland 118-119 L 4
Sankt Michael im Lungau 118-119 F 4
Sankt Michael in Obersteiermark 118-119 J 4
Sankt Michaelisdonn 102-103 EF 3
Sankt Michael [= San Michele] 116-117 M 4
Sankt Moritz 116-117 J 3
Sankt Moritz = Saint Maurice 116-117 CD 4
Sankt Niclas, Mülsen- [4 km ↗ Reinsdorf 110-111 G 4]
Sankt Niklaus 116-117 E 4
Sankt Nikola an der Donau 118-119 H 2
Sankt Nikolai im Sölktal 118-119 G 4
Sankt Nikolai ob Draßling 118-119 K 5
Sankt Nikolaus [= San Nicolò d'Ùltimo] 116-117 L 3
Sankt Oswald 114-115 N 3
Sankt Oswald bei Freistadt 118-119 H 1
Sankt Oswald bei Haslach [5 km ↑ Haslach an der Mühl 118-119 G 1]
Sankt Oswald bei Plankenwarth [5 km ↙ Judendorf-Straßengel 118-119 J 4]
Sankt Oswald-Möderbrugg 118-119 GH 4
Sankt Oswald ob Eibiswald 118-119 J 5
Sankt Pankraz 118-119 G 3
Sankt Pankraz [= San Pancràzio] 116-117 M 3
Sankt Paul im Lavanttal 118-119 H 5
Sankt Peter [Deutschland, Baden-Württemberg] 114-115 C 4
Sankt Peter [Deutschland, Schleswig-Holstein] 102-103 E 2
Sankt Peter [Österreich] 118-119 F 4
Sankt Peter [= San Pietro] 116-117 N 3
Sankt Peter am Hart [5 km → Braunau am Inn 118-119 E 2]
Sankt Peter am Kammersberg [6 km → Schöder 118-119 G 4]
Sankt Peter am Ottersbach 118-119 K 5
Sankt Peter am Wallersberg [4 km → Völkermarkt 118-119 H 5]
Sankt Peter am Wimberg 118-119 G 1
Sankt Peter-Freienstein 118-119 J 4
Sankt Peter im Sulmtal [4 km → Schwanberg 118-119 J 5]
Sankt Peter in der Au Markt 118-119 H 2
Sankt Peter ob Judenburg [4 km ↓ Böls ob Judenburg 118-119 H 4]
Sankt Peter-Ording, Bad – 102-103 DE 1
Sankt Peter, Westerndorf – 114-115 KL 5
Sankt Pölten 118-119 K 2
Sankt Pölten-Harland 118-119 K 2
Sankt Radegund 118-119 D 2
Sankt Radegund bei Graz 118-119 JK 4
Sankt Ruprecht an der Raab 118-119 K 4
Sankt Ruprecht, Klagenfurt- 118-119 G 5
Sankt Salvator 118-119 G 5
Sankt Sigmund 116-117 M 2
Sankt Stefan 118-119 H 5
Sankt Stefan an der Gail 118-119 F 5
Sankt Stefan im Rosental 118-119 K 5
Sankt Stefan ob Leoben 118-119 HJ 4
Sankt Stefan ob Stainz 118-119 J 5
Sankt Stephan 118-119 L 2
Sankt Stephan [4 km ↓ Zweisimmen 116-117 D 3]
Sankt Thomas ⤚→
Sankt Thomas [4 km ↙ Prambachkirchen 118-119 F 2]
Sankt Thomas am Blasenstein 118-119 H 2
Sankt Tönis 120 B 3
Sankt Ulrich [= Ortisèi in Gardena, 5 km ↘ Sankt Peter 116-117 N 3]
Sankt Ulrich am Pillersee [6 km ↓ Waidring 118-119 D 3]
Sankt Ulrich bei Steyr 118-119 GH 2
Sankt Urban 118-119 G 5
Sankt Urban [5 km ↖ Pfaffnau 116-117 E 2]
Sankt Ursitz = Saint-Ursanne 116-117 D 3
Sankt Valentin 118-119 H 2
Sankt Valentin [= San Valentino alla Muta] 116-117 L 3
Sankt Veit am Vogau 118-119 K 5
Sankt Veit an der Glan 118-119 G 5
Sankt Veit an der Gölsen 118-119 K 2
Sankt Veit im Pongau [1 km ↑ Schwarzach im Pongau 118-119 E 4]
Sankt Veit in Defereggen 118-119 C 5
Sankt Veit, Neumarkt- 114-115 M 4
Sankt Vigil [= San Vigilio] 116-117 M 3
Sankt Vigil in Enneberg [= San Vigilio di Marebbe] 118-119 BC 5
Sankt Vith [= Saint-Vith] 106-107 G 8
Sankt Walburg [= San Valpurga] 116-117 LM 3
Sankt Wendel 108-109 D 8
Sankt Willibald [3 km → Raab 118-119 F 2]
Sankt Wolfgang 114-115 L 4
Sankt Wolfgang im Salzkammergut 118-119 EF 3
Sankt-Wolfgang-See [= Abersee] 118-119 E 3
San Leonardo = Sankt Leonhard 118-119 B 5
San Leonardo in Passìria = Sankt Leonhard im Passeier 116-117 M 3
San Lorenzo di Sebato = Sankt Lorenzen 118-119 B 5
San Lorenzo in Banale 116-117 L 4
San Lugano 116-117 M 4
San Marco, Passo di – 116-117 J 4
San Martino dei Calvi 116-117 J 5
San Martino di Castrozzo 116-117 N 4
San Martino in Badia = Sankt Martin Enneberg 118-119 BC 5
San Martino in Passìria = Sankt Martin im Passeier 116-117 M 3
San Martino, Pizzo – 116-117 F 4
San Michele = Sankt Michael 116-117 M 4
San Michele all'Àdige 116-117 M 4
Sanna 116-117 L 2
San Nicolò d'Ùltimo = Sankt Nikolaus 116-117 L 3
Sanok 101 L 4
Šanov = Schönau 118-119 L 1
San Pancràzio = Sankt Pankraz 116-117 M 3
San Pellegrino 116-117 J 5
San Pietro = Sankt Peter 116-117 N 3
San Pietro in Cariano 116-117 L 5
San Primo, Monte – 116-117 H 5
Sanssouci 104-105 AB 6
Santa Maddalena di Funes = Sankt Magdalena 118-119 B 5
Santa Margherita 116-117 M 5
Santa Maria ⤚→
Santa Maria Maggiore 116-117 F 4
Sant'Ambrògio di Valpolicella 116-117 LM 5
Sant'Andrea in Monte = Sankt Andrä 118-119 B 5
Säntis 116-117 H 2
Santoczno = Zanzhausen 104-105 F 5
Santok = Zantoch 104-105 FG 5
Santomischel [= Zaniemyśl] 113 C 1
Sant'Omobono Imagna 116-117 J 5
Santoppen [= Sątopy, 8 km ↘ Bischofstein 112 E 3]
Sant'Òrsola 116-117 M 4
Santo Stèfano di Cadore 118-119 D 5
Santpoort, Velsen- 106-107 D 4
San Valpurga = Sankt Walburg 116-117 LM 3
San Valtentino alla Muta = Sankt Valentin 116-117 L 3
San Vigìlio 116-117 L 5
San Vigìlio = Sankt Vigil 116-117 M 3
San Vigìlio di Marebbe = Sankt Vigil in Enneberg 118-119 BC 5
San Vitale, Riva – 116-117 G 5
San Vito di Cadore 118-119 C 6
Sány = Saan
San Zeno di Montagna 116-117 L 5
San Zeno Naviglio 116-117 K 6
Saône 101 B 5
Sąpłaty = Samplatten
Sąpólna = Zampel 104-105 F 3
Sąpólno = Sampohl 104-105 K 3
Sappada 118-119 D 5
Sappemeer, Hoogezand- 106-107 H 2
Säpzig [= Żabice] 104-105 E 5
Saranskoje = Laukischken 112 F 2
Saratovskoje = Adlerswalde 112 H 2
Sarbia = Neusarben 104-105 J 5
Sarbinowo = Sorenbohm 104-105 G 2
Sarbinowo = Zorndorf 104-105 E 5
Sarbsker See 104-105 L 1
Sarbsko, Jezioro – = Sarbsker See 104-105 L 1
Sarby = Schreibendorf 113 C 4
Sarca 116-117 L 4
Šardice = Scharditz 118-119 N 1
Sardona, Piz – 116-117 H 3
Sarentina, Valle – = Sarntal 116-117 M 3
Sarentino = Sarntheim 116-117 M 3
Sarezzo 116-117 K 5
Sargans 116-117 H 2
Sarine = Saane 116-117 D 3

Sarkau 40 Schönheide

Sarkau 112 E 1
Sarleinsbach 118-119 FG 1
Sarmingstein 118-119 HJ 2
Sarmsheim, Münster- 108-109 E 7
Sarnau 108-109 G 5
Sarne [= Sarnowa] 113 B 2
Sarnen 116-117 F 3
Sarnersee 116-117 F 3
Sàrnico 116-117 JK 5
Sarnow 104-105 C 3
Sarnowa = Sarne 113 B 2
Sarnowo = Scharnau 112 D 5
Sarntal 116-117 M 3
Sarntaler Alpen 116-117 M 3
Sarntheim [= Sarentino] 116-117 M 3
Saronno 116-117 H 5
Sarralbe = Saaralben 108-109 CD 8-9
Sarranzig [= Zarańsko] 104-105 G 3
Sarraz, La – 116-117 BC 3
Sarre 116-117 D 5
Sarre = Saar 108-109 CD 9
Sarrebourg = Saarburg 108-109 CD 9
Sarreguemines = Saargemünd 108-109 D 8
Sarre-Union = Saarunion 108-109 D 9
Sars-Poteries 106-107 BC 8
Sarstedt 108-109 J 2
Sarstein 118-119 F 3
Sart 106-107 F 7
Sartowice = Nieder Sartowitz 104-105 N 4
Sárvár = Klein Zell 118-119 M 4
Sasbach [Baden-Württemberg, Breisgau] 114-115 B 4
Sasbach [Baden-Württemberg, Ortenau] 114-115 C 3
Sasek Mely, Jezioro – = Kleiner Schobensee 112 EF 4
Sasek Wielki, Jezioro – = Großer Schobensee 112 EF 4
Sasmuk = Zásmuky 110-111 LM 6
Sassanfahrt [1 km ↙ Hirschaid 114-115 HJ 1]
Sassen 104-105 B 2
Sassenberg 108-109 EF 3
Sassendorf, Bad – 108-109 E 3
Sassenaire 116-117 E 4
Sassenhagen [= Chlebówko] 104-105 F 4
Sassenheim 106-107 D 4
Sassière, Grande – 116-117 CD 6
Saßnitz 104-105 C 1
Sasso Campona 116-117 K 4
Sasso della Paglia 116-117 H 4
Sasso Nero = Schwarzenstein 118-119 B 4
Sasso Rosso 116-117 L 4
Sass Rigais = Geislerspitze 118-119 B 5
Šaštín = Schloßberg 118-119 N 1
Sas van Gent 106-107 B 6
Satalice = Satalitz
Satalitz [= Satalice, 2 km → Gbell 110-111 L 5]
Saterland 102-103 C 4
Sathmar = Satu Mare 101 L 5
Sątoczno = Leunenburg
Sątopy = Santoppen
Sątopy = Santop 110-111 O 1
Sątopy Samulewo = Bischdorf 112 F 3
Sátoraljaújhely 101 K 4
Šatov = Schattau 118-119 L 1
Satow [Mecklenburg, ↙ Rostock] 102-103 L 3
Satow [Mecklenburg, ↙ Waren (Müritz)] 102-103 M 4
Satrup 102-103 G 1
Satteins 116-117 J 2
Sattel [= Sedloňov] 113 A 5
Satteldorf 114-115 G 2
Sattelpass 116-117 F 3
Sattelpeilnstein 114-115 M 2
Sattel von Mönichkirchen 118-119 KL 3-4
Sattel von Pfaffenschlag 118-119 HJ3
Sattel von Rekawinkel 118-119 K 2
Sattledt 118-119 FG 2
Sattnitz 118-119 G 5
Satu Mare 101 L 5
Saualpe 118-119 H 5
Saubach 110-111 E 3
Saubsdorf [= Supíkovice] 113 C 5
Sauer [Frankreich] 108-109 E 8
Sauer [Luxemburg] 106-107 G 9
Sauer = Sauerbach 108-109 E 9
Sauerbach 108-109 E 9
Sauerbrunn 118-119 L 3
Sauerfeld [4 km ↗ Tamsweg 118-119 F 4]
Sauerlach 114-115 K 5
Sauerland 108-109 EF 4
Sauersack [= Rolava, 2 km ↑ Frühbuß 110-111 G 5]
Sauldorf 114-115 E 5
Saulgau 114-115 F 4
Saulgrub 114-115 HJ 5
Saulin [= Saulino] 104-105 L 1
Saulnot-et-Malval 116-117 C 1
Saulx 116-117 B 1
Saupark 108-109 J 2
Saupsdorf 110-111 K 4
Sàuris 118-119 D 6
Sausal 118-119 J 5
Sausenberg [= Szumirad] 113 E 4
Sauwald 118-119 F 1-2
Sauwerd 106-107 GH 2
Sava = Save 101 G 5
Save 101 G 5
Saverne = Zabern 108-109 D 9
Savigny 116-117 C 3
Savognin 116-117 J 3
Savoie 116-117 BC 6
Savoie = Savoyen 116-117 BC 5
Savoie, Combe de – 116-117 B 5-6
Savoyen 116-117 BC 5
Sawadden = Grenzwacht 112 J 4
Sawade = Eichwalde 110-111 N 2
Saxdorf 110-111 H 2
Saxen 118-119 H 2
Saxon 116-117 D 4
Sayda 110-111 H 4
Sazawa = Zohsee 113 B 6

Sbetschno = Zbečno 110-111 J 5

Scaille, Croix – 106-107 D 9
Scalettapass 116-117 J 3
Scarpe 106-107 A 8
Ščavnica 118-119 KL 5
Scesaplana 116-117 J 2
Scey-sur-Saône-et-Saint-Albin 116-117 A 1
Schaabe 104-105 B 1
Schaafheim 108-109 G 7
Schaaken, Liska- [= Nekrasovo] 112 E 2
Schaaksvitte [= Kaširskoje] 112 E 2
Schaale 102-103 J 3-4
Schaalsee 102-103 J 3
Schaan 116-117 J 2
Schaarbeek = Schaerbeek 106-107 CD 7
Schaarsbergen, Arnheim- 106-107 F 4
Schabenau [= Żabin] 113 A 2
Schabs [= Sciàves, 3 km ↙ Spinges 116-117 N 3]
Schachen, Bad – = Lindau (Bodensee)-Bad Schachen
Schachendorf 118-119 L 4
Schadek = Szadek 113 FG 2
Schadlowitz [= Szadłowice] 104-105 M 5
Schaephuysen 120 B 3
Schaerbeek [= Schaarbeek] 106-107 CD 7
Schaesberg 106-107 FG 7
Schafberg [Deutschland] 108-109 E 2
Schafberg [Österreich, Lechtaler Alpen] 116-117 K 2
Schafberg [Österreich, Salzkammergut] 118-119 EF 3
Schäferberg (Ostpreußen) [= Kumiecie Małe, 4 km ↑ Goldap 112 H 3]
Schaffa [= Šafov] 118-119 K 1
Schaffen [3 km ↗ Diest 106-107 E 7]
Schäffern 118-119 L 4
Schaffhausen [Ort] 116-117 G 1
Schaffhausen [Verwaltungseinheit] 116-117 FG 1
Schaffhausen [3 km ← Völklingen 108-109 C 8]
Schafflund 102-103 F 1
Schafhausen 114-115 D 3
Schafkopf, Großer – 116-117 L 3
Schafstädt 110-111 E 3
Schafstedt 102-103 F 2
Schaftlach 114-115 K 5
Schäftlarn 114-115 JK 5
Schagen 106-107 D 3
Schaibing 118-119 F 1
Schaidt 108-109 F 8
Schaijk 106-107 F 5
Schakendorf (Ostpreußen) 112 FG 1
Schakendorf [= Trostniki, 10 km ← Gerdauen 112 F 3]
Schakuhnen = Schakendorf (Ostpreußen) 112 FG 1
Schalbach 108-109 D 9
Schalchen 118-119 E 2
Schale 102-103 C 6
Schalkau 110-111 CD 5
Schalke, Gelsenkirchen- 120 E 2
Schalkenmehren 108-109 CD 6
Schalkham 114-115 LM 4
Schalksmühle 120 G 4
Schalkwijk 106-107 E 5
Schallaburg, Schloß – 118-119 J 2
Schallan [= Žalany] 110-111 JK 4
Schallerbach, Bad – 118-119 FG 2
Schams 116-117 H 3
Schandau, Bad – 110-111 K 4
Schandelah 110-111 C 1
Schanfigg 116-117 J 3
Schangau 116-117 E 3
Schänis 116-117 H 2
Schapbach 114-115 C 4
Schapen 102-103 BC 6
Schapow 104-105 C 4
Schaprode 104-105 B 1
Scharans 116-117 HJ 3
Scharbeutz, Haffkrug- 102-103 J 2
Schardenberg [6 km ↖ Münzkirchen 118-119 F 2]
Schärding 118-119 EF 2
Scharditz [= Šardice] 118-119 N 1
Schareck 118-119 E 4
Schareiken [= Szarejki] 112 H 3
Schareyken = Schareiken 112 H 3
Scharfenberg [Berg] 120 J 3
Scharfenberg [Ort] 108-109 FG 4
Scharfenort [= Ostroróg] 104-105 H 5
Scharfenrade [= Ostrykół] 112 HJ 4
Scharfenwiese = Ostrołęka 101 KL 2
Scharfreiter 116-117 MN 1
Scharfreuter
Schargillen = Eichenrode (Ostpreußen) 112 F 2
Scharhörn 102-103 D 3
S-charl 116-117 K 3
Scharmbeck, Osterholz- 102-103 E 4
Scharmbeckstofel [3 km ↙ Osterholz-Scharmbeck 102-103 E 4]
Scharmützelsee 110-111 K 1
Scharnau [= Czarnowo] 104-105 M 4
Scharnau [= Sarnowo] 112 D 5
Scharnebeck 102-103 HJ 4
Scharnegoutum, Wymbritseradeel- 106-107 F 2
Scharnese [= Czarze] 104-105 M 4
Scharnikau = Czarnków 104-105 J 5
Scharnitz 116-117 M 2
Scharnitzer Klause [= Porta Claudia] 116-117 M 2
Scharrel 102-103 C 4
Scharrendorf 102-103 E 5
Schartau [5 km ↖ Burg (Bezirk Magdeburg) 110-111 EF 1
Scharten [3 km ↗ Buchkirchen 118-119 G 2]
Scharzfeld 110-111 B 2
Schattau [= Šatov] 118-119 L 1
Schattendorf [5 km ↙ Klingenbach 118-119 M 3]
Schatthausen 114-115 D 2
Schatzberg = Kallendorf 118-119 L 1
Schatzlar [= Žacléř] 110-111 N 4
Schauby [= Skovby] 102-103 GH 1
Schauenstein 110-111 E 5
Schauerberg 114-115 M 2
Schaugraben = Secantsgraben 102-103 KL 5
Schauinsland 114-115 B 5
Schaumburg 108-109 H 2
Schaumburg-Lippe [↑ Wesergebirge 108-109 GH 2]
Schawoine = Blüchertal 113 C 3
Schebitz [= Szewce] 113 BC 3
Schechrowitz, Stein- [= Kamenne Žehrovice, 2 km ↘ Tuchlowitz 110-111 K 5]
Schedlau [= Szydłowiec] 113 D 4
Scheelsberg 102-103 G 2
Scheemda 106-107 HJ 2
Scheer 114-115 E 4
Scheersberg 102-103 G 1
Scheffau an der Lammer [3 km → Golling an der Salzach 118-119 E 3]
Schehun = Žehuň 110-111 M 5
Scheibbs 118-119 J 2
Scheibe-Alsbach 110-111 CD 5
Scheibenberg [Bayern] 110-111 E 6
Scheibenberg [Sachsen] 110-111 G 4
Scheiblingkirchen [3 km ← Thernberg 118-119 L 3]
Scheidegg 114-115 F 5
Scheidelwitz [= Szydłowice] 113 CD 4
Scheidingen 120 H 2
Scheidt 108-109 D 8
Scheifling 118-119 G 4
Scheinfeld 114-115 G 1
Schelde 106-107 C 6
Schelde [= Skelde] 102-103 G 1
Schelecken = Schlicken 112 F 2
Schelejewo = Szelejewo 104-105 L 5
Scheles [= Žihle] 110-111 H 5
Schelklingen 114-115 F 4
Schelle [2 km sw Hemiksem 106-107 C 6]
Schellen = Cielle 104-105 L 4
Schellenberg 114-115 MN 4
Schellerten 110-111 B 1
Schellhorn [2 km ↘ Preetz 102-103 H 2]
Schemnitz [= Banská Štiavnica] 101 J4
Schenefeld [Schleswig-Holstein, ↖ Hamburg] 102-103 G 3
Schenefeld [Schleswig-Holstein, ↖ Itzehoe] 102-103 F 2
Schenkenberg [Brandenburg] 104-105 CD 4
Schenkenberg [Sachsen-Anhalt] 110-111 F 2
Schenkendorf 110-111 J 1
Schenkendorf [= Sękowico] 110-111 L 2
Schenkenfelden 118-119 G 1
Schenkenzell 114-115 C 4
Schenklengsfeld 108-109 J 5
Schepankowitz [= Štěpańkovice, 4 km ↗ Deutsch Krawarn 113 E 6]
Schepanowo = Szczepanowo 104-105 L 5
Scheppach 114-115 G 4
Schepsdorf-Lohne 102-103 B 6
Scheraunitz [= Žirovnica] 118-119 G 6
Scherfede 108-109 GH 3
Scheringen [= Czerlejno] 104-105 K 6
Schermbeck 120 D 2
Schermeisel [= Trzemeszno Lubuskie] 104-105 F 6
Schermen 110-111 E 1
Schermerhorn 106-107 D 3
Schernberg 110-111 C 3
Scherpenheuvel [= Montaigu] 106-107 DE 7
Scherpenzeel 106-107 EF 4
Schertendorf [= Przylep] 110-111 MN 2
Schertschitz = Žerčice 110-111 LM 5
Schesaplana = Scesaplana 116-117 J 2
Scheschuppe = Ostfluß 112 H 2
Scheeßel 102-103 F 4
Scheßlitz 110-111 CD 6
Scheuen 102-103 H 5
Scheuer 106-107 C 5
Scheuern, Bergnassau- 108-109 E 6
Scheufelsdorf [= Tylkowo] 112 E 4
Scheulte 116-117 DE 2
Scheuring 114-115 H 4
Scheveningen, Den Haag- 106-107 C 4
Scheyern 114-115 J 3
Schie 106-107 C 5
Schiedam 106-107 C 5
Schieder 108-109 H 3
Schiedlberg 118-119 G 2
Schiedlo [= Szydłów] 110-111 L 1
Schiedlow = Goldmoor 113 D 4
Schiefbahn 120 C 4
Schiefling 118-119 H 5
Schiefling am See [5 km ↙ Maria Wörth 118-119 G 5]
Schieland 106-107 CD 4
Schielasken = Hallenfelde 112 H 3
Schiener Berg 114-115 D 5
Schieratz = Sieradz 113 F 2
Schierke 110-111 C 2
Schierling 114-115 L 3
Schiermonnikoog [Insel] 106-107 G 1
Schiermonnikoog [Ort] 106-107 G 2
Schierokau = Breitenmarkt 113 EF 4
Schieroth = Schönrode 113 F 5
Schiers 116-117 J 3
Schierschnitz, Neuhaus- 110-111 D 5
Schierzig [= Siercz] 104-105 G 6
Schießeck 118-119 G 4
Schiewenhorst [= Świbno] 104-105 NO 2
Schiffdorf [5 km ↖ Sellstedt 102-103 E 3]
Schifferstadt 108-109 F 8
Schiffweiler 108-109 D 8
Schijndel 106-107 E 5
Schilda 110-111 H 2
Schildau 110-111 G 3
Schildberg [= Golenice] 104-105 E 5
Schildberg [= Ostrzeszów] 113 DE 3
Schildberg [= Štíty] 113 B 6
Schilde [Belgien] 106-107 D 6
Schilde [Deutschland] 102-103 J 4
Schildmer 106-107 H 2
Schildow [4 km ↓ Mühlenbeck 104-105 B 5]
Schillehnen = Schillfelde 112 J 2
Schillehnen = Waldheide (Ostpreußen) 112 J 1
Schillen [= Žilino] 112 GH 2
Schillen = Schilln 104-105 G 6
Schillersdorf 102-103 H 2
Schillersdorf [7 km → Rechlin 102-103 N 4]
Schillertswiesen 114-115 L 2
Schillfelde [= Pobedino] 112 J 2
Schillgallen = Hochdünen 112 F 1
Schillighörn 102-103 D 3
Schilligreede 102-103 D 3
Schillingsee 112 CD 4
Schillingsfürst 114-115 G 2
Schilln [= Silna] 104-105 G 6
Schilpàrio 116-117 K 4
Schiltach 114-115 C 4
Schiltern 118-119 K 1
Schiltern [= Štítary] 118-119 K 1
Schiltigheim ↣
Schimberg Bad 116-117 F 3
Schimmerau [= Wszemirów] 113 BC 3
Schimmerwitz [= Siemirowice, 4 km ↗ Wutzkow 104-105 L 2]
Schimmritzberg 104-105 K 2
Schimonken = Schmidtsdorf 112 G 4
Schinkau = Žinkovy 114-115 NO 2
Schinne 102-103 L 5
Schinveld 106-107 FG 7
Schinznach Dorf [5 km ↙ Brugg 116-117 F 2]
Schio 116-117 M 5
Schipbeek 106-107 G 4
Schiphol 106-107 D 4
Schipkau 110-111 J 2
Schipluiden [5 km ↙ Delft 106-107 C 4]
Schippenbeil [= Sępopol] 112 F 3
Schirgiswalde 110-111 KL 3
Schirgupönen = Amtshagen 112 H 2
Schirnding 110-111 F 5
Schirotzken [= Serock] 104-105 LM 4
Schirpitz [= Cierpice] 104-105 MN 5
Schirps = Sierpc 101 JK 2
Schirrau [= Dal'neje] 112 F 2
Schirum [3 km ↙ Wiesens 102-103 C 4]
Schirwindt 112 J 2
Schirwindt [= Kutuzovo] 112 J 2
Schischelitz = Žiželice 110-111 M 5
Schittkehmen = Wehrkirchen 112 J 3
Schivelbein [= Świdwin] 104-105 G 3
Schkeuditz 110-111 F 3
Schkölen 110-111 E 3
Schköna 110-111 G 2
Schkopau 110-111 E 3
Schlabendorf 110-111 J 2
Schlabitz [= Sławęcice] 113 B 2
Schlachta = Szlachta 104-105 M 3
Schlackenwerth [= Ostrov] 110-111 G5
Schladen 110-111 BC 1
Schladming 118-119 F 4
Schladminger Tauern 118-119 F 4
Schlagenthin 102-103 M 6
Schlagenthin [= Sławęcin] [Deutschland] 104-105 FG 4
Schlagenthin [= Sławęcin] [Polen] 104-105 L 3
Schlaggenwald [= Horní Slavkov] 110-111 G 5
Schlägl 118-119 F 1
Schlagsdorf 102-103 J 3
Schlakau [= Slavkov] 113 D 6
Schlalach 110-111 G 1
Schlan [= Slaný] 110-111 K 5
Schlanders [= Silandro] 116-117 L 3
Schlaney = Schnellau
Schlangen 108-109 G 3
Schlangenbad 108-109 F 6
Schlanow [= Słonów] 104-105 G 5
Schlanstedt 110-111 CD 1
Schlaupitz [= Słupice] 113 B 4
Schlauthienen [= Čapajevo] 112 D 3
Schlawa = Schlesiersee 110-111 NO 2
Schlawaer See = Schlesiersee 110-111 NO 2
Schlawe in Pommern [= Sławno] 104-105 J 2
Schlawin [= Słowino] 104-105 J 2
Schlebusch, Leverkusen- 120 E 4
Schleching 114-115 L 5
Schledehausen 108-109 F 2
Schleedorf [6 km ← Neumarkt am Wallersee 118-119 E 3]
Schleesen 110-111 F 2
Schlegel [= Słupiec] 113 B 4
Schlegwegbad [3 km ↙ Röthenbach im Emmental 116-117 E 3]
Schlehdorf 114-115 J 5
Schlehen [= Tarnowo Podgórne] 104-105 J 6
Schlehengäu 114-115 D 3
Schlei 102-103 G 1
Schleiden-Eifel 108-109 BC 5
Schleidweiler-Rodt 108-109 C 7
Schleifberg = Czorneboh 110-111 KL 3
Schleife 110-111 L 2
Schleinitz [= Slivnica pri Mariboru] 118-119 K 6
Schleise [= Ślizów] 113 D 3
Schleithal 108-109 F 9
Schleitheim 116-117 FG 1
Schleiz 110-111 E 4
Schlemmin 102-103 N 2
Schlenderhan, Schloß – 120 CD 5
Schlenkerspitze 116-117 L 2
Schlenzig [= Słowieńsko] 104-105 G 3
Schlepzig 110-111 J 1
Schlern 116-117 N 3
Schlesien 101 G-J 3
Schlesiersee 110-111 NO 2
Schlesiersee [= Sława] 110-111 NO 2
Schlesisch Drehnow [= Drzonów] 110-111 M 2
Schlesischer Landgraben 113 A 2
Schlesisch Nettkow [= Nietków] 110-111 M 1
Schlesisch Ostrau, Ostrau- [= Ostrava-Slezská Ostrava] 113 E 6
Schleswig 102-103 FG 1
Schleswig-Holstein 101 D 1-E 2
Schlettau 110-111 G 4
Schleusenau [2 km ← Bromberg 104-105 LM 4]
Schleusingen 110-111 C 4
Schlewecke [1 km ↖ Bündheim 110-111 BC 2]
Schlichtingsheim [= Szlichtyngowa] 110-111 O 2
Schlicken 112 F 2
Schlieben 110-111 H 2
Schliengen 114-115 B 5
Schlier 114-115 F 5
Schlierbach [Deutschland] 108-109 H 6
Schlierbach [Österreich] 118-119 G 3
Schlieren 116-117 F 2
Schliersee [Ort] 114-115 K 5
Schliersee [See] 114-115 K 5
Schlingen 114-115 H 5
Schlins [3 km ↑ Nenzing 116-117 J 2]
Schliprüthen 120 J 4
Schlitz [Fluß] 108-109 J 5
Schlitz [Ort] 108-109 J 5
Schlobitten [= Słobity] 112 C 3
Schlochau [= Człuchów] 104-105 K 3
Schloen 102-103 N 3
Schlöglmühl [2 km ↖ Gloggnitz 118-119 KL 3]
Schlönwitz [= Słonowice] 104-105 G 3
Schloppe [= Człopa] 104-105 H 4
Schloß Arenenberg [3 km ← Ermatingen 116-117 H 1]
Schloßbach [= Nevskoje] 112 J 2
Schloßberg [Deutschland, Rothaargebirge] 108-109 G 4
Schloßberg [Deutschland, Stablack] 112 D 3
Schloßberg [Deutschland, Steigerwald] 114-115 G 1
Schloßberg [Österreich] 118-119 JK 5
Schloßberg = Góra 113 C 2
Schloßberg = Heidenberg
Schloßberg = Sadke 104-105 K 4
Schloßberg (Ostpreußen) [= Dobrovol'sk] 112 J 2
Schloß Bösig [= Bezdež] 110-111 L 4
Schlössen = Ślesin 104-105 L 4
Schloß Gottorp 102-103 FG 1-2
Schloßhof 118-119 M 2
Schloß Montfort [1 km ↘ Langenargen 114-115 EF 5]
Schloß Neuhaus 108-109 G 3
Schloßvippach 110-111 D 3
Schloßwalden [= Lasowice Małe] 113 E 4
Schlotheim 110-111 C 3
Schlottau [= Złotow] 113 C 3
Schluchsee [Ort] 114-115 C 5
Schluchsee [See] 114-115 C 5
Schluchtern [2 km ↖ Großgartach 114-115 E 2]
Schlüchtern 108-109 HJ 6
Schluckenau [= Šluknov] 110-111 KL 3
Schluderbach [= Carbonin] 118-119 C5
Schluderns [= Sluderno] 116-117 L 3
Schlüsselberg 104-105 L 1
Schlüsselburg 102-103 F 6
Schlüsselfeld 114-115 H 1
Schlüsselsee = Ślesin 104-105 M 6
Schlüßlberg [4 km ↘ Grieskirchen 118-119 F 2]
Schlutup, Lübeck- 102-103 J 3
Schmagorei = Treuhofen 104-105 EF 6
Schmalbroich 120 B 3
Schmalegg 114-115 EF 5
Schmale Heide 104-105 C 2
Schmalenbeck, Großhansdorf- 102-103 H 3
Schmalfeld 102-103 GH 3
Schmalförden 102-103 E 5
Schmalkalden 110-111 BC 4
Schmallenberg 108-109 F 4
Schmalleningken [= Smalininkai] 112 HJ 1
Schmalnau 108-109 J 6
Schmannewitz 110-111 GH 3
Schmargendorf 104-105 C 5
Schmarsau 102-103 K 5
Schmarse [= Smardzewo] 110-111 N 1
Schmarsow 104-105 B 3
Schmauch [= Skowrony, 2 km ↓ Göttchendorf 112 C 3]
Schmehausen 120 HJ 2
Schmellwitz [= Chmielów] 113 B 3
Schmelz 108-109 C 8
Schmentau [= Smętowo Graniczne] 104-105 N 3
Schmenzin [= Smęcino] 104-105 H 3
Schmerkendorf 110-111 H 2
Schmida 118-119 L 2
Schmiden [4 km ← Waiblingen 114-115 E 3]
Schmidham 114-115 N 4
Schmidmühlen 114-115 KL 2
Schmidt 108-109 B 5
Schmidtsdorf [= Szymonka] 112 G 4
Schmiecha 114-115 E 4
Schmiechen 114-115 F 4
Schmiedeberg 110-111 J 4
Schmiedeberg [= Kovářská] 110-111 H 5
Schmiedeberg an der Netze 104-105 KL 4
Schmiedeberg, Bad – 110-111 G 2
Schmiedeberg im Riesengebirge [= Kowary] 110-111 N 4
Schmiedefeld [4 km ↙ Reichmannsdorf 110-111 D 4]
Schmiedefeld am Rennsteig 110-111 C 4
Schmiegel [= Śmigiel] 113 AB 1
Schmilau 102-103 J 3
Schmilau [= Śmiłowo] 104-105 J 4
Schmithof 108-109 H 5
Schmittenhöhe 118-119 D 4
Schmocksberg 102-103 M 3
Schmöckwitz, Berlin- 104-105 C 6
Schmoditten [= R'abinovka] 112 E 3
Schmolde 102-103 M 4
Schmollensee 104-105 D 3
Schmölln [Brandenburg] 104-105 D 4
Schmölln [Thüringen] 110-111 F 4
Schmölln [4 km → Bischofswerda 110-111 K 3]
Schmolsin [= Smołdzino] 104-105 K 1
Schmolz [= Smolec] 113 B 3
Schmorkau 110-111 J 3
Schmottseiffen [= Pławna] 110-111 N 3
Schmücke 110-111 D 3
Schmückert = Bojanowo 113 B 2
Schmückwalde [= Szmykwałd] 112 CD 4
Schmutter 114-115 H 3-4
Schnabelwaid 114-115 K 1
Schnackenburg 102-103 KL 4
Schnaitheim, Heidenheim- 114-115 G3
Schnaitsee 114-115 L 4
Schnaittach 114-115 J 1
Schnaittenbach 114-115 KL 1
Schnalstal 116-117 L 3
Schnatow [= Śniatowo] 104-105 E 3
Schneealpe 118-119 K 3
Schneebauer Berg 118-119 G 5
Schneeberg [Deutschland, Bayern, Oberfranken] 110-111 E 5
Schneeberg [Deutschland, Bayern, Oberpfalz] 114-115 LM 2
Schneeberg [Deutschland, Bayern, Unterfranken] 114-115 E 1
Schneeberg [Deutschland, Sachsen] 110-111 G 4
Schneeberg [Deutschland, Thüringen] 110-111 C 4
Schneeberg [Österreich] 118-119 K 3
Schneeberg-Neustädtel [↓ Schneeberg 110-111 G 4]
Schneeberg-Niederschlema 110-111 G 4
Schneeberg-Oberschlema 110-111 G 4
Schnee-Eifel = Schneifel 108-109 B 6
Schneefernerhaus 114-115 HJ 6
Schneegattern 118-119 E 2
Schneegrund [= Błakąły] 112 J 3
Schneekogel 118-119 H 3
Schneekopf 110-111 C 4
Schneekoppe 110-111 N 4
Schneeren 102-103 F 5
Schneidemühl [= Piła] 104-105 J 4
Schneidemühlchen [= Piłka] 104-105 H 5
Schneidlingen 110-111 DE 2
Schneifel 108-109 B 6
Schneizlreuth 114-115 M 5
Schnellabach 110-111 H 5
Schnellau [= Słone, 3 km ← Bad Kudowa 113 A 5]
Schnelle Kreisch 101 KL 5
Schnellewalde [= Szybowice] 113 CD5
Schnellwalde [= Boreczno] 112 C 4
Schneppenbaum 120 AB 1
Schneverdingen 102-103 G 4
Schney [3 km ↗ Lichtenfels 110-111 CD 5]
Schobensee, Kleiner – 112 EF 4
Schobergruppe 118-119 D 5
Schoberpaß 118-119 H 4
Schoberspitze 118-119 G 4
Schoberstein 118-119 G 3
Schobüll 102-103 EF 1
Schochwitz [5 km ← Salzmünde 110-111 E 2]
Schocken [= Skoki] 104-105 K 5
Schöckl 118-119 JK 4
Schöder 118-119 G 4
Schöftland 116-117 EF 2
Schokland 106-107 F 3
Scholen 102-103 E 5
Schölling 114-115 G 6
Schollene 102-103 M 5
Schollener See 102-103 M 5
Schöller 120 E 4
Schöllkrippen 108-109 H 6
Schöllnach 114-115 N 3
Scholmer Au 102-103 EF 1
Scholpin [= Czołpino] 104-105 K 1
Scholven, Gelsenkirchen- 120 E 2
Schomberg 120 HJ 4
Schömberg 114-115 D 4
Schömberg [= Chełmsko Śląskie] 110-111 O 4
Schomburg [6 km ↙ Wangen im Allgäu 114-115 F 5]
Schöna 110-111 K 4
Schonach im Schwarzwald 114-115 C 4
Schönaich 114-115 E 3
Schönau 114-115 D 2
Schönau [= Drzonowo] 104-105 J 3
Schönau [= Przechowo] 104-105 M 4
Schönau [= Šanov] 118-119 L 1
Schönau [= Šonov] 113 A 4
Schönau = Chemnitz-Schönau
Schönau an der Katzbach [= Świerzawa] 110-111 N 3
Schönau im Mühlkreis 118-119 H 2
Schönau im Schwarzwald 114-115 B 5
Schönau (Pfalz) 108-109 E 8
Schönbach 118-119 HJ 2
Schönbach [= Krásná] 110-111 F 5
Schönbach [= Luby] 110-111 F 5
Schönbeck 104-105 C 3
Schönberg [Belgien] 106-107 G 8
Schönberg [Deutschland, Bayern] 114-115 N 3
Schönberg [Deutschland, Mecklenburg] 102-103 J 3
Schönberg [Niederösterreich] 118-119 K 1
Schönberg [Österreich, Steiermark] 118-119 F 3
Schönberg [= Szymbark] [Deutschland] 112 BC 4
Schönberg [= Szymbark] [Polen] 104-105 LM 2
Schönberger Strand 102-103 HJ 2
Schönberg (Holstein)102-103 HJ 2
Schönberg (Oberlausitz) [= Sulików] 110-111 LM 3
Schönblick [= Miejsce Odrzańskie] 113 E 5
Schönborn 110-111 HJ 2
Schönborn [= Żerniki Wrocławskie] 113 C 3
Schönborn [= Miłogostowice, 3 km ↖ Bienau 113 A 3]
Schönbruch [= Szczurkowo] 112 EF 3
Schönbrück [= Sząbruk, 10 km ↙ Allenstein 112 DE 4]
Schönbrunn [Bayern] 114-115 L 3
Schönbrunn [Thüringen] 110-111 C 4
Schönbrunn [= Jabłonów, 4 km ↖ Hirschfeldau 110-111 MN 2]
Schönbrunn, Schloß – 118-119 L 2
Schönbuch 114-115 DE 3
Schönbühel an der Donau 118-119 J 2
Schönburg 108-109 E 6
Schöndamerau [= Dąbrowa, 3 km ↘ Pettelkau 112 C 3]
Schöndorf [= Wesoła] 110-111 M 3
Schondra 108-109 J 6
Schönebeck 110-111 E 1
Schönebeck [= Dzwonowo] 104-105 F 4
Schönebeck-Salzelmen 110-111 E 1
Schöneberg [= Krąpiel] 104-105 F 4
Schöneberg [= Ostaszewo] 104-105 NO 2
Schöneberg [= Trzcinna] 104-105 F 5
Schöneberg, Berlin- 104-105 B 6
Schöneck 110-111 F 5
Schöneck [= Skarszewy] 104-105 M 2
Schönecken 108-109 BC 6
Schönefeld [Brandenburg, ↓ Berlin] 104-105 BC 6
Schönefeld [Brandenburg, → Luckenwalde] 110-111 H 1
Schoneggpass 116-117 FG 3
Schöneich [= Szynych] 104-105 N 4
Schöneiche 110-111 J 1
Schöneiche [= Proszków, 4 km ← Neumarkt 113 B 3]
Schöneiche bei Berlin 104-105 C 6
Schönenberg [4 km ↗ Menzingen 116-117 G 2]
Schönenwerd [4 km ↙ Aarau 116-117 F 2]
Schönermark [Brandenburg, ↗ Angermünde] 104-105 D 4
Schönermark [Brandenburg, ← Prenzlau] 104-105 C 4
Schönewalde 110-111 H 2
Schönewerda 110-111 DE 3
Schönfeld [Brandenburg, Barnim] 104-105 C 5
Schönfeld [Brandenburg, Uckermark] 104-105 CD 4
Schönfeld [Mecklenburg] 102-103 NO 3
Schönfeld [Sachsen] 110-111 J 3
Schönfeld [= Krásno] 110-111 G 5
Schönfeld [= Rokitnica] 110-111 M 1
Schönfeld [= Roztoki] 113 B 5
Schönfeld [= Rybaki] 110-111 L 1
Schönfeld [= Skórka] 104-105 J 4
Schönfeld [= Krásné Pole, 3 km ↘ Groß Pohlom 113 E 6]
Schönfelde (Grenzmark) [= Stołun] 104-105 G 5-6
Schönfelden [= Krásná Pole] 118-119 G 1
Schönfließ 104-105 D 6
Schönfließ [= Kraskowo] 112 F 3
Schönfließ Neumark, Bad – 104-105 E 5
Schongau 114-115 H 5
Schöngraben 118-119 L 1
Schönhagen 108-109 J 3
Schönhagen [= Osina] 104-105 F 3
Schönhausen [Mecklenburg] 104-105 C 3
Schönhausen [Sachsen-Anhalt] 102-103 M 5
Schönheide 110-111 FG 4-5

Schönheude 41 Sesenheim

Schönheude [= Szymbark] 104-105 LM 2
Schönhofen (Ostpreußen) [= Łakiele, 2 km ↗ Reimannswalde 112 HJ 3]
Schönholthausen 120 J 4
Schönholthausen-Finnentrop 120 H 4
Schönhorst [= Krasiejów] 113 E 4
Schöningen 108-109 J 3
Schöninghsdorf 102-103 B 5
Schönkirch [= Gądkowice] 112 CD 2
Schönkirchen 102-103 H 2
Schönkirchen [3 km ↖ Gänserndorf 118-119 M 2]
Schönkirch (Oberschlesien) [= Chrząszczyce] 113 D 4
Schönlanke [= Trzcianka] 104-105 H 4
Schönlind [= Krásná Lípa] 110-111 G 5
Schönlinde [= Krásná Lípa] 110-111 KL 4
Schönningstedt 102-103 H 3
Schönow 104-105 BC 5
Schönow [= Jesionowo] 104-105 F 4
Schönow [= Sieniawa (Lubuska), 5 km ← Burschen 104-105 F 6]
Schönrade [= Tuczno] 104-105 FG 5
Schönrode [= Sieroty] 113 F 5
Schönrode (Mark) [= Dobrusołów] 110-111 M 1
Schönsee 114-115 LM 1
Schönsee [= Kowalewo Pomorskie] 104-105 NO 4
Schönstadt 108-109 G 5
Schönstein [= Dolní Životice] 113 D 6
Schönthal 114-115 M 2
Schönthal [= Krásné Údolí] 110-111 G 5
Schonungen 110-111 B 5
Schönwald 110-111 F 5
Schönwald [= Bojków] 113 F 5
Schönwald [= Krásný Les] 110-111 JK 4
Schönwald [= Krzywizna] 113 E 3
Schönwald [= Lesná] 114-115 LM 1
Schönwald [= Šumvald] 113 C 6
Schönwald [= Krásný Les, 5 km ↗ Friedland 110-111 M 4]
Schönwald [= Świercze, 3 km → Rosenberg (Oberschlesien) 113 EF 4]
Schönwalde [Brandenburg, ↑ Berlin] 104-105 BC 5
Schönwalde [Brandenburg, ↖ Lübben (Spreewald)] 110-111 J 2
Schönwalde [= Jarislavskoje] 112 F 3
Schönwalde [= Jaroslavskoje] 112 E 2
Schönwalde [= Mokre] 104-105 F 3
Schönwalde [= Szemud] 104-105 M 2
Schönwalde [= Zagaje] 104-105 G 3
Schönwalde [= Żarska] 110-111 M 2
Schönwalde [3km ↘ Wansdorf 104-105 B 5]
Schönwalde [= Budzów, 2 km → Silberberg (Eulengebirge) 113 B 4]
Schönwalde am Bungsberg 102-103 J 2
Schönwald im Schwarzwald 114-115 C 4
Schönwerder 104-105 C 4
Schönwerder [= Ziemomyśl] 104-105 F 4
Schönwies 116-117 L 2
Schönwitz [= Karczów] 113 D 4
Schoondijke 106-107 B 6
Schoonebeek 106-107 HJ 3
Schoonebekerdiep 106-107 H 3
Schoonhoven 106-107 D 5
Schoonloo 106-107 H 3
Schoorl 106-106 D 3
Schopfheim 114-115 B 5
Schöpfl 118-119 K 2
Schopfloch [Baden-Württemberg] 114-115 D 4
Schopfloch [Bayern] 114-115 G 2
Schopka [= Pšovka] 110-111 K 5
Schopp [6 km ← Trippstadt 108-109 E 8]
Schöppenstedt 110-111 C 1
Schöppingen 108-109 D 2
Schöppingen, Kirchspiel [3 km ↖ Schöppingen 108-109 D 2]
Schöppingen, Wiegbold = Schöppingen 108-109 D 2
Schöppinger Berg 108-109 D 2
Schöps, Schwarzer – 110-111 L 3
Schöps, Weißer – 110-111 L 3
Schorbach 108-109 D 8
Schorfheide 104-105 BC 5
Schörfling 118-119 F 3
Schorndorf 114-115 F 3
Schortens 102-103 C 3
Schoßberg [= Šaštín] 118-119 N 1
Schoten 106-107 CD 6
Schötmar 108-109 G 2
Schotten 108-109 H 5
Schottenberg 104-105 J 3
Schottenring 108-109 H 5
Schottow 104-105 K 2
Schottwien 118-119 K 3
Schötz 116-117 EF 2
Schouwen 106-107 B 5
Schouwenbank 106-107 A 5
Schramberg 114-115 CD 4
Schrankogl 116-117 M 2
Schraplau 110-111 E 3
Schrattenberg 118-119 M 1
Schrattenthal 118-119 KL 1
Schrecke, Hohe – 110-111 D 3
Schreckendorf [= Strachocin] 113 B 5
Schreckenstein [= Střekov] 110-111 K 4
Schreckhorn 116-117 F 3
Schreckbach 108-109 H 5
Schreibendorf [= Písařov] 113 B 5
Schreibendorf [= Sarby] 113 C 4
Schreiberhau [= Szklarska Poręba] 110-111 MN 4
Schreinerberg 118-119 F 1
Schrems 118-119 J 1
Schrepau = Schwarztal 110-111 O 2
Schretstaken 102-103 J 3
Schrick [7 km ↘ Mistelbach an der Zaya 118-119 M 1]
Schrick 106-107 D 6
Schriesheim 114-115 D 2
Schrimm [= Śrem] 113 C 1
Schrobenhausen 114-115 J 3
Schröcken 116-117 K 2
Schroda [= Środa] 113 C 1
Schrodaer Fließ 113 C 1
Schrombehnen [= Strel'n'a] 112 DE 2
Schroop [= Szropy] 112 B 4
Schrot 110-111 L 2
Schröttersburg = Płock 101 JK 2
Schrotz [= Skrzatusz] 104-105 J 4
Schrozberg 114-115 F 2
Schruns 116-117 J 2
Schtschutschin = Szczuczyn 112 H 4
Schubin [= Szubin] 104-105 L 4
Schuby 102-103 F 1
Schulen 106-107 E 7
Schulen [= Sułowo] 112 E 3
Schulenburg (Leine) 108-109 J 2
Schulitz [= Solec Kujawski] 104-105 M 4
Schülp 102-103 E 2
Schulpforta 110-111 E 3
Schuls [= Scuol] 116-117 K 3
Schulzendorf [Brandenburg, ↘ Berlin] 104-105 BC 6
Schulzendorf [Brandenburg, ↗ Neuruppin] 104-105 AB 4
Schulzendorf [= Jeziorki (Wałeckie)] 104-105 H 4
Schulzendorf [4 km ↙ Wriezen 104-105 D 5]
Schumbraida, Piz – 116-117 K 3
Schumburg, Tannwald- [= Tanvald-Šumburk nad Desnou] 110-111 M 4
Schupbach 108-109 F 6
Schüpfheim 116-117 F 3
Schurgast [= Skorogoszcz] 113 D 4
Schurow [= Skórowo] 104-105 KL 1
Schurwald 114-115 EF 3
Schury = Szczury
Schurz [= Žireč] 110-111 N 5
Schussen 114-115 F 5
Schussenried 114-115 F 4-5
Schussenze = Ostlinde 110-111 O 2
Schüttenberg 118-119 M 2
Schüttenhofen [= Sušice] 114-115 NO 2
Schüttenitz [= Žitenice] 110-111 K 4
Schutter [Baden-Württemberg] 114-115 B 4
Schutter [Bayern] 114-115 J 3
Schuttertal [6 km ↑ Schweighausen 114-115 BC 4]
Schutterwald 114-115 B 4
Schüttlau [= Żuchlów] 113 A 2
Schüttorf 108-109 D 2
Schützen [= Lövő] 118-119 M 3
Schützen am Gebirge 118-119 M 3
Schwaan 102-103 LM 3
Schwabach 114-115 HJ 2
Schwabegg 118-119 H 5
Schwabelweis = Regensburg-Schwabelweis
Schwaben 114-115 G 5-H 3
Schwaben, Markt – 114-115 KL 4
Schwabing, München- 114-115 K 4
Schwäbische Alb 114-115 D 5-G 3
Schwäbische Rezat 114-115 HJ 2
Schwäbisch Gmünd 114-115 F 3
Schwäbisch Hall 114-115 F 2
Schwäbisch Hall-Hessental 114-115 F 2
Schwabitz [= Svébořice] 110-111 L 4
Schwabmünchen 114-115 H 4
Schwabstadt [5 km ↙ Scheuring 114-115 H 4]
Schwabstedt 102-103 F 2
Schwachenwalde [= Chłopowo] 104-105 FG 4
Schwachhausen = Bremen-Schwachhausen
Schwackendorf 102-103 GH 1
Schwackenreute 114-115 DE 5
Schwadorf [6 km ↗ Ebergassing 118-119 LM 2]
Schwaförden 102-103 E 5
Schwagstorf [Niedersachsen, → Lingen] 102-103 C 5
Schwagstorf [Niedersachsen, ↗ Osnabrück] 198-109 F 2
Schwaigern 114-115 DE 2
Schwaighofen = Neu-Ulm-Schwaighofen
Schwaikheim 114-115 E 3
Schwalbach am Taunus [2 km → Bad Soden am Taunus 108-109 FC 6]
Schwalbach/Saar 108-109 C 8
Schwalbental 112 G 2
Schwalenberg 108-109 H 3
Schwalgendorf [= Siemiany] 112 BC 4
Schwallenbach 118-119 JK 2
Schwallungen 110-111 BC 4
Schwalm [Hessen, Fluß] 108-109 H 4
Schwalm [Hessen, Landschaft] 108-109 H 5
Schwalm [Nordrhein-Westfalen] 120 A 4
Schwanbeck 104-105 BC 3
Schwanberg 118-119 J 5
Schwand bei Nürnberg 114-115 J 2
Schwanden 116-117 H 3
Schwand im Innkreis 118-119 DE 2
Schwandorf 114-115 DE 5
Schwandorf in Bayern 114-115 KL 2
Schwanebeck [Brandenburg] 104-105 C 5
Schwanebeck [Sachsen-Anhalt] 110-111 D 2
Schwanenbeck [= Suchanówko, 3 km → Zachan 104-105 F 4]
Schwanenberg 120 B 4
Schwanenstadt 118-119 F 2
Schwanewede 102-103 E 4
Schwaney 108-109 G 3
Schwanfeld 114-115 G 1
Schwangau 114-115 H 5
Schwanheide 102-103 J 4
Schwaningen = Schwersenz 104-105 K 6
Schwansen 102-103 GH 1-2
Schwante 104-105 B 5
Schwarme 102-103 F 5
Schwarmitz [= Swarzynice] 110-111 N 1
Schwarmstedt 102-103 G 5
Schwartau 102-103 J 2-3
Schwartau, Bad – 102-103 J 3
Schwartow [= Zwartowo] 104-105 L 1
Schwarz 102-103 N 4
Schwarza [Deutschland, Baden-Württemberg] 114-115 C 5
Schwarza [Deutschland, Thüringen, Fluß] 110-111 D 4
Schwarza [Deutschland, Thüringen, Ort] 110-111 C 4
Schwarza [Österreich] 118-119 K 3
Schwarzach [Baden-Württemberg] 114-115 C 3
Schwarzach [Bayern, Mittelfranken, Fluß ⊳ Altmühl] 114-115 J 2
Schwarzach [Bayern, Mittelfranken, Fluß ⊳ Rednitz] 114-115 J 2
Schwarzach [Bayern, Oberpfalz] 114-115 LM 2
Schwarzach [Niederbayern] 114-115 M 3
Schwarzach [= Švarcava] 114-115 M 2
Schwarzach [4 km ↑ Dornbirn 116-117 J 2]
Schwarzach im Pongau 118-119 E 4
Schwarza, Rudolstadt- 110-111 D 4
Schwarzau [= Swarzewo] 104-105 M 1
Schwarzau = Błaski 113 EF 2
Schwarzau am Steinfelde 118-119 L 3
Schwarzau im Gebirge 118-119 K 3
Schwarzbach [Nordrhein-Westfalen] 120 D 3
Schwarzbach [Rheinland-Pfalz] 108-109 E 8
Schwarbach [= Černá v Pošumaví] 118-119 G 1
Schwarzbach, Hasselbeck- 120 D 3
Schwarzburg 110-111 D 4
Schwarz Damerkow [= Czarna Dąbrówka] 104-105 L 2
Schwarze 110-111 N 2
Schwarze Bank 106-107 BC 2
Schwarze Berge [Bayern] 108-109 J 6
Schwarze Berge [Niedersachsen] 102-103 G 4
Schwarze Elster 110-111 H 2
Schwarze Erns 106-107 G 9
Schwarze Kreisch 101 KL 5
Schwarze Laaber 114-115 K 2
Schwarze Laber = Schwarze Laaber 114-115 K 2
Schwärzelbach 108-109 J 6
Schwarzenau 118-119 J 1
Schwarzenau [= Czerniejewo] 104-105 K 6
Schwarzenau [= Szwarcenowo] 112 BC 4
Schwarzenbach 118-119 L 3
Schwarzenbach [= Črna] 118-119 H 6
Schwarzenbach am Wald 110-111 E 5
Schwarzenbach an der Pielach [8 km ↖ Türnitz 118-119 JK 3]
Schwarzenbach an der sächsischen Saale 110-111 E 5
Schwarzenbach-Stausee 114-115 C 3
Schwarzenbek 102-103 HJ 3-4
Schwarzenberg [Deutschland] 114-115 CD 3
Schwarzenberg [Österreich] 116-117 J 2
Schwarzenberg [Tschechoslowakei] 110-111 N 4
Schwarzenberg [= Le Noirmont] 116-117 C 2
Schwarzenberg (Erzgebirge) 110-111 G 4
Schwarzenberg im Mühlkreis 118-119 F 1
Schwarzenborn 108-109 HJ 5
Schwarzenburg 116-117 D 3
Schwarzenegg 116-117 E 3
Schwarzenfeld 114-115 L 2
Schwarzengrund [= Kopice] 113 C 4
Schwarzenstein 118-119 B 4
Schwarze Pumpe ⤚→
Schwarzer Berg 113 C 2
Schwarzerden 108-109 D 7
Schwarzer Grat 114-115 G 5
Schwarzer Regen 114-115 M 2
Schwarzer Schöps 110-111 L 3
Schwarzheide 110-111 J 3
Schwarzhof [= Wałdówko] 104-105 M 2
Schwarzhofen 114-115 L 2
Schwarzhorn [Italien] 116-117 MN 4
Schwarzhorn [Schweiz, Berner Alpen] 116-117 EF 3
Schwarzhorn [Schweiz, Nordrätische Alpen] 116-117 JK 3
Schwarzhorn [Schweiz, Walliser Alpen] 116-117 E 4
Schwarzkollm 110-111 K 3
Schwarzkoppe 114-115 M 2
Schwarz Kosteletz [= Kostelec nad Černými Lesy] 110-111 L 5-6
Schwarzmühle, Meuselbach- 110-111 D 4
Schwarzsee 116-117 D 3
Schwarzstein [= Czerniki] 112 FG 3
Schwarztal [= Krzepów] 110-111 O 2
Schwarzwald 114-115 B 5-C 3
Schwarzwald [= Czarnolas] 113 D 2
Schwarzwalder Hochwald 108-109 CD 7
Schwarzwaldhochstraße 114-115 C 3
Schwarzwand 118-119 F 4
Schwarzwasser [Deutschland, Niedersachsen] 102-103 HJ 5
Schwarzwasser [Deutschland, Schlesien] 110-111 N 3
Schwarzwasser [Polen] 104-105 LM 3
Schwarzwasser [= Czarna Woda] 104-105 LM 3
Schwarzwasser [= Strumień] 113 F 6
Schwaz 116-117 N 2
Schwaz [= Světec] 110-111 J 4
Schwebda 110-111 B 3
Schwechat [Fluß] 118-119 L 2
Schwechat [Ort] 118-119 LM 2
Schwedenberg 104-105 M 4
Schwedeneck 102-103 H 2
Schwedt (Oder) 104-105 D 4
Schwefe 120 J 2
Schwefelberg Bad 116-117 DE 3
Schwege 102-103 D 6
Schwegenheim 108-109 F 8
Schwei 102-103 D 4
Schweiburg 102-103 D 4
Schweich 108-109 C 7
Schweicheln-Bermbeck [4 km ↑ Herford 108-109 G 2]
Schweidnitz [= Świdnica] 113 AB 4
Schweiggers 118-119 HJ 1
Schweighausen 114-115 BC 4
Schweighausen [= Schweighouse-sur-Moder] 108-109 E 9
Schweighouse-sur-Moder = Schweighausen 108-109 E 9
Schweinert [= Świniary] 104-105 G 5
Schweinfurt 110-111 B 5
Schweinfurt-Oberndorf 110-111 B 5
Schweinitz 110-111 GH 2
Schweinitz [= Świdnica] 110-111 M 2
Schweinitz [= Trhové Sviny] 118-119 H 1
Schweinitzer Fließ 110-111 H 2
Schweinrich 102-103 N 4
Schweinsberg 108-109 GH 5
Schweißing [= Svojšín] 114-115 M 1
Schweiz 116-117 D-H 3
Schweizerische Eidgenossenschaft = Schweiz 116-117 D-H 3
Schweizer Jura 116-117 C 3-E 2
Schweizer Mittelland 116-117 C 3-F 2
Schweizer Nationalpark 116-117 K 3
Schweizer Tor 116-117 J 2
Schwekatowo [= Świekatowo] 104-105 LM 4
Schwellin [= Świelino] 104-105 H 2
Schwelm 120 F 3
Schwend 114-115 K 2
Schwendi 114-115 FG 4
Schwendt [5 km ↓ Kässen 118-119 C 3]
Schwenningen 114-115 DE 4
Schwenningen am Neckar 114-115 CD 4
Schwentainen [= Świętajno] 112 H 3
Schwentainen = Altkirchen (Ostpreußen) 112 F 4
Schwenten [= Ogonki] 112 G 3
Schwenten [= Świętno] 110-111 O 1
Schwentine 102-103 J 2
Schwentischke = Heidewasser 112 H 2
Schwenzaitsee 112 G 3
Schwenzek 112 H 4
Schwepnitz 110-111 J 3
Schwerin [Ort, Verwaltungseinheit] 102-103 K 3
Schweriner See 102-103 KL 3
Schwerinshöhe [= Żelkowo] 104-105 K 1
Schwerin (Warthe) [= Skwierzyna] 104-105 FG 5
Schwerin (Warthe)-Stadtforst, Bahnhof – 104-105 F 5
Schwersenz [= Swarzędz] 104-105 K 6
Schwerstedt [5 km ↑ Gebesee 110-111 C 3]
Schwerta = Schwertburg 110-111 M 4
Schwertberg 118-119 H 2
Schwertburg [= Świecie] 110-111 M 4
Schwerte 120 G 3
Schwesing 102-103 F 1-2
Schwessin [= Świeszyno] [Pommern, ↓ Köslin] 104-105 H 2
Schwessin [= Świeszyno] [↖ Rummelsburg in Pommern] 104-105 JK 3
Schwessow [= Świeszewo] 104-105 F 3
Schwetig [= Świecko] 110-111 L 1
Schwetz [= Świecie] 104-105 MN 4
Schwetzingen 114-115 D 2
Schwetzkau [= Święciechowa] 113 AB 2
Schwichtenberg 104-105 C 3
Schwiddern [= Świdry] 112 H 4
Schwieben [= Świbie] 113 EF 4
Schwieberdingen 114-115 DE 3
Schwiebus [= Świebodzin] 110-111 N 1
Schwiegershausen 110-111 B 2
Schwielochsee 110-111 K 1
Schwielowsee 104-105 A 6
Schwientochlowitz [= Świętochłowice] 113 F 5
Schwiesau 102-103 K 5
Schwihau [= Švihov] 114-115 N 1-2
Schwinge [Niedersachsen] 102-103 F 3
Schwinge [Pommern] 104-105 B 2
Schwinkendorf 102-103 N 3
Schwirblienen = Mühlenhöh 112 G 2
Schwirsen [= Świerzno] 104-105 EF 3
Schwirz [= Świerczów] 113 D 4
Schwitten 120 H 3
Schwochow [= Swochowo] 104-105 E 4
Schwornigatz [= Swornigacie] 104-105 KL 3
Schwurbitz [3 km → Michelau 110-111 D 5]
Schwyz [Ort] 116-117 G 2
Schwyz [Verwaltungseinheit] 116-117 G 2
Sciàves = Schabs
Ściborzyce Małe = Steubendorf 113 D 5
Ściborzyce Wielkie = Steubenwitz
Ściechów = Fahlenwerder 104-105 EF 5
Ścienne = Zeinicke 104-105 FG 4
Sciez 116-117 B 4
Sciliar, Monte – = Schlern 116-117 N 3-4
Ścinawa = Steinau an der Oder 113 A 3
Ścinawa Mała = Steinau in Oberschlesien 113 D 5
Ścinawa Niemodlińska = Steinau 113 D 4-5
Ścinawka = Steine 113 B 5
Ścinawka Średnia = Mittelsteine 113 AB 4
Scionzier 116-117 EC 4
Sclayn 106-107 E 8
Scopa 116-117 F 5
Scuol = Schuls 116-117 K 3
Sczedrzik [= Szczedrzyk] 113 E 4
Sdeden = Stettenbach 112 H 4
Sdonska Wola = Zduńska Wola 113 FG 2
Sdorren = Dorren 112 G 4
Sdunska Wola = Zduńska Wola 113 FG 2
Sebastiansberg [= Hora Svatého Šebastiána] 110-111 H 4
Sebeltitz
Sebersdorf 118-119 KL 4
Sebexen 110-111 B 2
Sebnitz 110-111 K 4
Secantsgraben 102-103 KL 5
Sechtem 108-109 C 5
Seckach 114-115 E 2
Seckau 118-119 H 4
Seckauer Tauern 118-119 H 4
Seckenburg [= Zapovednoje] 112 FG 1
Seckenhausen [4 km ↖ Leeste 102-103 E]
Sedan 106-107 D 9
Seddin [Brandenburg, Mittelmark] 110-111 GH 1
Seddin [Brandenburg, Prignitz] 102-103 LM 4
Sędki = Sentken 112 HJ 4
Sedlec = Sedletz
Sedlec = Voitelsbrunn 118-119 M 1
Sedletz [= Sedlec, 2 km ↗ Kuttenberg 110-111 M 6]
Sedlišćo = Sedlitz 110-111 K 2
Sedlitz 110-111 K 2
Seclo = Geltschberg 110-111 K 4
Secloňov = Sattel 113 A 5
Secmihoří = Sieben Berge 114-115 M 1
Sedranki = Seedranken 112 HJ 3
Sedrun 116-117 G 3
Sędziejowice 113 FG 2
Sędzin 104-105 N 5
Sędzisław = Ruhbank 110-111 O 4
See 118-119 E 3
See [3 km ← Niesky 110-111 L 3]
Seebach 114-115 C 3
Seebad Ahlbeck 104-105 D 3
Seebad Bansin 104-105 D 3
Seebad Heringsdorf 104-105 D 3
Seeberg 118-119 J 3
Seeberg [= Chrzypsko Wielkie] 104-105 H 5
Seeberg [5 km ↙ Herzogenbuchsee 116-117 E 2]
Seebergen 110-111 C 4
Seebergsattel 118-119 GH 6
Seebergspitze 116-117 N 2
Seebnitz [= Trzebnice] 110-111 NO 3
Seeboden 118-119 EF 5
Seebruck 114-115 LM 5
Seebrück = Kórnik 113 C 1
Seebrück = Rogowo 104-105 L 5
Seebrugg 114-115 C 5
See Buckow [= Bukowo Morskie] 104-105 H 2
Seeburg [Baden-Württemberg] 114-115 EF 4
Seeburg [Niedersachsen] 110-111 B 2
Seeburg = Jeziorany 112 E 4
Seedorf [Deutschland, Baden-Württemberg] 114-115 CD 4
Seedorf [Deutschland, Niedersachsen] 102-103 F 4
Seedorf [Deutschland, Schleswig-Holstein, Holsteinische Schweiz] 102-103 J 3
Seedorf [Deutschland, Schleswig-Holstein, Lauenburg] 102-103 H 2
Seedorf [Schweiz] 116-117 D 2
Seedorf [= Strużka] 110-111 M 2
Seedranken [= Sedranki] 112 HJ 3
Seefeld [Deutschland, Brandenburg] 104-105 C 5
Seefeld [Deutschland, Niedersachsen] 102-103 D 4
Seefeld [Österreich] 118-119 L 1
Seefeld [= Grzędzice] 104-105 E 4
Seefeld [= Przodkowo] 104-105 M 2
Seefeld [= Sienno] 104-105 E 6
Seefelder Sattel 116-117 M 2
Seefeld in Tirol 116-117 M 2
Seefeld, Oberalting- 114-115 J 4
Seeg 114-115 H 5
Seega 110-111 D 3
Seeger [= Zegrze Pomorskie] 104-105 H 2
Seegertswalde [= Zajezierze, 9 km ↗ Saalfeld (Ostpreußen)]
Seegrehna 110-111 FG 2
Seegutten [= Nowe Guty] 112 G 4
Seehag [= Jabłonka] 112 DE 5
Seeham 118-119 E 3
Seehausen [Brandenburg] 104-105 C 4
Seehausen [Sachsen-Anhalt] 110-111 G 2
Seehausen [= Jeziorowskie] 112 GH 3
Seehausen (Altmark) 102-103 L 5
Seehausen am Staffelsee 114-115 J 5
Seehausen (Kreis Wanzleben) 110-111 D 1
Seeheim 108-109 G 7
Seeheim [= Osieczek] 104-105 O 4
Seehesten [= Szestno] 112 F 4
Seekirchen 118-119 E 3
Seeland [Dänemark] 101 EF 1
Seeland [Niederlande] 106-107 B 6-C 5
Seeland [Schweiz] 116-117 D 2-3
Seeland [= Jezersko] 118-119 GH 6
Seelbach 114-115 BC 4
Seelingstedt [3 km ↙ Trebsen 110-111 G 3]
Seelisberg 116-117 FG 3
Seelow 104-105 D 5
Seelow [= Żelewo] 104-105 E 4
Seelübbe [3 km ← Bietikow 104-105 C 4]
Seelze 108-109 J 2
Seemenbach 108-109 H 6
Seenbrück = Stęszew 113 B 1
Seenwalde [= Piastutno] 112 F 4
Seeon 114-115 L 5
Seerappen [= L'ublino] 112 D 2
Seeren [= Żarzyn, 3 km ↓ Pieske 104-105 FG 6]
Seerücken 116-117 GH 1
Seeseke 120 G 2
Seesen 110-111 B 2
Seeshaupt 114-115 J 5
Seesken [= Szeszki] 112 H 3
Seesker Berg 112 H 3
Seesker Höhe [= Szeskie Wzgórza] 112 H 3
Seestadtl [= Ervěnice] 110-111 HJ 4
Seetaler Alpen 118-119 GH 4
Seethal 118-119 F 4
Seeve 102-103 G 4
Seewalchen 118-119 F 3
Seewand 114-115 N 2
Seewiesen 118-119 J 3
Seewiesen [= Javorná] 114-115 N 2
Seewinkel 118-119 M 3
Séez 116-117 C 5
Seffern 108-109 C 6
Seftigen 116-117 DE 3
Segeberg, Bad – 102-103 H 3
Segendorf, Niederbieber- 108-109 DE 6
Segl = Sils 116-117 J 4
Segnespass 116-117 H 3
Segny 116-117 B 4
Sehestedt 102-103 G 2
Sehlde 110-111 B 1
Sehlem 108-109 J 2
Sehlen [= Żalno] 104-105 L 3
Sehma 110-111 GH 4
Sehnde 108-109 JK 2
Sehuschitz [= Žehušice, 3 km ↗ Chotusice 110-111 M 6]
Seibersdorf [= Zebrzydowice] 113 F 6
Seibersdorf [7 km ↙ Mannersdorf am Leithagebirge 118-119 M 3]
Seibhorn ⤚→
Seibranz 114-115 FG 5
Seichau [= Sichów] 110-111 O 3
Seichwitz = Wittenau-Richterstal 113 E 3
Seide [= Zytowiecko] 113 B 2
Seidel [= Wyszewo] 104-105 H 2
Seidenberg [= Zawidów] 110-111 M 3
Seidlitz [= Siedlice, 2 km ↑ Kernein 104-105 F 5]
Seiersberg 118-119 J 4
Seiffen (Erzgebirge) 110-111 HJ 4
Seifhennersdorf 110-111 L 4
Seigne, Col de la – 116-117 C 5
Seille = Selz 108-109 B 8-9
Seilles 106-107 E 7
Seine 101 B 4
Seitenstetten 118-119 H 2
Seitsch [= Siciny] 113 A 2
Sejfy = Trinksaifen 110-111 G 5
Sejkow = Schipkau 110-111 J 2
Sejtschin = Syčina
Sękowice = Schenkendorf 110-111 L 2
Seksty, Jezioro – = Sexter See 112 G 4
Sekule 118-119 MN 1
Selb 110-111 F 5
Selbeck, Mülheim an der Ruhr- 120 D 3
Selbitz 110-111 E 5
Selbsanft 116-117 GH 3
Selchow 110-111 J 1
Selchow [= Żelechowo] 104-105 E 4
Selchow [= Żelichowo] 104-105 H 4
Selchower See 110-111 J 1
Selchowhammer [= Kuźnica Żelichowska] 104-105 H 5
Selent 102-103 H 2
Selenter See 102-103 HJ 2
Seligenporten 114-115 J 2
Seligenstadt 108-109 G 6
Seligenthal 110-111 BC 4
Selingersruh [= Lipa Łużycka] 110-111 M 3
Sekle 110-111 D 2
Sèllero 116-117 K 4
Sellin 104-105 C 2
Sellin [= Zielin] [Brandenburg] 104-105 E 5
Sellin [= Zielin] [Pommern] 104-105 K 2
Sellingen, Vlagtwedde- 106-107 J 3
Sellnitz [= Želenice nad Bílinou, 4 km ↙ Bilin 110-111 J 4]
Sellnow [= Zieleniewo] [Pommern, ↘ Arnswalde] 104-105 G 4
Sellnow [= Zieleniewo] [Pommern, ↓ Kolberg] 104-105 FG 2
Sellraintal 116-117 M 2
Sellstedt 102-103 E 3
Selm 120 F 2
Selmęt Wielki, Jezioro – = Großer Selmentsee 112 HJ 4
Selmsdorf 102-103 J 3
Seloignes 106-107 C 8
Selow 102-103 L 3
Selsingen 102-103 F 4
Selters (Westerwald) 108-109 E 5
Seltz = Selz 108-109 F 9
Selva dei Molini = Mühlwald 118-119 B 5
Selvuno [4 km ↖ Albino 116-117 J 5]
Selz 108-109 F 7
Selz [= Seille] 108-109 B 8-9
Selz [= Seltz] 108-109 F 9
Selzen [6 km ↙ Nierstein 108-109 F 7]
Selzthal 118-119 G 3
Semban = Zębowo 104-105 H 6
Sembrancher 116-117 D 4
Semenovo = Fuchsberg 112 E 2
Semerow [= Ząbrowo] 104-105 G 3
Semeuse, Villers- 106-107 D 9
Semil = Semily 110-111 M 4
Semily 110-111 M 4
Semlow 102-103 N 2
Semmelberg 104-105 CD 5
Semmering 118-119 K 3
Semnoz, le – 116-117 B 5
Semois 106-107 D 9
Sempach 116-117 F 2
Sempachersee 116-117 F 2
Sempione ⤚→
Sempolno = Sępolno 104-105 H 6
Sempt 114-115 K 4
Semriach 118-119 JK 4
Semsales 116-117 CD 3
Senago [3 km → Garbagnate 116-117 H 5]
Senàles, Val di – = Schnalstal 116-117 L 3
Senden [Bayern] 114-115 G 4
Senden [Nordrhein-Westfalen] 108-109 D 3
Sendenhorst 120 H 1
Sendziejowice = Sędziejowice 113 FG 2
Sendzin = Sędzin 104-105 N 5
Seneffe 106-107 C 7
Senftenberg [Deutschland] 110-111 K 2
Senftenberg [Österreich] 118-119 JK 2
Senftenberg [= Žamberk] 113 AB 5
Sengbach-Stausee 120 E 4
Sengsengebirge 118-119 G 3
Sengwarden 102-103 CD 3
Senheim (Mosel) 108-109 D 6
Senne [Belgien] 106-107 C 7
Senne [Deutschland] 108-109 G 3
Senne I 108-109 FG 3
Senne II = Sennestadt 108-109 G 3
Sennestadt 108-109 G 3
Sennfeld 110-111 B 5
Sennheim [= Cernay] 116-117 D 1
Sennwald 116-117 HJ 2
Senomat [= Senomaty] 110-111 J 5
Senomaty = Senomat 110-111 J 5
Senoncourt 116-117 AB 1
Sensburg [= Mrągowo] 112 F 4
Sense 116-117 D 3
Senst 110-111 G 2
Sent 116-117 K 3
Senta 101 JK 6
Sentheim 116-117 D 1
Sentier, Le – [4 km ↗ Le Brassus 116-117 B 3]
Šent Ilj v Slovenskih Goricah = Sankt Egidi in Windischbüheln 118-119 K 5
Sentken [= Sędki] 112 HJ 4
Senzig 110-111 J 1
Seon 116-117 F 2
Sépey, Le – 116-117 CD 4
Sępolno 104-105 H 6
Sępolno = Zempolno 104-105 L 4
Sępólno Krajeńskie = Zempelburg 104-105 L 4
Sępolno Wielkie = Groß Karzenburg 104-105 J 3
Sępopol = Schippenbeil 112 F 3
Seppenrade 120 F 1
Seppois-le-Bas = Nieder-Sept 116-117 D 1
Seppois-le-Haut = Ober-Sept 116-117 D 1
Septfontaines 116-117 B 3
Septimerpass 116-117 J 4
Seraincourt 106-107 C 9
Seraing 106-107 EF 7
Serbetsch = Srbeč 110-111 J 5
Serby = Lerchenberg 110-111 O 2
Seregno 116-117 H 5
Seren del Grappa [6 km → Arsiè 116-117 N 5]
Serfaus 116-117 L 2
Seriana, Valle – 116-117 J 4-5
Seriate 116-117 J 5
Serina 116-117 J 5
Serinchamps 106-107 E 8
Sèrio 116-117 J 5
Serle 116-117 K 5
Sèrnio, Monte – 118-119 E 6
Serno 110-111 F 1
Serock = Schirotzken 104-105 LM 4
Serooskerke [4 km ↘ Oostkapelle 106-107 AB 5]
Serrahn 102-103 M 3
Serraval 116-117 B 5
Serravalle Sèsia 116-117 F 5
Serre 106-107 BC 9
Serrig 108-109 C 7
Servance 116-117 C 1
Servigney 116-117 B 1
Šervinta = Schirwindt 112 J 2
Servoz 116-117 C 5
Sesemitz = Sezemitz 110-111 N 5
Sesenheim [= Sessenheim] 108-109 E 9

Soultz-sous-Forêts 43 Stolpmünde

Soultz-sous-Forêts = Sulz unterm Wald 108-109 E 9
Soumagne 106-107 F 7
Souš = Tschausch 110-111 J 4-5
Sover 116-117 M 4
Sòvere 116-117 JK 5
Sovet 106-107 DE 8
Sovetsk = Tilsit 112 G 1
Sowia Góra = Eulenberg 104-105 G 5
Sowie, Góry – = Eulengebirge 113 AB 4
Sowjetische Besatzungszone [101]
Sowjetunion 101 LM 1-4
Sowno = Alt Zowen 104-105 HJ 2
Soy 106-107 F 8
Soye [6 km ← l'Isle-sur-le-Doubs 116-117 BC 2]
Soyen 114-115 L 4

Spa 106-107 F 7-8
Spachendorf [= Leskovec nad Moravicí] 113 D 6
Spaden 102-103 E 3
Spahl 110-111 A 4
Spaichingen 114-115 D 4
Spalona = Heinersdorf
Spalt 114-115 H 2
Spandau, Berlin- 104-105 B 5
Spangen [= Pange] 108-109 B 8
Spangenberg 108-109 J 4
Spannberg 118-119 M 2
Spannort 116-117 FG 3
Spantekow 104-105 C 3
Sparrieshoop, Klein Offenseth- [6 km ↖ Barmstedt 102-103 G 3]
Sparsee [= Spore] 104-105 J 3
Spateck 118-119 F 4
Spechtshagen [= Dzięcielec] 104-105 L 1-2
Speck [= Gać] 104-105 KL 1
Speck [= Mosty] 104-105 E 3
Speer 116-117 H 2
Speicher 108-109 C 7
Speichersdorf 114-115 K 1
Speichersee 114-115 K 4
Speikkogel 118-119 J 4
Speisendorf 118-119 J 1
Spelle 108-109 D 2
Spellen, Voerde (Niederrhein)- 120 C 2
Spenge 108-109 F 2
Sperenberg 110-111 H 1
Spessart 108-109 H 6-7
Spexard 108-109 F 3
Speyer [Fluß] 108-109 F 8
Speyer [Ort] 108-109 F 8
Speyerdorf, Lachen- 108-109 F 8
Spicymierz = Śpicimierz 113 F 2
Śpicimierz 113 F 2
Spie 104-105 G 2
Spiegelberg [= Poźrzadło] 110-111 M 1
Spiegelberg [= Spręcowo] 112 DE 4
Spieglitzer Schneeberg = Großer Schneeberg 113 B 5
Spieka 102-103 E 3
Spiekeroog [Insel] 102-103 C 3
Spiekeroog [Ort] 102-103 C 3
Spielbach 114-115 G 2
Spielfeld 118-119 K 5
Spielmannsau 114-115 G 6
Spiesen [2 km → Elversberg 108-109 D 8]
Spiez 116-117 E 3
Spijkenisse 106-107 C 5
Spiller [= Pasiecznik] 110-111 N 4
Spinabad 116-117 J 3
Spindelmühle = Spindlermühle 110-111 N 4
Spindlermühle [= Špindlerův Mlýn] 110-111 N 4
Špindlerův Mlýn = Spindlermühle 110-111 N 4
Spinga = Spinges 116-117 N 3
Spinges [= Spinga] 116-117 N 3
Spirano 116-117 J 5
Spirdingsee 112 G 4
Spiß 116-117 K 3
Spital am Pyhrn 118-119 G 3
Spital am Semmering 118-119 K 3
Spittal an der Drau 118-119 EF 5
Spitz 118-119 J 2
Spitzberg [Brandenburg] 110-111 K 2
Spitzberg [Schlesien] 110-111 N 3
Spitzenwald = Dubin 113 C 2
Spitzer Berg [Pommern, ↗ Neustettin] 104-105 JK 3
Spitzer Berg [Pommern, ↙ Neustettin] 104-105 H 3
Spitze Warthe 108-109 F 3
Spitzingsee 114-115 K 5
Spitzkofel 118-119 D 5
Spitzmeilen 116-117 H 2
Spitzwaldberg 118-119 G 1
Splietsdorf-Vorland 102-103 N 2
Spluga = Splügen 116-117 H 3
Spluga, Monte – 116-117 J 4
Splügen [= Spluga] 116-117 H 3
Splügenpass 116-117 H 3
Spöck 114-115 CD 2
Spodsbjerg 102-103 J 1
Sponholz 104-105 B 3
Spontin 106-107 DE 8
Spore = Sparsee 104-105 J 3
Spořice = Sporitz
Sporitz [= Spořice, 3 km ↙ Komotau 110-111 HJ 5]
Spornhau [= Ostružná] 113 BC 5
Spornitz 102-103 L 4
Spradow [2 km ↗ Bünde 108-109 G 2]
Sprakebüll 102-103 F 1
Sprakensehl 102-103 HJ 5
Sprang-Capelle 106-107 E 5
Spręcowo = Spiegelberg 112 DE 4
Spree 104-105 C 6, 110-111 J 2
Spreefurt = Uhyst (Kreis Hoyerswerda) 110-111 KL 3
Spreenhagen 104-105 C 6
Spreewald 110-111 JK 2
Spreewitz 110-111 K 2
Spremberg, Neusalza- 110-111 L 3
Spremberg (Niederlausitz) 110-111 K 2
Spremberg-Trattendorf 110-111 K 2
Sprendlingen [Hessen] 108-109 G 6
Sprendlingen [Rheinland-Pfalz] 108-109 EF 7
Sprengelberg 104-105 F 3
Spriana 116-117 J 4
Sprimont 106-107 F 7
Springe 108-109 J 2
Springersdiep 106-107 B 5
Spritze 104-105 L 3
Šprjejcy = Spreewitz 110-111 K 2
Spröda 110-111 F 2
Sprotta 110-111 G 3
Sprottau [= Szprotawa] 110-111 N 2
Sprotte 110-111 N 2
Sprötze 102-103 G 4
Spui 106-107 C 5
Spy 106-107 D 8

Srbeč 110-111 J 5
Srebna Góra = Silberberg (Eulengebirge) 113 B 4
Srebrni breg = Silberberg 118-119 L 5
Śrem = Schrimm 113 C 1
Srnči vrch = Rehberg 114-115 N 1
Srní = Rehberg 114-115 NO 2
Srní u Český Lípy = Rehdörfel
Środa = Schroda 113 C 1
Środa Śląska = Neumarkt 113 B 3
Środkowa Obry Kanał = Obra-Mittelkanal 113 A 1
Srokowo = Drengfurth 112 G 3

Staab [= Stod] 114-115 N 1
Staakow 110-111 K 2
Staatz 118-119 LM 1
Stäbelow 102-103 LM 2
Staber Huk 102-103 K 2
Stabigotten [= Stawiguda] 112 DE 4
Stabio 116-117 G 5
Stabitz [= Zdbice] 104-105 J 4
Stabitzsee 104-105 HJ 4
Stablack 112 DE 3
Stabławki = Stablack 112 DE 3
Stabroek 106-107 C 6
Stackie, Jezioro – = Statzer See 112 J 4
Stacze = Statzen
Stade [Ort, Verwaltungseinheit] 102-103 F 3
Stadecken 108-109 E 7
Stadelhofen 110-111 D 5
Stadeln [= Stodůlky] 114-115 N 2
Staden 106-107 ab 2
Stader Sand 102-103 FG 3
Stadland 102-103 D 4
Stadl an der Mur 118-119 F 4
Stadl Paura 118-119 F 2
Stadskanaal 106-107 H 2-3
Stadskanaal, Onstwedde- 106-107 JH 2
Stadtbergen 114-115 H 4
Stadt Bralin [= Bralin] 113 D 3
Städtel [= Městečko] 110-111 J 5
Stadtforst, Bahnhof Schwerin (Warthe)- 104-105 F 5
Stadthagen 108-109 H 2
Stadtilm 110-111 D 4
Städtisch Dittersbach [= Ogorzelec] 110-111 N 4
Stadtkyll 108-109 BC 6
Stadtlauringen 110-111 B 5
Stadtlengsfeld 110-111 AB 4
Stadtlohn 108-109 CD 3
Stadtoldendorf 108-109 J 3
Stadtprozelten 114-115 E 1
Stadtroda 110-111 E 4
Stadtschlaining 118-119 L 4
Stadtschwarzach 114-115 G 1
Stadtsteinach 110-111 DE 5
Stadt Wehlen 110-111 JK 4
Stäfa 116-117 G 2
Staffel 114-115 J 5
Staffelberg 110-111 D 5
Staffelde 104-105 AB 5
Staffelde [= Staw] 104-105 E 5
Staffelsee 114-115 J 5
Staffelstein 110-111 CD 5
Stäffis am See = Estavayer-le-Lac 116-117 C 3
Stafflangen 114-115 F 4
Šťáhlavy 114-115 NO 1
Stahlbrode 104-105 B 2
Stahlhammer [= Kalety] 113 F 4
Stahnsdorf 104-105 B 6
Stahren [= Stare] 104-105 K 4
Stahringen 114-115 DE 5
Stainach 118-119 G 3
Stainz 118-119 J 5
Stajkowo = Bismarckshöhe 104-105 HJ 5
Stalden 116-117 E 4
Stalhille 106-107 A 6
Stalinogród = Kattowitz 113 FG 5
Stalinov štít = Gerlsdorfer Spitze 101 JK 4
Stalinstadt
Stall 118-119 E 5
Stallhofen [5 km → Voitsdorf 118-119 J 4]
Stallupönen = Ebenrode 112 HJ 2
Stallwang 114-115 M 2
Stalun = Schönfelde (Grenzmark) 104-105 G 5-6
Stammbach 110-111 E 5
Stammham 114-115 JK 3
Stammheim 114-115 D 3
Stammheim, Schloß – 120 D 4-5
Stampa 116-117 J 4
Stampfen [= Stupava] 118-119 N 2
Stams 116-117 LM 2
Stamsried 114-115 M 2
Stanclewo = Sternsee
Stangenwalde [= Jodłowno] 104-105 M 2
Stanica = Arensdorf 104-105 F 5
Staniewice = Stemnitz 104-105 J 2
Staniszcze Wielkie = Groß Zeidel 113 E 4
Stankau [= Staňkov] 114-115 MN 1
Staňkov = Stankau 114-115 MN 1
Staňkovice = Stankowitz 110-111 HJ 5
Stankowitz [= Staňkovice] 110-111 HJ 5
Stannaitschen = Zweilinden 112 H 2
Stanovice = Donawitz 110-111 G 5
Stans 116-117 F 3
Stansstad 116-117 F 3
Stanzach 116-117 L 2
Stanzer Tal 116-117 K 2
Stanz im Mürztal 118-119 JK 4
Stapel 102-103 JK 4
Stapelburg 110-111 C 2
Stapeler Moor 102-103 C 4
Stapelfeld 102-103 H 3
Stapelholm 102-103 F 2
Stapelmoor 102-103 B 4
Staphorst 106-107 G 3
Stará Boleslav = Alt Bunzlau 110-111 L 5
Stará Červená Voda = Alt Rothwasser 113 C 5
Starachowice 101 K 3
Stara Dąbrowa = Alt Damerow 104-105 EF 4
Stara Darbnja = Altdöbern 110-111 JK 2
Stara Hěta = Friedrichshain 110-111 KL 2
Stara Kamienica = Altkemnitz 110-111 N 4
Stara Kiszewa = Alt Kischau 104-105 M 2-3
Stara Kopernia = Küpper bei Sagan 110-111 MN 2
Stara Korytnica = Alt Körtnitz 104-105 H 4
Stara Łomnica = Alt Lomnitz 113 AB 5
Stara Łubianka = Lebehnke 104-105 J 4
Stara Oleszna = Altöls 110-111 N 3
Stará Paka = Alt Paka 110-111 N 4
Stara Pasłęka = Alt Passarge 112 C 3
Stara Piła = Altmühle 104-105 M 2
Stará Role = Alt Rohlau 110-111 G 5
Stara Różanka = Alt Rosenthal 112 FG 3
Stara Rudna = Alt Raudten
Stara Rudnica = Alt Rüdnitz 104-105 D 5
Stará Ves = Altendorf 113 C 6
Stara Wiśniewka = Lugetal 104-105 K 4
Starbach [4 km ↙ Raußlitz 110-111 H 3]
Starcza 113 G 4
Starczówek = Neu Altmannsdorf 113 C 4
Stare = Stahren 104-105 K 4
Stare Bielice = Alt Beelitz 104-105 G 5
Stare Bogaczowice = Altreichenau 110-111 O 4
Stare Budkowice = Alt Baudendorf 113 E 4
Stare Czarnowo = Neumark 104-105 E 4
Stare Dębno = Damen 104-105 H 3
Stare Dolno = Alt Dollstädt 112 BC 3
Stare Drzewce = Alt Driebitz 110-111 O 2
Stare Gliwice = Alt Gleiwitz
Stare Gronowo = Grunau 104-105 K 3
Stare Guty = Gutten
Stare Jaroszowice = Alt Jäschwitz 110-111 N 3
Stare Jastrzębsko = Friedenhorst 110-111 NO 1
Stare Juchy = Fließdorf 112 H 4
Stare Kiełbonki = Alt Kelbunken
Stare Koźle = Alt Cosel 113 E 5
Stare Kurowo = Altkarbe 104-105 G 5
Stare Ludzicko = Lutzig 104-105 H 3
Stare Łysogórki = Alt Lietzegöricke 104-105 D 5
Staré Město = Altstadt [Tschechoslowakei, ↙ Jägerndorf] 113 C 5
Staré Město = Altstadt [Tschechoslowakei, ↑ Mährisch Schönberg] 113 B 5
Staré Město pod Landštejnem = Altstadt 118-119 J 1
Stare Miasto 113 E 1
Starenshagen = Stawiszyn 113 E 2
Stare Olesno = Alt Rosenberg 113 E 4
Stare Osieczno = Hochzeit 104-105 G 4
Stare Polaszki = Alt Paleschken
Stare Pole = Altfelde 112 B 3
Stare Polichno = Pollychen 104-105 F 5
Staré Sedliště = Alt Zedlisch 114-115 M 1
Stare Siedlisko = Ebersbach 112 C 3
Stare Strącze = Deutscheck 110-111 O 2
Stargard Gubiński = Stargardt
Stargard in Pommern [= Stargard Szczeciński] 104-105 EF 4
Stargard Szczeciński = Stargard in Pommern 104-105 EF 4
Stargardt [= Stargard Gubiński, 2 km ↖ Amtitz 110-111 L 2]
Stargordt [= Starogard (Łobeski)] 104-105 G 3
Staritz 110-111 H 3
Starkenbach [= Jilemnice] 110-111 MN 4
Starkenborghkanaal, Van- 106-107 G 2
Starkoč = Starkotsch
Starkotsch [= Starkoč, 5 km ← Náchod 110-111 O 5]
Stárkov = Starkstadt 110-111 O 4
Starkstadt [= Stárkov] 110-111 O 4
Starlex, Piz – 116-117 KL 3
Starnberg 114-115 J 4-5
Starnberger See 114-115 J 5
Starnin = Sternin 104-105 FG 3
Starogard Gdański = Preußisch Stargard 104-105 M 3
Starogard (Łobeski) = Stargordt 104-105 G 3
Starogród = Althausen Höhe
Starokrzepice 113 F 4
Starowice = Groß Zacharin 104-105 H 3
Sta-šs = Sankt Johann am Draufelde 118-119 K 6
Stary Błeszyn = Alt Bessin
Starý Bohumín = Oderberg 113 E 6
Stary Chwalim = Alt Valm 104-105 H 3
Stary Dwór = Altenhof
Stary Dworek = Althöfchen 104-105 F 5
Stary Dzierzgoń = Alt Christburg 112 BC 4
Stary Grodków = Alt Grottkau 113 C 4
Starý Hrozňatov = Alt Kinsberg 110-111 F 5
Stary Jarosław = Alt Järshagen 104-105 HJ 2
Stary Kisielin = Altkessel 110-111 MN 2
Starý Kolín = Alt Kolin 110-111 M 5
Stary Kostrzynek = Altcüstrinchen
Stary Kraków = Alt Krakow 104-105 HJ 2
Stary Licheń 104-105 M 6
Stary Łom = Altenlohn
Stary Panigródz = Alt Panigrodz 104-105 KL 5
Starý Plzenec = Alt Pilsenetz 114-115 NO 1
Stary Popielów = Alt Poppelau 113 D 4
Stary Pražuchy 113 E 2
Stary Przylep = Alt Prilipp
Stary Targ = Altmark 112 B 4
Stary Tomyśl = Alttomischel 104-105 H 6
Stary Waliszów = Alt Waltersdorf 113 B 5
Stary Węgliniec = Alt Kohlfurt 110-111 M 3
Stary Wołów = Alt Wohlau 113 B 3
Starzyno = Groß Starsin 104-105 M 1
Staßfurt 110-111 E 2
Staßwinnen = Eisermühl 112 G 4
Staświny = Eisermühl 112 G 4
Stattegg [5 km ↗ Gratkorn 118-119 J 4]
Statzen [= Stacze, 5 km ↘ Ebenfelde 112 J 4]
Statzer See 112 J 4
Staubbachfall [1 km ↓ Lauterbrunnen 116-117 E 3]
Stauchitz 110-111 H 3
Staudach-Egerdach [3 km → Grassau 114-115 LM 5]
Staude [= Studzionka] 113 F 6
Staudernheim [2 km ↖ Odernheim am Glan 108-109 E 7]
Staufen 114-115 B 5
Staufenberg 108-109 G 5
Stavelot 106-107 F 8
Staven 104-105 B 3
Stavenhagen 102-103 M 3
Stavenisse 106-107 BC 5
Staveren 106-107 E 3
Staw 113 E 2
Staw = Staffelde 104-105 E 5
Stawiguda = Stabigotten 112 DE 4
Stawischin = Stawiszyn 113 E 2
Stawiski 112 H 5
Stawiszyn 113 E 2
Stębark = Tannenberg 112 D 4-5
Steben, Bad – 110-111 E 5
Steblewo = Stüblau 104-105 N 2
Stechau 110-111 HJ 2
Steckborn 116-117 GH 1
Steckelsdorf 102-103 M 5
Stecklin [= Stekino] 104-105 DE 4
Steckweiler, Bayerfeld- 108-109 E 7
Stederdorf 110-111 B 1
Stedesand 102-103 E 1
Stedingen 102-103 DE 4
Stedorf 102-103 F 5
Stedten 110-111 E 3
Steeg [Deutschland] 108-109 E 6
Steeg [Oberösterreich] 118-119 F 3
Steeg [Österreich, Tirol] 116-117 K 2
Steegen [= Stegna] 104-105 O 2
Steegen [1 km ↙ Peuerbach 118-119 F 2]
Steeg, Rheden-De – 106-107 G 4
Steele, Essen- 120 E 3
Steen 106-107 CD 7
Steenbergen en Kruisland 106-107 C 5
Steenbergsche Vliet 106-107 C 5
Steenfelde [4 km ↙ Ihrhove 102-103 BC 4]
Steenvoorde 106-107 a 2
Steenwijk 106-107 G 3
Steenwijker A 106-107 G 3
Stefanswalde = Szczepanowo 104-105 L 5
Steffisburg ↣
Stegaurach 114-115 H 1
Stegelitz [Brandenburg] 104-105 C 4
Stegelitz [Sachsen-Anhalt] 110-111 E 1
Stegen, Bargfeld- 102-103 H 3
Stegers [= Rzeczenica] 104-105 K 3
Stegersbach 118-119 L 4
Steglin [= Szczeglino] 104-105 H 2
Steglitz, Berlin- 104-105 B 6
Stegna = Steegen 104-105 O 2
Steiermark 118-119 H-K 4
Steigerwald [Bayern] 114-115 GH 1
Steigerwald
Steijl, Tegelen- 106-107 G 6
Steimke 102-103 F 5
Stein [Deutschland, Baden-Württemberg] 114-115 D 3
Stein [Deutschland, Schleswig-Holstein] 102-103 H 2
Stein [Niederlande] 106-107 F 7
Stein [Schweiz] 116-117 E 1
Steina 114-115 C 5
Steinabrückl [3 km ↗ Wöllersdorf 118-119 L 3]
Steinach [Deutschland, Baden-Württemberg] 114-115 C 4
Steinach [Deutschland, Bayern] 110-111 D 5
Steinach [Deutschland, Thüringen] 110-111 D 5
Steinach [Österreich] 116-117 M 2
Steinach an der Ens 114-115 G 2
Steinakirchen am Forst 118-119 J 2
Steinamanger [= Szombathely] 118-119 M 4
Stein am Kocher 114-115 E 2
Stein am Rhein 116-117 G 1
Stein an der Donau = Krems an der Donau-Stein
Stein an der Traun 114-115 LM 5
Steinau [Hessen] 108-109 HJ 6
Steinau [Niedersachsen] 102-103 E 3
Steinau [Schlesien] 113 D 4-5
Steinau [= Glubczyn] 104-105 J 4
Steinau an der Oder [= Ścinawa] 113 A 3
Steinau in Oberschlesien [= Ścinawa Mała] 113 D 5
Steinbach [Baden-Württemberg] 114-115 C 3
Steinbach [Hessen, Odenwald] 108-109 G 7
Steinbach [Hessen, Rhön] 108-109 J 5
Steinbach [Hessen, Wetterau] 108-109 G 5
Steinbach [Schlesien] 110-111 L 3
Steinbach [Thüringen] 110-111 B 4
Steinbach am Attersee 118-119 F 3
Steinbach am Wald 110-111 D 5
Steinbach am Ziehberg 118-119 G 3
Steinbach an der Steyr [1 km → Grünberg 118-119 G 3]
Steinbach-Hallenberg 110-111 C 4
Steinbeck 104-105 C 5
Steinbeck [= Rybno e] 112 E 2
Stein bei Nürnberg 114-115 HJ 2
Steinberg [Bayern] 114-115 L 2
Steinberg [Pommern] 104-105 J 3
Steinberg [Schleswig-Holstein] 102-103 G 1
Steinberg [= Chmielnikо] 104-105 H
Steinberg [= Szczeeirowo] 112 H 4
Steinberg am Rofan [7 km ← Aschau 118-119 B 3]
Steinberg an der Raabnitz [2 km ↘ Dörfl im Burgenland 118-119 L 4]
Steinberg, Zeesen- [3 km ↓ Königswusterhausen 110-111 HJ 1]
Steinbourg = Steinburg 108-109 D 9
Steinbrüchberg 110-111 H 6
Steinbrück [= Zidan Most] 101 G 5
Steinbrück (Schlesien) [= Drozdowice Wielkie] 113 B 2
Steinburg 102-103 FG 3
Steinburg [= Pateręk] 104-105 L 4
Steinburg [= Steinbourg] 108-109 D 9
Steinbusch [= Głusko] 104-105 G 4
Steindorf 118-119 F3 5
Steindorf [= Wojcice] 113 C 4
Steine 113 B 5
Steinebach am Wörthsee 114-115 J 4
Steinen 114-115 B 5
Steiner Alpen 118-119 H 6
Steinerkirchen an der Traun 118-119 FG 2
Steinernes Meer 118-119 DE 4
Steinfeld [Deutschland, Bayern] 110-111 D 6
Steinfeld [Deutschland, Niedersachsen] 102-103 D 5
Steinfeld [Deutschland, Rheinland-Pfalz] 108-109 EF 8
Steinfeld [Österreich Kärnten] 118-119 E 5
Steinfeld [Österreich Niederösterreich] 118-119 L 3
Steinfeld [3 km ↗ Sietig 108-109 C 6]
Steinfort [= Clemency] 106-107 F 9
Steinforth [= Brodźce] 104-105 J 3
Steinfurter Aa 108-109 D 2
Steingaden 114-115 H 5
Steinhagen [Nordrhein-Westfalen] 108-109 F 2
Steinhagen [Pommern] 102-103 N 2
Steinhaus [= Kamienrik] 113 C 4
Steinhaus [5 km ↓ Wels 118-119 G 2]
Steinhausen 108-109 FG 3
Steinhausen, Schloß – 120 F 3
Steinheid 110-111 CD 5
Steinheim [Bayern] 114-115 H 3
Steinheim [Nordrhein-Westfalen] 108-109 H 3
Steinheim am Albuch 114-115 G 3
Steinheim am Main 108-109 G 6
Steinheim an der Murr 114-115 E 3
Steinhöfel [Brandenburg, Lebus] 104-105 D 6
Steinhöfel [Brandenburg, Uckermark] 104-105 C 4
Steinhöring 114-115 L 4
Steinhorst 102-103 H 5
Steinhude 102-103 F 6
Steinhuder Meer 102-103 F 6
Steinigtwolmsdorf [3 km ↖ Wehrsdorf 110-111 K 3]
Stein im Allgäu 114-115 G 5
Steinkirchen [Bayern] 114-115 L 4
Steinkirchen [Niedersachsen] 102-103 G 3
Steinkirchen [= Kamenný Újezd] 118-119 GH 1
Steinkunzendorf [= Kamionki, 5 km ← Langenbielau 113 B 4]
Steinmark [= Sławianowo] 104-105 K 4
Steinmarker See = Großer See 104-105 K 4
Steinort [= Primorskoje] 112 E 2
Steinpaß 118-119 D 3
Steinplatte 118-119 CD 3
Steinpleis [3 km ↘ Werdau 110-111 F 4]
Steinriegel = Kitzek im Sausal 118-119 J 5
Steinsberg [= Ardez] 116-117 K 3
Stein-Schechrowitz [= Kamenne Žehrovice, 2 km ↘ Tuchlowitz 110-111 K 5]
Steinschönau [= Kamenický Šenov] 110-111 K 4
Steinseifersdorf [= Rościszów] 113 B 4
Steinsfurt 114-115 DE 2
Steinstraß 120 BC 5
Steinwald 114-115 L 1
Steinwedel 102-103 H 6
Steinwenden 108-109 E 8
Steinwiesen 110-111 DE 5
Steirische Kalkspitze 118-119 F 4
Steirisch-Niederösterreichische Kalkalpen 118-119 H-K 3
Steißlingen 114-115 D 5
Stekene 106-107 BC 6
Steklno = Stecklin 104-105 DE 4
Stella, Corno – 116-117 J 4
Stella, Pizzo – 116-117 H 4
Stelle 102-103 H 4
Stellendam 106-107 C 5
Stellichte 102-103 G 5
Stellingen = Hamburg-Stellingen
Stèlvio = Stilfs 116-117 L 3
Stèlvio-Nationalpark 116-117 K 4-L 3
Stèlvio, Parco nazionale – = Stèlvio-Nationalpark 116-117 KL 3-4
Stèlvio, Passo di – = Stilfser Joch 116-117 KL 3
Stelzen 110-111 E 5
Stembert 106-107 E 7
Stemel 120 HJ 3
Stemmen 102-103 F 5
Stemnitz [= Staniewice] 104-105 J 2
Stendal 102-103 L 5
Stenden 120 B 3
Stendsitz [= Stężyca] 104-105 L 2
Stene 106-107 a 1
Stěnico 116-117 L 4
Stenn [2 km ↓ Lichtentanne 110-111 F 4]
Štěnovice 114-115 N 1
Stenschewo = Stęszew 113 B 1
Stentsch [= Szczaniec] 110-111 N 1
Štěpánkovice = Schepankowitz
Stepen [= Stepień, 4 km ↓ Kasimirshof 104-105 J 3]
Stepenitz [Brandenburg, Fluß] 102-103 L 4
Stepenitz [Brandenburg, Ort] 102-103 M 4
Stepenitz [Mecklenburg] 102-103 K 3
Stepenitz [= Stepnica] 104-105 E 3
Stepenitzbach 104-105 F 3
Stepenitzbach = Gubenbach 104-105 E 5
Stephansdorf [= Radzikowice] 113 C 4
Stephansdorf [= Szczepanów] 113 B 3
Stephanskirchen 114-115 L 5
Stephansposching 114-115 M 3
Stepień = Stepen
Stepnica = Stepenitz 104-105 E 3
Stepnica = Stepenitzbach 104-105 F 3
Steppach 114-115 H 1
Steppach [1 km ↘ Westheim bei Augsburg 114-115 H 4]
Sterbfritz 108-109 J 6
Sterkrade, Oberhausen- 120 D 2
Sterławki Małe = Klein Stürlack
Sterławki Wielkie = Groß Stürlack 112 G 3
Sterley 102-103 J 3
Sterna = Ammern (Oberschlesien) 113 F 4
Sternai, Cima – = Eggenspitze 116-117 L 4
Sternalice = Ammern (Oberschlesien) 113 F 4
Sternalitz = Ammern (Oberschlesien) 113 F 4
Sternberg 102-103 L 3
Sternberg = Sterrenberg 108-109 E 6
Sternberger Land 110-111 LM 1
Sternberger See 102-103 L 3
Sternberg Neumark [= Torzym] 104-105 F 6
Sternebeck 104-105 CD 5
Sternhagen 104-105 C 4
Sternin [= Starnin] 104-105 FG 3
Sternsee [= Stanclewo, 8 km ↗ Bischofsburg 112 EF 4]
Sternstein 118-119 G 1
Sternberg 108-109 E 6
Sterup 102-103 G 1
Sterzing [= Vipiteno] 116-117 MN 3
Stęszew 113
Steterburg, Salzgitter- 110-111 BC 1
Štětí = Wegstädtl 110-111 K 5
Stetten am kalten Markt 114-115 E 4
Stetten auf den Fildern [2 km ↓ Echterdingen 114-115 E 3]
Stettenbach [= Zdedy] 112 H 4
Stetten im Remstal 114-115 E 3
Stetternich 120 B 5
Stettin [= Štítina] 113 E 6
Stettin [= Szczecin] 104-105 DE 4
Stettiner Haff 104-105 DE 3
Stettin-Frauendorf [= Szczecin-Golęcino] 104-105 DE 4
Stettin-Kreckow [= Szczecin-Krzekowo] 104-105 D 4
Stettin-Messenthin [= Szczecin-Mścięcino] 104-105 DE 3
Stettin-Odermünde [= Szczecin-Skolwin] 104-105 E 3
Stettin-Pommerensdorf [= Szczecin-Pomorzany] 104-105 D 4
Stettin-Stolzenhagen [= Szczecin-Glinki] 104-105 E 4
Stettin-Warsow [= Szczecin-Warszewo, ← Stettin 104-105 DE 4]
Stettin-Züllchow [= Szczecin-Żelechowa] 104-105 DE 4
Steubendorf [= Ściborzyce Małe] 113 D 5
Steuberwitz [= Ściborzyce Wielkie, 3 km ↙ Zauditz 113 E 5]
Steuerberg 118-119 G 5
Steutz 110-111 F 2
Stevensweert 106-107 F 6
Stever 120 F 2
Steyerberg 102-103 EF 5
Steyr [Fluß] 118-119 G 3
Steyr [Ort] 118-119 G 2
Steyregg 118-119 G 2
Steyrermühl 118-119 F 3
Stężyca = Stendsitz 104-105 L 2
Stezzano 116-117 J 5
Stiahlau = Šťáhlavy 114-115 NO 1
Stiednitz 104-105 J 2
Stiege 110-111 C 2
Stieglitz [= Siedlisko] 104-105 H 5
Stienowitz = Štěnovice 114-115 N 1
Stiens 106-107 F 2
Stieringen-Wendel [= Stiring-Wendel] 108-109 CD 8
Stift Ardagger 118-119 H 2
Stift Göttweig 118-119 K 2
Stift Rein 118-119 J 4
Stilfes [= Stilves] 116-117 M 3
Stilfs [= Stèlvio] 116-117 L 3
Stilfser Joch 116-117 KL 3
Stilker Berg 102-103 G 2
Stille Adler 110-111 O 5, 113 A 6
Stillfried 118-119 M 2
Stilves = Stilfes 116-117 M 3
Stimmberg 120 F 2
Stimpfach 114-115 G 2
Stinatz 118-119 L 4
Stiring-Wendel = Stieringen-Wendel 108-109 CD 8
Stirn 114-115 H 2
Štítary = Schiltern 118-119 K 1
Štítina= Stettin 113 E 6
Štíty = Schildberg 113 B 6
Stivo, Monte – 116-117 LM 5
Stixenstein, Schloß – 118-119 KL 3
Stober 113 D 4
Stoberquell [= Wachowice, 3 km ↗ Mühlendorf (Oberschlesien) 113 E 4]
Stobnica 104-105 J 5
Stobnitza = Stobnica 104-105 J 5
Stobno = Stöven 104-105 D 4
Stobno = Stöwen 104-105 J 4
Stobrawa = Stober 113 D 4
Stockach 114-115 DE 5
Stockelsdorf 102-103 J 3
Stockerau 118-119 L 2
Stock, Étang du – = Stockweiher 108-109 C 9
Stockheim [Baden-Württemberg] 114-115 E 2
Stockheim [Bayern] 110-111 B 5
Stockheim [Hessen] 108-109 H 6
Stockheim [= Zajcevo] 112 E 3
Stockhofen [= Stoki] 104-105 G 5
Stockhorn 116-117 DE 3
Stocksee 102-103 H 2
Stockstadt am Main 108-109 GH 7
Stockstadt am Rhein 108-109 F 7
Stockteich = Mücka (Oberlausitz) 110-111 L 3
Stockum [Nordrhein-Westfalen, ↙ Arnsberg] 120 HJ 3
Stockum [Nordrhein-Westfalen, ← Hamm (Westfalen)] 120 G 2
Stockweiher 108-109 C 9
Stockwinkl [5 km ↓ Nußdorf am Attersee 118-119 EF 3]
Stod = Staab 114-115 N 1
Stodůlky = Stadeln 114-115 N 2
Stögerreith 118-119 G 3
Stogovka = Omet 112 F 3
Stojentin [= Stowięcino] 104-105 KL 1
Stoki = Stockhofen 104-105 G 5
Stokkem 106-107 F 6
Stokkemarke 102-103 K 1
Stolberg (Harz) 110-111 CD 2
Stolberg Neumark [= Kamień Mały] 104-105 E 5
Stolberg (Rheinland) 108-109 B 5
Stolczno = Stolzenfelde 104-105 K 3
Stolec = Stolz 113 B 4
Stolec = Stolzenburg 104-105 D 3
Stollberg 110-111 G 4
Stollendorf [= Wierzbiny] 112 G 4
Stollhamm 102-103 D 3
Stollhofen [2 km ↑ Schwarzach 114-115 C 3]
Stolno 104-105 N 4
Stołowe, Góry – = Heuscheuergebirge 113 A 5
Stolp [= Słupsk] 104-105 K 2
Stolpe [Hinterpommern] 104-105 K 2
Stolpe [Pommern, Usedom] 104-105 CD 3
Stolpe [Schleswig-Holstein] 102-103 H 2
Stolpen 110-111 K 3
Stolpe (Oder) 104-105 D 5
Stolper See = Obersee 102-103 MN 5
Stolpmünde [= Ustka] 104-105 J 1

Stoltenhagen 44 Tabland

Stoltenhagen [6 km ↗ Grimmen 104-105 B 2]
Stołun = Schönfelde (Grenzmark) 104-105 G 5-6
Stolwijk 106-107 D 5
Stolz [= Stolec] 113 B 4
Stolzalpe 118-119 G 4
Stolzenau 102-103 EF 5
Stolzenberg [= Różanki] 104-105 F 5
Stolzenberg [= Sławoborze] 104-105 G 3
Stolzenburg [= Stolec] 104-105 D 3
Stolzenfelde [= Stołczno] 104-105 K 3
Stolzenfels 108-109 DE 6
Stolzenhagen, Stettin- [= Szczecin-Glinki] 104-105 E 4
Stolzenhain 110-111 H 3
Stolzmütz [= Tłustomosty] 113 E 5
Stommeln 120 D 4
Stoob 118-119 LM 3
Stopnica 101 K 3
Stopnitsa = Stopnica 101 K 3
Stoppelsberg 108-109 J 5
Stör 102-103 G 3
Storchnest [= Osieczna] 113 B 2
Store Egholm 102-103 H 1
Store Rise ↣
Störkanal 102-103 K 3-L 4
Storkow [Brandenburg, Mittelmark] 110-111 J 1
Storkow [Brandenburg, Uckermark] 104-105 B 4
Storkow [Pommern] 104-105 D 4
Storkowo = Alt Storkow 104-105 G 4
Stormarn 102-103 H 3
Störmede 108-109 F 3
Storo 116-117 L 5
Stortemelk 106-107 DE 2
Stößen 110-111 E 3
Stotel 102-103 E 4
Stötten am Auerberg 114-115 H 5
Stotterheim 110-111 D 3
Stotzheim 108-109 C 5
Stoumont 106-107 F 8
Stöven [= Stobno] 104-105 D 4
Stöwen [= Stobno] 104-105 J 4
Stowięcino = Stojentin 104-105 KL 1
Straach 110-111 G 2
Straberg 120 D 4
Strachocin = Schreckendorf 113 B 5
Strachotice = Rausenbruck 118-119 L 1
Strackholt 102-103 C 4
Strączno = Stranz 104-105 H 4
Stradaunen [= Straduny] 112 H 4
Straden 118-119 K 5
Stradner Kogel 118-119 K 5
Stradow 110-111 K 2
Straduhn [= Straduń] 104-105 H 4
Straduń = Straduhn 104-105 H 4
Straduna = Tiefenburgbach 113 DE 5
Stradunia = Tiefenburgbach 113 DE 5
Straduny = Stradaunen 112 H 4
Straelen 120 B 3
Straguth 110-111 F 1
Stralendorf 102-103 K 3
Stralkowo = Strzałkowo 104-105 L 6
Strallegg 118-119 K 4
Stralsund 104-105 AB 2
Stralsund-Devin 104-105 B 2
Stramehl [= Strzemiele, 5 km ↖ Labes 104-105 G 3]
Stramproij 106-107 F 6
Stránov 110-111 L 5
Stranow = Stránov 110-111 L 5
Stranz [= Strączno] 104-105 H 4
Strasbourg = Straßburg 114-115 B 3
Strasbourg ↣
Strasbourg ↣
Strasburg (Mecklenburg) 104-105 C 3-4
Straschkow = Straškov 110-111 K 5
Straschkowitz = Strážkovice 118-119 H 1
Strasen 102-103 NO 4
Straškov [= Straškov- Vodochody] 110-111 K 5
Straß 118-119 K 2
Straßberg 110-111 CD 2
Straßberg 118-119 G 5
Straßburg = [Strasbourg] 114-115 B 3
Straßburg ↣
Straßburg (Oder) [= Nietkowice] 110-111 M 1
Straßburg ↣
Straßengel, Judendorf- 118-119 J 4
Straßgang, Graz- 118-119 J 4
Straßgräbchen 110-111 K 3
Straßhof an der Nordbahn 118-119 LM 2
Straß in Steiermark 118-119 K 5
Straßkirchen 114-115 M 3
Straßsommerein [= Hegyeshalom] 118-119 N 3
Straßwalchen 118-119 E 3
Straszewo 104-105 N 5
Stratzing [2 km ↓ Lengenfeld 118-119 K 2]
Straubing 114-115 M 3
Straupitz 110-111 K 2
Strausberg 104-105 C 5
Straußfurt 110-111 CD 3
Straußnitz [= Stružnice] 110-111 K 4
Stráž = Neustadtl 114-115 M 1
Stráže nad Myjavou 118-119 N 1
Strážkovice 118-119 H 1
Stráž nad Nisou = Habendorf
Strážov = Drosau 114-115 N 2
Stráž pod Ralskem = Wartenberg 110-111 L 4
Strebitzko = Hochrode 113 C 2
Strechau, Schloß – 118-119 G 3
Streckelsberg 104-105 D 2
Streek 106-107 E 3
Strega [= Strzegów, 3 km ↖ Mehlen 110-111 L 2]
Stręgel, Jezioro – = Groß-Strengelner See 112 GH 3
Strehla 110-111 H 3
Strehlen [= Strzelin] 113 C 4
Strehlitz [= Strzelce] 113 D 3
Streitberg 114-115 J 1
Střekov = Schreckenstein 110-111 K 4
Střela 110-111 H 6
Strelasund 104-105 B 2
Strelitz, Neustrelitz- 104-105 B 4
Strellin [= Strzelno] 104-105 M 1
Strelln [4 km ↙ Audenhain 110-111 G 3]
Strellnick 104-105 M 2
Strel'n'a = Schrombehnen 112 DE 2
Strelno = Strzelno 104-105 M 5
Strem 118-119 L 4
Strembach 118-119 L 4
Strengberg 118-119 H 2
Strengberge 118-119 H 2
Strengen [4 km ← Pians 116-117 KL 2]
Strenice = Strenitz
Strenitz [= Strenice, 3 km ↖ Stránov 110-111 L 5]
Strenze [= Trzcinica] 113 DE 3
Strepsch = Strzepcz 104-105 M 2
Strépy-Bracquegnies 106-107 C 8
Stresa 116-117 G 5
Strese [= Strzyżewo] 110-111 N 1
Stresow [= Strzeszów] 104-105 E 5
Streufdorf 110-111 C 5
Stříbrná = Silberbach 110-111 G 5
Stříbro = Mies 114-115 MN 1
Strickherdicke [2 km ↑ Langschede 120 GH 3]
Striegau [= Strzegom] 113 A 4
Striegauer Wasser 113 AB 3-4
Strigengrund [= Zagorsk] 112 GH 2
Strigno 116-117 N 4
Štrigova 118-119 L 5-6
Strijbeek 106-107 D 5-6
Strijen 106-107 D 5
Ströbeck 110-111 CD 2
Strobin [3 km ↓ Konopnica 113 F 3]
Strobl 118-119 EF 3
Strobnitz [= Horní Stropnice] 118-119 H 1
Strobnitzbach 118-119 H 1
Strodehne 102-103 M 5
Strodenitz [= Rožnov] 118-119 G 1
Strogen 114-115 K 4
Stroheim [6 km ↖ Eferding 118-119 FG 2]
Ströhen 102-103 E 5
Strohgäu 114-115 DE 3
Strombeek-Bever 106-107 C 7
Stromberg [Baden-Württemberg] 114-115 DE 2
Stromberg [Nordrhein-Westfalen] 108-109 F 3
Stromberg [Rheinland-Pfalz] 108-109 E 7
Strona 116-117 F 5
Stronach, Iselsberg- [1 km ↑ Dölsach 118-119 D 5]
Stronnau [= Stronno] 104-105 LM 4
Stronno = Stronnau 104-105 LM 4
Stronsdorf 118-119 L 1
Stroňsko 113 F 2
Stropnice = Strobnitzbach 118-119 H 1
Stroppau [= Otradnoje, 5 km ↗ Kleinfriedeck 112 G 3]
Stroppen [= Strupina] 113 B 3
Struben [= Olszewo] 112 D 5
Strub, Paß – 118-119 D 3
Strückhausen 102-103 C 4
Strudengau 118-119 H 2
Struga [Fluß ▷ Brahe] 104-105 M 4
Struga [Fluß ▷ Drewenz] 104-105 NO 4
Struga [Fluß > Warthe] 104-105 L 6, 113 D 1
Struga Węglewska = Ostrówoka 113 E 3
Struha 118-119 N 1
Strullendorf 114-115 HJ 1
Strumień = Schwarzwasser 113 F 6
Strümp 120 C 3
Strünkede, Schloß – 120 EF 2
Strupina = Stroppen 113 B 3
Struth 108-109 F 5
Stružka = Seedorf 110-111 M 2
Stružnice = Straußnitz 110-111 K 4
Strużyna = Silberbach
Strykowo 113 B 1
Strykowoer See 113 B 1
Strykowskie, Jezioro – = Strykowoer See 113 B 1
Strynø 102-103 J 1
Strzałków 113 EF 2
Strzałkowo 104-105 L 6
Strzebiń 113 F 4
Strzebowitz [= Třebovice] 113 E 6
Strzegom = Striegau 113 A 4
Strzegomka = Striegauer Wasser 113 AB 3-4
Strzegów = Strega
Strzelce 104-105 M 5
Strzelce = Strehlitz 113 D 3
Strzelce Krajeńskie = Friedeberg Neumark 104-105 G 5
Strzelce Opolskie = Groß Strehlitz 113 E 4
Strzeleczki = Klein Strehlitz 113 D 5
Strzelin = Strehlen 113 C 4
Strzelino = Groß Strellin 104-105 J 1
Strzelniczka = Strellnick 104-105 M 2
Strzelno 104-105 M 5
Strzelno = Strellin 104-105 M 1
Strzepcz 104-105 M 2
Strzeszów = Stresow 104-105 E 5
Strzmiele = Stramehl
Strzyżew = Deutschdorf 113 B 2
Strzyżewo = Strese 110-111 N 1
Strzyżewo Kościelne 104-105 L 5
Stubachtal 118-119 D 4
Stubaier Alpen 116-117 LM 2
Stubaital 116-117 M 2
Stubalpe 118-119 H 4
Stubbekøbing 102-103 LM 1
Stubben 102-103 E 4
Stubbenkammer 104-105 C 1
Stuben 116-117 K 2
Stubenbach [= Prášily] 114-115 N 2
Stubenberg 114-115 MN 4
Stubendorf [= Izbicko] 113 E 4
Stüblau [= Steblewo] 104-105 N 2
Stubnerkogel 118-119 E 4
Stubnitz, Naturschutzgebiet 104-105 C 1
Stuchowska Struga = Bache 104-105 EF 3
Stücken 110-111 H 1
Stuckenberg 120 GH 3
Studen = Ratibor-Süd 113 E 5
Studena Vltava = Kalte Moldau 118-119 F 1
Stüdenitz 102-103 M 5
Studenzen 118-119 K 4
Studnica = Grassee 104-105 G 4
Studnica = Stiednitz 104-105 J 2
Studniska Górna = Ober Schönbrunn 110-111 M 3
Stüdnitz [= Studzienice] 104-105 L 2
Studzianka = Armadebrunn 110-111 N 3
Studzienice = Stüdnitz 104-105 L 2
Studzienka = Grünthal 104-105 L 4
Studzienna, Racibórz- = Ratibor-Süd 113 E 5
Studzionka = Staude 113 F 6
Stuer 102-103 M 4
Stuhleck 118-119 K 3
Stuhlfelden 118-119 D 4
Stühlingen 114-115 C 5
Stuhlweißenburg [= Székesfehérvár] 101 J 5
Stuhm [= Sztum] 112 B 4
Stuhmsdorf [= Sztumska Wieś] 112 AB 4
Stuhr 102-103 E 4
Stulln 114-115 L 2
Stülpe 110-111 H 1
Stumsdorf 110-111 EF 2
Stupava = Stampfen 118-119 N 2
Stuppach [3 km ← Wachbach 114-115 F 2]
Stürzelbronn [= Sturzelbronn] 108-109 DE 8
Stüterberg 108-109 E 8
Stüter, Bredenscheid- 120 E 3
Stuttgart 114-115 E 3
Stuttgart-Bad Cannstatt 114-115 E 3
Stuttgart-Degerloch 114-115 E 3
Stuttgart-Feuerbach [↑ Stuttgart 114-115 E 3]
Stuttgart-Gablenberg [→ Stuttgart 114-115 E 3]
Stuttgart-Gaisburg [↖ Stuttgart 114-115 E 3]
Stuttgart-Hedelfingen [↖ Stuttgart 114-115 E 3]
Stuttgart-Heslach [↙ Stuttgart 114-115 E 3]
Stuttgart-Plieningen 114-115 E 3
Stuttgart-Untertürkheim 114-115 E 3
Stuttgart-Vaihingen 114-115 DE 3
Stuttgart-Zuffenhausen 114-115 E 3
Stutthof [= Sztutowo] 104-105 O 2
Stützerbach 110-111 C 4
Stvolny = Zwollen 110-111 H 5
Stypułów = Herwigsdorf 110-111 N 2
Styrum, Mülheim an der Ruhr- 120 D 3
Suarce 116-117 D 1
Subkau [= Subkowy] 104-105 N 2
Subkowy = Subkau 104-105 N 2
Subotica 101 JK 5
Succase [= Suchacz] 112 B 3
Sucha 113 D 1
Sucha = Suchau 104-105 LM 4
Suchacz = Succase 112 B 3
Suchań = Zachan 104-105 F 4
Suchanówko = Schwanenbeck
Suchau [= Sucha] 104-105 LM 4
Suchdol 110-111 M 6
Suchdol nad Lužnicí = Suchental an der Luschnitz 118-119 H 1
Suchental an der Luschnitz [= Suchdol nad Lužnicí] 118-119 H 1
Suchet, Mont – 116-117 BC 3
Sucholdolje = Klein Nuhr
Suchorze = Zuckers 104-105 K 2
Suchsdorf ↣
Süchteln 120 B 3
Suckow 102-103 L 4
Suckow [= Żukowo (Sławieńskie)] 104-105 J 2
Suckow an der Ihna [= Żukowo] 104-105 F 4
Sudargas 112 J 1
Sudauen = Suwałki 101 L 1
Südbaden 114-115 B-D 4-5
Südbeveland 106-107 B 5-6
Südbrockmerland 102-103 B 3-4
Süddeutschland 114-115
Süddinker 120 H 2
Sude 102-103 J 4
Süderau 102-103 F 1
Süderaue 102-103 DE 1
Süderbrarup 102-103 G 1
Süderburg 102-103 HJ 5
Süderhaff [= Sønderhav] 102-103 FG 1
Süderhastedt 102-103 F 2
Süderhever 102-103 DE 2
Süderlügum 102-103 E 1
Süderneuland [3 km ↓ Norden 102-103 B 3]
Suderode, Bad – 110-111 D 2
Süderoog 102-103 E 2
Süderoogsand 102-103 DE 2
Süderschmedeby 102-103 FG 1
Süderstapel 102-103 F 2
Süderwöhrden 102-103 EF 2
Sudeten [= Sudety] 101 G 3-H 4
Sudetenland [101]
Sudety = Sudeten 101 G 3-H 4
Südfall 102-103 E 2
Sudheim 108-109 JK 3
Südholland 106-107 C 5-D 4
Sudice = Zauditz 113 E 5
Südkamen 120 G 2
Südkirchen 120 G 2
Sudkov = Zautke 113 B 6
Südlengern [4 km → Herford 108-109 G 2]
Südliches Flevoland 106-107 E 4
Südliche Zinsel 108-109 D 9
Südlohn 108-109 C 3
Süd-Nord-Kanal 102-103 B 5
Sudoměř 110-111 L 5
Sudomie, Jezioro – = Sudomiesee 104-105 L 2
Sudomiersch = Sudoměř 110-111 L 5
Sudomiesee 104-105 L 2
Südperd 104-105 C 2
Südradde 102-103 C 5
Südrätische Alpen 116-117 JK 3
Südtirol 116-117 L 3-M 4, 118-119 AB 5
Sudwalde 102-103 E 5
Sudweyhe 102-103 E 5
Südwürttemberg-Hohenzollern 114-115 C 4-F 5
Sufers 116-117 H 3
Sufflenheim = Soufflenheim 108-109 EF 9
Sugana, Val – 116-117 MN 4
Sugenheim 114-115 G 1
Süggerath 120 A 5
Sugny 106-107 D 9
Suhl [Ort, Verwaltungseinheit] 110-111 C 4
Suhlendorf 102-103 J 5
Suhl-Heinrichswerk 110-111 C 4
Suhr [Fluß] 116-117 F 2
Suhr [Ort] 116-117 F 2
Suisse = Schweiz 116-117 D-H 3
Sukow 102-103 L 3
Sulau [= Sułów] 113 C 2-3
Sulechów = Züllichau 110-111 N 1
Sulęcin = Zielenzig 104-105 F 6
Sulęcinek = Warberg 113 C 1
Suleczyno = Sullenschin 104-105 L 2
Sülfeld 102-103 H 3
Sulgen 116-117 H 1
Suliborek = Klein Silber 104-105 FG 4
Sulibórz = Groß Silber 104-105 G 4
Sulików = Schönberg (Oberlausitz) 110-111 LM 3
Sulikowo = Zülkenhagen
Sulimierz = Adamsdorf 104-105 F 5
Sulingen 102-103 E 5
Suliradzice = Wedelsdorf 104-105 G 4
Suliszewo (Choszczeńskie) = Zühlsdorf 104-105 G 4
Suliszewo (Drawskie) = Zülshagen 104-105 G 3
Sullenschin [= Suleczyno] 104-105 L 2
Sulm 118-119 J 5
Sulmierzyce = Sulmirschütz 113 D 2
Sulmirschütz [= Sulmierzyce] 113 D 2
Sułów = Sulau 113 C 2-3
Sułowo = Schulen 112 E 3
Sułów Wielki = Groß Saul 113 B 2
Sülstorf 102-103 K 3
Sulz [Baden-Württemberg] 114-115 B 4
Sulz [Bayern] 114-115 J 2
Sulz [= Soultz-Haut-Rhin] 116-117 D 1
Sulz [3 km ↘ Laufenburg 116-117 F 1]
Sülz 120 E 5
Sülz = Köln-Sülz
Sulza, Bad – 110-111 E 3
Sulzach 114-115 G 2
Sulz am Neckar 114-115 D 4
Sulzano 116-117 K 5
Sulzau [2 km ↖ Werfen 118-119 E 4]
Sulzbach 114-115 MN 3
Sulzbach [= Solčava] 118-119 H 6
Sülzbach 120 F 4
Sulzbach am Kocher 114-115 F 3
Sulzbach am Main 114-115 E 1
Sulzbach am Taunus [2 km ↘ Bad Soden am Taunus 108-109 FG 6]
Sulzbach an der Murr 114-115 EF 2
Sulzbach-Rosenberg 114-115 K 1-2
Sulzbach/Saar 108-109 CD 8
Sulzberg [Deutschland] 114-115 G 5
Sulzberg [Österreich] 116-117 J 1
Sulzbergtal 116-117 L 4
Sulzburg 114-115 B 5
Sulzbürg 114-115 J 2
Sulzdorf 114-115 F 2
Sulzdorf an der Lederhecke 110-111 BC 5
Sülze [Niedersachsen] 102-103 H 5
Sülze [Nordrhein-Westfalen] 120 F 4
Sülze, Bad – 102-103 N 2
Sulzemoos 114-115 J 4
Sulzer Belchen = Großer Belchen 116-117 D 1
Sulzfeld [Baden-Württemberg] 114-115 D 2
Sulzfeld [Bayern] 110-111 B 5
Sulzfluh 116-117 J 2
Sulzthal 110-111 AB 5
Sülzhayn 110-111 C 2
Sulz unterm Wald [= Soultz-sous-Forêts] 108-109 E 9
Šumava = Böhmerwald 101 FG 4
Šumburk nad Desnou, Tanvald- = Tannwald-Schumburg 110-111 M 4
Sumin 104-105 O 5
Sumin = Summin 113 E 5
Sumina = Summin 113 E 5
Sumiswald 116-117 F 2
Summerau 118-119 G 1
Sümmern 120 GH 3
Summin [= Sumina] 113 E 5
Summiner See 104-105 L 2
Šumná = Liliendorf 118-119 K 1
Šumperk = Mährisch Schönberg 113 BC 6
Šumvald = Schönwald 113 C 6
Sumvitg [= Somvix, 4 km ↙ Truns 116-117 G 3]
Sumvitg, Val – 116-117 GH 3
Suna, Verbània – 116-117 FG 5
Sünching 114-115 L 3
Sund = Strelasund 104-105 B 2
Sundern 120 HJ 3
Sünderup 102-103 FG 1
Sundgau 116-117 D 1
Sundhausen 110-111 C 4
Sundhausen [= Sundhouse] 114-115 B 4
Sundhouse = Sundhausen 114-115 B4
Sundische Wiese 102-103 N 2
Sunk 118-119 G 4
Sünninghausen 120 J 1
Süntel 108-109 H 2
Supíkovice = Saubsdorf 113 C 5
Süplingen 110-111 D 1
Suppingen 114-115 F 4
Süpplingen 110-111 C 1
Süptitz 110-111 G 2
Sur 114-115 M 5
Surberg 114-115 M 5
Surbourg = Surburg 108-109 E 9
Surburg [= Surbourg] 108-109 E 9
Sûre 106-107 F 9
Surheim 114-115 M 5
Surice 106-107 D 8
Surowe 112 F 5
Surperre 116-117 C 3
Sursaissa = Obersaxen 116-117 H 3
Sursee 116-117 F 2
Surwold 102-103 C 5
Susch 116-117 K 3
Suschen [= Sośnie] 113 D 3
Süsel 102-103 J 2
Sušice = Schüttenhofen 114-115 NO 2
Süß 108-109 J 5
Süßen 114-115 F 3
Süssenthal [= Sętal] 112 DE 4
Süßer See 110-111 E 3
Sussetz [= Suszec] 113 F 5
Sustenhorn 116-117 FG 3
Sustenpass 116-117 F 3
Susteren 106-107 F 6
Susz = Rosenberg in Westpreußen 112 B 4
Suszec = Sussetz 113 F 5
Sútrio 118-119 D 5
Suttrop 108-109 F 4
Suwalken = Suwałki 101 L 1
Suwałki 101 L 1
Suxy 106-107 E 9
Svarcava = Schwarzach 114-115 M 2
Svatá Kateřina = Sankt Katharina 114-115 M 1
Svatava = Zwodau 110-111 G 5
Svatý Jur = Sankt Georgen 118-119 N 2
Svatý Kříž = Heiligenkreuz 114-115 M 1
Svébořice = Schwabitz 110-111 L 4
Svendborg 101 E 1
Sveta Ana = Sankt Anna unter dem Loibl 118-119 G 6
Svetajevka = Groß Eschenbruch 112 FG 2
Sveta Trojica v Slovenskih Goricah = Heiligendreifaltigkeit in Windischbüheln 118-119 K D
Světec = Schwaz 110-111 J 4
Sveti Lenart v Slovenskih Goricah = Sankt Leonhard in Windischbüheln 118-119 K 5
Sveti Martin pri Vurbergu = Sankt Martin bei Wurmberg 118-119 K 6
Světlá = Lichtenwerden 113 CD 5
Světlík = Kirchschlag 118-119 G 1
Svetlogorsk = Rauschen 112 D 2
Svetloje = Kobbelbude 112 DE 2
Svetlyj = Zimmerbude 112 D 2
Švihov = Schwihau 114-115 N 1-2
Svijany 110-111 M 4
Svitavka = Zwitte 110-111 L 4
Svizzera = Schweiz 116-117 D-H 3
Svoboda = Jänichen 112 G 2
Svoboda nad Úpou = Freiheit 110-111 N 4
Svojšín = Schweißing 114-115 M 1
Svor = Röhrsdorf 110-111 KL 4
Swalmen 106-107 G 6
Swamtow 104-105 B 2
Swaroschin [= Swarożyn] 104-105 N 2
Swarożyn = Swaroschin 104-105 N 2
Swarzędz = Schwersenz 104-105 K 6
Swarzewo = Schwarzau 104-105 M 1
Swarzynice = Schwarmitz 110-111 N 1
Swędrnia 113 E 2
Swendrnia = Swędrnia 113 E 2
Świątki = Heiligenthal 112 D 4
Świątkowice 113 EF 3
Świątkowo = Goßlerhof 104-105 L 5
Świba 113 E 3
Świbie = Schwieben 113 EF 4
Świbno = Schiewenhorst 104-105 NO 2
Świdnica = Schweidnitz 113 AB 4
Świdnica = Schweinitz 110-111 M 2
Świdwie = Schwiddern 112 H 4
Świdwin = Schivelbein 104-105 G 3
Świebodzice = Freiburg in Schlesien 113 A 4
Świebodzin = Schwiebus 110-111 N 1
Święcajty, Jezioro – = Schwenzaitsee 112 G 3
Świecie = Schwertburg 110-111 M 4
Świecie = Schwetz 104-105 MN 4
Święciechowa = Schwetzkau 113 AB 2
Świecko = Schwetig 110-111 L 1
Świekatowo = Schwekatowo 104-105 LM 4
Świelino = Schwellin 104-105 H 2
Świeradów Zdrój = Bad Flinsberg 110-111 M 4
Świercze = Schönwald
Świerczów = Schwirz 113 D 4
Świerczyn 104-105 N 5
Świerczyna 113 B 2
Świerczyna (Drawska) = Groß Linichen 104-105 H 4
Świerki = Königswalde 113 A 4
Świerki = Tannsee
Świerzawa = Schönau an der Katzbach 110-111 N 3
Świerzno = Groß Schwiersen
Świerzno = Schwirsen 104-105 EF 3
Świeszewo = Schwessow 104-105 F 3
Świeszyno = Schwessin [Pommern, ↓ Köslin] 104-105 H 2
Świeszyno = Schwessin [↖ Rummelsburg in Pommern] 104-105 JK 3
Świętajno = Altkirchen (Ostpreußen) 112 F 4
Świętajno = Schwentainen 112 H 3
Święta Katarzyna = Kattern 113 C 3
Święta Lipka = Heiligelinde 112 F 3
Świętej Anny, Góra – = Annaberg 113 E 5
Świętno = Schwenten 110-111 O 1
Świętoborzec = Landgestüt 104-105 G 3
Świętochłowice = Schwientochlowitz 113 F 5
Świętoszów = Neuhammer 110-111 MN3
Święty Anny, Góra – = Annaberg 104-105 JK 6
Swijan = Svijany 110-111 M 4
Swina = Swine 104-105 D 3
Swine [Ostpreußen] 112 G 3
Swine [Pommern] 104-105 D 3
Swinemünde [= Świnoujście] 104-105 D 3
Świniary = Schweinert 104-105 G 5
Świniary = Weidenhof 113 BC 3
Świniary Wielkie = Groß Blumenau 113 DE 3
Świnoujście = Swinemünde 104-105 D 3
Swiontkowice = Świątkowice 113 EF 3
Swobnica = Wildenbruch 104-105 DE 4
Swochowo = Schwochow 104-105 E 4
Swolenowes = Zvoleněves 110-111 K 5
Swornigacie = Schwornigatz 104-105 KL 3
Sybba = Walden 112 H 4
Sycewice = Zitzewitz 104-105 J 2
Sychrov 110-111 M 4
Syčina [2 km ← Dobrowitz 110-111 LM 5]
Syców = Groß Wartenberg 113 D 3
Sycowice = Leitersdorf 110-111 M 1
Sydow [= Żydowo] 104-105 J 2
Syke 102-103 E 5
Sylt 102-103 D 1
Sylvensteinsee ↣
Sypitki = Vierbrücken
Sypittken = Vierbrücken
Sypniewo 104-105 K 4
Sypniewo = Zippnow 104-105 J 4
Syrau 110-111 F 4
Szabruk = Schönbrück
Szadek 113 FG 2
Szadłowice = Schadlowitz 104-105 M 5
Szadzko = Saatzig 104-105 F 4
Szakony = Zagersdorf 118-119 M 4
Szalejów Górny = Oberschwedeldorf 113 AB 5
Szamarzew = Samarzew
Szamocin = Samotschin 104-105 K 4
Szamotuły = Samter 104-105 J 5
Szarejki = Schareiken 112 H 3
Szárföld 118-119 N 3
Szargillen = Eichenrode (Ostpreußen) 112 F 2
Szatmárnémeti = Satu Mare 101 L 5
Szczawienko = Nieder Salzbrunn 113 A 4
Szczaniec = Stentsch 110-111 N 1
Szczawno = Tschausdorf
Szczawno Zdrój = Bad Salzbrunn 113 A 4
Szczechy Wielkie = Groß Zechen 112 G 4
Szczecin = Stettin 104-105 DE 4
Szczecinek = Neustettin 104-105 J 3
Szczecin-Glinki = Stettin-Stolzenhagen 104-105 E 4
Szczecin-Gołęcino = Stettin-Frauendorf 104-105 DE 4
Szczecin-Krzekowo = Stettin-Kreckow 104-105 D 4
Szczecin-Mścięcino = Stettin-Messenthin 104-105 DE 3
Szczecinowo = Steinberg 112 H 4
Szczecin-Pomorzany = Stettin-Pommerensdorf 104-105 D 4
Szczeciński, Zalew – = Stettiner Haff 104-105 DE 3
Szczecin-Skolwin = Stettin-Odermünde 104-105 E 3
Szczecin-Warszewo = Stettin-Warsow
Szczecin-Żelechowa = Stettin-Züllchow 104-105 DE 4
Szczeczinowen = Steinberg 112 H 4
Szczedrzyk = Szczedrzik 113 E 4
Szczeglino = Steglin 104-105 H 2
Szczepanken [= Szczepanki] 104-105 O 3
Szczepanki = Szczepanken 104-105 O 3
Szczepanów = Stephansdorf 113 B 3
Szczepanowo 104-105 L 5
Szczodre = Sibyllenort 113 C 3
Szczodrochowo = Deutschland 104-105 K 5
Szczuczarz = Zützer 104-105 H 4
Szczuczyn 112 H 4
Szczurkowo = Schönbruch 112 EF 3
Szczury [2km ↓ Górzno 113 D 2]
Szczyra = Zier 104-105 K 3
Szczytnik = Waldstein 113 A 5
Szczytno = Ortelsburg 112 E 4
Szczytno, Jezioro – = Großer Ziethener See 104-105 K 3
Szécsisziget 118-119 M 5
Szeged 101 JK 5
Szegedin = Szeged 101 JK 5
Székesfehérvár = Stuhlweißenburg 101 J 5
Szekszárd 101 J 5
Szelag, Jezioro – = Schillingsee 112 CD 4
Szelejewo [Polen, ↗ Gnesen] 104-105 L 5
Szelejewo [Polen, ↙ Jarotschin] 113 C 2
Szembruk = Groß Schönbrück 104-105 O 3
Szemud = Schönwalde 104-105 M 2
Szentes 101 K 5
Szentgotthárd = Sankt Gotthard 118-119 L 5
Szentpéterfa = Postrum 118-119 LM 4
Szentpéterúr 118-119 N 5
Szepetnek 118-119 M 6
Szeska Góra = Seesker Berg 112 H 3
Szeskie Wzgórza = Seesker Höhe 112 H 3
Szestno = Seehesten 112 F 4
Szeszki = Seesken 112 H 3
Szewce = Schebitz 113 BC 3
Szillen = Schillen 112 GH 2
Szkaradowo 113 C 2
Szklarka Myślniewska = Luisenthal 113 D 3
Szklarska Poręba = Schreiberhau 110-111 MN 4
Szklary = Gläsendorf 113 C 4
Szklary Górne = Ober Gläsersdorf 110-111 O 3
Szkotowo = Skottau 112 D 5
Szkwa 112 FG 5
Szlachta 104-105 M 4
Szlichtyngowa = Schlichtingsheim 110-111 O 2
Szmykwałd = Schmückwalde 112 CD 4
Szőce 118-119 M 5
Szołdry 113 B 1
Szolnok 101 K 5
Szombathely = Steinamanger 118-119 M 4
Szóstak, Jezioro – = Sonntagsee 112 H 4
Szpetal Górny 104-105 O 5
Szpital-Górny = Szpetal Górny 104-105 O 5
Szprotawa = Sprottau 110-111 N 2
Szprotawa = Sprotte 110-111 N 2
Szropy = Schroop 112 B 4
Sztálinváros 101 J 5
Sztum = Stuhm 112 B 4
Sztumska Wieś = Stuhmsdorf 112 AB 4
Sztutowo = Stutthof 104-105 O 2
Szynort = Groß Steinort
Szubin = Schubin 104-105 L 4
Szumirad = Sausenberg 113 E 4
Szwarcenowo = Schwarzenau 112 BC 4
Szwecja = Freudenfier 104-105 J 4
Szyba = Walden 112 H 4
Szybowice = Schnellewalde 113 CD 5
Szybskie Wzgórza = Steinberg 104-105 J 3
Szydłów = Goldmoor 113 D 4
Szydłów = Schiedlo 110-111 L 1
Szydłowiec = Scheidelwitz 113 CD 4
Szydłowiec = Schedlau 113 D 4
Szydłowo (Krajeńskie) = Groß Wittenberg 104-105 J 4
Szymankowo = Simonsdorf 104-105 NO 2
Szymanowice 113 D 1
Szymany = Groß Schiemanen 112 EF 5
Szymbark = Schönberg [Polen] 104-105 LM 2
Szymbark = Schönberg [Deutschland] 112 BC 4
Szymbark = Schönheide 104-105 LM 2
Szymonka = Schmidtdorf 112 G 4
Szynkielów [5 km ← Konopnica 113 F 3]
Szynych = Schöneich 104-105 N 4
Szywra = Miloslawer Fließ 113 C 1

T

Taars [Dänemark, Ostlolland] 102-103 L 1
Taars [Dänemark, Westlolland] 102-103 K 1
Taarstedt 102-103 G 1
Tabarz (Thüringer Wald) 110-111 BC 4
Taben-Rodt 108-109 C 7
Tablá = Tabland 116-117 LM 3
Tabland [= Tablà] 116-117 LM 3

Tábor 45 Traun

Tábor 101 G 4
Taceno 116-117 H 4
Tacha 110-111 L 4
Tachau [= Tachov] 114-115 M 1
Tacherting 114-115 LM 4
Taching am See 114-115 M 5
Tachov = Tachau 114-115 M 1
Taczanów 113 D 2
Tadten 118-119 MN 3
Tafelfichte 110-111 M 4
Tafers 116-117 D 3
Tafertsweiler 114-115 E 5
Tägerwilen [4 km ← Kreuzlingen 116-117 H 1]
Tagmersheim 114-115 HJ 3
Tailfingen 114-115 DE 4
Tailles, Plateau des - 106-107 F 8
Taintignies 106-107 A 7
Taiskirchen im Innkreis 118-119 F 2
Talamona 116-117 J 4
Taldorf 114-115 F 5
Talèggio 116-117 J 5
Talent 116-117 C 3
Talferbach 116-117 M 3
Talheim [Baden-Württemberg, ↓ Heilbronn] 114-115 E 2
Talheim [Baden-Württemberg, ↙ Reutlingen] 114-115 E 4
Talikenberg 110-111 HJ 5
Talken [= Talki] 112 GH 4
Talki = Talken 112 GH 4
Talloires 116-117 B 5
Talpaki = Taplacken 112 F 2
Talten [= Tałty] 112 G 4
Talter Gewässer 112 FG 4
Tałty = Talten 112 G 4
Tałty, Jezioro - = Talter Gewässer 112 FG 4
Tàlvera = Talferbach 116-117 M 3
Tamaro, Monte - 116-117 G 4
Tamási 101 HJ 5
Tambach-Dietharz (Thüringen) 110-111 C 4
Tambo, Pizzo - 116-117 H 4
Tamina 116-117 H 3
Tamines 106-107 D 8
Tamins [= Tumein] 116-117 H 3
Tamise = Temse 106-107 C 6
Tamm [2 km ↘ Asperg 114-115 E 3]
Tammendorf [= Gęstowice] 110-111 LM 1
Tamsel [= Dąbroszyn] 104-105 E 5
Tamsweg 118-119 F 4
Tanay 116-117 C 4
Tandslet 102-103 GH 1
Tanew 101 L 3
Tangeln 102-103 K 5
Tanger 102-103 L 6
Tangerhütte 110-111 E 1
Tangermünde 102-103 L 5
Taninges 116-117 C 4
Tankow [= Danków] 104-105 F 5
Tann 110-111 B 4
Tann [= Thann] 116-117 D 1
Tanna 110-111 E 5
Tanne 110-111 C 2
Tannenberg [= Stębark] 112 D 4-5
Tannenberg-Nationaldenkmal 112 D 4
Tannenkopf 112 H 3
Tannenschlucht 112 GH 2
Tannenwalde 112 DE 2
Tännesberg 114-115 L 1
Tannhausen 114-115 G 3
Tannheim [Deutschland] 114-115 G 4
Tannheim [Österreich] 116-117 KL 1
Tannheim [= Tuchorza] 110-111 O 1
Tannhorn 116-117 EF 3
Tannroda 110-111 D 4
Tannsee [2 km ↑ Gerwen 112 H 2]
Tannsee [= Świerki, 3 km ↘ Neuteich 104-105 NO 2]
Tannwald-Schumburg [= Tanvald-Šumburk nad Desnou] 110-111 M 4
Tanowo = Falkenwalde 104-105 D 3
Tantow 104-105 D 4
Tanvald-Šumburk nad Desnou = Tannwald-Schumburg 110-111 M 4
Tapfheim 114-115 H 3
Tapiau [= Gvardejsk] 112 F 2
Taplacken [= Talpaki] 112 F 2
Taran, mys - = Brüsterort 112 C 2
Tarare 101 B 6
Tarasp 116-117 K 3
Tarcenay 116-117 B 2
Tarcienne [4 km ↑ Laneffe 106-107 CD 8]
Tarda = Tharden
Tarentaise 116-117 C 5
Targowagórka 113 C 1
Tarmstedt 102-103 F 4
Tarnau [= Tarnów Opolski] 113 E 4
Tarnow 102-103 M 3
Tarnów 101 K 3
Tarnow = Tornow 104-105 EF 5
Tarnowitz [= Tarnowskie Góry] 113 F 5
Tarnówka = Tarnowke 104-105 J 4
Tarnowke [= Tarnówka] 104-105 J 4
Tarnówko [3 km ← Boruschin 104-105 J 5]
Tarnowo 104-105 K 5
Tarnowo = Großenhagen 104-105 E 3-4
Tarnowo Podgórne = Schlehen 104-105 J 6
Tarnów Opolski = Tarnau 113 E 4
Tarnowo (Pomorskie) = Tornow 104-105 F 4
Tarnowskie Góry = Tarnowitz 113 F 5
Tarp 102-103 F 1
Tarrenz 116-117 L 2
Tarsdorf [5 km ↘ Sankt Radegund 118-119 D 2]
Tàrtano 116-117 J 4
Tarvis [= Tarvisio] 118-119 F 5
Tarvisio = Tarvis 118-119 F 5
Täsch 116-117 E 4
Taschendorf [5 km ↙ Burghaslach 114-115 H 1]
Tasna, Piz - 116-117 K 3
Tata 101 J 5
Tatabánya 101 J 5
Tating 102-103 E 2
Tatra, Hohe - 101 JK 4
Tatra, Niedere - 101 JK 4
Tatynia = Hagen
Tatzelwurm 114-115 L 5
Tatzmannsdorf, Bad - 118-119 L 4
Taubenberg 114-115 K 5
Taubenheim 110-111 HJ 3
Tauber 114-115 F 1
Tauberbischofsheim 114-115 F 1
Taubergrund 114-115 FG 2
Taucha 110-111 G 3
Tauche 110-111 K 1
Tauenzin [= Tawęcino] 104-105 L 1
Tauer 110-111 KL 2
Tauernbach 118-119 CD 4
Tauern, Hohe - 118-119 C-E 4
Tauern, Hoher - 118-119 E 4
Tauernkogel 118-119 C 4
Tauernmoossee 118-119 D 4
Tauern, Niedere - 118-119 F-H 4
Tauern, Niederer 118-119 E 4
Tauernpaß = Radstädter Tauern 118-119 F 4
Tauerntunnel 118-119 E 4-5
Täuffelen [6 km ← Aarberg 116-117 D 2]
Taufkirchen an der Pram 118-119 F 2
Taufkirchen an der Trattnach [3 km ↘ Neumarkt im Hausruckkreis 118-119 F 2]
Taufkirchen (Vils) 114-115 KL 4
Taufstein 108-109 H 5
Taunus 108-109 F-G 6
Tauplitz 118-119 G 3
Taura 110-111 G 4
Taurach 118-119 F 4
Tauragė = Tauroggen 101 L 1
Tauroggen 101 L 1
Taus [= Domažlice] 114-115 M 2
Tavannes [= Dachsfelden] 116-117 D 2
Taxaux-et-Pontséricourt 106-107 B 9
Tavèrnola 116-117 JK 5
Tavèrnole sul Mella 116-117 K 5
Tavetsch, Val - 116-117 G 3
Tavier 106-107 E 8
Tavigny 106-107 F 8
Tawe [= Zalivino] 112 F 1
Tawęcino = Tauenzin 104-105 L 1
Tawern 108-109 C 7
Taxenbach 118-119 D 4
Taxöldern 114-115 L 2
Tczew = Dirschau 104-105 N 2
Techelsberg 118-119 G 5
Techendorf 118-119 E 5
Techentin 102-103 KL 4
Techlipp [= Ciecholub] 104-105 J 2
Těchlovice = Tichlowitz 110-111 K 4
Těchonin = Linsdorf 113 B 5
Teck 114-115 EF 3
Tecklenburg 108-109 E 2
Teetz 102-103 N 4
Tegel, Berlin- 104-105 B 5
Tegelen 106-107 G 6
Tegelen-Steijl 106-107 G 6
Tegernsee [Ort] 114-115 K 5
Tegernsee [See] 114-115 K 5
Tèglio 116-117 K 4
Tegna [4 km ↘ Locarno 116-117 G 4]
Teicha 110-111 E 2
Teichel 110-111 D 4
Teichstatt [= Rybniště] 110-111 KL 4
Teichwalde [= Ciasna] 113 F 4
Teichwalde (Mark) [= Skórzyń, 4 km ↘ Zettitz 110-111 M 1]
Teichwolframsdorf 110-111 F 4
Teigitsch 118-119 J 4-5
Teinach, Bad - 114-115 D 3
Teisbach 114-115 L 3
Teisendorf 114-115 M 5
Teisnach 114-115 MN 2
Teistungen 110-111 B 3
Teldau 102-103 J 4
Telekes [Berg] 118-119 M 5
Telekes [Ort] 118-119 M 5
Teleszyna 113 F 1-2
Telfs 116-117 M 2
Telgte 108-109 E 3
Tellin 106-107 E 8
Tellingstedt 102-103 F 2
Tellnitz [= Telnice] 110-111 JK 4
Telnice = Tellnitz 110-111 JK 4
Teltow [Landschaft] 110-111 HJ 1
Teltow [Ort] 104-105 B 6
Temeschburg [= Timişoara] 101 KL 6
Temesvár = Temeschburg 101 KL 6
Temnick [= Ciemnik] 104-105 G 4
Tempel [= Templewo] 104-105 F 6
Tempelberg 104-105 J 5
Tempelburg [= Czaplinek] 104-105 H 3
Tempelhof, Berlin- 104-105 B 6
Templeuve [Belgien] 106-107 A 7
Templeuve [Frankreich] 106-107 A 7
Templewo = Tempel 104-105 F 6
Templin 104-105 BC 4
Templiner See 104-105 AB 6
Temse [= Tamise] 106-107 C 6
Temü 116-117 K 4
Ten Boer 106-107 H 2
Tendre, Mont - 116-117 B 3
Tengen 114-115 D 5
Tenigerbad 116-117 GH 3
Teningen 114-115 B 4
Tenna 116-117 H 3
Tennenberg [= Jedlová, 4 km ↓ Sankt Georgenthal 110-111 L 4]
Tennenbronn 114-115 C 4
Tennengau 118-119 E 3
Tennengebirge 118-119 E 3-4
Tenneverge, Pic de - 116-117 C 4
Tenneville 106-107 EF 8
Tennstedt, Bad - 110-111 C 3
Tepelská plošina = Tepler Hochland 110-111 G 5
Tepl [= Teplá] [Fluß] 110-111 G 5
Tepl [= Teplá] [Ort] 110-111 G 6
Teplá = Tepl [Fluß] 110-111 G 5
Teplá = Tepl [Ort] 110-111 G 6
Teplá Vltava = Warme Moldau 118-119 F 1
Tepler Hochland 110-111 GH 5
Teplice = Teplitz 110-111 J 4
Teplice nad Metují = Weckelsdorf 110-111 O 4
Teplice-Trnovany = Teplitz Turn 110-111 J 4
Teplitz [= Teplice] 110-111 J 4
Teplitz-Turn [= Teplice-Trnovany] 110-111 J 4
Tepliwoda = Lauenbrunn 113 BC 4
Tepl Stift [= Klášter Teplá] 110-111 G 6
Ter Aar 106-107 D 4
Ter Apel, Vlagtwedde- 106-107 HJ 3
Terborg, Wisch- 106-107 G 5
Terespol 104-105 M 4
Terezín = Theresienstadt 110-111 K 4
Terfens 116-117 N 2
Terheijden 106-107 D 5
Terhulpen = la Hulpe 106-107 C 7
Terlago 116-117 M 4
Terlan [= Terlano, 4 km ↘ Vilpian 116-117 M 3]
Terlano = Terlan
Terme di Brènnero = Brennerbad 116-117 MN 3
Termen 116-117 F 4
Termeno = Tramin 116-117 M 4
Termin = Trimmis 116-117 J 3
Termonde = Dendermonde 106-107 BC 6
Termunten 106-107 HJ 2
Ternat 106-107 C 7
Ternate [1 km ↘ Varano Borghi 116-117 G 5]
Ternberg 118-119 G 3
Terneuzen 106-107 B 6
Ternitz 118-119 KL 3
Ternuay 116-117 C 1
Terragnolo 116-117 M 5
Terri, Mont - 116-117 D 2
Terri, Piz - 116-117 H 3
Territet [1 km ↘ Montreux 116-117 C 4]
Terron, Poix- 106-107 D 9
Terschelling [Insel] 106-107 E 2
Terschelling [Ort] 106-107 E 2
Terschellinger Bank 106-107 E 2
Terschellinger Wad 106-107 E 2
Tersiva, Punta - 116-117 DE 5
Tertiussand 102-103 E 2
Tertre 106-107 B 8
Tervuren 106-107 D 7
Terwagne 106-107 E 8
Terwolde, Voorst- 106-107 G 4
Terza Grande, Monte - 118-119 D 5
Teschendorf [Brandenburg] 104-105 B 5
Teschendorf [Mecklenburg] 104-105 B 4
Teschendorf [= Cieszyno (Drawskie)] 104-105 H 3
Tesero 116-117 N 4
Tèsimo = Tisens 116-117 M 3
Tespe 102-103 H 4
Teß 113 C 5
Tessa, Cima - = Texelspitze 116-117 LM 3
Tessa, Monte - = Texelspitze 116-117 LM 3
Tessenderlo 106-107 E 6
Tessensdorf = Marienburg (Westpreußen)-Tessensdorf
Tessin 102-103 M 2
Tessin [= Ticino] [Fluß] 116-117 GH 4
Tessin [= Ticino] [Verwaltungseinheit] 116-117 G 4
Tesserete 116-117 GH 4
Tessin [= Cieszyn] 104-105 E 3
Tessiner Alpen 116-117 G 4
Testa del Rutor 116-117 CD 5
Testa Grigia 116-117 E 5
Tetenbüll 102-103 E 2
Teterchen = Diedringen 108-109 BC 8
Teteringen 106-107 D 5
Teterow 102-103 MN 3
Tetín 110-111 K 6
Tetschen [= Děčín] 110-111 K 4
Tetschen-Bodenbach [= Děčín-Podmokly] 110-111 K 4
Tettau 110-111 D 5
Tettenborn [2 km ↑ Mackenrode 110-111 C 2]
Tettens 102-103 C 3
Tettnang 114-115 F 5
Tetyń = Beyersdorf 104-105 E 4
Tetz 120 B 5
Teublitz 114-115 L 2
Teuchern 110-111 EF 3
Teufelsberg 104-105 J 2
Teufelsheide 104-105 J 3
Teufelskopf 108-109 C 7
Teufelsmoor 102-103 E 4
Teufelstein 118-119 K 4
Teufen 116-117 H 2
Teufenbach [3 km ↓ Niederwölz 118-119 G 4]
Teugn 114-115 L 3
Teupitz 110-111 J 1
Teupitzer See 110-111 J 1
Teuplitz [= Tuplice] 110-111 L 2
Teuschnitz 110-111 D 5
Teutoburger Wald 108-109 E 2-G 3
Teutschbuch 114-115 E 4
Teutschenthal 110-111 E 3
Tewswoos 102-103 K 4
Texel [Feuerschiff] 106-107 C 3
Texel [Insel] 106-107 D 2
Texel [Ort] 106-107 D 2
Texel-De Cocksdorp 106-107 D 2
Texel-De Koog 106-107 D 2
Texel-Den Burg 106-107 D 2
Texel-Den Hoorn 106-107 D 2
Texelgrund 106-107 C 2
Texel-Oudeschild 106-107 D 2
Texelspitze 116-117 LM 3
Texelstroom 106-107 DE 2
Texel-Zuideirland 106-107 D 2
Tezze 116-117 N 5
Thal 118-119 J 4
Thalbach = Vaulruz 116-117 C 3
Thale 110-111 CD 2
Thaleischweiler 108-109 E 8
Thalerhof 118-119 J 5
Thalfang 108-109 CD 7
Thalfingen 114-115 FG 4
Thalgau 118-119 E 3
Thalheim [Baden-Württemberg] 114-115 E 4
Thalheim [Sachsen] 110-111 G 4
Thalheim [3 km ↘ Pöls ob Judenburg 118-119 H 4]
Thalheim bei Wels 118-119 G 2
Thalkirch 116-117 H 3
Thalkirchdorf [5 km → Oberstaufen 114-115 G 5]
Thalkirchen = München-Thalkirchen
Thallwitz 110-111 G 3
Thalmässing 114-115 J 2
Thal (Thüringen) 110-111 B 4
Thalwil 116-117 G 2
Thammenhain 110-111 GH 3
Thamsbrück 110-111 C 3
Thann = Tann 116-117 D 1
Thannhausen 114-115 G 4
Thänsdorf [= Grzybno] 104-105 E 4
Tharandt 110-111 J 4
Tharau [= Vladimirov] 112 DE 2
Tharden [= Tarda, 4 km ↗ Liebemühl 112 C 4]
Thaur 116-117 M 2
Thaya [Österreich, Fluß] 118-119 J 1
Thaya [Österreich, Ort] 118-119 J 1
Thaya [Tschechoslowakei] 118-119 M 1
Thaya, Mährische - 118-119 J 1
Thayngen 116-117 G 1
Theben-Neudorf [= Devínska Nová Ves] 118-119 MN 2
Theben, Preßburg- [-Bratislava-Devín] 118-119 MN 2
Thedinghausen 102-103 F 5
Theeßen 110-111 F 1
Theiß 101 K 5
Theißen 110-111 F 3
Thelkow 102-103 N 2
Themar 110-111 C 4-5
Thening, Kirchberg- [3 km ← Pasching 118-119 G 2]
Theresienstadt [= Terezín] 110-111 K 4
Thernberg 118-119 L 3
Therwil [6 km ↓ Basel 116-117 DE 1]
Theuern 114-115 K 2
Theuma 110-111 F 5
Theusing [= Toužim] 110-111 GH 5
Theux 106-107 F 7
Thiade = Salzgitter-Thiede
Thièle 116-117 C 3
Thiemendorf [= Ciemnice] 110-111 M 1
Thiemendorf [= Tymowa] 113 A 3
Thiene 116-117 MN 5
Thiérache 106-107 BC 9
Thierenberg [= Dunajevka] 112 D 2
Thiergart [= Zwierzno] 112 B 3
Thierhaupten 114-115 H 3
Thierrens [4 km ↗ Bercher 116-117 C 3]
Thiersee 118-119 BC 3
Thiersheim 110-111 F 5
Thießen 110-111 F 2
Thiessow 104-105 C 2
Thil 106-107 F 10
Thilay 106-107 D 9
Thillot, le - 116-117 C 1
Thimister 106-107 F 7
Thin-le-Moutier 106-107 D 9
Thionville = Diedenhofen 108-109 B 8
Thoiry 116-117 A 4
Tholen [Landschaft] 106-107 C 5
Tholen [Ort] 106-107 C 5
Tholey 108-109 CD 8
Thomasburg 102-103 J 4
Thomasdorf [= Domašov] 113 C 5
Thomaskirch [= Domaniów] 113 C 4
Thomatal 118-119 F 4
Thomathal = Thomatal 118-119 F 4
Thomigsdorf [= Damnikov] 113 B 6
Thommen 106-107 G 8
Thommendorf [= Tomisław] 110-111 M 3
Thomsdorf 104-105 BC 4
Thomsdorfer See = Wulpingsee 112 D 4
Thon 106-107 C 9
Thônes 116-117 B 5
Thonon-les-Bains 116-117 B 4
Thorens ↣
Thorl 118-119 J 3
Thorn 106-107 F 6
Thorn [= Toruń] 104-105 N 4
Thorn-Amberg = Thorn-Podgorz 104-105 N 5
Thorn-Podgorz [= Toruń-Podgórz] 104-105 N 5
Thue 104-105 E 4
Thuile, la - 116-117 CD 5
Thuillies 106-107 C 8
Thuin 106-107 C 8
Thuine [3 km ↖ Freren 102-103 BC 6]
Thulba 108-109 J 6
Thulin 106-107 B 8
Thülsfelder Stausee 102-103 C 5
Thum 110-111 G 4
Thumby 102-103 G 1
Thumersbach [3 km ↗ Zell am See 118-119 D 4]
Thumitz, Demitz- 110-111 K 3
Thun 116-117 E 3
Thunersee 116-117 E 3
Thüngen 114-115 F 1
Thüngersheim 114-115 F 1
Thunow [= Dunowo] 104-105 H 2
Thur [Frankreich] 116-117 D 1
Thur [Schweiz] 116-117 H 2
Thurau [= Turowo] 112 D 5
Thurgau 116-117 GH 1
Thüringen [Deutschland, Landschaft] 110-111 B-E 4
Thüringen [Deutschland, Verwaltungseinheit] 101 E 3
Thüringen [Österreich] 116-117 J 2
Thüringer Wald 110-111 B 4-D 5
Thüringische Saale = Saale 110-111 D 4
Thürkow 102-103 N 3
Thurmansbang 114-115 N 3
Thurnau 110-111 D 5
Thurn, Paß - 118-119 C 4
Thurow [= Turowo (Pomorskie)] 104-105 G 3
Thurowen = Auersberg 112 J 4
Thurze [= Turza] 113 E 6
Thusis [= Tusaun] 116-117 H 3
Thüste 108-109 J 2
Thy-le-Château 106-107 C 8
Thymau 104-105 N 3
Thyrau [= Tyrowo] 112 C 4
Thyrow [5 km ↗ Trebbin 110-111 H 1]
Tiarno di sopra 116-117 L 5
Tichá Orlice = Stille Adler 110-111 O 5, 113 A 6
Tichau [= Tychy] 113 FG 5
Tichlowitz [= Těchlovice nad Labem] 110-111 K 4
Ticino 116-117 G 5
Ticino = Tessin [Fluß] 116-117 GH 4
Ticino = Tessin [Verwaltungseinheit] 116-117 G 4
Tiedmannsdorf [= Chruściel] 112 C 3
Tiefenau [= Tychnowy] 112 AB 4
Tiefenbach [Bayern, Oberpfalz] 114-115 M 2
Tiefenbach [Niederbayern] 114-115 N 3
Tiefenbach bei Oberstdorf 114-115 G 6
Tiefenbach, Dreis- 108-109 F 5
Tiefenbronn 114-115 D 3
Tiefenburgbach 113 DE 5
Tiefencastel 116-117 J 3
Tiefenfurt [= Parowa] 110-111 M 3
Tiefenort 110-111 B 4
Tiefensee [Brandenburg] 104-105 C 5
Tiefensee [Sachsen-Anhalt] 110-111 FG 2
Tiefsee [= Głębock] 112 D 3
Tiefhartmannsdorf [= Podgórki] 110-111 N 4
Tiegenhof [= Nowy Dwór Gdański] 104-105 O 2
Tiegenort [= Tujsk] 104-105 O 2
Tiel 106-107 E 5
Tielen 106-107 D 6
Tielerwaard 106-107 E 5
Tielt [Belgien, Brabant] 106-107 D 7
Tielt [Belgien, Westflandern] 106-107 A 6-7
Tienen [= Tirlemont] 106-107 DE 7
Tiengemeten 106-107 C 5
Tiengen (Oberrhein) 114-115 C 5
Tierberg 116-117 F 3
Tiergarten 110-111 L 2
Tiers [= Tires] 116-117 M 3
Tietjerksteradeel 106-107 FG 2
Tietjerksteradeel-Bergum 106-107 F 2
Tietjerksteradeel-Hardegarijp 106-107 FG 2
Tieschen 118-119 KL 5
Tignale 116-117 L 5
Tignes 116-117 C 6
Tihange 106-107 E 7
Tilburg 106-107 DE 5
Tilff 106-107 F 7
Tilleda 110-111 D 3
Tillenberg 110-111 G 5
Tillendorf [= Bolesławiec] 110-111 MN 3
Tillendorf [= Tylewice, 5 km ← Fraustadt 113 A 2]
Tillet 106-107 F 8
Tillitse 102-103 K 1
Tillitz 112 C 5
Tillmitsch [3 km ↖ Kaindorf an der Sulm 118-119 JK 5]
Till-Moyland 120 A 1
Tillowitz [= Tułowice] 113 D 4
Tilly 106-107 D 7
Tilse 112 G 2
Tilserau 112 G 2
Tilsit [= Sovetsk] 112 G 1
Timau 118-119 DE 5
Timber 112 F 2
Timber [= Rybackoje] 112 F 2
Timberhafen [= Piblin] 112 FG 2
Timelkam 118-119 F 2-3
Timelsberg 102-103 HJ 4
Timir'azevo = Neukirch 112 G 1
Timişoara = Temeschburg 101 KL 6
Timmelsjoch 116-117 M 3
Timmendorferstrand an der Ostsee 102-103 J 2-3
Timmenhagen [= Tymień] 104-105 G 2
Timnitza 104-105 K 5
Timun, Piz - 116-117 H 4
Tingleff 102-103 F 1
Tinischt an der Adler [= Týniště nad Orlicí] 110-111 O 5
Tinizong = Tinzen 116-117 J 3
Tinlot, Soheit- 106-107 E 8
Tinnen 102-103 B 5
Tinnum 102-103 D 1
Tintange 106-107 F 9
Tintigny 106-107 EF 9
Tinzen [= Tinizong] 116-117 J 3
Tione di Trento 116-117 L 4
Tirano 116-117 K 4
Tires = Tiers 116-117 N 4
Tirlemont = Tienen 106-107 DE 7
Tirol 116-117 LM 2, 118-119 BC 4
Tirol [= Tirolo] 116-117 M 3
Tiroler Etschland, Trentino- 116-117 L-N 3-4, 118-119 A-C 5
Tirolo = Tirol 116-117 M 3
Tirschenreuth 114-115 L 1
Tirschnitz [= Tršnice] 110-111 F 5
Tirschtiegel [= Trzciel] 104-105 G 6
Tisá = Tissa 110-111 K 4
Tischdorf [= Podstolice, 1 km ↙ Opatówko 104-105 K 6]
Tisens [= Tèsimo] 116-117 M 3
Tišino = Abschwangen 112 E 2
Tissa [= Tisá] 110-111 K 4
Tiß bei Pladen [= Tis u Blatna] 110-111 H 5
Tis u Blatna = Tiß bei Pladen 110-111 H 5
Tisza = Theiß 101 K 5
Titisee [Ort] 114-115 C 5
Titisee [See] 114-115 C 5
Titlis 116-117 F 3
Titting 114-115 J 2-3
Tittling 114-115 M 3
Tittmoning 114-115 M 4
Titz 120 B 4
Tjeukemeer 106-107 F 3
Tjongerkanaal 106-107 F 3
Tleń = Klinger 104-105 M 3
Tłumaczów = Tuntschendorf 113 AB 4
Tłustomosty = Stolzmütz 113 E 5
Tobelbad 118-119 J 5
Toblach [= Dobbiaco] 118-119 C 5
Toblacher Feld 118-119 C 5
Toblacher Pfannhorn = Pfannhorn 118-119 C 5
Toce 116-117 F 5
Točník 114-115 N 2
Toddin 102-103 K 4
Todenbüttel 102-103 FG 2
Todendorf [7 km ↗ Großhansdorf-Schmalenbeck 102-103 H 3]
Tödi 116-117 G 3
Todtenhausen 108-109 GH 2
Todtmoos 114-115 B 5
Todtnau 114-115 B 5
Töfej 118-119 M 5
Toffen [7 km → Oberbalm 116-117 D 3]
Tofino 116-117 L 5
Toggenburg 116-117 H 2
Töging am Inn 114-115 M 4
Tohogne 106-107 EF 8
Toitz-Rustow, Bahnhof - 102-103 NO 3
Tokaj 101 K 4
Tokary 113 EF 2
Tolk 102-103 G 1
Tolkemit [= Tolkmicko] 112 C 3
Tolkiny = Tolksdorf 112 F 3
Tolkmicko = Tolkemit 112 C 3
Tolksdorf [= Tołkiny] 112 F 3
Tollack [= Tuławki] 112 E 4
Tollense 104-105 B 3
Tollensesee 104-105 B 3
Tollmingen [= Tolmingkemsk] 112 H 3
Tollmingkehmen = Tollmingen 112 H 3
Tolmingkemsk = Tollmingen 112 H 3
Tolstovo = Löbenau 112 H 2
Tölz, Bad - 114-115 JK 5
Tomaschau [= Tomaszów Mazowiecki] 101 K 3
Tomaschow = Tomaschau 101 K 3
Tomaschow = Tomaszów Lubelski 101 L 3
Tomaszów Górny = Ober Thomaswaldau 110-111 N 3
Tomaszów Lubelski 101 L 3
Tomaszów Mazowiecki = Tomaschau 101 K 3
Tomàtico, Monte - 116-117 N 5
Tomerdingen 114-115 F 3-4
Tomice 113 B 1
Tomisław = Thommendorf 110-111 M 3
Tomül, Piz - 116-117 H 3
Ton 106-107 F 9
Tonàdico 116-117 N 4
Tonale, Passo del - 116-117 L 4
Tonczyna 104-105 N 5
Tønder = Tondern 102-103 E 1
Tondern [= Tønder] 102-103 E 1
Tonezza 116-117 M 5
Tongelreep 106-107 EF 6
Tongeren [= Tongres] 106-107 E 7
Tongerlo 106-107 D 6
Tongern = Tongeren 106-107 E 7
Tongres = Tongeren 106-107 E 7
Tonion 118-119 J 3
Tönisberg 120 C 3
Tönning 102-103 E 2
Tontschina = Tonczyna 104-105 N 5
Töpchin 110-111 J 1
Topola Mała = Klein Topola 113 D 2
Topolino = Topolno
Topolno [6 km → Rasmushausen 104-105 M 4]
Toporów = Topper 110-111 M 1
Toporzyk = Langhof 104-105 H 4
Toporzysko = Groß Bösendorf 104-105 M 4
Toppenstedt 102-103 H 4
Topper [= Toporów] 110-111 M 1
Törbel [2 km ↖ Stalden 116-117 E 4]
Tòrbole ↣
Tòrbole Casàglia 116-117 K 5-6
Toreby 102-103 L 1
Torena, Monte - 116-117 K 4
Torenberg 106-107 F 4
Torgau 110-111 GH 2
Torgelow [Mecklenburg] 102-103 N 3
Torgelow [Pommern] 104-105 D 3
Torgelow-Jägerbrück 104-105 CD 3
Torgnon 116-117 E 5
Torhout 106-107 A 6
Tormäuer 118-119 J 3
Tornau 110-111 G 2
Tornesch 102-103 G 3
Tornitz 110-111 E 2
Torno, Leippe- 110-111 K 3
Tornow 104-105 B 4
Tornow [= Tarnów] 104-105 EF 5
Tornow [= Tarnowo (Pomorskie)] 104-105 F 4
Torony 118-119 LM 4
Törpin 104-105 B 3
Torrebelvicino 116-117 M 5
Torre de'Busi 116-117 HJ 5
Torre di Lavina 116-117 D 5
Torre di Santa Maria 116-117 J 4
Torri del Benaco 116-117 L 5
Torri di Quartesolo 116-117 N 5
Torsoleto, Monte - 116-117 K 4
Toruń = Thorn 104-105 N 4
Toruń-Podgórz = Thorn-Podgorz 104-105 N 5
Torzym = Sternberg Neumark 104-105 F 6
Tosa, Cima - 116-117 L 4
Toscolano 116-117 L 5
Tösens 116-117 L 2
Töss [Fluß] 116-117 G 2
Töss [Ort] 116-117 G 2
Tost [= Toszek] 113 F 5
Tostedt 102-103 G 4
Tost-Gleiwitz = Alt Gleiwitz
Toszek = Tost 113 F 5
Totes Gebirge 118-119 FG 3
Totschnik = Točník 114-115 N 2
Toul 101 B 4
Tourcoing 106-107 A 7
Tour-de-Peilz, La - 116-117 C 4
Tour-de-Trême, La - [2 km ↘ Bulle 116-117 D 3]
Tournai [= Doornik] 106-107 A 7
Tournay 106-107 E 9
Tournette, la - 116-117 B 5
Tours-en-Savoie 116-117 BC 5
Tout Blanc, Mont - 116-117 D 5
Toužim = Theusing 110-111 GH 5
Tov, Monte - 116-117 L 4
Traar, Krefeld- 120 C 3
Trąbczyn 113 DE 1
Trabehn [= Drawień] 104-105 J 3
Traben-Trarbach 108-109 D 7
Trąbki = Trampke 104-105 F 4
Traboch [7 km ↘ Kammern im Liesingtal 118-119 H 4]
Trachenberg [= Żmigród] 113 BC 3
Trachselwald 116-117 E 2
Tradate 116-117 G 5
Trägöß 118-119 J 4
Tragwein 118-119 H 2
Trahegnies, Leval- [4 km ↖ Anderlues 106-107 C 8]
Train 114-115 K 3
Traisen [Fluß] 118-119 K 2
Traisen [Ort] 118-119 K 2
Traiskirchen 118-119 L 2
Traismauer 118-119 K 2
Traitsching 114-115 M 2
Trakehnen = Groß Trakehnen 112 HJ 2
Trakinnen = Tannenschlucht 112 GH 2
Trame, La - 116-117 D 2
Tramelan [= Tramlingen] 116-117 D 2
Tramin [= Termeno] 116-117 M 4
Tramlingen = Tramelan 116-117 D 2
Tramm 102-103 L 3
Tramnitz 102-103 N 5
Trampe 104-105 C 5
Trampke [= Trąbki] 104-105 F 4
Tranderup 102-103 H 1
Trantow 104-105 B 3
Traona 116-117 J 4
Trappe, la - 106-107 C 9
Trappen [= Nemanskoje] 112 H 1
Trappönen = Trappen 112 H 1
Trappstadt 110-111 BC 5
Trarbach, Traben- 108-109 D 7
Trassenheide 104-105 C 2
Traßlberg 114-115 K 2
Trattenbach 118-119 K 3
Trattendorf, Spremberg- 110-111 K 2
Traubing 114-115 J 5
Trauchgau 114-115 H 5
Traun [Deutschland] 114-115 M 5
Traun [Österreich, Fluß] 118-119 G 2
Traun [Österreich, Ort] 118-119 G 2
Traunfeld 114-115 J 2
Traunkirchen 118-119 F 3
Traunreut 114-115 M 5
Traun, Rote - 114-115 M 5
Traunsee 118-119 F 3
Traunstein [Deutschland] 114-115 M 5
Traunstein [Niederösterreich] 118-119 J 2
Traunstein [Oberösterreich] 118-119 F 3
Traun, Weiße - 114-115 M 5

Trausen 46 Unterwellenborn

Trausen [= Lipn'aki] 112 F 3
Trausitten [2 km ↗ Neuhausen 112 E 2]
Trausnitz 114-115 L 1
Trausnitz, Burg – [1 km ↓ Landshut 114-115 L 3]
Trautenau [= Trutnov] 110-111 N 4
Trautenfels, Schloß – 118-119 F 4-G 3
Trautmannsdorf an der Leitha 118-119 M 2-3
Trautmannsdorf in Oststeiermark [4 km → Gnas 118-119 K 5]
Travagliato 116-117 K 5
Trave 102-103 H 3
Travemünde, Lübeck- 102-103 JK 3
Traventhal 102-103 H 3
Travers 116-117 C 3
Traversella 116-117 E 5
Trębaczów 113 FG 3
Trebbin 110-111 H 1
Třebechovice pod Orebem = Hohenbruck 110-111 NO 5
Trebel [Mecklenburg] 102-103 N 2-3
Trebel [Niedersachsen] 102-103 K 4-5
Trebelsee 104-105 A 6
Třebenice = Trebnitz 110-111 JK 5
Trebeschow [= Velký Třebešov, 5 km ← Böhmisch Skalitz 110-111 NO 5]
Trebesing 118-119 F 5
Trebgast 110-111 DE 5
Třebič = Trebitsch 101 G 4
Trebisch [= Trzebiszewo (Wielkopolskie)] 104-105 F 5
Trebitsch [= Třebíč] 101 G 4
Trebitsch [= Trzebicz] 104-105 G 5
Trebitz [Brandenburg] 110-111 K 1
Trebitz [Sachsen-Anhalt] 110-111 G 2
Třebívlice = Triblitz 110-111 J 5
Třebíz = Weißthurn 110-111 J 5
Treblin [= Trzebielino] 104-105 K 2
Trebnitz 104-105 D 5
Trebnitz [= Třebenice] 110-111 JK 5
Trebnitz [= Trzebnica] 113 C 3
Trebnitz [2 km ↖ Luckenau 110-111 EF 3]
Trebnitzer Höhen = Katzengebirge 113 BC 3
Třeboň = Tschebon 110-111 GH 5
Třebovice = Strzebowitz 113 E 6
Třebovice = Triebitz 113 A 6
Trebow [= Trzebów] 104-105 EF 5
Trebschen [= Trzebiechów] 110-111 N 1
Trebsen 110-111 G 3
Trebur [5 km ← Groß-Gerau 108-109 F 7]
Třebušice = Triebschitz
Trecate 116-117 G 6
Trechel [= Trzechel] 104-105 EF 3
Treene 102-103 F 2
Treffelstein 114-115 M 2
Treffen 118-119 F 5
Treffurt 110-111 B 3
Tregnago 116-117 M 5
Treia 102-103 F 1
Treibach 118-119 G 5
Treis an der Lumda 108-109 G 5
Treischfeld 108-109 J 5
Treis (Mosel) 108-109 D 6
Trélatête, Aiguille de – 116-117 C 5
Trélex [4 km ↖ Nyon 116-117 B 4]
Trelkowo = Groß Schöndamerau 112 EF 4
Trélon 106-107 C 8
Tremalzo, Monte – 116-117 L 5
Trembaczów = Trębaczów 113 FG 3
Trême 116-117 CD 3
Třemešná = Röwersdorf 113 D 5
Tremessen [= Trzemeszno] 104-105 L 5
Tremezzo [3 km ↗ Lenno 116-117 H 5]
Tremezzo, Monte di – 116-117 H 4
Tremmen 102-103 N 5
Tremoschna = Třemošná 114-115 M 1
Tremoschner Bach = Třemošná 114-115 M 1
Tremòsine 116-117 L 5
Třemošná [Fluß] 114-115 N 2
Třemošná [Ort] 114-115 N 1
Trempen [= Novostrojevo] 112 G 3
Tremsbüttel 102-103 H 3
Trenčín = Trentschin 101 J 4
Trendelburg 108-109 H 3
Trennfurt 114-115 E 1
Trent 104-105 B 1
Trenta 116-117 L 4
Trentino-Alto Àdige = Trentino-Tiroler Etschland 116-117 L-N 3-4, 118-119 A-C 5
Trentino-Tiroler Etschland 116-117 L-N 3-4, 118-119 A-C 5
Trento = Trient [Ort, Verwaltungseinheit] 116-117 M 4
Trento-Gàrdolo = Trient-Gàrdolo 116-117 M 4
Trento-Ravina = Trient-Ravina 116-117 M 4
Trentschin [= Trenčín] 101 J 4
Trepalle 116-117 K 3
Treplin 104-105 D 6
Treppeln 110-111 L 1
Treppeln [= Trzebule] 110-111 M 2
Treppa Càrnico [3 km ↗ Paluzza 118-119 D-E 5]
Treptow an der Rega [= Trzebiatów] 104-105 F 2
Treptow an der Tollense = Altentreptow 104-105 B 3
Tre Scarperi, Cima – = Dreischusterspitze 118-119 C 5
Trescore Balneàrio 116-117 J 5
Tresero, Pizzo – 116-117 L 4
Tre Signore, Pico del – = Dreiherrnspitze 118-119 C 4
Trésilley 116-117 B 2
Trestau >—>
Treten [= Dretyń] 104-105 J 2
Trettin [= Drzecin] 104-105 E 6
Treuburg [= Olecko] 112 J 3
Treuchtlingen 114-115 HJ 3
Treuen 110-111 F 4
Treuenbrietzen 110-111 GH 1
Treuensteinberg = Steinberg 104-105 H 6
Treuhofen [= Smogory] 104-105 EF 6
Treviglio 116-117 J 5
Trévillers 116-117 C 2
Trey 116-117 C 3
Treysa 108-109 H 5
Treyvaux 116-117 D 3
Trezzo sull'Adda 116-117 HJ 5
Trhanov = Meigelshof 114-115 M 2
Trhové Sviny = Schweinitz 118-119 H 1
Triberg 114-115 C 4
Triblitz [= Třebívlice] 110-111 J 5
Tribsees 102-103 N 2
Tribsow [= Trzebieszewo (Kamieńskie), 5 km → Cammin in Pommern 104-105 E 3]
Tribulaun 116-117 M 2
Tribuswinkel [3 km → Baden 118-119 L 2]
Triebe 113 A 6
Triebel 110-111 F 5
Triebel [= Trzebiel] 110-111 L 2
Trieben 118-119 G 4
Triebes 110-111 EF 4
Triebitz [= Třebovice] 113 A 6
Triebschitz [= Třebušice, 3 km ↙ Tschausch 110-111 J 4-5]
Triengen 116-117 F 2
Trient [= Trento] [Ort, Verwaltungseinheit] 116-117 M 4
Trient-Gàrdolo [= Trento-Gàrdolo] 116-117 M 4
Trient-Ravina [= Trento-Ravina] 116-117 M 4
Triepkendorf 104-105 B 4
Trier [Ort, Verwaltungseinheit] 108-109 C 7
Triesen 116-117 J 2
Triesting 118-119 L 2-3
Triftern 114-115 MN 4
Trillenberg 102-103 C 5
Trimmelkam 118-119 D 2
Trimmis [= Termin] 116-117 J 3
Trinksaifen [= Sejfy] 110-111 G 5
Trinkseifen = Trinksaifen 110-111 G 5
Tripkau 102-103 K 4
Trippstadt 108-109 E 8
Triptis 110-111 E 4
Trisanna 116-117 K 2
Trischen 102-103 E 2
Trischen = Trischin 104-105 L 4
Trischin [= Tryszyn] 104-105 L 4
Tři Sekery = Dreihacken 110-111 G 6
Trith-Saint-Léger 106-107 AB 8
Trittau 102-103 H 3
Trittenheim 108-109 CD 7
Trląg 104-105 M 5
Trlong = Trląg 104-105 M 5
Trmice, Ústí nad Labem- = Aussig-Türmitz 110-111 JK 4
Trnava = Tyrnau 101 H 4
Trnovany, Teplice- = Teplitz-Turn 110-111 J 4
Tröbitz 110-111 H 2
Trochtelfingen [Baden-Württemberg, → Aalen] 114-115 G 3
Trochtelfingen [Baden-Württemberg, ↓ Reutlingen] 114-115 E 4
Trofaiach 118-119 HJ 4
Trogen 116-117 H 2
Trögern 118-119 GH 6
Trogkofel 118-119 E 5
Tröglitz 110-111 F 3
Troisdorf 108-109 D 5
Troiseck 118-119 J 3
Trois-Ponts 106-107 F 8
Troistorrents 116-117 C 4
Troisvierges = Ulflingen 106-107 G 8
Troja 113 DE 5
Trombczyn = Trąbczyn 113 DE 1
Trommelberg 104-105 G 3
Tromper Wiek 104-105 BC 1
Trómpia, Val – 116-117 K 5
Tronchiennes = Drongen 106-107 B 6
Troplowitz [= Opawica] 113 D 5
Tröpolach [7 km ↙ Hermagor 118-119 E 5]
Troppau [= Opava] 113 D 6
Trossingen 114-115 D 4
Trostberg 114-115 M 4
Trostniki = Schakenhof
Troyes 101 B 4
Tršnice = Tirschnitz 110-111 F 5
Trub 116-117 E 3
Trubschachen [3 km ↙ Trub 116-117 E 3]
Truccazzano 116-117 H 6
Truchtersheim 114-115 AB 3
Trulben [3 km ↖ Eppenbrunn 108-109 E 8]
Trumiejki = Klein Tromnau 112 B 4
Trümmelbachfälle [2 km ↗ Mürren 116-117 E 3]
Trun = Truns 116-117 G 3
Truns [= Trun] 116-117 G 3
Trunz [= Milejewo] 112 C 3
Trusetal (Thüringen) 110-111 B 4
Truskolasy 113 F 4
Trutnov = Trautenau 110-111 N 4
Trutowo 104-105 O 5
Trüttlisbergpass 116-117 DE 4
Tryggelev 102-103 J 1
Tryszczyn = Trischin 104-105 L 4
Trzcianka = Schönlanke 104-105 H 4
Trzcianne 112 J 5
Trzciano = Honigfelde 112 B 4
Trzciel = Tirschtiegel 104-105 G 6
Trzcinica = Strenze 113 DE 3
Trzcinna = Schöneberg 104-105 F 5
Trzcinno = Rohr 104-105 K 2
Trzcińsko Zdrój = Bad Schönfließ Neumark 104-105 E 5
Trzebciny = Junkerhof 104-105 M 3
Trzebcz Szlachecki 104-105 MN 4
Trzebiatkowa = Radensfelde 104-105 K 2
Trzebiatów = Treptow an der Rega 104-105 F 2
Trzebicko = Hochrode 113 C 2
Trzebicz = Trebitsch 104-105 G 5
Trzebiechów = Trebschen 110-111 N 1
Trzebiel = Triebel 110-111 L 2
Trzebielino = Treblin 104-105 K 2
Trzebień = Kittlitztreben 110-111 N 3
Trzebieszewo (Kamieńskie) = Tribsow
Trzebieszowice = Kunzendorf 113 B 5
Trzebież = Ziegenort 104-105 DE 3
Trzebina = Kunzendorf 113 D 5
Trzebiszewo (Wielkopolskie) = Trebisch 104-105 F 5
Trzebnica = Trebnitz 113 C 3
Trzebnice = Seebnitz 110-111 NO 3
Trzebów = Trebow 104-105 EF 5
Trzebów = Tschiebsdorf 110-111 M 2
Trzebule = Treppeln 110-111 M 2
Trzechel = Trechel 104-105 EF 3
Trzemeszno = Tremessen 104-105 L 5
Trzemeszno Lubuskie = Schermeisel 104-105 F 6
Trzepizury 113 FG 4
Trzęsacz = Hoff 104-105 EF 2
Trześniówek = Groß Kirschbaum 104-105 F 6
Tržič = Neumarktl 118-119 G 6
Trzmielów = Hummel 110-111 NO 3

Tschachrau = Čachrov 114-115 N 2
Tschagguns 116-117 J 2
Tschakowitz = Čakovice 110-111 L 5
Tschappina 116-117 H 3
Tschaslau = Čáslav 110-111 M 6
Tschausch [= Souš] 110-111 J 4-5
Tschausdorf [= Szczawno, 2 km ← Thiemendorf 110-111 M 1]
Tschebiatkow = Radensfelde 104-105 K 2
Tscheben 110-111 GH 5
Tschechenhammer = Grenzhammer (Niederschlesien) 113 C 3
Tschechoslowakei 101 G-K 4
Tscheikowitz = Čejkovice 118-119 M 1
Tscheitsch = Čejč 118-119 MN 1
Tschelakowitz = Čelákovice 110-111 L 5
Tscheljads = Czeladź 113 G 5
Tschemoschna = Třemošná 114-115 M 1
Tschenkowitz [= Čenkovice] 113 B 5-6
Tschenstochau [= Częstochowa] 113 FG 4
Tschepplau = Langemark 110-111 O 2
Tschernilow = Černilov 110-111 N 5
Tschernitz 110-111 L 2
Tschernoschin [= Černosín] 114-115 M 1
Tscheschen [= Cieszyn] 113 D 3
Tscheschkowitz = Eichenhag 113 B 2
Tschicherzig = Odereck 110-111 N 1
Tschiebsdorf [= Trzebów] 110-111 M 2
Tschiefer = Zollbrücken 110-111 M 2
Tschiertschen 116-117 J 3
Tschierv 116-117 K 3
Tschiest = Čistá
Tschirnau = Lesten 113 B 2
Tschirndorf = Hammerfeld 110-111 M 2
Tschischkowitz = Čížkovice 110-111 JK 5
Tschistai = Čistá 110-111 L 5
Tschistay = Čistá 110-111 J 5
Tschlin 116-117 K 3
Tschop 101 L 4
Tšupc = Straupitz 110-111 K 2

Tubbergen 106-107 H 4
Tubeke = Tubize 106-107 C 7
Tübingen 114-115 E 3
Tubize [= Tubeke] 106-107 C 7
Tucheim 110-111 F 1
Tuchel [= Tuchola] 104-105 L 3
Tucheler Heide 104-105 LM 3
Tuchlin [= Tuchlino] 104-105 L 2
Tuchlino = Tuchlin 104-105 L 2
Tuchlovice = Tuchlowitz 110-111 K 5
Tuchlowitz [= Tuchlovice] 110-111 K 5
Tuchola = Tuchel 104-105 L 3
Tucholskie, Bory – = Tucheler Heide 104-105 LM 3
Tuchomie = Groß Tuchen 104-105 K 2
Tuchořice = Tuchoritz 110-111 J 5
Tuchoritz [= Tuchořice] 110-111 J 5
Tuchorza = Tannheim 110-111 O 1
Tuczno 104-105 M 5
Tuczno = Schönrade 104-105 FG 5
Tuczno = Tütz 104-105 H 4
Tudderen = Tüddern 108-109 A 4
Tüddern 108-109 A 4
Tuenno 116-117 LM 4
Tuhan [= Tuháň] 110-111 K 4
Tuhnice = Karlovy Vary-Tuhnice
Tujsk = Tiegenort 104-105 O 2
Tülau-Fahrenhorst 102-103 J 5
Tuławki = Tollack 112 E 4
Tulce 104-105 K 6
Tuliszków 113 E 1
Tulln 118-119 L 2
Tullnerbach 118-119 L 2
Tullner Feld 118-119 KL 2
Tułowice = Tillowitz 113 D 4
Tulpeningen [= Zarečnoje] 112 HJ 2
Tulpeningken = Tulpeningen 112 HJ 2
Tumanovka = Gauleden 112 EF 2
Tumein = Tamins 116-117 H 3
Tumiany = Daumen 112 E 4
Tumicy, Zemicy- = Demitz-Thumitz 110-111 K 3
Tumpen 116-117 L 2
Tungerloh-Pröbeting 108-109 D 3
Tunigen 114-115 D 4
Tunskirch [= Tworków] 113 E 5
Tuntenhausen 114-115 L 5
Tuntschendorf [= Tłumaczów] 113 AB 4
Tuplice = Teuplitz 110-111 L 2
Tur 113 FG 2
Tuř 110-111 M 5
Turawa, Ellguth- [= Ligota Turawska] 113 E 4
Turawa-Stausee 113 E 4
Turawskie, Jezioro – = Turawa-Stausee 113 E 4
Turbenthal 116-117 G 2
Turbigo 116-117 G 5
Turek 113 F 1
Turgi 116-117 F 2
Türje 118-119 N 5
Turka 101 L 4
Türkenfeld 114-115 J 4
Türkenfeld = Tursko 113 D 2
Türkheim 114-115 H 4
Türkismühle 108-109 D 7
Türkwitz 113 D 3
Turmberg 104-105 M 2
Türmitz, Aussig- [= Ústí nad Labem-Trmice] 110-111 JK 4
Turnau 118-119 J 3
Turnau [= Turnov] 110-111 M 4
Turnhout 106-107 D 6
Türnich 108-109 C 5
Turnišče 118-119 L 5
Türnitz [= Tvrdonice] 118-119 M 1
Türnitz [Fluß] 118-119 J 3
Türnitz [Ort] 118-119 JK 3
Turnov = Turnau 110-111 M 4
Turnow 110-111 K 2
Turn, Teplitz- [= Teplice-Trnovany] 110-111 J 4
Turoscheln = Mittenheide 112 G 4
Turośl 112 G 5
Turośl = Mittenheide 112 G 4
Turowo = Auersberg 112 J 4
Turowo (Pomerskie) = Thurow 104-105 J 3
Turowo = Thurau 112 D 5
Turrach 118-119 F 5
Turracher Höhe 118-119 FG 5
Tursch = Tuř 110-111 M 5
Tursko 113 D 2
Turtmann 116-117 E 4
Turtmanntal 116-117 E 4
Turza = Thurze 113 E 6
Turzno 104-105 N 4
Tusaun = Thusis 116-117 H 3
Tüschenbroich, Schloß – 120 B 4
Tuschkau [= Město Touškov] 114-115 N 1
Tussainen [= Čapajevo] 112 GH 1
Tussenhausen 114-115 H 4
Tüßling 114-115 M 4
Tutow 104-105 B 3
Tutschen [= Valutino] 112 H 2
Tuttlingen 114-115 D 5
Tutzing 114-115 J 5
Tuxer Alpen 118-119 B 4
Tuxer Joch 116-117 N 2
Tuxer Tal 118-119 B 4

Tvrdonice = Turnitz 118-119 M 1

Twann 116-117 D 2
Twarda Góra = Hardenberg 104-105 N 3
Twardawa = Hartenau 113 E 5
Twardogóra = Festenberg 113 CD 3
Twello, Voorst- 106-107 G 4
Tweng 118-119 E 4
Twenthe 106-107 H 4
Twenthekanaal 106-107 GH 4
Twielenfleth 102-103 G 3
Twimberg 118-119 H 5
Twiste [Fluß] 108-109 H 4
Twiste [Ort] 108-109 GH 4
Twisteden 120 A 2
Twistringen 102-103 E 5
Tworkau = Tunskirch 113 E 5
Tworków = Tunskirch 113 E 5
Tworóg = Horneck 113 F 4

Tychnowy = Tiefenau 112 AB 4
Tychow [= Tychowo] 104-105 J 2
Tachówko = Woldisch Tychow 104-105 H 3
Tychowo 104-105 J 2
Tychowo = Groß Tychow 104-105 H 3
Tychowo = Hansfelde
Tychy = Tichau 113 FG 5
Tylewice = Tillendorf
Tylkowo = Scheufelsdorf 112 E 4
Tyl'ža = Tilse 112 G 2
Tymień = Timmenhagen 104-105 G 2
Tymowa = Thiemendorf 113 A 3
Týnec nad Labem = Elbeteinitz 110-111 M 5
Týniště nad Orlicí = Tinischt an der Adler 110-111 O 5
Tyrnau [= Trnava] 101 H 4
Tyrowo = Thyrau 112 C 4
Tyss = Tiß bei Pladen 110-111 H 5
Tywa = Thue 104-105 E 4

't Zandt 106-107 H 2
Tzschecheln = Eichenrode (Niederlausitz) 110-111 L 2

U

Ubach-Palenberg 108-109 B 5
Ubbergen 106-107 F 5
Übelbach 118-119 J 4
Überherrn 108-109 C 8
Überkingen, Bad – 114-115 F 3
Überlingen 114-115 E 5
Überlinger See 114-115 E 5
Übersee >—>
Überstorf [3 km → Wünnewil 116-117 D 3]
Ubolde 116-117 H 5
Ubstadt [3 km ↖ Unteröwisheim 114-115 D 2]

Uccle [= Ukkel] 106-107 C 7
Uchorowo [3 km ↖ Białężyn 104-105 J 5]
Uchtdorf 110-111 E 1
Uchtdorf [= Lisie Pole] 104-105 DE 4
Uchte [Niedersachsen] 102-103 E 5-6
Uchte [Sachsen-Anhalt] 102-103 L 5
Uchtelfangen [3 km ↖ Eppelborn 108-109 CD 8]
Uchtenhagen [= Krzywnica] 104-105 F 4
Üchtland 116-117 CD 3
Uchtspringe 102-103 KL 5
Uckange = Ückingen 108-109 B 8
Ückeley 104-105 F 3
Uckerath 108-109 D 5
Ückeritz 104-105 D 2
Uckermark 104-105 CD 4
Ückingen [= Uckange] 108-109 B 8
Uckro 110-111 J 2

Udanin = Gäbersdorf 113 AB 3
Uddel, Apeldoorn- 106-107 F 4
Uden 106-107 F 5
Udenhout 106-107 E 5
Uden-Odoliapeel 106-107 F 5
Uder 110-111 B 3
Uderns 118-119 B 4
Uderwangen = Čechovo 112 E 2
Udestedt 110-111 D 3
Ùdine 101 F 5
Ùdlice = Eidlitz 110-111 HJ 5
Údol Svatého Kryštofa = Christophsgrund
Udorpie = Hygendorf 104-105 KL 2

Ueberackern [7 km ↖ Schwand im Innkreis 181-119 DE 2]
Uebigau 110-111 H 2
Ueckendorf, Gelsenkirchen- 120 E 3
Uecker 104-105 CD 3
Ueckermünde 104-105 D 3
Ueckermünder Heide 104-105 CD 3
Uedem 120 B 2
Uedemerbruch 120 B 2
Uedemerfeld 120 B 2
Ueffeln 102-103 C 6
Uehlfeld 114-115 H 1
Uelleben [3 km ↖ Sundhausen 110-111 C 4]
Uelsen 102-103 A 6
Uelzen 102-103 HJ 5
Uelzen [2 km ↗ Unna 120 G 2]
Uentrop [Nordrhein-Westfalen, → Arnsberg] 120 J 3
Uentrop [Nordrhein-Westfalen, → Hamm (Westfalen)] 120 H 2
Uenze 102-103 L 4
Uenzen 102-103 E 5
Uerdingen, Krefeld- 120 C 3
Uesen 102-103 EF 4-5
Uetersen 102-103 G 3
Uettingen 114-115 F 1
Uetze 102-103 H 6

Ufenau, Insel – 116-117 G 2
Uffeln 108-109 G 2
Uffenheim 114-115 G 1
Uffing am Staffelsee 114-115 J 5
Ufgau 114-115 C 3
Ufnau = Ufenau, Insel – 116-117 G 2
Uftrungen 110-111 CD 2-3

Ugine 116-117 B 5
Ugoszcz = Bernsdorf 104-105 L 2

Uherčice = Ungarschitz 118-119 K 1
Uhingen 114-115 F 3
Úhlava = Angel 114-115 N 1
Úhlavka = Auhlawabach 114-115 M 1
Uhlberg 114-115 H 3
Uhlstädt 110-111 D 4
Uhříněves 110-111 L 5
Uhsmannsdorf [5 km ← Rothenburg (Lausitz) 110-111 L 3]
Uhyst (Kreis Hoyerswerda) 110-111 KL 3

Uitgeest 106-107 D 3
Uithoorn 106-107 D 4
Uithuizen 106-107 H 2
Uithuizermeden 106-107 H 2
Uithuizer Wad 106-107 H 2
Uitkerke 106-107 A 6

Ujazd = Bischofstal 113 E 5
Ujazd Dolny = Nieder Mois 113 AB 3
Ujazd Górny = Ober Mois 113 AB 3
Ujest = Bischofstal 113 E 5
Újkér 118-119 M 4
Ujście = Usch 104-105 J 4
Újudvar 118-119 MN 5

Ukiel, Jezioro – = Okullsee 112 D 4
Ukkel = Uccle 106-107 C 7
Ukleja = Ückeley 104-105 F 3
Ukta 112 FG 4

Ulbersdorf [= Węgrzynice, 3 km ↖ Schönfeld 110-111 M 1]
Ulfa 108-109 H 6
Ulfen 110-111 B 3
Ulfkotte, Altendorf- 120 DE 2
Ulflingen [= Troisvierges] 106-107 G 8
Úlibice = Aulibitz 110-111 M 5
Úlice = Ullitz 114-115 N 1
Ulikowo = Wulkow 104-105 F 4
Uljanovo = Breitenstein (Ostpreußen) 112 H 2
Ullersdorf [= Ołdrzychowice Kłodzkie] 113 B 5
Ullitz [= Úlice] 114-115 N 1
Ulm 114-115 F 4
Ulmbach 108-109 H 6
Ulmenau = Żegocin 113 D 2
Ulmen-Meiserich 108-109 CD 6
Ulmerfeld 118-119 H 2
Ulmet 108-109 DE 7
Ulm-Grimmelfingen [↙ Ulm 114-115 F 4]
Ulm-Söflingen [↙ Ulm 114-115 F 4]
Ulm-Wiblingen 114-115 F 4
Ulrichsberg [Oberösterreich] 118-119 FG 1
Ulrichsberg [Österreich, Kärnten] 118-119 G 5
Ulrichsdorfer See = Klonczener See 104-105 L 2
Ulrichskirchen 118-119 LM 2
Ulrichstein 108-109 H 5
Ulrum 106-107 G 2
Ulsby 102-103 G 1
Ulster 110-111 AB 4
Ultental 116-117 L 4-M 3
Ùltimo, Val d' = Ultental 116-117 L 4-M 3
Ulzburg 102-103 GH 3

Umbrailpass 116-117 KL 3
Umbrail, Piz – 116-117 K 3
Umhausen 116-117 L 2
Umień 113 F 1
Ummanz [Insel] 104-105 B 2
Ummanz [Ort] 104-105 B 2
Ummeln 108-109 F 3
Ummendorf [Baden-Württemberg] 114-115 F 4
Ummendorf [Sachsen-Anhalt] 110-111 D 1
Ummerstadt 110-111 C 5

Unanov = Winau 118-119 L 1
Undeloh 102-103 GH 4
Undenheim [7 km → Wörrstadt 108-109 F 7]
Underverlier 116-117 D 2
Undingen 114-115 E 4
Ungarisch-Altenburg = Wieselburg 101 H 5
Ungarische Pforte = Porta Hungarica 118-119 MN 2
Ungarische Volksrepublik = Ungarn 101 H-K 5
Ungarn 101 H-K 5
Ungarschitz [= Uherčice] 118-119 K 1
Ungeraiden [= Záhorská Ves] 118-119 M 2
Ungereigen = Ungeraiden 118-119 M 2
Ungerhausen 114-115 G 4-5
Unhoscht = Unhošť 110-111 K 5
Unhošť 110-111 K 5
Unichowo = Wundichow 104-105 K 2
Uniechów = Heinrichswalde 104-105 K 3
Unieiow = Uniejów 113 F 2
Uniejów 113 F 2
Unieść = Nest 104-105 H 2
Unieście = Nest 104-105 H 2
Unisław 104-105 M 4
Unisław Śląski = Langwaltersdorf 113 A 4
Unkel 108-109 D 5
Unken 118-119 D 3
Unlingen 114-115 F 4
Unna 120 G 2
Unnenberg 120 G 4
Unruhstadt [= Kargowa] 110-111 N 1
Unseburg [3 km ↖ Wolmirsleben 110-111 DE 2]
Unsernherrn 114-115 J 3
Unsleben 110-111 B 5
Unstrut 110-111 D 3
Unterach 118-119 EF 3
Unterägeri 116-117 G 2
Unterammergau 114-115 J 5
Unterbalbach 114-115 F 1
Unter Bautzen [= Dolní Bousov] 110-111 M 5
Unterberg 118-119 K 3
Unterberg [= Budzyń] 113 B 1
Unterbiberg 114-115 K 4
Unter Bojanowitz [= Dolní Bojanovice] 118-119 MN 1
Unterbreschan = Dolní Brežany 110-111 K 6
Unterdeufstetten 114-115 G 2
Unterdrauburg [= Dravograd] 118-119 HJ 5
Unterdürrbach [2 km ↑ Würzburg 114-115 FG 1]
Untere Argen 114-115 F 5
Untere Emscher 120 CD 2
Untereggingen 114-115 C 5
Untereißeln 112 H 1
Unterelchingen 114-115 FG 4
Unterelsaß = Bas-Rhin 108-109 DE 9, 114-115 BC 3
Unterengadin 116-117 K 3
Untererthal 108-109 J 6
Unterfarrnbach = Fürth-Unterfarrnbach
Unterfelde [= Golubie] 112 J 3
Unterfladnitz [3 km ↑ Sankt Ruprecht an der Raab 118-119 K 4]
Unterföhring 114-115 K 4
Unterfranken 108-109 H 7-J 6, 110-111 BC 5, 114-115 E-H 1
Unterglottertal 114-115 B 4
Untergrisbach [3 km ↗ Obernzell 118-119 F 1]
Untergrombach 114-115 D 2
Untergröningen 114-115 FG 3
Untergruppenbach [4 km ↗ Ilsfeld 114-115 E 2]
Unterhaching 114-115 K 4
Unter Haid [= Dolní Dvořiště] 118-119 GH 1
Unterharmersbach [3 km ↗ Zell am Harmersbach 114-115 C 4]
Unterharz 110-111 CD 2
Unterhausen 114-115 E 4
Unter Heinzendorf [= Dolní Hynčina] 113 B 6
Unterinntal 118-119 B 4 - C 3
Unterkirchberg 114-115 FG 4
Unterkirnach 114-115 C 4
Unterkochen 114-115 G 3
Unterkrimml 118-119 C 4
Unterkulm 116-117 F 2
Unterlamm 118-119 L 5
Unterlauchringen 114-115 C 5
Unterlenningen 114-115 EF 3
Unterloquitz 110-111 D 4
Unterlüß 102-103 H 5
Untermaßfeld 110-111 B 4
Untermaxfeld 114-115 J 3
Untermeitingen 114-115 H 4
Untermerzbach 110-111 C 5
Unter Moldau

Untermühl 118-119 F 2
Untermünkheim 114-115 F 2
Untermünstertal 114-115 B 5
Unternberg 118-119 F 4
Unternbibert 114-115 H 2
Unterneukirchen 114-115 M 4
Unternußdorf [3 km ↗ Linz 118-119 D 5]
Unteröwisheim 114-115 D 2
Unterpleichfeld 114-115 FG 1
Unterpremstätten 118-119 J 5
Unterpullendorf 118-119 M 4
Unterrabnitz 118-119 L 4
Unterrath, Düsseldorf- 120 D 3
Unter Reichenau [= Dolní Rychnov, 2 km ↓ Falkenau an der Eger 110-111 G 5]
Unterreichenbach 114-115 D 3
Unterreichenbach [2 km ← Schwabach 114-115 HJ 2]
Unterreichenstein [= Rejštejn] 114-115 NO 2
Unterretzbach 118-119 KL 1
Unterrodach 110-111 DE 5
Unterrohr
Unterrot 114-115 F 3
Unter Sandau [= Dolní Žandov] 110-111 G 5
Untersberg 114-115 MN 5
Unterschleichnach 114-115 H 1
Unterschleißheim 114-115 K 4
Unterschneidheim 114-115 G 3
Unterschondorf 114-115 HJ 4
Unterschwarzach 114-115 F 5
Untersee [Deutschland, Bodensee] 114-115 DE 5
Untersee [Deutschland, Prignitz] 102-103 M 5
Unterseen 116-117 E 3
Unter Sekerschan [= Dolní Sekyřany] 114-115 N 1
Untersiebenbrunn [5 km ↗ Leopoldsdorf im Marchfelde 118-119 M 2]
Untersiemau 110-111 CD 5
Untersteinach 110-111 DE 5
Untersteinbach 114-115 H 1
Untersulmetingen 114-115 F 4
Untersulzbach 118-119 C 4
Untertattenbach [2 km ← Birnbach 114-115 N 4]
Untertauern 118-119 EF 4
Unterthal >—>
Unterthemenau [= Poštorná] 118-119 M 1
Unterthingau 114-115 H 5
Unterthörl 118-119 F 5
Untertürkheim, Stuttgart- 114-115 E 3
Unterueckersee 104-105 C 4
Unteruhldingen 114-115 E 5
Untervaz 116-117 HJ 3
Unterwalden 116-117 F 3
Unterwalden nid dem Wald = Nidwalden 116-117 FG 3
Unterwalden ob dem Wald = Obwalden 116-117 F 3
Unterwalden (Oberschlesien) [= Podlesie, 2 km ↑ Schönblick 113 E 5]
Unterwaltersdorf 118-119 L3
Unterwart 118-119 L 4
Unterweissach 114-115 EF 3
Unterweißenbach 118-119 H 2
Unterwellenborn 110-111 D 4

Unter Wisternitz 47 Vordernberg

Unter Wisternitz [= Dolní Věstonice] 118-119 M 1
Unterwittighausen 114-115 F 1
Unterwössen 114-115 LM 5
Unterzell 114-115 L 2
Unzmarkt 118-119 G 4

Upa = Aupa 110-111 N 5
Uphusen 102-103 EF 4
Úpice = Eipel 110-111 NO 4
Upland 108-109 G 4

Urach 114-115 E 4
Urad = Aurith 110-111 L 1
Urago d'Òglio 116-117 J 5
Uraiújfalu 118-119 MN 4
Uraz = Auras 113 B 3
Urbach 110-111 C 2-3
Urbanowice = Urbanowitz 113 FG 5
Urbanowitz [= Urbanowice] 113 FG 5
Urbansdorf [= Jabłońskie, 5 km ↙ Goldap 112 H 3]
Urbeleskarspitze 116-117 KL 2
Urberach 108-109 G 7
Urdorf [= Powidzko] 113 B 3
Urfahr, Linz- 118-119 G 2
Urft 108-109 C 5
Urft-Stausee 108-109 BC 5
Uri 116-117 G 3
Uri-Rotstock 116-117 FG 3
Urk 106-107 F 3
Urkervaart 106-107 F 3
Urloffen 114-115 B 3
Urmond [3 km ↑ Stein 106-107 F 7]
Urnäsch [Fluß] 116-117 H 2
Urnäsch [Ort] 116-117 H 2
Urner Alpen 116-117 FG 3
Urnersee 116-117 G 3
Ursberg, Bayersried- 114-115 G 4
Urschkau [= Orsk] 113 A 2
Ursel 106-107 A 6
Ursensollen 114-115 K 2
Uršlja gora = Ursulaberg 118-119 HJ 6
Ursulaberg 118-119 HJ 6
Ürzig 108-109 CD 7

Ušakovo = Brandenburg (Frisches Haff) 112 D 2
Usch [= Ujście] 104-105 J 4
Uschgorod 101 L 4
Usch Hauland [= Ługi Ujskie] 104-105 J 4
Uschpiaunen = Kiesdorf (Ostpreußen) 112 HJ 2
Uschütz = Wittenau-Richterstal 113 E 3
Usdau [= Uzdowo] 112 D 5
Usedom [Insel] 104-105 C 2-D 3
Usedom [Ort] 104-105 C 3
Useldange = Useldingen 106-107 FG 9
Useldingen [= Useldange] 106-107 FG 9
Userin 102-103 NO 4
Usingen 108-109 G 6
Uslar 108-109 J 3
Uslava 114-115 O 1
Usmate Velate 116-117 H 5
Üßbach 108-109 CD 6
Ußbitschen, Bittehnen- [= Užbičiai] 112 H 1
Ussel 114-115 H 3
Usseln 108-109 G 4
Usses 116-117 B 4
Úštěk = Auscha 110-111 K 4
Uster 116-117 G 2
Ústí nad Labem = Aussig 110-111 JK 4
Ústí nad Labem-Trmice = Aussig-Türmitz 110-111 JK 4
Ústí nad Orlicí = Wildenschwert 113 AB 6
Ustka = Stolpmünde 104-105 J 1
Ustronie Morskie = Henkenhagen 104-105 G 2
Uszpiaunen = Kiesdorf (Ostpreußen) 112 HJ 2
Uszyce = Wittenau-Richterstal 113 E 3

Utendorf 116-117 E 3
Utersum 102-103 D 1
Úterý = Neumarkt 110-111 GH 6
Uthleben [3 km ← Heringen 110-111 C 3
Uthlede 102-103 E 4
Uthmöden 110-111 D 1
Utingeradeel 106-107 F 2
Utrecht [Ort] 106-107 E 4
Utrecht [Verwaltungseinheit] 106-107 DE 4
Uttendorf 118-119 D 4
Uttendorf, Helpfau- 118-119 E 2
Uttenheim [= Villa Ottone] 118-119 BC 5
Uttenhofen [3 km ← Michelbach an der Bilz 114-115 F 2]
Uttenreuth 114-115 J 1
Uttenweiler 114-115 F 4
Utterslev 102-103 K 1
Utting am Ammersee 114-115 J 4-
Uttwil 116-117 H 1
Utzedel 104-105 B 3
Utzenaich [3 km ↘ Sankt Martin im Innkreis 118-119 EF 2]
Utzenstorf 116-117 E 2

Úvalno = Lobenstein 113 D 5
Úvaly 110-111 L 5

Uxheim-Ahütte 108-109 C 6

Užbičiai = Bittehnen-Ußbitschen 112 H 1
Uzdowo = Usdau 112 D 5
Uzelle [6 km → Rougemont 116-117 B 2]
Užgorod = Uschgorod 101 L 4
Uzlovoje = Rautenberg 112 H 2
Uznach 116-117 GH 2

V

Vaals 106-107 FG 7
Vaalse 102-103 L 1
Vaalserberg 106-107 FG 7
Vaassen, Ermelo- 106-107 F 4
Vác = Waitzen 101 J 5
Vacallo [2 km → Balerna 116-117 GH 5]
Vach 114-115 H 1
Vacha 110-111 B 4
Vacheresse, Moffans-et- [7 km ↘ Lure 116-117 BC 1]
Václavice = Wenzelsberg 110-111 O 5
Vadret, Piz – 116-117 JK 3
Vaduz 116-117 J 2
Væggerløse 102-103 LM 1
Vagen 114-115 K 5
Váh = Waag 101 H 4
Vahldorf [4 km ↗ Groß Ammensleben 110-111 DE 1]
Vahl-Ebersing = Ebersingen 108-109 C 8
Vaihingen an der Enz 114-115 DE 3
Vaihingen, Stuttgart- 114-115 DE 3
Vailate 116-117 J 6
Vailly 116-117 C 4
Valais = Wallis 116-117 DE 4
Valangin 116-117 C 2
Valbert 120 H 4
Valbona, Cima di – 116-117 L 4
Valbrona 116-117 H 5
Valburg 106-107 F 5
Valcava 116-117 J 5
Valchava 116-117 K 3
Valdagno 116-117 M 5
Valdahon 116-117 B 2
Val-d'Ajol, le – 116-117 BC 1
Val d'Aosta 116-117 DE 5
Valdieu = Gottesthal 116-117 CD 1
Val d'Illiez [3 km ↓ Troistorrents 116-117 C 4]
Val-d'Isère 116-117 C 6
Valdisotto 116-117 K 4
Valdoie 116-117 C 1
Valdorf 108-109 G 2
Val Dorizzo 116-117 K 5
Valdritta, Cima – 116-117 L 5
Val d'Ultimo = Ultental 116-117 L 4-M 3
Valdurna = Durnholz 116-117 M 3
Valeč = Waltsch 110-111 H 5
Valenciennes 106-107 B 8
Valendas 116-117 H 3
Valentigney 116-117 C 2
Valdurva 116-117 K 4
Valgrisanche 116-117 D 5
Valkenburg-Houthem 106-107 F 7
Valkenswaard 106-107 EF 6
Vallarsa 116-117 M 5
Valle Maggia 116-117 G 4
Vallemaggia, Bosco – = Bosco (Gurin) 116-117 FG 4
Valle Mosso 116-117 F 5
Vallendar 108-109 E 6
Vâlles = Vals 116-117 N 3
Valley 114-115 K 5
Valli di Pasùbio 116-117 M 5
Valli Giudicàrie 116-117 L 4-K 5
Vallorbe 116-117 B 3
Vallorcine 116-117 C 4
Valluga 116-117 K 2
Valluhn 102-103 J 3
Valmadrera 116-117 H 5
Valpelline [Landschaft] 116-117 DE 5
Valpelline [Ort] 116-117 D 5
Vals 116-117 H 3
Vals [= Vâlles] 116-117 N 3
Valsavarance 116-117 D 5
Valserrhein 116-117 H 3
Valsertal 116-117 H 3
Valsoarri 116-117 D 6
Valšov = Kriegsdorf 113 C 6
Valstagna 116-117 N 5
Valtellina = Veltlin 116-117 JK 4
Valtenberg 110-111 K 3
Valtice = Feldsberg 118-119 M 1
Valtina = Walten 116-117 M 3
Valtorta 116-117 J 5
Valtournanche [Landschaft] 116-117 E 5
Valtournanche [Ort] 116-117 E 5
Val Viola, Passo di – 116-117 K 4
Vamberk = Wamberg 113 A 5
Vampil 118-119 MN 2
Vandans [3 km ↖ Tschagguns 116-117 J 2]
Vandœuvres 116-117 B 4
Vandòies = Nieder Vintl 118-119 B 5
Vandsburg [= Więcbork] 104-105 KL 4
Vanescha 116-117 H 3
Van Harinxmakanaal 106-107 F 2
Vanil Noir 116-117 D 3
Vanscuro, Cima – = Pfannspitze 118-119 CD 5
Vansousee 104-105 H 3
Van Starkenborghkanaal 106-107 G 2
Vápenná = Setzdorf 113 C 5
Vápenný = Kalkberg 110-111 L 4
Vàprio d'Adda 116-117 HJ 5
Vàprio d'Agogna 116-117 G 5
Varallo 116-117 F 5
Varallo Pòmbia 116-117 G 5
Varano Borghi 116-117 G 5
Varaždin [= Warasdin] 101 GH 5
Várbalog 118-119 N 3
Varchentin 102-103 N 3
Varedo 116-117 H 5
Varel 102-103 D 4
Varenna 116-117 H 4
Varensell [2 km ↑ Neuenkirchen 108-109 FG 3]
Varese [Ort, Verwaltungseinheit] 116-117 G 5
Varese, Lago di – 116-117 G 5
Varl 102-103 E 6
Varnsdorf = Warnsdorf 110-111 L 4
Varone 116-117 L 5
Varrel 102-103 E 5
Varrelbusch 102-103 CD 5
Varsseveld, Wisch- 106-107 GH 5
Varzin [= Warcino] 104-105 J 2
Varzo 116-117 F 4
Vasassyonyfa 118-119 M 4
Vashosszúfalu 118-119 MN 4
Vastorf 102-103 J 4
Vasvár = Eisenburg 118-119 M 4
Vát 118-119 M 4
Vättis 116-117 H 3
Vatutino = Tutsehen 112 H 2
Vaud = Waadt 116-117 B 3-C 4
Vaufrey 116-117 C 2
Vaulion 116-117 B 3
Vaulruz 116-117 C 3
Vauvillers 116-117 B 1
Vaz 116-117 J 3

Vechelde 110-111 B 1
Vechingen 116-117 E 3
Vecht [Niederlande, Overijssel] 106-107 H 3
Vecht [Niederlande, Utrecht] 106-107 E 4
Vechta 102-103 D 5
Vechte 108-109 C 1
Vechte-Ems-Kanal 102-103 B 6
Veckenstedt 110-111 C 2
Veckerhagen 108-109 J 4
Vedrette di Ries, Gruppo – = Rieserfernergruppe 118-119 C 5
Vedrin 106-107 D 7-8
Veen [Deutschland] 120 B 2
Veen [Niederlande] 106-107 E 5
Veendam 106-107 H 2
Veenendaal 106-107 EF 4
Veenhuizen 106-107 G 2
Veenhusen [2 km ↓ Neermoor 102-103 B 4]
Veenwouden 106-107 F 2
Veere 106-107 B 5
Veerle 106-107 D 6
Veersche Meer 106-107 B 5
Veerse 102-103 G 4
Veerßen 102-103 J 5
Veert 120 B 2
Vegesack, Bremen- 102-103 E 4
Veghel 106-107 F 5
Vehlefanz 104-105 B 5
Vehlingen [2 km ↓ Anholt 120 B 1]
Vehlitz 110-111 E 1
Vehlow 102-103 M 4
Vehnemoor 102-103 CD 4
Vehrte [5 km → Rulle 108-109 F 2
Veilsdorf 110-111 C 5
Veitsberg, Prag- = Prag-Žižkov 110-111 KL 5
Veitsbronn 114-115 H 1
Veitsch 118-119 JK 3
Veitschalpe 118-119 J 3
Veitshöchheim 114-115 FG 1
Veitshof = Witosław 104-105 K 4
Vejprnice = Weipernitz 114-115 N 1
Vejprty = Weipert 110-111 GH 5
Vejsnæsflak 102-103 H 1
Vejsnæs Nakke 102-103 H 1
Velaines 106-107 AB 7
Vélan, Mont – 116-117 D 5
Velbert 120 E 3
Velburg 114-115 K 2
Veldegem 106-107 A 6
Veldeletto 116-117 G 4
Velden [Deutschland, Bayern, Mittelfranken] 114-115 JK 1
Velden [Deutschland, Niederbayern] 114-115 L 4
Velden [Niederlande] 120 A 3
Velden am Wörther See 118-119 FG 5
Velden, Arcen en – 106-107 G 6
Velden, Arcen en Velden- 120 A 3
Veldes [= Bled] 118-119 G 6
Veldhausen 102-103 AB 5
Veldhoven 106-107 E 6
Veldwezelt 106-107 F 7
Veleliby 110-111 LM 5
Velešín = Weleschin 118-119 GH 1
Velgast 102-103 M 2
Velhartice = Welhartitz 114-115 N 2
Veliny = Wellin
Velká Hled'sebe = Siehdichfür 110-111 G 6
Velka Kapa 118-119 J 5
Velka Kappa = Velka Kapa 118-119 J 5
Velká Morava = Groß Mohrau 113 B 5
Velká Polom = Groß Pohlom 113 E 6
Velká Úpa = Groß Aupa 110-111 N 4
Velké Březno = Groß Priesen 110-111 K 4
Velké Dyjákovice = Groß Tajax 118-119 L 1
Velké Heraltice = Groß Herrlitz 113 D 6
Velké Hoštice = Groß Hoschütz 113 E 6
Velké Kunětice = Groß Kunzendorf 113 C 5
Vel'ké Leváre = Groß Schützen 118-119 MN 1-2
Velké Losiny = Groß Ullersdorf 113 BC 5
Velké Pavlovice = Groß Paulowitz 118-119 M 1
Velké Popovice = Großpopowitz 110-111 KL 6
Velký Osek 110-111 M 5
Velký Šenov = Groß Schönau 110-111 K 3-4
Velký Třebešov = Třebeschow
Velký Vřešt'ov = Groß Bürglitz 110-111 N 5
Velký Zdobnice = Groß Stiebnitz 113 A 5
Vellach [Fluß] 118-119 H 5
Vellach [Ort] 118-119 H 6
Vellahn 102-103 J 4
Vellberg 114-115 F 2
Vellefaux 116-117 B 1
Vellern 120 J 1
Vellevans 116-117 BC 2
Vellin [= Wielin] 104-105 J 2
Vellinghausen 120 H 2
Velloreille, Frétigney-et- 116-117 A 2
Velm 106-107 E 7
Velmede 108-109 F 4
Velmerstot 108-109 GH 3
Velp 106-107 D 7
Velpke 102-103 JK 6
Velp, Rheden- 106-107 FG 5
Velsen 106-107 D 4
Velsen-IJmuiden 106-107 D 4
Velsen-Santpoort 106-107 D 4
Velten 104-105 B 5
Veltheim [Nordrhein-Westfalen] 108-109 GH 2
Veltheim [Sachsen-Anhalt] 110-111 C 1
Velt in [= Valtellina] 116-117 JK 4
Veltowsee 104-105 J 3
Veltrusy = Weltrus 110-111 K 5
Velturno = Feldthurns 116-117 N 3
Veluwe 106-107 F 4
Veluwemeer 106-107 F 4
Velvary = Welwarn 110-111 K 5
Vensimont 106-107 D 8
Vendenheim 114-115 B 3
Vendresse 106-107 D 9
Venegono 116-117 G 5
Venerólo, Monte – 116-117 K 4
Venetia [= Wenecja] 104-105 L 5
Venetien 118-119 C 6-D 5, 116-117 MN 5
Vèneto = Venetien 116-119 C 6-D 5, 116-117 MN 5
Venèzia, Cima – = Eggenspitze 116-117 L 4
Venezien = Venetien 118-119 C 6-D 5, 116-117 MN 5
Venhuizen 106-107 E 3
Venlo 106-107 G 6
Venlo-Blerick 106-107 G 6
Venner Egge 108-109 F 2
Vennes, Orchamps – 116-117 BC 2
Venoge 116-117 B 3
Venosta, Val – = Vintschgau 116-117 LM 3
Venraij 106-107 F 6
Venrath 120 B 4
Vent 116-117 L 3
Venturosa, Monte – 116-117 J 5
Veny, Doire de – 116-117 C 5
Venzlaffshagen [= Więcław] 104-105 G 3
Vép = Wettendorf 118-119 M 4
Verbània 116-117 G 5
Verbània-Intra 116-117 G 5
Verbània-Suna 116-117 G 5
Verbano, Lago – = Langensee 116-117 G 5
Vercel 116-117 B 2
Verchen 102-103 N 3
Verdello 116-117 J 5
Verden 102-103 F 5
Verdun 102 B 4
Verena, Monte – 116-117 M 5
Vergaville 108-109 BC 9
Vergeletto 116-117 G 4
Vergiate 116-117 G 5
Veringenstadt 114-115 E 4
Verl 108-109 G 3
Vermala, Montana – 116-117 D 4
Vermondans 116-117 C 2
Vernayaz 116-117 CD 4
Verne [Deutschland] 108-109 G 3
Verne [Frankreich] 116-117 B 2
Verneřice = Wernstadt 110-111 K 4
Verneřov = Wernsdorf
Vernier 116-117 B 4
Vernum 120 B 3
Verny 108-109 B 8
Verona [Ort, Verwaltungseinheit] 116-117 LM 6
Verrayes [8 km ← Châtillon 116-117 E 5]
Verrès 116-117 E 5
Verrières, Les – 116-117 BC 3
Versbach 114-115 FG 1
Verscio [2 km → Intragna 116-117 G 4]
Verse 120 G 4
Versen [5 km ↖ Meppen 102-103 B 5]
Verse-Stausee 120 G 4
Versmold 108-109 F 2
Versoix 116-117 B 4
Vèrtova 116-117 J 5
Verviers 106-107 F 7
Vervins 106-107 B 9
Verwall 116-117 K 2
Verzasca 116-117 G 4
Verżéj = Wernsee 118-119 L 5
Verzel, Punta – 116-117 E 6
Vesdre 106-107 F 7
Veselí nad Lužnicí 101 G 4
Veseloje = Balga 112 CD 2
Vesnovo = Hussen 112 H 2
Vesoul 116-117 B 1
Vessem 106-107 E 6
Veste ↣
Vestenskov 102-103 K 1
Vesterborg 102-103 K 1
Vestone 116-117 K 5
Vestrup 102-103 E 5
Vesulspitz 116-117 K 2-3
Veszprém = Weißbrunn 101 HJ 5
Větřní = Wettern 118-119 G 1
Větroz [1 km ↙ Conthey 116-117 D 4
Vetschau 110-111 JK 2
Vettelschoß 108-109 D 5
Vettweiß 108-109 C 5
Veulden = Fuldis 116-117 HJ 3
Veurne [= Furnes] 106-107 a 1
Veurne-Ambacht 106-107 a 1
Vevey 116-117 C 4
Vex 116-117 D 4
Veyrier 116-117 B 4
Vézenaz 116-117 B 4
Vezza d'Oglio 116-117 K 4
Vezzana, Cima della – 116-117 N 4
Vezzano 116-117 LM 4

Via Mala 116-117 H 3
Vianden 106-107 G 9
Viane [4 km ↘ Geraardsbergen 106-107 B 7]
Vianen 106-107 E 5
Vicenza [Ort, Verwaltungseinheit] 116-117 MN 5
Vico Canavese 116-117 E 6
Vicolungo 116-117 F 6
Vicques [= Wix] 116-117 D 2
Vic-sur-Seille 108-109 C 9
Victorbur 102-103 B 4
Vidhošt' 114-115 ND 2
Vidnava = Weidenau 113 C 5
Viechtach 114-115 M 2
Viège = Visp 116-117 E 4
Viehberg 118-119 H 1
Viehhausen 114-115 K 3
Vielank 102-103 K 4
Vielau 110-111 G 4
Vielbrunn 108-109 H 7
Vielist 102-103 N 3
Vielsalm 106-107 F 8
Vienenburg 110-111 C 2
Vierbrücken [= Sypitki, 4 km ↓ Ebenfelde 112 J 4]
Viereck 104-105 D 3
Viereth 114-115 H 1
Vierkirchen 114-115 JK 4
Vierlande 102-103 H 4
Vierlingsbeek 106-107 FG 5
Viernau 110-111 BC 4
Viernheim 108-109 G 7
Vierraden 104-105 E 4
Vierre 106-107 E 9
Viersen 120 B 3-4
Vierset-Barse 106-107 E 8
Viertlfeistritz = Feistritz bei Anger 118-119 K 4
Vier Töre 118-119 HJ 5
Vierwaldstätter See 116-117 FG 2-3
Vierzehnheiligen 110-111 D 5
Vieselbach 110-111 D 3
Viešvilė = Wischwill 112 HJ 1
Vietgest 102-103 M 3
Vietmannsdorf 104-105 C 4
Vietnitz [= Witnica (Chojeńska)] 104-105 DE 4
Vietzig [= Wicko, 2 km ↘ Degendorf 104-105 L 1]
Vietzker See 104-105 J 1
Vietz (Ostbahn) [= Witnica] 104-105 E 5
Vieux-Berquin 106-107 a 2
Vieux-Condé 106-107 B 8
Vigliano 116-117 F 5
Vigentino, Milano- [= Milano-Vigentino] 116-117 H 6
Vigezzo, Valle – 116-117 FG 4
Viggiù 116-117 G 5
Vigneux-Hocquet 106-107 BC 9
Vigo di Cadore 118-119 CD 5-6
Vigo di Fassa 116-117 N 4
Vigolo Vattaro 116-117 M 4-5
Vigsnæs 102-103 L 1
Vigy 108-109 B 8
Viješvile = Wischwill 112 HJ 1
Vijfheerenlanden 106-107 E 5
Viktring 118-119 G 5
Vikýřovice = Weikersdorf 113 C 6
Vilbel, Bad – 108-109 G 6
Vilémov = Willmitz 110-111 H 5
Viçaun 118-119 E 3
Vil'kišk'aj = Willkischken 112 H 1
Vilkyškiai = Willkischken 112 H 1
Villabassa = Niederdorf 116-119 C 5
Villa Carcina 116-117 K 5
Villach 118-119 F 5
Villach, Warmbad – 118-119 F 5
Villa d'Adda 116-117 HJ 5
Villa d'Almè 116-117 J 5
Villa di Tirano [4 km ↙ Tirano 116-117 K 4]
Villa d'Ogna 116-117 J 5
Villadòssola 116-117 F 4
Villa Lagarina 116-117 LM 5
Villanders [= Villandro] 116-117 MN 3
Villandro = Villanders 116-117 MN 3
Villa Ottong = Uttenheim 118-119 BC 5
Villard-sur-Doron 116-117 C 6
Villa Rendena 116-117 L 4
Villars-le-Pautel 116-117 A 1
Villars-sur-Ollon 116-117 D 4
Villarzel 116-117 C 3
Villaverla 116-117 MN 5
Ville 108-109 G 5
Villeneuve [Italien] 116-117 D 5
Villeneuve [Schweiz] 116-117 CD 4
Villers-Chief 116-117 B 2
Villers-devant-Orval 106-107 E 9
Villersexel 116-117 B 1
Villers-la-Ville 106-107 CD 7
Villers-le-Bouillet 106-107 E 7
Villers-Semeuse 106-107 D 9
Villerupt 106-107 FG 10
Villeurbanne 101 B 6
Villigst 120 G 3
Villingen 108-109 G 5
Villingendorf 114-115 D 4
Villingen im Schwarzwald 114-115 C 4
Villmar 108-109 F 6
Villmergen 116-117 F 2
Villongo 116-117 J 5
Vilm 104-105 C 2
Vilminore di Scalve 116-117 K 5
Vilmnitz [3 km → Putbus 104-105 B 2]
Vilmsee 104-105 J 3
Vilpian [= Vilpiano] 116-117 M
Vilpiano = Vilpian 116-117 M 3
Vils [Deutschland, Fluß ▷ Donau] 114-115 M 3
Vils [Deutschland, Fluß ▷ Naab] 114-115 K 2
Vils [Österreich] 116-117 L 1
Vilsbiburg 114-115 L 4
Vilseck 114-115 K 1
Vilsen, Bruchhausen- 102-103 EF 5
Vilsheim 114-115 L 4
Vilshofen 114-115 N 3
Vilslern 114-115 L 4
Vilvoorde [= Vilvorde] 106-107 CD 7
Vilvorde = Vilvoorde 106-107 CD 7
Vimercate 116-117 H 5
Vinařice = Winarschitz 110-111 K 5
Vinkeveen en Waverveen [5 km ↗ Mijdrecht 106-107 D 4]
Vinnhorst [2 km ↓ Godshorn 108-109 J 2]
Vintschgau [= Val Venosta] 116-117 LM 3]
Viöl 102-103 F 1
Viola 116-117 K 4
Vionnaz 116-117 C 4
Vipiteno = Sterzing 116-117 MN 3
Vira [2 km ↙ Magadino 116-117 G 4]
Virbalis = Wirballen 101 L 1
Virchenzin [= Wierzchocino] 104-105 K 1
Virchow [= Wierzchowo] 104-105 H 4
Virchowsee 104-105 J 3
Vire 106-107 F 9
Virelles 106-107 C 8
Virelles, Lac de – 106-107 C 8
Vireux-Wallerand 106-107 D 8
Virgen 118-119 CD 4
Virgental 118-119 C 4-5
Virngrund 114-115 FG 2
Viroin 106-107 D 8
Virton 106-107 EF 9
Viry 116-117 B 4
Visbek 102-103 D 5
Vischering, Burg – 120 F 1
Visé [= Wezet] 106-107 F 7
Vislinskij zaliv = Frisches Haff 112 B 3-C 2
Višňové = Wischenau 118-119 L 1
Visoka = Wysoká 118-119 N 2
Visp 116-117 E 4
Visp [= Viège] 116-117 E 4
Visperterminen 116-117 EF 4
Visselhövede 102-103 G 5
Vissoie 116-117 E 4
Vištitis = Wyschtyten 112 J 3
Vištyneckoje ozero – Wyschtyter See 112 J 3
Vištytis = Wyschtyten 112 J 3
Viszák 118-119 LM 5
Vitis 118-119 J 1
Vítkovice = Witkowitz 110-111 MN 4
Vitry-le-François 101 B 4
Vitte 104-105 B 1
Vitte [= Wicie] 104-105 H 1
Vitter See 104-105 H 2
Vitzenburg 110-111 DE 3
Vitznau 116-117 FG 2
Viuz-en-Sallaz 116-117 B 4
Vivier-au-Court 106-107 D 9
Viviers-sur-Chiers 106-107 F 10
Vizze, Passo di – = Pfitscher Joch 118-119 B 4-5

Vlaardingen 106-107 C 5
Vladimirov = Tharau 112 DE 2
Vladslo [2 km ↑ Esen 106-107 a 1]
Vlagtwedde 106-107 J 2
Vlagtwedde-Boertange 106-107 J 2-3
Vlagtwedde-Sellingen 106-107 J 3
Vlagtwedde-Ter Apel 106-107 HJ 3
Vlamertinge 106-107 a 2
Vlasatice = Wostitz 118-119 LM 1
Vlastec 110-111 J 6
Vlčice = Wildschütz 113 BC 5
Vledder 106-107 G 3
Vleuten-De Meern 106-107 DE 4
Vlhošt = Willhoscht 110-111 KL 4
Vliehors 106-107 D 2
Vlieland [Insel] 106-107 DE 2
Vlieland [Ort] 106-107 DE 2
Vlielandriff 106-107 C 2
Vliestroom 106-107 E 2
Vlijmen 106-107 E 5
Vlissingen 106-107 AB 6
Vlkava 110-111 LM 5
Vlkýš = Wilkischen 114-115 N 1
Vlodrop 106-107 G 6
Vlossberg = Flobecq 106-107 B 7
Vlotho 108-109 G 2
Vltava = Moldau 101 G 4
Vltava, Studena – = Kalte Moldau 118-119 F 1
Vltava, Teplá – = Warme Moldau 118-119 F 1
Vluyn, Neukirchen- 120 C 3

Vobarno 116-117 KL 5
Vöckla 118-119 F 2
Vöcklabruck 118-119 F 2
Vöcklamarkt 118-119 EF 2
Voerde, Ennepetal- 120 F 3
Voerde (Niederrhein) 120 CD 2
Voerde (Niederrhein)-Friedrichsfeld 120 C 2
Voerde (Niederrhein)-Spellen 120 C 2
Voerendaal [4 km ← Heerlen 106-107 F 7
Vogelsang [Brandenburg] 104-105 B 4
Vogelsang [Pommern, Berg] 104-105 DE 3
Vogelsang [Pommern, Ort] 104-105 D 3
Vogelsberg 108-109 H 5-6
Vogelsberg [4 km ↙ Großneuhausen 110-111 D 3
Vogelsdorf 110-111 C 1
Vogelwaarde 106-107 BC 6
Vogesen 101 C 5-4
Vogna 116-117 E 5
Vogogna 116-117 F 4
Vogorno 116-117 G 4
Vogt 114-115 F 5
Vogtareuth 114-115 L 5
Vogtland 110-111 EF 5
Vogtsdorf [= Wójtowa Wieś] 113 D 4
Vohburg an der Donau 114-115 K 3
Vohenstrauß 114-115 L 1
Vöhl 108-109 G 4
Vöhrenbach 114-115 C 4
Vöhringen [Baden-Württemberg] 114-115 D 4
Vöhringen [Bayern] 114-115 G 4
Vöhrum [4 km ↗ Peine 110-111 B 1]
Vohwinkel, Wuppertal- 120 E 4
Voigtsdorfer Berg 112 EF 4
Voigtshagen [= Włodarka] 104-105 F 2
Voigtstedt 110-111 D 3
Voirons, les – 116-117 B 4
Voitelsbrunn [= Sedlec] 118-119 M 1
Voitersreuth [= Vojtanov] 110-111 F 5
Voitlsbrunn = Voitelsbrunn 118-119 M 1
Voitsberg 118-119 J 4
Voitsdorf [3 km ↓ Ried im Traunkreis 118-119 FG 2]
Vojkovice = Wickwitz 110-111 GH 5
Vojtanov = Voitersreuth 110-111 F 5
Volano 116-117 M 5
Volary = Wallern 118-119 F 1
Volderwildbad 116-117 N 2
Volendam, Edam- 106-107 D 4
Voleska 110-111 MN 4
Volkach 114-115 G 1
Volkensberg [= Folgensbourg] 116-117 D 1
Volkerak 106-107 C 5
Völkermarkt 118-119 H 5
Völkersen 102-103 F 4
Völklingen 108-109 C 8
Volksmannsdorf [= Włodary] 113 CD 5
Volkmarsen 108-109 GH 4
Volkringhausen 120 H 3
Volksdorf, Hamburg – 102-103 H 3
Völksen 108-109 J 2
Völlen 102-103 B 4
Vollenhove 106-107 F 3
Vollersode 102-103 EF 4
Vollmarshausen [2 km ↘ Lohfelden 108-109 J 4]
Vollmerz 108-109 J 6
Vollrathsruhe 102-103 MN 3
Volmarstein 120 F 3
Volme 120 G 3
Volmerdingsen 108-109 G 2
Völmerstod = Velmerstot 108-109 GH 3
Volmerswerth, Düsseldorf- 120 CD 4
Volmunster = Wolmünster 108-109 D 8
Volpersdorf [= Wolibórz] 113 B 4
Völpke 110-111 D 1
Volpriehausen 108-109 J 3
Völs [= Fiè] 116-117 N 3
Völschow 104-105 B 3
Voltaire, Ferney- 116-117 B 4
Völzer Bach 104-105 E 3
Vomp 116-117 N 2
Vonêche 106-107 DE 8
Voorburg 106-107 C 4
Voorne 106-107 C 5
Voorschoten 106-107 C 4
Voorst 106-107 G 4
Voorst-Terwolde 106-107 G 4
Voorst-Twello 106-107 G 4
Voorst-Wilp 106-107 G 4
Voorthuizen, Barneveld- 106-107 F 4
Vorab 116-117 H 3
Voralpe 118-119 H 3
Vorarlberg 116-117 JK 2
Vorau 118-119 K 4
Vorbeck 102-103 M 3
Vorbruch [= Łegowo, 4 km → Altkarbe 104-105 G 5]
Vorchdorf 118-119 FG 2
Vordamm [= Nowe Drezdenko] 104-105 G 5
Vorden 106-107 G 4
Vörden [Niedersachsen] 102-103 D 6
Vörden [Nordrhein-Westfalen] 108-109 H 3
Vorder Heuraffl [= Přední Výtoň] 118-119 G 1
Vordernberg 118-119 J 4

Vorderpogauer See 48 Weinviertel

Vorderpogauer See 112 G 4
Vorderrhein 116-117 GH 3
Vorderriß 114-115 J 5
Vorderthal 116-117 G 2
Vorderweißenbach [5 km ↗ Helfenberg 118-119 G 1]
Vordingborg 101 E 1
Voreifel 108-109 CD 6
Vorgebirge = Ville 108-109 C 5
Vorhalle, Hagen- 120 F 3
Vorhaus [= Jaroszówka] 110-111 NO 3
Vorhelm 120 H 1
Vorland, Splietsdorf- 102-103 N 2
Vormeppen [2 km ↗ Meppen 102-103 B 5]
Vorpommern 104-105 A 2-D 4
Vorra 114-115 JK 1
Vorselaar 106-107 D 6
Vorsfelde 102-103 J 6
Vorst [Belgien] 106-107 E 6
Vorst [Deutschland] 120 B 3
Vorst = Forest 106-107 C 7
Vortrapptief 102-103 D 1
Vorwohle 108-109 J 3
Vösendorf [4 km ↗ Wiener Neudorf 118-119 L 2]
Vosges 116-117 C 1
Vosges = Vogesen 101 C 4-5
Voslapp, Wilhelmshaven- 102-103 D 3
Vöslau, Bad - 118-119 L 3
Vosselaar 106-107 D 6
Vossenack 108-109 B 5
Voßwinkel 120 H 3
Vöttau [= Bítov] 118-119 K 1
Voujeaucourt [5 km ↓ Montbéliard 116-117 C 1]
Vouvry 116-117 C 4
Voxtrup 108-109 F 2

Vranov = Frain 118-119 K 1
Vranovice = Branowitz 118-119 M 1
Vraný = Wrana 110-111 K 5
Vrasselt 120 B 1
Vratislavice nad Nisou = Maffersdorf 110-111 M 4
Vrbno pod Pradědem = Würbenthal 113 C 5
Vrchlabí = Hohenelbe 110-111 N 4
Vrdy 110-111 MN 6
Vreden 108-109 C 2
Vrees 102-103 C 5
Vreeswijk 106-107 E 4
Vries 106-107 H 2
Vriezenveen 106-107 H 4
Vrigne-au-Bois 106-107 D 9
Vrin 116-117 H 3
Vroutek = Rudig 110-111 H 5
Vrouwenzand 106-107 E 3
Vrskmaň = Wurzmes 110-111 HJ 5

Všeruby = Neumark 114-115 MN 2
Všeruby = Wscherau 114-115 N 1
Všetaty 110-111 L 5

Vuadens [3 km ← Bulle 116-117 D 3]
Vuarrens [3 km ↓ Essertines-sur-Yverdon 116-117 C 3]
Vught 106-107 E 5
Vuhred = Wuchern 118-119 J 5
Vuillafans 116-117 B 2
Vuissens 116-117 C 3
Vuisternens-en-Ogoz 116-117 CD 3
Vulpera [2 km ↗ Tarasp 116-117 K 3]
Vuren 106-107 E 5
Vuzenica = Saldenhofen 118-119 J 5

Vy-lès-Lure 116-117 BC 1
Výprachtice = Weipersdorf 113 B 6
Výrov = Guck 110-111 J 5
Výsluní = Sonnenberg 110-111 H 5
Vysočany = Wisokein 118-119 K 1
Vysoká [Tschechoslowakei, Kleine Karpaten] 118-119 N 2
Vysoká [Tschechoslowakei, Polabí] 110-111 L 5
Vysoká = Hochwald 118-119 H 1
Vysoká = Maiersgrün 110-111 FG 6
Vysoká pri Moravě = Hochstädten 118-119 MN 2
Vysoké nad Jizerou = Hochstadt 110-111 M 4
Vysoké Tatry = Hohe Tatra 101 JK 4
Vysoké Veselí = Hoch Wesely 110-111 M 5
Vysokoje = Markthausen 112 G 2
Vyšší Brod = Hohenfurth 118-119 G 1

Vzmorje = Groß Heydekrug 112 D 2

W

Waabs 102-103 GH 1
Waadt [= Vaud] 116-117 B 3-C 4
Waag 101 H 4
Waakirchen 114-115 K 5
Waal [Deutschland] 114-115 H 5
Waal [Niederlande] 106-107 E 5
Waal, Maas en - 106-107 EF 5
Waal-Maaskanaal 106-107 F 5
Waalre 106-107 EF 6
Waalwijk 106-107 E 5
Waarde 106-107 C 6
Waardenburg 106-107 E 5
Waardgronden 106-107 DE 2
Waarschoot 106-107 AB 6
Waase [1 km ↓ Ummanz 104-105 B 2]
Waasen [= Hanság] 118-119 MN 3
Waasen, Bruck- [2 km ↓ Peuerbach 118-119 F 2]
Waas, Land van - 106-107 C 6
Waasmunster 106-107 BC 6
Waas, Sint-Gillis- 106-107 C 6
Waasten = Warneton 106-107 a 2
Wabbeln 112 J 2
Wabern 108-109 H 4
Wabern [1 km ↘ Bern 116-117 D 3]
Wabienice = Wabnitz 113 D 3
Wabnitz [= Wabienice] 113 D 3
Wąbrzeźno = Briesen 104-105 N 4
Wachau 118-119 J 2
Wachbach 114-115 F 2
Wachenbuchen [6 km ↘ Hanau am Main 108-109 G 6]
Wachenheim an der Weinstraße 108-109 F 8
Wachenroth 114-115 H 1
Wachow 102-103 N 5
Wachów = Wallhof
Wachowice = Stoberquell
Wachowitz = Stoberquell
Wachtebeke 106-107 B 6
Wachtendonk 120 B 3
Wächtersbach 108-109 H 6
Wacken 102-103 F 2
Wackerfeld, Nienstädt- 108-109 H 2
Wackersberg [3 km ↙ Bad Tölz 114-115 JK 5]
Wackersdorf 114-115 L 2
Wądag, Jezioro - = Wadangsee 112 DE 4
Wadangsee 112 DE 4
Waddenzee 106-107 E-G 2
Waddewarden [5 km ↗ Jever 102-103 C 3]
Waddinxveen 106-107 D 4
Wädenswil 116-117 G 2
Wądern 108-109 C 7
Wadersloh 108-109 F 3
Wadgassen 108-109 C 8
Wadrill 108-109 C 7
Waffendorf [= Zaborowice] 113 B 2
Waffensen 102-103 F 4
Wagenfeld-Förlingen 102-103 DE 5
Wagenfeld-Haßlingen 102-103 DE 5
Wageningen 106-107 F 5
Wäggitalersee 116-117 G 2
Waghäusel [2 km ↘ Oberhausen 114-115 CD 2]
Waging am See 114-115 M 5
Waginger See 114-115 M 5
Wągłczew 113 F 2
Wagna 118-119 K 5
Wagrain 118-119 E 4
Wagrainer Höhe 118-119 E 4
Wagram 118-119 KL 2
Wagrien 102-103 HJ 2
Wągrowiec = Wongrowitz 104-105 K 5
Waha 106-107 E 8
Wahlen 108-109 G 7
Wahlern 116-117 D 3
Wahlscheid 108-109 D 5
Wahlstatt [= Legnickie Pole] 113 A 3
Wahlstatt [= Wojnowo, 2 km → Wilhelmsort 104-105 L 4]
Wahlstedt 102-103 H 3
Wahlwies 114-115 D 5
Wahnbach 108-109 D 5
Wahnbach-Stausee 108-109 D 5
Wahn, Porz am Rhein- 108-109 D 5
Wahrenberg 102-103 L 5
Wahrenbrück 110-111 H 2
Wahrenholz 102-103 J 5
Wahrlang [= Warnołęka] 104-105 D 3
Waibling 114-115 M 3
Waiblingen 114-115 E 3
Waibstadt 114-115 D 2
Waidhaus 114-115 LM 1
Waidhofen an der Thaya 118-119 J 1
Waidhofen an der Ybbs 118-119 H 3
Waigolshausen 110-111 B 6
Waimes [= Weismes] 106-107 G 8
Wain 114-115 G 4
Waischenfeld 114-115 J 1
Waisenberg 118-119 H 5
Waitzen [= Vác] 101 J 5
Waizenkirchen 118-119 F 2
Wakendorf 102-103 H 3
Walbeck [Nordrhein-Westfalen] 120 AB 3
Walbeck [Sachsen-Anhalt] 110-111 D 1
Wałbrzych = Waldenburg (Schlesien) 112 A 4
Walburg 108-109 J 4
Walchen 116-117 N 2
Walchensee [Ort] 114-115 J 5
Walchensee [See] 114-115 J 5
Walchensee, Kraftwerk - [3 km ↙ Kochel 114-115 J 5]
Walcheren 106-107 AB 5
Walchsee 118-119 C 3
Walchsing 114-115 N 3
Walchum 102-103 B 5
Walcourt 106-107 C 8
Wałcz = Deutsch Krone 104-105 HJ 4
Wald [Deutschland, Baden-Württemberg] 114-115 E 5
Wald [Deutschland, Bayern, Oberpfalz] 114-115 L 2
Wald [Deutschland, Bayern, Schwaben] 114-115 H 5
Wald [Schweiz] 116-117 G 2
Waldaist 118-119 H 2
Wald am Schoberpaß 118-119 H 4
Wald an der Alz 114-115 M 4
Waldau 114-115 C 5
Waldau [= Nizovje] 112 E 2
Waldau [= Wałdowo] 104-105 L 4
Waldau (Oberlausitz) [= Wykroty] 110-111 M 3
Waldbach [3 km ← Mönichwald 118-119 K 4]
Waldbauer 120 F 3
Waldböckelheim 108-109 E 7
Waldbreitbach 108-109 DE 5
Waldbröl 108-109 E 5
Waldburg 118-119 G 1-2
Waldburg [3 km ↘ Schlier 114-115 F 5]
Waldbüttelbrunn 114-115 F 1
Wäldchen [= Boreczek] 113 C 4
Walddorf [= Przerośl, 5 km ↗ Mittenheide 112 G 4]
Walddrehna 110-111 J 2
Waldeck [Bayern] 114-115 K 1
Waldeck [Hessen] 108-109 H 4
Waldegg 118-119 L 3
Waldenbuch 114-115 E 3
Walden [= Szyba] 112 H 4
Waldenburg [Deutschland, Baden-Württemberg] 114-115 F 2
Waldenburg [Deutschland, Sachsen] 110-111 G 4
Waldenburg [Schweiz] 116-117 E 2
Waldenburger Berge 114-115 F 2
Waldenburg (Schlesien) [= Wałbrzych] 113 A 4
Waldenrath 108-109 B 4
Waldershof 110-111 F 6
Waldfenster 108-109 J 6
Waldfischbach 108-109 E 8
Waldfurt [= Przechód] 113 D 4
Waldgirmes [5 km ↗ Wetzlar 108-109 G 5]
Waldhaus 116-117 H 3
Waldhausen [= Berežkovskoje] 112 G 2
Waldhausen [4 km ↘ Lorch 114-115 F 3]
Waldhausen im Strudengau 118-119 HJ 2
Waldheide (Ostpreußen) [= Pograničnyj] 112 J 1
Waldheim 110-111 GH 3
Waldighofen [= Waldighoffen] 116-117 D 1
Waldighoffen = Waldighofen 116-117 D 1
Wald im Pinzgau 118-119 C 4
Walding [3 km ↘ Ottensheim 118-119 G 2]
Waldkappel 108-109 J 4
Waldkarpaten 101 L 4
Waldkirch [Deutschland, Baden-Württemberg, Breisgau] 114-115 C 5
Waldkirch [Deutschland, Baden-Württemberg, Schwarzwald] 114-115 BC 4
Waldkirch [Schweiz] 116-117 H 2
Waldkirchen 118-119 F 1
Waldkirchen am Wesen 118-119 F 2
Waldkirchen an der Thaya [5 km ↓ Fratres 118-119 J 1]
Waldkogel 118-119 GH 5
Waldkraiburg 114-115 L 4
Waldlauter = Lauter 108-109 E 7
Waldleiningen 114-115 E 1
Waldluch [= Koza] 104-105 G 5
Wald, Markt - 114-115 H 4
Wald-Michelbach 108-109 G 7
Waldmohr 108-109 D 8
Waldmünchen 114-115 M 2
Waldnaab 114-115 L 1
Waldneukirchen 118-119 G 3
Waldniel 120 B 4
Waldow [= Wałdowo] 104-105 K 2
Wałdowice = Waldowstrenk 104-105 F 5
Wałdówko = Schwarzhof 104-105 M 2
Wałdowo = Waldow [Deutschland] 104-105 K 2
Wałdowo = Waldau [Polen] 104-105 L 4
Wałdowo Szlacheckie = Adlig Waldau 104-105 N 4
Waldowstrenk [= Wałdowice] 104-105 F 5
Waldpusch 112 F 4-5
Waldpuschsee 112 F 4
Waldrach 108-109 C 7
Waldring ↣
Waldsassen 110-111 F 5-6
Waldsee [5 km ↗ Schifferstadt 108-109 F 8]
Waldshut 114-115 C 5
Wald, Solingen- 120 E 4
Waldstatt [4 km ↓ Herisau 116-117 H 2]
Waldstein [= Szczytnik] 113 A 5
Waldstetten [Baden-Württemberg] 114-115 F 3
Waldstetten [Bayern] 114-115 G 4
Waldtaldorf = Lowin 104-105 G 5
Waldthurn 114-115 L 1
Waldviertel 118-119 JK 1
Waldzell [2 km → Lohnsburg 118-119 E 2]
Walensee 116-117 H 2
Walenstadt 116-117 H 2
Walferdange = Walferdingen 106-107 G 9
Walferdingen [= Walferdange] 106-107 G 9
Walgau 116-117 J 2
Walhain-Saint-Paul 106-107 D 7
Walhalla 114-115 L 2
Walheim 108-109 B 5
Walheim [2 km ↗ Besigheim 114-115 E 2-3]
Walichnowy 113 EF 3
Walim = Wüstewaltersdorf 113 A 4
Waliszewo = Walsee 104-105 K 5
Walkendorf 102-103 MN 3
Walkenried 110-111 C 2
Walkersaich 114-115 L 4
Walkershofen 114-115 H 4
Wałków 113 CD 2
Walkringen 116-117 E 3
Wallau 108-109 FG 5
Wallberg 110-111 K 3
Walldorf [Baden-Württemberg] 114-115 D 2
Walldorf [Hessen] 108-109 FG 6
Walldorf [Thüringen] 110-111 B 4
Walldürn 114-115 E 1
Walle 102-103 B 4
Walle = Bremen-Walle
Wallen [= Wały] 112 F 4
Wallenbrück 108-109 F 2
Wallendorf 108-109 B 7
Wallendorf [= Wały] 112 E 5
Wallenfels 110-111 DE 5
Wallenhorst 108-109 EF 2
Wallenrod 108-109 H 5
Wallenrose [= Wieliczki] 112 J 4
Wallerand, Vireux- 106-107 D 8
Wallerfangen 108-109 C 8
Wallern [= Volary] 118-119 F 1
Wallern an der Trattnach [2 km → Bad Schallerbach 118-119 FG 2]
Wallern im Burgenland 118-119 MN 3
Wallersdorf 114-115 M 3
Wallersee 118-119 E 3
Wallerstein 114-115 G 3
Wallertheim [5 km ↙ Wörrstadt 108-109 F 7]
Wallgau 114-115 J 5
Wallhalben 108-109 DE 8
Wallhausea [Rheinland-Pfalz] 108-109 E 7
Wallhausen [Sachsen-Anhalt] 110-111 D 3
Wallhof [= Wachów, 2 km ↗ Mühlendorf (Oberschlesien) 113 E 4
Wallinghausen [2 km → Aurich (Ostfriesland) 102-103 BC 4]
Wallis [= Valais] 116-117 DE 4
Wallisellen 116-117 G 2
Walliser Alpen 116-117 D-F 4
Wallsbüll 102-103 F 1
Wallsee 118-119 H 2
Wallstadt = Mannheim-Wallstadt
Wallstawe 102-103 K 5
Wallwitz [= Wałowice] 110-111 L 2
Wallwitz (Saalkreis) 110-111 EF 2
Wałowice = Wallwitz 110-111 L 2
Walpernhain 110-111 E 3
Walpertskirchen 114-115 KL 4
Wałpusza = Waldpusch 112 F 4-5
Wałpusz, Jezioro - = Waldpuschsee 112 F 4
Walsch 112 D 3
Walschbronn 108-109 DE 8
Walschleben 110-111 C 3
Walsdorf 114-115 H 1
Walsee [= Waliszewo] 104-105 K 5
Walsertal, Großes - 116-117 J 2
Walsertal, Kleines - 116-117 K 2
Walsleben 102-103 N 5
Waldleben [= Korytowo] 104-105 F 3
Walsoorden 106-107 BC 6
Walsrode 102-103 G 5
Wals-Siezenheim [6 km ↙ Salzburg 118-119 E 3]
Walstedde 120 H 1
Walsum 120 CD 2
Walsumer Mark, Oberhausen- 120 D 2
Wałsza = Walsch 112 D 3
Waltdorf [= Prusinowice] 113 C 4
Walten [= Valtina] 116-117 M 3
Waltendorf, Graz- 118-119 JK 4
Waltenhofen 114-115 H 5
Walterkehmen = Großwaltersdorf 112 H 2
Waltersdorf [= Niegosławice] 110-111 N 2
Waltersdorf in Oststeiermark [3 km ↘ Sebersdorf 118-119 KL 4]
Waltershausen 110-111 BC 4
Waltershöhe [= Wysokie] 112 J 4
Waltringen 120 H 2
Waltrop 120 F 2
Waltsch [= Valeč] 110-111 H 5
Wały = Wallen 112 F 4
Wały = Wallendorf 112 E 5
Walzenhausen [3 km ← Sankt Margrethen 116-117 HJ 2]
Walzin 106-107 D 8
Wambeln 120 H 2
Wamberg [= Vamberk] 113 A 5
Wambierzyce = Albendorf 113 A 5
Wamel 106-107 EF 5
Wamme 106-107 E 8
Wandersleben 110-111 C 4
Wanderup 102-103 F 1
Wandhofen 120 G 3
Wandlacken 112 FG 3
Wandlitz 104-105 BC 5
Wandre 106-107 F 7
Wandsbek, Hamburg- 102-103 H 3
Wanfercée-Baulet 106-107 D 8
Wanfried 110-111 B 3
Wang [Deutschland] 114-115 L 4
Wang [Österreich] 118-119 J 2
Wangels 102-103 J 2
Wangen an der Aare 116-117 E 2
Wangenheim 110-111 C 3
Wangen im Allgäu 114-115 FG 5
Wangerin [= Węgorzyno] 104-105 G 3
Wangerland 102-103 C 3
Wangern [= Węgry] 113 C 4
Wangerooge [Insel] 102-103 C 3
Wangerooge [Ort] 102-103 C 3
Wangersen 102-103 FG 4
Wängi [4 km ← Aadorf 116-117 G 2]
Wankendorf 102-103 H 2
Wankspitze 116-117 M 2
Wankum 120 B 3
Wanlin 106-107 E 8
Wanna 102-103 E 3
Wanne 106-107 F 8
Wanne-Eickel 120 E 2
Wannweil [5 km ↘ Reutlingen 114-115 E 3-4
Wanowitz = Hubertusruh 113 D 5
Wanroij 106-107 F 5
Wansdorf 104-105 B 5
Wansen [= Wiązów] 113 C 4
Wansleben 110-111 E 3
Wanssum 106-107 G 5
Wantzenau, la - = Wanzenau 114-115 B 3
Wanzenau [= la Wantzenau] 114-115 B 3
Wanzleben 110-111 DE 1
Waplewo = Waplitz 112 D 4
Waplitz [= Waplewo] 112 D 4
Wapnica = Ravenstein 104-105 F 4
Wapno 104-105 K 5
Warasdin = Varaždin 101 GH 5
Warbende 104-105 B 4
Warberg [= Sulęcinek] 113 C 1
Warbeyen 120 AB 1
Warburg 108-109 H 4
Warburger Börde 108-109 H 3
Warche 106-107 G 8
Warcino = Varzin 104-105 J 2
Warcq 106-107 D 9
Wardböhmen 102-103 GH 5
Wardenburg 102-103 D 4
Warder 102-103 H 3
Wardersee 102-103 HJ 3
Wardin 106-107 F 9
Wardin [= Wardyń] 104-105 FG 4
Wardt 120 B 2
Wardyń = Wardin 104-105 FG 4
Waregem 106-107 AB 7
Waremme [= Borgworm] 106-107 E 7
Warendorf 108-109 EF 3
Waren (Müritz) 102-103 N 3
Warffum 106-107 H 2
Wargen 112 D 2
Wargowo II 104-105 J 5
Warin 102-103 L 3
Warlubie = Warlubien 104-105 N 3
Warlubien [= Warlubie] 104-105 N 3
Warmbad Villach 118-119 F 5
Warmbrunn, Bad - [= Cieplice Śląskie Zdrój] 110-111 N 4
Warmebach 108-109 H 4
Warme Bode 110-111 C 2
Warme Moldau 118-119 F 1
Warmen [1 km ← Frohnhausen 120 H 3]
Warmensteinach 110-111 E 6
Warmia = Ermland 112 C 3-E 4
Warmsen 102-103 E 6
Warnascheln = Warnheide 112 G 3
Warnau 102-103 M 5
Warnemünde, Rostock- 102-103 LM 2
Warnen 112 H 3
Warneton [= Waasten] 106-107 a 2
Warngau 114-115 K 5
Warnheide 112 G 3
Warnice = Warnitz [Brandenburg] 104-105 E 5
Warnice = Warnitz [Pommern] 104-105 EF 4
Warnitz [= Warnice] [Brandenburg] 104-105 E 5
Warnitz [= Warnice] [Pommern] 104-105 EF 4
Warnkenhagen 102-103 MN 3
Warnołęka = Wahrlang 104-105 D 3
Warnow [Fluß] 102-103 L 3
Warnow [Ort] 102-103 L 3
Warnow [= Warnowo] 104-105 E 3
Warnowo = Warnow 104-105 E 3
Warnsdorf [= Varnsdorf] 110-111 L 4
Warnsveld 106-107 G 4
Warpuhnen [= Warpuny] 112 F 4
Warpuny = Warpuhnen 112 F 4
Warschau [= Warszawa] 101 KL 2
Warschausee [= Roschsee] 112 GH 4
Warscheneck 118-119 G 3
Warschkeiten [= Warszkajty] 112 DE 3
Warsingsfehn 102-103 BC 4
Warsow = Stettin-Warsow
Warstade 102-103 F 3
Warstein 108-109 F 4
Warszawa = Warschau 101 KL 2
Warszewo = Szczecin-Warszewo
Warszkajty = Warschkeiten 112 DE 3
Warszkowo = Alt Warschow 104-105 J 2
Warszów = Ostswine 104-105 D 3
Warta 113 F 2
Warta = Warthe 101 H 2
Wartau 116-117 H 2
Wartberg [2 km → Grafenberg 118-119 K 1]
Wartberg an der Krems 118-119 G 3
Wartberg im Mürztal 118-119 JK 3
Wartberg ob der Aist 118-119 H 2
Wartburg 110-111 B 4
Wartena 106-107 F 2
Wartenberg 114-115 KL 4
Wartenberg [= Parsów] 104-105 E 4
Wartenberg [= Stráž pod Ralskem] 110-111 L 4
Wartenburg 110-111 G 2
Wartenburg in Ostpreußen [= Barczewo] 112 E 4
Wartendorf [= Snopki] 112 G 4
Wartenhöfen [2 km ↑ Kreuzingen 112 G 2]
Warth 116-117 K 2
Wartha 110-111 B 3-4
Wartha [= Bardo] 113 B 4
Warthausen 114-115 F 4
Warthbrücken = Koło 113 F 1
Warthe 104-105 BC 4
Warthe [= Warta] 101 H 2
Warthebruch 104-105 EF 5
Warthestadt = Wronke 104-105 H 5
Warthe, Weiße - = Liswarta 113 F 3
Wart, In der - 118-119 L 4
Wartkowice 113 FG 2
Wartosław = Neubrück 104-105 H 5
Warweiden [= Wirwajdy] 112 C 4
Warzenried 114-115 MN 2
Wasbek 102-103 G 2
Wäschenbeuren 114-115 F 3
Wasen im Emmental 116-117 E 2
Wasgenwald = Vogesen 101 C 4-5
Wasigny 106-107 C 9
Wąska = Weeske 112 C 3
Wasmes 106-107 B 8
Wąsosz 112 H 4
Wąsosz = Herrnstadt 113 B 2
Wąsosze 104-105 M 6
Wąsosze, Jezioro - = Vansowsee 104-105 H 3
Wąsowo 104-105 H 6
Waspik 106-107 DE 5
Wasseiges 106-107 E 7
Wassen 116-117 G 3
Wassenaar 106-107 C 4
Wassenberg 120 A 4
Wasseralfingen 114-115 FG 3
Wasserbillig 106-107 G 9
Wasserburg am Bodensee 114-115 F 5
Wasserburg am Inn 114-115 L 4
Wasserkuppe 108-109 J 5-6
Wasserkurl 120 G 2
Wasserleben 110-111 C 2
Wasserliesch 108-109 BC 7
Wassermungenau 114-115 H 2
Wasserthaleben 110-111 C 3
Wassertrüdingen 114-115 H 2
Wasungen 110-111 B 4
Watenstedt 110-111 C 1
Watenstedt, Salzgitter- 110-111 BC 1
Watergraatsmeer, Amsterdam- 106-107 DE 4
Wateringen 106-107 C 4
Waterland 106-107 DE 4
Waterloo 106-107 C 7
Watermaal-Bosvoorde = Watermael-Boitsfort 106-107 CD 7
Watermael-Boitsfort [= Watermaal-Bosvoorde] 106-107 CD 7
Watervliet 106-107 B 6
Wathlingen 102-103 H 5
Watou 106-107 a 2
Wattenbek 102-103 H 2
Wattenmeer = Waddenzee 106-107 EF 3
Wattens 116-117 N 2
Wattenscheid 120 E 3
Wattenwil [5 km ← Ütendorf 116-117 E 3]
Wattersdorf 114-115 K 5
Wattignies-la-Victoire 106-107 C 8
Wattrelos 106-107 A 7
Wattwil 116-117 H 2
Watzmann 114-115 M 5
Waulsort 106-107 D 8
Waver = Wavre 106-107 D 7
Waver, Onze-Lieve-Vrouwe- 106-107 D 6
Waver, Sint-Katelijne- 106-107 CD 6
Waverveen, Vinkeveen en- [5 km ↗ Mijdrecht 106-107 D 4]
Wavre [= Waver] 106-107 D 7
Wąwelno = Lindenwald 104-105 L 4
Waxenberg 118-119 G 2
Waxweiler 108-109 B 6
Waziers 106-107 A 8

Wda 104-105 M 3
Wda = Schwarzwasser 104-105 LM 3
Wdzidzensee = Jezioro Wdzydze 104-105 L 3
Wdzydze = Weitsee 104-105 LM 3
Wdzydze, Jezioro - 104-105 L 3

Wecheiderzande 106-107 D 6
Wechmar 110-111 C 4
Wechsel 118-119 K 3
Wechselburg 110-111 G 3
Wechselpaß = Sattel von Mönichkirchen 118-119 KL 3-4
Weckelsdorf [= Teplice nad Metují] 110-111 O 4
Weddel [5 km ← Schandelah 110-111 C 1]
Weddinghofen 120 G 2
Weddingstedt 102-103 F 2
Wedel 102-103 G 3
Wedelsdorf [= Suliradzice] 104-105 G 4
Wędrynia = Liebeiche
Wędzina = Windeck 113 F 4
Weelde 106-107 E 6
Weende 108-109 JK 3
Weener 102-103 B 4
Weenermoor 102-103 B 4
Weenrijs = Aa 106-107 D 5-6
Weer 116-117 N 2
Weerdinge, Emmen- 106-107 HJ 3
Weerselo 106-107 H 4
Weert 106-107 F 6
Weert, Sint-Joris- 106-107 D 7
Weesen 116-117 H 2
Weeske 112 C 3
Weesp 106-107 E 4
Weetfeld 120 H 2
Weetzen 108-109 J 2
Weeze 120 A 2
Wefensleben 110-111 D 1
Weferlingen 110-111 D 1
Wegberg 120 AB 4
Wegeleben 110-111 D 2
Wegenstedt 110-111 D 1
Wegenstetten 116-117 EF 1-2
Wegezin 104-105 C 3
Weggis 116-117 F 2
Wegholm 108-109 G 2
Węgielsztyn = Engelstein 112 G 3
Węgierki = Wilhelmsau 113 D 1
Węglewice 113 E 3
Węglewo 104-105 K 5
Węgliniec = Kohlfurt 110-111 M 3
Węglwice = Węglewice 113 E 3
Węgorapa = Angerapp 112 G 2
Węgorza = Fanger 104-105 EF 3
Węgorzewo = Angerburg 112 G 3
Węgorzyno = Wangerin 104-105 G 3
Węgry = Wangern 113 C 4
Węgrzynice = Ulbersdorf
Wegscheid [Deutschland] 118-119 F 1
Wegscheid [Österreich] 118-119 J 3
Wegstädtl [= Štětí] 110-111 K 5
Wehbach (Sieg), Kirchen- 108-109 EF 5
Wehdel 102-103 E 3
Wehdem 102-103 DE 6
Wehe 102-103 E 6
Wehen 108-109 F 6
Wehingen [3 km ↗ Gosheim 114-115 D 4]
Wehl 106-107 G 5
Wehlau [= Znamensk] 112 F 2
Wehlen, Stadt - 110-111 JK 4
Wehm 102-103 C 5
Wehnershof [= Międzybórz] 104-105 JK 3
Wehr 114-115 B 5
Wehra 114-115 B 5
Wehrau [= Osiecznica] 110-111 M 3
Wehrda 108-109 G 5
Wehrden 108-109 H 3
Wehrheim 108-109 FG 6
Wehringen 114-115 H 4
Wehrkirch = Horka 110-111 L 3
Wehrkirchen [= Żytkiejmy] 112 J 3
Wehrsdorf 110-111 K 3
Wehrse [= Wiewierz] 113 B 2
Weibern 118-119 F 2
Weibersbrunn 114-115 E 1
Weichau [= Wichów] 110-111 MN 2
Weiche, Flensburg- 102-103 F 1
Weichensdorf 110-111 K 1
Weichering 114-115 J 3
Weichs 114-115 J 4
Weichsel [= Wisła] 101 K 3
Weichselboden 118-119 J 3
Weichselhorst [= Włóki] 104-105 M 4
Weichseltal = Weichselthal 104-105 M 4
Weichselthal [= Przyłubie] 104-105 M 4
Weichstetten [4 km ↘ Neuhofen an der Krems 118-119 G 2]
Weida 110-111 F 4
Weidach 114-115 JK 5
Weida, Riesa- 110-111 H 3
Weide 113 C 3
Weide [= Widawa, 7 km ↑ Breslau 113 BC 3]
Weidelache 113 A 3
Weiden 114-115 L 1
Weiden am See 118-119 M 3
Weidenau [= Vidnava] 113 C 5
Weidenau (Sieg) 108-109 F 5
Weidenbach 114-115 H 2
Weidenberg 114-115 K 1
Weidenhain 110-111 G 2
Weidenhausen 108-109 FG 5
Weidenhof [= Świniary] 113 BC 3
Weidenthal 108-109 E 8
Weidhausen bei Coburg 110-111 D 5
Weierbach, Zell- 114-115 BC 4
Weierburg, Schloß - 118-119 L 1
Weigelsdorf (Eulengebirge) [= Ostroszowice] 113 B 4
Weigersdorf 110-111 L 3
Weigsdorf [= Wigancice Żytawskie] 110-111 LM 4
Weihenstephan, Freising- 114-115 K 4
Weiher [4 km ↗ Forst 114-115 D 2]
Weikendorf 118-119 M 2
Weikersdorf [= Vikýřovice] 113 C 6
Weikersdorf am Steinfelde [8 km ← Wiener Neustadt 118-119 L 3]
Weikersheim 114-115 FG 2
Weikertschlag an der Thaya 118-119 JK 1
Weil 108-109 F 6
Weil am Rhein 114-115 B 5
Weilar 110-111 B 4
Weilbach 114-115 E 1
Weilbach [6 km ↘ Obernberg am Inn 118-119 E 2]
Weilburg 108-109 F 6
Weil der Stadt 114-115 D 3
Weiler [= Willer-sur-Thur] 116-117 D 1
Weiler im Allgäu 114-115 FG 5
Weilerswist 108-109 C 5
Weilhardtforst = Weilhardtforst 118-119 D 2
Weilhartforst 118-119 D 2
Weilheim 114-115 J 5
Weilheim an der Teck 114-115 EF 3
Weil im Schönbuch 114-115 DE 3
Weilmünster 108-109 F 6
Weilstein [2 km ↙ Frommern 114-115 D 4
Weiltingen 114-115 G 2
Weimar [Hessen] 108-109 H 4
Weimar [Thüringen] 110-111 D 4
Weimar-Oberweimar 110-111 DE 4
Weinberg 114-115 G 2
Weinböhla 110-111 J 3
Weinburg am Saßbach [7 km ↗ Sankt Veit am Vogau 118-119 K 5]
Weinfelden 116-117 H 1
Weingarten 114-115 F 5
Weingarten (Baden) 114-115 CD 2
Weinheim 114-115 D 1
Weinoten [= Šl'uznoje] 112 G 1
Weinsberg [Deutschland] 114-115 E 2
Weinsberg [Österreich] 118-119 HJ 2
Weinsberger Wald 118-119 H 1-J 2
Weinsdorf [= Dobrzyki] 112 BC 4
Weinsheim 108-109 E 7
Weinstraße 108-109 F 8
Weinviertel 118-119 L 2-M 1

Weipernitz 49 Wilczków

Weipernitz [= Vejprnice] 114-115 N 1
Weipersdorf [= Výprachtice] 113 B 6
Weipert [= Vejprty] 110-111 GH 5
Weis [2 km † Engers 108-109 DE 6]
Weisbach [= Bílý Potok] 113 B 5
Weischlitz 110-111 EF 5
Weisdin 104-105 B 4
Weisen 102-103 L 4
Weisenbach 114-115 C 3
Weisendorf 114-115 H 1
Weisenheim am Sand 108-109 F 7
Weisholz = Weißholz 110-111 O 2
Weiskirchen 108-109 C 7
Weiskirchen [6 km ↘ Seligenstadt 108-109 G 6]
Weismain 110-111 D 5
Weismes = Waimes 106-107 G 8
Weissach [Baden-Württemberg] 114-115 D 3
Weißach [Bayern] 114-115 K 5
Weissack 110-111 J 2
Weissagk 110-111 L 2
Weißandt-Gölzau 110-111 EF 2
Weiß-Aujezd [= Bílý Újezd] 113 A 5
Weißbach = Weisbach 113 B 5
Weißbach [= Bílý Potok pod Smrkem] 110-111 M 4
Weißbach bei Lofer 118-119 D 3
Weissbad [3 km ↘ Appenzell 116-117 HJ 2]
Weißbriach 118-119 E 5
Weißbrunn [= Veszprém] 101 HJ 5
Weißeck 118-119 E 4
Weiße Elster 110-111 F 3
Weiße Erns 106-107 G 9
Weiße Karpaten 101 HJ 4
Weiße Kreisch 101 KL 5
Weiße Laaber 114-115 JK 2
Weiße Laber = Weiße Laaber 114-115 JK 2
Weißenalbern 118-119 J 1
Weißenbach [= Robianco] 116-117 M 3
Weißenbach am Attersee 118-119 F 3
Weißenbach am Lech 116-117 L 2
Weißenberg 110-111 L 3
Weißenberg [= Biała Góra] 112 AB 4
Weißenborn-Lüderode 110-111 BC 2
Weißenbrunn [Bayern, Mittelfranken] 114-115 J 2
Weißenbrunn [Bayern, Oberfranken] 110-111 D 5
Weißenburg [= Fałkowo] 104-105 K 5-6
Weißenburg [= Wissembourg] 108-109 E 8
Weißenburg [= Wyszembork, 7 km ↗ Sensburg 112 F 4]
Weissenburgbad [3 km ↗ Oberwil 116-117 D 3]
Weißenburg in Bayern 114-115 HJ 2-3
Weißenfels 110-111 EF 3
Weißenhöhe [= Białośliwie] 104-105 K 4
Weißenhorn 114-115 G 4
Weißenkirchen in der Wachau 118-119 J 2
Weißensee [Deutschland] 110-111 CD 3
Weißensee [Österreich] 118-119 E 5
Weißensee [= Chycina] 104-105 F 6
Weißensee [= Bol'šije i Malyje Gorki] 112 F 2
Weißensee, Berlin- 104-105 BC 5
Weißenstadt 110-111 E 5
Weißenstein [Deutschland] 114-115 FG 3
Weissenstein [Schweiz] 116-117 DE 2
Weißensulz [= Bělá nad Radbuzou] 114-115 M 1
Weißenthurm 108-109 D 6
Weißer Hirsch, Dresden-Bad - 110-111 J 3
Weißer Main 110-111 E 5
Weißer Regen 114-115 M 2
Weißer Schöps 110-111 L 3
Weiße Spitze 118-119 C 5
Weißes Venn 120 E 1
Weiße Traun 114-115 M 5
Weiße Warthe = Liswarta 113 F 3
Weissfluh 116-117 J 3
Weißholz [= Białołęka] 110-111 O 2
Weißhorn [Italien] 116-117 M 4
Weisshorn [Schweiz, Nordrätische Alpen] 116-117 JK 3
Weisshorn [Schweiz, Walliser Alpen] 116-117 E 4
Weißig 110-111 J 3
Weißig [= Wysoka] [Brandenburg] 110-111 M 2
Weißig [= Wysoka] [Schlesien] 110-111 N 3
Weißkeißel 110-111 L 3
Weinkirchen [= Bílý Kostel nad Nisou] 110-111 L 4
Weißkirchen an der Traun [4 km ↘ Marchtrenk 118-119 G 2]
Weißkirchen in Steiermark 118-119 H 4
Weißkollm 110-111 KL 3
Weißkugel 116-117 L 3
Weissmies 116-117 EF 4
Weißsee [Deutschland] 112 F 4
Weißsee [Österreich] 118-119 D 4
Weißseespitze 116-117 L 3
Weisstannen 116-117 H 3
Weisstannental 116-117 H 2-3
Weißthurn [= Třebíz] 110-111 J 5
Weiß Tremeschna [= Bílá Třemešná, 5 km ↘ Königinhof an der Elbe 110-111 N 5]
Weissuhnen [= Wejsuny] 112 G 4
Weißwandspitze 116-117 M 3
Weißwasser 110-111 L 2-3
Weißwasser [= Bílá Voda] 113 B 5
Weißwasser in Böhmen [= Bělá pod Bezdězem] 110-111 L 4
Weistritz 113 B 4
Weiswampach 106-107 FG 8
Weisweiler [4 km ↗ Eschweiler 108-109 B 5]
Weitenbach 118-119 J 2
Weitendorf 102-103 M 3
Weitendorf [3 km ↖ Wildon 118-119 JK 5]
Weitenegg [2 km ↘ Leiben 118-119 J 2]
Weitenhagen 104-105 B 2
Weitenhagen [= Wytowno] 104-105 JK 1
Weitensfeld 118-119 G 5
Weiterode 108-109 J 5
Weitersfeld 118-119 K 1
Weitersfeld an der Mur [4 km ← Murek 118-119 K 5]
Weitersfelden 118-119 H 2
Weiterstadt 108-109 FG 7
Weitin 104-105 B 3
Weitmar, Bochum- 120 EF 3
Weitnau 114-115 G 5
Weitra 118-119 H 1
Weitsee [= Wdzydze] 104-105 LM 3
Weixdorf 110-111 J 3
Weiz 118-119 K 4
Weizacker 104-105 EF 4
Weizelsdorf 118-119 G 5
Weizen 114-115 C 5
Weizenfeld = Kowalew 113 D 2
Weizenrodau [= Pszenno] 113 B 4
Wejherowo = Neustadt an der Rheda 104-105 M 1
Wejsuny = Weissuhnen 112 G 4
Wekelsdorf = Weckelsdorf 110-111 O 4
Wel-Welle 112 C 5
Welbhausen 114-115 G 1
Wełcz Wielki = Groß Wolz 104-105 N 3
Welden 114-115 H 4
Weleschin [= Velešín] 118-119 GH 1
Welferding = Wölferdingen 108-109 CD 8
Welhartitz [= Velhartice] 114-115 N 2
Weljun = Wieluń 113 F 3
Welkenraedt 106-107 FG 7
Welldorf 120 B 5
Welle [Deutschland] 102-103 G 4
Welle [Polen] 112 C 5
Wellelib = Veleliby 110-111 LM 5
Wellen 106-107 E 7
Wellen [4 km ↘ Eichenbarleben 110-111 D 1]
Wellendingen 114-115 D 4
Wellerode 108-109 J 4
Wellersdorf [= Olszyniec] 110-111 M 2
Wellerstadt [1 km † Baiersdorf 114-115 HJ 1]
Wellin 106-107 E 8
Wellin [= Veliny, 4 km ↖ Horní Jelení 110-111 O 5]
Wellingholzhausen 108-109 F 2
Wellmitz 110-111 L 1
Wellsee [1 km ↙ Kiel-Elmschenhagen 102-103 H 2]
Welna 104-105 K 5
Welnau [= Kiszkowo] 104-105 K 5
Welper 120 E 3
Welplage 102-103 D 6
Wels 118-119 G 2
Welsberg [= Monguelfo] 118-119 C 5
Welschbillig 108-109 C 7
Welscher Belchen = Elsässer Belchen 116-117 C 1
Welschnofen [= Nova Levante] 116-117 MN 4
Welse 104-105 D 4
Welser Heide 118-119 FG 2
Welsleben 110-111 E 1-2
Weltenburg 114-115 K 3
Weltrus [= Veltrusy] 110-111 K 5
Weltyń = Woltin 104-105 E 4
Wełtyń, Jezioro - = Großer Woltiner See 104-105 E 4
Welungen = Wieluń 113 F 3
Welver 120 H 2
Welwarn [= Velvary] 110-111 K 5
Welz 120 B 5
Welzheim 114-115 F 3
Welzheimer Wald 114-115 F 3
Welzow [Niederlausitz] 110-111 K 2
Wembusch [= Wszembórz] 113 D 1
Wemding 114-115 H 3
Wemeldinge 106-107 BC 5
Wemmel 106-107 C 7
Wemmetsweiler 108-109 D 8
Wemschen = Mšeno 110-111 L 5
Wendeburg 110-111 B 1
Wendehausen 110-111 B 3
Wendelsheim 108-109 E 7
Wendelstein [Bayern, Mittelfranken] 114-115 J 2
Wendelstein [Oberbayern] 114-115 L 5
Wenden [Niedersachsen] 110-111 C 1
Wenden [Nordrhein-Westfalen] 120 H 5
Wenden [= Winda] 112 F 3
Wendhausen 110-111 C 1
Wendisch Baggendorf 102-103 NO 2
Wendisch Buchholz = Märkisch Buchholz 110-111 J 1
Wendisch Pribonr 102-103 M 4
Wendisch Rietz [5 km ← Glienicke 110-111 K 1]
Wendisch Silkow = Schwerinshöhe 104-105 K 1
Wendisch Tychow = Tychow 104-105 J 2
Wendland 102-103 J 4-K 5
Wendlingen am Neckar 114-115 EF 3
Wenduine 106-107 A 6
Wendzin = Windeck 113 F 4
Wenecja = Venetia 104-105 L 5
Weng [Niederbayern ↖ Landshut] 114-115 L 3
Weng [Niederbayern ↙ Passau] 114-115 N 4
Wengen 116-117 E 3
Wengen [4 km ↗ Weitnau 114-115 G 5]
Wengern 120 F 3
Wengerohr 108-109 C 7
Weng im Innkreis 118-119 E 2
Wenglewo = Węglewo 104-105 K 5
Wenholthausen 108-109 F 4
Wenigumstadt [4 km ↙ Großostheim 108-109 GH 7]
Wenigzell 118-119 K 4
Wenings 108-109 H 6
Wenne 108-109 F 4
Wennemen 108-109 F 4
Wennigloh 120 J 3
Wennigsen am Deister 108-109 J 2
Wenningbund 102-103 G 1
Wenningstedt 102-103 D 1
Wenns 116-117 L 2
Wensickendorf [5 km ← Wandlitz 104-105 BC 5]
Wensin 102-103 H 3
Wensöwen = Eibenau 112 H 3
Wentorf bei Hamburg 102-103 H 4
Wenzelsberg [= Václavice] 110-111 O 5
Wenzenbach 114-115 L 2
Wépion 106-107 D 8
Weppersdorf 118-119 L 3
Wepritz [= Wieprzyce] 104-105 F 5
Werbach 114-115 F 1
Werbellin 104-105 C 5
Werbellinsee 104-105 C 5
Werben 110-111 K 2
Werben [= Wierzbno] 104-105 EF 4
Werben (Elbe) 102-103 L 5
Werbig 110-111 H 2
Werblin [= Werblinia, 3 km ↘ Groß Starsin 104-105 M 1]
Werblinia = Werblin
Werda 110-111 F 5
Werda = Vrdy 110-111 MN 6
Werdau 110-111 F 4
Werdenberg 116-117 H 2
Werden, Essen- 120 E 3
Werder [Danzig] 104-105 NO 2
Werder [Deutschland, Brandenburg] 110-111 L 2
Werder [Deutschland, Mecklenburg] 104-105 B 3
Werder [Deutschland, Pommern] 104-105 B 3
Werder (Havel) 102-103 N 6
Werdohl 120 GH 3
Werdorf 108-109 F 5
Werentzhouse = Werenzhausen 116-117 D 1
Werenzhain 110-111 HJ 2
Werenzhausen [= Werentzhouse] 116-117 D 1
Werfen 118-119 E 4
Werfenweng [6 km ↖ Hüttau 118-119 E 4]
Weris 106-107 F 8
Werkendam 106-107 D 5
Werkkanal 110-111 M 2
Werl 120 H 2
Werl-Aspe [2 km ↖ Bad Salzuflen 108-109 G 2]
Werlte 102-103 C 5
Wermelskirchen 120 EF 4
Wermsdorf 110-111 G 3
Wern 108-109 J 6
Wernau (Neckar) 114-115 EF 3
Wernberg 114-115 L 1
Werne an der Lippe 120 G 2
Werne, Bochum- 120 F 3
Werneck 110-111 B 6
Wernegitten [= Kiębowo] 112 E 3
Wernersdorf [= Pakoszów] 110-111 O 4
Wernersdorf [= Pogorzała Wieś] 104-105 NO 3
Werneuchen 104-105 C 5
Wernfeld 108-109 J 6
Wernigerode 110-111 C 2
Wernigerode-Hasserode 110-111 C 2
Werninghausen [3 km ↓ Straußfurt 110-111 CD 3]
Wernsbach bei Ansbach 114-115 H 2
Wern, Schloß - 118-119 F 5
Wernsdorf [= Vernéřov, 4 km ↗ Klösterle an der Eger 110-111 H 5]
Wernsee [= Veržej] 118-119 L 5
Wernshausen 110-111 B 4
Wernstadt [= Verneřice] 110-111 K 4
Wernstedt 102-103 K 5
Wernstein 118-119 EF 1
Werpeloh 102-103 C 5
Werra 101 D 3
Werre 108-109 G 2-3
Werries 120 H 2
Werse 108-109 E 3
Wersen 108-109 EF 2
Werste [3 km ↘ Bad Oeynhausen 108-109 G 2]
Wersten, Düsseldorf- 120 D 4
Wertach [Fluß] 114-115 H 4
Wertach [Ort] 114-115 G 5
Werth 120 C 1
Wertheim 114-115 EF 1
Werther 110-111 C 3
Wertherbruch 120 C 1
Werther (Westfalen) 108-109 F 2
Wertheim [= Karnowo] 104-105 L 4
Wertingen 114-115 H 3
Weruschau = Wieruszów 113 E 3
Werve, Heeren- 120 GH 2
Wervershoof 106-107 E 3
Wervik 106-107 ab 2
Weschnitz 108-109 FG 7
Weseke 108-109 C 3
Wesel 120 C 2
Weselerwald 120 CD 2
Weseli = Veselí nad Lužnicí 101 G 4
Wesenberg 104-105 AB 4
Wesenitz 110-111 K 3
Wesenufer 118-119 F 2
Weser [Belgien] 106-107 G 7
Weser [Deutschland Feuerschiff] 102-103 C 3
Weser [Deutschland Fluß] 101 D 2
Weseram 102-103 N 6
Weserbergland 108-109 H 2-J 4
Wesergebirge 108-109 GH 2
Weseritz [= Bezdružice] 114-115 MN 1
Wesermünde = Bremerhaven 102-103 E 3
Wesoła = Schöndorf 110-111 M 3
Wesoła = Wessolla
Wesseker See 102-103 J 2
Wesselburen 102-103 E 2
Wesseli = Veselí nad Lužnicí 101 G 4
Wesseling 108-109 CD 5
Weßling 114-115 J 4
Wessobrunn 114-115 HJ 5
Wessolla [= Wesoła, 2 km → Emanuelssegen 113 FG 5]
Wessum 108-109 C 2
Westalpen [Frankreich, Italien, Schweiz ← Bodensee – Comosee 101]
Westbevern 108-109 E 2
Westbüderich 120 H 2
Westdeutschland 108-109
Westdongeradeel 106-107 FG 2
Westdorpe 106-107 B 6
Westeinder Plas 106-107 D 4
Westenborken 120 D 1
Westende 106-107 a 1
Westendorf [Deutschland] 114-115 H 3
Westendorf [Österreich] 118-119 C 4
Westenfeld 120 J 3
Westenholte, Zwolle- 106-107 FG 3
Westenholz [Niedersachsen] 102-103 G 5
Westenholz [Nordrhein-Westfalen] 108-109 FG 3
Westensee [Ort] 102-103 G 2
Westensee [See] 102-103 GH 2
Westerau 102-103 HJ 3
Westerbeck 102-103 J 5
Westerbork 106-107 H 3
Westerburg 108-109 EF 5
Westercelle 102-103 GH 5
Westeregeln 110-111 D 2
Westerems 102-103 A 3-4
Westerfeld, Hemmingen- [3 km ↖ Laatzen 108-109 J 2]
Westergo 106-107 E 3-F 2
Westerhausen 110-111 D 2
Westerheim 114-115 F 3
Westerhaver 102-103 E 2
Westerholt [Niedersachsen] 102-103 B 3
Westerholt [Nordrhein-Westfalen] 120 E 2
Westerhoven 106-107 EF 6
Westerkappeln 108-109 E 2
Westerkwartier 106-107 G 2
Westerland 102-103 D 1
Westerlo 106-107 D 6
Westermarkelsdorf 102-103 JK 1
Westermühlen, Elsdorf- 102-103 G 2
Westernach 114-115 F 2
Westerndorf Sankt Peter 114-115 KL 5
Westerode [3 km ↑ Bad Harzburg 110-111 C 2]
Westerplatte 102-103 DE 2
Westerplatte 104-105 N 2
Westerrönfeld 102-103 G 2
Westerschelde = Honte 106-107 BC 6
Westersode [2 km ← Warstade 102-103 F 3]
Westerstede 102-103 C 4
Westerstetten 114-115 FG 3
Westervesede 102-103 G 4
Westervoort 106-107 FG 5
Westerwald 108-109 D-F 5
Westerwalsede [3 km ↙ Kirchwalsede 102-103 F 4]
Westerwiehe [5 km → Rietberg 108-109 F 3]
Westerwinkel, Schloß - 120 G 2
Westerwolde 106-107 HJ 2
Westerwoldsche A 106-107 J 2
Westfalen, Nordrhein- 101 CD 3
Westfälische Werra = Werre 108-109 G 2-3
Westflandern 106-107 A 6-7, a 1-2
Westfriesische Inseln 106-107 D 2-G 1
Westfriesland 106-107 DE 3
Westgat 106-107 B 5
Westhausen 114-115 G 3
Westheim [Baden-Württemberg] 114-115 F 2
Westheim [Nordrhein-Westfalen] 108-109 GH 3-4
Westheim bei Augsburg 114-115 H 4
Westhofen [Nordrhein-Westfalen] 120 FG 3
Westhofen [Rheinland-Pfalz] 108-109 F 7
Westick 120 G 2
Westkapelle [Belgien] 106-107 A 6
Westkapelle [Niederlande] 106-107 A 5
West-Kapellegrund 106-107 A 5
Westkirchen 108-109 F 3
Westland 106-107 C 4
Westliche Günz 114-115 G 5
Westlicher Taunus = Rheingaugebirge 108-109 EF 6
Westmalle 106-107 D 6
Westoder 104-105 D 4
Westönner 120 H 2
Westpreußen 104-105 K-O 3
Westrhauderfehn 102-103 C 4
Westrich 108-109 DE 8
West-Souburg 106-107 B 6
Weststellingwerf 106-107 FG 3
Weststellingwerf-Noordwolde 106-107 G 3
Weststellingwerf-Wolvega 106-107 FG 3
West-Terschelling 106-107 E 2
Westtünnen 120 H 2
Westuffeln 108-109 H 4
West-Vlaanderen = Westflandern 106-107 A 6-7 a 1-2
Westvleteren 106-107 a 2
Westzaan [4 km ↖ Zaandam 106-107 D 4]
Wesuwe 102-103 B 5
Wętnica = Wiednitz 110-111 JK 3
Wětošow = Vetschau 110-111 JK 2
Wetschen 102-103 DE 5
Wettelsheim 114-115 H 3
Wetten 120 B 2
Wettendorf [= Véo] 118-119 M 4
Wetter 108-109 G 5
Wetterau [Hessen] 108-109 G 6
Wetterau [Ostpreußen] 112 J 2
Wetteren 106-107 B 6-7
Wetter (Hessen-Nassau) 108-109 G 5
Wetterhorn 116-117 F 3
Wettern [= Větřní] 118-119 G 1
Wetter (Ruhr) 120 F 3
Wetterspitze [Österreich] 116-117 K 2
Wetterspitze [Schweiz] 116-117 L 2
Wettersteingebirge 116-117 LM 2
Wettin 110-111 E 2
Wettingen 116-117 F 2
Wettmar [3 km → Kleinburgwedel 102-103 G 5-6]
Wettringen 108-109 D 2
Wettrup 102-103 C 5
Wettstetten 114-115 J 3
Wetzdorf, Schloß - 118-119 KL 2
Wetzelsdorf 118-119 M 1
Wetzhausen (Ostpreußen) [= Napierki] 112 D 5
Wetzikon 116-117 G 2
Wetzlar 108-109 G 5
Wetzstein 110-111 DE 5
Wevelgem 106-107 A 7
Wevelinghoven 120 C 4
Wewelsburg 108-109 G 3
Wewelsfleth 102-103 FG 3
Wewer 108-109 G 3
Weyer [Deutschland] 108-109 C 5
Weyer [Österreich] 118-119 H 3
Weyer, Schloß - 118-119 J 4
Weyersheim 108-109 E 9
Weyhausen 102-103 H 5
Weyregg 118-119 F 3
Weywertz 106-107 G 8
Wezemaal 106-107 D 7
Wezep, Oldebroek- 106-107 FG 4
Wezet = Visé 106-107 F 7
Wężewo = Eibenau 112 G 3
Wężyska = Merzwiese 110-111 L 1

Wiartel 112 G 4
Wiatrowiec = Wöterkeim 112 E 3
Wiatrowo 104-105 K 5
Wiązów = Wansen 113 C 4
Wiblingen, Ulm- 114-115 F 4
Wiblingwerde, Nachrodt- 120 G 3
Wibrin 106-107 F 8
Wichelen 106-107 BC 6
Wichmannsdorf 104-105 C 4
Wichmannshausen 108-109 J 4
Wichów = Weichau 110-111 MN 2
Wichstadtl [= Mladkov] 113 B 5
Wicie = Vitte 104-105 H 1
Wicimice = Witzmitz 104-105 F 3
Wickede 120 H 3
Wickershain [1 km ↓ Geithain 110-111 G 3]
Wicko = Vietzig
Wicko, Jezioro - = Vietzker See 104-105 J 1
Wickrath 120 B 4
Wickwitz [= Vojkovice] 110-111 GH 5
Widawa 113 F 3
Widawa = Weide 113 C 3
Widawa [= Weide, 7 km ↑ Breslau 113 BC 3]
Widawka 113 F 2-3
Widdern 114-115 E 2
Widdershausen 110-111 AB 4
Widderstein 116-117 K 2
Widminnen [= Wydminy] 112 H 4
Widminner See 112 GH 3
Widnau 116-117 J 2
Widuchowa = Fiddichow 104-105 D 4
Wiebelskirchen 108-109 D 8
Wieblingen, Heidelberg- 114-115 D 2
Wiecanowoer See 104-105 L 5
Więcbork = Vandsburg 104-105 KL 4
Wiechowo = Büche 104-105 F 4
Wieck 102-103 N 2
Wieck [= Wiekowice] 104-105 H 2
Więcki 113 F 3
Więcław = Vietlafshagen 104-105 G 3
Wieczno, Jezioro - 104-105 N 4
Wiecznose = Jezioro Wieczno 104-105 N 4
Wied 108-109 D 5
Wieda [3 km ← Zorge 110-111 C 2]
Wiedau [Dänemark] 102-103 E 1
Wiedau [Deutschland] 102-103 G 4
Wiedelah 110-111 C 2
Wiedenbrück 108-109 F 3
Wiederitzsch 110-111 F 3
Wiedersbach [2 km → Leutershausen 114-115 G 2]
Wiednitz 110-111 JK 3
Wiefelstede 102-103 D 4
Wiegersdorf, Ilfeld- 110-111 C 2
Wiehagen 120 H 2
Wiehe 110-111 D 3
Wiehengebirge 108-109 FG 2
Wiehl [Fluß] 108-109 E 5
Wiehl [Ort] 120 G 5
Wiek [Ostpreußen] 112 H 3
Wiek [Pommern] 104-105 B 1
Wiek, Greifswald- 104-105 B 2
Wiekmünde 112 H 2
Wiekowice = Wieck 104-105 H 2
Wielands [= České Velenice] 118-119 HJ 1
Wielatowo, Jezioro - = Veltowsee 104-105 J 3
Wielbark = Willenberg 112 E 5
Wiele = Wielle 104-105 L 3
Wieleń = Fehlen 110-111 O 2
Wieleń = Filehne 104-105 H 5
Wielenbach 114-115 J 5
Wieleń (Północny) = Deutsch Filehne 104-105 H 5
Wieleńskie, Jezioro - = Primenter See 110-111 O 2
Wielgowo >→
Wielichowo 113 A 1
Wieliczki = Wallenrode 112 J 4
Wielimre, Jezioro - = Vilmsee 104-105 J 3
Wielin = Vellin 104-105 J 2
Wielingen 106-107 A 6
Wielisławice = Wildenow 104-105 FG 5
Wielitzken = Wallenrode 112 J 4
Wielka Sowa = Hohe Eule 113 A 4
Wielka Wieś = Großendorf 104-105 K 1
Wielkie Chełmy = Groß Chelm 104-105 L 3
Wielkie Walichnowy = Groß Falkenau 104-105 N 3
Wielki Kack, Gdynia- = Gdingen-Groß Katz 104-105 N 2
Wielki Szyszak = Hohes Rad 110-111 N 4
Wielle [= Wiele] 104-105 L 3
Wielowicz = Groß Wöllwitz
Wielowieś [Polen, ↖ Krotoschin] 113 C 2
Wielowieś [Polen, ↓ Kalisch] 113 DE 2
Wielowieś = Bielwiese 113 A 3
Wielowieś = Langendorf 113 F 4
Wielowieś = Langenpfuhl
Wieluń 113 F 3
Wien 118-119 LM 2
Wien-Aspern 118-119 LM 2
Wienbach 120 DE 2
Wiencki = Więcki 113 F 3
Wien-Döbling 118-119 L 2
Wiener Becken 118-119 L 3-M 2
Wienerbruck 118-119 J 3
Wiener Neudorf 118-119 L 2
Wiener Neustadt 118-119 L 3
Wiener Pforte 118-119 L 2
Wienerwald 118-119 KL 2
Wien-Floridsdorf 118-119 LM 2
Wien-Grinzing [↖ Wien 118-119 LM 2]
Wienhagen 120 G 4
Wienhausen 102-103 H 5
Wieniec Zdrój 104-105 NO 5
Wieninger Berg = Predigtstuhl 118-119 J 1
Wien-Liesing 118-119 L 2
Wien-Mauer [↙ Wien 118-119 LM 2]
Wien-Simmering 118-119 LM 2
Wieprz 101 L 3
Wieprza = Wipper 104-105 J 2
Wieprzyce = Wepritz 104-105 F 5
Wieps [= Wipsowo] 112 E 4
Wiepsch = Wieprz 101 L 3
Wierden 106-107 H 4
Wieren 102-103 J 5
Wieringen 106-107 DE 3
Wieringermeer 106-107 DE 3
Wieringerwaard 106-107 D 3
Wieringerwerf 106-107 E 3
Wiers 106-107 AB 7
Wiersbau = Wiesenfeld 112 D 5
Wiersbinen = Stollendorf 112 G 4
Wierschutzin [= Wierzchucino] 104-105 LM 1
Wierum 106-107 G 2
Wieruschow = Wieruszów 113 E 3
Wiruszów 113 E 3
Wierzbiak = Weidelache 113 A 3
Wierzbica Górna = Oberweiden (Oberschlesien) 113 DE 3
Wierzbice = Konradserbe 113 B 4
Wierzbie [5 km ↓ Kadłub 113 F 3]
Wierzbięcice = Oppersdorf 113 C 5
Wierzbięcin = Farbezin 104-105 F 3
Wierzbiny = Stollendorf 112 G 4
Wierzbno = Werben 104-105 EF 4
Wierzbno = Wierzebaum 104-105 G 5
Wierzbno = Würben 113 C 4
Wierzbowa = Rückenwaldau 110-111 N 2
Wierzbowo = Wiesenfeld 112 D 5
Wierzchocino = Virchenzin 104-105 K 1
Wierzchowice = Hochweiler 113 C 3
Wierzchownia = Würchland 113 A 2
Wierzchowo = Virchow 104-105 H 4
Wierzchowo = Wurchow 104-105 J 3
Wierzchowo (Człuchowskie) = Firchau 104-105 K 3
Wierzchowo, Jezioro - = Virchowsee 104-105 J 3
Wierzchucin Królewski 104-105 L 4
Wierzchucino = Wierschutzin 104-105 LM 1
Wierzchy 113 F 2
Wierzebaum [= Wierzbno] 104-105 G5
Wierzno Wielkie = Groß Rautenberg 112 C 3
Wierzyca = Ferse 104-105 N 3
Wierzyca = Fietze 104-105 M 2
Wies [Deutschland, Oberbayern, ↗ Füssen] 114-115 H 5
Wies [Deutschland, Oberbayern, † Tegernsee] 114-115 K 5
Wies [Österreich] 118-119 J 5
Wiesa 110-111 GH 4
Wiesau 114-115 L 1
Wiesau [= Łąka] 113 C 5
Wiesau [= Wymiarki] >→
Wiesau [= Wymiarki] [Schlesien, Oberlausitz] 110-111 M 2
Wiesbach [5 km ↗ Heusweiler 108-109 C 8]
Wiesbaden **[Ort, Verwaltungseinheit]** 108-109 F 6
Wiesbaden-Biebrich 108-109 F 6
Wiesbaden-Erbenheim 108-109 F 6
Wiescherhöfen 120 H 2
Wieschowa = Randsdorf 113 F 5
Wiese 114-115 B 5
Wiese [= Łączno] 112 C 4
Wiese = Loučná 110-111 NO 5-6
Wieselburg 118-119 J 2
Wieselburg [= Mosonmagyaróvár] 101 H 5
Wieselstein 110-111 J 4
Wiesen [Deutschland] 108-109 H 6
Wiesen [Schweiz] 116-117 J 3
Wiesen [4 km ← Mattersburg 118-119 L 3]
Wiesenau 110-111 L 1
Wiesenau = Wieszczyczyn 113 C 1
Wiesenbach 114-115 G 2
Wiesenberg [= Loučná nad Desnou] 113 BC 5
Wiesenburg 110-111 F 1
Wiesenfeld [Deutschland, Bayern] 108-109 J 6-7
Wiesenfeld [Deutschland, Thüringen] 110-111 B 3
Wiesenfeld [Polen] 113 C 2
Wiesenfeld [= Wierzbowo] 112 D 5
Wiesenfelden 114-115 LM 2
Wiesengrund = Dobrzan 114-115 N 1
Wiesengrund (Oberschlesien) [= Łącznik] 113 D 5
Wiesenhöhe [= Judziki] 112 HJ 3
Wiesens 102-103 C 4
Wiesenstadt = Wielichowo 113 A 1
Wiesensteig 114-115 F 3
Wiesent 110-111 D 6, 114-115 J 1
Wiesent [2 km ↖ Wörth an der Donau 114-115 L 2-3]
Wiesental 114-115 D 2
Wiesental [= Przesieki] 104-105 G 4
Wiesenthal 110-111 B 4
Wiesenthal an der Neiße 110-111 M 4
Wiesentheid 114-115 G 1
Wieseth [5 km ← Bechhofen 114-115 H 2]
Wieslet 114-115 BC 5
Wiesloch 114-115 D 2
Wiesmath 118-119 L 3
Wiesmoor 102-103 C 4
Wiessee, Bad - 114-115 K 5
Wiestal-Stausee 118-119 E 3
Wieszczyczyn 113 C 1
Wieszowa = Randsdorf 113 F 5
Wieting 118-119 H 5
Wietingsmoor 102-103 E 5
Wietmarschen 102-103 B 5
Wietstock [= Wysoka Kamieńska] 104-105 E 3
Wietze [Fluß] 102-103 GH 5
Wietze [Ort] 102-103 G 5
Wietzen 102-103 F 5
Wietzendorf 102-103 GH 5
Wiewiecko = Henkenhagen 104-105 G 3
Wiewirz = Wehrse 113 B 2
Wieżyca = Turmberg 104-105 M 2
Wifflisburg = Avenches 116-117 D 3
Wigancice Żytawskie = Weigsdorf 110-111 LM 4
Wigandsthal [= Pobiedna] 110-111 M 4
Wiggen [3 km ↙ Escholzmatt 116-117 EF 3]
Wiggensbach 114-115 G 5
Wigger 116-117 E 2
Wignehies 106-107 C 8
Wijchen 106-107 F 5
Wijdenes 106-107 E 3
Wijhe 106-107 G 4
Wijk aan Zee, Beverwijk- 106-107 CD 3-4
Wijk bij Duurstede 106-107 E 5
Wijk, de - 106-107 G 3
Wijlre 106-107 F 7
Wijnegem [7 km → Antwerpen 106-107 C 6]
Wijtschate 106-107 a 2
Wiki = Petershain 110-111 L 3
Wikingen = Kruschwitz 104-105 M 5
Wil 116-117 H 2
Wilamów 113 F 1
Wilatowen = Wylatowo 104-105 LM 5
Wilburgstetten 114-115 G 2
Wilchingen [3 km ← Neunkirch 116-117 FG 1]
Wilcza Góra 104-105 M 6
Wilcze Laski = Wulfflatzke 104-105 J 3
Wilczęta = Deutschendorf
Wilczków = Wültschkau 113 AB 3

Wilczkowo = Wolfsdorf 112 D 3-4
Wilczyce = Wildschütz 110-111 NO 3
Wilczyn 104-105 M 5-6
Wilczyn [= Heidewilxen 113 B 3
Wilczyn [= Wilczyna] 104-105 H 6
Wilczyna [= Wilczyn] 104-105 H 6
Wildalpen 118-119 H 3
Wildau 104-105 C 6
Wildbad Einöd 118-119 G 4
Wildbad im Schwarzwald 114-115 D 3
Wildbad Kreuth 114-115 K 5
Wildberg [Baden-Württemberg] 114-115 D 3
Wildberg [Brandenburg] 102-103 N 5
Wildberg [Mecklenburg] 104-105 B 3
Wild, Die – 118-119 JK 1
Wilde Adler = Erlitz 113 AB 5
Wildegg, Schloß – 118-119 L 2
Wilde Kreuzspitze 116-117 N 3
Wildemann 110-111 B 2
Wilden 118-119 JK 5
Wildenberg 114-115 K 3
Wildenbruch [= Swobnica] 104-105 DE 4
Wildendürnbach [4 km ↗ Neudorf 118-119 LM 1]
Wildenfels 110-111 G 4
Wildenhain 110-111 G 2
Wildenow [= Wielisławice] 104-105 FG 5
Wildenrath 120 AB 4
Wildenreuth 114-115 L 1
Wildenroth [6 km ↗ Inning am Ammersee 114-115 J 4]
Wildenschwert [= Ústí nad Orlici] 113 AB 6
Wildermieming 116-117 LM 2
Wilde Rodach 110-111 DE 5
Wilderswil [2 km ↓ Interlaken 116-117 E 3]
Wildervank 106-107 H 2
Wildeshausen 102-103 D 5
Wildflecken 108-109 J 6
Wildgrub, Nieder – [= Dolní Vádavov] 113 C 6
Wildgrund [= Pokrzywna] 113 C 5
Wildhaus 116-117 H 2
Wildheideberge 104-105 D 5
Wildhorn 116-117 D 4
Wildkogel 118-119 C 4
Wildpoldsried 114-115 G 5
Wildschütz [= Vlčice] 113 BC 5
Wildschütz [= Wilczyce] 110-111 NO 3
Wildschütz = Witaschütz 113 D 2
Wildseeloder 118-119 CD 4
Wildspitze 116-117 L 3
Wildstein [= Skalná] 110-111 F 5
Wildstrubel 116-117 DE 4
Wildungen, Bad – 108-109 H 4
Wilferdingen 114-115 D 3
Wilfersdorf 118-119 M 1
Wilgartswiesen 108-109 E 8
Wilhelminakanaal, 106-107 DE 5
Wilhelmsau [= Węgierki] 113 D 1
Wilhelmsberg 112 H 3
Wilhelmsbrück [= Podzamcze] 113 E 3
Wilhelmsburg [Deutschland] 104-105 C 3
Wilhelmsburg [Österreich] 118-119 K 2
Wilhelmsburg, Hamburg- 102-103 GH 3-4
Wilhelmsdorf 114-115 EF 5
Wilhelmshausen [5 km ↗ Münden 108-109 J 4]
Wilhelmshaven 102-103 D 3
Wilhelmshaven-Altengroden 102-103 D 3
Wilhelmshaven-Voslapp 102-103 D 3
Wilhelmshöhe [6 km ← Kassel 108-109 HJ 4]
Wilhelmshorst [= Kleszczewo] 104-105 K 6
Wilhelmsort [= Wojnowo] 104-105 L 4
Wilhelmssee [= Mokre] 104-105 LM 5
Wilhelmsthal [Bayern] 110-111 D 5
Wilhelmsthal [Hessen] 108-109 H 4
Wilhelmstreu 104-105 K 5
Wilhering 118-119 G 2
Wilhermsdorf 114-115 H 2
Wiliamow = Wilamów 113 F 1
Wilkan = Vlkava 110-111 LM 5
Wilkasy = Wolfsee
Wilkau [= Wilkowo (Świebodzińskie)] 110-111 M 1
Wilkau = Wolfau 110-111 O 2
Wilkau-Haßlau 110-111 FG 4
Wilkersdorf [= Krzesznica, 3 km → Zorndorf 104-105 E 5]
Wilkischen [= Vilkyš] 114-115 N 1
Wilkocin = Wolfersdorf 110-111 N 3
Wilków = Wilkau 113 D 3
Wilków = Wolfsdorf 110-111 N 3
Wilków = Wolfau 110-111 O 2
Wilkowice = Deutsch Wilke
Wilkowo Polskie = Polnisch Wilke 113 A 1
Wilkowo (Świebodzińskie) = Wilkau 110-111 M 1
Wilków Wielki = Groß Wilkau 113 B 4
Wilkowya = Wilkowyja 113 D 1
Wilkowyja 113 D 1
Willebadessen 108-109 H 3
Willebroek 106-107 CD 5
Willemstad 106-107 CD 5
Willenberg [= Wielbark] 112 E 5
Willendorf in der Wachau 118-119 J 2
Willer-sur-Thur = Weiler 116-117 F 1
Willhoscht 110-111 KL 4
Willibaldsburg [2 km ↘ Eichstätt 114-115 J 3]

Willich 120 C 3
Willingen 108-109 G 4
Willisau 116-117 E 2
Willkassen = Wolfsee
Willkischken [= Vilkyškiai] 112 H 1
Willmering 114-115 M 2
Willmersdorf 110-111 K 2
Willomitz [= Vilémov] 110-111 H 5
Willsbach 114-115 E 2
Willstätt 114-115 B 3
Willuhnen 112 J 2
Wilmersdorf [4 km ↗ Schönfeld 104-105 C 5]
Wilmersdorf [= Dobiercice] 113 E 3
Wilnis 106-107 D 4
Wilnsdorf 108-109 F 5
Wilp, Voorst- 106-107 G 4
Wilrijk 106-107 C 5
Wilsdruff 110-111 J 3
Wilsede 102-103 GH 4
Wilseder Berg 102-103 G 4
Wilsele 106-107 D 7
Wilsnack, Bad – 102-103 L 5
Wilstedt 102-103 F 4
Wilster 102-103 F 3
Wilsum 102-103 A 5
Wilthen 110-111 K 3
Wiltingen 108-109 C 7
Wiltz [Fluß] 106-107 F 9
Wiltz [Ort] 106-107 F 9
Wimbe 106-107 DE 8
Wimbern 120 H 3
Wimitz 118-119 G 5
Wimmelburg [4 km ← Eisleben 110-111 E 2]
Wimmis [3 km ↗ Spiez 116-117 E 3]
Wimpassing 118-119 J 4
Wimpfen, Bad – 114-115 E 2
Wimsbach = Bad Wimsbach-Neyd-harting 118-119 G 2
Wimsdorf [4 km ↘ Bahrendorf 104-105 D 4]
Wimsheim 114-115 D 3
Wina 116-117 F 2
Winarschitz [= Vinařice] 110-111 K 5
Winau [= Únanov] 118-119 L 1
Wincenta 112 G 5
Wincheringen 108-109 BC 7
Winda = Wenden 112 F 3 ·
Windach 114-115 H 4
Windauer Ache 118-119 C 4
Windbergen 102-103 F 2
Windeck [= Wędzina] 113 F 4
Windecken 108-109 GH 6
Winden 108-109 F 8
Windesheim 108-109 E 7
Windgälle, Grosse – 116-117 G 3
Windgrube 118-119 J 3
Windhaag bei Freistadt 118-119 H 1
Windhaag bei Perg [3 km ↘ Münzbach 118-119 H 2]
Windhagen 120 H 4
Windhausen [2 km ↑ Badenhausen 110-111 B 2]
Windheim 108-109 GH 2
Windigsteig 118-119 J 1
Windisch 116-117 F 2
Windischbergerdorf 114-115 M 2
Windische Büheln 118-119 K 5
Windischeschenbach 114-115 L 1
Windischgarsten 118-119 G 2
Windischgraz [= Slovenjgradec] 118-119 J 5-6
Windischschleuba 110-111 FG 3-4
Windisch Minihof 118-119 L 5
Windleite 110-111 C 3
Windsbach 114-115 H 2
Windsheim 114-115 G 1-2
Winenne 106-107 D 8
Wingen 108-109 D 9
Wingene 106-107 A6
Wingersheim 108-109 E 9
Wingeshausen 108-109 D 7
Winge, Sint-Joris- 106-107 D 7
Wingst [Berg] 102-103 F 3
Wingst [Ort] 102-103 F 3
Winhöring 114-115 M 4
Winkel [Frankreich] 116-117 D 2
Winkel [Niederlande] 106-107 D 3
Winkelsdorf [= Kouty] 113 C 5
Winkelsett 102-103 E 5
Winklarn 114-115 L 2
Winklern 118-119 D 5
Winna Góra [= Winnenberg] 113 CD 1
Winnekendonk 120 B 2
Winnenberg = Winna Góra 113 CD 1
Winnenden 114-115 EF 3
Winnigstedt 110-111 C 1
Winningen 108-109 D 6
Winningen [5 km ↗ Hecklingen 110-111 DE 2]
Winnweiler 108-109 E 7
Winschoten 106-107 J 2
Winschoterdiep 106-107 H 2
Winsen (Aller) 102-103 G 5
Winsen (Luhe) 102-103 H 4
Wińsko = Winzig 113 B 3
Winsum 106-107 H 2
Wintdorf, Leuthen- 110-111 K 2
Winterbach 114-115 E 3
Winterberg [Berg] 120 E 3
Winterberg [Ort] 108-109 E 7
Winterburg 102-103 K 5
Winterhausen 114-115 FG 1
Winterlingen 114-115 E 4
Wintermoor 102-103 G 4
Wintershagen [= Grabno]
Winterstettenstadt 114-115 F 4
Winterswijk 106-107 H 4
Winterthur 116-117 G 1
Wintrich 108-109 CD 7
Winz 120 E 3

Winzenburg 108-109 J 3
Winzer 114-115 N 3
Winzig [= Wińsko] 113 B 3
Wioska 110-111 O 1
Wipfeld 114-115 O 1
Wipper [Pommern] 104-105 J 2
Wipper [Sachsen-Anhalt] 110-111 DE 2
Wipper [Thüringen] 110-111 B 3
Wipper, Alte – 110-111 D 2
Wipper = Wupper 120 FG 4
Wipperau 102-103 J 4-5
Wipperdorf 110-111 C 3
Wipperfeld 120 F 4
Wipperfürth 120 F 4
Wippra 110-111 D 2
Wipptal 116-117 MN 2
Wipshausen [4 km ↗ Hillerse 110-111 B 1]
Wipsowo = Wieps 112 E 4
Wirballen 101 L 1
Wirbeln [= Žavorinkovo] 112 G 2
Wirdam, Leeuwarden- 106-107 F 2
Wirges 108-109 E 6
Wirrwitz = Konradswerbe 113 B 4
Wirschkowitz = Hochweiler 113 C 3
Wirsitz [= Wyrzysk] 104-105 K 4
Wirwajdy = Warweiden 112 C 4
Wiry 104-105 J 6
Wisa 112 H 5
Wisborienen = Grenzhöhe 112 J 2
Wisbu [= Wyszobór] 104-105 F 3
Wisch 106-107 G 5
Wische 102-103 L 5
Wischen [= Wyszanowo, 2 km ↘ Bauchwitz 104-105 G 6]
Wischenau [= Višňové] 118-119 L 1
Wischhafen 102-103 F 3
Wischin [= Wysin] 104-105 M 2
Wischin [= Wyszyny] 104-105 J 5
Wischnienwen = Kölmersdorf 112 HJ 4
Wisch-Terborg 106-107 G 5
Wischütz [= Wyszęcice] 113 AB 3
Wisch-Varsseveld 106-107 G 5
Wischwill [= Viešvilė] 112 HJ 1
Wisła = Weichsel 104-105 O 5
Wisła Elbląska = Elbinger Weichsel 104-105 O 2
Wisła, Martwa – = Danziger Weichsel 104-105 N 2
Wiślane, Mierzeja – = Frische Nehrung 112 B 3-C 2
Wiślane, Żuławy – = Werder 104-105 NO 2
Wiślany, Zalew – = Frisches Haff 112 B 3-C 2
Wisła Wielka = Groß Weichsel 113 F 6
Wisłok 101 KL 4
Wisłoka 101 K 4
Wismar [= Wyszomierz] 104-105 F 3
Wismar [3 km ↗ Strasburg (Mecklen-burg) 104-105 C 3-4]
Wismarer Bucht 102-103 K 3
Wiśniowo Ełckie = Kölmersdorf 112 HJ 4
Wisokein [= Vysočany] 118-119 K 1
Wisper 108-109 E 6
Wissek [= Wysoka] 104-105 K 4
Wissel 120 B 1
Wissembourg = Weißenburg 108-109 E 8
Wissen 108-109 E 5
Wissenkerke 106-107 B 5
Wissen, Schloß – 120 AB 2
Wissingen 108-109 F 2
Wissoka = Vysoká 110-111 L 5
Wistedt 102-103 G 4
Wiszowate 112 H 5
Witankowo = Wittkow 104-105 J 4
Witaschütz [= Witaszyce] 113 D 2
Witaszyce = Witaschütz 113 D 2
Witków = Wittgendorf
Witkowitz [= Vítkovice] 110-111 MN 4
Witkowo 104-105 K 5
Witmarsum, Wonseradeel- 106-107 E 2
Witnica = Vietz (Ostbahn) 104-105 E 5
Witnica (Chojeńska) = Vietnitz 104-105 DE 5
Witomischel = Wytomyśl 104-105 H 6
Witosław 104-105 K 4
Witoszów Dolny = Nieder Bögendorf 113 A 4
Witoszyce = Reichenbach 113 AB 2
Witowo 104-105 N 5
Witry 106-107 F 9
Witschkoberg [= Halámky] 118-119 H 1
Wittau 118-119 M 2
Wittbrietzen 110-111 GH 1
Wittdün 102-103 E 1
Wittelsbach 114-115 J 4
Wittelsheim 116-117 D 1
Wittem 106-107 F 7
Witten 120 F 3
Witten-Annen 120 F 3
Wittenau-Richterstal [= Uszyce] 113 E 3
Wittenberg 110-111 G 2
Wittenberg [= Nivenskoje] 112 E 2
Wittenberg [Ort] 108-109 F 1
Wittenberge 110-111 FG 2
Wittenberg-Piesteritz 110-111 FG 2
Wittenborn 104-105 J 6
Wittenburg 102-103 K 3
Wittenförden 102-103 K 3
Wittenhagen 104-105 B 2
Wittenheim 116-117 D 1
Wittenheven 120 F 3
Wittensee 102-103 G 2
Witterschlick [3 km ↗ Duisdorf 108-109 CD 7]
Witterzée, Lillois- 106-107 C 7
Wittfeitzen 102-103 J 4

Wittgendorf [= Witkow, 4 km ↗ Hartau 110-111 N 2]
Wittgensdorf 110-111 G 4
Wittichenau 110-111 K 3
Wittig 110-111 M 4
Wittingen 102-103 J 5
Wittingen = Witkowo 104-105 L 6
Wittislingen 114-115 G 3
Wittkow [= Witankowo] 104-105 J 4
Wittlaer 120 CD 3
Wittlich 108-109 C 7
Wittmannsdorf [Deutschland] 110-111 K 1
Wittmannsdorf [Österreich] 118-119 K 5
Wittmund 102-103 C 3
Wittorf 102-103 FG 4
Wittow 104-105 B 1
Witzenhausen 108-109 J 4
Wietzetze 102-103 J 4
Witzhelden 120 E 4
Witzin 102-103 L 3
Witzmitz [= Wicimice] 104-105 F 3
Witzwort 102-103 EF 2
Wix = Vicques 116-117 D 2
Wixberg 120 G 3
Wixhausen 108-109 G 7
Wjazońca (Łużyca) = Neukirch (Lausitz) 110-111 K 3
Wjelcej = Welzow (Niederlausitz) 110-111 K 2
Wjelećin = Wilthen 110-111 K 3
Wjerbno = Werben 110-111 K 2
Wkra = Soldau 101 JK 2
Władisławowo = Władysławów 113 E 1
Władysławów 113 E 1
Wleń = Lähn 110-111 N 3
Wlkawa = Vlkava 110-111 LM 5
Włocławek 104-105 O 5
Włodarka = Voigtshagen 104-105 F 2
Włodary = Volksmannsdorf 113 CD 5
Włodzice Wielkie = Groß Walditz 110-111 N 3
Włodzienin = Bladen 113 D 5
Włodzisław = Baumgarten 105-105 EF 3
Włóki = Weichselhorst 104-105 M 4
Włościborz = Groß Loßburg 104-105 L 4
Włostowo = Lostau 104-105 M 5
Włoszakowice = Luschwitz 113 A 2
Wtyń 113 F 2
Włynkówko = Neu Flinkow 104-105 JK 1
Wöbbelin 102-103 L 4
Wobesde [= Objazda (Wieś)] 104-105 JK 1
Wobeser [= Objezierze] 104-105 K 2
Woblanse [= Obłęże] 104-105 JK 2
Woblitzsee 104-105 B 4
Wocławy = Wotzlaff 104-105 N 2
Wodolka = Odolena Voda] 110-111 K 5
Wodziczna 113 DE 3
Wodziczno = Wodziczna 113 DE 3
Wodzisław Śląski = Loslau 113 EF 5
Woelingen = Ollignies 106-107 B 7
Woensdrecht 106-107 C 6
Woensel, Eindhoven- 106-107 E 6
Woerden 106-107 D 4
Werth = Wörth 108-109 E 9
Woffenbach [2 km ← Neumarkt in der Oberpfalz 114-115 JK 2]
Wognum 106-107 E 3
Wohlde 102-103 F 2
Wohldenberg 110-111 B 1
Wohlen bei Bern 116-117 D 3
Wohlen bei Bremgarten 118-119... 116-117 F 2
Wohlsberg 120 G 5
Wohltorf [3 km → Reinbek 102-103 H 3]
Wohnischtan = Ohništ'any 110-111 N 5
Wohra [Fluß] 108-109 G 5
Wohra [Ort] 108-109 G 5
Woippy 108-109 B 8
Woischnik = Woźniki 113 G 4
Woislawitz = Kirchlinden 113 E 3
Woithal [= Wojtal] 104-105 M 3
Woitz = Eichenau (Oberschlesien) 113 C 5
Woizin = Wójcin 113 E 3
Wojbórz = Gabersdorf 113 B 4-5
Wojcice = Steindorf 113 C 4
Wójcice = Eichenau (Oberschlesien) 113 C 5
Wojciechy = Albrechtsdorf 112 E 3
Wojcieszów = Kauffung 110-111 NO 4
Wojcieszyce = Wormsfelde 102-103 G 4
Wójcin [Polen, ↓ Hohensalza] 104-105 M 5
Wójcin [Polen, ↗ Wieluń] 113 E 3
Wojerecy = Hoyerswerda 110-111 K 3
Wojnowice = Hubertusruh 113 D 5
Wojnowo = Eckertsdorf 112 FG 4
Wojnowo = Wahlstatt
Wojnowo = Wilhelmsort 104-105 L 4
Wojsławice 113 F 2
Wojsławice = Kirchlinden 113 E 3
Wojtal = Woithal 104-105 M 3
Wójtowa Wieś = Vogtsdorf 113 D 4
Woken [= Okna] 110-111 L 4
Wokuhl 104-105 B 4
Wola Wiązowa 113 F 3

Wola Wienzowa = Wola Wiązowa 113 F 3
Wola Wjensowa = Wola Wiązowa 113 F 3
Wolbeck 108-109 E 3
Wolczenica = Völzer Bach 104-105 E 3
Wołczyn = Konstadt 113 E 3
Wold A 106-107 G 3
Woldberg [Niederlande, Gelderland] 106-107 F 4
Woldberg [Niederlande, Overijssel] 106-107 G 3
Woldegk 104-105 C 4
Woldenberg Neumark [= Dobiegniew] 104-105 G 5
Woldisch Tychow [= Tychówko] 104-105 H 3
Wolenice 113 C 2
Woleschetz [= Oleška] 110-111 L 6
Wolfach [Fluß] 114-115 C 4
Wolfach [Ort] 114-115 C 4
Wolfau [= Wilków] 110-111 O 2
Wolfau [4 km ← Kemeten 118-119 L 4]
Wolfegg 114-115 F 5
Wolfen 110-111 F 2
Wolfenbüttel 110-111 C 1
Wolfenschiessen 116-117 F 3
Wölferdingen [= Welferding] 108-109 CD 8
Wolfern 118-119 G 2
Wolfersdorf [= Wilkocin] 110-111 N 3
Wolfersheim 108-109 G 6
Wolferstedt 110-111 D 3
Wolfhagen 108-109 H 4
Wölfis 110-111 C 4
Wolframs-Eschenbach 114-115 H 2
Wolfs [= Balf] 118-119 N 3
Wolfsbach 118-119 H 2
Wolfsberg [Deutschland] 120 B 2
Wolfsberg [Österreich] 118-119 H 5
Wolfsburg 102-103 J 6
Wolfsdorf [= Wilczkowo] 112 D 3-4
Wolfsdorf [= Wilków] 110-111 N 3
Wolfsee [= Wilkasy, 3 km ↗ Lötzen 112 G 3]
Wolfsegg 114-115 KL 2
Wolfsegg am Hausruck [2 km ↑ Ottnang 118-119 F 2]
Wolfshagen [Mecklenburg] 104-105 C 4
Wolfshagen [Niedersachsen] 110-111 B 2
Wolfshain 110-111 L 2
Wolfsheide [= Oszczywilki] 112 GH 4
Wolfstein 108-109 E 7
Wolfwil [6 km ↘ Önsingen 116-117 E 2]
Wolgast 104-105 C 2
Wolgasterfähre, Wolgast- 104-105 C 2
Wolgast-Wolgasterfähre 104-105 C 2
Wolhusen 116-117 EF 2
Wolibórz = Volpersdorf 113 B 4
Wolin = Wollin 104-105 D 3
Wolittnick [= Primorskoje] 112 D 2
Wolkenstein 110-111 H 4
Wölker Kogel 118-119 HJ 4
Wolkersdorf 118-119 M 2
Wolketsweiler [4 km ↘ Taldorf 114-115 F 5]
Wölkrange 106-107 F 9
Wöllaner Nock 118-119 F 5
Wollbach [Baden-Württemberg] 114-115 B 5
Wollbach [Bayern] 110-111 B 5
Wollerau [6 km ↘ Wädenswil 116-117 G 2]
Wöllersdorf 118-119 L 3
Wolletz 104-105 C 4
Wollfahrt 120 HJ 4
Wollin [Brandenburg] 110-111 F 1
Wollin [Pommern] 104-105 D 3-E 2
Wollin [= Wolin] 104-105 D 3
Wöllnau 110-111 G 2
Wöllstein 108-109 EF 7
Wolmirsleben 110-111 DE 2
Wolmirstedt 110-111 E 1
Wolmünster = Volmunster 108-109 D 8
Wolnica = Freimarkt 112 D 3
Wolnzach 114-115 K 3
Wołów = Wohlau 113 B 3
Wołowe Lasy = Eichfier 104-105 D 5
Wolpertshausen 114-115 F 2
Wolpertswende 114-115 F 5
Wolphaartsdijk 106-107 B 5
Wolsztyn = Wollstein 110-111 O 1
Wolterdingen [Baden-Württemberg] 114-115 C 5
Woltersdorf [Niedersachsen] 102-103 G 4
Woltersdorf [Brandenburg, → Berlin] 104-105 M 5
Woltersdorf [Brandenburg, ↗ Lucken-walde] 110-111 H 1
Woltersdorf [Niedersachsen] 102-103 K 5
Woltersdorf = Sobieradz, 3 km ↗ Klein Schönfeld 104-105 E 4]
Wolthausen 102-103 GH 5
Woltin [= Wołczyn] 104-105 E 4
Woltmannshausen = Bremen-Woltmers-hausen
Wolvega, Weststellingwerf- 106-107 FG 3
Wokuhl 104-105 B 4

Wolxheim 114-115 AB 3
Wölzer Tal 118-119 G 4
Wölzer Tauern 118-119 G 4
Wolzig 110-111 J 1
Wommelgem 106-107 D 6
Wommels 106-107 F 2
Wondelgem 106-107 B 6
Wondreb 110-111 F 5, 114-115 L 1
Wongłczew = Wangeczew 113 F 2
Wongrowitz = Wągrowiec] 104-105 K 5
Wonieść = Woynitz 113 B 1-2
Wonne 104-105 C 4
Wonseradeel 106-107 EF 2
Wonseradeel-Arum 106-107 E 2
Wonseradeel-Gaast 106-107 E 2
Wonseradeel-Makkum 106-107 E 2
Wonseradeel-Witmarsum 106-107 E 2
Wonseradeel-Zurich 106-107 E 2
Wonsosch = Wąsosz 112 H 4
Wonsosze = Wąsose 104-105 M 6
Wonsowo = Wąsowo 104-105 H 6
Worb 116-117 E 3
Worben [4 km ↘ Lyss 116-117 D 2]
Worbis 110-111 B 3
Wörgl 118-119 C 4
Worienen = Woryny] 112 E 3
Woringen 114-115 G 5
Woringen, Köln- 120 D 4
Wörishofen, Bad – 114-115 H 4
Workum 106-107 E 3
Worle [= Orle] 104-105 M 1
Wörlitz 110-111 F 2
Wormditt [= Orneta] 112 D 3
Wormeldingen = Wormeldange 106-107 G 9
Wormeldingen [= Wormeldange] 106-107 G 9
Wormer 106-107 D 3-4
Wormerveer 106-107 D 4
Wormlage 110-111 J 2
Wörmlitz = Halle (Saale)-Wörmlitz
Worms 108-109 F 7
Worowo = Wurow 104-105 G 3
Wörpedorf 102-103 EF 4
Wörpen 102-103 EF 4
Worpswede 102-103 EF 4
Worriengen, Köln- 120 D 4
Wörschach 118-119 G 3
Wörsdorf 108-109 F 6
Wortel 106-107 D 6
Wörth [Deutschland, Oberbayern, ← Mühldorf] 114-115 L 4
Wörth [Deutschland, Oberbayern, ↗ München] 114-115 L 4
Wörth [Österreich] 118-119 DE 4
Wörth [= Wœrth] 108-109 E 9
Wörth am Main 114-115 E 1
Wörth am Rhein 108-109 F 8
Wörth an der Donau 114-115 L 2-3
Wörth an der Isar 114-115 L 3
Wörther See 118-119 G 5
Wörthsee 114-115 J 4
Woronzy = Worienen 112 E 3
Woschnica = Woszczyca 113 F 5
Wosečk = Hähnischen 110-111 L 3
Woskorinek [= Oskořínek, 5 km ↗ Křinecz 110-111 L 5]
Wosnitzen = Julienhöfen 112 G 4
Wospork = Weißenberg 110-111 L 3
Wostitz [= Vlasatice] 118-119 LM 1
Wostratschin = Osvračín 114-115 N 1
Wostromer = Ostromeř 110-111 N 5
Wostromiersch = Ostromeř 110-111 N 5
Woświn, Jezioro – = Wothschwiensee 104-105 F 3
Woszczele = Neumalken 112 H 4
Woszczyce 113 F 5
Woszczellen = Neumalken 112 H 4
Wotawa = Wottawa 114-115 O 2
Wöterkeim = Wiatrowiec] 112 E 3
Wothschwiensee 104-105 F 3
Wottawa 114-115 O 2
Wotzlaff = Wocławy] 104-105 N 2
Woubrugge [4 km ↗ Ter Aar 106-107 D 4]
Woudenberg 106-107 E 4
Woudrichem 106-107 DE 5
Wouw 106-107 C 5
Woycin = Wójcin 104-105 M 5
Woynitz = Wonieść] 113 B 1-2
Wożławki = Wuslack 112 E 3
Woźnice = Julienhöfen 112 G 4
Woźniki 113 G 4

Wran = Vraný] 110-111 K 5
Wratner Berg 110-111 L 5
Wrdy = Vrdy 110-111 MN-6
Wrechow [= Orzechów] 104-105 D 5
Wręczyca Wielka 113 F 4
Wredenhagen 102-103 N 4
Wremen 102-103 DE 3
Wreschen = Września] 104-105 L 6
Wreschnitza 104-105 L 6
Wrestedt 102-103 J 5
Wrexen 108-109 GH 3
Wriezen 104-105 D 5
Wrist 102-103 G 3
Wróblin Głogowski = Fröbel 110-111 NO 2
Wrocki 104-105 O 4
Wrocław = Breslau 113 BC 3
Wrocław-Brochów = Breslau-Brockau 113 BC 3
Wrocław-Leśnica = Breslau-Lissa 113 B 3
Wrocław-Pracze Odrzańskie = Breslau Herrnprotsch 113 BC 3
Wrocław-Psie Pole = Breslau-Hundsfeld 113 C 3
Wrocław-Żerniki = Breslau-Neukirch 113 B 3
Wroczyca Wielka = Wręczyca Wielka 113 F 4
Wrohm 102-103 F 2
Wroniniec = Konradswaldau 113 AB 2
Wronke [= Wronki] 104-105 J 5
Wronki = Wronke 104-105 H 5
Wronowy = Frohenau 104-105 M 5
Wrotzk = Wrocki 104-105 O 4
Wrząca 113 E 2
Wrząca Wielka 113 F 1
Wrzeście = Freist 104-105 K 1
Wrzeście [= Freist, 3 km ↗ Degen-dorf 104-105 L 1]
Września = Wreschen 104-105 L 6
Wrzesnica = Freetz 104-105 J 2
Wrześnica = Wreschnitza 104-105 L 6
Wrzeszczewice 113 FG 2
Wrzonca = Wrząca 113 E 2
Wrzonca Wielka = Wrząca Wielka 113 F 1
Wrzosowo = Fritzow [↗ Cammin in Pommern] 104-105 E 2
Wrzosowo = Fritzow [Pommern, ↘ Kolberg] 104-105 G 2
Wscherau [= Všeruby] 114-115 N 1
Wschetat = Všetaty 110-111 L 5
Wschowa = Fraustadt 113 A 2
Wszechświęte = Allerheiligen 113 CD 3
Wszembórz = Wembusch 113 D 1
Wszemirów = Schimmerau 113 BC 3
Wtelno = Mělnické Vtelno 110-111 L 5
Wtelno [2 km ↘ Trischin 104-105 L 4]
Wuchern [= Vuhred] 118-119 J 5
Wuchzenhofen [4 km ↘ Leutkirch 114-115 G 5]
Wudicke 102-103 M 5
Wudzyn = Groß Wudschin 104-105 LM 4
Wugarten [= Ogardy] 104-105 G 5
Wülfel = Hannover-Wülfel
Wulfen [Nordrhein-Westfalen] 120 E 2
Wulfen [Sachsen-Anhalt] 110-111 EF 2
Wulferdingsen [3 km ↘ Volmer-dingsen 108-109 G 2]
Wülfershausen an der Saale 110-111 B 5
Wulferstedt 110-111 D 1
Wulflatzke [= Wilcze Laski] 104-105 J 3
Wülfrath 120 E 3
Wulfsen 102-103 H 4
Wulften 110-111 B 2
Wulka 118-119 M 3
Wulka Dubrawa = Großdubrau 110-111 KL 3
Wulkaprodersdorf 118-119 M 3
Wulka Swidnica = Großschweidnitz 110-111 L 3
Wulkenzin 104-105 B 3
Wulke Ždžary = Groß Särchen 110-111 K 3
Wulkow 104-105 A 5
Wulkow [= Ulikowo] 104-105 F 4
Wüllen 108-109 CD 2
Wüllersdorf 118-119 L 1
Wüllersleben 110-111 D 4
Wüllowitz 118-119 GH 1
Wulmstorf 102-103 G 4
Wulpinsee 112 D 4
Wulpińskie Jezioro = Wulpingsee 112 D 4
Wultschau 118-119 H 1
Wültschkau [= Wilczków] 113 AB 3
Wulzeshofen [6 km ← Laa an der Thaya 118-119 L 1]
Wümme 102-103 F 4
Wundichow [= Unichowo] 104-105 K 2
Wundschuh 118-119 J 4
Wünnenberg 108-109 G 3
Wünnewil 116-117 D 3
Wünschel 114-115 M 1
Wünschelburg [= Radków] 113 A 4
Wünschendorf 110-111 F 4
Wünsiedel 110-111 F 5
Wunstorf 102-103 FG 6
Wupper 120 E 4
Wupper [= Wipper] 120 FG 4
Wuppertal 120 EF 3-4
Wuppertal-Barmen 120 EF 3
Wuppertal-Cronenberg 120 E 4
Wuppertal-Elberfeld 120 E 3
Wuppertal-Langerfeld 120 EF 3
Wuppertal-Ronsdorf 120 EF 4
Wuppertal-Vohwinkel 120 E 4
Würben [= Wierzbno] 113 C 4
Würbitz = Vrbno pod Pradědem] 113 C 5
Würbitz = Oberweiden (Oberschlesien) 113 DE 3
Würchland [= Wierzchownia] 113 A 2
Wurchow [= Wierzchowo] 104-105 J 3
Würchwitz [5 km ↗ Meuselwitz 110-111 F 3]
Würdinghausen
⟶
Würenlingen [6 km ↗ Brugg 116-117 F 2]
Würflinger Höhe 118-119 F 4